D1272035

ÉCRITS INTIMES

ROGER VAILLAND

Écrits intimes

nrf

GALLIMARD

Il a été tiré de l'édition originale de cet ouvrage, trente-six exemplaires sur vélin de Hollande van Gelder numérotés de 1 *à* 36 *et quatre-vingt-onze exemplaires sur vélin pur fil Lafuma-Navarre numérotés de* 37 *à* 127.

AVERTISSEMENT

Roger Vailland a laissé plus de 2 000 pages inédites : ébauches de romans, de nouvelles ou de pièces de théâtre, notes pour des essais, et aussi correspondance et journal intime qui forment l'essentiel de ce premier livre.

Les textes présentés ici ont été classés dans un ordre chronologique, le seul, nous a-t-il semblé, qui rende compte avec rigueur de l'évolution d'un homme qui disait lui-même s'être fait au cours de saisons *successives.*

Nous n'avons pas hésité à maintenir des textes hâtivement écrits, malgré ce qu'ils pouvaient comporter d'inachevé dans la forme.

Quelques modifications ont été introduites par rapport aux manuscrits : les lapsus ont été corrigés sans qu'il nous ait paru utile d'alourdir cette édition en le signalant; des passages ont été coupés dans la mesure où il s'agissait le plus souvent de notes à peine ébauchées; enfin des noms propres ont été modifiés ou supprimés par égard pour la vie privée de personnes qui se trouvaient citées.

Je tiens à exprimer toute ma reconnaissance à Jean Recanati qui a bien voulu se charger avec compétence et dévouement de l'ordonnancement et de la présentation de ces Écrits intimes.

Elisabeth Vailland.

Les notes appelées par un astérisque sont de Roger Vailland lui-même.

1923-1934

A quinze ans, Roger Vailland, élève de seconde au lycée de Reims, est « un garçon frêle et doux, assez timide [1] », *qui écrit des poèmes.*

Il a été, dira-t-il dans La Fête, « un enfant craintif, noué ». *Son premier contact avec l'école l'a terrifié — de là viendra peut-être son anxiété cyclothymique de l'automne : une réactivation de cette angoisse qu'éprouvait aussi Pierrette Amable dans* Beau Masque « en sentant l'odeur de grésil, le jour de la rentrée des classes ». *Il est à peine plus à l'aise chez lui : très attaché à sa mère* (« j'en étais amoureux », *écrira-t-il plus tard dans son journal intime*), *il est inhibé devant son père* (« je n'ai jamais eu de meccano, pire : je n'ai jamais osé en demander [2] »).

Catholique par tradition familiale, il est venu à la religion avec ferveur, craignant Dieu, très attentif à ne pas commettre de péché : il croit en l'enfer. Quand arrive l'âge des plaisirs solitaires, il tait son vice, et ses communions sont sacrilèges. Le jour où il en fera l'aveu à son confesseur, il sera, comme Philippe Letourneau dans Beau Masque, *si défait que l'aumônier devra lui faire boire un verre de rhum.*

Brusquement, il a cessé de croire en Dieu. « C'était au moment où je commençais d'étudier la géométrie, *dira Eugène-Marie Favart dans* Un Jeune Homme Seul. Un beau jour, il me sembla aussi absurde de croire en Dieu que de prétendre que les trois angles d'un triangle ne sont pas égaux à deux droits. » *En se libérant*

1. *René Maublanc,* Le Pampre, *1923.*
2. La mort d'un athée, 1944 *(notes inachevées).*

de la crainte de l'enfer, s'est-il pour autant libéré de toute inhibition devant la notion de sacré? Il ne le semble pas : l'irrespect viendra plus tard. Il reste en tout cas mal à l'aise dans la vie, dans son milieu, il aspire à être autre. Quand il découvrira Rimbaud, il sera pris d'un élan fraternel : il se reconnaîtra. « Je meurs, je me décompose dans la platitude, dans la mauvaiseté, dans la grisaille » : le jeune Roger Vailland pourrait le dire, lui aussi.

Pour l'instant, il sait tout juste ce qu'il ne veut pas : ne pas être ce garçon frêle, à la musculature peu développée, ne plus connaître cette existence terne faite de cycles qui se répètent, et où il ne se passe rien, ne pas avoir à compter *avec l'argent, ne pas être ce fils qui reste soumis malgré des velléités de révolte, ne pas être gauche, ne pas être timide avec les filles, ne plus connaître cette disgrâce qui lui rend le bonheur inaccessible.*

Il décide d'être lui-même l'artisan de sa métamorphose. A l'école, pendant les cours de gymnastique, il s'arrêtait net, à l'extrémité du tremplin, incapable de sauter, saisi d'angoisse sous les ricanements de ses camarades [1]. *Il s'oblige à prendre des leçons de boxe, à jouer au football et à s'entraîner à bicyclette. D'autres inhibitions sont plus difficiles à vaincre : il apprend à danser, affronte le dancing pour la première fois à seize ans. La suite se trouve dans* Les Mauvais Coups : « Milan avait invité une inconnue, il avait marché trois mesures; « il faut apprendre à danser » avait-elle dit, elle s'était détachée et était retournée s'asseoir; la danse était un tango. Pendant des années, il n'avait pu entendre un tango sans qu'aussitôt sa poitrine se contractât d'angoisse. »

Voilà l'adolescent qu'il est : rempli d'anxiété pour le présent, et accablé à l'idée que son sort est déjà tout tracé, et qu'il risque, quoi qu'il fasse, d'être impuissant à infléchir le déroulement de sa vie. Vailland le dira, quarante ans plus tard [2] *: le* Jeune Homme Seul, *ce petit Eugène-Marie Favart qui est pris de nausées en assistant à un mariage dans sa famille, et qui se dit : « Alors, qu'est-ce que va être ma vie? Je vais faire comme eux, je vais finir mes études, et puis je vais avoir un métier, une situation, une carrière, et puis je vais me marier, je vais avoir des enfants, et puis je vais travailler pour leur faire aussi une situation, et puis je vais mourir et il ne se sera rien*

1. La Fête.
2. Interview sur La Truite *(Lectures pour Tous, Télévision française).*

passé, il ne se sera rien passé que ça... Je vais recommencer comme mon père, comme mon grand-père, c'est absolument bête, c'est insupportable, c'est invivable et jamais je n'accepterai » — *ce garçon-là, c'est lui, tel qu'il était à Reims, à quinze ans.*

La poésie est à la fois refuge et revanche. Écoutons encore Vailland : « Nous étions, entre 1920 et 1925, dans un lycée de province, quatre garçons fort pauvres (...)

« Notre fierté se rebella; nous n'admettions pas d'être vaincus dès le départ; et nous avions de solides appétits. Nous décidâmes de devenir poètes.

« Les grosses voitures, les femmes à fourrures, le baccara, le whisky sous la véranda des grands hôtels, le pouvoir sur les hommes, tout ce qui nous paraissait délectable nous était interdit. Mais les voies de l'Esprit nous restaient ouvertes, qui nous permettaient de nous égaler aux plus riches, aux plus puissants, de les surpasser, de leur donner des leçons [1]. »

Un poème de Vailland est publié au début de l'année 1923 dans la revue littéraire de Reims, Le Pampre, *qui compte parmi ses animateurs René Maublanc, professeur au lycée. Dans le même numéro paraît un poème de Roger Gilbert-Lecomte, qui est, pour Vailland, l'ami le plus proche, dans la vie et dans le rêve. Dès l'année suivante, les noms des deux garçons figureront dans la liste des collaborateurs littéraires de la revue, à côté de celui de Paul Fort que Vailland considère alors comme son maître...*

Si le jeune Roger Vailland avait seulement recherché la gloire, ce début de carrière littéraire l'eût comblé. Mais si plaisantes que soient les satisfactions de vanité, c'est d'autre chose qu'il est en quête — mais qu'il serait, lui-même, bien en peine de définir. La grâce peut-être? La grâce dépouillée de son contenu mystique, la grâce en tant que contraire de cette intolérable disgrâce qu'il sent confusément peser sur lui.

Ils sont quatre, au lycée de Reims, à connaître le même mal de vivre : René Daumal, Roger Gilbert-Lecomte, Robert Meyrat et Roger Vailland. Cherchant à s'évader d'une vie médiocre, ils ont découvert la poésie; ils découvrent aussi la drogue.

C'est Daumal qui est sans doute à l'origine de la découverte; il utilise, pour sa collection de papillons, du tétrachlorure de carbone, qui a, respiré par l'homme, des effets hallucinogènes... Il en fera

1. Le Regard Froid.

part à ses camarades. Ainsi se fera pour Vailland l'entrée dans la drogue, une longue succession d'accoutumance et de sevrages, jusqu'au sevrage définitif, en 1947. Qu'est-ce que la drogue? Duc le dira dans La Fête : *un cocon,* « le cocon qui protège du monde comme le ventre d'une mère ». *Pour Roger Vailland encore adolescent, la drogue est déjà l'antidote du spleen.*

Elle est aussi le moyen de se rendre maître de son temps intérieur. « A dix-sept ans, *dira Marat dans* Drôle de Jeu, je m'étais fabriqué une sorte de baromètre dont les graduations marquaient, au-dessus de zéro, tous les stades de l'aisance intellectuelle et de l'allégresse jusqu'à « l'extase », au-dessous de zéro tous les degrés de la mélancolie, de la dépression, du dégoût de soi-même, jusqu'à cet état limite où seule la conscience de pouvoir se tuer à n'importe quel moment rend tolérable un prolongement de l'existence perpétuellement considéré comme provisoire. »

Drogue et poésie vont de pair, chez ces élèves du lycée de Reims. Du tétrachlorure de carbone ils en viennent à des drogues plus sérieuses. Leur démarche est pleinement lucide : c'est bien dans un long, immense et raisonné dérèglement de tous les sens qu'ils entendent s'engager. Quant à la poésie, elle est, elle aussi, un moyen de s'évader du réel.

Des poèmes à la manière de Paul Fort, Roger Vailland et ses camarades passent aux haïkaï, ces épigrammes japonaises de dix-sept syllabes en trois vers, dont le genre vient de s'introduire en France, puis, très spontanément, des haïkaï à l'écriture automatique. Ils ignorent tout du surréalisme, ce n'est pas une mode littéraire qui les guide. Nous sommes des « anarchistes de la perception », dit Vailland. Refusant le monde tel qu'il est, ils le rejettent en bloc, et la Raison avec lui.

Daumal, Lecomte, Meyrat et Vailland ont créé le patronage des simplistes, *ils s'intitulent entre eux les « Phrères Simplistes ». Qu'est-ce que le simplisme?* « Nul sens à chercher sous ce mot, *écrira Daumal* [1]. Pourtant, il y a peut-être là quelque analogie avec cet état d'enfance que nous recherchons — un état où tout est simple, facile (...). Cette facilité vers quoi nous tendons est ce que les théologiens appellent la grâce (...). Pour nous quatre simplistes, l'essentiel est cette évasion, cette grâce. »

1. Lettre à Maurice Henry, 8 juin 1926 (René Daumal, Lettres à ses amis, *Gallimard, 1953).*

Quelques mois plus tôt, ils avaient poussé plus loin la logique qui les avait conduits à « briser les cadres humains » : ils avaient conclu entre eux un pacte de suicide collectif. « *Nous avions fait le serment de nous suicider le jour de nos dix-huit ans.* » *Ce n'était pas un serment d'enfant : en mars 1925 un professeur du lycée découvrit le plus âgé des quatre garçons, un revolver à la main : il était le premier à échéance...* « Ce que nous admirions, *dira Marat dans l'un de ses monologues intérieurs de* Drôle de Jeu, c'était R. D. [1] appuyant contre sa tempe un revolver à barillet dont il savait que l'un des huit cylindres, mais lequel ? était chargé : pour la vie, pour la mort, à un contre sept, à sept contre un, sans pathétique, en rigolant, juste pour signifier que rien n'avait d'importance. »

Voilà dans quoi baigne Roger Vailland pendant son adolescence. Il faut y ajouter une autre composante, essentielle : la privation de femmes, d'autant plus ressentie que son attirance est très vive. Eugène-Marie Favart « n'avait jamais approché de femme. Il y pensait énormément. L'idée de sa main sur une poitrine ou sur un ventre de femme suffisait à provoquer en lui une angoisse qui vidait ses jambes de sang et les faisait fléchir. Cela avait commencé au cours de sa treizième année et ne lui laissait plus de repos ». *La poésie est une compensation — comme l'onanisme.*

Car, quelque désir qu'il en ait, les femmes lui sont inaccessibles. Pourquoi inaccessibles ? A cause du puritanisme familial, dira-t-il dans une note médico-biographique qu'il destine, en 1950, à un médecin de Rome. A cause du manque d'argent et du manque de liberté, dira-t-il ailleurs (La Fête, Le Regard Froid). *Mais passé l'adolescence, Vailland ne tardera pas à savoir que* « quand un homme veut une femme, il l'a ». *S'il n'a pas, adolescent, les femmes qu'il désire — ou qu'il croit si fortement désirer — c'est que s'il s'imagine affranchi de la hantise du péché, il en est encore, comme Frédéric de* Drôle de Jeu, *au stade de la peur des femmes. Le libertin Vailland se débat dans sa préhistoire, dans ce qu'il appellera plus tard* « l'âge de l'onanisme solitaire », *où* « le moi source de plaisir s'oppose à lui-même avant d'être assez hardi pour conquérir les objets de son plaisir, avant de devenir sujet,

1. Robert Desnos.

être de plaisir [1] ». « Le plaisir se refuse à qui le méprise, *écrira-t-il encore* [2]; il fuit dès qu'il pressent qu'il sera l'objet d'un remords (...), il requiert un esprit libre. »

Pour l'heure, il en est à guetter derrière les rideaux de sa maison particulière de Reims les jeunes ouvrières qui passent sous ses fenêtres à la sortie de l'usine comme Eugène-Marie Favart, et comme Philippe Letourneau guettera, caché dans la roseraie de sa propriété, l'inaccessible Pierrette Amable allant rejoindre Beau Masque.

(Lorsque Roger Vailland sera devenu romancier et libertin, il lui restera, de cette saison de sa vie, une matière pour son œuvre : s'il y a, dans tous ses romans, un personnage dans lequel il se projette directement, il y a aussi un autre personnage [mais il s'agit parfois du même] qui porte la marque du Vailland inhibé de sa préhistoire : dans Drôle de Jeu, *Frédéric, qui est gauche, qui a peur des femmes, et qui se dissimule cette peur à lui-même ; dans* Les Mauvais Coups, *Milan fuyant devant Hélène; dans* Bon Pied Bon Œil, *Rodrigue, que le naturel d'Antoinette Larivière rend impuissant ; dans* Un Jeune Homme Seul, *Eugène-Marie Favart, incapable de donner forme à ses désirs ; dans* Beau Masque, *Philippe Letourneau, un Eugène-Marie Favart qui n'aurait pas grandi ; dans* 325 000 francs *Busard, trop respectueux avec Marie-Jeanne et possédé par elle ; dans* La Loi *Francesco Brigante, pris d'angoisse quand Donna Lucrezia s'offre à lui, et dont une connaisseuse, la putain de Foggia, dira, après quelques minutes d'expérience : « c'est une gonzesse » ; dans* La Fête, *Jean-Marc Lemarque qui ne sait pas vouloir une femme, et qui a, au lit, des caprices d'enfant vicieux; dans* La Truite, *Galuchat et Rambert qui appartiennent à la même famille des* disgraciés. *Le Vailland adolescent fournira ainsi au Vailland libéré des tabous un* négatif *dans l'élaboration de sa morale libertine, où le lit joue le rôle de révélateur* — « les voici nu à nue dans la solitude du lit et sommés de faire leurs preuves ». *Et si Vailland a pris tant de plaisir à s'accomplir dans son libertinage, c'est peut-être que sa mue n'a pas cessé de l'émerveiller : Danceny devenant Valmont et le puceau Vailland Don Juan-Vailland.)*

Dans l'intervalle, les « Phrères Simplistes » de Reims grandissent ; ils ont passé leur baccalauréat de philosophie en juillet 1925. Vailland

1. Entretiens de Madame Merveille...
2. Esquisses pour un portrait du vrai libertin.

et Daumal ont décidé d'entrer en hypokhâgne à Paris. Roger Gilbert-Lecomte fera sa médecine.

Ils songent en marge de leur travail scolaire à créer une revue où s'exprimerait l'idéologie du simplisme. Ils ont découvert un peu plus tôt à Reims le numéro un de la Révolution surréaliste; *ils ont constaté (avec surprise) que d'autres, à Paris, faisaient des recherches dans la même direction qu'eux-mêmes; ils tiennent à garder leur physionomie propre.* « Ils s'estiment proches des surréalistes, leurs aînés, mais ils mettent plus de rigueur, estiment-ils, à déduire toutes les conséquences de la révolte surréaliste. Tout remettre en question dans tous les instants et parallèlement, selon le langage de l'époque, *battre sa mère tant qu'elle est chaude*, tel est leur programme [1]. »

A Paris, le jeune provincial qu'est encore Roger Vailland subit tout le poids de son provincialisme. Manquant d'aisance (moins faute d'aisance réelle qu'à cause de la conscience accablante qu'il a de son manque d'aisance), il se sent comme ces adolescents dont il parlera dans ses Remarques sur la Singularité d'être Français, *qui viennent dans la capitale pour la première fois, et qui, entrant au café, ont peur de faire sourire le garçon. Ou encore comme Bernis* : « J'arrivai à Paris avec l'accent languedocien. » *Mais Bernis est un homme de caractère :* « Les plaisanteries de mes camarades me le firent perdre dans les trois mois. » *Vailland s'obligera à dépasser tout aussi vite son provincialisme : il se fera dandy.* « Je me rappelle, *racontera son camarade de khâgne Robert Brasillach* [2], un garçon au visage osseux, aux cheveux longs, volontiers porteur d'une pèlerine qui lui donnait un air byronien (...) C'était Roger Vailland, à coup sûr un des personnages les plus extraordinaires de notre classe. Il nous apportait *Le Manifeste du surréalisme*, *Poisson soluble* et les poèmes de Paul Eluard. Il nous traduisait « mot à mot » Mallarmé et Valéry (...) Il nous chantait les mérites de l'acte gratuit — qu'il nommait acte pur — et l'écriture automatique. Il était le Lafcadio de Gide incarné pour nous, et bien qu'il soit rare d'admirer quelqu'un de son âge, il est exact que nous l'admirions. »

Roger Vailland est en pleine transformation : il a connu une

1. La Fête.
2. Notre avant-guerre *(Plon)*.

jeune fille, dont il est amoureux ; il l'appellera Mimouchka dans la vie et Isabelle dans La Fête. *Sa liaison clôt le chapitre de ses inhibitions devant les femmes; elle est également l'occasion d'une rupture avec ses parents. Une maladie l'a empêché de se présenter au concours d'entrée à l'École Normale Supérieure ; il renonce à poursuivre ses études, il travaillera pour gagner sa vie. Roger Vailland prendra pleinement conscience, après coup, de l'importance de cette période dans sa maturation : dans le document médico-biographique déjà cité, il écrira en 1950 :* « A dix-huit ans, scarlatine grave avec complications (...) dont la guérison s'accompagne d'une révolution psychique : disparition de la timidité, rupture avec la famille, indépendance matérielle rapidement conquise par le travail, cohabitation de deux ans avec une étudiante, vie sexuelle absolument normale. »

Vailland se persuade qu'il a maintenant la grâce. « Il y a des gens, *explique-t-il à ses camarades* [1], qui, placés devant deux boutons électriques dont l'un est ouvert et l'autre fermé, s'ils veulent fermer celui qui est ouvert se tromperont toujours. Il y en a qui ne se tromperont jamais. Les premiers n'ont pas *la grâce*, les autres ont *la grâce.* »

Lui en a fini avec ses disgrâces de l'enfance et de l'adolescence ; il ne lui reste plus comme problèmes personnels que ceux de l'intendance : quel travail entreprendre qui lui permette de vivre? Vailland fait le tour des salles de rédaction ; il réussit à entrer à Paris-Midi. *Mais il s'agit pour lui d'une activité seconde, même si elle lui prend la plus grande partie de son temps : l'essentiel de sa vie est ailleurs.*

Ailleurs, c'est-à-dire aux côtés de Daumal et Lecomte dans la préparation de leur revue. Le titre avait été trouvé (par Vailland semble-t-il) : Le Grand Jeu. *Les fonds avaient également été trouvés (grâce à l'éditeur Léon Pierre-Quint qui s'intéressait à Lecomte). Des rapports s'étaient établis avec les surréalistes, qui avaient soumis les jeunes gens à un véritable examen de passage avant de les estimer dignes de figurer à leurs côtés.*

Pendant quelques mois, la vie de Vailland s'ordonne exactement comme il aurait pu le souhaiter : l'ex-jeune homme seul vit avec Mimouchka, le provincial fréquente les bars de Montparnasse et s'initie à la vie parisienne ; il a Paris-Midi *pour vivre et* Le Grand Jeu *pour répondre à sa vocation.*

1. *Robert Brasillach,* ouvrage cité.

Des fissures ne tarderont pas à se produire. A l'intérieur de l'équipe du Grand Jeu *d'abord. Daumal a fait la connaissance d'Alexandre de Salzmann, disciple de Gurdjieff. Rencontre pour lui essentielle : il s'engagera désormais de plus en plus dans une démarche mystique, fortement influencée par les philosophies de l'Inde. Daumal veut pousser jusqu'à son extrême limite cette recherche de l'extase et de la grâce à quoi se livrait le petit groupe de Reims. Vailland s'éloigne. Est-ce déjà chez lui une manifestation spontanée de cette « distance » à la Marat ou à la Don Cesare, dont il se fera plus tard — mais seulement plus tard — une règle? Est-ce plus simplement qu'ayant surmonté ses problèmes personnels grâce à Mimouchka, et cessant de se sentir disgracié, il n'est plus celui qu'il était à Reims? Il ne tarde pas à rompre avec Daumal. Leurs chemins, désormais, vont diverger.*

Revenant sur cet épisode de sa vie en 1944, Vailland écrira : « Daumal ne pouvant acheter une auto fait des exercices respiratoires à la manière des yoghis. Mon père victime du chômage, se retire au couvent aussi souvent qu'il le peut. Sincères ces deux-là, mais « réalisant » le rêve compensateur. » *Et quelques mois avant sa mort, il notera, dans son journal intime*[1] *:* « Je n'ai plus aucune tendresse pour Roger Gilbert-Lecomte, encore moins René Daumal, souvenirs. Ce qui survit, souvenir, c'est moi, à tâtons mais inflexible, échappant précautionneusement à une histoire que j'avais inventée et qu'ils continuaient de vivre. » *Mais il est, sur le moment, très atteint par la rupture, et par la dislocation du groupe des « Phrères Simplistes » qui était devenu sa famille d'élection.*

Un autre événement contribuera à l'enfoncer de nouveau dans la mélancolie : son exclusion du groupe surréaliste. Il avait écrit dans Paris-Midi, *sur un sujet anodin, un court article où il était question du préfet de police Chiappe, « épurateur de notre capitale ». Il est aussitôt mis en accusation par les surréalistes. Vailland invoque pour sa défense sa qualité de salarié, de prolétaire de la plume : reproche-t-on aux ouvriers des usines d'armement de tourner des obus? Le « tribunal » surréaliste rejette l'argument et prononce l'exclusion.*

D'après le témoignage de ses amis de l'époque, Vailland fut profondément affecté par cette décision, qui le marquait d'infamie.

1. *31 juillet 1964.*

Dans une œuvre romanesque où l'histoire de sa propre vie lui a fourni tant de thèmes à transposer, on n'y trouve guère d'allusions. Une ligne dans Un Jeune Homme Seul : « l'amertume et le désespoir qui sont le lot des excommuniés », *trois lignes dans* Beau Masque : « Seuls les militants éprouvés, congédiés pour des raisons politiques avouées ou non, échappent à ce sentiment de honte consécutive à toute excommunication. » *Mais Vailland a dit aussi :* « On ne raconte pas ses humiliations. »

Rejeté par ceux qu'il considérait comme ses pairs (et qui étaient aussi ses aînés, sur lesquels il avait tendance à se modeler), Vailland entre dans une nouvelle période d'angoisse. Une occasion s'offre de sortir du cycle quotidien : son journal l'envoie en Éthiopie assurer le reportage sur le couronnement de l'empereur Hailé Sélassié. Vailland croit aux intersignes : le voilà de nouveau face à Rimbaud. Il décide de rester en Éthiopie, se lie sur place à un personnage étrange, mi-homme d'affaires, mi-aventurier, qui va, grâce à ses relations à la Cour d'Addis-Abéba, monter une vaste entreprise de pêcherie. Vailland travaillera avec lui. Il sera lui-même un de ces « brasseurs d'argent » qui, depuis l'enfance, le fascinent. Ce sera, pourquoi pas? la fortune, une autre manière de ne pas être un petit bourgeois.

L'aventure en Éthiopie se terminera dramatiquement : l'homme d'affaires-aventurier est assassiné, et Vailland retourne à son journal, à ses fins de mois difficiles (« Un salarié, *dira Marat*, quel que soit son traitement, gagne toujours un peu moins d'argent qu'il n'en a besoin »), *à son emploi du temps pénible qui l'oblige à se lever à six heures chaque matin* (« Je n'ai pas plus de raison pour me lever que pour rester couché, *dira Eugène-Marie Favart;* un jour je me tirerai une balle dans la tête, pour ne pas avoir à choisir »).

Il a rompu avec Mimouchka qui était jalouse, il joue de plus en plus au dandy; il a des aventures, il se drogue, il a ses périodes de fête, mais il est souvent las de tout. Un jour de 1934, il écrit à son vieux camarade de khâgne Jean Beaufret : « L'ancien monde achève de se désagréger. Lecomte est fou et passe ses rares instants de lucidité à essayer de prouver qu'il est encore intelligent; Daumal joue au mâle qui protège son épouse (...) On ne parle plus des surréalistes; les gens de gauche deviennent fascistes; je ne me drogue plus depuis quatre mois et je ne donne plus des leçons de morale à des petites filles, François est mort [1] et je laisse se former celui qui va lui succéder. »

C'est, pour Vailland, la fin d'une saison. Il en a — au moins provisoirement — terminé avec son adolescence. Il a vingt-sept ans.

1. Roger Vailland se faisait appeler par ses camarades : François, son deuxième prénom.

[1923]

Reims, le 30 avril 1923[1]
[A M. René Maublanc]

Cher Monsieur,

J'ai lu avec plaisir dans *Le Pampre* qui vient de paraître l'aimable préface que vous avez faite à mon petit poème[2]; d'autre part, j'ai reçu votre brochure sur les haïkaï : il me faut donc doublement vous remercier.

Je vous envoie ci-joint quelques haïkaï que j'ai faits ces temps-ci. J'espère que vous les jugerez avec votre indulgence habituelle.

Veuillez agréer, cher Monsieur, l'assurance de mes sentiments respectueux.

Roger Vailland.
283 av. de Laon.

1 *Roger Vailland, né le 16 octobre 1907, a quinze ans et demi.*

2. Le Pampre, *revue littéraire de Reims, avait publié dans son n° 7-8 deux poèmes : l'un de Roger Vailland,* En vélo, *l'autre de Roger Gilbert-Lecomte,* Les Souvenances. *Sous le titre* Deux vrais jeunes, *René Maublanc, professeur au Lycée de Reims, avait ainsi présenté les deux poètes de quinze ans :*

« *Ce sont des débutants. Encore sont-ils des débutants précoces. Élèves de seconde au Lycée de Reims, ils n'ont guère plus de trente ans à eux deux. Ils sont amis intimes et ne se ressemblent pas du tout.*

« *Roger Vailland avait à peine quatorze ans quand il écrivit, l'année dernière, la pièce qu'on lira plus loin. C'est un garçon frêle et doux, assez timide. Son esprit a de la grâce et de la fantaisie. De lui-même, il a laissé les sentiers battus et, en bon Champenois, il a pris pour guide Paul Fort. Il sait observer et peindre, avec une*

Hermeton-sur-Meuse, 8 sept. 1923
[A M. René Maublanc]

Cher Monsieur,

J'ai reçu votre aimable carte : excusez-moi d'avoir mis si longtemps à vous répondre, mais elle est restée quelque temps à Reims avant de me parvenir.

Je ne peux hélas ! pas vous envoyer le gros paquet de poèmes dont vous parlez car je n'ai pour ainsi dire rien écrit depuis que je suis ici. Je ne manque pourtant pas d'idées, mais je suis presque honteux de m'attarder à faire de mauvais vers alors que toutes les routes me sont ouvertes. Ajoutez à cela ma naturelle paresse et vous comprendrez.

Ce sera pour plus tard et j'espère avoir plus de courage en rentrant à Reims dans une quinzaine de jours.

Agréez, cher Monsieur, l'assurance de mes sentiments respectueux.

Roger Vailland.

adresse naïve, avec une ironie sentimentale qui sent bien sa Champagne. Il possède déjà une technique adroite, et le sens de ce rythme familier et bon enfant qui fait le charme neuf des Ballades françaises.

« *Roger Lecomte, qui est du même âge, a, au physique comme au moral, un tempérament plus vigoureux, moins tendre et plus hardi. Mais on ne penserait pas que ce gaillard cache, sous un corps musclé et bien balancé, une âme si tumultueuse.*

« *Métaphysicien prématuré, il ne craint pas d'évoquer en alexandrins la création du monde et la naissance de l'homme — tout simplement. Il rêve plus qu'il ne regarde, il ambitionne peut-être plus qu'il ne réalise. Mais on aimera sa fougue et le déchaînement de sa jeune force. Il se débat contre les exigences de la versification, tantôt enfermé dans le cadre trop rigide du vers classique, qu'il fait craquer par mille licences, tantôt errant à l'aventure dans les terrains vagues du vers libre. Il semble imiter tour à tour Verhaeren, René Ghil ou Blaise Cendrars ; les a-t-il lus seulement ? Mais il n'est pas nécessaire d'avoir lu un auteur contemporain pour l'imiter. Quand on est vraiment de son temps, il y a des formes artistiques, comme des idées philosophiques, morales et sociales, qui vous baignent, qui sont l'atmosphère intellectuelle de l'époque, et qu'on respire sans le savoir, sans le vouloir. Et ces deux enfants sont bien de leur temps.*

« *C'est une des missions essentielles d'une revue régionale de découvrir et d'aider à se révéler les jeunes vocations littéraires. Aussi* Le Pampre *est-il tout particulière-*

Reims, 31 janvier 1924
[A M. René Maublanc]

Cher Monsieur,

Je vous envoie ci-joint les poèmes que je vous avais montrés l'autre dimanche. J'y joins deux de ceux que vous avez vus au mois de juillet dernier. Je vous enverrai dès qu'ils seront terminés ceux dont je vous ai parlé sur les trains.

Leur conception a été bien avancée du fait de l'exaltation où m'a jeté durant quelques jours le départ de mon ami Long qui s'est enfui du lycée où il est pensionnaire, sans autre raison que sa soif d'inconnu, — l'appel des trains.

ment heureux de souhaiter aujourd'hui une affectueuse bienvenue aux benjamins de ses collaborateurs. »

Voici le poème de Roger Vailland que publiait ce numéro du Pampre :

EN VÉLO (*)

« Sur la route blanche, à l'infini, tout l'horizon va à reculons.

« Le pédalier monte et descend, d'un rythme lent et monotone. Sur le sable la roue décolle régulièrement, en ronronnant. Mes cheveux se sauvent derrière moi, vers de gros cailloux qui chatoient.

« Sur la route blanche, à l'infini, tout l'horizon va à reculons.

« Un vent, qui vient de je ne sais où, s'est jeté dans mes bras tout à coup. Hardi mes muscles! Je l'attaque. Il chancelle : poitrine gonfle-toi! Holà! hip! hip! hourra! Victoire! J'enserre tout le vent dans mes bras.

« Sur la route blanche, à l'infini, tout l'horizon va à reculons.

« Au loin, naissent de blancs tourbillons aux ronflantes et lourdes cadences. Rythme effarant des camions qui s'approchent au souffle ahanant de leurs moteurs époumonnés. Ils passent et me laissent empoussiéré.

« Sur la route blanche, à l'infini, tout l'horizon va à reculons.

« Et mon vélo poursuit sa route. Il passe, au milieu des villages semés par les plaines, aux carrefours, comme de gros puddings sur des tables. Deux peupliers et quatre pins, là-bas, semblent de carton peint.

« Sur la route blanche, à l'infini, tout l'horizon va à reculons.

« Oh! la cadence du pédalier, sous le soleil qui pèse lourd, lourd, lourd. Je tends mes yeux exorbités vers les lointains qui fuient toujours. J'oublie peu à peu qui je suis. Seigneur! Vais-je toujours m'enfuir, toujours m'enfuir sur la route blanche où l'horizon va à reculons? »

(*) Faut-il rappeler que pour saisir le rythme de ces vers de huit pieds, il faut éliminer toutes les muettes, sauf lorsque celles-ci sont précédées de deux consonnes?

Sur la rout' blanch' à l'infini,
Tout l'horizon va à r'culons.

C'est bien là mon sujet; j'espère en tirer quelque chose de bien, mais hélas! le temps me fait défaut.

Je vous remercie encore une fois de toute l'attention que vous témoignez pour mes petits essais littéraires.

Bien respectueusement à vous :

Roger Vailland.

P.-S. — Il est toujours bien entendu que vous ne m'écrivez à propos de ces poèmes que par l'intermédiaire de mon ami Lecomte. Je vous en remercie d'avance.

Reims, 3 mars 1924
[A M. René Maublanc]

Cher Monsieur,

J'ai reçu votre lettre et votre jolie brochure de haïkaï : je vous remercie beaucoup de tout cela.

Je n'ai pas terminé mon poème sur l'appel des trains : mon enthousiasme pour Long qui me l'avait fait concevoir sous sa nouvelle forme étant soudain tombé quand je l'ai revu il y a quelque temps : il est rentré chez lui tout bêtement quand il n'a plus eu d'argent. Il me faut quelque temps pour revenir à ma première façon de le voir.

Je vous envoie ci-joint deux poèmes faits récemment. J'y ajoute un nouveau poème dans le genre du « Goulat-Favre », puisque les deux premiers vous ont plu.

Je vis toujours de la même vie monotone, travaillant beaucoup pour préparer ce maudit bachot; je ne pense pas aller à Paris avant cette époque.

Je vous remercie une fois encore de votre jolie brochure.

Bien respectueusement à vous :

Roger Vailland.

Hermeton-sur-Meuse, 9 septembre 1924
[A M. René Maublanc]

Cher Monsieur,

Voici qu'approche la fin des vacances et que bientôt je vais rentrer à Reims et je ne vous ai pas encore écrit. Je reculais toujours espérant pouvoir vous envoyer quelques pages de travail, mais j'y renonce maintenant. J'ai entrepris en effet des œuvres de trop longue haleine pour pouvoir vous les soumettre si vite.

D'une part, j'ai commencé une pièce de théâtre en vers mêlés de prose, qui devrait se jouer avec des acteurs masqués ou simplement des pantins de guignol. Le sujet en est l'histoire d'un groupe de jeunes gens et de jeunes filles qui s'en vont parce qu'ils s'ennuient à travers un univers qui leur paraît se composer uniquement de fleuves et de trains. Ils s'augmentent les uns les autres leur folie et bientôt assassinent un vieillard sans aucun but, uniquement pour commettre un acte pur. Ensuite ils se jettent tous ensemble sous les roues d'un train en chantant un chœur que je voudrais très beau.

D'autre part j'ai commencé un roman qui racontera les vacances d'un jeune homme dans un village d'Auvergne. Ce sera très bucolique. Le fond du roman sera l'exposé d'une sorte d'alchimie de la Joie, de mysticisme appliqué aux jouissances des sens mais il n'y aura pas un mot de ce jargon barbare, l'idée se dégagera simplement d'une suite de descriptions et je donne tous mes soins à faire vivre le village et ses habitants tels que je les sens.

Mais n'allez pas croire d'après cela que je passe tout mon temps à écrire des choses plus ou moins étranges comme un petit pédant. Je suis malgré le mauvais temps qui d'ailleurs sied à merveille à la Belgique plus souvent sur les routes qu'à la maison. Pour le moment je rentre d'un voyage de quinze jours à travers toute la Belgique. J'ai été successivement et délicieusement seul à Bruges, à Gand, à Anvers, à Bruxelles, à Liège, partout où l'on peut aller. Bruges et Anvers pour des raisons différentes m'ont particulièrement retenu. Maintenant je rayonne autour de la vallée de la

Meuse et tout le long, de Charleville jusqu'à Namur. Et comme je vais presque toujours seul j'arrive à goûter le pays d'une manière toute personnelle et assez bizarre.

Mais c'est assez vous ennuyer avec ma personne ; j'espère que ces deux mois se sont bien passés pour vous et que vous avez pu quitter Paris quelque temps ; je serai heureux de recevoir de vos nouvelles.

Bien respectueusement à vous

Roger Vailland.

jusque vers le 17 :
à Hermeton-sur-Meuse
Province de Namur, Belgique
ensuite : 283, av. de Laon, Reims.

14 janvier 1925
[À M. René Maublanc]

Cher Monsieur,

J'espérais aller pour Noël à Paris et pouvoir vous y présenter de vive voix mes vœux pour 1925 et vous y entretenir de mes travaux et de mes projets. Mais comme mon voyage est remis à je ne sais quand, et comme vous ne venez pas souvent à Reims, je vous envoie par cette lettre mes meilleurs vœux.

Je veux en même temps vous annoncer que j'ai finalement décidé de préparer l'an prochain l'École Normale. Non que je me sente une vive vocation pour le métier de professeur : j'ai procédé par élimination et c'est après tout celui qui me déplaît le moins, et sans doute le seul dont je sois capable. Mes parents sont enchantés que j'aie fait enfin un choix ; pour moi ce genre d'études ne me déplaît pas ; je sais que les examens sont horriblement difficiles, mais puisque les autres y arrivent...

Ce qui est moins gai, c'est qu'il me faudra sans doute être l'année prochaine pensionnaire dans un lycée de Paris. Monsieur Espian dit bien qu'il vaut mieux être pensionnaire dans un lycée de Paris, qu'externe à Reims : je me vois mal enfermé toute la semaine, même avec la perspective d'un merveilleux dimanche. J'espère en un miracle...

Je fais donc ma philosophie avec Monsieur Déat. Je ne me laisse pas influencer, comme vous le disiez, par son très grand bon sens, je réagis au contraire et il m'a trouvé récemment « légèrement faisandé » ce dont j'ai été très flatté. Nous maintenons comme l'an dernier l'étrange atmosphère de la fameuse classe et nos compagnes féminines elles-mêmes sont atteintes par ces souffles morbides. A part cela, la philosophie m'intéresse beaucoup; je pourrais vous dire toutes sortes de choses sur les sensations qu'elle me procure mais à moins de faire une lettre immense je ne vous dirais que des banalités, je me tais donc. L'année d'ailleurs est exquise; un bon travail et beaucoup de temps pour se promener.

Je peux donc travailler autant que je veux à cette tragédie surréaliste dont je vous parlais à la fin des vacances ou à tout autre ouvrage poétique; c'est bien ce que je fais, mais pas autant que je ne le devrais; et tout cela serait terminé si je me promenais moins. J'espère cependant pouvoir vous la soumettre d'ici Pâques, ainsi que quelques poèmes qui sont sur le chantier.

Je termine, cher Monsieur, en vous assurant de mes sentiments respectueux.

Votre dévoué,

Roger Vailland.

Montmorency, le 18 août 1925
[A M. René Maublanc]

Cher Monsieur,

J'ai bien reçu votre lettre et les trois photos dont je vous remercie.

J'ai quitté Reims définitivement il y a une quinzaine de jours et j'habite maintenant Montmorency. J'aime beaucoup les grands départs qui me donnent l'illusion d'obéir à mes frères les trains, mais là il me fut pourtant dur de quitter mes chers amis. Mes parents en sont pourtant ravis.

Déménagement et emménagement m'ont empêché de faire grand-chose jusqu'à ces derniers jours : mais je suis maintenant au travail et j'ai déjà achevé deux poèmes d'une suite destinée à rapporter heure par heure une nuit dans ma chambre de Reims, sans quitter d'ailleurs les sensations immédiates fournies par le contact de mon corps, des murs de la chambre et les bruits extérieurs[1].

Je vais en outre entamer une ou deux nouvelles en monologue intérieur. Vers le 15 septembre, je reviserai ma tragédie. Mais la plus grande partie de mon temps est encore consacrée à hanter la forêt de Montmorency, et en vélo l'Ile-de-France jusque vers Senlis et Ermenonville.

Je suis, cher Monsieur, très respectueusement vôtre,

Roger Vailland.

J'ignore encore à quel lycée j'irai au mois d'octobre.

Montmorency, 17 septembre 1925
[A M. René Maublanc]

Cher Monsieur,

Voici la fin des vacances et je vais rentrer en Octobre au Lycée Louis-le-Grand.

Je serais heureux de pouvoir vous rencontrer avant la rentrée et bavarder un instant avec vous; j'ai un peu travaillé et quelques nouveaux poèmes me sont nés.

Vous seriez donc bien aimable de m'envoyer un mot me fixant rendez-vous pour un jour quelconque de la semaine prochaine.

Je suis, cher Monsieur, très respectueusement vôtre,

Roger Vailland

13 *bis*, rue de Joigny
Montmorency (Seine-et-Oise)

1. *Roger Vailland allait intituler cette série de poèmes* Nuit d'ange.

Mercredi soir [octobre 1925]
[A M. René Maublanc]

Cher Monsieur,

Je trouve seulement en rentrant ce soir votre lettre.

Comme d'une part, étant pas mal sorti cette semaine, je me trouve être accablé de travail, et comme d'autre part je ne pourrais vous amener Daumale[1] non prévenu, il m'est impossible de passer chez vous demain à 2 heures.

Je le regrette beaucoup. Mais je pense que Jeudi prochain, je serai libre et Daumale aussi. Je pourrais alors vous raconter toutes les désillusions d'une pitoyable rentrée et comme de plus en plus je me sens dans un milieu étranger et presque hostile. Je préférerais des brutes complètes comme j'en ai parfois connu à mes camarades, hélas, cultivés.

Sauf contre-ordre de votre part, je serai donc chez vous jeudi prochain vers 2 heures.

Je vous prie de m'excuser si ma lettre ne parvient pas assez tôt pour vous éviter une attente vaine, et je suis respectueusement vôtre :

Roger Vailland.

1. Les « Phrères Simplistes » de Reims s'amusaient à déformer leurs noms : Daumal devenait Daumale, et Vailland, Vaillant.

[1926]

Mardi, 2 août 1926
[A Roger Gilbert-Lecomte]

Mon cher Roger,

Ta lettre m'a été très bonne et pour maintes causes. D'abord parce qu'elle rompait un long silence qui m'était très pénible; la « conspiration » n'a pas dû t'étonner, car tu connais ma sensibilité suraiguë pour ces choses; comme quand je te dis « Roger, tu es acariâtre ce soir ». Bonne parce que Mimouchka te plaît, de même qu'elle m'a écrit que tu lui plaisais; je craignais toujours dans le temps, que le jour où j'aurais une passion, cela n'entraîne, venant de part ou d'autre, quelques chocs entre nous, ou de pénibles tiraillements du pauvre François entre des êtres qui ne s'aiment pas[1]. Tout cela est très bien.

Bonne aussi par l'annonce de la naissance enfin de la revue simpliste. Voici mes premières pensées à ce sujet :

1. *Le manifeste* — Il me répugnerait assez qu'il y ait un manifeste. C'est tout de suite poser des limites. Mais il ne faut point que ce soit non plus une revue vaguement éclectique, qui ait l'air d'exister pour permettre à des jeunes gens de placer leurs premiers essais. Alors faire un manifeste où l'on dit qu'on n'en veut point faire; que le simplisme n'est

1. *Rappelons que Roger Vailland se faisait appeler François par ses camarades. « Mimouchka » qui devait devenir une collaboratrice du* Grand Jeu, *était son premier amour.*

pas une théorie littéraire ou philosophique, mais une certaine façon d'envisager la vie, de vivre. Que l'on ne peut expliquer cette façon dans un manifeste; que si on le pouvait la revue n'aurait plus de raison d'être; que le lecteur la sentira s'exprimer dans le premier numéro et dans les suivants. Que si nous faisons cette revue ce n'est pas dans le but de faire des disciples; nous ne sommes pas philanthropes et nous ne sommes pas non plus des hommes de lettres; l'art n'est pas un absolu pour nous. L'œuvre littéraire ou artistique est pour nous un excitant, un catalyseur; développer cette idée un peu dans le sens où je l'exprimais récemment à Nathaniel [1] : j'avais dormi pendant plusieurs jours : état de sécheresse, etc.; quelques phrases du bouquin, bien mauvais d'ailleurs, de Louis Bertrand sur Sainte Thérèse, m'ont brusquement réveillé : exaltation, agilité de la pensée, découvertes spirituelles, etc.; de même qu'une statue espagnole du Christ a pour la première fois transporté Sainte Thérèse dans un état mystique. On pourrait donner plusieurs formes à cette explication : l'œuvre d'art présente les choses sous un aspect neuf, force l'esprit à prendre une nouvelle attitude vis-à-vis d'elles, donc à perdre ses habitudes, à les percevoir directement, absolument, à vivre un peu dans l'Absolu (explication bergsonienne). C'est par un autre biais la théorie surréaliste belge des objets bouleversants; et aussi un peu celle de Cocteau dans *Le Secret Professionnel*. Résumer cette théorie de l'œuvre littéraire-catalyseur, en disant qu'elle fait accéder à un nouveau plan, où l'on participe mieux à la vie toute simple ou à l'Absolu (ce qui est pareil). Mais bien insister que ce n'est pas le seul moyen d'une part; que d'autre part se dégagera de la revue qu'il y a un grand nombre de plans par lesquels on s'achemine peu à peu vers l'Etre, ou l'Unique, ou l'Esprit, ou l'Absolu en se débarrassant continuellement des choses mortes — des habitudes de perception dans l'exemple précédent — ce qui est être simple.

La revue exprimera un certain nombre de tendances, de moyens, pour ressaisir partout l'esprit et l'Etre et la Vie — c'est ce que l'on cherche en étant simpliste —, une voie

1. *Nathaniel : Daumal.*

mystique, un chemin vers la perfection et l'union avec l'Unique.

Pourquoi faisons-nous cette revue? Certes nous nous moquons que d'autres suivent ou ne suivent pas la Voie; et nous pourrions, peut-on penser, nous servir pour nous seuls de nos objets catalyseurs; nous ne sommes pas tellement, et une machine à écrire remplacerait avantageusement l'imprimeur. Mais d'une part, le fait d'être lus et connus, donne à nos catalyseurs une plus grande objectivité, une plus grande cohésion, et peut-être donc plus d'efficacité, du moins nous le pensons, sans en être très sûrs; enfin on peut toujours essayer. Et reconnaître qu'il y a peut-être là une faiblesse, quelque chose d'accordé à l'homme et à son exhibitionnisme et dont nous espérons bien nous délivrer un jour.

2. *Composition de la revue* — Je vois une partie texte et une partie chronique d'à peu près égale importance. Je vois aussi et *plutôt mieux*, dans chaque numéro :

1° une étude un peu longue sur un sujet simpliste : tantôt une étude sur un philosophe ou un poète, où l'un de nous les traduit pour ainsi dire, en montrant comment ils enseignent un chemin vers l'Unique, en quoi ils se sont trompés, etc. (comme mon Rimbaud par exemple); tantôt un *débat :* demander la valeur d'un acte quelconque du point de vue simpliste; ainsi je vois une question à poser tout de suite : *la révolte;* dans les deux ou trois premiers numéros, des simplistes seuls ou presque répondraient, parce que eux seuls savent vraiment ce qu'est le point de vue simpliste; mais en lisant ces débats, d'autres deviendront aptes à le comprendre et ça fera peu à peu de véritables enquêtes, mais pleines d'intérêt, parce que d'un *point de vue particulier* et ayant un *but pratique :* le progrès dans la Voie. A ce moment les vrais simplistes résumeront seulement en exposant le point de vue orthodoxe, ce qui doit pourtant tenir les 2/3 du débat. Ces études ou ces débats prendraient au moins 30 pages, au début de la revue.

2° 40 pages de catalyseurs — poèmes ou nouvelles; en prenant bien soin qu'ils aient une valeur « bouleversante » : de nous autres, bien entendu (dont Minet, modèle simpliste); Ribemont-Dessaignes c'est très bien; Desnos c'est très bien; Jacob c'est souvent piètre : j'ai relu un peu *Le cornet à dés :* s'il y a quelques poèmes excellents, il y a aussi beaucoup d' « observations », de « croquis amusants », un peu Jules Renard ou même René Maublanc; si c'est parfois réussi dans le genre, le genre n'est pas simpliste; il faut lui demander et n'accepter de lui que des poèmes dans le genre des *Visions Infernales*, dont je me souviens d'ailleurs mal. Tu pourrais aussi aller voir de ma part, ou plus simplement avec Nathaniel qu'il estime beaucoup, Pierre Unik, l'un des surréalistes orthodoxes et si tu t'entends avec lui (pas de monocle et surtout pas l'air « arriviste » : il est tout à fait maniaque!), avoir des choses de lui, si elles en valent la peine, ou peut-être des autres, ce qui serait plus intéressant.

3° 10 pages de chroniques à la fin de la revue : critique des livres, qu'on donne à faire à l'un ou à l'autre, qui signe, de longueurs variables, critique du point de vue simpliste bien entendu; critique des expositions et salons, des faits divers, du cinéma, du théâtre, des revues, etc. Sans que toutes ces chroniques soient forcément remplies chaque fois : il peut se passer deux mois sans qu'il y ait de pièce de théâtre, ou de film, ou de tableau intéressant simpliste.

Pour la partie artistique, je ne peux rien proposer, car tu ne m'as pas dit s'il s'agissait d'une revue luxueuse ou bon marché. Je vois en tout cas des dessins de Sima, de Maurice Henry et Julien Harfaux, s'ils sont dans notre esprit. J'aimerais beaucoup la collaboration d'Yves Tanguy, si tu pouvais le découvrir; et quelques photographies de tableaux; et des *photographies simplistes*, etc.

3. *Ton de la revue.* Il s'agit de ne pas singer les surréalistes, qui sont évidemment assez près de nous. Être moins acerbes : ils ont été les pionniers; il leur a fallu détruire la croyance en la réalité extérieure; mais nous, nous nous mouvons à l'aise dans le surnaturel; en parler avec le plus grand naturel.

Aussi s'abstenir d'attaques religieuses; nous ne nous occupons pas des religions établies; nous en sommes détachés; nous n'avons même pas à les attaquer pour que d'autres s'en détachent, puisque nous ne faisons pas de prosélytisme. Et nous cherchons des renseignements pratiques sur la Voie dans l'œuvre des mystiques : le mysticisme catholique, islamique, bouddhique, tout cela peut faire le sujet d'une étude ou d'un débat.

Point de vue politique. Nous ne cherchons pas à jouer un rôle social; nous nous foutons de l'humanité. Cependant de même qu'il faut accepter de manger et de boire, il faut accepter de prendre une position, sans toutefois y attacher trop d'importance. Humilité. Le communisme semble être celle qui s'accorde le mieux avec cet esprit : il est donc recommandé aux simplistes — mais ils n'y sont nullement obligés; ils doivent attendre pour s'y affilier d'en sentir la nécessité, qu'il soit vraiment « vivant » pour eux au sens où nous l'entendons.

Je vois comme études ou comme débats qu'il est indispensable de faire : la révolte, l'individualisme, le bonheur, le mysticisme, le communisme. Sur tous ces sujets nous avons des idées très précises et très particulières.

Tu vois que je te réponds longuement et fais de nombreux projets. C'est évidemment mon point de vue personnel, très discutable, mais tel aussi qu'il me semble résulter de toutes nos conversations. Réponds longuement aussi, et précisément, je te prie.

Je pense encore : tu veux sans doute donner une certaine place à la théosophie. Cela ne me déplaît pas; mais il y a le grand danger de tomber dans la platitude et l'arbitraire d'Annie Besant, etc. Je crois qu'il vaudrait mieux utiliser la théosophie en la traduisant dans notre langage, en la rendant vivante donc, et sans citer son nom.

Ainsi soit-il.

J'ai très chaud; je passe une partie des journées dans l'eau. Plusieurs lettres de Mimouchka m'ont rendu quelque paix : mais ces journées passées à guetter le facteur n'ont pas fait avancer *Teilhède* [1]. Les grandes discussions avec ma famille vont commencer dans quelques jours; je m'en fous puisque j'ai décidé d'avance. Il va me falloir pas mal d'argent cet hiver; je pense que rien que pour habiller à mon gré Mimouchka, dont la garde-robe est bien élémentaire, une dizaine de mille francs seraient nécessaires. Alas, poor François! J'espère pas mal en la Tchécoslovaquie où en deux mois je

1. *On retrouve ici le projet de roman dont il était question deux ans plus tôt (lettre à René Maublanc, 9 septembre 1924). Teilhède est le nom du village d'Auvergne où Roger Vailland passait souvent ses vacances.*

vais connaître beaucoup de monde; je voudrais trouver pour Paris, à m'occuper des affaires de quelque industriel tchèque, ou organiser des voyages en Bohême (de Paris), ou faire quelque chose avec un éditeur de Prague, qui veut lancer un cinéma d'avant-garde, etc. (Je collabore d'ailleurs régulièrement à partir de septembre, à son journal, le principal journal littéraire de Prague : la chronique du livre français dans tous les numéros; j'ai déjà fait en juin un article sur Hémon! Alas! Mais ça m'était demandé.)

J'ai aussi des propriétés et des terrains à vendre sur la Côte d'Azur. Si tu connais des gens! Nous aurons chacun notre commission. Il faudrait aussi des capitaux, pour monter un thé-restaurant, sur une petite plage près de Juan-les-Pins : il est à moitié construit déjà, mais les constructeurs n'ont plus d'argent et céderaient l'affaire; 100 à 150.000 fr. suffiraient : tâche de trouver! What a business-man! Enfin j'ai songé à une affaire beaucoup plus vaste, et de quoi enrichir tout simpliste; et ce n'est pas trop puéril, puisque des hommes « raisonnables », de [1], s'en occupent déjà; je t'expliquerai si tu daignes t'occuper de ces choses; là il faudrait plusieurs millions.

A défaut de tout cela, je ferai du journalisme! Mais alors les 10 000 francs pour habiller Mimouchka! Mais je n'ai pas peur du tout; le monde matériel doit bien finir par se plier devant un simpliste; la rencontre de Pierre-Quint a tout de même eu pour moi ce résultat de me faire croire en la malléabilité des réalités extérieures devant un homme un peu fort! Et j'ai cette force, bien simpliste, d'être capable de faire bien des efforts pour quelque chose, mais de l'oublier aussitôt s'il y a échec, et d'accepter; je l'ai très bien senti pendant ma maladie.

Je pars vers le 25 août; je suis content de t'avoir écrit une longue lettre; je vois la tour Eiffel de ta fenêtre et t'aime beaucoup.

François (Vailland).

1. *Illisible (la lettre est déchirée à cet endroit).*

[Prague]
[A Roger Gilbert-Lecomte et René Daumal]

Roger et Nathaniel,

Pour venir à Prague on traverse les montagnes de l'Autriche qui sont bucoliques. C'est un vrai voyage parce que l'on ne vient pas de France mais d'Italie et qu'il n'y a pas de Français dans le grand rapide qui roule pendant 24 heures.

Prague c'est noir, massif et il y a beaucoup de tours carrées; mais la lumière est chaude et couleur de vie. Bohême, Bohême. La Vltava est aussi large que la Seine et il y a beaucoup plus de poissons qui sautent la nuit; mais il n'y a pas de pêcheurs mais seulement des nageurs et des canoës. Les rives servent à s'embrasser la nuit.

Il n'y a que des hommes de lettres et des médecins. Les médecins aiment les femmes et les dancings; les hommes de lettres aussi mais je ne le saurai que jeudi. Il y a aussi des gens du monde pour que je joue avec dans un club d'où j'écris en ce moment.

La sœur de Weiner est une très jolie Juive mariée à un diplomate, stendhalienne, et sa fille s'appelle Naninka. Elle fait des miracles pour que je trouve toujours des Abdullahs chez elle, ce qui est tout à fait impossible à Prague. En échange, je lui lis Baudelaire. Plan de l'amitié.

Je joue à l'homme de lettres parisien avec mon éditeur; je joue à moi avec Teige qui est le chef des surréalistes tchécoslovaques et que j'aime beaucoup. J'ai commencé des jeux érotiques avec une jeune fille bolchevik, Milada s'appelle-t-elle; c'est un nom très tchèque qu'on prononce en mettant l'accent tonique sur le « Mi »; elle a été en Russie; elle ne parle presque pas français et c'est très bien pour le mystère pour moi de ses élans et de ses reculs qui sont très complexes. Elle habite une maison dans une rue où à deux heures du matin rampent les prostituées le long du mur (les prostituées tchèques sont silencieuses et frôlent les murs de très près), et où chaque porte dissimule des apaches; dès qu'elle en approche elle tremble; pendant une heure nous avons fait le tour de la maison sans qu'elle ose s'approcher de la porte parce qu'il y avait des hommes dessous; elle se jetait dans mes bras et m'embrassait d'une façon beaucoup plus savante que je n'avais jamais connu; mais elle n'a pas voulu que je rentre avec elle cette fois-ci, parce que je ne la connaissais que depuis ce soir-là. Mais ce sont choses provisoires en attendant que les hommes qui sont chargés de me faire connaître des femmes aient fait leur travail.

Parce que je suis très beau on m'a donné l'hospitalité : chambre et nourriture gratuites dans une maison d'étudian*tes*. J'y suis depuis hier. Mais ce ne sera que pour dormir et manger car je ne fréquente pas ce monde-là.

Je vais faire une conférence sur « l'évolution actuelle du cinéma ». Il faudrait que vous m'envoyiez le plus tôt possible un livre bien documenté sur la question; il faudrait aussi se renseigner pour me dire quelles démarches il faut faire pour avoir quelques fragments de films d'avant-garde qui seraient projetés en même temps que ma conférence. Je vais aussi faire une conférence sur Arthur Rimbaud et le simplisme.

Devant faire régulièrement la chronique du livre français dans une revue d'ici, je suis actuellement assez embarrassé, ne sachant pas ce qui paraît à Paris ou n'ayant pas les livres. Roger serait très bien gentil de me faire cette chronique pendant que je suis à Prague; nous partagerons la rétribution qui est assez bonne; il s'agit pour chacune de 8 à 10 pages de son écriture; j'ai déjà parlé du *Bouddha Vivant*, d'*Églantine* et de la réédition de Lautréamont; pour la prochaine fois il pourrait peut-être parler des bouquins récents de Desnos et Ribemont-Dessaignes; il faut faire quelque chose d'assez *Nouvelles Littéraires*, en un peu plus jeune toutefois. Il serait nécessaire que j'aie reçu cette première chronique pour le 25 de ce mois.

J'ai reçu la lettre de Nathaniel.

J'ai reçu une lettre de Georges Roux[1] qui ne se rend pas compte que c'est très blessant de me recommander de lui envoyer mes impressions « sans poncif ».

Mimouchka-Mimouchka-Mimouchka-Mimouchka
Mimouchka-Mimouchka-Mimouchka-Mimouchka
Mimouchka-Mimouchka-Mimouchka-Mimouchka
MIMOUCHKA

1. *Ami (et aîné un peu protecteur) de l'équipe des Phrères Simplistes.*

Le théâtre praguois est beaucoup plus beau que le théâtre parisien — quant aux décors et aux jeux de scène tout au moins ; car je ne comprends pas le texte. Je passe la moitié du temps dans la salle, l'autre dans les coulisses.

Tout le monde sait bien que le théâtre russe et le cinéma russe sont bien plus intéressants que le théâtre et le cinéma français. Les gens beaux d'ici commencent à aller plus volontiers à Moscou qu'à Paris. Hier j'ai senti très nettement que la France, qui était quelque chose de rose et blanc à ma gauche, n'était que choses mortes qui remuaient encore un peu.

Qui vous aime beaucoup et φφ aussi [1]

François.

Paris, le 6 janvier 1927
[A M. René Maublanc]

Cher Monsieur,

Je pense que si vous êtes libre nous pourrons reprendre les expériences paroptiques dimanche matin, vers 10 heures et demie. Sauf contre-ordre de votre part je monterai donc chez vous à cette heure.

Je suis, cher Monsieur, très amicalement et très respectueusement vôtre :

Roger Vailland.

Paris, ce mercredi [juin 1927]
[A M. René Maublanc]

Cher Ami,

Nous sommes tout à fait confus de vous avoir peut-être fait attendre vainement jeudi dernier. Nous n'avions plus pensé à vous prévenir que c'était l'Ascension et que de stu-

1. *φφ : Phrère Fluet. Il s'agit de Pierre Minet, qui avait été adopté dès 1925 à Reims par les « Phrères Simplistes ».*

pides corvées de famille nous retenaient l'un et l'autre. Nous espérons que vous voudrez bien nous excuser. Demain jeudi nous passerons chez vous, comme d'habitude, entre une heure et demie et deux heures.

Croyez-moi très amicalement et très respectueusement vôtre :

Roger Vailland.

[1928]

LA BESTIALITÉ DE MONTHERLANT[1]

On lit dans *Les Bestiaires :*

« Le contact, la pression qu'il y a entre lui (Alban) et les bêtes ou les astres, — une petite nébuleuse, un chat qui se gratte le cou, — tous les cris intérieurs que cela lui fait pousser, sa nostalgie et comme son souvenir de l'animalité, les *métamorphoses auxquelles il se livre dans la solitude* (sujet que nous ne pouvons pas même effleurer) lui présentent la mort comme un simple renouvellement de l'être. Qui sait si une fois encore il ne se changera pas en taureau ? »

Il y a beaucoup de littérature dans *Les Bestiaires*. Montherlant a écrit *Le Songe* quand les livres de guerre étaient à la mode; *Le Paradis à l'ombre des épées*, quand on aimait la littérature sportive; *Aux fontaines du désir*, quand justement tant d'hommes de lettres étalent leur inquiétude. Mais cette phrase me dispose à miser sur la sincérité de Montherlant. Surtout la parenthèse : « sujet que nous ne pouvons pas même effleurer » : comment un homme qui n'est pas sincère aurait-il pu deviner tout ce qu'il y a d'effrayant et, pour ceux qui en sont spectateurs, de répugnant, dans une « métamorphose »?

La possibilité de se métamorphoser ou seulement une compréhension véritable de ce qu'est la métamorphose, indique pour celui qui la possède, un stade de vie spirituelle déjà avancé et bien rare en Europe à notre époque.

Un Européen normal se pense en tant qu'individu et pense aussi l'univers : hommes, animaux, plantes, choses, comme

1. *Article de Roger Vailland publié dans le n°1 du* Grand Jeu *(1928).*

une accumulation d'individualités. Son action, sa vie, la conservation de son être se sont à tel point organisés autour de la certitude que chaque chose est distincte, qu'il juge comme essentiellement dangereux, comme le révolté le plus nuisible celui qui s'y refuse. Éminemment certain qu'un perroquet est un perroquet, il a créé des prisons spéciales appelées « asiles d'aliénés » pour enfermer ceux qui affirment qu'un perroquet est une étoile.

Il est difficile de juger d'après *Les Bestiaires* en quelle mesure Montherlant a été capable de se métamorphoser et si vraiment il a frappé le parquet de sa chambre avec des sabots de taureaux, et crevé les vitres avec ses cornes. Mais il avoue dans *Aux fontaines du désir* sa bestialité et l'on peut considérer, dans ce cas, le coït * avec les animaux, de même que la manducation, comme une forme dérivée de la métamorphose.

De même que celui qui mange fait de ce qu'il mange son propre sang, ses propres os, sa propre chair, celui qui aime veut « posséder », faire sien ce qu'il aime. La plupart des romans contemporains nous content la tristesse de ceux qui ont cherché vainement dans la possession charnelle une véritable possession.

Que dans toutes les religions, la métamorphose, communion parfaite, ait été considérée comme un progrès dans la voie spirituelle, il n'est là rien d'étonnant pour ceux qui ont quelque peu médité sur l'Unité. Dès qu'on commence à avoir un sentiment si confus soit-il du tout et de l'unité, le monde se met à perdre sa consistance. Les formes que l'on croyait immuables commencent à vivre et à se métamorphoser avec une vitesse sans cesse accrue. Dans l'univers des « choses distinctes » se multiplient les *participations*. L'individu craque : un flux immense soulève l'homme et l'emporte.

La multiplication et la confusion des formes est un premier pas vers la communion cosmique. C'est le commencement de la fusion en l'Unique.

Les métamorphoses, ou tout au moins la bestialité de

* « ... il y avait un Santon, en Égypte, qui passait pour un saint homme, et quod non foeminarum unquam esset ac puerorum, sed tantum asellarum concubitor atque mularum ». Leibniz, *Nouveaux essais sur l'entendement humain*, chap. II.

Montherlant, nous le montrent donc sur le chemin de la perfection. Cette marque, si elle n'est pas artifice de littérature, ne doit pas être seule. Et en effet, on peut voir dans ses livres, à mesure qu'il avance en âge, se multiplier les signes de sa « vocation ».

Appareillage montre qu'il a acquis le goût du dénuement : « Je ne veux autour de moi que des objets de première nécessité. Le foyer idéal, c'est celui dont, en voyage, si vous apprenez qu'il vient d'être pillé, incendié, qu'il n'en reste rien, vous rêvez un instant, vous vous dites : « C'est dommage », puis vous pensez à autre chose » ... Volupté du vide, dénuement de celui qui se tient toujours prêt à partir. Dans ce vide je mets l'avenir. En détruisant, je construis. La statue est créée par le marbre qu'on supprime. « Je n'ai rien » : l'élan que donnent ces mots. *Syncrétisme et alternance* montre qu'il a appris à ne plus même tenir à ses idées : dénuement plus parfait.

Je tiens aussi pour un signe du même genre sa recherche passionnée du plaisir. Le médiocre se satisfait de plaisirs médiocres. Mais celui qui sent confusément qu'un bonheur absolu lui est réservé ne trouve jamais assez fort le plaisir qui lui est accordé. Il cherche à le perfectionner. Il veut pratiquer l'amour des corps avec une science toujours plus grande, trouver des corps toujours plus habiles à ce travail. Platon indique bien que c'est la voie normale d'aimer d'abord un beau corps, puis tous les beaux corps avant d'en arriver à aimer la Beauté. Rimbaud aimait les livres érotiques sans orthographe.

Qu'un jour (cf. *Aux Fontaines du désir*) on s'aperçoive que le perfectionnement du plaisir n'est pas illimité. Que dès lors on en sente le dégoût : c'est très normal. Le plaisir aura au moins servi à faire comprendre qu'il faut chercher ailleurs qu'en lui le Bonheur absolu. Le plaisir est à réhabiliter.

Dans le même livre où il avoue l'état d'insatisfaction où le laisse le plaisir, Montherlant semble renoncer à la politique de réaction et au catholicisme dogmatique qui avaient été siens jusqu'ici. Je ne les avais jamais considérés que comme le sursaut organique, l'attitude de défense involontaire d'un homme qui s'engage dans une grande aventure.

Car c'est une aventure, la plus grande des aventures pour

l'homme, que de quitter le monde des objets distincts. L'homme est habitué à vivre au milieu des solides. Ses outils et ses mains n'ont guère de prise que sur eux. Son intelligence habituée à faire d'une idée vivante un concept à cadres rigides ne peut guère comprendre autre chose. Dès qu'il les quitte l'angoisse serre sa gorge parce qu'il sait qu'il ne peut plus se défendre ! Beaucoup qui ne tremblent pas devant une arme tenue devant eux par une main décidée ont un vague effroi devant une grande masse d'eau ou un beau jet de flammes. Mais leur terreur est nécessairement immense si le livre qu'ils lisent se change en une biche qui vient lécher leur figure et si le sol devient mouvant et s'entr'ouvre pour la chute qui les rendra vivants !

Que Montherlant, emporté par ce monde fluide, ait essayé de s'accrocher à des choses rigides, ait fait siennes quelques idées cristallisées ; qu'il ait un peu tergiversé et crié « Vive la France » avant de s'engager définitivement sur la corde raide, ce n'est pas étonnant.

L'important est de savoir s'il s'engage vraiment sur la corde raide.

Roger Vailland.

Note. — J'apprends qu'à Limoges, il y a plusieurs années, un capitaine d'infanterie surprit un soldat en train de faire l'amour avec une truie. Il ne voulut pas « fermer les yeux ». Le soldat passa en Conseil de Guerre et fut condamné à cinq ans de bagne. On sait ce que c'est que Biribi. Voilà une condamnation qui nous est encore plus odieuse que celle de Sacco et Vanzetti ou de Landru.

[1928]

COLONISATION * [1]

« *Je suis une bête, un nègre* »
Arthur Rimbaud
(Une saison en enfer)

Certes nous trouvons bon qu'André Gide proteste contre les traitements infligés aux nègres de l'A.O.F., que Marcel Brion rappelle la cruauté des Espagnols pour les Indiens et qu'elle est nécessairement celle de toute colonisation. De même, nous jugeâmes excellentes les manifestations qui suivirent le meurtre de Sacco et Vanzetti. Puisque la plupart des hommes de notre époque se laissent toucher par les idées humanitaires et se croient prêts à défendre la liberté de l'individu, l'autonomie de l'homme, il est bon de les atteindre par là. Et nous-mêmes qui, pour d'autres raisons, qui ne sont pas à leur portée, nous attaquons au principe de colonisation, si nous parlions par l'intermédiaire d'un organe lu par un autre public que celui du *Grand Jeu*, nous userions de ces arguments. On ne doit dire à chacun que ce qu'il est apte à comprendre, autrement il usera mal de la matière qu'on lui donne. C'est ce qu'avaient compris les prêtres égyptiens. Nécessité de l'ésotérisme.

Mais cette cruauté des fonctionnaires de l'A.O.F. ou des

* André Gide, *Voyage au Congo*, à la N.R.F. Marcel Brion, *Bartolomé de Las Casas, père des Indiens* (Le Roseau d'Or).

1. *Article de Roger Vailland publié dans le n° 1 du* Grand Jeu *(1928).*

aventuriers espagnols de la Renaissance ne nous indigne pas. Nous rions bien des fameux principes de 89. Ces Indiens enchaînés qui n'accompagnent la colonne de soldats que pour servir de pâture, jour par jour, aux chiens de ces Espagnols; ces nègres qu'on fait tourner à coups de fouet sous le soleil, avec une poutre sur le dos, pour la distraction des administrateurs; ces femmes, jadis et maintenant violées au milieu des flammes et du sang, tout cela ne nous fait pas peur. Car la bonté humanitaire n'est que peur.

On sait assez que le même homme, selon ses habitudes et l'entraînement, mangera de la viande, ou battra ses enfants ou torturera des nègres. Ces brutes de colonisateurs sont de vraies brutes; elles veulent ce qu'elles font. Et malgré *Les Nourritures terrestres*, André Gide, avec ses éternels scrupules moraux, peut-il se vanter de vouloir ce qu'il fait?

Marcel Brion raconte que les soldats espagnols de Saint-Domingue et d'ailleurs tournaient en dérision les appels des prédicateurs à la charité et à la pitié. Voilà qui est bien.

On « justifie » parfois, par des nécessités locales, le massacre systématique des nègres employés à construire des lignes de chemin de fer : sans cette main-d'œuvre indigène, décimée par la fièvre, les mauvais traitements, la nourriture insuffisante, les voies ferrées ne pourraient être édifiées. Et quel bel effort d'énergie! on a enfin créé quelque chose! Créer! La colonie est pourvue d'un outillage économique. Hurrah! Rôle civilisateur de la France. Des écoles nouvelles sont créées chaque jour et le nombre va croissant des petits nègres qui savent lire, écrire, les quatre règles et que leurs ancêtres s'appelaient les Gaulois et avaient des cheveux blonds. On arrive à quelque chose. J'approuverais facilement qu'on soit arriviste et que la fin justifie les moyens. Mais je n'ai jamais su trouver de fin. Et qu'est-ce que c'est que cette fin colonisatrice?

Il y a aussi cette autre fin de convertir les indigènes à la religion catholique. Bartolomé de Las Casas prenait devant Charles Quint la défense des Indiens torturés. Mais n'affirme-t-il pas que les rois doivent user « de leur puissance et de leur richesse pour réaliser la découverte et la conversion des infidèles » et pour user de « la faveur divine qui a confié les Indiens au roi d'Espagne afin que par son application et sa sollicitude il les amène à connaître le Christ »? Il convient donc de ne pas tuer tous les Indiens afin qu'il en reste à convertir. A cet effet, Las Casas *recommande le transfert en Amérique d'esclaves nègres plus résistants au travail*. Et Marcel Brion de vanter le « caractère réaliste » de cette pensée et de cette « théorie du moindre mal ». Évidemment.

Mais nous ne cherchons ni à accuser ni à justifier.

Il est probable que les peuples des colonies massacreront un jour colons, soldats et missionnaires et viendront à leur tour « opprimer » l'Europe. Et nous nous en réjouissons. Non par cet amour de la symétrie qu'est le sentiment de la justice, et qui est d'une esthétique bien dépassée, mais parce que les nègres sont plus proches de nous que les Européens, et que nous préférons leur pensée primitive « à la pensée rationnelle »; leurs magies aux religions dogmatiques; leurs statues, leurs bijoux et leurs bordels aux nôtres! Nous sommes avec les noirs, les jaunes et les rouges contre les blancs. Nous sommes avec tous ceux qui sont condamnés à la prison pour avoir eu le courage de protester contre les guerres coloniales.

Nous fraternisons avec vous, chers nègres, et vous souhaitons une prochaine arrivée à Paris, et de pouvoir vous y livrer en grand à ce jeu des supplices où vous êtes si forts. Pénétrés de la forte joie d'être traîtres nous vous ouvrirons toutes les portes! Et tant pis si vous ne nous reconnaissez pas!

Roger Vailland.

[1929]

ARTHUR RIMBAUD
OU GUERRE A L'HOMME![1]

L'HOMME COMPOSÉ INSTABLE

N'importe qui peut éprouver à un moment ou l'autre la stupeur d'être. C'est une vérité qui, si elle était mieux connue, troublerait bien des sommeils.

Il est étrange qu'il puisse suffire d'un escalier tournant, d'un regard jeté un soir sur la plaque d'émail posée au-dessus d'une porte pour indiquer le numéro qui détermine la place d'une maison dans une rue, ou du simple passage d'un taxi, pour que l'homme le plus normal soit tellement bouleversé, qu'il cesse un instant d'être un homme.

Il commence par être prodigieusement étonné que les yeux d'une passante soient verts, que le marbre de sa table soit dur et inversement. Mais bientôt, et quoique nullement accoutumé aux spéculations métaphysiques, c'est d'être lui-même qu'il est bouleversé. Il ne peut le croire. Et l'angoisse le fait suer.

Doute fécond! En vain, il se cramponne à ses vêtements et étreint ses cuisses. Il sort de lui-même comme une bille lancée trop fort s'échappe des limites du jeu. Il tombe d'une chute sans espoir à travers les espaces dangereux où règnent les Puissances.

1. *Article de Roger Vailland publié dans le n° 2 du* Grand Jeu *(1929).*

LES TRICHEURS SYSTÉMATIQUES

De plus en plus *informe*, saisi par la terreur comme dans ses rêves d'enfance où métamorphosé en épingle il lui fallait éviter la trajectoire fatale des oreillers étouffants, et où pourtant il ne pouvait faire de crochets, il tombe, il ne peut que suivre une ligne de chute rigoureusement verticale et cependant il doit éviter les dangereuses Puissances.

Oh! rester homme! gémit-il, rester un homme? Que vais-je faire parmi les Puissances! *

L'homme qui a subi par accident ces intolérables souffrances sera certainement surpris d'apprendre que certains de ses « semblables » passent leur vie à la recherche de cette aventure.

Ils ont systématisé la stupeur d'être. Il y en a toujours qui aiment brouiller les cartes, toucher le but quand on dit « pouce », et lancer la bille hors des limites du jeu. Et c'est avec la plus grande mauvaise foi qu'ils jouent leur rôle d'homme. Ils se sont aperçus qu'ils pouvaient employer leurs facultés pour d'autres fins que celles pour lesquelles Mère Nature les leur avait fournies **. Et ils s'en donnent à cœur joie de tricher. Le metteur en scène en devient fou ***.

Et qu'on croie bien que ce n'est pas par simple plaisir! La Tricherie pour la Tricherie sort du même magasin que l'Art pour l'Art. Nous trichons parce que les conditions de la vie humaine sont complètement intolérables. Vieux fait bien établi. Ce n'est pas d'aujourd'hui que la guerre a été déclarée à l'homme.

* Cf. la phrase effrayante de Molière.

** C'est pourquoi j'aime par-dessus tout le texte éminemment subversif de l'Appendice à la Première partie de l'*Éthique* de Spinoza :

« La nature ne se propose aucun but dans ses opérations, et toutes les causes finales ne sont rien que des pures fictions imaginées par les hommes... De ces fictions sont nés les préjugés du *bien* et du *mal*, du *mérite* et du *péché*, de la *louange* et du *blâme*, de l'*ordre* et de la *confusion*, de la *beauté* et de la *laideur* et d'autres de ce genre. »

*** Le metteur en scène c'est le sous-dieu, transcendant et créateur de hiérarchie, des religions monothéistes.

L'AGE INGRAT

Puisque chacun a su à un moment de sa vie mener noblement le combat contre l'homme.

Je parle de ce moment de la vie qui fut si magnifiquement appelé « l'âge ingrat ».

Nom magnifique par son ironie. Quoi donc, jeune impubère, qui n'as pas atteint ta septième année, tu oses te rebeller contre celui qui t'a engendré au fond du ventre glorieux de ta mère, dans le triple but d'éprouver le plaisir bien connu de l'orgasme, de se prolonger, lui, sa famille et son nom en un être de chair et d'os, et de fournir à la France, notre chère patrie, un nouveau défenseur?

Age ingrat! le seul âge que nous souhaitions avoir. Il est toujours nôtre l'enfant qui sanglote et mord ses draps parce qu'il a peur d'oublier ce qu'il veut depuis quelques jours et de devenir un jour semblable à son père.

Age ingrat! nom qui sera celui de l'ère qu'a ouverte Rimbaud. Notre siècle a commencé avec le geste de l'enfant qui, dans un square de Charleville, a brandi une chaise contre sa mère en disant « Merde » parce qu'elle ne voulait pas lui acheter une nonnette.

— Et pourtant je l'ai engendré dans la douleur, a gémi la femme. Enfin! c'est l'âge ingrat. Il y en a pour quelques années.

L'âge ingrat ne finira plus, Madame Rimbaud.

UNE INGRATITUDE SYSTÉMATIQUE

Je conseille à un nouveau Fourier, s'il s'en trouve, de dresser un tableau systématique des diverses formes de l'activité humaine et d'inscrire en regard les moyens qu'Arthur Rimbaud utilisa contre elles.

Pour moi, je me contenterai de citer, à la suite les unes des autres, quelques phrases de la *Saison en Enfer*, qui montreront par leur simple assemblage l'universalité de la révolte de Rimbaud.

— *La morale est la faiblesse de la cervelle.*

— *Un soir, j'ai assis la beauté sur mes genoux, et je l'ai trouvée amère. Et je l'ai injuriée...*

— *Je parvins à faire s'évanouir dans mon esprit toute l'espérance humaine.*

— *Sur toute joie pour l'étrangler, j'ai fait le bond sourd de la bête féroce.*

Le compagnon d'enfer dit :

— *A côté de son cher corps endormi, que d'heures des nuits j'ai veillé cherchant pourquoi il voulait tant s'évader de la réalité.*

— *J'envoyais au diable les palmes des martyrs, les rayons de l'art, l'orgueil des inventeurs, l'ardeur des pillards ; je retournais à l'Orient et à la sagesse première et éternelle.*

Que le lecteur maintenant fasse un effort synthétique. Que ses yeux fixent un point de l'espace, qu'il veille à ce que les muscles de ses membres soient déliés et lâches, qu'il respire deux ou trois fois profondément, et qu'il médite, s'il le sait, sur ces quelques phrases d'Arthur Rimbaud et sur ce que j'ai dit jusqu'ici.

Et qu'il sente ce que peut être l'effort d'un homme, d'une individualité crispée au centre de tout, qui veut briser cette écorce qui la sépare et la distingue, qui veut « *écarter du ciel l'azur qui est encore du noir* », qui pour *Être*, veut *n'être plus*.

Elle est retrouvée
Quoi? L'Éternité.

VERS LA LUMIÈRE « NATURE »

Rimbaud raconte avec une assez grande précision, dans la *Saison en Enfer* *, les différentes étapes par lesquelles il est passé.

Je résume.

* Je sais que la *Saison en Enfer* n'est pas une confession, mais un poème. Mais cela ne m'empêche nullement de la considérer comme un témoignage. Fut-elle écrite dans un état délirant? Sans doute; mais nous n'en sommes plus à nous intéresser à ce petit jeu psychologique du conscient et de l'inconscient. Et pour la *Saison en Enfer*, nous y comprenons « ce que ça dit, littéralement et dans tous les sens », comme l'a demandé Rimbaud.

D'abord, prétexte littéraire. Révolte contre l'art : « j'aimais les peintures idiotes ». Utilisation de la poésie comme d'une incantation qui bouleverse l'ordre du monde.

Puis le prétexte littéraire disparaît. « La vieillerie poétique avait une bonne part dans mon alchimie du verbe. Je m'habituai à l'hallucination simple. »

Parallèlement à ce progrès dans la perception du monde, s'accomplit un progrès de même espèce sur tout le plan de son être. L'incohérence de plus en plus marquée de sa vie et le témoignage de Verlaine en sont la preuve.

Il devient « oisif, en proie à une lourde fièvre » : « j'enviais la félicité des bêtes, — les chenilles qui représentent l'innocence des limbes, les taupes, le sommeil de la virginité!

« ... Je disais adieu au monde... »

Enfin, le résultat approche :

« Écoutez!

« J'ai tous les talents! — Veut-on des chants nègres, des danses de houris? Veut-on que je disparaisse, que je plonge à la recherche de l'*anneau?* Veut-on? Je ferai de l'or, des remèdes. »

....

« Enfin, ô bonheur; ô raison, j'écartai du ciel l'azur, qui est du noir, et je vécus étincelle d'or de la lumière *nature.* »

CHUTE AUX ENFERS

Mais aussitôt c'est la chute brutale.

Rimbaud, alors que nous le pensions dégagé du sensible, devenu substance *, résorbé dans le Tout, et jouissant de la béatitude, souffre. Et empruntant aux religions un de ces termes qu'elles ont détourné de leur véritable sens, il lui redonne toute sa signification en disant qu'il est en enfer.

Il souhaite de revenir en arrière :

« Moi! moi qui me suis dit mage ou ange, dispensé de toute

* Mais qu'est-ce alors que Rimbaud? se demandera le lecteur averti. Qu'il sache seulement que *ce n'est plus* alors ni le corps de Rimbaud, ni son intelligence, ni son cœur.

morale, je suis rendu au sol, avec un devoir à chercher et la réalité rugueuse à étreindre. »

Que s'est-il passé ?

QU'EST-CE QUE L'ENFER ?

Je ne m'étonne nullement qu'il ait renoncé à la médiocre aventure littéraire. Là où le conduisit sa méthode, qu'il y persistât eût seul été surprenant.

Si Rimbaud était parvenu à ne plus penser son individu mais à penser la substance, il eût été normal que son corps, replacé dans le monde, vécût une vie de corps humain. Et nous l'imaginons mieux dans les déserts de l'Abyssinie que dans les salons littéraires de Paris.

La question est autre. Pourquoi Rimbaud souffre-t-il soudain toutes les peines de l'enfer ? pourquoi sa révolte totale contre l'homme, la plus totale qui fût jamais, échoue-t-elle ?

« Un homme qui veut se mutiler, est bien damne, n'est-ce pas », interroge-t-il. L'accent porte sur le *vouloir*. Il semble se croire *puni* parce qu'il a *voulu* sa révolte, parce qu'elle a été l'exécution d'un plan, une tentative consciente de magie.

La volonté consciente est contraction de l'individu sur lui-même. Il y a une contradiction qui n'est pas seulement logique dans le fait d'un individu qui *veut* détruire son individualité.

Plus profondément l'individu se détruit, plus profondément il s'affirme. Il *est* plus, à mesure qu'il est plus capable d'attaquer des couches plus profondes de lui-même *. Il va en sens inverse du résultat recherché. Tel est, sans doute, le sens véritable de la croyance que qui cherchait le ciel par magie noire atteint l'enfer.

Autre est l'attitude qu'il faut prendre dans la guerre contre l'homme. C'est bien plus par conscience de cette nécessité que pour une prétendue libération des couches

* Telle est aussi la réponse à faire à ceux qui nous reprochent de ne pas nous suicider parce que l'état d'homme nous dégoûte. Quelle belle logique ! Par le suicide, nous nous affirmons hommes, plus que jamais.

profondes de l'individu, qu'on doit préférer sur le plan littéraire l'écriture entièrement inspirée * à d'autres formes plus volontaires de l'écriture. C'est une façon d'aborder le problème.

RIEN NE VA PLUS

Pour sortir d'Enfer le suicide n'est pas une solution. C'est encore une affirmation de la volonté et de l'individu.

Le catholicisme est un compromis de mauvais goût. Nous ne nous attarderons pas à réfuter la thèse imbécile de M. Paul Claudel, ambassadeur de France. Rimbaud n'a pas discuté avec Verlaine, quand celui-ci lui chanta des psaumes à Stuttgart : il l'a abattu d'un coup de poing.

« Quant au bonheur domestique établi ou non... non je ne peux pas. La vie fleurit par le travail, vieille vérité : moi, ma vie n'est pas assez pesante, elle s'envole et flotte loin au-dessus de l'action, ce cher point du monde. »

Ni suicide, ni conversion, ni « la vie humble aux travaux ennuyeux et faciles ». C'est en voyageant, et en se mettant sans cesse aux prises avec les plus rudes réalités que Rimbaud a le plus de chance de se réadapter, de devenir un homme normal, ce qu'il souhaite le plus au milieu de ses souffrances.

ET L'ON REPART! FAITES VOS JEUX!

Rimbaud est le vaincu dans sa guerre contre l'homme.

Il a perdu le *Grand Jeu*. Mais que nos ignobles contemporains ne s'en réjouissent pas trop. Dans un dernier sarcasme, il leur a crié :

« Oui, j'ai les yeux fermés à votre lumière. Je suis une bête, un nègre. Mais je puis être sauvé. Vous êtes de faux nègres, vous, maniaques, féroces, avares. Marchand, tu es nègre; magistrat, tu es nègre; général, tu es nègre... »

* Qu'on l'appelle écriture automatique ou folie prophétique.

Entendez-vous marchand, magistrat, général? Entends-tu, Ambassadeur de France? Rimbaud a été vaincu. Soit. Mais la bataille n'est pas finie. « Viendront d'autres horribles travailleurs; ils commenceront par les horizons où l'autre s'est affaissé. »

Roger Vailland.

[1934]

[A Jean Beaufret]

Mon cher Jean, l'ancien monde achève de se désagréger. Lecomte est fou et passe ses rares instants de lucidité à essayer de prouver qu'il est encore intelligent; Daumal joue au mâle qui protège son épouse (entre une vieille femme et un vieillard qui se croit prophète); Jean Valdeyron n'est plus du tout un adolescent et Aimée cache difficilement qu'elle est au martyre de ne plus avoir d'argent; Pierre-Quint n'a plus d'argent; on ne parle plus des surréalistes; les gens de gauche deviennent fascistes; je ne me drogue plus depuis quatre mois et je ne donne plus des leçons de morale à des petites filles, François est mort et je laisse se former celui qui va lui succéder. Jean Beaufret est à Guéret et je pense beaucoup à lui; j'aimerais que tu m'écrives très longuement et que je te réponde.

Ton ami :

Roger Vailland.

1935-1942

« De toute ma vie, *écrira Vailland,* et sauf le mois de janvier 1935, l'amour ne m'a apporté que du bonheur. » *C'est en janvier 1935 qu'il fait la connaissance de celle qui apparaîtra si souvent dans ses romans : il l'appellera B... dans* Drôle de Jeu, *Roberte dans* Les Mauvais Coups, *Lucienne dans* La Loi, *Roberte encore dans* La Fête.

Pour Vailland qui a une telle aspiration et une telle aptitude au bonheur, la première période de vie commune lui est un véritable émerveillement : B...-Roberte passe avec lui des nuits de fête ; elle est plus que sa femme : son compagnon de plaisirs.

Marat a noté dans son journal intime, en août 1940 : « Au cours de ces dix dernières années, j'ai été, malgré les circonstances hostiles, à maintes reprises indescriptiblement heureux (et surtout à Saint-Germain, au cours de cet incomparable printemps 1936 avec B...). »

Mais l'émerveillement sans nuages des débuts est bientôt terni par des moments de lassitude et même, parfois, d'agacement. Il y aura plus grave : l'humiliation [1].

Vailland a, on l'a dit, un sens baudelairien de la dignité. Il lui faudrait rompre, au moins se détacher, prendre sa distance. Il constate qu'il en est incapable : il a toujours la « passion », il la subit, il est bien loin de la vertu *cartésienne, cette « maîtrise et possession de soi-même » qu'il revendiquera si hautement plus tard.*

1. On en trouvera une transposition dans Les Mauvais Coups, *avec l'épisode d'Octave. Dans la réalité, Octave ne s'est pas suicidé ; c'est Vailland qui le suicidera dans le roman.*

Il en est tantôt mélancolique, tantôt résigné, mais plutôt résigné, ainsi qu'en témoigne, dans Drôle de Jeu, *le journal intime de Marat (qui semble être la reproduction presque entièrement fidèle de son propre journal intime) :*

« ...Marseille, 20 septembre 1940. — Pour la première « fois depuis des années, l'esprit étonnamment libre à l'égard « de B. Serait-ce pour de bon la délivrance?... Toujours « sans nouvelles de B...

« ...Lyon, 3 novembre 1940. — Très triste. En manque « de B... « l'homme le plus seul sur la terre ».

« ...Lyon, 25 mai 1941. — Journée mélancolique et « d'asthénie brusquement et follement animée par une « lettre de Mexico dans laquelle B. me raconte ses aventures « d'après l'armistice, et proclame son désir de revenir près « de moi... Qu'au travers de tous les aspects possibles de B., « de ceux que j'aime, ceux que je hais, ceux que je ne connais « pas encore, existe une sorte d'entité B., à laquelle je suis « irrémédiablement lié... B. est ma femme au sens le plus « profond du terme : c'est seulement maintenant que je le « comprends, que je l'admets...

« ... Lyon, 15 juin 1941. — ...se lamenter d'avoir une « mauvaise épouse est aussi sot, aussi pitoyable que se lamen- « ter d'avoir une sale gueule... On peut divorcer — on peut « aussi être veuf (l'étrange mot, « je suis le ténébreux, le « veuf, l'inconsolé »...) — de même qu'on peut vivre sans « appendice, sans rein, sans estomac et peut-être même avec « un cœur en baudruche à mécanisme d'horlogerie. Mais il « est toute une médecine qui croit aux conséquences incal- « culables des chocs opératoires. »

A « l'incomparable printemps 1936 avec B. » a succédé une période de grisaille triste que vient seulement rompre, parfois, l'éclat d'une brusque flambée. De nouveau mal à l'aise dans la vie, Vailland trouve réunies contre lui les trois causes habituelles du malheur de l'homme qu'il énumérera dans La Fête : *le manque d'argent, la tyrannie de l'épouse, l'absence de vocation ou l'obligation de se consacrer à un travail qui ne répond pas à sa vocation. Il se sent une vocation d'écrivain mais l'inhibition devant l'écriture est plus forte que la vocation.*

Il ne se sent pas davantage attiré par l'action militante : si au cours de « l'incomparable printemps 1936 » qui est aussi le printemps du Front Populaire, son cœur a battu avec ces « hommes nus » qui le fascinent depuis l'enfance, s'il se sent fraternellement uni aux républicains espagnols, il ne tarde pas à se désintéresser du sort du monde. La débâcle de 1940 le laisse longtemps indifférent.

Journaliste à Paris-Soir *replié en zone sud, Roger Vailland se retire à la campagne, à Chavannes-sur-Reyssouze, quand son journal se saborde en novembre 1942.* « Il était dans ce village, il n'avait pas d'ennuis d'argent, il avait acheté toutes sortes d'ouvrages sur l'ornithologie, il étudiait le vol des oiseaux. Les voisins parlaient des premiers maquis, il écoutait chez eux les émissions en français de la B.B.C. Cela ne le concernait pas. Un jour, un certain jour précisément, tout cela l'avait concerné, les premiers maquis, le déroulement de la guerre, la bataille de Russie. Le même jour, le vol des oiseaux avait cessé de l'intéresser. Il n'en finirait plus d'établir pourquoi et ce serait probablement inexact [1]. »

Un peu plus tôt, il s'est fait désintoxiquer : au moment où, dira Marat dans Drôle de Jeu, *il allait* « devenir un comptable en pipes, un rond-de-cuir de l'opium ». *Il a renoncé au « cocon qui protège du monde » pour entrer dans la Résistance.*

Duc dans La Fête : « Il est possible que je n'aie pris — à diverses occasions — le risque d'aller en prison, de me faire tuer ou d'être torturé que pour me faire à moi-même la preuve de ma souveraineté sur moi-même. »

1. La Fête.

[1935]

Paris le 15 octobre
[A Colomba Voronca[1]]

Ma chère Colomba retrouvée, j'ai très confiance que nous cueillerons ensemble des fleurs de nacre, de jade et de sang, comme celle que tu as trouvée dans la montagne. J'ai de nouveau très confiance en tout ce que je désire. J'avais été très terriblement touché quand l'hiver dernier tu m'avais dit que le malheur ne me « seyait » pas et que tu m'avais promis une petite fille de quinze ans qui s'enroulerait autour de moi. A cette époque je vivais dans un monde très noir où il n'y avait que les orages qui étaient beaux mais ensuite il fallait s'enliser pendant des jours dans la boue. Ça a duré deux années.

Mais maintenant j'ai retrouvé la joie de vivre du matin, la joie de la solitude et la joie des présences, j'ai retrouvé Colomba, je crois qu'il est de nouveau possible que je tombe du ciel sur Bucarest et voilà le taxi et voilà Colomba dans une robe bleue sur le seuil de la porte : ça c'était du bonheur.

Colomba, demain, à sept heures du soir, j'aurais vingt-huit ans.

Tout à l'heure je vais à un vernissage de peintures où il y aura deux femmes que j'aime un peu; je me suis bien rasé, j'ai mis de la crème et de la poudre et un beau costume fait

1. *Femme du poète roumain Ilarie Voronca, dont Roger Vailland avait adapté les poèmes en français.*

par un bon tailleur et qui est à la fois large et ajusté (la vraie coupe anglaise). Je leur dirai des choses qui leur feront plaisir et puis j'emmenerai celle qui me plaira davantage. Mais je ne veux plus de la passion qui me rend comme une bête traquée; Bitza, comme je devais être lamentable à tes yeux cet hiver; je revois cette place du Palais-Royal toute mouillée où je te racontais mon « histoire » : la vilaine, la sale, l'affreuse histoire. J'ai finalement été obligé par réaction de comprendre la réalité de termes qui me paraissaient suspects auparavant (parce que je craignais qu'ils fussent des résidus religieux, parce que les bourgeois français les ont détournés de leur vrai sens, etc.) : la dignité de l'homme, l'amour de la vérité, la bonté, la probité, l'honneur.

Viens vite à Paris; il y a de nouveau des bateaux-mouches sur la Seine : nous irons ensemble dans le bois de Saint-Cloud. Et puis nous descendrons très majestueusement les grands escaliers du Parc de Versailles. Et puis nous irons manger dans des restaurants où il y aura beaucoup de serviteurs silencieux et respectueux; je choisirai avec beaucoup de soin les vins et les plats; et de très belles filles toutes nues danseront pour nous.

Fais mes amitiés à Ilarie.

En attendant de venir, écris-moi souvent. Je t'aime beaucoup, beaucoup, Colomba.

Je t'embrasse très tendrement.

Roger

38, rue de l'Université.

[1940]

PROJET DE LETTRE OUVERTE AU MINISTRE DE L'ÉDUCATION NATIONALE

Je quitte à l'instant des amis qui m'ont profondément affligé. C'étaient, — c'étaient, dis-je et non ce sont — des hommes d'esprit et rompus au maniement des idées; les entendre exposer, débattre, disputer, constituait un plaisir inégalable; je les rencontrais à neuf heures du soir, je m'apercevais qu'il était deux heures du matin, il me semblait que l'entretien venait de commencer.

Mais tout à l'heure, le visage congestionné, la pupille dilatée, quittant tout soudain leur siège comme mus par un ressort d'attrape-nigaud, ils s'invectivaient furieusement. Tout à coup, ils devinrent voyants et se mirent à prédire l'avenir; le plus âgé des deux, homme de poids, occupant un poste important, réputé pour la sûreté de son jugement, s'écria :

— La Patagonie occupera le Pôle Sud, je le sais, je le sens, je le vois, j'ai toujours eu une intuition étonnante.

Je sursautai. Il n'y avait pas une heure qu'une charmante espiègle dont le métier est de distraire les clients d'un bar avait prononcé devant moi la même phrase.

Hélas! l'un de mes amis termine en phile les noms propres que l'autre termine en phobe. Ils n'ont pas la même opinion.

— Méfiez-vous de l'opinion, répétait mon professeur de philosophie.

Cet excellent pédagogue m'enseigna pendant toute une année à ne pas confondre certitude et opinion. C'était sa manie. Il tenait toute opinion en singulière méfiance. L'opinion, disait-il, est un phénomène hybride : elle dépend de la digestion, du mouvement des humeurs, comme on disait au Grand Siècle, tout autant que de l'exercice du jugement; elle est surtout influencée par l'esprit de parti.

— Regardez, nous conseilla-t-il, les spectateurs d'un match de boxe. Aucun n'est indifférent à l'issue du combat, sensible seulement à la beauté des esquives et des feintes. Observez comme par des mouvements de la tête et des épaules, de brusques retraits, des crispations de la main, de soudaines grimaces, ils miment l'action du champion qu'ils ont choisi et auquel ils s'identifient inconsciemment. Voyez cette dame qui porte brusquement la main au ventre, en gémissant : elle s'est si bien incarnée à son favori que le coup qu'il vient de recevoir lui a fait mal.

« Demandez maintenant à ces spectateurs leur opinion sur le combat. Elle changera du tout au tout selon qu'ils sont zélateurs de l'un ou l'autre champion; le même coup sera décrit différemment, le même exploit exalté ou déprécié selon cette seule règle de la passion.

« Ainsi en est-il, réfléchissez-y bien, de la plupart de vos opinions. Ah! Messieurs, méfiez-vous de l'opinion, que ce soit la vôtre ou celle qu'on nomme publique. »

Il ajoutait encore :

— Pourquoi cette dame défend-elle son champion avec tant de ferveur? C'est la première fois qu'elle assiste à un combat de boxe et elle ne sait même pas les noms des combattants. Elle a choisi celui-ci à cause de la couleur de ses cheveux ou de son maillot; peu importe, elle éprouvait le besoin de prendre parti, d'avoir une opinion.

« Je me demande, Messieurs, si lorsque nous en arriverons à étudier la morale et le civisme, je devrai, comme le programme l'exige, vous enseigner que toute opinion est respectable. »

Je conserve, Monsieur le Ministre, un merveilleux souvenir des six années que j'ai passées au lycée de Reims, de 1919 à 1925. J'eus la chance d'avoir des maîtres qui possédaient encore le véritable esprit de l'enseignement secondaire, des professeurs de latin qui nous apprenaient à chercher patiemment le mot qui traduit exactement la pensée, de chimie qui ne nous apprenaient pas tant des formules qu'à considérer certains phénomènes sous l'angle particulier de la méthode scientifique, de mathématiques qui s'efforçaient surtout à former notre jugement à cette rectitude qu'implique le passage d'un théorème à un autre. Ainsi nous formait-on l'esprit critique.

Est-ce une opinion ? Une probabilité ? Une certitude ? Quinze ans plus tard, je me surprends à me poser la question à chaque tournant d'une discussion.

[1942]

[*Journal intime*]
Chavannes, 6 juin 1942

Je me suis ménagé un mois de complet loisir. Le plus difficile c'est d'écarter les distractions : la pêche à la grenouille ou une course en montagne peuvent occuper tout autant que le travail le plus astreignant; ce que je souhaite au contraire, depuis longtemps, c'est de disposer de toute une période de temps inoccupé; le besoin très ancien de « la retraite dans un poële » et de refaire les *Méditations Métaphysiques*.

J'ai loué une grande maison dans la campagne bressane qui est une des plus monotones que je connaisse; à cinquante kilomètres à la ronde, je trouverai les mêmes ondulations courtes, fermes isolées, prés, mares, champs étroits qu'animent les haies de saules et de peupliers : inutile donc de bouger. Le salon où j'écris est vaste et d'heureuses proportions; il donne de plain-pied sur une large terrasse qui domine une campagne assez naturellement ordonnée par de hauts peupliers frémissants : rien d'étroit ni de mesquin : le jardin japonais est un péché d'abstraction : il néglige — à moins que ce ne soit volontairement — que l'échelle compte : d'où dérivent les notions de grandeur, de sublimité, de hauteur, de magnanimité. Ici, tout est à proportion humaine mais avec ampleur — du moins en cette maison qui me plaît.

J'avais d'abord pensé consacrer ce loisir à écrire un roman. En partie à cause d'un mot de K. H. : « un roman doit être écrit avec confiance »; « de même, avait-il ajouté, qu'un champion disait qu'un certain coup difficile au tennis ne pouvait être réussi qu'avec confiance ». Journalisme mis à part, c'est un manque de confiance qui m'a empêché d'écrire jusqu'ici, venant de l'idée trop haute que je me faisais de l'œuvre écrite; comme la première fois que j'allais à l'école, je fus toute une journée incapable de dessiner un O sur mon ardoise, à cause de l'idée que je me faisais de la perfection du O : je devais les effacer à mesure. Je me faisais au contraire une idée trop basse du journalisme. D'où tout mon malheur entre vingt et trente ans : d'une tâche méprisée à une tâche toujours remise parce que située dans l'inaccessible. Or je suis justement arrivé au point où je puis écrire avec confiance. J'avais donc choisi une situation : « un homme comme moi découvre un procédé pour fabriquer de faux billets de banque », et songeais à en développer les conséquences en toute liberté; ce thème n'étant, dans mon esprit, qu'un prétexte à exprimer ma vision du monde et de l'homme. Mais aussitôt l'objection : pourquoi m'imposer ce prétexte? parce que l'idée doit se faire chair. Finalement : la « méditation » est aussi arbitraire que le roman et me séduit davantage : écrire « Trente méditations sur la vie, la mort, la liberté, l'amour et autres notions essentielles », chacune correspondant à une journée, comme les sept *Méditations Métaphysiques*. Commencer : « me voici donc seul... » et je ne sais pas davantage ce qu'il en adviendra à la fin que dans le plus « en liberté » des romans.

Or voudrais-je d'abord établir ce qu'est pour moi l'exercice de la pensée. Par exemple, je me promène sur le bord d'une mare et découvre un roseau dont l'aigrette est exquisement proportionnée avec la tige : « voici la véritable élégance » : d'un éclair, le roseau éclaire et justifie le mot élégance, avec en arrière-plan le mot parisien, la terrasse du café Weber et par opposition Raymonde avec qui nous vivions à ce moment-là, qui avait mis à midi un chapeau pour aller au village, dont le tailleur et la blouse m'avaient frappé par leur mesquinerie, et pleine de fausses prétentions à l'élégance : méditez ce roseau, pensais-je à lui dire, si vous voulez deviner ce que c'est que l'élégance. Mais elle-même, pendant toute cette période, il ne me semblait pas inutile de la regarder; la regarder simplement me laissait insatisfait; sur un mot d'elle — une de ses rivales, nous avait-elle raconté, l'avait surnommée la tigresse et le constraste avec l'image que nous nous faisions d'elle nous avait paru comique — nous la baptisâmes « tiger conasse », ce qui combla un peu mon insatisfaction. A ce moment encore, nous lisions Fabre : « fourmi ouvrière » dit Andrée[1], ce qui me plut également. Je n'étais cependant pas encore satisfait : il en reste que le besoin était de la nommer : trouver la série de noms qui épuisent aussi complètement que possible le sujet.

Le roseau et Raymonde donnent le type de deux démarches de la pensée : l'objet éclaire le nom, l'objet exige d'être nommé. L'acte de pensée est étroitement lié au nom. Tout le progrès de ma pensée depuis quinze ans est d'avoir éclairé un certain nombre de noms comme le roseau éclaire « élégance » : ainsi la jambe de Jacqueline éclaira « beauté d'une jambe », « jambe racée », etc... Mais qu'est-ce qu'éclairer un nom, une notion? Qu'est-ce que nommer un objet?

Il y a dans mon jardin un noyer; le troisième jour seulement j'ai vraiment regardé mon noyer. Un noyer à la Van Gogh. Les arbres à la Van Gogh ne seraient donc pas un procédé de dessin. C'est un très vieil arbre dont l'ossature l'emporte sur le feuillage, sur la chair. L'ombre du noyer est plus froide que celle des autres arbres, les paysans de Teilhède disent qu'elle est mortelle.

Il y a dans le pré un haut peuplier. Populus. Peuplier d'Italie. Il est beaucoup plus haut qu'une maison : ce serait une tour, on serait étonné de sa hauteur et on viendrait le voir de loin : c'est un monument de la nature. L'art du jardinier est d'utiliser les monuments de la nature.

Le noyer et le peuplier sont des arbres. Les arbres, toute une époque, ont symbolisé pour moi un douloureux moment de la conscience. Le mouvement pétrifié; l'effort désespéré pour se mouvoir; le chêne tordu de la douleur de ne pas pouvoir tendre le bras.

George Sinclair ne sait pas distinguer un chêne d'un peuplier. Elle ne les eût pas vus, elle ne les eût pas nommés, ou si son attention eût été attirée, elle les eût nommés arbres. Le marchand de bois eût pensé à cette planche de noyer qui fait

1. *Andrée : le prénom réel de la première femme de Roger Vailland.*

de beaux meubles et qui vaut cher et au bois blanc du peuplier, pour les armoires de cuisine. Le botaniste les eût classés dans deux familles différentes et eût pensé peut-être à cet unique peuplier mâle, importé en France et d'où sont issus, je crois, par boutures, tous nos peupliers. Van Gogh en eût fait un Van Gogh et Corot un Corot.

Sommairement, nous dirons donc que percevoir c'est nommer, et penser nommer des noms. Peindre n'est ni percevoir ni penser et c'est pourquoi un peintre peut être inconscient et bête.

Bien percevoir c'est nommer noyer le noyer et non pas peuplier; bien penser, c'est nommer correctement les noms. Voici qui semble bien nous éloigner de Descartes. Savoir, c'est connaître tous les noms d'un objet, d'un être; et même les plus secrets, comme dans les sociétés primitives.

Mais je dirai encore que percevoir c'est être éveillé en face d'un objet. Nommer le noyer, c'est une des actions possibles auxquelles m'invite le noyer, comme l'abattre, le gauler ou le peindre. C'est aussi façon de le créer : en disant noyer et tel noyer, je le crée pour moi. Toute action modifie l'objet : celle de l'ouvrier modifie la nature et crée des objets nouveaux, celle du peintre la couleur et crée des peintures; celle du contemplateur modifie disons sa vision du monde et crée des noms.

Tout se passe comme si chaque homme créait le monde en en prenant conscience, en le nommant.

Et encore : sans doute l'élégance et le mot existaient avant que j'en prisse conscience mais ils n'ont existé pour moi que lorsque j'ai dit « tu es élégance ». Je dis : ceci est élégance, ceci est grandeur, faste, délicatesse, mignardise, grâce, force : distinguant, séparant, créant les manières d'être.

J'achève de lire le *Journal* de Stendhal. Il écrit en 1815 : « Le parti de l'éteignoir triomphe. Voilà un beau venez-y voir, dirais-je aux philosophes allemands si en colère contre Bonaparte, si ces gens-là avaient assez d'esprit pour comprendre. Je m'estime heureux de vivre [à Venise] sous le gouvernement profondément sage de la maison d'Autriche. D'ailleurs rien de ce qu'on fait ici ne peut me toucher; je suis passager sur le vaisseau. L'essentiel est qu'on ait de la tranquillité et de bons spectacles... Les bâtards doivent être bien contents... Pour me consoler de ce grand malheur arrivé à la raison humaine, je suis allé faire le tour de Venise. »

C'est à peu de chose près ma position actuelle.

(A propos de Stendhal, dans le tome II du journal, au début — Paris 1805 — certaines descriptions d'après-midi ou de soirées dans le monde sont presque exactement dans le *ton* que je recherche chez Hemingway.)

J'ai même renoncé à me battre les flancs pour m'exciter sur la campagne de Russie : les derniers événements qui m'émurent jusqu'au lyrisme furent la guerre d'Espagne. A tout ce qui s'est passé depuis je n'ai pas participé réellement. Je lisais ce matin un excellent numéro de *7 jours* : la vie quotidienne d'Hitler et de Roosevelt, « ce que j'ai vu à Berlin », les chantiers navals américains, avec un vif intérêt mais exactement comme j'eusse lu une page d'histoire. Ceci peut s'expliquer cyniquement.

Je ne me sens pas suffisamment français pour prendre à cœur les intérêts des Français, pas suffisamment bourgeois pour défendre la classe bourgeoise, pas suffisamment prolétaire pour m'engager dans une action révolutionnaire; je n'ai jamais milité dans aucun parti politique : c'est que je n'ai jamais eu que des *goûts*, pas de « convictions » en matière politique, je n'ai jamais senti de cause suffisamment mienne pour risquer un danger pour elle : les communistes l'appréciaient justement en se méfiant des « intellectuels petits-bourgeois ». Tout mon bonheur, tout mon malheur, dépendent de moi et, me semble-t-il, ne dépendent que de moi; je n'ai rien à défendre que moi-même.

13 juin

Manevy [1] l'autre jour s'étonnait - indignait que le théâtre français de Racine à Bernstein ne mît en scène que des

1. *Ami très proche de Roger Vailland à la rédaction de* Paris-Midi *et de* Paris-Soir. *Raymond Manevy et Roger Vailland avaient écrit ensemble* Un Homme du Peuple sous la Révolution, *récit historique publié dans* Le Peuple, *organe de la C.G.T, en 1938.*

personnages pour qui le problème de l'argent ne se pose pas. C'est que les drames du cœur — ceux que le théâtre met en scène de préférence — sont un luxe.

18 juin

Sous quelle forme, de quelle façon, l'homme actuel se magnifie-t-il par des cérémonies ? Les nécessités économiques sont très vraisemblablement une explication insuffisante de la guerre (insuffisance du marxisme *) : la guerre considérée comme une des formes de satisfaction du besoin dont la course de taureaux, le procès criminel, la messe, la *tragédie* sont d'autres formes. La guerre est une institution. Mais ceux qui ne la veulent pas pratiquer ? Il est diverses solutions : la majorité du peuple français ne désirant pas pratiquer la guerre et bien qu'on lui ait persuadé qu'il lui était imposé de la pratiquer, a, par le concours, j'en suis certain non concerté, de millions de mauvaises volontés, fait rater la « représentation ». Quant aux soldats russes, la presse allemande les traite de voyous; c'est déjà preuve qu'ils ne font pas la guerre selon les règles; tuer l'envahisseur et brûler la terre ce n'est pas suffisant pour faire la guerre; mais les maréchaux russes en tant que maréchaux font quand même la guerre; il en résulte une demi-guerre, finalement sans doute une vraie guerre. Mais on peut imaginer un peuple résistant à l'envahisseur autrement que par la guerre. De même, conquérir sans pratiquer la guerre, ce fut sans doute la première idée d'Hitler, mais les généraux ont réussi à lui faire croire à leur utilité; le moment capital fut sans doute tout de suite après l'affaire de Pologne; je veux croire que jusque-là Hitler n'avait considéré l'armée que comme un instrument de diplomatie, un épouvantail; mais le voici engagé dans la guerre comme un joueur dans une partie de roulette : ce sera sa perte. La grande force des Anglais, c'est sans doute, malgré toutes les tentations, de ne pas pratiquer la guerre, le plus coûteux des vices à grand spectacle : vice parce que la guerre — comme la drogue, comme le

* C'était toi qui étais insuffisant. Octobre 1945.

jeu, etc. — domine ceux qui la pratiquent; seules les guerres coloniales ne sont pas des vices (pour les peuples mais elles le peuvent être pour les individus) : d'où encore la sagesse de l'Angleterre; la guerre « totale » est évidemment la plus folle.

La botanique m'aura été utile pour me persuader de l'inutilité théâtrale de l'existence. La botanique comme toute contemplation de la nature. Le chardon cuirassé comme un samouraï et la frêle véronique vivent côte à côte sur le même sol : qui me persuadera de la non-gratuité des armements du chardon ? L'explication mécaniste est aussi vaine que la finaliste. La nature ne rationalise pas; le système Taylor procède à l'inverse de la nature; de ma fenêtre en ce moment, je vois les cimes diverses des arbres, un prodigieux gaspillage. La seule explication de l'origine des espèces à laquelle je trouve quelque satisfaction est celle des variations brusques, gratuites — qui suppose que la nature eut jadis beaucoup plus de *verve* qu'à présent. Je ne vois pas d'explication d'ensemble satisfaisante à cette guerre. Beaucoup, je crois, valent, différentes pour chaque nation en guerre. La chose extraordinaire que ce jeune paysan du Middle West qui devient pilote et va bombarder de nuit, sur un continent dont il ne sait presque rien, une ville dont il n'a jamais entendu parler.

[1942]

[SUR L'ARGENT]

L'argent est maudit. Ce n'est pas de la sorcellerie. L'argent est la réduction à l'abstrait de tous les plaisirs et de toutes les puissances, c'est-à-dire leur désincarnation; autrement dit encore c'est la suppression de l'échelle humaine; le monde pensé sous l'espèce argent n'a plus de commune mesure avec l'homme, la grâce qui est accord avec le monde est interdite à l'homme riche. L'homme riche est nécessairement fou au sens le plus profond; le capitalisme est le « désaccord » c'est-à-dire la folie dans les rapports de l'économie mondiale. Tout homme riche qui n'a pas su dominer absolument sa richesse est un fantôme.

Kangourou, fils et petit-fils de banquier, est fantôme, il ne mange pas parce qu'il a faim mais parce qu'il s'est réveillé au milieu de la nuit pris de panique à la pensée qu'il n'avait pas assez mangé et que c'était dangereux pour sa santé : il n'aime donc que les nourritures sans goût : pain, beurre, crème, sucre; il a peur des chairs qui ont du goût, peur panique de tout ce qui évoque les viscères; la peur est le seul sentiment que les fantômes éprouvent directement : une peur déliante qui les fait chier dans leur pantalon. Les viscères ce sont la femme, l'océan, la mer et la mère, tout le trouble et l'informe, les manifestations troubles de la vie à l'état naissant, le domaine panique des métamorphoses.

Le triangle qu'envisage le géomètre n'est aucun triangle réel, la jouissance que donne la possession de la richesse n'est aucune jouissance réelle.

L'argent est par rapport aux jouissances qu'il peut procurer comme le bloc de marbre par rapport à la sculpture achevée, même pas comme le chaos. Comme Dieu le Père.

1943-1947

Se désintoxiquer, entrer dans la Résistance, c'est, pour Vailland, une autre manière de mettre un terme à son adolescence. Dès juin 1942, à une époque où le vol des oiseaux l'intéresse plus que le déroulement de la guerre, il pressent qu'il est en train d'aborder une nouvelle étape de sa maturation ; on l'a lu dans son journal intime : il a maintenant suffisamment confiance en lui-même pour envisager d'écrire.

Il se mettra à Drôle de Jeu *deux ans plus tard dans cette maison de Chavannes-sur-Reyssouze où, coupé de ses liaisons, il vient chercher refuge.* Drôle de Jeu *: un roman qui a pour cadre la Résistance dont il sort, et pour personnages lui-même et ses plus proches camarades. Mais au-delà du roman, Vailland exprime d'abord la conception du monde qu'il mûrit depuis Reims.*

Drôle de Jeu *sera aussi pour Vailland comme un exorcisme : il vient de connaître un jeune résistant qu'il appellera Frédéric ; il a vite retrouvé en lui, derrière le fatras idéologique, l'homologue du pauvre adolescent anxieux et inhibé qu'il a été lui-même. En l'envoyant, dans son roman, à la mort (et en l'y envoyant à cause de son anxiété et de ses inhibitions), Vailland rompt les liens qui pouvaient encore le rattacher à son passé.* « La chance m'aime », *dira Marat dans les dernières pages de* Drôle de Jeu. *C'est, pour Vailland, se placer définitivement sous le signe de cette grâce à laquelle il aspire depuis bientôt trente ans.*

(Roger Vailland fera jouer très consciemment le même mécanisme dans d'autres romans, pour s'aider à résoudre ses conflits personnels : il tuera Roberte dans Les Mauvais Coups *pour s'en déposséder, il châtrera Lamballe dans* Bon Pied Bon Œil *pour sceller sa rupture avec la « culture bourgeoise », et la mort de Don Cesare, dans* La

Loi, *sera une manière de proclamer sa propre mort en tant que communiste.)*

Avec Drôle de Jeu, *Vailland achève de sculpter sa propre statue : celle de Marat. Lui qui a un sens si vif des « saisons », des biographies successives, c'est sous le visage de Marat, révolutionnaire et libertin qu'il abordera la deuxième partie de sa vie.*

Il s'intègre dès la libération à une brillante équipe d'intellectuels communistes ou très proches du Parti qui rédigent l'hedbomadaire Action. *Lui reste à la lisière du Parti, comme Marat*[1]. *Il vit avec ses camarades (« sa famille » dit-il) dans une atmosphère de romantisme révolutionnaire* : « Nous étions persuadés que le monde allait changer de face dans les dix années qui allaient suivre. C'était nous qui allions faire cela (...). Nous partagions les rôles : tu seras Saint-Just, je serai Robespierre et qui d'entre nous sera Marat? (...) Que de nuits nous avons passées à mettre en parallèle toutes les révolutions de l'Histoire! La nôtre aurait été la plus romanesque (...). Et puis rien ne s'est passé. Nous avons été la jeunesse de la Révolution qui n'a pas eu lieu[2]. »

1. Mais à la différence de Marat, Roger Vailland avait demandé, pendant la Résistance, son admission au Parti communiste clandestin. Sa demande d'adhésion qui avait été transmise par Jacques-Francis Rolland — le Rodrigue de Drôle de Jeu *— ne devait pas recevoir de réponse.*

2. Article nécrologique sur Pierre Courtade, Les Lettres françaises, *16 mai 1963.*

[1943]

POUR LA MORT DE MON PÈRE

Joinville-le-Pont, 23 août 1943

Avais revu mon père, à plusieurs reprises, à l'occasion de mon précédent voyage à Paris, à la clinique de Nogent-sur-Marne, où il venait de subir la deuxième phase de l'opération de la prostate. On venait de déceler la septicémie et la fièvre ne baissait pas; je le jugeais perdu. J'avais tout récemment participé à l'enterrement du vieux père Coulon, « accompagné » par tout le village, fanfare des pompiers en tête. Me frappa donc la tristesse de cette mort dans une clinique, avec cette solitude résultant de la présence unique de la toute proche famille, qui avait d'ailleurs été la solitude de toute sa vie. Il était d'apparence consciente mais parfaitement inconscient de son état, parlant de son proche retour à la maison; j'eusse préféré l'éclairer, comme j'aimerais l'être moi-même en d'identiques circonstances; je n'ai pas peur de la mort bien que ou parce que je ne crois pas à l'immortalité de l'âme; maintenant je la déplorerais comme un incident désagréable qui me ferait rater une série de joies prévues; vieillard, il me semble qu'elle pourrait m'être une dernière joie, si je mourais justement en pleine conscience, capable de réaliser la totalité de ma vie, entouré d'êtres eunes. Pour des raisons très différentes, il me semble que pour mon père, qui était chrétien, la conscience de mourir ne devait pas être pénible; il me semblait en tout cas que c'était manque de respect que de lui mentir sur son état. Mais comment serais-je intervenu, tellement étranger à ma famille, après tant d'années de séparation et de tels différends ?

24 août

Une lettre adressée à ma mère par un collaborateur de mon père, dit « qu'il ne se faisait guère d'illusions sur l'issue de l'opération ». Alors a-t-il joué la comédie de l'inconscience pour ne pas alerter ma mère, également inconsciente, ou pour avoir la paix ? Plusieurs réflexions entendues, projets d'avenir, etc... écarteraient cette hypothèse. Mais le doute subsiste. De plus en plus étranger.

Copie de la lettre à ma mère, jointe au testament :

Joinville-le-Pont, 23 janvier 42

Ma chère Anna,

Je fais aujourd'hui ce testament.

Je pense non sans tristesse au quasi-dénuement dans lequel je te laisse.

Mais non sans confiance. La Divine Providence nous a trop visiblement protégés depuis tant d'années que ni toi ni moi nous n'avons le droit de douter de sa bonté.

Je suis certain que Ginette et Roger se montreront pour toi des enfants aimants et agissants. Je leur fais confiance aussi.

Ma chère Anna, je t'ai toujours aimée de tout mon cœur, parce que d'abord c'était toi, et aussi parce que je savais que tu étais digne d'être aimée. Pardonne-moi si parfois j'ai été entier, égoïste ou si je t'ai offensée dans mes mouvements d'humeur.

Je meurs en la foi catholique. Que Dieu veuille bien m'assister en mes derniers moments et me pardonner mes fautes.

Je désire, comme je l'ai toujours désiré, être inhumé le plus simplement possible, dans le pays où je rendrai mon dernier soupir. Ce n'est pas sur ma tombe que toi ou mes enfants viendront se recueillir ; mais je vous demande à tous trois des prières et des messes. Nous sommes chrétiens ; c'est en Dieu que nous devons nous retrouver toujours en ce monde comme dans l'autre.

Je dis nous sommes chrétiens, tous trois vous prierez pour moi car je ne doute pas [que Roger] *sera bon chrétien, lui aussi, un jour ou l'autre. J'ai trop prié pour lui pour ne pas être exaucé. Dieu et la Vierge Marie sont trop bons pour ne pas exaucer mes ferventes prières.*

Et je demande aussi à Dieu de protéger plus particulièrement, de protéger ma fille qui si courageusement se donne à Lui. Qu'Il l'assiste au milieu des dangers et des tentations.

Et je t'embrasse, ma chère Anna, bien bien fort et mes deux enfants aussi.

Georges Vailland.

Remarquable intolérance des chrétiens. Absence de toute gentillesse à l'égard d'Andrée; je devine, sous-entendu : « nous ne la considérons pas comme ta femme puisque vous n'êtes pas mariés à l'Église ». Ginette : « Papa aurait été peiné que tu l'emmènes en Savoie. » Ginette décline la proposition de pied-à-terre qui m'aurait fait payer leur loyer : « ta femme pourrait choquer mes amis ». Sa fréquente agressivité. Un soir je l'ai confessée : elle interprète sur le plan surnaturel et attache une importance déterminante à une impression ressentie à douze ans, en écoutant le chant des bénédictines dans l'Abbaye de Maredsous(?), en Belgique. Ensuite un bénédictin :

— Que feras-tu dans l'avenir, mon enfant?

— ...

— Pourquoi ne réponds-tu pas : « Je serai bénédictine, mon père »?

Ce qu'elle pensait justement depuis qu'elle était sortie de la chapelle.

Mais elle reconnaît aussi une très vive répugnance à l'idée des contacts physiques du mariage jusqu'à l'âge de 23 ans en particulier. Affirme n'avoir jamais ébauché aucune intrigue amoureuse. Son corps de fillette. (Son intérêt pour *Le Centaure de Dieu* de La Varende : le personnage de Gaston — mon horreur de la Restauration.)

Tout ceci pour moi relève de la psychanalyse — sans que cela implique aucun blâme : anticlérical sur le plan politique, j'accepte volontiers toutes les extravagances de la nature humaine : les ascètes comme les chênes japonais, pourquoi pas ? Mais le sourire de bienveillance supérieure des croyants (cf. Daumal dans le type tradition ésotérique) est insupportable. Et j'ai senti si vivement à Lourdes que les Enfants de Marie me feraient griller vif sans la moindre pitié — sinon pour mon « âme ». Il faut donc bien les considérer en ennemis.

Chez moi, je sens méfiance à mon égard comme à l'égard d'un oiseau de proie malfaisant.

Ma sœur égoïste, mesquine (l'appareil de T.S.F., les livres), sèche. J'avais l'impression d'être plus ému qu'elle par mon père malade : c'est parce que j'ai plus de « tempérament » : mon sang plus vif s'amasse plus facilement dans la poitrine, siège des émotions : ce qu'on appelle le cœur. Sa bonté, comme celle de ma mère, toute négative; ne pas oser (quitter ses parents, prendre, affronter, etc). Je pensais : peut être est-ce grand contrôle d'elle-même : interprétation qui résulte de mon universelle bienveillance.

Moi je fus violemment ému :

par la faiblesse, l'absence soudaine de résistance de mon père malade — qui fut jadis un dur adversaire;

par l'humanité soudaine de ma mère en face du mourant; simple femme : « mon Mimi chéri »; tout un aspect d'intimité inconnu;

par le « visage de la mort », le trouvant râlant à mon arrivée de Chavannes.

[1944]

[26 janvier 1944]
[A Geneviève Vailland]

Ma chère Ginette,

Je reste assez agité par notre dernière conversation. A quel point nous nous connaissons peu. Et comme notre pauvre Papa et moi, nous nous sommes sans doute peu connus.

Chaque fois que je te parle, je m'en vais davantage persuadé que tout rapport *réel* est impossible entre croyants et incroyants. Vraiment pas par ma faute, à moi, incroyant, puisque je « tolère » votre comportement comme une espèce entre les mille espèces de comportements que permet l'infinie souplesse de la nature humaine. L'homme est le seul animal qui puisse vivre à la fois sous le Pôle et sous l'Équateur, être Messaline ou sainte Thérèse, etc.; à force d'expériences et de réflexions, je me suis convaincu qu'un certain équilibre dans le développement de facultés mentales et physiques apportait le plus grand bonheur possible, tant pour l'individu que pour la collectivité; j'en suis persuadé; bon; mais cette persuasion ne condamne pas à mes yeux ceux qui préfèrent se jardiner, tailler, greffer, « tuteuriser » and so on, morigéner le corps pour développer les facultés spirituelles ou inversement tout sacrifier à la verve de l'épanouissement animal; pourquoi pas? Leurs expériences peuvent même m'intéresser vivement (comme un cultivateur un peu curieux peut se passionner pour les chênes nains que les jardiniers japonais font pousser dans un petit pot). Surtout, je reste capable d'autant de sympathie pour eux que pour ceux qui ont la même attitude que moi (et j'emploie « sympathie » au sens le plus fort). Je ne deviens combatif que s'ils essaient, directement ou indirectement, sur le plan individuel ou sur le plan social, de m'imposer leur méthode de culture humaine.

Très important : je ne *crois* pas, au sens où les religieux emploient le mot *croire*, avoir raison contre eux, avoir raison contre vous — je ne *crois* en *rien* au sens absolu du terme. Tout bien pesé, j'*estime*, je *juge*, je *suppute*, je *pense*, que mon attitude est la plus raisonnable, la plus digne, etc. Mais j'admets l'erreur possible et encore davantage la variation, c'est-à-dire qu'en un autre temps, en d'autres circonstances, je puisse *estimer*, *juger*, *supputer*, *penser*, différemment.

ENCORE PLUS IMPORTANT : du fait que nous autres *incroyants* nous admettons loyalement que nous considérons toute vérité comme *relative*, il ne faut pas du tout conclure que nous prenons nos vérités à la légère, que nous n'avons pas de raisons valables pour les défendre, que nous pouvons à la rigueur les changer pour vous faire plaisir, qu'elles ne nous *engagent* pas. Conclusion que font généralement les croyants et que tu fais : « si tu ne crois pas *absolument*, m'as-tu dit *grosso modo*, pourquoi t'engages-tu, pourquoi *te risques-tu absolument ?* »

Il faut que tu réfléchisses — et c'est capital — que : *en termes abstraits :* « une vérité relative est absolue et engage comme telle, dans les limites de sa relativité »; *en termes concrets :* « moi, Roger Vailland, né le ..., à..., de Georges V., Savoyard, etc. et de Anna M., fille de, etc., élevé à Reims, au lycée, ayant fait des études de..., voyagé dans..., exercé les métiers de..., aujourd'hui 25 janvier 44, en France, à Paris, etc. etc. (je définis toutes les *relations* qui conditionnent ma *relativité* et celle de ma vérité), dans toutes ces *conditions* d'être, de temps, d'espace, *je me trouve tel que* sur *tel sujet* et JE NE PEUX PAS PENSER AUTREMENT *que de telle manière* : sinon je mens ou à moi-même ou aux autres ou aux deux, sinon je suis léger, inconsistant, déloyal, etc..., sinon je suis tel enfin que les croyants m'accusent injustement d'être.

Il faut tout de même comprendre qu'il n'est pas nécessaire pour risquer sa vie pour une cause de croire qu'elle est la bonne *éternellement et pour tous :* il est nécessaire et suffisant qu'elle soit la bonne *pour soi dans le moment* où on la défend.

Il n'est pas nécessaire pour défendre un ami ou tuer un ennemi qu'ils soient le bon ou le mauvais pour tous et pour toujours : mais l'ami ou l'ennemi pour moi (ou les miens, ceux de mon parti, de ma cause), dans l'instant où je défends ou je tue.

Bien comprendre aussi que je peux avoir estime, amitié, amour pour celui que je tue. Si je me mettais à sa place, si j'étais conditionné par son système de relations, c'est moi que je tuerais; mais je ne serais pas moi mais lui. Etre conscient de la relativité de nos deux attitudes n'ôte rien à la réalité immédiate de notre antagonisme.

Le sceptique, tel qu'on l'oppose traditionnellement au croyant, paralysé par la conscience de sa relativité, n'agit plus : il finit par ne plus être.

L'incroyant — tel que je m'efforce de le définir — surmonte et dépasse l'antinomie croyant-sceptique. Sa grandeur est d'être *perpétuellement conscient* de sa relativité et de *ne pas renoncer un instant à la vivre*, de résoudre dans l'action (ou la pensée active) l'opposition apparente entre le fait d'être *un homme* et d'être *tel homme*.

Mais venons-en à ce que j'éprouve en face de vous autres croyants : plus simplement, ce que j'éprouve en face de toi. Je voudrais bien, quand nous nous voyons, faire abstraction de ces questions religieuses. Remarque que plus je m'éloigne dans le temps de l'époque où je fréquentais moi-même l'Église, plus donc je peux voir les choses du dehors, froidement, sans amour ni haine a priori, plus je trouve les pratiques catholiques ahurissantes, incongrues, anormales, machiavéliques, etc., etc., etc. Mais aussitôt : « Pourquoi pas? si elle y trouve pâture, si ça l'enrichit, si, comme elle dit, elle y trouve méthode pour s'épanouir? »

Et vraiment sans *ironie* ni *animosité*. En parfaite bonne foi, je pense : « curieuse époque où frère et sœur élevés de même façon peuvent en arriver à envisager les mêmes faits d'un œil plus divers qu'Esquimau et Touareg ». Bien entendu j'estime que mon point de vue est le bon pour moi; mais le tien doit l'être pour toi puisqu'il te donne satisfaction; ça me paraît bien un peu drôle; mais je ne tire aucun *orgueil* du fait que le point de vue que j'ai me paraît plus fécond, mieux adapté à l'évolution du genre humain, etc.; plus *vrai* au sens relatif que je donne à ce mot.

Donc je souhaite vraiment que cette *différence* d'attitude n'amène pas de *différends* entre nous.

Mais voici qu'à chaque détour de la conversation je te trouve retranchée derrière la foi *absolue*. Je la sens à propos du sujet le plus banal : à propos de tous les sujets. Soit, ça te regarde; il y a même de la grandeur à ce qu'une vie soit commandée jusque dans les détails par la même pensée. Ce qui devient gênant — pour nos rapports — c'est que cette pensée commande aussi ton attitude à mon égard.

Certains de tes étonnements (comme quand tu m'as dit : mais comment toi, pourrais-tu te dévouer pour... ?) m'ahurissent. A tort : tu ne conçois évidemment pas qu'un incroyant puisse se dévouer à quelque chose.

Une certaine façon de sourire, que je connais bien pour l'avoir souvent rencontrée chez des étudiants catholiques : ce que j'appelle de *l'ironie bienveillante* naturelle évidemment et même amicale de celui qui sait envers celui qui ignore.

Un mépris mal dissimulé pour Andrée, incroyante sans avoir l'excuse du dévoiement intellectuel, incroyante toute simple (que j'ai sans doute eu tort de te laisser croire qu'elle « m'amusait » tout simplement).

L'idée latente que qui n'est pas chrétien est nécessairement égoïste, « donnant-donnant », bête sauvage, avide et cupide, ou qu'alors c'est un chrétien qui s'ignore (sophisme).

Enfin et surtout cette pensée que je devine sans cesse :

1° mon frère s'est dévoyé en se séparant de notre religion;

2° mon frère est quand même quelqu'un d'assez bien : intelligent, désintéressé, de pensée loyale.

3° donc mon frère nous reviendra.

Les voies du salut sont parfois complexes.

Je ne peux qu'être touché par cette pensée. Je sais qu'elle est aussi celle de Maman. Elle fut celle de Papa qui l'a exprimée en termes très beaux, et qui m'ont nécessairement ému, dans son testament.

(Mais il ne faut se faire aucune illusion : je n'ai pas du tout l'impression d'être un dévoyé. Comme tout homme qui ne s'est pas « encroûté » au sortir de l'adolescence, je conquiers peu à peu ma maturité. Je me sens beaucoup plus près de l'équilibre et de l'épanouissement que je ne me suis jamais senti : j'y arrive en dépassant, en résolvant des contradictions intérieures et extérieures affrontées franchement. J'ai été en désarroi, à certaines époques; je ne le suis plus sans avoir pour cela cessé d'être « vigilant ». Je me crée peu à peu. Mais je n'ai pas besoin de Dieu : je crois en l'Homme.)

Mais comment nous rencontrer? Je te cherche et je ne trouve que Dieu, ce dieu qui existe pour toi mais qui n'est pour moi que le rempart dans lequel tu t'enfermes, la citadelle d'où tu me juges. Car il y a cela aussi : moi, j'admets que tu aies ta vérité qui n'est pas la mienne, toi tu perdrais tout si tu n'avais pas l'absolue certitude que je suis dans l'erreur absolue. La partie est injouable puisque tu mises de l'or et moi des devises dont le cours peut varier à l'infini. Mais comme je ne peux faire cette réflexion à chaque détour de la conversation, l'impression spontanée est que tu me regardes avec un *orgueil* insupportable du haut de ton rempart divin.

Quel orgueil que d'être croyant! Se promener avec la vérité absolue entre les mains. Je comprends la nécessité de l'humilité pour les chrétiens : c'est le contrepoids nécessaire, sinon comment vivraient-ils encore?

Moi qui ne suis pas chrétien, je n'ai pas besoin d'être humble, ou plutôt mon humilité c'est de ne pas être chrétien, de ne pas faire de mes pensées des certitudes.

Enfin voilà. J'ai essayé de définir le fossé mais ça ne le comblera évidemment pas. Inutilité de cette lettre. J'aimerais bien avoir des rapports humains avec ma sœur, mais je ne sais vraiment pas sur quel terrain si tu ne veux pas sortir de ton château. Mais je pense qu'il y a quelques formules heureuses que je vais recopier.

26 janvier, 4 heures du matin

[1944]

[*Journal intime*]
Mercredi 8 mars

A Paris depuis huit jours. Jeudi, vendredi, samedi, grande dépression due vraisemblablement aux excès lygéiesques à Chavannes[1]. Resté couché, sans manger, sans presque lire.

Dimanche midi je découvre dans le romanesque studio de l'avenue Junot *Lucien Leuwen*, édition de la Pléiade, lecture sans discontinuer jusqu'à 5 heures du matin, avec par moments des cris de joie, comme lorsque Mme de Chasteller rougit « jusqu'aux épaules », lorsque Lucien la quitte dans son escalier : encore plus beau que la fin de l'entrevue du Cardinal de Retz et d'Anne d'Autriche. Pour Stendhal, ce qui dans l'amour accepté, après la période bataille, suscite l'amour de la femme, c'est la découverte du « naturel » de l'homme. En 1944, Stendhal serait évidemment un affreux communiste; comme tout le ridicule qu'il attribue aux républicains du temps de Louis-Philippe s'applique aux gaullistes; ce serait un communiste qui ne lirait pas sans plaisir *Je Suis Partout*. Étonnante dernière scène où l'homme de parti triomphe en Lucien devant Mme Grandet évanouie. (J'ai dû lire *Lucien Leuwen* vers vingt ans mais contrairement au *Rouge* et à *La Chartreuse*, lus et relus, je n'en avais gardé qu'un très vague souvenir.)

1. *Le nom de Lygéia semble désigner la drogue.*

Hier soir chez ma mère. Ma sœur fait un stage à l'usine pour son examen de surintendante; l'éreintante accélérée mise en boîte des petits gâteaux; les ouvrières se vouvoient et s'appellent Madame. L'opinion que se fait ma mère de mon aventureuse existence sans foyer, sans sécurité matérielle; comment peut-elle bien imaginer le journalisme, je n'arrive pas à le lui faire expliquer ni à l'entrevoir; un garçon de la « meilleure famille » d'Antibes aurait voulu épouser Ginette; conception somme toute très Louis-Philippe de l'existence et de la société; quand j'ai découvert l'an dernier que Ginette croyait très sérieusement à un retour de l'aristocratie au pouvoir; les temps annoncés par Stendhal pour 1900 sont peut-être proches (la « vertu républicaine »), mais ils ne sont pas encore arrivés.

Vu ce matin le notaire; son expression de fripon me fait deviner, et à juste titre, qu'il nous a fait une entourloupette.

Frédéric me raconte que la « petite Simone » étudiante en médecine, républicaine etc., [1] s'est fait dépuceler le soir du Réveillon, à Chamonix, systématiquement, par un jeune homme qu'elle ne connaissait que depuis deux heures qu'elle dansait avec. Hier, elle a accosté Boulevard Saint-Michel un inconnu qu'elle remarquait depuis quelque temps; comme il s'étonnait :

— Ne vous est-il jamais arrivé d'accoster une jeune fille?

Elle l'a emmené boire un verre dans un café; il lui propose alors d'aller faire l'amour :

— Je n'ai pas le temps aujourd'hui, mais prenons rendez-vous pour demain.

Ramené de Joinville *Othello*, mauvaise traduction de la collection Shakespeare, ce qui me fait retarder le plaisir que j'attends de cette pièce me semble-t-il encore jamais lue — et mon vieux Plutarque. Résolu de m'accorder dorénavant des loisirs et soit faire une traduction, soit écrire enfin un drame.

Dîne tout à l'heure avec Madeleine de Tarrieu.

1. Le mot « républicain » remplace évidemment le mot « communiste » que Vailland ne pouvait écrire en clair sous l'occupation.

Mauvaise lettre d'Andrée pas encore entrée en clinique. Déçu qu'elle n'ait pas pu venir à Paris comme elle en avait fait le projet; pourtant situation financière bien scabreuse; mais malgré les vieilles rancunes, l'idée de la promener me réjouit toujours.

Radio au milieu de l'après-midi, il semble se confirmer que les Russes sont maîtres d'un assez large tronçon de la ligne Lwow-Odessa.

Jeudi 9 mars

Agréable soirée avec Madeleine chez laquelle je retourne tout à l'heure faire de la musique (!). Je n'ai aucune espèce de désir pour elle et suis, dieu merci, guéri de ce besoin adolescent de faire l'amour avec toutes les femmes qui seraient susceptibles de ne pas me repousser. Mais la compagnie d'une jeune femme sensible et cultivée vaut de beaucoup celle de tous les hommes de la terre; c'est un élément nécessaire de mon équilibre; sinon ne reste que Lygéia, finalement sordide.

Les mains et les cheveux de Madeleine sont admirables, ce qui ajoute beaucoup au plaisir de sa compagnie.

Elle m'a parlé longuement hier soir de son vieil amour pour ***, — en un sens qui confirme la théorie stendhalienne du naturel. Ce qui rend la majorité des hommes infréquentables, c'est l'affectation, la volonté perpétuelle et l'emportant sur tout de se mettre en avant, ce que Stendhal appelle la « vanité ».

La lygéiesque Nicole est infâme (« quand j'ai une lampe électrique, je fais tout ce que je peux pour que les autres passants n'en profitent pas »). L'ennui de Lygéia, c'est d'obliger à fréquenter de tels êtres. Sur les hommes, elle a tout de même la supériorité d'être infâme avec simplicité, « innocemment ». L'époque étrange où des êtres aussi différents que Nicole et Madeleine ne se distinguent par aucun signe extérieur; dans un café on peut croire qu'elles appartiennent au même milieu social.

Lu cette nuit et ce matin les trois premiers actes d'*Othello*, avec beaucoup d'admiration, mais la jalousie est actuellement si loin de moi que je ne l'apprécie que « froidement ». J'avais senti beaucoup plus vivement au printemps dernier *Jules César* et *Antoine et Cléopâtre*.

Samedi 11 mars

Noté jeudi en prenant solitairement le thé à la pâtisserie danoise de l'Avenue de l'Opéra :

Frédéric est républicain[1], professeur de lettres et puceau, en fonction du même désir : échapper à sa détermination concrète dans le temps et dans l'espace.

En tant que républicain en substituant les désirs de la collectivité aux siens propres, en soumettant, dit-il, l'individu à la personne (ou la personne à l'individu, tant on s'y perd, dès que l'on s'abandonne à ce vocabulaire universitaire).

En tant que puceau : ah! le beau thème lyrique que la peur de cet acte irrémédiablement concret : toucher une femme.

En tant que professeur : vivre au XVIIe ou au XVIIIe siècle.

Le catholicisme comblerait plus exactement son désir. Car être républicain, c'est travailler immédiatement à changer la face du monde, c'est-à-dire l'attitude exactement à l'inverse.

Les catholiques, etc., égarés dans le républicanisme, se distinguent par leur acceptation farouche de la discipline. C'est que pour les républicains véritables, elle n'est qu'une nécessité regrettable, pour les « talas », un merveilleux moyen de ne pas prendre de responsabilités.

1. *Ici encore, le mot « républicain » remplace le mot « communiste ».*

[1944]

[LE COMMUNISTE]

Qu'est-ce qu'*un* et non qu'est-ce que *le* [1] car ne s'agit ni système, ni utopie, ni *opinion* mais d'une attitude dans la vie, d'un *comportement* à la rigueur autant par sa *façon de marcher* que par les idées *exprimées*.

Forme actuelle de la croyance en la possibilité pour l'homme de *changer la face du monde*, de forger son destin, de *la croyance en l'homme ;* permanence d'un type révolutionnaire opposé aux types conservateurs ou résignés.

[...]

Comment sortir de la condition prolétarienne ?

1. *La voie du contremaître :* amélioration matérielle mais la condition morale demeure.

2. *Les en marge*. Était possible dans certaines professions. Cas des intellectuels et cas des bandits : la morale bourgeoise.

Avec durcissement des conditions, choix s'impose.

Inachèvement de l'être qui n'a pas de vie sociale.

3. *Le militant*.

Retrouve immédiatement

— sa dignité : exemples de la dignité du militant : usine-chantier devient champ de bataille.

1. *Des raisons évidentes de prudence (texte écrit en 1944) ont conduit Vaillana à laisser volontairement des mots en blanc. Il faut lire, bien entendu : Qu'est-ce qu'*un *communiste et non qu'est-ce que* le *communisme. Les idées exprimées à la hâte ici se retrouveront, plus développées, dans* Drôle de Jeu.

— une morale : celle du combat et solidarité dans le combat.

— un sens à la vie;

n'est pas uniquement *opinion* mais a *trouvé*, *pris conscience* de sa *place-classe* et se comporte en conséquence.

Pas utopiste mais combattant.

Pas croyance à paradis donné, mais au monde transformé par lui.

Les militants sont la meilleure partie. Car normal que les esclaves aient mentalité esclave. Les militants ne sont déjà plus des prolétaires.

[...]

[1944]

LA MORT D'UN ATHÉE [1]

Il ne nous reste peut-être que quelques jours à vivre : il faut écrire vite.

Dire pourquoi je crois que c'est la jeunesse du monde.

Ce n'est pas un message.

Au moins sortir une dernière fois, faire le tour du passé.

Il ne s'agit pas d'opinion : je vais dire *ce que je suis* et non pas quelle est *mon opinion*.

Je n'ai jamais pu avoir de meccano. Pire : je n'osais pas en demander.

Baudelaire loué parce qu'il méprisait le suffrage universel. Nous sommes à la fin du plus horrible des Moyen Age. Dans cent ans, nos maladies, notre férocité, notre saleté, notre bêtise, seront inimaginables.

Certes, ça peut rater. Tout peut rater. Mais c'est le seul effort qui vaille d'être tenté.

Je veux dire que je crois à la joie et au bonheur.

Comme un enfant qui sait qu'on le laissera faire ce qui lui plaît et qu'il pourra jouer avec des locomotives et des marteaux-pilons et aller demain en Afghanistan.

J'ai été élevé dans la réaction, dans une famille réac, dans une époque réac. On faisait la fine bouche. Il était de bon ton de laisser les machines à vapeur, les avions, les ions et les électrons, les engrais et la vie en bouteille, tout le progrès scientifique quoi, aux instituteurs, aux primaires et

1. Notes inachevées très hâtivement écrites par Vailland dans les premiers mois de l'année 1944, en pleine période de Résistance.

aux républicains. On se repliait dédaigneusement dans *l'homme éternel*, ici dans l'art pour l'art, ici dans la religion catholique, l'artisanat et les traditions françaises. Victor Hugo était un imbécile et Renan un pauvre homme. On gardait Massis, et comme Psichari était plus intéressant que Renan! On n'admettait de s'intéresser au communisme que par le biais chrétien mais on souriait tantôt férocement tantôt avec bienveillance ironique à l'édification socialiste de ces primaires : les pommes de terre de la presqu'île de Kola — qu'est-ce que tout cela qui n'est pas éternel ? »

[...]

La pauvreté est vice.

L'abondance est favorable au développement total de l'homme.

La richesse etc. est digne d'être recherchée et il est de l'avantage de chacun que le niveau de vie général soit le plus élevé possible. Les objections psychologiques irrecevables parce que fondées sur ordre de fait résultant de la pauvreté.

La raison et la spiritualité sont les produits de la richesse.

La paix et la liberté en seront les produits.

Le mysticisme est le socialisme des pauvres. Tous les mysticismes. Daumal ne pouvant acheter une auto fait des exercices respiratoires à la manière des yoghis. Mon père, victime du chômage, se retire au couvent aussi souvent qu'il peut. Sincères ces deux-là, mais « réalisant » le rêve compensateur.

Il n'y a pas de fatalité économique.

Il n'y a pas de fatalité.

L'homme peut changer la face du monde.

Contre tous les fatalismes y compris la superstition du destin personnel : c'est la superstition qui fait le destin.

[...]

La religiosité disparaîtra en même temps que la pauvreté.

[...]

La dictature du prolétariat n'est une expression valable que pour définir un moment en soi inexistant de la révolution. En effet prolétariat n'a de sens que par opposition à bourgeoisie et réciproquement. Le prolétariat disparaîtra en même temps que la bourgeoisie.

Il serait utopique d'espérer que l'exploitation de l'homme par l'homme, conséquence nécessaire de la concurrence vitale, — de même que la guerre — disparaisse ailleurs que dans l'opulence.

Il faut imposer l'opulence.

[...]

Ce qu'il ne faut surtout pas dire, c'est ce qu'écrit Gide (*Journal*, Pléiade p. 876) :

« En face de certains riches, comment ne pas se sentir une âme de communiste ? »

Méconnaissance complète de la question.

[1944]

[*Journal intime*]
7 août 1944

Mathieu Molé. *Souvenirs d'un témoin de la Révolution et de l'Empire* (1791-1803).

L'auteur tient de Gœthe adolescent et, pour moi, de J. V., extrêmement typique de sa classe, aussi odieux, gonflé de soi-même en tant que représentant de sa classe que le jeune Gœthe. Pour moi évidemment l'ennemi de classe. Lecture sans grand intérêt.

L'extrême importance attachée par Bonaparte aux polémiques, aux *échos* de la presse britannique, sa susceptibilité. Il répond lui-même dans *Le Moniteur*. Chez Napoléon (ou chez Hitler) le complexe d'infériorité à l'égard des anciennes classes dirigeantes subsiste *malgré tout*. Je l'ai également rencontré chez la plupart des communistes que j'ai eu l'occasion de fréquenter. Ce qui rend si passionnant à examiner *les rapports de Napoléon et de Talleyrand*.

Molé est respectueux. Et respect de soi-même en tant qu'incarnation de sa classe.

[...][1]

9 août

Auguste Bréal : *Philippe Berthelot* que j'eusse naguère dédaigneusement rejeté.

1. *Notes de lectures (Marx, Lénine, Staline, Mirabeau, Louis Rossel)*.

« Depuis son enfance la religion ne jouait aucun rôle dans la vie de Marcelin Berthelot qui a écrit : « ma descendance parisienne par ma mère, mon enfance entretenue dès les premiers jours par des traditions médicales et l'exemple de l'activité incessante de mon père, me portaient d'instinct à sympathiser avec la conception nouvelle de la raison collective, c'est-à-dire de l'évolution scientifique des sociétés humaines... »

... Berthelot, au lycée répondait « je suis athée »...

Ph. Berthelot est né en 1864 : à la fin du siècle dernier un homme cultivé était tout *naturellement* athée, ce n'est qu'autour de 1914 (et lié à la *N.R.F.*, Péguy, Rivière, Claudel) qu'il redevint possible d'être croyant. Cf. la remarquable *Crise du Progrès* de Friedmann. *Il faudra que cette guerre ait liquidé, en même temps que le fascisme, cette ultime supercherie des talas.* Quant à la réalité vivante de la pensée du siècle, l'esprit *N.R.F.* est désormais périmé au même titre que l'esprit *Mercure de France* en 1919. L'homme de pensée 1945 sera athée et progressiste, non par retour à 1880, mais après avoir dépassé et assimilé surréalisme and C°, *résolu l'antagonisme si 1880 entre la Poésie et le Progrès.*

L'Allemagne : « ... cette grande nation arrivée *si rapidement* à un haut degré de prospérité... » (le journaliste belge R. de Marès en 1906) : les hommes de ma génération n'ont pas conscience de cet aspect *parvenu* de l'Allemagne... qui explique cependant toutes les réactions partant d'un complexe d'infériorité.

Marcelin Berthelot, « né en place de Grève » « dans la maison de la Lanterne » membre du Congrès de la Libre Pensée, mieux que son fils.

La mentalité fonctionnaire : Thomas-Beaufret. Un certain orgueil par rapport aux hommes politiques : « je suis efficace ». Et ne pas oublier — comme chez les postières, les instituteurs — la dignité de ne pas avoir d'homme pour maître.

Le coup dur de la Banque de Chine : *la vertu de patience*

+ l'expérience de la vie = la tranquillité que mon heure reviendra.

Ouvrage mal fait, confus (et incomplet : manque la vie privée); on ne se rend pas compte si Philippe Berthelot avait compris l'importance de ce fait absolument nouveau : l'U.R.S.S.

11 août

Pourquoi, contre toute raison semble-t-il, les Allemands continuent-ils à se battre en *ordre dispersé* (dans le nord de la Finlande, dans les Pays Baltes, dans les Balkans, dans les îles de la mer Égée, en Normandie, en Norvège, etc.) au lieu de rassembler ce qui leur reste de bonnes troupes pour la défense des points essentiels?

Est-ce incapacité d'Hitler à faire la part du feu?

Ou bien parce que chaque abandon partiel est de telle conséquence pour l'ensemble (ici à cause du prestige, là à cause du pétrole, du blé, etc.) qu'il est impossible de s'y résoudre librement? Mais c'est encore incapacité de faire la part du feu.

En beaucoup de cas, il doit y avoir des hommes qui continuent à se battre parce qu'ils sont incapables d'imaginer ce qu'ils pourraient faire d'autre. En 18, il y avait les 14 points de Wilson. A l'heure actuelle, les Anglo-Saxons n'ont pas encore fait connaître leurs conditions de paix : il semble qu'eux-mêmes *soient incapables d'imaginer ce qui peut succéder à la bataille*.

A quoi bon prolonger la lutte? devraient se dire les Allemands. Mais alors que faire?

L'Allemand qui aurait pu jouer le rôle de Pétain a sans doute été fusillé ou pendu à l'occasion du vrai ou faux complot contre Hitler.

... parti à la pêche.

Dimanche 13 août

Marcel Jouhandeau : *Triptyque.*

Quant aux *Veronicæana :* ceci se déroule dans un monde dont les prémisses me sont décidément (c.-à-d. par décision) étrangères : Dieu, la Vérité, le Mal, etc. Même en traduisant. Mais j'ai typiquement envie de le garder dans ma bibliothèque, non comme document, car c'est une œuvre d'art, mais comme « meuble d'époque ». C'est, entre autres choses, *cela*, une bibliothèque. Jouhandeau réussit mieux que quiconque les meubles de ce style et il faut le placer très haut.

Je n'ai pas de jugement arrêté sur les *Pincengrain* et *Élise*, de la série des *Chaminadour :* oscillent entre la transposition mythologique comme je l'entends et le « portrait » à la française. Devra être considéré comme le précurseur de je ne sais encore quoi.

Paul Louis : *De Marx à Lénine.*

De peu d'intérêt parce que vulgarisation mais tout de même trop « savant » pour des profanes comme d'une part Andrée, d'autre part Maurice L.

Intéressant cependant pour moi comme initiation à des inconnus pour moi tels Lassalle, Benoît Malon, Paul Lafargue, Jules Guesde, Jean Jaurès.

Une citation très claire (comme mise au point de la philosophie marxiste) de Plekhanov, p. 188-194.

L'étonnante ignorance quant au marxisme des spécialistes de la philosophie, tel Jean Beaufret. Ils n'ont aucune notion que « la Révolution opérée par Marx dans la science sociale peut être comparée à celle de Copernic en astronomie »; dans la science sociale et finalement dans tous les domaines de la philosophie. Aucune notion que depuis Marx la métaphysique n'a plus d'intérêt qu'historique. Mais pour Jean c'est le comble de l'audace d'introduire des citations de poètes dans son cours de philosophie!

Il est absurde de *faire une place* à Marx, si importante soit-elle, dans une histoire de la philosophie : il faut ou lui nier toute valeur comme font les bourgeois ou admettre *qu'il met un point final à l'histoire de la philosophie :* avec lui quelque chose d'autre commence (comme, par exemple, Lavoisier (?) a mis un point final à l'histoire de la chimie).

J'aimerais faire, dans le langage de mon temps et à la manière française (style *Discours de la Méthode*) un bref et définitif exposé de la conception marxiste du monde.

14 août

A. Labriola : *Karl Marx*. Préface de G. Sorel (1909).
[...][1]
Labriola : seul le révolutionnaire est un *critique*.
Labriola : Marx est un *ironiste*-né... Au fond de tout tempérament vraiment critique, il y a un ironiste.

15, 16 août

Reparcouru le remarquable *Matérialisme dialectique* de Lefebvre.

HISTOIRE (DIALECTIQUE) D'UN HOMME
MES RÉVOLUTIONS

1. La lutte avec ma mère : je veux *obtenir la permission* de faire le tour du jardin. Non désobéissance mais colère hystérique et historique contre ma mère. Elle est vivement blessée par rapport aux autres mères et me fait battre par mon père. Conflit à l'intérieur de la famille. L'espiègle Lili : rêveries érotiques, masochistes ou guerrières.

2. L'écolier terrifié. Enfant toujours seul très couvé par ma famille (papa maman mémé). Je suis terrifié pendant quinze premiers jours à l'École Communale par les petits voyous et par le maître-les maîtres. Absolument désarmé. On me retire de l'école.

1. *Nouvelles notes de lectures (Marx).*

L'année suivante, une nouvelle expérience aboutit à un résultat opposé. Je deviens rapidement chef de bande (mais je reste terrorisé et surtout *honteux* de crainte des châtiments corporels. Je n'osais *jamais* en parler chez moi). Impossible de me rappeler la cause déterminante de cette révolution (7 ans) qui se renouvela à 15 ans.

3. L'époque Nounouille renouvelle le conflit 2 et 1.

Le milieu beaucoup plus brutal (que Paris et particulièrement Henri IV) du lycée de Reims renouvelle le conflit moi-milieu familial, et moi-milieu social (lycée) accentué par notion de ma chétivité (mais qui résulte elle-même du milieu familial) : Nounouille *souffrant et fier* d'être Nounouille.

Mais vers les quinze ans naît un nouveau conflit (4) entre moi-appétits sexuels et financiers-désir de « sortir » et le milieu familial.

Ce nouveau conflit résout le premier : mort de Nounouille, leçons de boxe, je m'associe avec Lecomte.

4. Le conflit 4 devient un conflit social. Moi-parmi-les-simplistes contre ma famille-parmi-la-classe-bourgeoise. Ce conflit donne naissance à un art, une littérature *(Le Grand Jeu)*, à une mythologie (Bubu [1], le simplisme), à un style de vie, à un érotisme.

Il comporte ses crises historiques : Long-le-Corsaire, Pâques de l'année de philo, l'après-bachot.

Il aboutit au paroxysme à la rupture révolutionnaire avec le milieu familial. Crise B.

Cependant de nouveaux conflits s'étaient ébauchés : conflit 5 entre moi-gagnant-ma-vie et Lecomte-les-simplistes, conflit 6 entre moi désirant toutes les femmes et Mimouchka.

1. *Cf. Roger Vailland,* Le surréalisme contre la Révolution : « Notre jeunesse d'entre-deux-guerres s'est déroulée sous le signe d'Ubu. Au lycée de Reims, par une coïncidence qui ne manque pas d'être significative, alors que nous n'avions jamais entendu parler de Jarry, nous avions placé notre révolte sous le patronage d'un grotesque dénommé Bubu. Une tête de pleine lune, deux yeux ronds sans prunelles, une fente oblique en guise de bouche et deux embryons d'ailes à la place des oreilles. A longueur de journées nous dessinions des Bubus sur les murs, sur le sable, sur le papier. C'était Bubu qui présidait à nos orgies de tétrachlorure de carbone, à toutes nos tentatives pour atteindre à la torpeur des bêtes larvaires. »

5. Le conflit 5 se manifeste comme conflit entre moi travaillant pour *Paris-Midi* et moi co-directeur du *Grand Jeu* et surréaliste en tant que :

a) opposition de *style* de deux milieux sociaux;

b) partage du temps consacré à...

conflit que je crois résoudre par vie double hiérarchisée et partage du temps d'où végétation dans les deux domaines; d'où finalement, malgré moi *passivement* rupture avec *Grand Jeu* et surréalistes, (procès Trotsky), simple substitution de conflit, qui devient conflit 7 entre moi pour moi et moi travaillant. Moi pour moi restant sentimentalement lié (conflit 7 *bis*) à *Grand Jeu*-Lecomte.

La végétation persiste.

6. Le conflit entre moi longtemps sevré de femmes désirant toutes les femmes et Mimouchka, s'achève sans se résoudre par rupture avec Mimouchka.

Subsiste latent conflit 8 entre désir liberté-solitude et besoin union homme-femme.

7. Andrée résout conflit 8 et conflit 7 *bis* en le portant à son paroxysme : crise révolutionnaire A, rupture avec Lecomte. Le conflit 8 entraîne une série de crises-scènes période D, et n'est surmonté partiellement qu'en 40, en partie éludé par Lygéia. Prise de conscience pendant séparation Maroc.

8. Le conflit 7 s'accentue jusqu'en 41. Andrée contribue à le pousser à son paroxysme.

S'élude périodiquement par Lygéia.

Se résout pour une période dans l'action et le roman (période C). Se lie à la lutte des classes, devient :

9. Conflit 9 entre moi-salarié-et-le-prolétariat contre la classe capitaliste. Intégré.

La crise A est l'élément capital, interférence de la presque totalité des conflits.

Auparavant la crise B.

Commencement d'accomplissement dans la période C. Intégration commencée. Importance aussi de la période D.

[1945]

JOURNAL DE « HÉLOÏSE ET ABÉLARD »
(pièce en 3 ou 5 actes)

Jeudi 29 novembre

En descendant à pied déjeuner au bar de *Libé*, c'est après les lectures au lit, l'une des heures les plus riches de la matinée. Un, deux ou trois martinis avant de partir.

L'avant-veille, j'ai vu *Caligula*. Le schéma d'une pièce qui me ferait bander. Camus manque d'humour, toute la bande de *Combat* manque d'humour. Mais la scène de Vénus au masque ou des poètes au sifflet : ce n'est pas de l'humour mais l'idée de l'humour; comme chez Hegel l'histoire du monde n'est que l'idée de l'histoire du monde chez un philosophe prussien du XIXe siècle, ici l'idée de l'humour chez un intellectuel petit-bourgeois après la deuxième Grande Guerre. J'ai envie d'écrire une pièce.

Le théâtre rapporte de l'argent. Je n'ai pas d'objection contre les romanciers américains dont on dit... C'est plutôt une garantie contre la satisfaction détournée et à bon compte de la Tour d'Ivoire : « puisque je ne peux pas être Citroën ni même procureur de la République, je serai mieux que tout cela : un génie solitaire. »

L'objection contre le drame *historique* c'est qu'a priori ça emmerde Andrée *. L'objection contre la pièce située dans

* Andrée est la femme de l'auteur. Elle n'a pas de culture secondaire. Mais l'auteur attache le plus grand prix à ses jugements, sensibles et justes, comme une bonne balance, fondés sur beaucoup d'intelligence, de sensibilité et une vaste expérience humaine.

notre temps c'est que les personnages doivent se servir ou ne pas se servir de tickets d'alimentation.

Un sujet historique. Antoine et Cléopâtre, mais Shakespeare (j'aime tellement, etc.). César, même objection. Brutus, ami et tueur de tyran — mais c'était un type du genre *Combat*, pisse-froid, etc., ni cynisme, ni humour. Lorenzaccio 2 : Racine ne se gênait pas pour si peu, mais le public a encore trop la superstition de l'originalité dans le sujet. Très bien les héros historiques car l'esprit populaire a déjà cristallisé autour d'eux sa conception du monde; mais ce ne sont plus les mêmes qu'au XVIIe siècle. Il faudrait feuilleter l'Histoire de France de l'école primaire; son rôle pour la résistance à Vichy, les grenouilles du châtelain, dommage que le public soit dégoûté de la Résistance.

Pourquoi Vercingétorix est-il ridicule? Jeanne d'Arc est de mauvais aloi. Je n'aime la Commune qu'abstraitement. Abélard et Héloïse. Breton a dit... Le sketch d'Agnès Capri. Belle occasion d'opposer la vie humaine aux structures aliénées, la singularité à la personnalité, il faudrait une *tirade contre les cathédrales*, une des manifestations les plus épouvantablement pesantes des structures aliénées qui écrasent l'homme...

Abélard est de son temps, il ne peut pas parler de l'homme total, c'est l'ennui des pièces historiques. Il faudrait placer à côté un ami-protecteur, grand seigneur, hypocrite et cynique, qui tirerait tout au long la morale de l'histoire.

La castration, on ne peut plus troublant, portant (touchant) symbole de l'aliénation.

Héloïse et Abélard m'excite.

Je ne sais rien d'Abélard et Héloïse. Le soir ai consulté le Larousse. Il faudra demain matin aller à la Nationale.

Vendredi 30 novembre

Réveillé à 8 heures puis réassoupi, puis *La psychologie, science du comportement* de Pierre Naville. Je crois qu'Abélard était nominaliste, à l'époque c'était l'équivalent scandaleux du behaviorisme. *Flatus vocis*. Le behaviorisme reste scandaleux pour les mêmes raisons. Les défenseurs de l'âme s'appellent aujourd'hui personnalistes et défendent l'aliénation et les trusts. A quoi je pense en descendant déjeuner.

Le débat avorté sur les nationalisations. Il est logique que la Constituante me déçoive[1]. Mais il n'est que 15 h 45, je cours à la Nationale.

Difficultés de l'électricité, rage de vivre en France, j'ai envie de l'insulter — mais le catalogue a fait des progrès. Fiches roses pour demain — pas plus de 3 — encore la rage. Évidemment, il aurait fallu me faire connaître.

Les dictionnaires biographiques, travail béni, souvenir de Lyon. Tout de suite enchanté par l'aspect humaniste, révolutionnaire et persécuté du héros puis je bande in extremis au récit sado-masochiste de la séduction d'Héloïse.

En route, je bâtis :

1° La scène Héloïse-chanoine, grande scène d'invectives. La haine vertigineuse. Attaques personnelles : tu naquis châtré. La colère vertigineuse. C'est peut-être à cet endroit qu'il faudra placer la tirade sur les cathédrales. Hop là boum sur le prêtre, sur le général. Mais attention de ne pas tomber dans l'anarchie, je suis marxiste, non révolté mais révolutionnaire.

2° La scène finale. Abélard vieux, châtré, extrêmement frileux, peureux — mais : « Je ne suis plus un homme, mais je crois en l'homme ».

3° La première (?) scène :

Abélard à sa table de travail. Héloïse à genoux dans le coin, punie, la main derrière la nuque.

Grande scène hypocrite avec le chanoine. Abélard gifle Héloïse (à moins que ce ne soit trop fort : mettre citation de la lettre dans le programme).

Le chanoine sort. Héloïse et Abélard se caressent. Héloïse montre son sein; l'amour délirant.

La pratique surréaliste doit me faciliter les tirades. Pas de vers réguliers mais poésie irrégulière et prose selon les scènes. Tout en vers emmerderait Andrée.

Quel roi régnait en France au XIIe siècle?

1. *Journaliste parlementaire à* Libération, *Roger Vailland était chargé des comptes rendus des séances de l'Assemblée Nationale Constituante.*

Avant Kant, Abélard fait le tableau contradictoire des preuves de l'existence de Dieu (pour Héloïse?)

Le soir, projets de voyage en Méditerranée.

Héloïse interrogera sa servante. Pourquoi, répondra celle-ci, faire tant d'histoires pour quelques généraux fascistes *. J'ai couché à treize ans avec... avec... avec... Si tous les hommes ont des âmes, les nôtres sont sûrement de seconde catégorie. Je suis enceinte dira Héloïse. Pourquoi tant d'histoires pour ... moi j'en ai fait passer 17. Peut-être le grand seigneur sera-t-il là et rira-t-il. Il faudra aussi une scène de plaisir de n'importe qui dans un cabaret.

Côté pénible d'Héloïse et Abélard bernant le chanoine : c'est que dans une société ignoble ceux qui sont contre l'ignominie sont nécessairement également ignobles.

Qu'Abélard célèbre quelque part l'éternelle gauche contre l'éternelle droite (dissymétrie des mains). Tirade de n'importe qui contre les personnes, etc.

Samedi 1er décembre

Nationale. Miracle, les trois ouvrages demandés sont là (Charpentier, Gilson, lettres). Je constate une fois de plus que malgré moi je suis un être encombrant : je me fais engueuler parce que je fume dans le couloir, j'ai oublié mon stylo et je demande à tout le monde un crayon, je sors trois fois, je demande plus d'ouvrages qu'il n'est permis; etc.).

Pour Abélard, l'essentiel tient dans *Historia Calamitatum*. Mais ce que je découvre aujourd'hui c'est Héloïse remarquable par son absence de repentir et son indifférence à Dieu. Ses considérations sur le mariage très dans le ton de Montherlant. Ce qui modifie ma vague ébauche de plan.

Larousse : Sous le règne de Henri Ier, les famines et les guerres civiles désolèrent la France. Pour mettre fin à ces dernières, l'Église proclama la Trêve de Dieu.

* Allusion à *Drôle de Jeu*, p. 27.

L'architecture gothique du XIIe au XVIe siècle. N. D. de Paris 1163-1230. Robert le Diable, duc de Normandie, 1028-1035. Henri Ier, roi de France de 1031 à 1060.

SOUS LE RÈGNE DE LOUIS VI COMMENÇA LE MOUVEMENT COMMUNAL + LUTTE SANS MERCI CONTRE LES GRANDS VASSAUX.

Lundi 3 décembre

Hier, dès 9 h 30 du matin, grand mais peu spectaculaire débat sur la nationalisation des banques. Je me fais réveiller dès 7 heures (par le voisin qui sonne).

[Juste auparavant, rêve capital dont j'arrive à noter le mot « mouquée » immédiatement au réveil : je ne parvenais pas à y croire, même émerveillement incrédule que d'arriver à insérer une portion de rêve dans la réalité. J'ai noté : « *La mouquée! La mouquée! groupe de choc redouté de la jeunesse niçoise (Dinant-sur-Meuse) dans ses luttes contre la jeunesse du voisinage, sur la falaise croulante* ». Auparavant, je courais genre cross-country dans une file de jeunes garçons et filles (autres files rivales), j'entendais dire « *c'est toujours le grand Vailland* » *(« il n'a pas perdu sa forme »)*. A la fin j'avais confiance qu'à cause de ma grande expérience (j'en ai vu tant d'autres et je suis encore là) mon groupe et moi échapperions à la Mouquée).]

Un fort café et euphorie légère jusque vers 15 heures. Je ressens par l'intermédiaire du Prince l'aspect foudroyant-foudroyé, inéluctable, indirigeable, fatal enfin du drame d'Abélard et Héloïse; le Prince, parce que riche et puissant, libre et en ce sens hors du temps, sera le spectateur-acteur-médiateur, à la fois leur conscience et le chœur.

Avais fini au réveil le Naville, très dans mon orientation actuelle. Même averti, je suis tombé dans *Drôle de Jeu* et depuis dans la facilité idéaliste. Très occupé dans ce sens hier et aujourd'hui (mais crainte que L. n'arrive pas + alcool chez Sinclair de 16 heures à 18 heures, où L. arrive; il faudra pourtant bien rompre). Abélard et Héloïse seront évidemment influencés selon qu'avant ou après, idéal serait que première version avant puis révision après, quoique, etc.

Me sens sous une singulière menace de persécution (!).

Ce matin en attendant nouvelles de L., relis par hasard Baudelaire sur le vin. J'avais déjà pensé qu'Abélard serait saoul fin Acte II et qu'Héloïse préparerait boissons épicées Acte I. sc. IV. C'est à développer.

TRÈS IMPORTANT : ai saisi le rapport entre Hemingway et Stendhal grâce à Diderot cité par Naville (appendice A).

Mardi 4 décembre

Hier soir discussion pénible avec Jean Beaufret sur le principe même de la philosophie.

Ce sera le Prince qui à l'acte V tirera la morale *humaine* de l'histoire.

Mercredi 5 décembre

Déjeuner Lumbroso, cocktail-party Claude-Edmonde Magny où rencontré Camus, Roger Caillois, des femmes pas belles mais attentives, c'est un des bénéfices du succès, j'y serais peu sensible si moins accaparé par L. mais si ce n'était elle ce serait Andrée, c'est toujours la liberté ou l'amour, et la liberté n'est que celle de chercher l'amour qui la détruit, journée si vite dissoute.

Peine perdue — peine perdue
sur la route de l'ennui
irai-je vers d'autres cieux
cueillir la vie
de celle que j'envie ?

Le projet de cargo peut prendre forme « si je le veux »...

Le Prince croît en conscience et en « importance », Abélard diminue en conscience mais croît en fatalité.

Après-midi chargé de courses en vue.

Mardi 8 janvier, Chavannes

Très découragé par l'hostilité d'Andrée aux pièces historiques. « M'emmener voir du Shakespeare ? Tu te fous de moi, IL SE FOUT DE MOI ! »

Tout ce qui s'en justifie. Andrée c'est ma pierre de touche de la vie, la médiatrice.

Mais je lui ai raconté aujourd'hui et elle a bien réagi.

....

Abélard veut assumer sa totalité humaine. Cela sera particulièrement évident au IIIe acte. Il n'est pas du tout anarchiste.

Héloïse, étudiante, cheveux courts, un peu garçonne.

Du 8 au 15 à Chavannes

1° Le dialogue de la sc. 1 ne marche pas. Je m'apercevrai plus tard que c'était parce que je n'avais pas recréé le chanoine. Me faisais idée théâtrale conventionnelle du chanoine du XIIe siècle et de l'oncle.

2° Scénario relativement détaillé de l'acte I. La majorité se doute des effets de scène.

3° Nécessité d'un scénario détaillé de toute la pièce avant de commencer le dialogue. Division du travail que le cinéma a bien davantage mis en évidence. En cours de route « je ne veux pas qu'on me prenne pour un coq » me révèle le chanoine.

Importance de la scène 1, acte II, pour le mythe de la virilité.

Le 15 janvier départ pour Lyon, Paris, Chavannes, Pont-de-Vaux. Marche créatrice dans la bise.

17 janvier, à l'issue du déjeuner du Prix Interallié, essai du scénario sur les frères Corrêa, Manevy, Martial, Launay, avec succès.

18 janvier

Les Frères Karamazov, à l'Atelier, avec Cl. Ed. Magny, avant-scène droite. La psychologie (chrétiacrétinisante) l'emporte sur la tragédie, ce qui est blâmable. Quelques scènes sont cependant des *scènes* (la fille chez la jeune fille, la scène d'amour du IV où il est adroitement esquissé qu'ils font l'amour sur la scène, ce qui me rappelle une étonnante scène de cinéma avec Greta Garbo du temps du muet. Au V les aveux du criminel).

Certes au cours d'une *scène* il se passe quelque chose mais le théâtre a aussi l'aspect Diable boiteux, c'est-à-dire qu'il *dévoile*.

Assez pensé qu'il serait important pour moi qu'Abélard et Héloïse ait du succès : ce serait la liberté gagnée.

Jean Beaufret aime et estime beaucoup mes *Réflexions* : « ce que tu fais de mieux et ce que tu es seul à pouvoir faire. » Il semble par contre redouter le théâtre pour moi : pas si je parviens à mettre dans *Abélard et Héloïse* le théâtre que je mettais dans la vie du temps de Jacqueline et Aimée.

19 janvier

Non sans plaisir *La Célestine*. J'avais raison contre Andrée au sujet des costumes. C'est de l'action érotique sur une affabulation érotique : les deux héros font l'amour sur la scène, c'est le souvenir qui reste. Spectacle heureux, il y aura cela aussi dans *Abélard et Héloïse*.

2 février, Chavannes

Je descends à Chavannes pour le banquet des conscrits. Au retour rêve de la jeune Mexicaine, aimée oiseau faite et « livrée » femme.

[1946]

[SUR L'AMÉRICANISME]

Quand j'étais correspondant de guerre auprès de la 1re armée américaine, je me saoulais presque chaque soir en compagnie d'un de nos « officiers de presse » qui m'avait pris sous sa protection, le jour où j'étais arrivé au press camp, sans lit de camp, sans couvertures, sans casque et particulièrement ignorant de l'américain, ahuri enfin comme un petit Français.

Nous nous saoulions, chacun à notre manière. Moi, scandaleusement, au bar même du press camp, en commandant cognac après cognac. Lui ne buvait au bar qu'un seul cognac. Mais toutes les demi-heures, il m'abandonnait un moment, en invoquant chaque fois quelque raison de service — mais je savais bien qu'il montait dans sa chambre et avalait une grosse gorgée au goulot de la bouteille cachée dans son grand sac vert de militaire. A minuit il était aussi parfaitement saoul que moi.

Mais il avait bu en cachette. C'était un hypocrite. Les Américains sont des hypocrites, c'est bien connu. Le domaine où ils sont le plus hypocrites est le sexuel, c'est encore bien connu. C'est d'ailleurs eux-mêmes qui le disent, ce qui est bien réconfortant. Une bonne moitié de la littérature américaine est consacrée à dénoncer l'hypocrisie des mœurs américaines, ce qui est bien réconfortant.

Je finis même par me demander si les Américains sont réellement hypocrites. Car enfin tout le press camp savait que mon officier de presse se saoulait en cachette. Tous les autres officiers d'ailleurs et tous les autres correspondants se saoulaient également en cachette. Toute l'armée américaine se saoulait tant qu'elle pouvait, en cachette ou pas en cachette. (Comme armées françaises, anglaises, polonaises, etc., même les civils européens et américains, notre civilisation est une civilisation de l'alcool, ça a ses avantages et ses inconvénients, enfin c'est comme ça, Churchill se saoule, Staline se saoule, il n'y a que de Gaulle qui ne se saoule pas mais de Gaulle n'est pas un contemporain, ce n'est pas un vivant, c'est une image d'Épinal destinée à illustrer Plutarque.) Enfin les Américains sont si franchement hypocrites, qu'on peut considérer qu'ils ont dépassé, surmonté la contradiction franchise-hypocrisie. Cette hypocrisie si universellement dénoncée n'est plus en somme qu'un prétexte, qu'une couverture, qu'une clause de style, qui permet, sous le couvert de la combattre, de s'en prendre à sa cause, à son origine, je veux dire au puritanisme et par-delà à l'esprit même du christianisme. Tout se passe enfin comme si les Américains n'étaient aussi extraordinairement hypocrites que pour pouvoir dire : voyez comme nous sommes odieusement hypocrites; eh bien, c'est de la faute des pasteurs, des vieilles filles, des clubs puritains, etc. Héroïques Américains qui se sont faits leurs propres ilotes.

Ne doit-on pas finir par se féliciter de cette hypocrisie qui n'empêche les Américains ni de se saouler ni de faire l'amour, mais qui suscite malgré les ligues, les pasteurs, etc. Chaplin, *We are not alone* et Orson Welles, Faulkner, Caldwell, Steinbeck, etc. etc.

La chose la plus irritante, la plus fallacieuse, la plus *bête* au monde serait sans doute un Américain faisant l'éloge de l'américanisme, s'il n'y avait, pire encore, un Européen faisant la critique de l'américanisme — au nom de l'homme, de l'esprit, de la qualité ou de n'importe quelle autre machine de guerre réactionnaire.

L'Américain a pour excuse d'être beaucoup mieux que la conception qu'il se fait de lui-même. Il se pèse encore dans notre vieille balance de paysans chrétiens. Il a grandi si vite qu'il n'a pas eu le temps de forger ses propres balances. Il a le temps. Il y a de l'espoir.

Mais M. Duhamel n'a pas d'excuse. Il n'a pas grandi lui, il n'a pas fait de crise de croissance, il a vécu tranquillement, en bon intellectuel, en copieur, à peu près à l'abri de tout ce qui se passait d'important dans son époque, il n'a été obligé ni de travailler à la chaîne chez Ford ni de collaborer aux plans quinquennaux, ni de fabriquer la bombe atomique, ni de liquider les koulaks. Il a eu tout le temps, tout le *loisir* de faire de lui-même un honnête homme, quel luxe en notre temps ! Mais le premier devoir d'un honnête homme est la rigueur de l'esprit critique, c'est d'expliquer, de situer, de comprendre. Avec tout ce merveilleux loisir, M. Duhamel est inexcusable de ne pas s'être aperçu qu'il y avait quelque chose à comprendre du côté de l'Amérique. Il n'y a plus d'espoir du côté de M. Duhamel, il est trop vieux, il mourra avant d'avoir compris qu'il y a quelque chose à comprendre.

Je parle de M. Duhamel, parce que son livre a été l'un des plus retentissants parmi toutes les inepties que d'honnêtes Européens écrivent depuis vingt ans sur l'Amérique.

[1946]

[NOTE SUR LE ROMAN AMÉRICAIN]

Les valeurs spirituelles se prêtent à toutes mystifications et supercheries. Il ne s'agit pas d'opposer à des idéalismes plus ou moins élaborés et adaptés au monde moderne le matérialisme vulgaire. Mais tout indique que l'homme qui est en train de se faire se pensera (et le monde) sans le truchement du dualisme esprit-matière.

Ce qui paraît si nouveau dans certains romans américains, ce ne sont pas des artifices techniques imités avec plus ou moins de bonheur par les écrivains européens — c'est que l'auteur fait agir et parler ses personnages exactement comme s'il était débarrassé des notions héritées des métaphysiques et des psychologies traditionnelles; il décrit le comportement de ses personnages, chacun pris dans sa totalité, en bloc — l'homme untel se dit ceci, dit cela, est attiré par ceci, repoussé par cela, lève le bras, ouvre la bouche — exactement comme s'il ignorait que pendant des siècles on a conçu l'homme comme le composé d'une âme immatérielle et d'un corps matériel.

[1946]

LA SOCIÉTÉ DES AMIS DU PROGRÈS

SCHÉMA DE MANIFESTE

Un après-midi récent, nous étions trois amis, trois *intellectuels*, à *échanger des idées* à bâtons rompus : J. B., professeur agrégé de philosophie, J. R., qui vient d'achever ses études de droit et moi, journaliste. La conversation vint sur l'activité des catholiques, des *talas*, à l'École Normale Supérieure.

Peut-être, dis-je, suis-je un primaire. Mais il me semble qu'il y a des problèmes qui sont résolus une fois pour toutes, si parfaitement résolus qu'un homme de bonne foi ne peut pas honnêtement remettre en question leur solution. Par exemple, les preuves rationnelles de l'existence de Dieu; je m'étais persuadé, dès ma classe de philosophie, que Kant avait mis fin, une fois pour toutes, à tout exercice de ce genre; je ne pense pas que personne ait jamais réfuté les *prolégomènes à toute métaphysique future ;* ça se saurait; alors, comment se fait-il que le catéchisme démontre l'existence de Dieu par la Cause Première? Évidemment les enfants qui vont au catéchisme n'ont jamais lu Kant; mais le théologien l'a lu; n'est-il pas aussi malhonnête en taisant l'existence de Kant qu'il le serait en taisant Galilée et Copernic, s'il lui était utile de prouver que la terre est plate avec le soleil accroché au ciel comme une suspension au-dessus de la table de famille? J'espère que je ne dis pas de bêtises. La malhonnêteté du catéchisme m'apparaît à la réflexion si monstrueuse, que je doute de ma claire raison. Toi qui es un spécialiste, un agrégé de philosophie, un philosophe avec garantie du gouvernement, rassure-moi : il est bien vrai que Kant n'a jamais été réfuté et que, depuis *l'esthétique transcendantale*, toute tentative de prouver rationnellement l'existence de Dieu est, par définition, « usage illégitime de la Raison Pure »?

— C'est exact. C'est d'ailleurs ce que mon maître Brunschvicg a répété toute sa vie. Et finalement tout philosophe de bonne foi. C'est pourquoi, ceux qui veulent à tout prix *sauver Dieu* opposent le sentiment, ou la volonté, ou l'action à la raison. Pourquoi cette floraison de philosophes de l'instinct, de l'intuition, de l'élan vital...

— Tu me rassures. Passons sur le catéchisme : l'âge de ceux qu'il enseigne autorise l'impudence. Mais les talas de l'École, je ne peux croire à leur mauvaise...

— Ne vous fatiguez pas, interrompit J. R., ce sont des cons et des salauds...

On voit l'orientation de notre conversation. Elle aboutit rapidement à la prodigieuse *confusion* dans les idées qui caractérise tout particulièrement l'époque que nous vivons. A la recherche de ses causes : désarroi des intellectuels de la classe dirigeante en présence de l'effondrement de leurs valeurs, depuis 1914 jusqu'à maintenant; intérêt qu'ont eu les mouvements fascistes à accroître le trouble pour mieux pêcher en eau trouble, perfectionnement des techniques de propagande, etc... etc... A la recherche enfin d'une notion maîtresse qui puisse servir à départager les esprits, une notion qui soit une pierre de touche, une notion qui selon qu'on l'adopte ou qu'on la rejette, permette de dire : tu es blanc ou tu es noir.

Nous nous arrêtons finalement à la notion de Progrès. Dis-moi si tu crois au progrès, je te dirai qui tu es.

NOTES SUR LA SOCIÉTÉ DES AMIS DU PROGRÈS

1° *Qu'il est raisonnable de croire au Progrès.*

Préface : de la constitution et des buts de la Société des Amis du Progrès.

A. Bibliothèque religieuse

2° Qu'il est impossible de prouver l'existence de Dieu.

Critique rationnelle et définitive des preuves classiques de l'existence de Dieu.

3° Que l'existence des religions ne prouve en aucune manière la vérité de leurs dogmes. Explication historique de la formation, du développement et de l'évolution des diverses religions et en particulier des religions chrétiennes.

4° Que la réalité du sentiment religieux ne prouve en aucune manière la vérité de son contenu.

Explication psychologique et patho-psychologique des phénomènes religieux et mystiques.

5° *Que l'homme moderne est naturellement athée.*

Du rôle de la pédagogie dans la formation de la Foi. École laïque et école libre. Du rôle de l'instituteur.

5 *bis* Que mille exemples démentent le parallèle entre la mort de l'athée et la mort du chrétien, tel que le font habituellement les prédicateurs.

Et plus généralement que les *problèmes éternels* sont des problèmes mal posés.

5 *ter* Qu'il n'est pas nécessaire à toute morale d'avoir un fondement religieux ou métaphysique.

6° Réponse aux questions suscitées par les cinq premières brochures.

Actualité paradoxale du problème religieux.

B. Bibliothèque républicaine

7° Que la liberté est un bien.

Définition de la liberté individuelle, de pensée, de parole, etc.

Qu'il est dans la nature de l'homme de désirer la liberté.

Qu'il est faux de dire qu'un esclave puisse être heureux même sous un régime patriarcal.

8° Que l'égalité est un bien.

Essai d'une définition de l'égalité d'où soit écartée toute

considération métaphysique ou religieuse. Le respect de la dignité humaine.

9° Que la fraternité est un bien.

10° Qu'il est louable de désirer le bonheur sur cette terre. Que la notion de bonheur est le plus puissant levier de l'action de l'homme et le germe de toutes les révolutions. Arrière-pensées réactionnaires de toutes les morales et religions de la résignation.

C. Bibliothèque socialiste

11° Que l'industrie est un progrès sur l'artisanat, etc... Essai d'un parallèle entre le développement des techniques et l'accroissement des possibilités de bonheur.

12° Le mythe de la surproduction.

13° Le mythe des lois économiques.

14° Le mythe des nécessités financières.

15° Le mythe de l'irremplaçabilité de la notion de profit pour la bonne marche des entreprises.

16° Le mythe de la nécessité qu'il y ait toujours des riches et des pauvres, de l'éternel féminin.

Que tout homme peut légitimement aspirer à être heureux.

Qu'il n'est pas utopique de rêver une société humaine d'où la guerre soit exclue.

17° Que l'homme de gauche est toujours et en toutes circonstances préférable à l'homme de droite.

Qu'aucune classe sociale ne conserve le privilège de fournir l'élite d'une nation.

Qu'il n'est pas dans l'essence du nègre d'être esclave.

[1946]

L'HOMME MYSTIFIÉ

Collection de pamphlets et d'essais critiques
publiés par les éditions Jacques Haumont
sous la direction de Roger Vailland et Jean Beaufret[1].

Heureuse Camille qui faisait de Rome l'unique objet de son ressentiment! Heureux Pascal qui jouait les « chances simples »! Nous, nous avons grandi sous le signe d'Ubu, fermement convaincus de l'absurdité fondamentale de toutes les entreprises qui s'offraient à notre jeunesse.

Le sentiment d'être victimes d'une universelle *mystification* a obsédé les générations d'intellectuels de l'entre-deux-guerres. Impossibilité de *prendre au sérieux* le Général, l'Académicien, le Cardinal, le Président de la République, la morale de l'Université ou de la Société des Nations. Les Anciens Combattants nous juraient que le véritable courage eût été de refuser de combattre. De Dada au surréalisme et à la philosophie de l'absurde, les seules expressions vivantes, les seuls mouvements où l'époque se reconnut, furent ceux qui mirent en évidence le caractère *dérisoire* de tous les thèmes qu'on proposait à notre admiration, à notre respect ou à notre ambition.

Les garçons les plus simplement honnêtes se suicidèrent. Les plus virils dénoncèrent Ubu par les voies de *l'humour*. « L'humour, a dit Jacques Vaché, est le sens théâtral de l'inutilité totale de tout. » L'*humour noir* demeurera sans doute la production la plus valable de cette époque; il faut y ajouter toutes les découvertes que le mépris où nous tenions les

1. *Ce projet de collection n'a pas été réalisé.*

cadres habituels de la réalité nous permit de faire dans le monde du rêve et de la poésie; nous avons singulièrement agrandi les frontières du réel; ce temps du malheur fut un temps fécond.

***

La guerre cependant, la trahison, l'occupation et la « collaboration » soulevèrent le voile.

Dans le même temps nous vîmes le maréchal Ubu régner à Vichy et les généraux de la liberté défendre Stalingrad et Tobrouk : il fallut bien admettre qu'un militaire n'était pas *nécessairement* dérisoire. Nous ne nous étions pas trompés en refusant le respect à Pétain-le-patriote. Mais on nous avait trompés en nous faisant croire que Pétain était un patriote. C'est un exemple entre mille. Drôle d'histoire! Nous devenions nous-mêmes patriotes. La patrie de nos vingt ans avait-elle cessé d'être dérisoire? Pas du tout, mais *ce n'était plus la même*, les patriotes de profession nous avaient mystifiés, ils nous avaient fait prendre la France de *l'Écho de Paris* pour la vraie, afin que nous ne nous préoccupions pas de les empêcher de trahir.

Enfin la duperie devint si grosse qu'il aurait fallu fermer les yeux (ou se boucher les oreilles auprès de la radio) pour ne pas voir les ficelles. Notre sentiment confus d'être victimes d'une universelle mystification (celle-là même qui rendait *tout* dérisoire) devint conscience claire. Nous sûmes par qui nous avions été mystifiés et dans quel but. Il nous arriva aussi de combattre aux côtés de jeunes qui ne risquaient pas leur vie pour le piquant du risque mais pour qu'elle pût un jour être heureuse. Ils ne pensaient pas que l'absurdité d'un régime où l'abondance produit la misère, la prospérité le chômage, prouvât que le monde fût foncièrement absurde. Ils n'avaient jamais songé à faire du malheur de leur condition la preuve du malheur inéluctable de la condition humaine. Quand on ne se plaît pas dans sa « condition », on s'efforce d'en changer. Ils se battaient pour changer leur « condition ». Ils nous plaignaient gentiment d'être si totalement désespérés. Aussi bien, ceux d'entre nous qui participaient à la lutte n'étaient déjà plus tellement désespérés; le vrai *desperado* n'accepte pas la fatigue de ces risques; à quoi bon ? Il reste dans sa chambre. Et les désespérés commencèrent à nous devenir suspects.

C'est que le désespoir professionnel n'est pas sans confort. L'absurde se débite en chaire et touche des honoraires. On peut faire de l'humour un commerce de luxe, même s'il est du plus beau noir. Tant pis, nous ne sommes pas tellement « scrupuleux ». Ce qui était plus inquiétant, c'était de voir Ubu tolérer les dénonciateurs du dérisoire. En 1933, Hitler avait mis Dada au bûcher en même temps que Karl Marx. Mais en 1942 les autorités d'occupation laissaient les surréalistes deuxième manière exposer à Paris, et Vichy ne censurait pas l'humour noir style « nono ». Aujourd'hui enfin... aujourd'hui le dérisoire et l'absurde ont leur culte officiel à Paris et la foule des « beaux quartiers » se presse à leurs cérémonies.

Certes, le monde où nous vivons aujourd'hui est à peine moins absurde que le monde de notre adolescence. Mais nous — ou du moins un certain nombre d'entre nous — croyons désormais en notre pouvoir de le transformer. Ubu est toujours sur son trône mais nous savons que son règne n'est pas éternel et qu'il nous appartient de le renverser. Notre humour n'est plus l'expression du désespoir mais une arme. La révolte de jadis est devenue conscience révolutionnaire.

C'est là que réside la différence essentielle entre cet après-guerre et le précédent. Qu'on s'en afflige ou qu'on s'en réjouisse, tous les problèmes ont désormais un aspect politique — même ceux qui paraissent ne relever que de la métaphysique. L'intellectuel qui s'obstine à penser le monde sans faire entrer en ligne de compte les circonstances historiques qui conditionnent sa pensée, et sans s'inquiéter de savoir quelle cause il sert, directement ou indirectement, nous paraît faire preuve d'une naïveté inquiétante. Quand il prend la parole au nom de l'homme éternel pour défendre la personne humaine nous savons bien que c'est un « intellectuel petit-bourgeois » qui parle, pour plaider la cause de ses semblables ; sa suffisance même en est la preuve. Les cocus trop manifestement contents et les savants qui font la bête provoquent un malaise du même ordre. A fermer obstinément les yeux — ou à croire au Père Noël trop longtemps après l'âge de raison — le mystifié passe aisément pour complice du mystificateur. Nous avons appris à nous méfier des penseurs qui se placent « au-dessus des partis » et « ne s'occupent pas » de politique. Et nous dénions toute bonne foi à François Mauriac quand nous le voyons, dans le même temps, s'indigner qu'un polémiste juge une métaphysique d'après des critères politiques et descendre dans l'arène pour combattre une Constitution parce qu'elle refuse les subsides de l'État à l'enseignement d'une autre métaphysique.

***

Toute lutte politique exprime en fin de compte un aspect du conflit qui oppose un régime naissant qui répondra aux besoins du siècle (à ses possibilités techniques, aux rapports de forces des classes en présence, etc.) et lui permettra de s'épanouir, de trouver son style, de se réaliser, à un régime périmé qui a terminé sa mission historique, et qui ne se survit, au bénéfice de ses privilègiés, qu'à force de ruses, d'artifices, de mystifications de toutes sortes.

C'est le « progrès » — dans tous les domaines — qui légitime et provoque les révolutions politiques. Il n'est donc pas surprenant que chaque étape du « progrès », chaque pas décisif dans la conquête du monde et de l'homme par lui-même, ait été lié à cette démarche typiquement politique et politiquement dangereuse qui consiste à dévoiler une *mystification*.

La lutte pour la liberté, la science et la puissance est avant tout un corps à corps avec le sacré, le divin, les interdits sociaux et les tabous intimes, c'est-à-dire toutes les *mystifications*, fondées sur la peur et le malheur, qui visent à faire passer pour inéluctables les événements dont il est au contraire au pouvoir de l'homme de modifier le cours. Ce sont en dernière analyse des *mystifications* politiques. Ubu est défendu plus efficacement par les prêtres qui nous persuadent que sa tyrannie est le châtiment véritable du péché originel, que par les armes de sa garde.

La science et la technique modernes n'auraient pas vu le jour si Descartes n'avait pas encouru l'exil politique pour s'être juré de n'être plus mystifié « ni par les promesses d'un alchimiste, ni par les prédictions d'un astrologue, ni par les impostures d'un magicien ». Nous ne serions pas libérés de la honte si Sade et quelques autres ne s'étaient pas délibérément exposés à toutes les persécutions politiques, rien qu'en « posant le regard froid du vrai libertin » sur les faux mystères de l'amour. Les Encyclopédistes ont permis 89 en portant la lumière dans les coulisses du « trône et de l'autel », nous savons ce qu'il leur en a souvent coûté.

Le goût passionné de la vérité est le signe le plus sûr où reconnaître les vocations révolutionnaires et la proclamation de la vérité, où qu'elle se trouve, l'arme la plus efficace « au service de la Révolution ».

La claire conscience de l'aspect politique que prennent tous les problèmes n'implique pas la nécessité pour tous de devenir des professionnels de la politique. C'est bien souvent en arrachant le masque aux *mystificateurs* que nous rendrons les plus grands services à la cause commune des travailleurs. C'est exiger grandeur d'âme et force de caractère car la *mystification* est généralement plus aimable que la vérité, et il est agréable de s'attirer par sa complaisance l'estime et la louange des puissants. Nous aurons du moins pour récompense inaliénable l'ivresse sans pareille que procure le libre exercice d'un esprit libre.

Pour nous, en publiant cette collection, nous entendons justement renouer avec la grande tradition des *philosophes*, du *parti des lumières*. La très haute ambition de *L'homme mystifié* serait de servir de préface — sur le mode polémique — à la nouvelle Encyclopédie, à cette mise au point critique de toutes les connaissances et de tous les pouvoirs de notre temps, qu'il faudra bien entreprendre à la veille d'édifier un monde digne de tant de science et de tant de puissance, et dont mille signes — et pas seulement en France — indiquent que le besoin se fait pressant.

Notre dessein n'entraîne en aucune manière la négation des conquêtes les plus récentes de la poésie ou — par exemple — de la physique. Nous nous sommes félicités plus haut que le surréalisme ait singulièrement agrandi les limites du réel. Il est indéniable que le déterminisme auquel se réfèrent les lois de la physique moderne ne peut se ramener aux formules de la mécanique classique.

Toute expérience mystique n'est pas nécessairement une mystification, la supercherie ne commence souvent qu'avec l'interprétation métaphysique. Enfin nous ne sommes pas « scientistes » et nous préciserons ce qu'il faut entendre aujourd'hui par rationalisme. Que tout cela soit bien entendu.

Notre volonté de revenir à la tradition des « lumières » ne se réfère ni à un système de connaissances ni à une méthodologie mais à ce que les Encyclopédistes avaient de commun avec Lucrèce ou avec Abélard, à l'attitude qui consiste à « regarder toutes choses face à face », avec la ferme conviction qu'il n'y a pas de « domaine interdit » et qu'il n'est connaissance ni puissance qui soit par essence inaccessible à l'homme.

Pourquoi enfin des pamphlets?

C'est que la mystification étant un procédé en soi-même malhonnête, il est impossible de discuter honnêtement avec des mystificateurs. Leur artifice favori est justement de proposer perpétuellement le « dialogue ». « Minute! pas de salade! causons » proposent aussi les « gens du milieu ». « Causer », c'est en effet déjà accepter le principe de la duperie. Le dupeur, s'il se trouve par hasard acculé, a mille procédés pour se tirer d'affaire : les raisons que la raison ne connaît pas, les nécessités économiques ou l'honneur du « milieu ».

Nous n'avons déjà que trop « causé ». On ne « raisonne » pas une mystification, on la dénonce. On ne discute pas avec un mystificateur, on l'injurie.

De l'époque surréaliste nous espérons bien conserver aussi la virtuosité dans l'injure. [1]

1. *Les notes de Roger Vailland donnent une indication sur les thèmes projetés pour sa collection :* « La Raison n'est pas dépassée ». « Le monde n'est pas absurde ». « La mystification bergsonnienne ». « Les mystifications économiques ». « Face à face avec Dieu ». « La mystification conjugale ». « Les grands persécutés : Sade, Marat, Abélard », etc. *Les auteurs devaient être : Jean Beaufret, Pierre Courtade, Pierre Hervé, Maurice Merleau-Ponty, Jacques Prévert, Roger Vailland.*

1948-1956

Roger Vailland a achevé de se libérer de Roberte en écrivant Les Mauvais Coups; *au printemps 1948, il part pour l'Italie avec ses amis Pierre Courtade et Claude Roy : ils vont suivre les élections qui, dans le contexte politique de l'époque, paraissent décisives pour l'avenir du monde. Ils vont aussi à la « chasse au bonheur ».*

Vailland qui est toujours très proche mais hors du Parti Communiste, connaît de brusques accès de mélancolie. Se sent-il, comme Marat, né au mauvais moment, trop tôt ou trop tard? Il écrit à l'automne 1948 : « Nos amis qui parlent de la nécessité d'un style de vie bolchevik me font quelquefois peur. En temps de guerre, bien sûr. Mais j'ai quarante ans. Ah! Pierre, je suis ce soir triste à mourir : c'est que j'ai si bien appris l'art d'être civilisé que quand la douceur de vivre me manque (sauf dans le feu du combat, mais le feu du combat est une douceur) j'ai envie de mourir. »

Mais il se sent sûr, maintenant, de sa vocation d'écrivain. Il a écrit deux romans : Drôle de Jeu *et* Les Mauvais Coups, *deux essais :* Quelques réflexions sur la singularité d'être français *et* Esquisses pour un portrait du vrai libertin, *une pièce de théâtre :* Héloïse et Abélard. *Il se met, en 1949, à un nouveau roman où reviennent les personnages de* Drôle de Jeu : Bon Pied Bon Œil.

En même temps, il fait la connaissance de celle qui deviendra désormais sa compagne de vie : Élisabeth. « Elle avait tout de suite senti dès ce déjeuner au cours duquel on les avait présentés l'un à l'autre, il était déjà ivre et n'avait pas du tout fait attention à elle, elle avait tout de suite compris que, bien que tout ce qu'on racontât de lui fût vrai, l'alcool, les putains et le reste, il n'était pas, dans le fond de lui-même, celui qu'on racontait [1]. »

Et lui qui a consacré depuis l'enfance tant d'énergie à se durcir, lui qui a le goût des fêtes, mais qui se veut méfiant et rétracté devant l'amour, il se laisse aller : *il fera sa vie avec Élisabeth.*

Il se laisse aller *aussi à renoncer à la frêle distance qui le tenait encore à l'écart de l'engagement politique total. En août 1950, il écrit à Pierre Courtade :* « Ma position relativement en marge pendant ce deuxième « entre-deux-guerres », que je ne regrette pas, puisqu'elle m'a permis un certain nombre de périodes de maturation (...), n'est plus tenable aujourd'hui, et plus particulièrement depuis la guerre de Corée (...) Dans les circonstances actuelles, il n'est plus possible, pour moi comme pour toi, d'écrire autrement que dans une perspective communiste. » *Marat sera rejeté (et émasculé dans les dernières pages de* Bon Pied Bon Œil).

Une nouvelle saison s'ouvre pour Vailland ; il quitte Paris, ses bars et ses établissements de nuit *pour aller vivre avec Élisabeth dans le hameau des Allymes, proche d'Ambérieu-en-Bugey.* « Ce n'était pas une retraite. Par les sentiers de montagne, tantôt je gagnais les cités ouvrières de la vallée de l'Albarine, où se traite la soie artificielle, tantôt je descendais aux réunions où se préparaient les *actions* politiques, je parlais dans les meetings, je défilais avec les militants, je dansais dans les *goguettes* du parti communiste (...) Je me battais, j'apprenais, j'étais heureux [2]. »

Dans cette « perspective communiste » qu'il a désormais choisie, il écrit successivement Le Colonel Foster plaidera coupable, Un Jeune Homme Seul, Beau Masque, Batailles pour l'Humanité, 325 000 francs. *C'est le temps de la fraternité, ressentie corps et âme. Il durera jusqu'en 1956.*

1. La Fête.
2. Le Regard Froid.

[1948]

[*Journal intime*]
Florence, 14 avril 1948

Ce matin à Ravenne. J'aime la matière des céramiques byzantines et le tombeau de l'Impératrice. Comme le temple de Sekhmet à Thèbes.

Au petit matin, d'un rêve à demi effacé, je retiens un verre qui se brise dans l'angle d'une porte (par une main étrangère) et qui signifie la liquidation de mon passé. Est-ce la mort de B.[1]? Toute la journée je me suis senti léger et libre.

Pierre Courtade, Jacques M*** et Shirley, la 202 Peugeot. L'achat du chien blanc chez le pittore, dans la plaine tellement fertile (Camargue exploitée) vers l'Adriatique (Rimini).

Shirley, face de lune, juivo-américano-cosmopolite, de tant d'humiliations sans doute, de ses relations familiales et d'un solide compte en banque, résulte qu'elle sait ce qu'elle veut; aujourd'hui Jacques.

Jacques est fat comme un Saint-Cyrien. Courage physique sans doute. Mais il parle du chauffeur idéal (ne pas freiner, économiser sur les tournants, etc.), des femmes aussi « tu es ma femme, tu feras ce que je veux », comme son père (j'imagine). Mais il aime Laclos, Stendhal et Byron, les putains de Venise et Ravenne. Un fou au demeurant avec ses yeux rapprochés.

Je conduis de Ravenne au col, avec tout le plaisir que

1. *B. désigne ici comme dans* Drôle de Jeu *la première femme de Roger Vailland.*

donnent à Milan les routes de montagne. Jacques nous descend dans le jardin toscan. A Florence nous retrouvons Claire Roy. Soirée gaie, légère, « spirituelle ». Jacques parti dès l'après-dîner, en dispute avec Shirley, parce que vexé aux yeux de Claire que Shirley ait une face de lune.

J'aime la place de la Seigneurie autant que Thèbes ou le Parthénon.

Claire a des doigts plats au bout de vilaines mains.

Un moment de la soirée chez les copains du journal florentin. Ils sont tellement plus intelligents, etc. que des journalistes de province français. Pleins d' « idées générales ». Mais quand même pas du tout les grandes vues de « l'échelon supérieur » : Mieli, directeur de *L'Unità* de Milan ou Togliatti. Si bien qu'ils nous donnent tous les éléments dont on devrait conclure que la révolution devrait être pour mercredi mais n'en tirent pas la conclusion. Il n'est pas facile d'être Lénine.

Je suis heureux — par moi tout seul.

Florence, 15 avril

Rêvé qu'assiégé dans le lycée de Reims parmi une troupe commandée par Roger Gilbert-Lecomte schématique. Mais au moment de faire une sortie désespérée, je ne trouve pas de fusils ou seulement des fusils rouillés. Mais je parviens à fuir par le *jardin d'enfants* en me *laissant glisser* le long des murs, en pensant « qu'il est facile de glisser ».

Aux Offices avec Claire Roy et Pierre Courtade.

— Les Vierges aux Anges de Cimabue et Giotto : du totem à l'art de peindre, celle de Giotto, c'est déjà la géante de Picasso.

— Botticelli dessinateur. Le dessin est un plaisir intellectuel. Ni couleur, ni plastique, ni composition. Des collages. On pourrait *mélanger* autrement les figures et accessoires du Printemps, de la Naissance de Vénus, etc.

— Les peintres du Quattrocento, des enluminures agrandies. Pas de matière, j'aime mieux les céramiques de Ravenne ou les fresques de Thèbes (en couleur).

— Signorelli, peintre paysan, cf. Le Nain.

— Pas eu le temps mais il y aurait des tas de choses à découvrir chez les peintres florentins de la fin du XVIe.

Au palais Pitti avec Claire Roy seulement pour les Titien. Le nu à l'enfant c'est Lilly de Prague — et même l'enfant à la tête du lit. Je n'aime pas tellement ces grands corps sans « taille ». Je préfère la putain d'en face et surtout les *cheveux* de la Madeleine jouant-frôlant-frissonnant sur ses seins, c'est ma forme de sensualité.

Pendant une partie de la nuit Antonella me raconte sa vie. Fille d'un pharmacien juif qui la *punissait*, se plaint au Procureur et est enfermée six mois jusqu'à son mariage avec un Russe blanc, entraîneuse à Pigalle, et maintenant, humiliée par la mère de son nouveau mari, se punit par la tuberculose.

Lina a le corps de la Vénus de Botticelli.

16 avril

Florence. Perugia. Assise (Lourdes sans miracles). Rome avec des pressentiments *sinistres* à l'entrée et non sans émotion en descendant sur le Latium.

Rome, 17 avril

Des communistes aux autres, etc., à la veille des élections, ce qui finit à deux heures du matin saoul et seul, assez excité par G. F.

Rome, 18 avril

Essai pour un fondement de la morale de l'an 2000. Je suis essentiellement un moraliste. La vertu se confond avec la souveraineté, le vice avec la passion, l'esclave ne peut être que vicieux sauf quand il s'égale au maître par le défi et le combat.

Les Anglais dans les jardins de Tivoli.

Rome, 19 avril

Mélancolie dans le jardin de Gina.

Place Navona. Le baroque n'est excellent que comme ici (ou à Dobris) dans un cadre rigoureux et mesuré. De même pour le libertinage.

D'Hospital sur les femmes italiennes : triomphe de la petite bourgeoisie catholique, de l'insensibilité à la putainerie. La seule part riche de leur sensibilité doit venir des interrogatoires indiscrets du confessionnal. Ceci se devine aussi dans la rue où à chaque pas une beauté vous entre dans le cœur mais elle me glace aussitôt car elle a quelque chose du comportement de ma sœur. Hier matin à Saint-Pierre, les couples pieux. Les jeunes époux, ou le père, la mère et la jeune fille. Superstitieusement cérémonieux. Le baiser bourgeois du pied de Saint-Pierre; pas de bouche comme le peuple mais par l'intermédiaire de la main. Comme je hais tout cela. Massacrer des curés est la seule œuvre pieuse que je conçoive.

Rome, 20 avril

Début des résultats des élections.

J'ai plus que quiconque peut-être la passion politique mais elle est dominée et lucide (je sais tout de la vie) et je me félicite de rester si calme aux hasards des résultats partiels.

A dix heures, le Front Démocratique semble avoir 40 %. C'est plus que suffisant dans les conditions actuelles pour faire la révolution.

Reste à savoir :

1° Si les hommes auront l'énergie nécessaire.

2° Si la situation internationale l'autorise. Notre lutte est plus que jamais à l'échelle du monde.

J'ai, jusqu'à nouvel ordre, la plus grande confiance en *l'intelligence* de Togliatti. Pierre Courtade qui l'a vu hier soir, me dit qu'il est très fatigué, ce n'est pas nécessairement grave.

22 avril

Les communistes italiens et français sans doute sacrifiés. Serons du mauvais côté quand sera signé le pacte américano-russe. Dix ans plus tard ou vingt, les survivants d'entre nous, quand ils prendront le pouvoir seront *tassés* comme Rakosi. C'est ainsi. Il faut quand même, et dans cette ligne même, être *heureux*.

Cannes 28 avril

Quitté Rome hier à zéro heure avec Jacques en voiture, dans la plus grande tristesse. Angoisse en franchissant la frontière française. Of course. Cette côte où tant de souvenirs et de soi-disant devoirs, où ma mère et ma femme dans le passé et le présent se retrouvent exactement dans le même lieu.

*

La vie à Rome.

On habite l'hôtel d'Angleterre.

Le capuccino via del Babuino. Dès le troisième jour j'étais un habitué. La gentillesse des Romains. Je suis, comme l'Italie, à l'âge où la gentillesse est ce qu'on goûte le plus dans les rapports humains.

Puis on va par exemple visiter le Musée Étrusque autant pour rêver d'y donner des fêtes que par goût pour les yeux cruels et les grosses lèvres.

Apéritif au Pincio ou Place Navona ou au bar de l'hôtel d'Angleterre ou Hassler.

Déjeuner au Concordia où l'on rencontre Loretta, Simonetta, Orson Welles, etc., J.C. la fille du gangster, et Max, le chargé d'affaires de Cuba.

Repos puis lecture de Stendhal. Mais d'abord on a pris le café chez les Franchina. C'est la règle absolue.

Apéritif à l'hôtel d'Angleterre ou à la Presse Étrangère à cause des martinis et pour connaître la chronique.

Dîner au Concordia où l'on retrouve les mêmes et d'autres. On gagne alors l'un ou l'autre atelier de la via Margutta ou via Gregoriana, et on boit du vin, en parlant avec les femmes, jusqu'à une heure avancée de la nuit.

Je veux maintenant des habitudes, mais de préférence des habitudes à Rome. Il suffirait de décaler un peu : consacrer quatre fois par semaine la matinée au travail. Et sous-louer, comme J. Masson, un palais où je donnerais une fête chaque semaine. Afficher une maîtresse afin de recevoir des avances de toutes les autres femmes.

Les télégrammes de Jacques : à sa femme « courage chérie nous serons bientôt réunis ».

A une amie de Paris : « voyage impossible désolé stop nous sommes jeunes ».

Son veston de velours, le chien agneau Dante, le port comme avec un corset et le regard impérieux. Parcourt l'Italie via Ravenne-Rome-Pise — en pensant à Byron. Disait à Gina : « si je veux, Thérèse traversera à quatre pattes la place de Venise ». C'est vrai, plus encore qu'il ne le croit : Simonetta et Thérèse se ressemblent dans le comportement, le regard égaré, etc. : masochistes chrétiennes, Shirley masochiste, par complexe paternel (gangster), elles attendent de lui le fouet et il ne leur donne que cela : « je crois que finalement ça ennuie les femmes de faire l'amour. » Moi aussi. « Mais il faut bien finir par là » (dixit). Mais déjà la mystification épouse-mère commence à jouer; en franchissant la frontière (après Pise à l'aube, le col entre Livourne et Gênes pour le petit déjeuner, déjeuner à San Remo qui n'est déjà plus l'Italie) il était anxieux comme un enfant fautif et ne s'en tirait qu'en disant « je ferai ce que je veux, ce sont toujours les mêmes qui se font tuer, qui manquent d'argent, etc. ».

Il est probable qu'à la longue Thérèse gagnera, alors elle ne l'aimera plus, le trompera avec des cons. Ariane à la longue perdra contre Pierre parce qu'il a le goût de la vérité + intelligence.

Les parents de Thérèse frappés par air ecclésiastique de Courtade. De même directeur Air France à Rome : « n'êtes-vous pas fonctionnaire au Vatican? »

Cette fois à Rome j'ai aimé :

— les palais des cardinaux (en particulier Spada, Musée Étrusque et Jardins de la Villa d'Este) et l'idée d'y donner des fêtes.

— les plans gris-noirs (églises baroques) dans l'ocre brique des ruines en tant que ruines, enfin la couleur de Rome (en particulier l'Ile du Tibre, surtout la montée vers le Capitole en venant de l'Ile du Tibre).

— la place d'Espagne à toutes heures et tout le quartier à cause des possibilités de bonheur.

— les conversations avec Pierre sur le bonheur et notre lecture d'une chambre à l'autre des *Promenades dans Rome*. (Je ne suis même plus si sûr que Stendhal ne comprenne rien à la peinture. Quoique. Tout cela est à revoir.)

— San Stefano Rotondo parce que pas du tout chrétienne, le Panthéon pour les mêmes raisons, mêmes liens avec les entrailles de la terre et du ventre qu'en Égypte. Les fresques de San Stefano Rotondo surréalistes. Cf. D.H. Lawrence, Vittorini, moi.

— la place Navona pour de multiples raisons. J'aimerais avoir le temps d'étudier et d'écrire une étude sur le Bernin. Aussi sur les fontaines d'Italie (y compris celle de la Place de la Seigneurie). Maire communiste de Florence.

— la mélancolie de Loretta, le regard rieur et froid, la mâchoire tragique, les cheveux serpents blonds, l'aspect ange implacable et moqueur (« hermaphrodite et stérile ») de Monique ***, les névroses proclamées de ***, petite bourgeoise romaine, fille du vice-recteur de l'université propriétaire de latifundia dans les Pouilles, la voix de Gina.

— la promenade sous les voûtes de Saint-Pierre avec Jean Masson et cette très belle Catherine (un châle par-dessus une robe indécente d'intérieur, en mules) qui fut la maîtresse de *** à Rabat, etc. (le *style* d'une génération persiste à travers les évolutions. A Rome Jean Masson, Claude Heyman, moi et même le petit Auriol).

— Donna Rinaldi dans le bureau de son journal comme un oiseau fasciné.

Gina (petite-fille de Paul Fort, fille du peintre Severini qui habite à Meudon chez Maritain) m'a raconté : « j'ai eu beaucoup d'amis catholiques et pédérastes. J'étais très liée avec Marcel Schwob. J'allais communier avec lui dans les Catacombes bien que j'eusse déjà cessé d'être croyante, pour lui faire plaisir. A cette époque il ne touchait plus aux petits garçons, il se mortifiait ».

Les derniers jours à Rome, comme je passais pour le flirt officiel de Gina, son mari Nino, lorsque je leur rendais visite, à l'instant où j'allais m'en aller, sortait dans le jardin. Le jeudi 21, il y a eu fête chez eux « pour montrer que les communistes n'étaient pas abattus par la défaite et en notre honneur ».

Montélimar, 29 avril

A Cannes, Jacques et sa mère se disputent passionnément le chien Dante. Ils ont de commun de mettre une grande obstination et une force de caractère estimable au service de leurs caprices. Jacques résiste plusieurs heures. Au moment du départ, sa mère pleure, il cède; elle vient vers moi en riant :

— Voyez, me dit-elle, quand on croit la partie perdue, il nous reste encore les larmes. Les M *** pleurent à volonté.

On n'a, que je sache, jamais rien écrit de valable sur le plaisir de conduire.

Jarnac, 18 mai

Malraux. *Psychologie de l'Art.*

Qu'est-ce qu'un esprit faux? coupé, débrayé, qui « s'emballe » : cela se manifeste toujours par des tics, etc., dramatiquement c'est la folie qu'on enferme. C'est aussi le « cérebelleux » : entre les calembours d'un commis voyageur cérebelleux et Malraux, il n'y a pas différence de qualité.

[1948]

LA RECHERCHE DU BONHEUR EST LE MOTEUR DES RÉVOLUTIONS[1]

Nous venons de lire, loin de Paris, le dernier numéro d'*Action*. Nous avons relevé ensemble, dans les articles de nos camarades Jean Mijema (sur le film *La Chartreuse de Parme*) et Jean Larnac (sur la Préciosité) des formules sur lesquelles nous nous sommes trouvés accordés dans le désaccord.

Nous avons pensé utile de mettre au clair les observations qu'elles nous ont suggérées.

[...]

a) « La poursuite du bonheur à titre individuel, écrit Mijema, s'est trouvée singulièrement dépassée depuis cent ans. »

C'est à l'inverse de la vérité. La Révolution de 1789 et toutes celles qui ont suivi, ont été faites au nom du bonheur. Saint-Just : « Le bonheur est une idée neuve en Europe. »

La politique est une technique du bonheur des hommes en société. Le marxisme est la science du bonheur possible dans l'histoire.

Toute morale qui, à quelque titre que ce soit, invite l'homme à renoncer à son bonheur individuel, le seul qu'il puisse connaître dans sa chair et son sang, est une morale réactionnaire. Elle joue toujours au profit de quelqu'un.

Pourquoi en effet renoncer à son bonheur individuel?

Pour faire le salut de son âme? L'histoire nous montre

1. *Lettre envoyée à* Action *par Roger Vailland et Claude Roy pendant leur voyage en Italie (mai 1948).*

assez dans l'intérêt de qui on a, pendant deux mille ans, prêché aux hommes de se résigner à vivre dans une vallée de larmes.

Pour le bien de l'humanité ? Quand on veut nous faire prendre une classe pour l'humanité tout entière, nous flairons la mystification : ce n'est sûrement pas de notre classe, sûrement pas des nôtres qu'il s'agit.

Pour les hommes, oui. Mais nous ne connaissons pour l'instant que des hommes divisés en classes et qui ont des intérêts contradictoires.

Pour notre classe, pour notre parti, pour les nôtres ? Nous et les nôtres nous avons les mêmes intérêts et c'est pour nous que nous combattons en combattant pour eux. Celui qui se bat combat pour lui, tout de suite, pour lui présent à lui-même dans l'instant où il combat, parce que c'est la seule solution possible dans le présent pour lui s'il veut être heureux.

Exemple : les juifs sous l'occupation étaient persécutés, menacés de mort à chaque instant, humiliés, malheureux. Nous en avons connu de deux sortes : ou bien ils se cachaient, se savaient traqués et s'acceptaient comme tels — ils restaient malheureux — ou bien ils entraient dans la lutte clandestine, combattaient, rendaient coup pour coup, tuaient à l'occasion — la lutte les grandissait d'abord à la taille de leurs adversaires, pour ensuite les leur faire dominer. Ils conquéraient le droit à l'espoir, le seul véritable espoir, celui d'un homme en train de se battre pour le réaliser — ils étaient déjà heureux. Sauvés, aurait dit Rimbaud. Tout combattant de la résistance était déjà heureux. Et ce n'est pas fini, car le combat n'est pas fini : sous le régime capitaliste tout travailleur est un juif.

Mais, dira-t-on, le combattant doit être prêt à sacrifier sa vie. Et il est absurde de mourir pour un bonheur individuel, auquel la mort met fin par définition. Non, si le combattant ne peut travailler à son bonheur, ne peut se faire heureux, ne peut donner de signification et de valeur à sa vie qu'en l'engageant sans réserve dans le combat, ce qui implique le risque de la perdre. Un risque consciemment accepté, et non un but en soi. Nous parlions récemment avec un ex-responsable d'une fameuse brigade F.T.P. du Sud-Ouest : « Jamais, nous disait-il, nous n'avons accepté qu'un camarade sacrifie volontairement sa vie. Quel que fût l'intérêt de l'action entreprise nous ne l'engagions que si ceux à qui elle était confiée avaient une chance humainement possible de s'en tirer. Pénétrer dans la forteresse dans le seul but de se faire sauter avec elle était contraire à notre morale. » C'est qu'il s'agissait de combattre, et non de gagner le ciel par le martyre.

Nous dirons donc que la poursuite du bonheur est le moteur de toutes les révolutions et de tous les combats valables.

b) « Un fait s'est produit, écrit Mijema, que Stendhal n'avait pas prévu dans sa prétentieuse boutade : la naissance, juste au moment de sa mort, d'une morale sociale toute neuve. »

Nous pensons avoir éclairé plus haut ce qu'il faut entendre par bonheur. Nous ne concevons pas le bonheur, et Stendhal ne le cite pas non plus, comme un état d'abandon et de paresse, comme un laisser-aller. La recherche du bonheur implique lucidité et droiture d'esprit pour la distinguer de ses faux-semblants, vigilance pour déjouer les supercheries, et force de caractère pour rester vigilant, courage, hardiesse, héroïsme pour défier les idoles qui en interdisent les approches. Tout bonheur demande une tension et une attention soutenues. Stendhal a donc raison de dire qu'il faut le « courir ». Le bonheur ne vient pas à l'homme du ciel, il vient à l'homme de l'homme. Et heureux celui dont la vie s'accorde à la fonction qu'il se désigne.

Le marxisme n'appauvrit pas la notion de bonheur. Il l'enrichit. Il en rend le désir plus exigeant, parce qu'il fait prendre conscience aux hommes de nouvelles conditions et de nouvelles tâches. Etre communiste, c'est s'assigner un bonheur difficile, mais immédiat.

Le bonheur qui envahit Fabrice quand il part lutter pour libérer sa patrie du despotisme n'est pas dépassé « par une morale sociale toute neuve ».

Cette morale sociale, prenons garde d'ailleurs de ne pas la concevoir comme la morale du morceau de sucre dont la fonction est de fondre dans l'eau.

Par ailleurs, si morale nouvelle il y a, il est faux de situer sa naissance au lendemain de la mort de Stendhal. La morale révolutionnaire est née avec la Révolution. Ni Saint-Just, ni Marat, ni Robespierre n'ont vécu après Stendhal.

c) « Tout cela (la recherche du bonheur), écrit enfin Mijema, est aussi peu valable que le « vivre dangereusement » du fascisme. »

Accepter de risquer sa vie dans un combat de chaque instant comme celui du résistant, du juif, du militant, c'est « vivre dangereusement ».

Vouloir « changer la face du monde » implique de vivre dangereusement, car c'est essentiellement dangereux : il n'est pour s'en convaincre que de relire l'histoire du Parti Communiste, de penser à l'Espagne, à la Grèce, à la Chine, etc... Et c'est un artifice d'exposition, que de distinguer la volonté et la conséquence. Chez les êtres jeunes en particulier, c'est le même refus de la médiocrité, de la lâcheté, de la résignation, c'est le même goût du bonheur qui les conduit dans une seule même démarche à travailler à changer la face du monde et à vivre dangereusement. Il ne faut pas laisser aux fascistes le monopole de l'héroïsme : il suffit qu'ils l'aient mystifié en le mettant au service de nos ennemis, comme ils ont mystifié la légitime colère des travailleurs contre les exploiteurs en la fixant sur les seuls exploiteurs juifs. Togliatti l'a bien compris qui dans un récent discours aux jeunes fascistes italiens, et après avoir analysé magistralement les motifs de leur comportement, leur a expliqué qu'auprès des communistes aussi et surtout, ils pourraient satisfaire leur désir de vivre dangereusement.

[...]

Il existe dans les foires des machines à prédire l'avenir; on appuie sur le bouton qui correspond à l'âge et au sexe, et on reçoit un horoscope en règle. Il serait trop facile que le marxisme soit une *machine à penser :* on appuierait sur le bouton qui correspond au sujet, la chute de Byzance, la poésie alexandrine, l'astrophysique, la préciosité ou Stendhal, et on recevrait une interprétation marxiste orthodoxe et garantie, avec toutes les antithèses de rigueur, entre l'individu et la collectivité, la décadence et la santé, la tour d'ivoire et le « chantier où le travailleur etc... ». Il suffirait ensuite d'être un bon élève; avec ces *clefs*-là n'importe quel khâgneux est capable de faire une brillante dissertation marxiste sur n'importe quoi.

Une véritable et efficace interprétation marxiste du monde exige autrement d'invention, de lucidité, de hardiesse, de respect des faits et de « goût du danger ». Elle se présente toujours sous des aspects neufs, imprévus, *scandaleux* (les idées neuves sont toujours scandaleuses). Elle ne sera jamais terminée tout à fait : la dialectique n'est jamais close. Les savants, les historiens, les encyclopédistes de l'Union soviétique, les Wallon, les Haldane, les Lukacs, les Prenant, en France et ailleurs, nous donnent un exemple de ce travail dont le résultat est perpétuellement par eux-mêmes remis en question. C'est, comme la recherche du bonheur, une tâche difficile et héroïque.

Le 28 mai 1948.

Roger Vailland et Claude Roy.

[1948]

[« JE SUIS CE SOIR TRISTE A MOURIR »]

Je suis ce soir triste à mourir. C'est ma règle en cette saison. Tu connais[1] aussi les circonstances de ma vie : me voici pour la première fois depuis des années seul (sans l'être aimé, veux-je dire), dans un pavillon de banlieue et sans plus rien qui m'appartienne, pas même ces quelques livres qui me suivirent à travers toutes les circonstances de l'occupation. Mais toujours l'automne m'angoisse, c'est le souvenir de la rentrée des classes dans une enfance et une adolescence qui fut comme aujourd'hui singulièrement privée de tout, un temps sans douceur de vivre.

Si j'étais, ce printemps, quand nous voyagions ensemble en Italie, si sensible à la douceur de vivre, c'est que je sais tout de la vie sans douceur. Mes arrière-grands-parents paternels étaient des paysans savoyards. Mes grands-parents émigrèrent à Paris, artisans, mon père fit ses études et eut une profession libérale. L'histoire de ma mère est analogue. Ils appartenaient tous trois à cette troisième génération qui fait l'armature de la petite bourgeoisie française. Ni l'un ni l'autre n'avait eu le temps d'apprendre la douceur de vivre. Ils trouvaient tout naturel que la chambre où je dormais en plein hiver ne fût chauffée, si l'on peut dire, que par le passage d'une cheminée à l'intérieur du mur; qu'importait que je dormisse dans le froid puisque je faisais mes devoirs dans le bureau de mon père où brûlait la salamandre familiale. Il faisait froid, c'était à Reims, ville sans douceur.

1. *L'interlocuteur de Roger Vailland semble être son ami Pierre Courtade.*

Mes parents aussi dormaient dans une chambre froide; c'était pour eux le début de la mollesse que de chauffer une pièce où l'on ne fait que dormir; non seulement ce n'était pas sain mais c'était en un sens immoral. A 70 ans, la mère de mon père refusait de s'asseoir dans un fauteuil; on la trouvait toujours, raide comme un piquet, sur une chaise à dossier droit et sans bras. C'était sa morale. On était dur dans ma famille, la dureté est le contraire de la douceur. On était dur parce qu'on n'était devenu ce qu'on était qu'à force d'économies — économies d'argent, de temps, d'attention, à la troisième génération on ne conserve son rang qu'à condition de ne penser qu'à cela. La douceur de vivre c'est le contraire de l'économie, c'est d'abord se chauffer plus qu'il n'est nécessaire pour ne pas être malade de froid, coucher sur un lit plus moelleux qu'il n'est absolument nécessaire pour pouvoir dormir, varier les plats plus qu'il n'est indispensable pour une saine diversité de la nourriture et les assaisonner davantage qu'il ne suffit pour exciter l'appétit.

Là tout n'est qu'ordre et beauté
Luxe calme et volupté

La définition de Baudelaire est la plus complète de la douceur de vivre. Mais je mettrai d'abord l'accent sur le luxe car s'attacher à la recherche d'ordre et beauté, etc. c'est une activité de luxe, un superflu.

Restent ceux qui comme moi font passer le superflu avant le nécessaire comme disaient mes parents. Pourquoi pas? Mais on aboutit là où j'en suis aujourd'hui. La quatrième génération détruit le travail des trois premières. Ceci est aussi classique en France que l'ascension des trois premières. Ah! Pierre, ma vie est aujourd'hui tellement sans douceur que je suis triste à mourir. J'ai trop aimé la douceur de vivre pour avoir la solide dureté de vivre de mes ancêtres.

Bien sûr nous travaillons à édifier un monde où chacun pourra connaître la douceur de vivre. Mais un luxe est-il concevable qui ne soit pas le privilège d'une majorité? C'est sans doute ce que voulait dire le camarade danois qui est venu te demander si...[1]

1. *Phrase inachevée dans le manuscrit.*

La technique moderne, la productivité accrue permettra d'habiller chacun de brocart. Une production si variée, si aisée, qu'on pourra faire autant de brocarts qu'il y a de goûts de brocart. Mais dans combien de temps? Nous ne connaîtrons, ni nos enfants, le temps du brocart innombrable. Est-ce bien utile de mettre en jeu le peu de douceur de vivre que nous pouvons arracher, pour le luxe de nos petits-enfants? D'ailleurs je n'ai ni enfants, ni petits-enfants.

***

Un être qui s'y connaît en douceur de vivre, un amateur de la douceur de vivre, c'est aussi ce qu'on appelle un civilisé. Il y a toutes sortes de civilisations, de manières de vivre, mais le civilisé est le produit élaboré d'une civilisation, comme le chien racé le fruit parfait de sa race; il y a un point commun et singulièrement important entre les civilisés de toutes les civilisations et les racés de toutes les races. C'est précisément qu'ils sont civilisés ou racés.

Le chien racé est un produit de luxe, fruit non seulement de la sélection mais de la bonne nourriture et du confort. Le chien de race est fragile, on lui met un manteau pour sortir dans le froid, on chauffe son chenil, on lui fait suivre un régime approprié. Les indigènes des colonies n'ont que des corniauds, c'est dans l'Angleterre enrichie du travail des indigènes qu'on trouve les plus beaux élevages de chiens. Au cours d'un voyage en Palestine je consacrai une journée et un certain nombre de sterling à faire un détour pour acheter un chien de grande race (dans un élevage européen); le communiste qui m'accompagnait fut indigné de ma frivolité, de ce gaspillage de temps et d'argent, ahuri d'apprendre qu'il existe un boxer-club. Penses-tu qu'en U.R.S.S. telles futilités? Aujourd'hui bien sûr. Sans doute pas en 22. N'empêche que le racé comme le civilisé est un produit de luxe. Peut-on concevoir un monde où il n'y aura plus de corniauds ni parmi les chiens, ni parmi les hommes, un monde totalement civilisé? Est-ce ce monde que nous travaillons à construire? Et ne commençons-nous pas, en mettant tout l'accent sur la nécessité d'être pur pour bien combattre, par détruire les conditions qui permettent à des chiens de race et à des civilisés d'exister ? Nos amis qui parlent de la nécessité d'un style de vie bolchevik me font quelquefois peur. En temps de guerre bien sûr. Mais c'est toujours la guerre bien sûr. Mais j'ai quarante ans. Ah! Pierre, je suis ce soir triste à mourir : c'est que j'ai si bien appris l'art d'être civilisé que quand la douceur de vivre me manque (sauf dans le feu du combat mais le feu est une douceur) j'ai envie de mourir.

Remarque bien que je parle de mourir et non de trahir. Il ne m'intéresse pas d'être civilisé dans ce qu'est devenue la civilisation bourgeoise. Je pense à ce livre ignoble, *Les Civilisés* de Claude Farrère, où se saouler dans des bouges en chantant des obscénités du quartier Latin et sodomiser des petits amants qui ont besoin du bol de riz contre lequel on échange leur complaisance, devient le comble de la civilisation. Infâme vieil étudiant académicien.

A Prague en février dernier, j'ai été ravi au-delà de toute expression quand j'ai appris que le concierge membre du Comité d'action qui... [1]

— Ce n'est pas vrai.

— Je le sais bien, mais je le regrette. La culture universitaire bourgeoise n'est plus une culture. Formalisme. Professeurs de lettres sur textes morts, professeurs de philo ou d'économie politique qui négligent systématiquement les thèmes vivants, Hegel, Marx, Lyssenko.

Quant au goût n'en parlons pas, Arts déco 25 succède à Henri II. L'art n'est plus pour les artistes, la poésie pour les poètes. Je suis contre ce monde-là.

Mais Maïakovsky s'est bien suicidé.

1. *Cf.* Le Regard Froid : « *On me raconta qu'un comité d'étudiants, présidé par le concierge de l'Université, allait procéder à l'épuration des professeurs. Je m'en réjouis énormément, espérant que ce concierge était un paysan de Bohême ou de Moravie, peut-être un ancien bûcheron, qui allait aider efficacement les étudiants à se débarrasser de quelques vieux pédants qui avaient survécu à tous les régimes et à tous les progrès que les sciences qu'ils enseignaient avaient faits depuis un siècle. L'information était fausse. Je revins l'année suivante. Le concierge n'avait autorité que sur les services de nettoiement. Et les mêmes hommes professaient les mêmes cours qu'ils avaient seulement compliqués d'un peu de jargon marxiste, ce qui achevait de les rendre incompréhensibles.* »

J'ai rencontré plusieurs fois cette année un bon écrivain d'une République Populaire. Un des plus vieux membres du P.C. de son pays, l'exil, la résistance, un bon combattant. Mais il écrit dans ce qu'on appelle aujourd'hui le style décadent de la pourriture bourgeoise. Ce n'est pas sa faute. Il a cinquante ans et dans sa jeunesse cette façon-là d'être artiste était une manière de combattre la bourgeoisie. On ne l'empêche pas d'écrire, on le respecte trop, ce fut dans les heures tragiques un vrai bolchevik, c'est toujours un bon communiste. Mais la nouvelle génération ne le lit plus. Il ne s'en indigne pas, il admet même probablement que la production d'un artiste doit répondre à la demande, il n'a pas la superstition de l'art pour l'art, seulement il n'a plus envie de produire, il n'écrit plus, il est bien angoissé, il craint d'être devenu un totem d'honneur dans le monde qu'il a contribué à créer. La dernière fois que je l'ai vu, il était triste à mourir.

[1948]

« CARTE BLANCHE »

par Roger Vailland

« APPEL A JENNY MERVEILLE »[1]

PERSONNAGES

L'auteur
La secrétaire des émissions
Le chanteur Castillano et son orchestre
La fausse Jenny Merveille
Monsieur Cheval
Le barman de Lille

Cette émission est destinée à Mlle Jenny Merveille.

Mlle Jenny Merveille habita du 3 au 21 juin 1947 à l'hôtel des Saints-Pères, rue des Saints-Pères, à Paris. Sur sa fiche d'hôtel elle a indiqué une adresse permanente à Riom (Puy de Dôme). Cette adresse est inexacte. Jenny Merveille est inconnue 25 avenue de la Gare à Riom. Vérifications faites à la Mairie et auprès de la Police locale, elle est même complètement inconnue à Riom. De même à Riom-ès-Montagnes (Allier), que l'on confond quelquefois avec Riom (Puy-de-Dôme).

Jenny Merveille a vingt ans. Elle est de taille moyenne, plutôt grande. Elle marche en se penchant légèrement, le cou en avant, comme il arrive assez fréquemment aux jeunes filles de province, comme marchait Clara d'Ellébeuse et l'Elmaïde d'Etremont. Au mois de juin, elle portait les cheveux en larges vagues abondamment répandues sur les

1. *Texte d'une émission radiodiffusée, rédigé par Roger Vailland (1948).*

épaules; ce fut d'abord sa chevelure royale qui attira mon attention. Elle n'a pas suivi la mode qui veut que les jeunes filles soient hâlées comme des légionnaires, et bien qu'elle passe, m'a-t-elle dit, la plus grande partie de l'année à la campagne, sa peau est blanche, délicate et si transparente qu'à hauteur des tempes on distingue tout un lacis de petites veines vertes. Ses pupilles ne cessent de s'amenuiser ou de s'agrandir tant elles sont sensibles non seulement aux variations de l'éclairage, mais aussi à tous les mouvements du cœur. Le nez est droit, les narines ouvertes et frémissantes, la lèvre inférieure bien dessinée mais un peu charnue. Signe particulier : la voix. Une voix basse dont les modulations comme celles de certains instruments de musique africains n'émeuvent pas seulement l'oreille mais encore plus le délicat réseau de nerfs qui loge au creux de la poitrine. Une voix profonde et riche comme celle de Sophie Tucker ou de Léna Horne, mais en même temps si sensible et si expressive des nuances les plus fines du sentiment qu'on ne se trouve pas surpris de l'entendre sortir de la tendre gorge d'une toute jeune fille. Mais comment décrire une telle voix? Seuls ceux qui l'ont entendue peuvent comprendre. Heureux les inconnus à qui elle prodigue de tels dons à chaque parole. Heureux l'employé de chemin de fer, le facteur, la femme de ménage, l'employé du gaz, la boulangère, la demoiselle du téléphone qui ont entendu aujourd'hui la voix de Jenny Merveille.

Avis à tous les auditeurs! Si vous connaissez Jenny Merveille, si vous savez où elle habite, courez immédiatement chez elle. Si vous êtes ses voisins, précipitez-vous et frappez à sa porte. Cette émission est destinée à Jenny Merveille. Il est de la plus haute importance qu'elle soit à l'écoute. Il faut absolument qu'elle entende ce que j'ai à lui dire. Suppliez-la de venir m'écouter, au besoin amenez-la de force. Jamais elle n'a entendu, jamais elle n'entendra message d'une telle importance. Je n'ai que quarante minutes pour lui dire tout haut ce que je lui dis tout bas, jour et nuit, depuis le 21 juin 1947. Quarante minutes déjà largement entamées. Quarante minutes que chaque seconde abrège. Ah! temps, suspends ton vol. Il faut absolument que Jenny Merveille m'entende, me comprenne, qu'elle revienne à moi.

Quarante pauvres minutes pour te retrouver, t'expliquer cet horrible malentendu, triompher de tous ces êtres que je ne connais pas mais que je hais parce qu'ils t'entourent et te séparent de moi ; Jenny Merveille, ô ma merveille, c'est à toi que je m'adresse.

C'était le 20 juin, vers quatre heures de l'après-midi. Tu te promenais dans le jardin des Tuileries. Tu t'étais arrêtée pour regarder l'énigmatique allégorie de la Tragédie qui s'élève près de l'entrée des Pyramides, cette grande femme de marbre qui ôte son masque et qui, selon l'angle où l'on se place, offre aux passants deux visages, divers mais pas moins mystérieux l'un que l'autre. Je t'ai parlé. Ce n'est pas mon habitude d'aborder les jeunes filles dans la rue. J'étais pressé. J'allais porter un article dans un hebdomadaire de la rue des Pyramides. Je t'ai dit comme ça, en passant :

— Elle vous ressemble.

Je montrais la Tragédie bicéphale. Tu m'as répondu :

— Laquelle des deux ?

Ce n'était ni plus ni moins bête que ne le sont toujours les premières répliques qu'échangent deux inconnus. Quelque chose m'a retenu. Était-ce déjà toute ta voix dans ces quatre misérables syllabes « laquelle des deux » ? Je t'ai parlé des statues de Paris. Tu m'as répondu. Tu sortais du Musée du Louvre. Tu avais été émue par les Goya. J'ai enchaîné en te parlant des Goya du Prado. Nous avons été bien pédants l'un et l'autre pendant cette première demi-heure. Mais il a bien dû se passer quelque chose puisque tu as oublié le rendez-vous que tu avais avec ta cousine au Pam-Pam de la Madeleine, tout comme j'ai oublié cet article à porter.

Je t'ai invitée à prendre le thé dans une pâtisserie de l'avenue de l'Opéra. Tu m'as dit que tu étais en vacances à Paris et que tu avais écouté la veille Tartuffe au Théâtre-Français. Tu n'étais jamais allée à l'étranger, tu n'avais jamais voyagé en avion, tu ne connaissais pas la côte d'azur. Tu n'étais jamais entrée dans un Casino, tu ne connaissais pas les règles de la roulette, tu n'avais jamais vu le Mont Blanc. C'était la première fois que tu voyais la Tour Eiffel. Tu ne faisais pas de ski, tu ne savais pas conduire une auto, tu ne savais pas nager le crawl ni l'over arm mais seulement la brasse. Tu n'avais jamais rencontré un écrivain ni un acteur ni un artiste de cinéma, ni un chansonnier ni une chanteuse de cabaret. Tu connaissais un seul peintre, c'est ton oncle qui est receveur de l'enregistrement et qui fait de l'aquarelle le dimanche. Après ta disparition, ah! comme j'ai lu attentivement tous les catalogues depuis vingt ans des expositions de peinture des employés de l'administration des finances, je n'ai pas trouvé d'exposant qui se nommât Merveille, peut-être est-ce un frère de ta mère, ou bien juge-t-il ses aquarelles indignes d'être exposées? Tu ne savais pas ce qu'est le surréalisme, ni l'existentialisme, tu avais lu quelque chose sur Picasso mais tu n'avais jamais vu une de ses toiles. Tu ne savais pas danser le boogie-woogie, tu n'avais jamais entendu parler du Tabou et tu ignorais que les jeunes filles d'aujourd'hui manifestent leur indépendance en ne se maquillant pas; tu étais légèrement maquillée. Mais tu m'as décrit ta maison. On y arrive par une longue allée de tilleuls tout bourdonnants d'abeilles à l'époque où ils sont en fleur. De chaque côté de la grille d'entrée, il y a deux peupliers très vieux et très hauts qu'on voit de plusieurs kilomètres à la ronde; le vent y fait par les nuits d'hiver une grande clameur qui te remplissait d'épouvante quand tu étais enfant; mais maintenant tu aimes l'entendre. Au milieu de la cour, une pelouse avec un faune dansant sur un socle de pierre moussu. A gauche, les communs et les remises, l'une d'elles sert de garage à la vieille Delahaye de ton père. A droite, l'écurie, le chenil et deux portes qui mènent l'une au poulailler, l'autre au potager dont les allées sont bordées de buis taillés. On entre dans la maison de maître par un perron de six marches. La maison date de la fin du XVIIIe siècle et a deux étages avec un toit à la Mansart couvert d'ardoise. Sur le derrière il y a une terrasse qui domine un bois et au-delà un vallon occupé par des pâturages. Tes arrière-grands-parents avaient édifié sur la terrasse un jardin à la française, mais vous avez cessé de l'entretenir parce que les jardiniers sont trop chers. Les rosiers sont devenus des buissons fous qui se couvrent d'églantines; une chèvre paît la pelouse dont le gazon valut à ta grand-mère les compliments d'un visiteur anglais, les buissons de lauriers sont devenus des arbres, les seringas ont grandi plus vite que toi, leurs branches viennent jusqu'au bord des fenêtres de ta chambre et leur parfum embaume et trouble tes nuits d'été.

Nous avons mangé des gâteaux danois. Tu as aimé la pâtisserie danoise. Je t'ai parlé de Copenhague, de ses toits vert-de-gris, de ses canaux et de l'odeur de marée sur les quais. J'ai commandé un deuxième thé. Nous avons commencé à nous sentir très bien l'un près de l'autre.

Tu m'as parlé de tes occupations. Ton père est malade et ta mère a été élevée comme l'étaient les jeunes filles de la bourgeoisie avant l'autre guerre. C'est toi qui gères l'exploitation agricole de votre petit domaine. Trente hectares, m'as-tu dit. C'est beaucoup de responsabilités pour une jeune fille. Tu as fait planter vingt hectares en bois et tu pratiques des cultures intensives sur les dix autres hectares. C'est une sage solution. Tu m'as parlé avec beaucoup de compétence des méthodes d'assolement et je t'ai vue réellement en colère quand tu m'as raconté comment le répartiteur des engrais t'avait frustrée au profit d'un riche fermier qui lui avait donné un pot-de-vin. Tu étais fière parce qu'une oie engraissée dans ta basse-cour avait été primée au concours de volailles du chef-lieu du canton. Dès ton arrivée à Paris, tu étais allée à l'exposition de bovidés qui se tenait à ce moment-là à la Porte de Versailles, et tu étais fermement décidée à faire des économies pour acheter l'an prochain une laitière hollandaise qui sera l'orgueil de ton étable. Tu avais attendu la fin des fenaisons pour faire ton voyage; tu conduis toi-même la faucheuse que tire la jument grise : « C'est facile, m'as-tu dit, notre faucheuse est d'un modèle très récent, elle est merveilleusement maniable et si légère, on pourrait la confier à un enfant. » Je n'ai rien oublié, Jenny Merveille. Je me rappelle même que ta faucheuse est peinte en rouge vif. Combien de fois t'ai-je imaginée, juchée sur le siège aérien de ta rouge faucheuse, coiffée d'une capeline de paille pour protéger ton blanc visage des ardeurs du soleil, et pressant de ta voix profonde la sage jument qui fend d'un pas tranquille la prairie en fleurs. Pour l'anniversaire de ton père tu as fait réparer le vivier qui n'avait pas été entretenu depuis des années; l'eau d'un ruisseau voisin y est maintenant retenue par les parois lisses d'un ciment sans fissures et des truites s'y ébattent que tu vas toi-même cueillir à l'épuisette lorsqu'un hôte surgit à l'improviste.

Tes amies sont la jeune fille des postes, l'institutrice adjointe, la fille du fermier dont tu partages les travaux et une jeune ouvrière de la ville voisine condamnée à passer un an aux champs à cause d'une maladie de poitrine. L'institutrice et toi échangez des livres. Vous avez de bonnes lectures. L'hiver dernier, elle t'a prêté *La Chartreuse de Parme*, tu lui as prêté *Les Liaisons dangereuses*, ainsi se fait l'éducation des jeunes filles. Il y a dans la bibliothèque de ton père les œuvres de Molière reliées en plein cuir, un Balzac complet dans l'édition sur deux colonnes, illustrée par Tony Johannot, et les dix-sept tomes in-quarto des *Mille et Une Nuits* dans la traduction du Docteur Mardrus. C'est assez pour tout connaître de la vie, de la société, des passions et des divers visages que prend l'amour. Tu m'as parlé de tes lectures sans fausse honte et tu ne m'as pas caché le plaisir toujours nouveau que te procurent, quand tu t'y replonges, les *Mille et Une Nuits*. Tu es plus instruite qu'un jeune sage ou un vieux libertin. Mais tu ne m'as pas parlé de ton cœur. Dois-je penser qu'il n'a encore jamais battu? Je ne sais rien de toi, Jenny Merveille. Ah! comme j'envie le fils du forgeron qui te raccompagne, les soirs de bal, jusqu'à la barrière blanche qui précède l'allée de tilleuls qui mène à ta maison. T'embrasse-t-il? Ou bien est-il unique ce baiser que tu m'as donné ce soir du 20 juin, quand nous nous sommes quittés au coin du boulevard Saint-Germain et de la rue des Saints-Pères? Quand nous nous sommes quittés pour ne plus nous revoir que pendant cette brève minute, cette sotte, imprudente, irréparable minute, ce fatal instant qui t'a fait fuir sans retour.

Plusieurs fois par an, tu vas passer une semaine chez une tante qui habite une petite ville de province. Tu ne prends, m'as-tu dit, aucun plaisir à ces courts voyages qui t'éloignent pour un temps des travaux des champs. Le souvenir que tu en gardes et la perspective de devoir les renouveler m'a semblé peser sur toi de singulière façon. A maintes reprises, tu as fait allusion aux rues sombres et étroites de la petite ville, à la vaste maison de ta tante dont la plupart des pièces demeurent éternellement closes, aux meubles toujours couverts de housses, aux cloches d'une église voisine, au bruit mélancolique d'un mince jet d'eau dans le bassin d'une place déserte. Tous les adjectifs liés aux couleurs sombres et aux sentiments tristes revenaient dans tes descriptions. Ton visage s'assombrissait. La modulation de ta belle voix grave se brisait comme lorsqu'on étouffe en le touchant la riche vibration d'un cristal. Ton regard s'éloignait et tu semblais lutter pour chasser des souvenirs... ou bien des pressentiments? Puis tu te hâtais d'évoquer les heures heureuses dans ta chambre claire, au-dessus des seringas. Je te retrouvais. Quelle est cette sombre petite ville? Est-ce Riom, dont tu as laissé le nom sur ta fiche d'hôtel? Les sévères hôtels des membres du Parlement d'Auvergne, construits en pierre noire de Volvic, le grès ténébreux des volcans, les églises éclairées par les seuls reflets de très anciens vitraux, aux verts épais comme l'eau morte des vieux cratères, les ruelles herbues, les dévotes sur les plages silencieuses, et ce kiosque à musique où jamais ne résonne un cuivre, correspondent bien à tes récits. Mais comment imaginer que tu aies vécu à Riom, et que nul ne se souvienne de toi? « Plusieurs fois par an », m'as-tu dit, est-il concevable que tes passages ne soient restés dans aucune mémoire, que l'attente de ta prochaine venue ne fasse battre aucun cœur? Je suis allé à Riom, j'ai parcouru la ville en tous sens, je me suis fait présenter au Président du Tribunal et au Commandant de la Garnison, au curé de Saint-Amable, et au Conservateur des hypothèques, j'ai interrogé l'un après l'autre tous les conducteurs de cars et tous les employés de la gare, les agents de police, les épiciers, les bouchers, les libraires et bien entendu les marchands de machines agricoles et d'engrais, les pisciculteurs et les pépiniéristes, j'ai fait mille fois ta description, j'ai clamé ton nom à tous les échos. Seul l'écho m'a répondu. Tout Riom connaît maintenant Jenny Merveille mais c'est à force de t'entendre évoquer par moi. Si jamais tu vas à Riom, on te saluera à chaque soin de rue, on te proposera des alevins de truites et des boutures de pommiers, on te demandera des nouvelles de Fluch, ton épagneul breton, on te *reconnaîtra*, ce sera parce que j'ai tellement parlé de toi. Pourquoi as-tu donné cette adresse? Pourquoi as-tu menti? Pourquoi as-tu fait un faux? Pourquoi, ah! surtout pourquoi n'ai-je pas songé à te demander le nom de cette ville dont tu parlais sans cesse? Tout ce que tu disais surgissait avec tant de vérité, chacune de tes paroles était si lourde de réalité, tu as le regard si droit, tu es si claire, si limpide, si transparente, que pas un instant je n'ai songé à te poser une seule question.

SECRÉTAIRE DES ÉMISSIONS

Monsieur l'auteur!

AUTEUR

Vous voyez bien que je parle!

SECRÉTAIRE

Excusez-moi de vous déranger...

AUTEUR

Je n'ai pas une seconde à perdre.

SECRÉTAIRE

... mais je crois nécessaire...

AUTEUR

Une seule chose est nécessaire au monde, à l'heure présente, c'est que Jenny Merveille m'écoute. Je répète mon appel. Qui que vous soyez qui connaissez Jenny Merveille, courez la prévenir que je lui parle, suppliez-la, contraignez-la à venir à l'écoute. Le message que je lui envoie est de la plus grande importance. Dites-lui bien qu'il y a un *malentendu* et que je vais tout à l'heure dissiper ce *malentendu*. C'est absurde, un malentendu. On ne détruit pas le plus bel amour du monde à cause d'un *malentendu*. Qui que vous soyez...

SECRÉTAIRE

Je crois vraiment nécessaire...

AUTEUR

Vous, taisez-vous!
Qui que vous soyez, son père, sa mère, ses voisins, l'insti-

tutrice dont elle m'a parlé — les institutrices écoutent la radio — la jeune ouvrière malade — les malades qui vont se soigner à la campagne emmènent leur poste — prévenez Jenny Merveille que je suis en train de dissiper notre *malentendu*. Obligez-la à venir à l'écoute. Qui que vous soyez. Même si vous êtes son amant. Un amant doit comprendre cela. C'est au nom de l'amour que je m'adresse à lui. Dites-lui qu'il y a déjà vingt minutes que je lui parle.

SECRÉTAIRE

Justement, Monsieur l'auteur, justement. Nos auditeurs s'indignent. Les coups de téléphone se succèdent. Voilà le septième auditeur qui téléphone pour se plaindre que vous utilisez la Radiodiffusion Nationale à des fins strictement personnelles.

AUTEUR

Je m'en moque... Jenny Merveille, c'est à toi que je m'adresse. Jenny Merveille!

SECRÉTAIRE

Nos auditeurs trouvent intolérable que vous monopolisiez toutes les ondes de France pour retrouver votre petite amie. Voilà les termes qu'ils emploient.

AUTEUR

M'a-t-on donné carte blanche, oui ou non?

SECRÉTAIRE

On vous a donné carte blanche pour distraire nos auditeurs. Pour les faire rire, les faire pleurer, les faire penser, les faire rêver, les instruire ou les amuser et non pour rechercher une jeune fille disparue.

AUTEUR

La direction m'a dit que je pouvais disposer du micro dans la *plus totale liberté*, pendant quarante minutes. Je continue. Jenny Merveille!

SECRÉTAIRE

« La radio, vient de téléphoner un monsieur, n'est pas le bureau des objets perdus. » « On sait, vient de téléphoner une dame, dans quelles mains s'égarent les jeunes filles. »

AUTEUR

Mademoiselle, vous m'avez déjà fait perdre deux minutes et trente secondes. Je vous somme de me laisser tranquille! J'userai de mon droit jusqu'au bout. Dites bien à votre téléphoniste que je ne suis là que pour Jenny Merveille ou pour ceux qui peuvent me donner des renseignements sur elle. Je continue. Jenny Merveille!

CHANTEUR CASTILLANO

Jenny Merveille!

(Accompagné en sourdine par l'orchestre cubain, Castillano psalmodie une dizaine de fois le nom de Jenny Merveille.)

AUTEUR

Tu reconnais cette voix, Jenny Merveille? Tu n'as certainement pas oublié le jeune chanteur cubain que nous avons entendu au cours de cette unique soirée. C'était la première fois que tu entrais dans un bar de nuit. Tu venais d'achever les foins et tu devais rentrer bientôt pour faire la moisson, tu avais vécu tout l'espace de tes vingt ans entre ton verger, ton rucher, et les reliures de cuir de la bibliothèque paternelle. Mais tout de suite ton regard s'est troublé, ta voix est devenue encore plus grave, tu haletais, c'est sans doute que la mélopée antillaise, au rythme profond comme les battements du cœur, lourde comme le flot d'un sang riche, correspondait bien au trouble tout nouveau qui naissait en toi. J'ai demandé à Castillano de faire un chant avec les quatre seules syllabes de ton nom, Jenny Merveille. Écoute-le. Bien sûr, c'est de la sorcellerie. Mais je ne négligerai rien, pas même la magie la plus noire, pour te retrouver, pour te contraindre à répondre à mon appel. Castillano! évoque Jenny Merveille!

(Orchestre cubain sous la direction de Castillano. Mélopée à Jenny Merveille.)

AUTEUR

Paris était brûlant, le 20 juin 1947. Il n'avait pas plu depuis plusieurs semaines. Le bitume mollissait sur les trottoirs. Même l'approche du soir n'amena pas de fraîcheur. En sortant du salon de thé, je t'ai proposé une promenade sur les quais. Peut-être allions-nous y trouver un souffle d'air. Tu tenais sur le bras la veste de ton sage tailleur de voyage, ta poitrine gonflait les plis raides de ton corsage d'organdi blanc. Nous avons marché côte à côte. Déjà une singulière félicité m'envahissait. J'ai vingt ans de plus que toi, j'ai le double de ton âge, j'ai connu tous les orages des passions. Mais j'ignorais encore cet enchantement silencieux qui naît de la seule présence de l'être qu'on aime déjà d'un amour unique et qu'on ignore encore aimer. Et que le seul fait de marcher côte à côte d'un pas égal et ce bras blanc à mes côtés que je n'effleurais même pas pouvait faire naître un bonheur que tous les délices, les plus fous égarements des amours les mieux partagés ne m'avaient jamais permis d'approcher.

Le soir est venu. Nous nous trouvions à la hauteur de la Cité. Le soleil s'est couché derrière l'Institut. C'est la plus belle heure dans la plus belle ville. Nous nous sommes tus et, pendant un court instant, tu as posé ta main sur mon épaule. La pensée ne nous est pas venue que nous pourrions être obligés de nous séparer. Je n'ai pas envisagé que tu pouvais avoir quelque rendez-vous, le désir de voir un spectacle, un de ces innombrables projets que peut légitimement concevoir une jeune fille venue pour la première fois de sa vie passer quinze jours de vacances à Paris. Nous ne nous sommes pas posé de questions. Tout s'est passé exactement comme si l'emploi de cette soirée avait été *prémédité* de toute éternité. Étais-tu *libre?* Étais-je *libre?* Quel sens peut bien avoir le mot *libre* s'il ne désigne pas la totale disponibilité qui dans cet instant-là nous enchaînait si rigoureusement?

Nous avons dîné dans un restaurant du quai, face à l'église Notre-Dame.

SECRÉTAIRE

Monsieur l'auteur, on vous demande au téléphone.

AUTEUR

Vous, taisez-vous! je n'ai plus une seconde à perdre. Jenny Merveille!

SECRÉTAIRE

C'est au sujet de Mlle Merveille.

AUTEUR

Passez-moi la communication.

M. CHEVAL

Ici, Jules Cheval, placier en vins à Lons-le-Saunier (Jura).

AUTEUR

Je vous écoute, Monsieur Cheval.

M. CHEVAL

C'est pour vous dire qu'à Lons-le-Saunier, nous connaissions bien Mlle Merveille.

AUTEUR

Enfin!... L'avez-vous prévenue que je suis en train de lui parler?

M. CHEVAL

Elle ne vit plus ici.

AUTEUR

Où est-elle?

M. CHEVAL

C'est-à-dire... Vous allez comprendre... Mlle Merveille était secrétaire de la succursale de la banque régionale du Jura.

AUTEUR

Lons-le-Saunier correspond en effet assez bien à sa description d'une petite ville sombre. Quoique...

M. CHEVAL

C'est une jeune fille de la région. Son oncle est curé de Péligny. C'est un grand pêcheur de truites, c'est sans doute pourquoi elle vous a parlé de pisciculture. Il y a des seringas dans son jardin.

AUTEUR

Oui, oui... je vois, un jardin de curé.

M. CHEVAL

Il emprunte quelquefois la jument de ses voisins.

AUTEUR

Je vois... une jument grise !

M. CHEVAL

Mlle Merveille s'est fiancée l'année dernière au fils du Receveur des Postes.

AUTEUR

Était-elle déjà fiancée au mois de juin ?

M. CHEVAL

Naturellement. Ce sont des amis d'enfance. Autant dire qu'ils sont fiancés depuis toujours.

AUTEUR

Bien sûr !

M. CHEVAL

Lui, préparait le concours d'entrée à l'École Polytechnique. Il a échoué. C'était la deuxième fois. C'est un concours très dur.

AUTEUR

Bien sûr !

M. CHEVAL

Il s'est découragé. Il s'est présenté en octobre à un concours pour être ingénieur topographe au service du Ministère de la France d'Outre-Mer. C'est beaucoup moins difficile.

AUTEUR

Bien sûr !

M. CHEVAL

Il a été reçu. Il s'est marié six semaines plus tard. Il a obtenu un poste à Madagascar. Ils sont partis tous les deux, il y a juste une semaine de cela.

AUTEUR

Voilà.

M. CHEVAL

Je vous remercie tout de même d'avoir évoqué à la radio le visage de Jenny Merveille. Je crois pouvoir me permettre de parler au nom de tous les habitants de Lons-le-Saunier. C'est un peu de notre bonheur quotidien qui s'en est allé avec elle. Nous étions tellement habitués à voir sa silhouette gracieuse dans nos rues. Nous cherchions n'importe quel prétexte pour la faire parler... rien que pour entendre sa belle voix grave...

AUTEUR

Quand elle était passée, vous suiviez longuement du regard sa chevelure royale, cette toison brune...

M. CHEVAL

Ses cheveux sombres comme la nuit...

AUTEUR

... bleu-noir comme l'aile du corbeau.

M. CHEVAL

Noirs avec des reflets bleus comme l'eau du lac de Nantua.

AUTEUR

Voyou! Basse crapule! Je vous prends la main dans le sac, Monsieur Cheval! Les cheveux de Jenny Merveille sont dorés avec des reflets roux. Ma Merveille est blonde, Monsieur Cheval. Vous êtes un mystificateur! Vous m'avez fait perdre deux minutes et trente secondes; je vous hais... Coupez, Mademoiselle, coupez!

Je continue. Jenny Merveille, tu m'écoutes. Je t'imagine dans ta chambre blanche, au-dessus des seringas. Tu poses ton regard grave sur cette dérisoire petite boîte carrée au travers de quoi te parvient ma voix. Ce même regard grave que tu posais sur moi, le soir du 20 juin 1947, dans la demi-clarté d'une terrasse des Champs-Élysées, tandis que je te racontais le récent orage qui avait bouleversé ma vie. Toi, dont les seuls drames ont été la gelée blanche qui brûle les fleurs de pommiers, la grêle qui déchire les raisins mûrs ou l'herbe humide qui fit un jour gonfler le ventre de la jument grise, que pouvais-tu comprendre à ce récit où deux êtres se déchirent parce qu'ils s'aiment; à ce mélange de tendresse, de calcul, de ferveurs et de haines où achèvent de se dissoudre les vieilles passions? Un mot, un geste, un battement de paupières me prouvait pourtant que tu devinais, que tu voyais et que sans que tu saches encore rien, rien pourtant de ce qui est humain ne t'était étranger.

Et soudain, nous n'avons plus parlé que de l'avenir. Cela a commencé dans le bar cubain. En commençant une description, d'un geste de la main, j'avais renversé un verre. Tu m'as dit :

— Quand vous viendrez dans mon rucher, il ne faudra pas avoir de mouvements aussi vifs! Les abeilles aiment la mesure et la douceur.

Un peu plus tard, je t'ai dit :

— Quand à Thèbes, en Égypte, nous visiterons ensemble les tombeaux des pharaons, je vous montrerai, dans une fresque de la XVIIIe dynastie, une reine qui a le même profil que vous.

Tu m'as répondu :

— La Vallée des Rois me sera déjà familière. Car si je me rappelle bien les reproductions du grand album de la bibliothèque de mon père, vous avez les mêmes lèvres que Séti Ier, le roi cruel qui vainquit les peuples de la mer.

Nous ne nous étions pourtant pas dit que nous nous aimions. Tu n'avais même pas encore posé ta joue contre la mienne. Nos mains n'avaient été l'une dans l'autre que pendant un très court instant, pendant que nous descendions la rue Fontaine depuis la place Blanche où nous avait amené le taxi jusqu'à l'entrée de ce bar où nous étions sagement assis côte à côte, où nous n'avions même pas dansé.

Tu m'as seulement dit :

— J'étais bien certaine que je vous rencontrerais. Aujourd'hui ou dans dix ans.

Mais nous n'avons pas prononcé le mot « amour ». Bien sûr que nous nous aimions; cela *allait de soi.*

A deux heures du matin, tu m'as dit : « J'ai sommeil. » Et puis, tu as pensé à là-bas. Tu as ajouté :

— Le coq va bientôt chanter. Et puis ce seront les premières alouettes. Et puis les vilains corbeaux, ah! ceux-là, on les entend toute la journée, de l'aube au crépuscule, il y en a toute une nichée dans le peuplier à droite de l'entrée, les grands corbeaux freux, vous savez, ceux qui volent maladroitement, comme un morceau de velours que le vent aurait de la peine à soulever...

Je t'ai accompagnée jusqu'au coin du Boulevard Saint-Germain et de la rue des Saints-Pères. Nous avons pris rendez-vous pour le lendemain, ce funeste rendez-vous. Nous nous sommes embrassés, ce seul baiser...

SECRÉTAIRE

Monsieur l'auteur! Mademoiselle Merveille vous demande au téléphone!

AUTEUR

Passez-moi l'appareil. Vite... Jenny Merveille!

LA VOIX *(rauque)*

La plaisanterie a assez duré, Monsieur!

AUTEUR

Qui est à l'appareil?

LA VOIX *(rauque)*

Jenny Merveille, Monsieur. La jeune fille que vous avez rencontrée à Paris, le 20 juin dernier.

AUTEUR

Ah! oui.

LA VOIX

Je vous demande de cesser immédiatement cette émission. Il est vrai que j'ai accepté de parler avec vous. Je le regrette assez. Quelle leçon!

AUTEUR

N'est-ce pas ?

LA VOIX

Nous avons passé la soirée ensemble. Je ne le nie pas. Est-ce une raison pour me ridiculiser maintenant aux yeux de la France entière ?

AUTEUR

Aux oreilles, Mademoiselle.

LA VOIX

Vous reconnaissez vous-même qu'il ne s'est rien passé entre nous. Pas même une pression de mains. Pas le moindre flirt. Qu'est-ce qui vous a autorisé aujourd'hui à me compromettre aussi irréparablement ?

AUTEUR

Irréparablement !

LA VOIX

J'ai des parents. J'ai des voisins. Je vais être demain la risée de tout le monde. J'ai un fiancé aussi. Qu'est-ce qu'il va penser de vos insinuations ?

AUTEUR

Malheureux fiancé !

LA VOIX

Vous êtes un mufle, Monsieur ! Ça ne m'étonne d'ailleurs pas. J'ai lu vos livres.

AUTEUR

Vous écoutez-vous parler, Mademoiselle ?

LA VOIX

Ma seule faute a été de vous écouter.

AUTEUR

J'ai dit que Jenny Merveille avait la plus belle voix du monde. Vous jacassez comme une pie.

LA VOIX

Vous êtes un goujat! Mon fiancé ira vous fesser!

AUTEUR

J'ai dit que Jenny Merveille avait une voix basse et grave, profonde comme la nuit. Je n'ai pas dit une voix enrouée; je n'ai pas dit une voix de crécelle. Vous n'êtes pas Jenny Merveille, Mademoiselle! Va grincer ailleurs, vieille girouette!

Coupez, standardiste, coupez!

(Déclic de l'appareil qu'on raccroche.)

Jenny Merveille! as-tu entendu? La chouette qui veut se faire passer pour le rossignol, la marmotte qui croit prendre la voix du lion, la rigole d'une gouttière crevée qui s'imagine qu'on va la confondre avec la tendre rumeur d'une mer paisible!

Mais cette simulatrice nous a fait perdre déjà beaucoup trop de temps. Écoute-moi bien, maintenant.

Nous nous étions donné rendez-vous pour le lendemain 21 juin, à 4 heures de l'après-midi, dans un petit bar de Saint-Germain-des-Prés, tout près de ton hôtel. J'y arrivai dès 3 heures et demie. Voici que passe Hélène Marly. C'est une très vieille amie, nous nous connaissons depuis dix ans. Elle me voit. Elle vient s'asseoir un instant près de moi. C'était tout à fait naturel. Hélène Marly habite le quartier, elle vient souvent dans ce bar, j'y passe moi-même plusieurs fois par semaine, notre rencontre n'avait rien d'insolite. Je n'ai pas besoin de miracle pour me disculper.

Hélène Marly et moi nous avons été amants. C'est vrai. Il y a de cela bien longtemps et ce ne fut pas, à vrai dire, important ni pour l'un, ni pour l'autre. Bien sûr, il t'est difficile de comprendre qu'on puisse être amants sans s'aimer. C'est cependant fréquent à Paris. J'ai dit pendant des années qu'il ne fallait pas prendre l'amour au tragique. Et me voilà, à ta recherche, le plus tragiquement ridicule des amants. Enfin, Hélène et moi, nous fûmes de médiocres amants mais nous sommes restés de grands amis. Nous nous racontons nos nouvelles amours, nous commentons nos prouesses, nos liens tiennent à la fois de ceux qui unissent un frère et une sœur et de ceux qui enchaînent deux vieux complices. Tu ignores, par bonheur, ce que peuvent être de telles liaisons. Elles ne manquent d'ailleurs pas de douceur. C'est la seule forme de tendresse que je connaisse. Hélène Marly s'assoit donc près de moi. Nous parlons. Je ne lui dis rien de toi. Non par fausse délicatesse ni par mépris pour elle. Je la juge digne de toutes les confidences. Mais ce que j'éprouve depuis la veille est si singulier et si nouveau, que je ne sais comment l'exprimer. Je n'ai d'ailleurs aucune difficulté à me taire, Hélène se trouvait au cœur de la plus romanesque des intrigues, elle m'en conte d'abondance les plus récentes péripéties, elle s'émeut à son récit, elle se trouble :

— Adieu, me dit-elle.

Elle se lève, je me lève pour lui dire adieu, nous nous embrassons, c'est la plus vieille et la plus fraternelle de nos habitudes que de nous embrasser au moment où nous nous quittons.

C'est à ce moment que tu es entrée dans le bar. Je tournais le dos à la porte et je ne t'ai pas vue tout de suite. Évidemment, tu as cru que tout cela était prémédité. Tu as imaginé que je voulais nous tourner en dérision, toi et moi. Ce n'était pas absurde. Ne t'avais-je pas longuement expliqué la veille combien longtemps et combien profondément j'avais été fasciné par le dérisoire ? N'avais-je pas décrit les jeux profanatoires de ma jeunesse ? Ne t'avais-je pas dit que j'avais grandi sous le signe d'Ubu-Roi ? N'avais-je pas intarissablement fait l'éloge de l'humour noir ?

Hélène Marly n'est plus jeune. Elle porte les cheveux à la frange et elle est violemment maquillée. Tu as pensé évidemment que c'était à dessein que je m'affichais, juste au moment de ton arrivée, avec ce que dans ton ignorance des usages parisiens il était normal que tu prennes pour une fille du plus bas étage.

Quand je me suis retourné, tu sortais. Je n'ai fait qu'apercevoir, dans l'ouverture de la porte, ton visage qui était tout blanc. Je me suis précipité. Un couple qui se levait pour sortir m'a fait perdre quelques secondes. Quand je me suis trouvé dans la rue Saint-Benoît, je ne t'ai pas vue. J'ai cru que tu avais tourné l'angle du boulevard Saint-Germain. J'ai couru sur le boulevard, d'abord dans un sens, puis dans l'autre. Je ne t'ai pas vue. J'ai pensé que tu avais au contraire descendu la rue Saint-Benoît. J'y suis retourné. Je me suis jeté dans la rue de l'Abbaye, dans la rue Jacob, dans la rue Bonaparte, je n'ai pu te découvrir. Je suis allé à ton hôtel, tu n'y étais pas revenue. J'ai de nouveau parcouru le quartier en tous sens, je ne t'ai pas trouvée. Vers 6 heures, je suis retourné à ton hôtel, tu venais de partir en emportant tes bagages, je ne t'ai jamais revue. Un *malentendu*, Jenny Merveille, rien qu'un malentendu, le plus absurde des malentendus.

SECRÉTAIRE

On vous demande, Monsieur l'auteur. Quelqu'un vient de voir Mlle Merveille.

AUTEUR

Passez-moi cette personne.

LE BARMAN

Allô! Ici Johnny, le barman du Miami Floride Club à Lille.

AUTEUR

Je vous écoute.

BARMAN

Elle est bien bonne votre histoire.

AUTEUR

Je n'ai pas de temps à perdre. Vous connaissez Mlle Merveille?

BARMAN

Pour la connaître, on la connaît plutôt!

(Bruit de rires autour de l'appareil.)

Elle est juste sortie avant le début de votre émission. Avec un client. Elle est entraîneuse chez nous... Ça fait plutôt marrer ses copines, le château avec les abeilles, les truites, la jument grise et les bouquins du papa!

(Bruit de rires.)

AUTEUR

Il y a sans doute plus d'une demoiselle Merveille en France.

BARMAN

Merveille, Jenny, 20 ans.

AUTEUR

Oui.

BARMAN

A peu près 1 mètre 65.

AUTEUR

Oui.

BARMAN

Une belle fille...

AUTEUR

Oui.

BARMAN

Une belle garce! Un notaire de Béthune vient de manger la grenouille pour lui faire plaisir!... La voix plutôt basse qui résonne comme un cuivre dans un très bon jazz?

AUTEUR

Oui!

BARMAN

De grands cheveux blonds avec des reflets roux.

AUTEUR

Oui.

BARMAN

Les yeux bleus qui tournent au vert quand elle se met en colère.

AUTEUR

Ah! Ah! Johnny, je vous tiens. Jenny Merveille a les yeux noirs. Jenny Merveille est une blonde aux yeux noirs. C'est une singularité de sa très singulière beauté. Des yeux noirs! Noirs comme votre âme. Vous êtes un imposteur, Johnny!... Coupez, Mademoiselle, coupez!

Jenny Merveille! Il y a eu maldonne; il faut recommencer la partie.

Tu joues quelquefois aux cartes, les dimanches après-midi

d'hiver, avec la demoiselle des postes, l'institutrice et la jeune ouvrière qui a une maladie de poitrine, dans le salon devant les portes-fenêtres ouvrant sur la terrasse, au-dessus des herbages du vallon. Chacune à son tour donne les cartes. Il arrive qu'il y ait maldonne, fausse donne. Il est rare que toute une partie se déroule sans maldonne. On n'interrompt pas le jeu, on ne brûle pas les cartes, on ne s'en va pas, on ne se sépare pas *pour toujours*, à cause d'une maldonne. On dit maldonne! On bat les cartes et on recommence.

Il y a eu maldonne le 21 juin 1947, à 4 heures de l'après-midi dans un petit bar de Saint-Germain-des-Prés où je t'avais donné rendez-vous et où j'étais en train d'embrasser Hélène Marly au moment où tu es entrée. Je ne prends pas la défense de ce baiser. Il relève d'un laisser-aller, d'une facilité, d'un va-comme-je-te-pousse, d'une familiarité sans réserve dont tu as certainement horreur. Mais ce n'était justement que familiarité. Je ne m'amusais pas à lancer un défi au bonheur. Je ne jouais pas le jeu absurde de tourner notre amour en dérision. Je ne te moquais pas pour mieux pouvoir me moquer moi-même. J'ai passé le temps de ces plaisirs amers. Ce n'était que maldonne. Tu ne peux pas me tenir rigueur d'une fausse donne. Maldonne! Jenny Merveille, annulons la partie et recommençons.

Bien sûr, tu ne te serais pas enfuie aussi farouchement si je n'avais pas longuement décrit la veille au soir ce goût de la dérision qui fut le mal de ma jeunesse. J'y ai maintes fois pensé au cours de ces interminables mois vainement consacrés à ta recherche. J'ai trop chéri l'absurde. Je rencontre enfin la Merveille. Et c'est le plus dérisoire, le plus absurde des événements, un incident fortuit, une maldonne, qui m'en sépare irrémédiablement. On ne joue pas impunément avec l'absurde.

J'ai battu la France tout entière. Je t'ai cherchée comme les chevaliers cherchaient le Saint-Graal.

SECRÉTAIRE

(On a entendu la porte s'ouvrir et les pas s'approcher rapidement.)

Ah! taisez-vous. Cette émission devient d'un mauvais goût!

AUTEUR

J'ai carte blanche! Je continue.

SECRÉTAIRE

Écoutez-moi d'abord.

AUTEUR

J'userai de mon droit jusqu'au bout. Je me moque du bon goût.

SECRÉTAIRE

C'est pire que du mauvais goût. C'est criminel. Un parent de Mlle Merveille est en bas. Il vient de me parler...

AUTEUR

Racontez, racontez...

SECRÉTAIRE

Pas devant le micro, j'ai de la pudeur, moi...

AUTEUR

C'est un complot pour me voler mes dernières minutes!

SECRÉTAIRE

Écoutez-moi une seconde.

AUTEUR

Une seconde. Attends-moi, Jenny Merveille, j'ai encore tant à te dire.

(Bruit de pas qui s'éloignent.)

(L'orchestre reprend en sourdine l'air de Jenny Merveille avec, dans le lointain, Castillano qui invoque son nom.)

AUTEUR

Je continue. Jenny Merveille! ils veulent me faire croire que tu n'es plus. Un mal absurde t'aurait enlevée en quelques semaines. Encore des mystificateurs.

C'est incroyable à quel point la proclamation d'un grand amour peut exciter la verve des mystificateurs. Des maladroits d'ailleurs. Même pas capables d'imaginer *juste* la couleur de tes cheveux, la nuance de tes yeux ou les inflexions de ta voix.

Et ceux-ci qui prétendent avoir assisté à tes derniers moments (c'est bien un langage de cuistres sans cœur) et qui n'auraient même pas remarqué que tu as une petite tache de rousseur sous l'œil gauche. J'ai envie de rire.

Mes amis à moi ne sont pas de cette espèce-là. Depuis le 21 juin je leur ai tellement parlé de toi qu'ils te connaissent mieux que leurs maîtresses et t'aiment davantage. Les peintres peignent « *Jenny Merveille sur le siège de sa faucheuse rouge* » ou « *Jenny Merveille sous les seringas en fleur* ». Les sculpteurs cherchent les pierres les plus rares pour façonner « *le visage de Jenny Merveille* ». L'un d'eux t'a taillée dans le granit noir, comme la déesse à tête de lion du grand temple de Karnak, c'est ma sombre Jenny, pour les jours où je n'espère plus te retrouver. Des poèmes sont écrits dont les titres sont : « Jenny Merveille au rucher » ou « si j'étais la jument grise de Jenny Merveille... ». Des musiciens ont composé « une sonate à Merveille » et une « suite en si bémol pour les dimanches de Jenny Merveille ». Madeleine Riffaud a fait une chanson pour toi. Écoute.

(L'orchestre, depuis que l'auteur est revenu, n'a pas cessé de jouer en sourdine la chanson à Jenny Merveille. Maintenant Castillano reprend à pleine voix le refrain :)

Jenny Merveille, Jenny Merveille,
Jenny Merveille, Jenny Merveille,
Jenny Merveille, Jenny Merveille,

Des fleurs ont poussé au fil de mon sang
C'est toi l'autre soir qui les as semées
De grandes fleurs noires qui vont en flottant
Assiéger mon cœur, Merveille en allée.

(Refrain)

Je viens de me cogner autour de ton nom
Ma lampe, mon phare, je me suis brûlé

Je vais dans les rues, j'emporte ton nom,
Sur les inconnues, je vais l'essayer.

(Refrain)

Où es-tu, Jenny? Dans quel creux de lit
Coules-tu ce soir, mon fleuve, mon aile
Je te reverrai : un fleuve a son lit
On ne le perd pas comme une hirondelle.

(Refrain)

Tu m'avais ouvert le fond de tes yeux
Tu m'avais montré le cœur de ta main
Souviens-toi l'étoile au doigt du milieu
C'était mon amour. Il attend demain.

(Refrain)

Jenny ma merveille ô Jenny perdue
Je croyais ton nom doué de magie
La porte est fermée je suis devenu
Ce haut-parleur fou qui ne sait qu'un cri :

Jenny Merveille, Jenny Merveille (*ter*).

SECRÉTAIRE

Monsieur l'Auteur, monsieur l'auteur! on vous réclame de toutes parts.

L'AUTEUR

Combien de minutes encore?

SECRÉTAIRE

Soixante-dix secondes.

L'AUTEUR

Ah! Taisez-vous. Je continue. Jenny Merveille!

SECRÉTAIRE

Deux jeunes filles frappent à la porte, Monsieur. Chacune est blonde, a les yeux noirs et une tache de rousseur sur la joue gauche. L'une et l'autre prétend qu'elle est Jenny Merveille !

L'AUTEUR

Jenny Merveille !

SECRÉTAIRE

Trois jeunes filles vous demandent au téléphone, Monsieur, chacune a la voix basse et grave qui résonne comme un cuivre profond et jure qu'elle est Jenny Merveille.

L'AUTEUR

Jenny Merveille !

SECRÉTAIRE

Que dois-je faire, Monsieur ?

L'AUTEUR

Ma seule Jenny. Ma Merveille unique.
(Le chant en crescendo :)
Jenny Merveille. Jenny Merveille...
(Silence brutal sur le crescendo.)

[1948-1949[1]]

[LES FILS DE ROI]

J'ai passé l'autre soirée en compagnie de notre amie C. V. Nous allions de bar en bar, c'est ainsi que de nos jours se dépensent le plus communément et à mon gré le plus heureusement les heures de loisirs. Nous laissions aller notre imagination, elle s'arrêta finalement au thème de l'île. Tu connais certainement ce jeu, on se décrète enfermé dans une île, on n'en pourra plus bouger, l'affaire est de savoir quels livres, quels tableaux, quels compagnons, quels animaux, quels poèmes, quels objets on aimerait y avoir avec soi. Il s'agissait ce soir-là des compagnons, le nombre en était de droit illimité, la seule condition était qu'ils fussent de *qualité*, nous tombâmes tout de suite d'accord sur le mot mais nous oubliâmes de le définir, d'où les difficultés que tu vas voir.

— Nous n'en trouverons pas plus de vingt par pays, dit C. V.

— Je reconnais là ton cœur bienveillant. Pense aux humains que tu connais et non à ceux auxquels tu rêves les jours où tu te sens heureuse. Si j'imagine aisément l'Italie nous fournissant une douzaine, non davantage, de compagnons de qualité, je m'étonnerai bien d'en découvrir une sixaine en Belgique ou une paire en Hollande (nous badinions bien sûr).

— En France, au moins nous rassemblerons aisément les vingt.

— Essayons plutôt.

1. *Date incertaine.*

Nous fîmes une liste, nous n'arrivions pas aux vingt. Il fallut serrer la définition de l'île et celle de l'émigrant idéal.

L'île, bien sûr, c'est le lieu idéal de la douceur de vivre. Mais le compagnon de qualité?

— Il est sensible, il a de l'imagination, des idées claires, et le goût des idées, tout cela est fréquent.

— Il a de l'humour, je veux dire qu'il ne prend jamais tout à fait au sérieux ni lui-même ni les autres. Il est aussi léger que profond, désinvolte que grave. C'est le contraire d'un fat ou d'un important. Cela se trouve aussi.

— C'est déjà plus rare. Mais je lui voulus encore de la grâce, qu'il parle, qu'il danse, qu'il , qu'il [1] avec la même aisance.

— Ah! tais-toi, dis-je. Je vois ce que nous sommes en train de chercher : ce sont les fils de roi.

Tu connais la définition de Gobineau. L'illustre auteur des *Pléiades* partage la totalité des humains en imbéciles, en drôles et en brutes. De cette masse infinie naît par intermittence et par hasard un *fils de roi* (par hasard parce que pour Gobineau il n'existe plus de race pure ni d'aristocratie du sang depuis la fin de l'Empire Romain). Le *fils de roi* est la fleur du genre humain mais le genre humain ne fleurit qu'exceptionnellement, il est gratuit comme les fleurs qui ne se reproduisent pas, Gobineau le décrit prince royal et non roi, s'il a de droit les prérogatives filiales des souverains de tragédie, il n'en a ni les devoirs, ni les charges; il est sans obligations.

Mais il fallut pousser plus loin la recherche [2].

....

1. *Mots indéchiffrables.*
2. *Texte inachevé.*

[1948-1949[1]]

ESSAI SUR LA LICORNE[2]

Il est des femmes qu'une nature singulière rend aussi différente de toutes les autres femmes qu'une licorne de la race des chèvres. Elles se distinguent également de la même manière que la poésie de la prose. Toute femme est licorne pendant un moment plus ou moins court de sa vie; c'est généralement à l'époque de l'adolescence, quand elle n'a pas encore le moindre pli sous la paupière inférieure, un jour de gloire, où elle est tellement en fleur que même les plus salaces suspendent leur souffle et oublient pour un instant l'usage qu'ils pourraient faire d'elle. Mais la vraie licorne naît, vit et meurt licorne. Elle meurt généralement d'une manière tragique, ainsi Yvonne Georges poitrinaire et opiomane, Loïe Fuller, Isadora Duncan étranglée au volant de sa Bugatti par l'écharpe dont elle avait fait le plus prestigieux des accessoires de scène, Cléopâtre mordue par l'aspic, la Marquise de Merteuil défigurée par la petite vérole, Théroigne de Méricourt, dans un cabanon de la Salpêtrière [...] Comme la jeune serpente de Baudelaire, la licorne « danse plutôt qu'elle ne marche ». Mais elle peut aussi avoir la gaucherie brusque d'une fillette trop vite poussée. La Gigi de Colette est peut-être une licorne, on n'en sera sûr que si son mariage rate ou tourne court; car une licorne ne s'établit que par maldonne, jamais elle ne fait de fin.

La licorne n'est pas nécessairement belle mais elle possède à

1. *Date incertaine*
2. *Notes inachevées.*

tout âge la beauté du diable, expression précisément inventée pour désigner le moment licorne de toute femme.

Les professions qui conviennent aux licornes sont dans l'ordre : la danse, le music-hall, la haute couture, le théâtre, le commerce des antiquités, l'art militaire dans la mesure où il se borne à des actions de partisans. Avant la révolution de 1789, les licornes se recrutaient généralement parmi les duchesses.

La licornéité est incompatible avec l'exercice conséquent de la prostitution.

Les jambes des licornes ne sont jamais indifférentes ni vulgaires. Une grande danseuse est toujours une licorne. La licorne de Saint-Simon. Peut être grossière.

La licorne a toujours de l'imagination, rarement du goût. Ceci empêche cela. Les accessoires qu'elle se choisit dans le monde fabuleux de la licornéité.

Il lui arrive de s'habiller comme un cacatoès : c'est qu'elle appartient à une nature exubérante.

[1950]

[*Journal intime*]
Sceaux, 17 février

Jusqu'à 20 heures, comme les jours précédents, *Bon Pied Bon Œil*.

L'enquête sur le scandale des généraux, c'est du meilleur grand théâtre. Revers refuse de révéler l'*x* qui valorisait Peyré, puis demande un délai de 24 heures; on crie au chantage, c'est peut-être simplement pour obtenir la permission de sa femme, qui lui a défendu de se « mettre à table ».

A 21 heures, je vais chercher Lisina [1] à la gare du Luxembourg et la ramène à Sceaux. Je la baise sans préparation, elle m'en dit merci, il n'y a pas de règles en ces matières [...]. La brutalité lui paraît preuve d'amour (et sans doute de respect). Je sors d'elle ensanglanté, ce qui l'humilie; elle nettoie le drap, pour que la maîtresse de maison, chez qui j'habite, ne s'aperçoive de rien.

Sa conception italienne de la fonction sociale de la maîtresse et de l'amant, l'un à l'égard de l'autre. Un amant *occupe* l'esprit de sa maîtresse, elle s'occupe de lui, veille sur lui, lui fait des cadeaux... cet amour, comme la responsabilité, est une institution.

Printemps 1950, analogue au printemps 36 et au printemps 43. Il y a des véroniques en fleur dans le jardin, asymétriques et sans défense.

1. *Lisina : Élisabeth.*

La diététique remplace la morale. Mon régime actuel : élixir, maxiton, pas d'alcool, sauf à Paris, mais le lendemain matin est perdu, conditionne mon travail et mon bonheur.

A Sceaux, le 18 février

Jusqu'à 19 heures, *Bon Pied Bon Œil.*

Je relis, quelques pages par jour, *Madame Bovary*, intrigué que j'ai été par les allusions de Hemingway à Flaubert, au début des *Vertes Collines d'Afrique* (relu récemment). Flaubert est en effet le plus près d'atteindre à cette fusion poésie-prose, à laquelle pense Hemingway. Très excitante poésie de la coupe de la phrase (sans recherche rythmique, sans ronronnement, ce qui serait la tricherie), et du choix des objets et des mots, dans les énumérations, des *ellipses* *.

Lisina me téléphone dans l'après-midi que le sang n'était le fruit que de ma brutalité. « J'aime cela » dit-elle.

Soirée à Paris.

Apéritif au Club où Pellas m'explique, pour *Bon Pied Bon Œil*, le mécanisme de la vie à la Santé.

Dîner chez Cabada avec Jean et Jeannette + Lucien Baux, Pozzo, Raymonde et quelques autres rencontrés au Club. Baux m'indique un merveilleux sujet de roman : La Brigade Rouge de Haute-Savoie.

Dans la même salle les Barbizan, Roy, et leurs amis italiens. Puis tous au Bal Fleuri de la rue des Patriarches, où nous retrouvons Pierre Courtade, Génia et Odette, Simon et Marie-Pierre Nora, puis J. F. R.[1] et autres.

Je danse deux fois avec ***, qui se presse contre moi, mais je ne bande qu'à peine, bien qu'elle me plaise. « La danse, dit-elle, c'est hypocrite. » Je danse avec toutes les autres femmes, mais sans sentiment. Gala, en dansant, m'écoute

* Voir 25 mars.

1. *Jacques-Francis Rolland. Roger Vailland l'avait connu dans la Résistance; il devait s'en inspirer pour bâtir le personnage de Rodrigue dans* Drôle de Jeu.

avec délectation la remercier de Lisina et m'en fait l'éloge. Je bois beaucoup de rhum, mais je ne suis pas ivre.

A une heure et demie, je fais part à Baux de mes soupçons objectifs à l'égard de Raymonde [...] Je l'ai connue par Hélène. Après un premier rendez-vous manqué par ma faute, second où elle refuse d'aller à l'hôtel, nous nous embrassons toute la soirée de bistrot en bistrot, puis deux nuits chez moi où je la baise, sans que sa complaisance me paraisse expliquée ni par l'amour, ni par le goût du plaisir, il est vrai que les très jeunes femmes (22 ans) se font souvent foutre seulement pour tuer le temps. Elle « s'intéresse » au communisme, elle prendra sans doute sa carte, elle aime connaître mes amis communistes, je fréquente beaucoup le Club à ce moment-là, tout le monde finit par la connaître, puisqu'elle est avec moi, elle se lie particulièrement avec Pozzo et Baux, qui sont officiers, elle s'inquiète de leur absence, quand nous ne les trouvons pas au Club.

Mes confidences éclairent pour Baux certaines attitudes de Raymonde qu'il ne précise pas. Tombons d'accord qu'elle est vraisemblablement subjectivement attirée par nous, mais qu'il est possible et non contradictoire qu'elle fasse objectivement du renseignement [...].

A Sceaux, le dimanche 19 février

A 10 heures et demie, Raymonde me téléphone qu'elle est allée à la fin de la nuit chez ***, avec *** et ***, qu'ils l'ont interrogée pendant trois heures, que Pozzo l'a giflée à plusieurs reprises. Ma gêne, parce qu'ils étaient évidemment ivres, quand nous nous sommes séparés. Je n'aime pas cette attitude de flic. Et politiquement ce n'est pas juste.

[...]

Lu à Pozzo et Baux, qui sont dans l'ensemble d'accord, les 80 premières pages de *Bon Pied Bon Œil*.

La soirée avec Lisina que je baise une seule fois, mais longuement et brutalement. Elle saigne un peu.

Flaubert toujours. Hemingway lui a beaucoup emprunté dans les procédés du dialogue.

A Sceaux, le lundi 20 février

Bon Pied Bon Œil, toute la journée.

[...]

Dans la soirée achevé avec énormément de plaisir *Madame Bovary*.

A Sceaux, le 21 février

Bon Pied Bon Œil, le matin, dès 8 heures et demie. Achevé réfection première partie : 105 pages.

Raymonde vient au début de l'après-midi. Elle nie, tout en reconnaissant l'impossibilité de se justifier. Je ne fais pas de morale, mais lui montre l'impossibilité où nous sommes de continuer de la voir, ce qu'elle admet. Quelques caresses, je bande, elle me branle les seins et la bite, son petit air de triomphe de sale gamine, quand je la mène sur le lit, je la baise une seule fois assez longtemps et bien, elle est brûlante et pleine de foutre. Puis son inquiétude tout de même que Pozzo et Braux continuent de la soupçonner et de la manière dont j'avertirai les autres.

Je la raccompagne par le parc jusqu'au métro Croix-de-Berny. Son pas (et ses fesses, son maxillaire) de paysanne Berry-Touraine. Très belle lumière de printemps orageux sur les pièces d'eau du parc. J'aime les insolites deux cerfs dorés plus grands que nature. Raymonde les trouve « horribles ».

Lisina a téléphoné très tendrement dans la matinée.

Ai offert des masques aux cinq enfants (Mardi-Gras).

Bâti toute la soirée chapitre prison de *Bon Pied Bon Œil*.

Jean rentre tard, ayant de nouveau perdu l'espoir de

sortir du chômage par Gaz de France. Il devient nerveux, anxieux. L'angoisse du chômage est fondamentale, elle donne son goût à toute la vie. On ne comprend rien aux travailleurs si on ne la comprend pas. L'angoisse sexuelle et l'angoisse métaphysique sont réservées aux privilégiés; en ce sens les communistes ont raison dans leur critique de la psychanalyse.

A Sceaux le 22 février

Toute la journée, mais sans verve, *Bon Pied Bon Œil*, début de la réfection chapitre prison.

Au téléphone Marchat me dit son intention de clore *Héloïse* dimanche [1].

Le soir, dîner avec Lisina à la Cigogne, à Sceaux, puis à la maison.

Plutôt heureux mais lent.

A Sceaux, le 23 février

Toute la journée à Paris, mais à peu près sans alcool, ce qui est bien la première fois depuis des mois.

Reçu à *Action* le traître bulgare pauvre type, déjeuner chez Dominique Aubier, dans son nouvel et fastueux appartement, le sens de la grandeur, apéritif avec Gala, dîner chez Pozzo avec Martinet et Iole, J. F. R. et Ornella, Havet, sans intérêt, un verre avec eux tous, rue des Lombards, dans le bistrot de Mansour. Sans intérêt.

Conversation avec Leduc sur les possibilités du théâtre prolétarien. Le Parti serait disposé à faire un effort réel.

Le 24 février

Bon Pied Bon Œil toute la journée.

Dîner avec Lisina au restaurant Dominique. Vodka puis comme si souvent, le ballet alcoolique de la nuit, d'abord

1. *La pièce de Roger Vailland* Héloïse et Abélard *était jouée au Théâtre des Mathurins.*

chez Odette puis avec J. F. R. et deux putains, dans les bistrots du faubourg Montmartre. La putain qui récite du Prévert.

Le 25 février

Réveillé dans un hôtel de passe du faubourg Montmartre, dépouillé. Déjeuner chez Courtade. Rentré à Sceaux, dormi jusqu'à 7 heures, puis Lisina qui passe pour la première fois une nuit entière avec moi, très tendre.

Dimanche 26 février

Au bistrot Mariaux, la comptabilité de *L'Huma-Dimanche*. Vague de grèves qui s'annoncent longues et dures. Les copains organisent très sérieusement, méthodiquement, calmement, la solidarité.

Visite de Mélusine, qui se confesse. Elle a joui pour la première fois quand Mélisande l'a battue. Mais c'est d'être jacobine qui l'empêche maintenant de se détacher de la monstrueuse Mélisande. Seul Bonaparte la délivrera. Conversation à Milan, en 1795 : que feras-tu après la prise du pouvoir des Jacobins ?

— Moi dit Antoine, je serai ambassadeur à Vienne.

— Moi dit Mélisande, je serai ministre de la Police.

— Et moi dit Mélusine, je serai la secrétaire de Mélisande.

— Non, dit Mélisande.

Mélusine bat des paupières comme un oiseau de nuit surpris par le soleil, pathétique Mélusine.

Lisina, le soir, très tendre.

Sceaux, le 27 février

Déjeuner chez Gala, qui me saoule, puis me conduit à la gare du Luxembourg, pour que je sois à Sceaux, pour le coup de téléphone de 7 heures de Lisina. Nous parlons beaucoup de Lisina, « infirmière sèche » avec ses deux maris.

Rechute de ***, dont l'appendicite virulente vient de tourner, malgré la pénicilline, en pneumonie. Mais féroce[1] amoureuse, Lisina ne se préoccupe que de moi. Cela fait partie de mon honnêteté, d'aimer la férocité des amoureuses. [...]

Sceaux, 28 février, 1er mars, 3 mars

Bon Pied Bon Œil, lentement.

Sceaux, 4 mars

Bon Pied Bon Œil, allégrement.

Sceaux, 5 mars

3 petits pernods avant le déjeuner (avec Courtade etc.) m'abrutissent pour l'après-midi. Je ne crois pas gratuit le succès de Coca-Cola : c'est un dopant élaboré (caféine, acide phosphorique) qui n'a pas les « contre-indications » des dopants actuels, vin ou opium. J'avais tort de me moquer de ce bruit qui courait en Égypte que Coca-Cola est aphrodisiaque, c'est certainement vrai; on ne l'a jamais dit de la bière ou de la limonade. (Je n'ai à peu près jamais bu de Coca-Cola.)

Pour la première fois de ma vie sans doute la compagnie de mes amis m'ennuie. Travailler et lire sans voir personne. Même ce voyage en Italie maintenant proche ne m'excite guère.

La vigilance est la qualité la plus nécessaire à l'écrivain, 1° quant à l'inspiration strictement fonction de la diététique (le premier jet vaut plus ou moins selon que...) 2° quant à l'exécution : je sais exactement ce que vaut chaque fragment de *Bon Pied*, chaque chapitre, chaque tournure, chaque mot, il faudrait seulement n'avoir jamais la négligence de ne pas refaire : quand est trouvée la bonne proportion du chapitre ou le mot juste on le sait absolument, alors seulement il faut s'arrêter.

1. Roger Vailland a ajouté en marge : féroce = fier.

Faire l'amour m'ennuie de plus en plus, sauf tout à coup avec une putain.

Mais soirée plaisante avec Lisina, tendre et animée. Elle part à minuit. Puis jusqu'à 3 heures, Stendhal, *Rome, Naples, Florence*, et rêverie.

Sceaux, 6 et 7 mars

Bon Pied Bon Œil, IIe partie, chap. 4 et vue générale de la fin, dans la joie.

Élixir, maxiton + le 7, phosphosthénique. Aucune visite (grève du métro), aucun alcool.

L'angoisse de Jean devant le chômage croît, mais il travaille toute la journée à son étude pour la commission économique du Parti.

A la fin de l'après-midi du 7, promenade dans le parc de Sceaux, brouillard printanier immobile, solennel et un peu angoissant, où je conçois dans l'allégresse la fin du chapitre 5 (IIe partie) et la fin de l'épilogue.

Déçu la nuit dernière par le journal de Delacroix. On a tort de le citer toujours comme l'exception à la règle de la bêtise des peintres.

7 mars à Sceaux

Soirée tendre avec Lisina, chez elle à Paris. Nous continuons à faire l'amour de la façon la plus rustique, avec beaucoup de passion de sa part. A une heure, souper dans un bistrot de Montparnasse, avons bu en bavardant jusqu'à 4 heures, puis rentré en taxi à Sceaux, légèrement ivre.

8 mars

Toute la journée consacrée, avec aisance, à *Bon Pied Bon Œil*.

Une Américaine à Lisina à propos d'une conversation érotique dont celle-ci élude les termes (comment appelez-vous cette chose qui devient dure ?) :

— Vous, vous êtes catholiques, nous autres nous sommes psycho-analystes.

Deux religions de la classe privilégiée.

Placer dans l'angoisse du chômage l'histoire du garçon qui en 1934 déchira dans les chiottes sa carte du Front Commun.

Dimanche 12 mars à Sceaux

9 et 10 : exécution de la lettre d'Antoinette à Lamballe conçue dans l'enthousiasme le 7, travaillé péniblement.

Le 8 au soir, dîner chez Dominique Aubier, trop bu ce qui a gêné mon travail des deux jours suivants. Cela devient le *seul* problème.

Le 11 J. F. R. à déjeuner tout l'après-midi. Il lit et nous commentons tout ce qui est fait de *Bon Pied*. Les objections à la construction de la Première Partie. Dans la soirée je lis le tout à Lisina, je vois très clairement les dernières retouches à faire.

Lisina passe la nuit à Sceaux. Le galbe de la cuisse longue et de l'avant-bras parfait, la peau [1], le sein rond honnête, ventre de fillette, épaule grêle mais ronde, plus grêle que maigre, fesse menue, dure, ramassée, le cheveu du plus riche bleu-noir mais raide, de grands yeux verts, la paupière inférieure qui se marque très facilement, le regard très tendre, très humain, dans l'amour (même regard que Madeleine). Le nez « romain », trop important. Le visage sans éclat et la démarche humble m'ôtent la possibilité d'un véritable sentiment. Je ne peux aimer d'amour qu'une jeune fille, femme, triomphante.

Au début de l'après-midi, je vois plus clair dans la lettre d'Antoinette à Lamballe, il va falloir la refaire.

Sceaux, le 17 mars

Les deux grandes lettres du chapitre 4, terminées le 14.

Le 15 au soir dîner Lisina-Gala, dans un bistrot de la rue du Dragon. [...] Nuit chez Lisina ; la petite Américaine rôde

1. *En blanc dans le manuscrit.*

dans le couloir, la fois précédente, c'était Colette de Jouvenel. Départ à 5 heures du matin; je râle : je m'étais endormi. Je vais manger dans un bistrot de Montparnasse.

Le 16, traîné la soirée à Saint-Germain-des-Prés avec Dominique Aubier, Comtesse Teleki, Régine revue première fois depuis deux ans etc.; bu énormément. Je prends connaissance des perfidies d'Emmanuel Mounier dans *Esprit*. Et j'apprends l'arrivée à Paris et le passage dans la dissidence de Georges Szekeres[1].

Chateau d'Anjouin, le 20 mars

De Sceaux, le samedi 18 mars, parti dans la matinée pour aller à la Vente de livres de l'École des Sciences Po dont les élèves communistes avaient estimé ma présence utile, comme « écrivain progressiste ». Repentir en route : c'est contraire à mon intégrité. 11 heures du matin, que faire? Je vais réveiller Gigi, je la baise, elle me raconte que la dernière fois que je l'avais foutue, un après-midi de décembre, et ne s'étant pas lavée, elle reçoit la visite de son amant habituel, « comme tu mouilles », dit-il, « goûte », dit-elle, « ton foutre, dit-il, n'a pas le même goût que d'habitude ». Elle lui fait aspirer, puis lui donner, dans sa bouche, par un baiser, recevant ainsi de la bouche du garçon mon foutre mêlé à celui de son con, ce qui, dit-elle, l'a prodigieusement excitée. Furieuse de n'avoir réussi à me joindre depuis si longtemps : « Je fais toujours tout ce que je veux, tu es mon seul échec. »

Déjeuner chez les Nora : Marie-Pierre retour des sports d'hiver a le plus beau teint. J. F. R. vient prendre le café, très bouleversé, d'une façon que je n'aime pas, de l'entrevue qu'il vient d'avoir avec Georges Szekeres — chez qui je vais de 4 heures à 6 heures 30.

[...]

Szekeres essaie d'échapper à la fatalité qui mène de la dissidence à la traîtrise et dont il semble très conscient. « Je reste 100 % d'accord avec le communisme, l'URSS, le gouvernement de mon pays » mais : « je veux bien donner ma vie pour

1. *Ami hongrois de Roger Vailland, qui allait être, peu après, jeté en prison pour plusieurs années par le régime Rakosi.*

le communisme mais je ne veux pas être emmerdé par des cons. » Explication peu claire des causes immédiates de sa dissidence : « je peux tout accepter par discipline, pas de faire le *mouton.* » Rappelé à Budapest, y craignant des « ennuis », il a préféré venir à Paris, où il se cache, espère trouver un petit travail non politique, pouvoir rentrer « plus tard, dans un an peut-être » à Budapest. « Si j'avais eu un véritable tempérament politique, mais j'ai seulement le goût de la politique, je serais rentré, j'aurais fait front, je me serais défendu. »

Retrouvé J. F. R. à 18 h. 30, cour de la Sorbonne. J'ai très fâcheuse impression comme s'il cherchait une excuse (à quoi ?) de sa volonté de trouver dans le drame Szekeres une nécessité de remettre en question les bases du monde communiste. Même impression de Claude Roy, que nous retrouvons, un peu plus tard, pour un court moment. Pozzo par contre très solide, très intelligent.

Soirée à boire (légèrement) avec Pozzo et J. F. R. Je suis amené sans aucun effort à défendre les positions communistes les plus orthodoxes, sur l'esthétique en particulier. Je développe brillamment ma théorie de l'amateur.

Dimanche matin, 19 mars, adieux à Lisina, dans le jardin du Luxembourg. Déjeuner chez Annie Hervé. Selon elle, Biquet aurait dit : « l'affaire Szekeres m'enseigne que je n'aurais pas dû adhérer au P. C. » Pierre Hervé a conseillé à Jeannie Chauveau, qui ne veut pas refuser son hospitalité, sinon un amour encore vivace, à Szekeres, d'aller s'expliquer franchement avec un membre de la Fédération de la Seine, afin d'être temporairement à l'écart, mais ni exclue, ni démissionnaire[1].

Françoise Noël maintenant maquillée et coiffée, très troublante.

Rentré à Sceaux, apéritif seul à Robinson, retour à pied, très ému, peiné, furieux, de l'attitude de J. F. R. la veille et éventuellement du Biquet (larmes dans les yeux, mais deux pernods).

1. *Jeannie Chauveau était la compagne de Georges Szekeres.*

Lundi 20 mars, arrivée à Anjouin. Courte promenade sur la route. Mauvais temps.

Anjouin, vendredi midi
[A Elisabeth]

Ma Lisina,

S'il n'y avait pas ce putain de roman que je tiens par-dessus tout à achever immédiatement, et que je dois bien écrire quelque part, et plus je suis seul, plus je l'écris vite, je partirais tout de suite.

Je n'ai décidément rien de commun avec les amis chez qui je suis. Il est tout un genre de discussions dites intellectuelles que je ne peux plus supporter et quand je cède à la tentation d'y briller, je me dégoûte ensuite.

Je crois que j'arrive à maturité pour des décisions d'organisation, et de changement d'orientation de ma vie.

Je n'ai même plus envie d'aller en Italie. Mais pas non plus de rester à Paris. Je cherche un couvent *laïque* et *populaire*.

Je pense beaucoup à toi : je sais maintenant très précisément tout ce que j'aime en toi et aussi ce que j'aime moins et qui n'est d'ailleurs, je pense, qu'accidentel. Mais je ne peux pas l'écrire maintenant, sauf sous forme de notes rapides, parce que je n'ai le droit d'écrire que mon roman.

Il m'est très bienfaisant de savoir que tu m'aimes.

Je t'embrasse très tendrement

Roger.

P.-S. Téléphone horrible : il y a 4 appareils dans la maison, reliés les uns aux autres, si bien que toutes les curiosités sont permises — et le téléphone public est dans un bistrot sans cabine.

[*Journal intime*]
Anjouin, le 24 mars

Les 21, 22, 23, *Bon Pied Bon Œil* toute la journée.

... une jeune femme sotte et rusée, avec la fausse simplicité que donne la camaraderie des hommes aux bourgeoises qui ont raté leur vie conjugale, éprise de respectabilité qu'elle confond avec la dignité, en un mot : sans intégrité.

J'ai retrouvé les sophismes du Kangourou. Le problème du travail forcé en URSS ne m'intéresse en aucune manière; il est bien évident qu'il ne peut y avoir de liberté pour les ennemis de la liberté et que, selon Saint-Just (p. 179) : « ...employer les hommes justement suspects à les rétablir (les chemins), à percer les canaux de Saint-Quentin et d'Orléans... etc.; il serait juste que le peuple régnât à son tour sur ses oppresseurs, et que la sueur baignât l'orgueil de leur front ».

Gigi m'envoie une citation de Sade, ci-jointe, sur laquelle il y a beaucoup à dire *. Il est vrai que les « gens d'esprit » sont plus communément que d'autres, etc... Mais le rôle de « l'homme de lettres assez philosophe pour dire le vrai » c'est-à-dire du démystificateur, est de dénoncer la mystification majeure de son époque. Aujourd'hui, en France, ce n'est plus la vertu, au sens traditionnel du mot, tout le monde s'en fout, ni même au sens vrai que je lui donne, la classe privilégiée s'en fout, elle n'a plus le ressort nécessaire pour être vertueuse. La mystification majeure c'est la liberté et tout particulièrement la liberté de pensée qui permet à Léon Pierre-Quint de juger le régime soviétique, à J. F. R. (qui ne comprend du reste rien à la peinture et sans doute pas grand-chose à la musique) de condamner « l'homme nouveau », à cause de décisions du parti bolchevik sur la peinture et la musique.

* « Il est essentiel que les sots cessent d'encenser cette ridicule idole de la vertu, qui ne les a jusqu'ici payés que d'ingratitude, et que les gens d'esprit communément livrés par principe aux écarts délicieux du vice et de la débauche, se rassurent en voyant les exemples frappants de bonheur et de prospérité qui les accompagnent presque inévitablement dans la route débordée qu'ils choisissent. Il est affreux sans doute d'avoir à peindre, d'une part les malheurs effrayants dont le ciel accable la femme douce et sensible qui respecte le mieux la vertu, d'autre part, l'influence des prospérités sur ceux qui tourmentent ou qui mortifient cette même femme. MAIS L'HOMME DE LETTRES ASSEZ PHILOSOPHE POUR DIRE LE VRAI, surmonte ces désagréments, et, cruel par nécessité, il arrache impitoyablement d'une main les superstitieuses parures dont la sottise embellit la vertu, et montre effrontément de l'autre, à l'homme ignorant que l'on trompait, le vice au milieu des charmes et des jouissances qui l'entourent et le suivent sans cesse. »

Il faut avoir l'audace de dire qu'il n'y a pas de culture en dehors du peuple. Que quiconque parle d'Art et de Culture en soi est un mystificateur et un contre-révolutionnaire, qui masque ainsi la défense de ses privilèges.

Il faut, pour éclaircir le débat, définir le peuple : c'est la masse des non-privilégiés. La culture populaire est fruste, parce que la culture jusqu'ici a été réservée à des privilégiés. Même après la prise du pouvoir, la mystification de la Culture subsiste; le peuple n'atteint la maturité sous ce rapport que quand il a dévoilé cette mystification. D'où l'importance historique capitale des décisions de Moscou.

Toutes les jeunes filles de la bourgeoisie, et pas une seule ouvrière, ont aujourd'hui sur les murs de leur chambre des reproductions de Picasso.

Bon Pied Bon Œil : mes adieux à la culture bourgeoise. Après cela je n'accepterai plus de *commandes* de la bourgeoisie.

Mon œuvre, jusqu'à *Bon Pied Bon Œil*, a contribué à la mystification. Reste que j'y ai acquis la connaissance de mon métier, qui peut maintenant servir à démystifier.

Le peuple c'est la masse des individus qui ne sont pas des personnes. La personnalité est une *institution* au bénéfice de la classe privilégiée.

La volonté du peuple s'identifie au parti communiste.

Lundi, 13 heures
[A Elisabeth]

Ma Lisina, j'ai commencé ce matin l'épilogue, c'est-à-dire le tout dernier chapitre. Je veux que cela soit *grandiose* et ça prend tournure de l'être; c'est ce qui donnera toute sa signification au roman. Mais maintenant je suis anxieux, je vois des faiblesses à la fin de la première partie et au début de la seconde, sale métier, j'aimerais mieux être ingénieur et faire des ponts (en URSS bien sûr), quand un ingénieur fait consciencieusement ses calculs, il sait où il va.

J'espère mettre le mot FIN demain soir.

Je travaille de 10 à 14 heures et de 16 à 20 heures. Après quoi, je bois du Pernod, j'en ai acheté une bouteille, parce que mon hôte semblait voir avec un réel déplaisir ses alcools diminuer, se vider, au cours des soirées; il fallait, il faut que je me serve tout seul sous son noir regard.

J'ai hâte de te prendre dans mes bras : « il la tenait par la taille, très bas, et la pressait contre lui, en la soulevant un peu, en la soutenant, comme doit faire un homme. Elle avait jeté les bras autour de son cou, elle s'abandonnait, elle fermait les yeux, comme font les femmes ». Ainsi font Rodrigue et Jeanne Gris à l'avant-dernier chapitre.

Très tendrement à toi.

Roger.

[*Journal intime*]
Anjouin, le 25 mars

Lu, la nuit précédente, le manuscrit du *Journal d'une double libération* de L. P. Q.

C'est l'homme le plus parfaitement seul : boiteux, pédéraste, juif et à cette époque-là intoxiqué, et sans aucune sorte de camaraderie, éternellement méfiant, avare et ne comptant que sur son intelligence pour triompher de tout. Le Maudit par excellence.

Relu depuis mon arrivée à Anjouin *Mort dans l'après-midi* avec énormément de plaisir. Ce qui me frappe dans Hemingway c'est bien moins les répétitions, comme disent L. P. Q. et J. F. R. que les ellipses.

« La majesté du mouvement d'un iceberg est due à ce qu'un huitième seulement de sa hauteur sort de l'eau. » Le *roman iceberg.*

Première vraie grande journée de printemps. Le grand ciel bleu, la suspension solennelle de l'air de la première grande journée de printemps. Trouvé un nid de merle, dans buisson de ronces du parc; pris un seul œuf que je vais envoyer à Lisina, ou à Françoise Noël, ou à Gigi.

Anjouin, le 28 mars

J'ai mis à 15 heures 30 le point final à *Bon Pied Bon Œil.*

L. P. Q. m'a offensé hier à sa table. Je pars aujourd'hui. Il est boiteux, tuberculeux, pédéraste, lygéien, trotskisant et avare, c'est l'homme le plus solitaire et le plus tordu du monde. Méchant aussi et mesquin et jaloux (de moi parce que je travaille avec aisance). Mais quand il le veut, comme ce matin, il a beaucoup de charme.

Retenir, très important, de la conversation de Szekeres, le 22 mars : « que le régime des républiques populaires et de l'Union Soviétique, a beaucoup plus de rapports qu'on ne le pense généralement avec le régime des républiques antiques ». Alcibiade est toujours exilé. Rapprocher de Saint-Just disant qu'un ministre n'est plus un citoyen, et est moins qu'un citoyen. Ce qui fait partie de la très légitime lutte contre la « personne », le citoyen doit dominer les personnalités.

Écrire un essai sur la *Volonté du peuple :* « et donc, la volonté du peuple se confond avec les décisions du parti communiste ».

Paris, le 30 mars

Installé pour quelques jours dans l'hôtel de Lisina, chambre voisine.

Le 28, retour à Paris, nuit avec Lisina dans un hôtel de passe de Montparnasse, ivre.

Le 29, déjeuner chez Hervé puis visite à Antoine, auquel je fais part de mon projet de populariser ma vie et mon œuvre, qu'il approuve.

Donner l'exemple de la vertu et de la frugalité.

Paris, Villa Racine, 6 avril

Avec Lisina, amour, alcool, lents préparatifs du voyage en Italie, trop d'alcool.

Hier soir, manifestation aux Champs-Élysées. Plaisir de rencontrer les copains habituels. Mais je goûte peu le combat de l'homme désarmé contre le flic armé[1] : très triste, je me sens soudain vieux, je m'essouffle vite, les mains tremblent. Rencontré Eva, très mauvaise mine, et bu un verre avec elle.

Mauvaise nuit, trop d'alcool, cauchemar de la fille-chat qui veut mordre et griffer, et moi lui griffer le visage.

Et toute l'atmosphère encoconnante de l'amour, comme avec Zora.

Paris, Villa Racine, dimanche de Pâques

Douzième jour avec Lisina. A midi, nous sommes sortis ensemble de la villa, elle devait aller chercher à la clinique *** qui est guéri, pour l'emmener déjeuner chez quelque de ces affreux sociaux-démocrates qu'ils fréquentent; elle le méprise totalement mais c'est son boulot de femme mariée, elle en est parfaitement consciente et malheureuse et sait qu'elle ne pourrait le quitter et faire totalement son amour avec moi, que dans la dignité et *l'égalité* du travailleur. Comme nous nous quittions, je venais de la mettre dans un taxi, Place Saint-Germain-des-Près, Dani Simon est venue vers moi, grande, très belle, très fraîche, pantalon gris et pull over jaune citron (comme Jeanne Gris) le sourire et le regard franc; comme j'aime la beauté des femmes.

Lisina dans l'amour a trouvé l'éclat qui lui manquait. Nous passons la nuit à parler, à l'amour, à boire; elle se lève tôt à cause du boulot conjugal; et elle a chaque jour les yeux plus grands, plus éclatants, et la paupière plus meurtrie, ce matin un trou vert comme la mer après la tempête.

Lisina pense aussi que tout concourt au bien de ceux qui aiment Dieu et nous avons décidé de faire d'elle une Mélusine.

De toute ma vie, et sauf le mois de Janvier 1935, l'amour ne m'a apporté que du bonheur. Je suis tellement toujours

1. *Manifestation organisée contre* Le Figaro *qui publiait les mémoires de Skorzeny.*

heureux en amour, que je n'y mets plus aucun amour-propre, et je n'hésite pas à dire à une femme qui ne me plaît pas [...] que je suis impuissant, ou lorsque je désire la rupture d'en provoquer l'initiative chez l'autre.

Cet après-midi, je parcours sans grand intérêt la Correspondance de Claudel et de Gide. Me frappe surtout le fait qu'ils avaient quarante ans en 1908 et qu'ils vivent encore sans autre gâtisme que celui qu'impose à de bien plus jeunes la *mutation brusque* du monde entre 1930 et 1940 : ainsi donc, moi, je peux encore voir et vivre l'équivalent des deux guerres, de la révolution russe, etc. — et certaines formules de Claudel, grand écrivain *quand même :* p. 83 « ... ce que j'appellerai la *sauvagerie*, en prenant tout ce que ce mot comporte d'élégance presque exagérée, de pudeur, d'incompatibilité sociale, de curiosité et de réserve foncières, quand nous pensons au cerf ou au chevreuil ».

P. 57 (cité par Gide) : « ... La mémoire ne diminue pas, s'est-il aussitôt écrié. Aucune faculté ne diminue chez l'homme avec l'âge. C'est là une première erreur. Toutes les facultés de l'homme se développent d'une manière continue depuis la naissance jusqu'à la mort. »

Villa Racine, 14 avril

Lisina partie le 10 au soir. Déprimé jusqu'à ce matin. [...]

Rome, Hôtel d'Angleterre, le 25 avril

A Rome, depuis dimanche 23 au matin. Amour de Lisina partagé et d'une passion croissante. Hier à l'idée du retour possible de ***, en convalescence sur la côte, mes propositions ont frôlé les égarements de la passion. Mais peut-être étais-je très fatigué par les deux jours de voyage, la saoulerie de Milan et les écarts de la dernière semaine à Paris.

Lisina habite une vieille maison romaine. Nous passons les nuits ensemble, après avoir barricadé la porte avec une barre de fer; deux pièces sans confort et froides, des sortes de galeries, avec la fausse grandeur des intérieurs romains. Un très petit lit dur, mais nous ne nous levons guère. Elle passe de la tendresse humble à la passion, les très beaux yeux noyés, puis à une minauderie âpre, très vite. Nous faisons beaucoup plus l'amour qu'aux premiers temps, toujours très simplement, rien ne s'achève que je ne la foute par le con, mais chaque partie de nos corps s'éveille maintenant à l'autre, surtout, très violemment les seins, les épaules, et d'une manière avec nulle autre encore presque jamais éprouvée, le fond de son con. Hier, nous avons presque joui par le moyen des yeux, sans nous toucher, mais nous nous sommes retenus. Je l'ai quand même finalement foutue par le con, c'est une sorte de morale entre nous, puis elle suce ma bite débandante et garde le plus longtemps possible dans sa bouche et dans son con nos foutres mêlés. Il y a longtemps que je n'avais éprouvé de plaisir à faire l'amour aussi chastement, aussi peu avec le concours de l'imagination. Ma tête entre ses très beaux bras emmêlés, la peau tellement en fleur de son épaule, ou le petit sein rond qui grossit quand je le branle doucement, je bande en y pensant.

Elle perd de plus en plus l'aspect un peu étriqué, « assistante sociale », qui m'avait d'abord irrité, elle gagne chaque jour de l'éclat, nous rencontrons hier Place d'Espagne sous la pluie, il pleut sans cesse, il fait froid, deux amis à elle, la femme sans même la saluer : « Qu'est-ce qui se passe ? tu as rajeuni de dix ans », « C'est que *** est sauvé » répond-elle très tranquillement, j'adore son hypocrisie.

Je rentre à l'hôtel à dix heures du matin, et jusqu'ici, je n'ai fait que dormir pendant le jour. Nous ne buvons presque plus, la bouteille de Grappa qu'elle a achetée pour mon arrivée est à peine entamée. Ce matin j'ai commencé à téléphoner à mes amis romains, et j'ai déjeuné avec les Franchina, avant de retourner dormir.

Dans le wagon lit qui les ramenait en Italie, *** raconte à *** : la veille du départ, Mlle Blanche (l'infirmière) lui a fait prendre un bain. Il avait du mercurochrome sur la bite (ou sur les couilles) : « Maintenant que vous allez rentrer dans la vie, il faut nettoyer cela ». Elle le masse, elle insiste, il bandouille, il essaie de se dérober, « ce n'est rien, dit-elle, la plupart des convalescents sont ainsi, ils cherchent même l'occasion, et en général cela nous dégoute, mais de vous qui êtes tellement pur, cela ne me dégoute pas ». Elle insiste encore. « Mademoiselle Blanche, dit-il, laissez-moi ». « Alors, raconte-t-il, j'ai rabattu le drap sur ma figure, j'ai prié et j'ai pensé à toi, et cela est passé ».

[...]

Dans les affreux derniers jours à Paris, pleins d'alcool, et avec Gigi, trop vulgairement femme par les formes, trop garçon âge ingrat par la brutalité, seulement deux entrevues agréables, avec Génia et Pierre, déjeuner Villa Racine, et, très courte, le jour du départ, avec Marie-Pierre.

Les trains italiens et Milan, surpeuplés, la France est un pays vaste, sauvage et dur. Extrême vulgarité de la classe moyenne en Italie.

Rome, le 26 avril

Soirée d'hier dans la famille Naldi. [...] L'ensemble — et jusqu'à nouvel examen — et comme tout Rome probablement beaucoup plus petit-embourgeoisé que je n'espérais.

Première esquisse de scène de jalousie de L. à propos de ma soirée prévue jeudi chez Mia.

[...]

Fin matinée chez Guttuso, qui achève pour la Biennale de Venise son grand tableau sur l'occupation des terres en Sicile. Ce sera pratiquement sa première œuvre « réaliste socialiste ». « Si l'on veut, dit-il, ce qu'il faut, ne pas revenir au naturalisme, à Courbet, ni non plus à David, tout est à inventer. »

Des délégations d'ouvriers viendront à Venise voir les tableaux réalistes-socialistes; il y en aura cinq ou six sur l'occupation des terres. Telle est aujourd'hui l'avant-garde.

Déjeuner avec D'Hospital, correspondant du *Monde* à Rome, cynique, fin, bienveillant [...]. Paraît très excité par l'enquête sur la politique vaticane que m'ont demandée mes journaux. Il m'avait d'abord dit :

— Rien d'intéressant en ce moment en Italie.

— Si, ai-je répondu, il se passe des choses très importantes en ce moment au Vatican, en rapport avec Pologne, Allemagne, Espagne, et clergé français.

— Vous mettez dans le mille, répond-il. [...]

Rome, le 27 avril

Hier soir au théâtre, avec Lisina et Giovanna [...]. Dialecte romain, sur le thème le plus fade, le plus platement moral, mais c'est aussi le thème d'*En avoir ou pas*, enfin le vieux couple, peut-être donc pas si fade, enfin Radiguet et Radiguette, — mais théâtralement, à peu près sans décor, le plus grand réalisme, toute une maison ouvrière avec trois meubles, extrême importance du réalisme vestimentaire, Checco Durante est très aimé du peuple romain, il n'a ce théâtre que depuis peu, il improvisait (à demi) depuis des années avec sa famille, en première partie, dans les cinémas.

[...]

Rome, 28 avril

Hier après midi, jusqu'à Saint-Pierre, par le Panthéon, la Place Navona, que nous avons tant aimée avec Pierre Courtade en 1948, Santa Maria di Pace et les pèlerins allemands, rebut du genre humain, à Santa Maria Del Anima. Première journée d'allégresse physique après les fatigues de Paris.

Soirée chez Mia. Le sénateur communiste Donini, cheveux blancs, œil de verre, très prévenant. Malheureusement fracasti + cocktails + whisky, je suis tout de suite ivre, et vais dès onze heures et demie rejoindre Lisina à laquelle je n'ai cessé de penser.

Très émouvante promenade avec elle ce matin, du Quirinal au Colisée. Travaillé l'après-midi avec Donini, dans son bureau de l'Aventin. Rentré à pied par le Capitole, c'est la Rome que j'aime le mieux. Seconde journée d'allégresse physique.

Rome, 29 avril

Lisina, Lisina, Lisina.

Déjeuner Landau. Conversation politique sur Vatican. [...]

Cocktail via Gregoriana chez artiste progressiste américain à barbe, qui m'ennuie.

Puis Lisina, Lisina, Lisina, dîner dans une trattoria près de la Place Navona.

Rome, 30 avril, dimanche

Lisina, Lisina, Lisina. Nous continuons à faire l'amour, nous raconter nos vies, dormir, faire l'amour etc. Je l'aime maintenant de cœur c'est-à-dire que l'émotion à son approche n'est plus seulement du ventre mais aussi du creux de la poitrine, elle commence même au creux de la poitrine et descend, flot de sang, dans le ventre, ou encore des yeux vers le creux de la poitrine puis le ventre et quelquefois, le plus intense de tout, simultanément du creux de la poitrine vers le ventre et vers les yeux, qui se mouillent.

Rome, 1er mai

Le matin avec Lisina à la manifestation populaire, Piazza del Popolo.

Soirée avec Lisina, dîner trattoria Mario dei Fiori puis boîte nègre, danses, whisky, whisky, puis chez elle l'amour très intensément.

Rome, 2 mai

Dîner avec Lisina, Via Appia Antica, pleine lune. Retour mi-autobus, mi-à pied par le Colisée.

Rome, 3 mai

Conférence de Paul Claudel, agressive mais gâteuse. Toute la bonne société catholique romaine est là, Lisina commente pour moi. Les piaffants secrétaires d'ambassade français. Tous ces gens me sont totalement étrangers et odieux. Plus décidé que jamais à ne plus travailler qu'avec le peuple organisé dans le P. C.

Mais je suis aujourd'hui épuisé à force de faire l'amour et si intensément. Nous nous traînons dans une trattoria de Trastevere. Sur le retour zabaglione réconfortant dans un bar extravagant, glaces, grès flammés avec des petites sirènes, le « comptoir » du fond, avec les garçons en blanc, derrière leurs machines nickelées, bites en série pour l'espresso, et le « comptoir » du devant avec les deux jolies barmaids, tellement lasses d'être restées si longtemps debout, s'appuyant tantôt sur un pied, tantôt sur l'autre.

Au matin, je torture Lisina pour la première fois, très bénignement. Se laisser torturer par l'être aimé, c'est la seule façon de prouver cérémoniellement « je suis ta chose ». Pour l'instant nous ne faisons tout le temps que l'amour. Mais la vie commune implique, si l'on veut éviter également l'épuisement physiologique et l'annulation du désir par l'habitude, une organisation du temps, en temps de travail, conversation, etc, et en temps d'amour qui devient cérémonie et ne garde son intensité qu'en tant que tel. Toute cérémonie, messe, tragédie, procès, course de taureaux est finalement une exécution, qui dans l'amour parfait s'inverse perpétuellement.

Rome, 4 mai

Déjeuner chez les Naldi [...]

Lisina se mourra de consomption, en se dévouant sans amour à d'humbles tâches, comme [1] et comme [1]. Son seul salut serait de vivre avec moi, si je n'étais le vieux loup solitaire.

Rome, 5 mai

Soirée chez les Franchina, nous sommes loin de la rigueur bolchevik.

Rêve. Je suis sur un bateau qui est un hôpital psychiatrique. Nous remontons l'estuaire d'un fleuve. L'eau est verte, avec un violent courant. Je suis un malade, au moment du retour de la conscience. Je compose une phrase de six mots (que j'ai oubliée) et j'ai une violente envie d'écrire. Je passe dans le salon du bateau, très salon de bateau, hommes et femmes, des malades légers dont Henry Danjou. Je m'écrie : « je suis quand même un écrivain, c'est important ce que je vais composer, prenez note ». Trois prennent note, dont Danjou, je dicte mes six mots, et c'est tout, je ne peux pas aller plus loin, immense détresse.

6-7 mai

Comme le frère et la sœur des *Mille et Une Nuits*, nous nous enfermons chez Lisina, la chambre a la forme d'un caveau, d'un sous-marin disons-nous, avec des provisions pour deux jours et une bouteille de Grappa. Comme elle a ses règles, le cérémonial s'impose et j'ai les jambes et la nuque brisées.

Nous faisons des projets de vie commune, dans une maison sur les bords d'un lac de montagne, ou dans la campagne d'Ile-de-France. Elle est maintenant rieuse, comme une gamine, et elle perd dès qu'elle est près de moi, le débit

1. *En blanc dans le manuscrit.*

rapide et saccadé qui m'agace tant; les yeux, les yeux battus des Romaines, s'agrandissent tous les jours.

Rome, 8 mai

Lisina gagne un nouveau jour à Rome. J'aime la dureté, l'hypocrisie, l'absence de scrupules, la férocité des femmes amoureuses. « Si une hécatombe menaçait *** et toute ma famille et qu'il suffise d'un geste pour l'arrêter je ne le ferais pas, je penserais seulement que je pourrais enfin rester avec toi. » Une femme amoureuse, bien plus aisément qu'un homme, se dégage de sa « personnalité »; il est vrai que la personnalité est une institution masculine.

Déjeuner chez Landau, avec Mgr Dabrowski, qui dissimule « diplomatiquement » sa réserve à mon égard derrière des plaisanteries perfides à Mia. Mais cette diplomatie-là aussi est périmée, puérile. Les diplomates soviétiques qui quittent pour la première fois de leur vie Moscou, savent de l'Italie tout ce qu'il faut savoir, l'ayant appris à la bonne école.

Rome, 9 mai

Le petit déjeuner avec Lisina dans le tea-room de la Place d'Espagne. Celere, Celere, parce que Mme Franco est à l'ambassade d'Espagne.

Visite à Vieilfond attaché culturel au Palais Farnese, qui me manipule avec prudence. Longue station au Panthéon, dont la voûte et les colonnes sont selon mon cœur, et si proches des temples qui me bouleversèrent à Louxor. Troupeaux de pèlerins, les prêtres espagnols ont l'air du crime sur leur visage.

Une princesse noire de Bologne qui avait épousé un prince arabe fut déshéritée, sauf l'usufruit. Cinq ans plus tard l'Arabe meurt. Elle s'installe dans une villa de Rome, se couche dans une chambre pourpre et noir, draps de lit noirs, chemise de nuit blanche, et ne se lève plus jamais. Elle devient obèse. Elle donne au rez-de-chaussée des réceptions où elle n'assiste jamais, on sert les plats avec bien en évidence sa part vide prélevée. Ensuite des intimes montent bavarder dans sa chambre. Elle meurt à 80 ans.

Rome, 10 mai

Lisina partie ce matin pour rejoindre *** à Marina de je ne sais quoi, puis à Florence, pour le congrès de la musique de film, puis de l'UNESCO.

(Ma fenêtre au premier étage de la Via Borgognona, devant le cinéma. En face, un atelier de tailleur. Une jeune fille à pull-over bleu monte un veston en chantant. De temps en temps elle lève les yeux et me sourit.)

Deux lettres, l'une de Dominique A., l'autre de Marie-Pierre, sur le manuscrit de *Bon Pied Bon Œil*, réticentes quant à la conception politique : « *Vous vous placez en effet hors du champ d'une certaine critique, dans une perspective qui exige du lecteur beaucoup plus qu'un assentiment littéraire. C'est votre honneur et votre risque.* » (Marie-Pierre)

IL FAUT MAINTENANT QUE JE FASSE MON PLAN QUINQUENNAL.

Notre amour, Lisina et moi, est réel, parce que, comme tout *événement*, il se déroule en *actes* que nous vivons comme tels : Sceaux, Villa Racine, le caveau de Rome. Et le suspense demeure total à la fin de ce troisième acte.

Lisina n'a pas embrassé *** depuis trois ans. Elle est d'accord avec moi et avec les putains, que le baiser, de toutes manières et surtout comme nous le pratiquons, avec l'échange des salives, est le rapport le plus intime. Et qu'il n'est pas tellement intolérable de foutre — ou de se faire foutre par — un être qu'on n'aime pas; l'intolérable c'est de se réveiller auprès de lui le matin, on le hait jusqu'à vouloir tuer.

Rome, 11 mai

Soirée d'hier avec les Franchina dans le quartier de la Place Navona, qui ne cesse de m'enchanter.

Beaucoup dormi, pas bu, ainsi se refait-on des excès de l'amour.

Midi et demi avec Gina, Via Veneto, trottoir de droite en descendant de la Porte Pinciana, c'est le vrai corso beaucoup plus concentré que les Champs-Élysées, etc... mais avec le même mélange de gens de cinéma, en quête de producteur. Extrême impudeur des femmes — peut-être parce qu'elles ne portent pas de gaine — qui défilent en tortillant du cul et le sein le plus moulé possible. C'est beaucoup plus sauvage, naïf, beaucoup moins habile que la démarche des Françaises. A la table voisine de la nôtre, une Espagnole, mais semble-t-il très bien introduite dans la société romaine, élégante, la voix criarde, merveilleusement incohérente et vulgaire.

Quatrième acte avec Lisina commencé à l'instant par un télégramme urgent m'annonçant des coups de téléphone.

12 mai

Dîner hier soir avec Guttuso, au restaurant, en bas de chez lui, Mimise sa femme, comtesse milanaise divorcée, un professeur communiste de Florence, le sénateur Palermo de Naples, le sénateur de Turin, et la petite sectaire dure sicilienne de Taormina « je ne suis pas une signora, je suis une camarade ». Guttuso, naïf, sauvage, consciencieux, yeux tendres (et l'assurance des hommes aimés des femmes), fort sans doute. Alcool chez lui, pas trop, puis de nouveau déjeuner chez lui aujourd'hui afin de pouvoir enfin parler.

Visite à Sereni, à son bureau, il critique violemment la politique des combattants de la paix français.

Vendredi, 16 heures
[A Élisabeth]

Mon amour, voilà que malgré la séparation, je suis terriblement heureux, j'ai une fatalité de bonheur et je suis heureux à cause de toi. Ainsi, par exemple :

A midi je suis parti à pied, tout seul, par la Place d'Espagne, la Via Sistina et puis à gauche jusqu'à la Porta Pinciana, où j'étais allé il y a deux ans. Je me suis assis (avec *Le Monde* et *L'Humanité*) à une terrasse de la Via Veneto, j'ai placé mon Élisabeth à côté de moi et nous avons regardé ensemble défiler les garçons et les filles, qui étaient aussi putains les uns que les autres, et je te disais et tu me disais ce que nous pensions l'un et l'autre, et puis nous nous regardions dans les yeux, comme des adolescents, et ça me frappait au creux de la poitrine, au cœur, et puis vers le ventre et vers la tête.

Et bien sûr, cela ne pourra pas durer ainsi, parce qu'il n'est pas bien de se contenter de plaisirs de l'imagination, c'est de la masturbation ou du catholicisme, au choix. Et je veux enfin ma vraie Élisabeth dans mes vrais bras. Mais pour ces deux jours l'imagination t'a prolongée près de moi. Sauf quand je passe près de la Piazza Mignanelli, je regarde vers la fenêtre du sous-marin et c'est une très mauvaise angoisse, qui commence au creux de la poitrine et puis me coupe les jambes. Je t'aime, je t'aime, je t'aime, je t'aime, je t'aime, je t'aime.

J'ai tellement envie de notre maison près du lac de montagne.

Je déteste l'absurde, je ne suis absolument pas mystique, je crois qu'il est raisonnablement possible de faire ce qu'on désire vraiment faire, et de ne pas faire ce qu'on déteste faire. Donc, notre séparation me *scandalise*. Il me faut toute ma raison pour admettre qu'en tant que provisoire elle est peut-être provisoirement raisonnable, puisque tu es une vraie Élisabeth, que j'aime, que j'aime, que j'aime.

Hier soir, chez Guttuso, ce fut plutôt agréable. Il est maladroit et pas très intelligent mais vrai et sans doute fort, avec un côté rustique pas abîmé par Rome. Trois filles sur quatre m'ont dit des choses gentilles sur la jeunesse de mon regard, c'est à toi que je le dois, parfois mes yeux s'en allaient, elles me demandaient : « Où êtes-vous ? Vous paraissez si loin... », j'étais avec Élisabeth. Je suis parti tôt, bien sagement, tout seul, et sans même être ivre.

Depuis ton départ, j'ai énormément dormi, c'est le mieux après tant d'amour, combien j'aurai à te donner quand tu seras de nouveau dans mes bras : « ne bouge pas, mon amour, ne bouge pas »... j'ai tellement envie de toi.

Mais c'est moi qui, dans notre séparation, ai la meilleure part, puisque je suis seul, je dors seul et je fais ce que je veux... Il faut tout me raconter mon amour, sans honte, sans pudeur, je veux pouvoir *me mettre à ta place*, puisque je t'aime.

A tout à l'heure, mon amour,

Roger.

[*Journal intime*]
13 mai

Ce doit être jour de fête anniversaire, car sous mes fenêtres, devant le théâtre Bernini, des étudiants, coiffés d'unicornes ornés de fétiches, font des tournois de cavalerie, sur des Vespas.

Visite au P. Darcy, dominicain, attaché culturel à l'Ambassade auprès du Vatican. On croit que ces gens-là ont des intentions politiques, ils ne pensent qu'à leurs intrigues de bureau. C'est le cas de la presque totalité des diplomates français.

Je lis *Pages d'Italie*, trouvé chez un libraire de la Via Veneto... « le penchant des esprits médiocres est de briller par le ton et le jargon du siècle. Il faut avoir un grand fonds de caractère dans l'âme pour mépriser une gloire et un applaudissement infaillibles aussitôt qu'on prend la couleur (le ton) à la mode ». Aujourd'hui, c'est le ton *Temps Modernes* que prend même Roger Stéphane. Le seul courage c'est de crier « Vive Staline ». Malheureusement quelques douzaines de fonctionnaires du Parti, qui y gagnent médiocrement mais singulièrement leur vie, et qui y trouvent toutes les satisfactions possibles de vanité, ôtent, même pour soi-même, toute apparence de courage à ce vrai courage-là.

La « persécution » politique est déjà telle que, rencontrant à déjeuner un fonctionnaire français de l'UNESCO, et m'enquérant de la venue de Jacques Havet, je dois, afin de ne pas compromettre celui-ci, préciser : « Je le connais depuis très longtemps, et bien que nous n'ayons pas les mêmes opinions... »

Lundi, midi
[A Élisabeth]

J'ai eu tout à l'heure ta seconde lettre du village marin, je n'ai pas encore tout compris, ce sera pour ce soir, j'ai un dictionnaire, quel doux travail que de déchiffrer les messages de mon amour... mais je veux t'écrire tout de suite.

Je me suis réveillé anxieux, anxieux, c'est le manque de toi. J'ai vu beaucoup de gens ces derniers jours, je pense que tu vois aussi beaucoup de gens à Florence, tout cela me paraît très futile, tout cela m'ennuie, m'ennuie, j'ai envie d'être dans la maison à la montagne, à travailler sérieusement, avec toi près de moi.

Les poèmes vont mal, je dors trop, je suis pesant, c'est peut-être le vin de Frascati, je prends l'alcool en horreur, je voudrais être léger, nu, flambant, avec toi près de moi.

Voilà l' « air » de ce matin.

A tout à l'heure, mon amour,

Roger.

J'ai pris rendez-vous pour demain soir avec ta mère.

[*Journal intime*]
15 mai

Dîner samedi soir chez peintre abstrait Capogrossi avec une douzaine de personnes, dont X., intellectuel juif, peintre, pédéraste, chauve à béret basque, trotskisant, comme les hommes font leur visage et tout ce qu'est leur visage, avec tout ce que je sais de la vie et des visages, je perçois immédiatement qui est qui. Merveilleuse fillette déjà femme de douze ans et demi, avec le bas du visage lourd, mat, que j'avais tellement envie de toucher, et des lèvres tendues à éclater. La mère, Constanza, a la même bouche, distendue et saignante, petits yeux aigus, monstre de lubricité maigre. Guttuso chante des chansons siciliennes, genre flamenco.

Dimanche après-midi dans un dancing romain, fréquenté par classe analogue à celle des dancings de Robinson, Coliseum, etc. Goût presque parfait des jeunes filles : de simples pull-overs ou blouses sobres, seulement deux mâcheuses de chewing-gum, les garçons pour la plupart très beaux. Différence avec Paris : plus d'attention, moins de désinvolture, dans l'exécution de la danse, cela sent le maître à danser encore tout proche, mais la piste est à peu près semblable, la danse cesse, chacun s'assoit, on s'aperçoit que garçons et filles sont par groupes séparés et les garçons beaucoup plus nombreux; personne ne boit. Prix d'entrée 200, 300 lires, une bonne gagne 5 à 7 000 lires par mois. Angelina, la domestique sicilienne des Franchina, 19 ans, est terrifiée à l'idée d'être arrêtée par la police, pour flirt dans le parc Borghese.

Rencontré chez les Franchina, P. Ferzen, le fameux critique d'art; je ne suis absolument pas intervenu dans la conversation, ce monde-là ne m'intéresse plus en aucune manière.

Après-midi de lundi, longue promenade seul, sur le Palatin. Qu'il est difficile d'ôter de tout cela les souvenirs du lycée et la littérature, et pourquoi les ôter ? Mais c'est finalement à la lumière entre les pins et sur les surfaces blanches de l'Arc de Titus, que je suis le plus sensible. Et je ne peux abstraire les curés qui par couples hantent les hommes — de même que sur l'Acropole, je ne pouvais pas abstraire la présence des partisans sur les collines violettes et l'affreux colonel rencontré dans le café du centre d'Athènes.

Dîner chez Socrate et Vanna Gentili, dans leur belle maison du Parioli. C'est la génération d'intellectuels communistes d'après la Libération, avec cette pauvre illusion qu'ils ont de pouvoir vivre un peu, quand et puisqu'ils sont *permanents*, comme dans les Républiques Populaires, la petite femme, le gentil enfant et la belle bibliothèque marxiste. Mais peut-être seront-ils quand même bien dans le combat. Leur domestique est une paysanne tremblante des Abruzzes, son mari chômeur cherche du travail à Venise, ses deux enfants chez une tante à la campagne. Vanna, craignant pour son bébé que la domestique ne soit tuberculeuse, l'avait menée l'après-midi chez un médecin ; l'Abruzzienne :

1° avait levé vite, avec complicité, la tête vers sa maîtresse, pour savoir si elle pouvait dire son nom au médecin (qui le demandait pour sa fiche). Elle est méfiante ; livrer son nom à un homme qui écrit lui paraît dangereux.

2° avait refusé d'abord de se déshabiller « devant un homme », puis accepté seulement de montrer la poitrine et après que sa maîtresse lui eut expliqué que le médecin était père de famille, etc.

3° bien sûr est pieuse.

Aucun contact humain entre elle et ses maîtres communistes ; et ils parlent d'elle gentiment, mais pas tout à fait comme d'une créature humaine.

Rentré tard, et à pied depuis la Piazza Fiume jusqu'à l'hôtel.

16 mai

Entretien de 10 heures du matin, place de Venise, avec le catholique communiste excommunié Franco Rodano. Paraît intelligent et ouvert ; tout à fait d'accord avec moi, le premier, avec le projet vaticanesque de Saint-Empire Romain Germanique.

En Avril 44, les partisans catholiques communistes de Gênes font savoir qu'ils ont un message très important à transmettre aux résistants catholiques français. Les partisans d'Aoste envoient un courrier, qui arrive à Gênes, après mille périls : « dites à Lyon que nous sommes thomistes ». Le courrier croit à un mot-code et ne pose pas de questions, retourne à Aoste, franchit la frontière clandestinement, arrive à Lyon après mille périls. « Vos copains de Gênes vous font dire :

« nous sommes thomistes ». Danse de joie : « bravo, bravo, ils sont thomistes ». Ce n'est que beaucoup plus tard que le courrier a compris que thomiste n'était pas un *code-name* (histoire racontée par Socrate).

Visite de midi à Saint-Pierre. Je ne parviens pas à comprendre l'admiration universelle et même de Stendhal. La nef, vue du chœur, n'est pas tellement différente de l'ancien hall, bien inutile, pourquoi si haut pour d'aussi petits trains, de la gare de l'Est. L'échelle énorme par rapport à l'homme ne m'émeut pas; les proportions la rendent moins écrasante que dans le gothique, mais c'est la même volonté d'écraser l'homme, qui reste *en bas*. Au Colisée, il y avait des hommes jusqu'*en haut*, c'était un monument pour l'homme.

Resté jusqu'à 3 heures dans un bistrot de l'avenue monumentale aux lampadaires Arts-déco 25 à écrire sur des cartes postales de l'année Sainte des petits poèmes obscènes sur le pape.

Soirée chez Mme Naldi, avec par intermittences, Giovanna et cinq minutes le mari de celle-ci. Ils n'osent pas me parler de Lisina, et je me garde bien de leur en donner l'occasion, ils voudraient connaître mes « intentions » [...]

Je trouve en rentrant une lettre de Lisina, de Florence, qui, à travers son italien me paraît malheureuse et traquée. Mais pourquoi reste-t-elle dans ce bordel?

Rome, 17 mai

Coup de téléphone au réveil de Lisina, anxieuse, traquée, agitée.

Lu longuement les journaux, sur la terrasse snob de la via Veneto. Café chez Franchina, avec journaliste libéral (Alfredo Mezio). Tous ces gens, ou rêvent ou acceptent l'idée d'une gigantesque Saint-Barthélemy des communistes, qui commencera par l'anéantissement de l'URSS par la bombe atomique. La peur rend les lâches méchants. Je commence à croire la guerre inévitable. Tout cela pèse sur toute la journée.

Mercredi soir
[A Élisabeth]

Mon Élisabeth,

Le vieux loup ne cesse de gronder depuis deux jours et encore plus depuis ce coup de téléphone de ce matin, où je t'ai sentie malheureuse et comme traquée.

Mais que je te dise méthodiquement toutes mes raisons de gronder (les lions rugissent mais les loups grondent seulement; si j'étais un lion, j'irais te chercher et je t'emporterais dans ma gueule; je reste à t'attendre, en grondant, donc je ne suis qu'un loup, il faut être lucide) :

1° Toutes les conversations que j'ai eues depuis quelques jours avec des non-communistes pèsent sur moi. Tous ces gens-là souhaitent, ou tout au moins acceptent l'idée d'une gigantesque Saint-Barthélemy des communistes (la Saint-Barthélemy, célèbre dans l'Histoire de France, a été le massacre de tous les protestants de Paris, le jour de la Saint-Barthélemy, par ordre du roi de France, Charles IX). Une Saint-Barthélemy mondiale, qui commencera par des bombes atomiques sur la Russie et l'anéantissement par fusillades, camps, etc. des communistes d'ailleurs. Ils sont méchants, comme tous les gens bêtes et lâches. Je commence à croire qu'ils oseront déclencher la guerre, et le Pape les bénira. Bien sûr, je me battrai comme un loup, et peut-être même comme un lion, et avec un peu de chance, je finirai général, avec beaucoup de décorations (rouges). Mais je serai devenu sans doute moi aussi méchant. Et puis il faudra tout reconstruire à la base, et je ne verrai jamais le monde heureux et libre pour lequel je me bats. Et puis, avant de me battre, j'aurai quand même envie d'être heureux pendant quelque temps, dans la maison-à-la-montagne-avec-Élisabeth. Et que deviendra mon plan triennal?

2° Je suis rentré lourd et triste de la visite chez ta mère hier soir. Giovanna[1] était présente par intermittences. Elles n'osèrent pas me parler de toi, et je me gardais de leur en

1. *La sœur d'Élisabeth.*

donner l'occasion. Elles mouraient d'envie, c'était clair, de connaître mes « intentions » à ton égard. Alors on parlait de la littérature, de l'Espagne, de l'Italie, bien poliment, avec le minimum d'intelligence requise, j'attendais, j'attendais, mais elles n'osaient toujours pas. Moi, je me sentais aussi jésuite qu'un dominicain [...]. Je n'ai même pas prononcé ton nom : je ne voulais ni te compliquer encore la vie, ni donner des armes à l'adversaire. Elles doivent se consoler en interprétant mon silence comme indifférence ou oubli et se rassurer en se rappelant que mes romans me peignent volage, ce à quoi ta mère a fait plusieurs allusions souriantes et quasi complices. Au moment du départ, comme je m'enquérais des moyens d'assister à la canonisation de Jeanne de France : « Votre vieux fonds catholique n'est pas tout à fait mort », a murmuré ta mère.

Je n'ai pas même ri.

3° Tu vis parmi mes ennemis et parmi les pires — et, si je comprends bien tes lettres, ils ne te laissent pas un instant de répit. Je ne crains pas leur influence, parce que 1° tu m'aimes, 2° je crois réellement que, comme tu me le répètes, je t'ai assez rendue à toi-même et à la liberté, pour que tu sois « intouchable ». Mais j'ai peur qu'ils ne finissent par te rendre très exactement folle : le ton tellement émouvant-ému de ta dernière lettre et le son traqué de ta voix de ce matin, me remplissent d'anxiété.

4° L'absurde me scandalise et je déteste le malheur. Or, je ne vois aucune raison profondément valable pour que tu restes dans le malheur. Donc, il est absurde que tu y demeures; on s'évade même des prisons les mieux gardées.

Alors le loup gronde, mais c'est très tendrement, quand il imagine les yeux d'Élisabeth et ses épaules et ses seins et sa peau et ses cheveux et comme elle parle doucement et tendrement quand elle est avec lui.

Je te lèche comme un loup et je te prends comme un lion. A tout à l'heure, mon amour.

Roger.

Mercredi, 23 h. 30
[A Élisabeth]

Mon amour, je ne sais pas pourquoi je t'écris tellement de sottises. Il n'y a qu'une chose vraie, et c'est, comme la vérité l'est toujours, très simple : j'ai tellement, tellement envie que tu viennes avec moi, et tout le reste s'arrangera, c'est beaucoup plus facile que de s'évader d'une prison, etc., ce qu'on faisait tous les jours, il y a cinq ans, et ce qu'il faudra bientôt faire de nouveau.

Alors, viens, je t'attends.

Je t'attends comme je t'aime. Roger.

[*Journal intime*]
Rome, 18 mai

Pour un touriste non prévenu, le monument de Rome le plus étonnant serait le monument à Victor-Emmanuel II commencé en 1885, inauguré en 1911, ni cirque, ni therme, ni église, pyramide par la bourgeoisie triomphante dédiée à elle-même. Mais les Pyramides étaient des tombeaux et le sphinx un dieu, et l'Arc de Titus une porte. La bourgeoisie à son apogée a inventé le monument pur (en même temps que la poésie pure). Il faudrait écrire une histoire de l'architecture bourgeoise.

Visite ce matin aux Thermes de Caracalla. Seul. Il faut un gros effort d'imagination, pour reconstruire à partir de ces pans de briques croulants ce qui fut sans doute un très beau casino, et je ne suis ni archéologue, ni historien, le monde contemporain est déjà bien assez épuisant à sentir et à comprendre. Au surplus la Via Veneto, avec les jardins Borghese au bout, l'hôtel Excelsior et les belles terrasses, est sûrement aussi imposant que le furent les Thermes. Les ruines doivent être aimées pour elles-mêmes; avec leur silence, les pins et les ifs, les oiseaux et les nids, elles conviennent au doux plaisir d'un cœur mélancolique, aux rêveries à la femme aimée, le dixième jour après son départ, ou tout autre genre de rêverie, comme d'être chef de partisans ou général en retraite.

Jeudi de l'Ascension
[A Élisabeth]

Je me suis longuement promené ce matin dans les Thermes de Caracalla. Il faudrait un gros effort d'imagination pour reconstruire à partir de ces pans de briques croulants, ce qui fut sans doute un très beau casino, où l'on prenait bien du plaisir. Mais je ne suis ni archéologue, ni historien, le monde contemporain est déjà bien assez épuisant à sentir et à comprendre. Et bordel pour bordel, je préfère encore la Via Veneto, qui « fonctionne ».

Les ruines doivent être aimées pour elles-mêmes; avec leur silence, les pins et les ifs, les oiseaux et les nids, elles conviennent au doux plaisir d'un cœur mélancolique. *C'est là que l'amant malheureux doit rêver à la bien aimée perdue au neuvième jour de leur séparation.*

Et c'est là que ce matin Roger rêva longuement à son Élisabeth. Un long rêve éveillé : il rêva :

« ... Roger rentrait à son hôtel, le guide bleu sous son bras, et à son col, la cravate bleue que lui offrit Élisabeth. Il entra pour demander s'il avait du courrier. Mais il entendit une voix crier : « Roger! » Élisabeth l'attendait dans le bar. « Je m'ennuyais trop de toi, dit-elle. Alors je suis venue. Partons vite, cachons-nous, que personne ne nous retrouve jamais. » Ils partaient aussitôt, vers le nord. Ils traînèrent d'abord au-dessus du lac de Garde, dans un village que je connais, où l'on ne peut aller que par des chemins muletiers, et où les paysans cultivent les citronniers sur de hautes colonnes, comme des cloîtres; pendant tout ce temps-là ils ne firent à peu près que l'amour. Puis vint le plein été et ils partirent à pied, vers le val d'Aoste. Ils montaient tous les jours un peu plus haut, l'air devenait plus vif, ils respiraient plus vite et se trouvaient chaque jour plus intelligents. Un matin, ils atteignirent les neiges éternelles et trouvèrent dans un creux de rocher les œufs de la perdrix blanche qui ne niche qu'entre deux et trois mille mètres et qui vole sans bruit, comme un fantôme. Elle vint tourner autour d'eux et Élisabeth fut très émue. Le soir, ils descendirent vers la France et arrivèrent au pays des Vailland. Ils décidèrent d'y passer l'hiver... »

Ainsi rêva rêva rêva ton ton ton ton ton ton ton

Roger

qui t'aime tant tant tant tant tant qu'il ne sait plus comment le dire.

Hier soir, après t'avoir écrit une seconde fois, je suis allé manger ma pizza solitaire, dans la pizzeria de la rue Mario dei Fiori, où nous dînâmes un soir ensemble. Je bus du vin, mais pas trop. Et en rentrant je t'écrivis le billet ci-joint, avec lequel je reste entièrement d'accord :

Mardi, 21 h. 30
(deuxième envoi)

Je m'ennuie, je m'ennuie, je m'ennuie, je m'ennuie, je m'ennuie, je viens de voir des tas de journalistes, les gens m'ennuient, m'ennuient, m'ennuient, m'ennuient, je vais aller manger une pizza tout seul, tout seul, tout seul, c'est encore mieux qu'avec les gens qui m'ennuient, je m'ennuie, et puis je rentrerai travailler tout seul, tout seul, c'est encore mieux que d'être avec les gens qui m'ennuient, je m'ennuie, je m'ennuie, je m'ennuie, parce que la femme que j'aime n'est pas avec moi, je m'ennuie parce que le sous-marin s'en est allé, je m'ennuie, je m'ennuie, parce qu'Élisabeth n'est pas près de moi, je m'ennuie, je m'ennuie.

R.

[*Journal intime*]
Rome 21 mai

[...]
Hier soir, nous nous sommes bien sûr attardés, séparés sur l'escalier de la Place d'Espagne, puis je suis allé sur la rampe méridionale, elle l'ignorait, je l'ai vue qui descendait en courant, en courant, et en levant anxieusement la tête vers ses fenêtres.

Toutes ses confidences, de 5 à 8, dans une bottiglieria, voisine de la place Navona, parce que le portier de l'hôtel ne l'a pas laissée monter dans ma chambre. La bottiglieria était déserte, le patron sur le pas de la porte, nous nous sommes torturé les seins jusqu'à presque jouir, elle oui, dit-elle, je l'ai touchée dans une rue déserte, elle était ruisselante, mais cela ne prouve rien.

Les trois jours précédents consacrés en partie à préparer un long article sur la conjuration pape-Truman pour châtrer l'Europe. Très bonne impression humaine de mes conversations avec Scuderi, mari de la très belle Flora, Romaine, rédacteur en chef, et G. de Rosa chef de la politique étrangère de *L'Unità*. Rencontré divers chefs de partisans, athlétiques et calmes ; le phénomène partisans est beaucoup plus important et de conséquences futures ici qu'en France ; ce sont les bandits de la tradition italienne, mais éduqués politiquement par le Parti Communiste. Les hommes de main fascistes sont également des bandits, mais sans éducation politique. Dans le bistrot de nuit, voisin du *Messaggero* (avec Chilanti, du *Paese*) on rencontre les uns et les autres ; on les distingue immédiatement à l'allure, les partisans commencent à avoir le style « bolchevik », les fascistes sont du style XIXe siècle bandit calabrais.

Vendredi, soirée de vin, avec nombreux copains et Cosita, la très belle Vénitienne, 19 ans, la peau tellement fruitée et les yeux les plus « langoureux » du monde. On ne sait pas en France ce que c'est qu'un œil langoureux.

Rome, 22 mai

Dans l'atelier prêté par Guttuso, jardin de la Villa Massimo, entre cinq et huit, j'ai baisé trois fois Lisina, mon goût d'elle au début de ce quatrième acte, va croissant et s'approfondissant, la seconde fois son foutre ruissela, presque aussi quoique moins jaillissant qu'Eva et plus brûlant et j'achevai en grand galop triomphal, la troisième fois de la manière la plus simple, mais sur une montée très lente, le plaisir devint si profond qu'en finissant, et pour la première fois de ma vie peut-être, je perdis presque conscience. Nous n'avons presque pas parlé pendant ces trois heures, moi surtout je n'avais aucune envie de parler. Aucune tendresse cette fois. Dans les instants de repos, nous restons, je reste surtout, tendus à guetter ce qui va monter du plus profond de nous.

L'amour est au libertinage, et le plaisir de l'amour avec une femme aimée au plaisir de l'amour cérémoniel avec une putain, ce que la peinture figurative est à la peinture abstraite. Il faut aujourd'hui rendre un contenu à la peinture et à l'amour, par un dépassement des termes précédents et non par un retour réactionnaire au premier. A réécrire en clair.

J'ai passé l'autre matin trois heures au musée des Thermes, sculptures antiques, avec un très vif plaisir. Je suis en ce moment et pour la première fois de ma vie, beaucoup plus sensible à la sculpture qu'à la peinture, ce n'est certainement pas sans rapport avec cette nouvelle profondeur de l'amour. Le corps de Lisina est exactement celui de la Vénus de Cyrène, sauf les fesses, qui sont plus ramassées.

Soirée de vin avec Guttuso, Mimise aime, comme moi, et connaît encore mieux, *les Mille et Une Nuits*.

23 mai, 19 heures, hôtel d'Angleterre

J'achève d'écrire ces lignes, je suis presque parfaitement heureux.

Depuis ma séparation d'avec B., juillet 1947, quatre femmes, Eva, Zora, Gigi, Lisina, m'ont donné des preuves irréfutables qu'elles m'aimaient d'amour. (+ l'Autrichienne masochiste dont j'ai oublié le nom et la Polonaise officier de l'armée rouge).

Trois heures du matin, après avoir vu *Sciuscia*, surfait ou bien mutilé par la censure démochrétienne, et soupé dans la Pizzeria de Via Mario dei Fiori :

Lisina m'aime comme on aimait en 1828, et je suis son carbonaro. Moi je l'aime comme on aimera en 2028. Je suis deux siècles plus jeune qu'elle. Tel est à la fin du quatrième acte, le malentendu fondamental.

(Lisina partie ce matin pour Positano avec *** doit revenir vendredi pour que nous passions ensemble la Pentecôte à Rocca di Papa.)

Je suis (ou je tends à être) un bolchevik et non un carbonaro.

*
* *

Il n'y a pas à l'heure actuelle dans le roman français d'antagonisme réalisme-formalisme.

Il existe en poésie et en peinture.

Le roman noir détective est une manière de journalisme.

Montecavo, 26 mai 1950, avec Elisabetta

à 1 000 mètres au-dessus de Rome ancien couvent devenu hôtel, les chambres sont les cellules, c'est le point culminant des Castelli Romani, entre et au-dessus, à nos pieds d'un côté à l'autre de la terrasse, lac Albano et lac Neuri.

(Le tramway, départ de la Via Nazionale, plein, nous sommes debout, le peuple romain, son dialecte, la Via Appia Nuova, puis à la bifurcation Frascati montent de sculpturales paysannes, noblesse du corps et du maxillaire, le funiculaire de Rocca di Papa, la fontaine fraîche sur la petite place.)

Le soleil se couche sur la mer Tyrrhénienne puis s'allument les lumières de Rome.

Montecavo, 27 mai

Jamais encore Elisabeth n'a été si jeune que ce matin, au réveil, très tard.

Descente à pied jusqu'à Neuri, d'abord le maquis à moutons, les bergers, puis le sentier dans le bois de châtaigniers, les coupes et le camp des charbonniers, puis le chemin creux entre les champs de fraises et d'œillets, c'est l'époque de la cueillette, les femmes belles avec les paniers de fraises sur la tête, l'air sent la fraise et l'œillet poivré, une fille abandonne sa cueillette pour venir, au travers de la haie, et nous apercevons soudain son visage en gros plan dans un trou de feuillage, nous saluer en riant moqueusement. Arrivés à Neuri par les ruelles-escaliers du haut, sur tous les murs, *W Staline*, etc., c'est le samedi après-midi, les femmes font la lessive, les hommes sur le pas des portes et toujours les porteuses de fraises.

Attente du taxi pour le retour, sur la petite place, devant le Municipio, ancien château qui s'effrite, avec les femmes qui font du tricot sur les chaises alignées, et les vieillards sévères.

Au dîner, très bon lambrusco et pour la première fois paroles (sans résultat) sur notre avenir.

Rappel : le 24 mai, journée romaine, matin au Musée des Thermes, méditation sur la forme, nous ne portons pas notre âme sur notre visage, c'est notre visage qui est notre âme, supériorité des statues mutilées parce que se trouve supprimée l'expression qui relève du cinéma. Apéritif Via Veneto. Vernissage Survage. Tournée de quelques palais, cette architecture est le bonheur de vivre, avec le peintre Mafai, Héloïse, etc. enfin exposition de peintres de genre napolitains dans le plaisant et fastueux premier étage du Palazzo Massimo (je découvre les planches de l'Encyclopédie). Vin Piazza Navona à 8 heures, tombée de la nuit, qui est exactement à l'échelle du peuple qui y prend le frais, les filles sautent à la double corde, etc. Plus tard avec l'ex-partisan et Loretta à la bibliothèque des bouteilles, vin, vin, puis sommeil.

Montecavo, 28 mai

L'amour au réveil avec Elisabeth dont le visage ce matin est presque enfantin.

Ascension de la croix du Mont Faete. Le jeune berger farouche, à la bifurcation du sentier et de la route, il marche silencieusement derrière nous; Elisabeth a peur. Longue marche à flanc de cratère, dans le taillis de châtaigniers, brume depuis le matin, le feuillage est mouillé, les verts très frais. Égarés vers la crête dans la recherche de la « putain de croix », Élisabeth n'aime pas ce langage, et nous tombons soudain dessus. Le vent d'ouest pousse des nuages qui s'effritent aux crêtes, en dessous de nous et à notre niveau, cachant et découvrant tout à tour les deux lacs, la campagne romaine, la mer Tyrrhénienne, les monts Tiburtins (Tivoli), les monts Albains (Frascati) et les crêtes encore neigeuses des Abruzzes, avec des plaques d'ombre et des plaques de soleil, et juste au-dessous de nous le cratère de Montecavo, avec les parcelles incultes d'or à cause des genêts. Silence et solitude totale. La croix faite de deux tiges de fer. Beauté solennelle. Incomparable émotion. Comme sur les sommets des Alpes, c'est là que se font et défont les nuages, mais la plaine et les collines si proches, et leur architecture et leur composition est tellement humaine.

Descente par le sentier muletier, dans la châtaigneraie puis sur le bord inférieur du cratère, grande allégresse, puis un nouveau nuage dérobe les bords les plus proches, nous trouvons un parc à moutons et un groupe de bergers, un très vieux berger, les pieds plats, nous mène en montant dans la châtaigneraie, jusqu'à la route de l'hôtel (ancien Temple de Jupiter Latial, sanctuaire de la Confédération latine, puis couvent église de la Trinità des Pères de la Passion). C'est plein de curés, à cause d'un cocktail du cinéma catholique, Élisabeth doit se cacher à cause d'un évêque qu'elle connaît.

Rome, 29 mai

Rentré à Rome dans la soirée après matinée-après-midi très tendre-passionné avec Élisabeth, sans presque sortir du lit. (Tout le personnel de l'hôtel est Émilien comme elle. Complicité des Émiliens. Le sourire de la servante devant nos yeux battus.) Nous avons continué, avec beaucoup de prudence, à faire des projets d'aveir.

Le père d'Élisabeth, P.N., grand format comme le Peeperkorn de *La Montagne Magique*.

[...]

Rome, 31 mai

La passion et la tendresse d'Élisabeth a fini par amollir mon cœur.

Mais, me demandais-je insomnieux cette nuit, n'est-ce pas aussi extrême lassitude d'une désintoxication alcoolique, qui du Pernod massif de Paris au vin de moins en moins abondant d'ici, se poursuit trop lentement? Le sevrage s'impose, et l'allégresse surgira sans doute quelques jours plus tard. Mais j'ai tous les symptômes, fatigues, courbatures et même éternuements des désintoxications de jadis. Et même cet amollissement du cœur.

De nouveau les nuits dans le « sous-marin » d'Élisabeth, l'amour, deux ou trois fois par jour, à la même profondeur, union toujours aussi intense que dans l'atelier de Guttuso.

Projets d'organisation de vie, en vue du plan triennal.

Rome, 1er juin

Dîner Donini. Sa femme, d'origine ukrainienne maintenant fonctionnaire du P.C.I. cultive des jasmins et des bougainvillées, sur la terrasse de leur appartement. D'exil en 1934, revint à Rome et en Italie « en mission », avec un passeport de pasteur anglican et ne parlant que l'anglais. En 1948, ambassadeur à Varsovie, à une réception, un Américain s'approche de lui : « je crois vous avoir déjà rencontré, Excellence ». « Oui, vous m'avez arrêté, il y a trois ans, à Washington ». Il aime beaucoup *Drôle de Jeu* et *Héloïse;* très intéressé par projet Mélusinette.

Rome, 2 juin

Manifestation communiste et socialiste pour anniversaire 2 Juin, Place S. Giovanni, Togliatti parle. À la fin s'allument les flambeaux. A l'autre angle de la place les pèlerins montent à genoux les marches de la Scala Santa. Retour (avec Élisabeth), par les petites rues vers le Colisée, avec les jeunesses qui chantent; une patrouille de *Celere* en jeep, très jeunes, l'air buté, honteux, — et apeurés parce qu'entourés de toutes parts; le total mépris des femmes.

Rome, 6 juin

La saison des amours touche à sa fin. Je suis las, non pas de cet amour, mais de recommencer sans cesse l'amour. J'ai voulu vivre seul, pour n'avoir des amours que ce qui en est vivant, et rompre dès qu'il devient habitude, ou lien; c'est ne vouloir vivre, et pourquoi pas, que l'adolescence des amours, leur âge en fleur. La contrepartie c'est que de telles amours occupent exclusivement. Ma vie peut se dater par mes amours, et par les repos entre, qui ne sont que le temps de reprendre des forces. Je me suis laissé aller ces jours-ci à la facilité et à la douceur du sentiment. Nous avons beaucoup rêvé vivre « définitivement » ensemble. Il me sera dur maintenant d'être privé de tous les soins dont m'entoure la tendresse d'Élisabeth. Et il serait sans doute possible que nous vivions ensemble, puisque je suis las de recommencer sans cesse l'amour, puisque, à la passion, elle ajoute la tendresse, et puisque, aussi, c'est une femme de tête, qui m'aiderait à mettre dans ma vie l'ordre nécessaire à l'exécution de mon plan triennal.

Mais Élisabeth aime comme une femme du XIXe siècle, et moi comme un homme du XXIe.

[...]

Je me suis d'abord émerveillé de son hypocrisie, des lettres d'amour quotidiennes qu'elle écrit à ***, afin qu'il ait foi en elle, et ne songe pas à rentrer ou à exiger qu'elle le rejoigne, lettres écrites à côté de moi, alors que j'attends, nu dans le lit, de la reprendre, et parfois interrompues, parce que je l'ai caressée et que son ventre s'enflamme. Dans cette hypocrisie, j'aimais la lucidité, la force de caractère, le dessein froidement concerté. Mais je sais maintenant que l'hypocrisie est toujours chrétienne, c'est une arme d'esclave, elle implique soumission fondamentale à l'esclavage, plus actuellement soumission à la condition bourgeoise de la femme. Un homme du XXIe siècle ne peut avoir pour compagne qu'une femme libre. Élisabeth se croit héroïque en s'affichant avec moi; déjà, le soir du retour de Florence, sur l'escalier de la place d'Espagne : « tu vois ce que je fais pour toi, comme je suis courageuse » : comme une héroïne de Stendhal ou de Balzac, mais cela devient ridicule dans une société si décomposée, où il suffit d'un peu de fermeté d'âme pour imposer n'importe quoi. J'ai compris cette nuit, à mon trois ou quatrième mouvement d'humeur, depuis une semaine, jamais avant, contre sa soumission fondamentale, que je me suis peu à peu laissé aller, d'abord par gentillesse, puis pour ne pas perdre les soins de tant de tendresse, au langage, puis à l'émotion, puis à la confusion d'un sentiment contraire à mon intégrité. Si je continuais, je la disputerais à *** et à sa famille, sur leur plan. Mais je suis un lion.

Je me suis tout de même réveillé très triste.

Lu ce matin les *Promenades dans Rome*. Stendhal est tellement actuel, parce qu'il se place toujours sous l'angle de l'histoire. A la date du 21 juin :

« Les louanges exagérées de l'état de virginité furent une des folies des premiers pamphlétaires chrétiens... Mais par l'effet de leurs discours, une vierge chrétienne eut un genre de vie indépendant et libre; elle put traiter de pair avec l'homme qui la sollicitait au mariage, et l'émancipation des femmes fut accomplie. »

C'est vrai et c'est faux : le respect de la virginité, de l'honnête femme, etc., n'a donné à la femme que de nouveaux artifices, de nouvelles possibilités de mystification (Cf. lettre sur la passion, dans *Les Mauvais Coups* et Laclos de *L'Éducation des Femmes*). C'était cependant un progrès — qui s'encadrait dans le progrès beaucoup plus général de la suppression de l'esclavage (égalité des âmes). Avant le christianisme, il y avait des esclaves et des citoyens; il n'y eut plus ensuite que des chrétiens, aliénés en Dieu, l'Église, le Prince, le Roi, puis le propriétaire des instruments de production. Il s'agit maintenant de faire de chaque chrétien un citoyen; et de chaque chrétienne.

C'est ce que j'ai essayé d'expliquer à Élisabeth, dimanche matin, dans le jardin du Musée des Thermes, après avoir revu avec elle les Antiques qui m'ont tant appris, les semaines précédentes. Mais elle retombe toujours sur la bonne foi, l'authenticité, la qualité, etc. des intellectuels chrétiens.

Nous sommes ensuite allés à la messe au couvent des Capucins, légère et mondaine, comme les ornements baroques de la chapelle, et ce rideau rouge et or, très Bérard.

Le cimetière des Capucins, avec toute son ornementation baroque en os de moines : cela serait plaisant, conçu par des stoïciens, mais horriblement malsain par des hommes qui ont peur de la mort, et de l'enfer, et qui détestent la chair.

— Pourquoi ces gens viennent-ils bavarder à la messe?

— Parce que, on ne sait jamais, m'a répondu Élisabeth.

La plupart des Italiens sont encore assez englués dans le christianisme, pour penser « on ne sait jamais ». Apéritif ensuite au Rosati de la Via Veneto, où nous voyons sculettare[1] plusieurs des jeunes femmes de la messe.

Lundi matin, à Saint-Pierre, le pèlerinage breton, puis le pèlerinage italien. Les catholiques français sont dangereusement sérieux.

Vu hier médecin, professeur renommé. Je lui remets biographie ci-jointe. Il confirme que je suis d'acier. M'ordonne pour les troubles fonctionnels présents régime que je vais suivre.

ROGER VAILLAND

Né en Octobre 1907.

Milieu familial : bourgeoisie moyenne (père architecte), licencié de philosophie, écrivain : romancier, auteur dramatique, journaliste.

Jusqu'à la puberté : chétif, toutes les maladies de l'enfance, fréquentes angines qui cessent avec l'ablation des amygdales, entérite (crises avec fièvre).

De la puberté à la dix-huitième année : aucune maladie sérieuse, extrême timidité, que n'atténue qu'en partie la pratique

1. *Sculettare* : tortiller des fesses.

modérée des sports : cyclisme, natation, un peu de boxe. Souffre énormément de ne pouvoir, par suite du puritanisme familial, approcher de femmes; masturbations fréquentes, violente hostilité contre le père; conflits familiaux incessants.

A dix-huit ans : scarlatine grave, avec complications : otite, albumine, dont la guérison s'accompagne d'une révolution psychique : disparition de la timidité, rupture avec la famille, indépendance matérielle rapidement conquise par le travail, cohabitation de deux ans avec une étudiante, vie sexuelle absolument normale.

De la dix-huitième année à aujourd'hui : aucune maladie caractérisée, malgré une vie extrêmement agitée, de nombreux excès, et de longues périodes avec la possibilité de ne dormir que 3 ou 4 heures par nuit.

Mais : de 1927 à 1942 : périodes d'excitation et de dépressions très violentes, sur un rythme de plusieurs mois, dépressions particulièrement accentuées au moment des équinoxes. Angoisses, plus spécialement douloureuses dans les périodes de dépression, liées vraisemblablement à une vie en partie double : conflit entre le métier : journalisme de grande information, et le désir de réaliser une œuvre.

D'où, de 1935 à 1937, première période d'intoxication morphinique, liée à un mariage avec une morphinomane. Fin 1937, 1 à 1,5 gramme d'héroïne par jour, par voie nasale. Sevrage brusque, sous contrôle médical; rétablissement complet en deux semaines, à quoi succède une période d'équilibre relatif.

De 1940 à 1942, seconde intoxication morphinique. Dose fin 42 : 40 à 50 centigrammes d'héroïne par jour, en piqûre. Désintoxication volontaire fin 1942, en clinique, sur l'espace de six semaines, rétablissement en deux mois, coïncidant avec une deuxième révolution psychique (la première à 18 ans, celle-ci à 36 ans) : succède une période très active (organisation de réseaux de résistance dans plusieurs régions de la France), puis conquête de l'indépendance matérielle par des travaux littéraires de mon choix, disparition des angoisses et presque complètement de la cyclothymie.

Cependant, pendant toute l'année 1946, retour à l'intoxication morphinique, correspondant à la reprise de la vie en commun avec l'épouse non guérie. Désintoxication début 1947 par sevrage brusque, *sans* contrôle médical, volontaire, au cours d'un voyage en mer, et correspondant avec la rupture avec l'épouse. Rétablissement et retour à l'équilibre en quelques jours.

Aujourd'hui : usage croissant de l'alcool, surtout sous forme d'apéritifs anisés, tout le long de l'année 1949, et 1950. Depuis six semaines que je suis en Italie, je ne bois plus guère que du vin (et quelques verres de Grappa en fin de soirée), mais :

1° Angoisse à 19 heures, si je n'ai pas encore bu.

2° Un quart de litre de Frascati suffit désormais à me griser légèrement, et j'éprouve aussitôt après le désir de boire toujours davantage, sans devenir pour cela beaucoup plus ivre.

3° Si je m'abstiens de boire complètement pendant 24 heures, j'éprouve des troubles analogues, quoique beaucoup moins intenses, à ceux du manque morphinique : bâillements, éternuements, courbatures, angoisses et surtout extrême fatigue.

4° Troubles intestinaux.

[...]

6° Étouffements au réveil, suivis d'une extrême lassitude.

7° Somnolence et extrême lassitude après le repas de midi, surtout si j'ai bu du vin, même très peu.

Si bien que je ne peux plus travailler qu'en fin de matinée et en fin d'après-midi.

Vie sexuelle normale. Moyenne : une fois par jour, avec des périodes de deux et trois fois par jour.

Le but du traitement doit être de rendre la capacité de travail.

[...]

Capri, Casa Malaparte, 12 juin

Nous avons quitté Rome, par l'autobus de Naples, Samedi à 10 heures du matin. Comme en 1946, je réagis en paysan français devant la prodigieuse richesse de la Campanie. Déjeuner sur le port de Naples avec la femme du metteur en scène et le beau-frère grec.

Une cliente, lourde et belle Romaine, chante des flamencos abâtardis, elle a au coin de la bouche le pli de la putain, à sa gauche la petite camarade jalouse, sans doute une vedette de cabaret et une entraîneuse, à sa droite, son amant, style Douglas Fairbanks, entre 25 et 30, concentré, propriétaire, jette des regards furieux sur les clients qui ne se taisent pas quand sa maîtresse chante. Sur la terrasse un marin américain, blond décoloré, lunettes, l'ennui sur le visage, maussade, et sur la place des volées de marins américains, des M.P. à matraques, il y a un petit porte-avions U.S.A. dans le golfe, ils s'en vont baiser, avec des préservatifs, les grasses putains moqueuses.

Nous débarquons à 5 heures à Capri, un peu inquiets de rencontrer ***, hôte de l'Américain Johnny à Positano, sur la côte d'en face, ils disposent d'un motoscafo. Le funiculaire est en panne, nous montons à pied, entre les jardins très verts, et nous arrivons sournoisement, par la bande, sur l'angle de la place dont nous examinons soigneusement les terrasses de café, avant de nous avancer. Nous buvons un négroni dans une demi-sécurité, achat de sandales de corde et pharmacie, puis lentement, par les sentiers de piétons, dans le jour qui baisse, le site grandit, s'ennoblit, se dramatise, les milliers d'oiseaux de mer crient sauvagement, qui nichent dans les Faraglioni, et au tournant de la pointe Tragara, dans la solitude maintenant totale, face aux deux golfes de Naples et de Salerne, nous nous étreignons avec des larmes dans les yeux. Puis la Casa Malaparte, sang-de-bœuf, est à nos pieds, sur un éperon rocheux, au centre d'un cirque de hautes falaises.

Malaparte, metteur en scène, nous avait bien recommandé de venir par voie de terre, tandis que nos bagages arrivaient par voie de mer.

Maria, la servante de Malaparte depuis 14 ans, née dans les montagnes du Nord, raconte d'emblée à Élisabeth son amour malheureux pour un homme de Capri, ses scrupules religieux, sa méfiance des prêtres qui trahissent les secrets du confessionnal et gaspillent l'argent des pauvres, et son goût de l'égalité; une Comtesse, récemment, l'a tutoyée, elle a répondu par un tutoiement.

Le rez-de-chaussée tient du couvent et de l'auberge de montagne, dans le Tyrol. Le premier étage, avec l'immense salon dallé, la double chambre, celle d'hiver et celle d'été, le studio à l'écart, et le monumental escalier de briques, qui fait avec la terrasse au-dessus de la mer un seul toit, relèvent, sans le moindre ridicule, de la tradition d'annunziesque.

Nous nous endormons à deux heures, le soleil me réveille à cinq heures, je contrains sans peine Élisabeth à se lever, nous descendons jusqu'à la calanque, où deux pêcheurs cherchent des poulpes, nous montons sur la terrasse, nous nous couchons nus, sous le soleil déjà chaud, il n'est pas six heures, nous nous cajolons, elle me boit, nous parlons de la séparation, c'est pour aujourd'hui, elle pleure, je bois ses larmes, je remets en cause le principe de la séparation, XIXe siècle, XXIe siècle, elle s'endort en ronronnant, c'est bien. Puis le soleil nous brûle et nous nous enduisons de crème, elle aime quand la brûlure du soleil commence à piquer, j'aime qu'à cause de la crème son visage soit gras au soleil. Nous descendons sur le seuil boire le thé de Chine, que Malaparte achète spécialement je ne sais où, je n'en avais pas bu d'aussi bon, depuis la rue Hautefeuille (1933), il y avait aussi dans ce temps-là le thé au jasmin, et les restaurants chinois avec Maxe. Puis nous allons nager dans la calanque; l'eau est transparente jusqu'au fond, qui est très profond; elle est bonne; je nagerai tous les jours, et chaque jour un peu plus pour raffermir les muscles devenus mous; je ne boirai plus du tout; je me lèverai chaque matin à l'aube; nous parlons de tout cela.

C'est très bien qu'Élisabeth se soit endormie, quand je commençais de délirer. L'amour ne doit pas être aliénation, ni de l'un dans l'autre et pas même réciproquement, sauf et bien au contraire totalement dans l'acte cérémoniel, ni de l'un et l'autre à l'amour commun. Notre amour a été réussi jusqu'ici parce que, à aucun moment ou à peu près, l'un n'a jamais voulu contraindre l'autre à désobéir à sa propre loi.

C'est pourquoi, au moment du départ, nous sommes très naturellement tombés d'accord que « je répondrai toujours à ton appel », sous-entendu des circonstances telles que la prison, la guerre, la blessure ou la maladie grave, mais nullement les exigences de la passion.

A quatre heures la mer a un peu grossi, et elle a pris un cachet contre le mal de mer. Elle a fait à Maria mille recommandations pour moi et lui a donné 1000 lires.

A cinq heures le motoscafo est entré dans la calanque, en s'annonçant par plusieurs coups de sirène. Il y avait le patron et deux hommes d'équipage, qui nous ont laissés seuls à l'arrière. La mer n'a pas été trop grosse, puis tout à fait calme, après que nous eûmes doublé le cap Campanella. La traversée a duré une heure et demie. Le cap Campanella semble être fait d'une seule coulée de lave, la côte jusqu'à Positano est haute, sévère, sans route, ni cultures, et déserte, sauf quelques maisons de pêcheurs. Un danseur russe s'est construit une demeure sévère, et des jardins en terrasses, sur l'un des trois rocs dénommés Iles dei Galli; il en est avec ses domestiques le seul habitant; c'est une demeure pour le marquis de Sade; c'est aussi mon vieux rêve de l'île.

Nous étions très émus par la séparation de plus en plus proche. Elle m'a remercié et béni de lui avoir fait connaître l'amour; elle m'a redit et redit son amour, son respect et sa fidélité politique, qui font tout un. Je l'ai remerciée d'avoir amolli mon cœur, je lui ai dit tout le bien que je pensais d'elle, de sa fierté, de son intégrité et qu'elle soit si naturellement, si simplement pitoyable aux humains.

Dans l'ombre de la montagne, la mer est devenue violette. Les maisons de Positano, avec leurs treilles de bougainvillées ont grossi. Elle m'a montré sa maison, sa fenêtre. Nous étions extrêmement anxieux. Le motoscafo a lancé un coup de sirène en entrant dans le petit port, les enfants ont couru à la jetée de bois; nous distinguions très bien la terrasse du petit café où *** et Johnny vont d'ordinaire prendre l'apéritif, mais on ne pouvait nous voir, à cause de la superstructure de la cabine. Accostage. J'étais doublement dissimulé dans la porte de la cabine et par la jetée plus haute que le scafo. Le matelot a sauté sur la jetée, parmi les enfants, et a tendu la main à Élisabeth. « Je vous aime, je vous aime. » Elle a escaladé la jetée et nous avons aussitôt viré de bord. Je n'avais mis aucune complaisance à mon émotion. J'ai vu Élisabeth s'éloigner sur la jetée puis sur le port, menue et courbée. Dès que nous avons été assez loin pour qu'on ne puisse plus reconnaître mes traits, je suis monté sur l'arrière du scafo, et me tenant d'un bras à la hampe du pavillon, j'ai fait de l'autre bras de grands signes, auxquels elle a répondu.

Le jour a baissé, les feux des côtes se sont allumés, j'ai compté leurs éclats, au-delà du Cap Campanella, les pêcheurs de Naples, qui pêchent aux phares, arrivaient sur une seule ligne, une brume mauve montait de la mer comme en 1947, au large des Cyclades.

Maria m'a demandé pendant le dîner depuis combien de temps Élisabeth me connaissait; j'ai répondu quatre mois au lieu de six.

Le soleil m'a réveillé à cinq heures, mais j'étais tout engourdi de sommeil, j'ai poussé la fenêtre, et j'ai redormi jusqu'à sept heures. Puis j'ai fait un tour sur la terrasse, j'ai pensé que sur la côte en face, Élisabeth avec *** roulait en car vers Rome. [...] Puis j'ai bu du thé et écrit ces pages; je m'en vais au soleil et à l'eau.

Les derniers jours à Rome :

Procession du Corpus Domini, place Saint-Pierre. La cérémonie commence à 18 heures, mais dès 17 heures, les issues de la place sont consignées, et les entrées de l'église et des terrasses du Vatican sont réservées aux porteurs de cartes. Je demeure jusqu'à 19 heures, à l'extérieur de la colonnade, avec le menu peuple, et les pèlerins sans recommandation, des Allemands surtout.

Aucun rapport, quoiqu'on en dise, entre ce peuple-là et celui qui se pressait le 2 juin, place San Giovanni pour écouter Togliatti. Les visages du 2 juin respiraient presque toujours la dignité et quelquefois la fierté. Ceux du Corpus Domini ont souvent la mine cafarde; l'œil noir et le cerne profond du visage romain, si beau dans la volupté, accentue la vilenie du bigot, évoque les masturbations passionnées, les insultes aux femmes vainement convoitées — « je voudrais te... et te... putain qui ne fais pas la putain et qui n'en es que plus putain » murmurait l'autre jour un passant à Élisabeth — et le sectarisme sadique. C'est un visage bas. Il évoque aussi la passion de servir un maître contre les inférieurs de ce maître. Mais la plupart étaient de tout petits bourgeois en famille, sans ferveur et anxieux de voir le pape, comme le clou du spectacle. Pas de filles belles, elles devaient être à la messe ou en train de se faire foutre. 150 à 200 000 personnes.

La procession sort de Saint-Pierre, descend l'escalier monumental, fait le tour de la Place à l'intérieur des colonnades. D'abord les gardes palatins, qui marchent à tout petits pas, comme des danseurs au ralenti, puis les moines des divers ordres, les uns barbus, les autres pas, puis des curés, des curés et encore des curés. Pas de couleur, le noir et le blanc dominent. Air d'ennui sur les visages des curés. Les haut-parleurs diffusent les chants religieux de la cérémonie qui se déroule à l'intérieur.

Fastidieux, mais on attend le Papa.

Vers 19 heures, je parviens à pénétrer sur la Place et d'un seul coup presque jusqu'au pied des marches. Voici des hommes rouges, des cardinaux ? Puis les gardes suisses, puis un trône blanc qui ondule sous un grand dais blanc, c'est le pape. De très rares cris, viva il papa, qui ne sont pas repris ; de rares applaudissements. Pas de corps, pas de membres, un visage rigide, comme d'un mort, blanc, émergeant des draperies blanches, on promène très lentement le cadavre sacré. Il faudrait voir le rapport avec les pharaons, le pape est l'ultime survivance des empereurs-dieux.

Il fallait bien que je visse le dernier des papes régnant à Rome. Il y aura peut-être encore quelques petits papes, dans la banlieue irlandaise de New York.

Aucune vraie grandeur, sauf la distribution de la foule par l'architecture de la Place.

Un dîner Trastevere, avec Malaparte, Marie-Thérèse Z, lesbienne, Jana X, Américaine hystérique, le peintre Tamburi etc. Jolie promenade du retour, en regardant les architectures, par la Place Navona, jusqu'à Trinità dei Monti.

Soirée ennuyeuse, via del Babuino, chez L., critique

théâtral influent, avec l'éditeur-auteur dramatique Bompiani, Malaparte, etc., etc.; Donini part tout de suite; puis Malaparte met tout le monde mal à l'aise par ses souvenirs cyniques du fascisme, c'est ce que j'ai préféré.

Mardi, 17 heures
[A Élisabeth]

J'ai eu bien du mal à déchiffrer tout à l'heure le pathétique télégramme de mon Élisabeth. *Tesa* me donnait d'abord *bord* d'un capello et *atto : geste*, avant que j'en vienne au participe passé de *tendere* et à l'*acte* d'une pièce; que pouvait bien signifier ce cinquième geste { daté / donné } quatrième avec le bord de ton chapeau? énigmatique Elisabetta! Toute énigme n'est d'ailleurs pas disparue : le texte est : ... fierezza quinto atto quarta data tesa tutta verso...

« quarta data » me reste entièrement mystérieux... Je vous adore.

J'ai écrit hier matin douze pages sur vous et notre cinquième acte dans mon journal : ... « tout le bien que je pense d'elle, de sa fierté, de son intégrité et qu'elle soit si naturellement, si simplement pitoyable aux humains... je la remercie d'avoir amolli mon cœur... c'est très bien qu'Élisabeth se soit endormie, quand je commençais à délirer : l'amour ne doit pas être aliénation, ni de l'un dans l'autre, ni de l'un et l'autre à l'amour commun. Notre amour a été réussi jusqu'ici parce que, à aucun moment ou à peu près, l'un n'a jamais voulu contraindre l'autre à désobéir à sa propre loi... » etc... etc... mais je t'ai déjà dit et répété tout cela.

Écris-moi des choses *bien précises* sur *ce qui t'arrive* à Rome; je veux pouvoir par la pensée tout vivre avec toi, même les choses dures. Et n'oublie pas que tu m'as promis de rester une fière Élisabeth, ce qui veut dire, entre autres choses, de ne pas *t'enfuir dans la maladie*.

Moi : hier : réveillé à 5 heures, rendormi, au travail à 7 heures, bain à 11 heures, sieste, promenade, travail, couché à 10 heures.

Aujourd'hui : réveillé à 5 heures, au travail à 6 1/2, bain, lecture et maintenant je pars pour Anacapri, dont c'es aujourd'hui la fête, voir la grande procession.

A tout à l'heure mon amour, ton Roger.

Mercredi midi
[A Élisabeth]

Hier donc, mon amour, mon amour, c'était Saint-Antoine, fête patronale d'Anacapri, je vous raconte les petits détails, parce que c'est la seule façon que vous viviez un peu avec moi malgré la séparation, et s'il fallait encore parler de mon cœur, il suffirait que je remplisse des pages en écrivant je vous aime, je t'aime, je te vous aime, je t'aime, je vous aime, je vous t'aime, hier donc je suis parti à cinq heures pour Anacapri et j'ai emmené avec moi Maria parce qu'elle était mélancolique, elle n'a pas de chance comme nous, son amour est malheureux, nous avons partagé une auto avec des tas de gens à Capri, il y avait dans une autre auto l'évêque de Sorrente, qui a l'air futé, et des tas de curés, la petite place là-haut était joliment décorée, avec des fleurs et des drapeaux, comme un tableau de Dufy, on a promené un gros Saint Antoine en bois, on a tiré énormément de fusées qui faisaient beaucoup de bruit, les cloches aussi pendant deux heures sans interruption, tout Capri était là, les filles ne sont pas belles, nous avons bu de la bière et Maria m'a expliqué qui était celui-ci et celle-là.

Et puis Maria s'est contractée parce qu'elle a aperçu le fiancé trompeur, et ensuite, mais pas ensemble, sa rivale qui est bien plus belle qu'elle, bien coiffée, et élégante. Et puis elle m'a fait une grande scène pour que j'aille trouver son fiancé et que je lui dise que Malaparte m'avait téléphoné pour me demander d'aller lui demander « d'être gentil » avec Maria. Étant heureux en amour, puisque vous m'aimez, je suis bienveillant pour les amours malheureuses et j'ai fini par accepter; et puis l'aventure était piquante. Nous avons perdu l'homme de vue, puis nous l'avons retrouvé à Capri. J'ai caché Maria, je suis allé vers lui, j'ai compromis Malaparte le moins possible, juste pour le prétexte, j'ai dit à l'homme que Maria est malheureuse, et je l'ai invité à dîner avec nous à la

Grappa d'Oro, que Maria m'avait indiquée; il a accepté. Au dessert, j'ai pris prétexte de ton amie napolitaine, qui se trouvait là et qui m'avait présenté au passage des amis à elle parlant français, pour les laisser seuls. Ils parlaient gentiment. Bon. Puis je les ai invités au Tabù, où va Edda Ciano, m'avait dit Maria, ils ont dansé ensemble, bon, pas d'Edda et rien que des Danois et des Allemands, moi j'ai gardé Puci-Puci, hélas! pour Maria l'homme nous a accompagnés jusqu'à Tragara, mais nous a plantés là, elle a passé quand même (peut-être) une bonne soirée, enfin j'ai fait ce que j'ai pu, mais sûrement pas une bonne nuit, pauvre Maria pas baisée.

Ce matin, il y a eu un orage, la mer est grosse, à peine moyen de nager, les vagues me poussent sur les rochers, mais c'est assez grisant, mon Elisabetta aurait peur, je travaille bien et mon corps est gentil, mon Elisabetta serait contente, à demain, mon amour, à tout à l'heure, ton

Roger.

J'ai tellement la certitude prouvée de ton amour et mon cœur est si bien amolli que je ne me sens plus seul. Je t'attends *presque* tranquillement, tu fais un voyage, mais arrabbiato[1] quand je pense qu'on te maltraite : écris-moi tous les détails, je dois tout savoir de ce qui t'arrive.

Jeudi (15 juin)
[A Élisabeth]

Le seul événement d'hier, ce fut ton coup de téléphone, ton télégramme n° 2 et ta carte de Sorrente, enfin apportés par Maria. Je suis inquiet de toi, mon amour, très inquiet; je te vois comme cela : un taon, tafano, cette méchante mouche qui affole les vaches, te poursuit, te harcèle, ne te laisse pas de répit, pas de sommeil, pas de détente, et tu cours, tu cours, tu cours, en te cachant la tête entre les mains, tu cours, tu cours, et j'ai très peur que tu ne tombes d'un coup,

1. *Enragé.*

avec les jambes brisées (comme il arrive quelquefois à une biche ou à un cerf que les chiens ont trop longtemps poursuivi : ses jambes se cassent).

Je ne veux pas aller contre ta loi intime. Mais tu dois rester lucide, tu dois ne pas te cacher la tête entre les mains, tu dois ne pas attendre que tes jambes cassent; cela veut dire que tu dois être bien consciente que tu peux à chaque instant venir te réfugier près de moi, et que, là, plus personne, ni plus rien ne peut rien contre toi. Il suffit d'une décision de toi. Mais surtout n'attends pas que tes jambes cassent.

Pour la semaine prochaine, je ferai, nous ferons ce qui nous permettra le plus facilement d'être ensemble, c'est à toi de décider, puisque moi je suis libre. Mais je préférerais de beaucoup, à cause de mon travail surtout, que tu viennes à Capri, c'est une remise en route de plusieurs jours chaque fois que je m'interromps. La sœur de Malaparte, timide, gauche, et certainement malheureuse, ne semble pas encombrante. Mais Maria, que son malheur d'amour affole décidément, veut partir d'ici quinze jours, je ne sais où. Devrais-je partir ? Ou pourrais-je au contraire rester, un peu comme gardien-protecteur de la maison, la sœur de Malaparte étant terrorisée par la solitude du lieu, et Malaparte semblant par ailleurs tenir à ce que sa maison ne reste pas vide ? Enfin, je ne peux rien décider dans une perspective de plus de quinze jours, avant :

1º la venue de Malaparte

2º les réponses de mes éditeurs parisiens (et de Mondadori).

C'est formidable ce qu'on abat de travail dans la matinée, en se réveillant à 5 heures, et en se mettant au travail à 6. A part quelques brûlures de soleil mon corps n'a pas été aussi bien depuis des années. Si mon Élisabeth était là, je serais l'homme le plus heureux de la terre.

A tout à l'heure mon amour,

Ton Roger.

Vendredi
[A Élisabeth]

J'ai eu seulement hier ta première lettre, de notre jour 13. Tu ne recevras celle-ci que Lundi, je ne parle donc pas du programme, je vais te téléphoner.

Un bon télégramme hier soir : « d'accord lettre suit Corrêa », c'est mon éditeur nº 2. Donc je suis, nous sommes, plus libres que jamais, il n'y a plus, il n'y a jamais eu de vraie entrave, que dans tes problèmes moraux avec tes tafanos ; et moi, qui ne comprends rien à la morale, je ne peux rien te dire à ce sujet.

Je vis comme une bête. Je nage beaucoup, j'ai déjà visité tous les coins de la petite crique au bas de la casa Malaparte et je commence à m'aventurer, un petit peu, un petit peu, au-delà de la pointe, petit à petit, petit à petit, parce que je n'ai pas encore retrouvé mon grand souffle (de montagnard). J'aborde l'une après l'autre chaque petite anse et je regarde toutes les bêtes, les plantes qui remuent dans les creux d'eau, je suis complètement nu, le soleil me brûle, c'est merveilleux. A dix heures, je dors comme une bête et Maria se moque de moi. A cinq heures ce matin, je respirais sur le toit, comme une bête qui s'étire, et à 11 heures j'avais déjà tapé, comme une bête, dix pages à la machine.

Mais les bêtes ont leur femelle, à qui elles font l'amour dans l'ombre qui est à côté du soleil, à qui elles montrent les petits animaux qu'elles chassent et les pages qu'elles tapent, contre qui elles dorment.

Moi, ma femelle est dans la ville du Papa, avec un escadron de tafanos à ses trousses. Pauvre Roger ! Pauvre, pauvre Elisabetta !

A tout à l'heure mon amour, ma bien aimée.

Ton Roger.

Dimanche 18 juin
[A Élisabeth]

Ta dernière sage lettre reçue est de jeudi, je fais des progrès, je crois avoir tout compris sans contresens, j'aime que tu m'aimes. Mais pourquoi ne m'as-tu pas dit que *** était allé à Firenze ? (selon Malaparte, d'après toi).

Malaparte est là depuis hier, très excité par la condamnation à l'index de *la Peau* par le Saint-Office ; je l'ai chaudement félicité. Va bene. Maria et Maria, Maria la bonne et Maria sa sœur, quittent Capri autour du 15 juillet. Il m'a dit que ça l'arrangeait que je reste jusqu'en octobre, car il ne veut pas confier la maison à Domenico seul, il me demande seulement de le prévenir pour qu'il puisse prendre ses dispositions si je me décide à partir entre-temps. Va bene. J'ai accepté. Domenico me fera une sorte de cuisine et les courses, on va chercher à Capri une blanchisseuse-lingère. Malaparte m'enverra éventuellement des hôtes (très passagers) et je ferai le maître de maison. Je vais installer mon cabinet de travail dans le salon géant, j'aime cela. J'apprendrai sérieusement l'italien. Le plan triennal sera réalisé pour cet été à 120 %, le camarade Staline me félicitera. Va bene. J'ai offert bien sûr de prendre ma part des frais, mais je crois que ce ne sera possible que par détour. Et quand Elisabetta viendra, je la recevrai comme une princesse du sang, comme Vénus de Cyrnos, dans mon château, va bene, va bene. Mais Maria n'est pas ravie, elle est jalouse, elle préférerait que la maison, sa maison, soit fermée en son absence, il va falloir que je lui ménage une autre entrevue avec son amant, voilà un métier de ruffiano.

Mais je me trouverai immobilisé à Capri — sauf à en partir définitivement, après préavis, si tu consens que je t'emmène à la montagne. Je ferai donc mon voyage en Calabre, *début juillet*, après notre rencontre, j'écris dans ce sens à Palermo, sénateur de Naples. *Donc je pourrai au 30 juin, 1er juillet, date que tu indiques dans ta lettre du 15, te voir* où ce sera le plus commode pour toi, *ou à Rome, ou à Naples, ou quelque part en Campanie ou dans le Latium, ou à Capri* (la sœur de Malaparte ne compte pas) *pour autant de jours que tu pourras. Il se peut même qu'il me soit nécessaire à ce moment-là d'aller à Rome pour compléter ma documentation. Je tiens absolument à ne pas être pour toi occasion de nouvelles fatigues, complications, etc.;* je ne veux pas être un *nouveau tafano, ajouté à tous tes tafani.*

J'ai peur d'ajouter du poids à la lettre, en ajoutant des pages, et qu'elle n'intrigue à son arrivée à Positano, quand ta mère la fera suivre, si tu pars mardi (elle n'arrivera qu'au courrier de mardi peut-être, malgré l'espresso).

Je ne te répète pas, c'est monotone, mais cela demeure totalement vrai, que tu restes sans cesse présente à moi, quand je travaille (je tiens le rythme des 10 pages quotidiennes), quand je nage (comme Tarzan, couteau à la ceinture, ligne à pêche à la ceinture, pour aller piéger les poissons dans les petites criques, mais ils ont cassé jusqu'ici toutes mes lignes), quand je vais chercher mon tabac à Capri, et lire *le Monde* à la terrasse du bar Tiberio (curieux mais pas sympathique spectacle, mais je vais entrer en contact avec les camarades de l'île, ce sera mon contact humain, plus humain), et quand je dors, c'est le plus triste, je te cherche, je te cherche.

A tout à l'heure ma bien aimée

ton Roger.

Mercredi
[A Élisabeth]

Juste ce mot, mon amour, après notre coup de téléphone pour que tu aies quelque chose de moi après-demain à la clinique.

Voici ce que je propose : je vais à Rome mercredi 28, jour de la distribution des prix de Gratienne. Nous partons le lendemain pour la montagne, pour les Abruzzes, où il y a des stations fort hautes, pas très loin de Rome, et nous y restons tant que tu peux, tu te reposes et je travaille et nous nous aimons, ce sera le paradis. Je regagnerai Capri quand tu ne voudras plus de moi. En passant par Rome, je prendrai une recommandation pour les camarades des Abruzzes, ce qui nous permettra de mieux voir et comprendre les choses.

J'ai travaillé formidablement bien aujourd'hui. Mon petit bouquin dépasse le cadre prévu, et j'apporte je crois quelque chose de nouveau à l'explication marxiste du phénomène historique catholique romain. C'est ce qu'il faut : expliquer, expliquer et encore expliquer (disent Lénine et Roger Vailland).

Je suis tout près de toi, tout près de toi, j'ai tout à t'expliquer, je comprends tout, la vie est merveilleuse et je ne suis plus un loup solitaire. Je t'aime, je t'aime, je t'aime, je t'aime.

A tout à l'heure mon amour, ton

Roger.

Capri, vendredi 23
[A Élisabeth]

Bienvenu fut hier soir le télégramme rassurant de ta mère, que j'étais allé attendre sur la piazza. J'étais anxieux, avec comme un mauvais pressentiment en moi. Ce n'est pas que je croie aux pressentiments, ou à la « voyance ». Mais je pense que, dans certains états ou dans certains moments, toutes sortes d'observations qu'on a faites inconsciemment sur un être, son visage, ses tics, son comportement, sa peau, sa forme, ses paroles, le ton de sa voix, se synthétisent et se concrétisent dans un pressentiment ou dans une vision. Les voyants sont seulement des êtres particulièrement doués pour réaliser rapidement, à première vue, et sans opération intellectuelle, cette synthèse.

Dans le cas d'hier, cela aurait signifié que, tout le temps que nous avons passé ensemble, au cours de ces derniers mois, ou certains jours de sensibilité particulière, j'aurais rassemblé, en te regardant, en te sentant, toutes sortes d'éléments propres à me persuader que ton état physique était plus grave qu'il ne paraissait, éléments qui se seraient soudain concrétisés dans mon pressentiment d'hier après-midi, dans ma voyance : je te voyais blanche, blanche, entre les draps blancs, et me réclamant.

Béni soit le ciel, que ce ne soit qu'un phantasme de l'imagination. Béni soit le ciel, cela pour moi veut dire : béni soit mon bonheur, ma chance, ma grâce dans la danse de la vie, notre bonheur, notre chance, notre grâce.

Ainsi donc j'ai passé un triste après-midi, à attendre ton télégramme, me distrayant comme je pouvais à élaborer une théorie du pressentiment et de la voyance, dont je te fais part.

L'anxiété fut particulièrement grande entre 2 heures et demie et 4 heures.

Si, mon amour, si, si, si, je comprends maintenant très bien ta lettre et je pense ne faire de contresens que de détails. Si je te parais répondre souvent à côté, c'est qu'il se passe finalement presque toujours 4 ou 5 jours entre le départ des lettres et l'arrivée des réponses. J'ai *moi aussi* l'impression que tu ne réponds pas à mes lettres. C'est qu'entre-temps nous écrivons d'autres lettres, nous oublions un peu les précédentes et nous ne savons plus à quoi répondent les réponses.

J'aime tout particulièrement tes dernières lettres, pour leur solidité, leur assurance, leur logique, qui n'ôte rien à la tendresse, ni à l'amour, au contraire, et voilà comment seront les amoureuses bolcheviks du XXIe siècle.

Oui, mon amour, je crois à ton amour, à sa solidité, à sa grandeur, à son non-égoïsme, à tout ce que tu m'en dis. Et moi aussi je t'aime, comme un homme du XXIe siècle. Et tout ira très bien si nous continuons à ne pas nous laisser égarer dans les mystifications, jalousies, possessivités, morbidesses, de la passion.

Béni soit le ciel, que nous soyons des gens très bien. Et que devient le jeune moine gauche au clair regard, que je t'ai fait connaître au bar de mon hôtel ?

Le travail et le corps vont de mieux en mieux. Je travaille en fait toute la journée, sauf l'apéritif du soir à Capri, et le bain du matin. Je traverse maintenant la crique Malaparte dans sa largeur, en 20 brasses sur le dos, au lieu de 32 le lendemain de ton départ. Et je monte à Capri, tout d'un trait, sans essoufflement.

Le projet Abruzzes est un peu remis en question par la venue *éventuelle* à Capri de D., retour de Paris et qui tient spécialement à voir longuement mon travail actuel et moi.

Je lui écris par le même courrier. Mais en Abruzzes, à Capri, à Rome ou en Chine, je m'arrangerai, avec ton aide, pour que nous passions plusieurs jours ensemble.

A tout à l'heure mon amour :

ton Roger.

[1950]

UNE MÉTHODE NOUVELLE ET SENSATIONNELLE POUR LIRE LES CARTES

le roi	l'homme, la souveraineté	◇ chef bienveillant. Staline. L'amant
		♡ l'amant heureux (synthèse mâle-femelle)
		♠ le mauvais ou terrible patron. Hitler
		♣ le maître des machines
la dame	est la dame	◇ la femme qui provoque des changements
		♡ Vénus
		♠ Phèdre
		♣ la ménagère, la femme d'affaires
le valet	le médiateur, du facteur à l'intelligence	◇ facteur, ruffiano
		♡ soupirant
		♠ professeur existentialiste
		♣ contremaître, banquier

le dix est l'achèvement, la perfection le verbe devenu substantif. Jamais verbe	◇ la maison
	♡ le dégoût
	♠ l'aube
	♣ la ruine

le neuf est le verbe faire et le substantif travail	◇ travailler, aller en voyage	donner, retenir
	♡ faire l'amour	rompre
	♠ faire le mal	combattre le mal
	♣ acquérir	perdre

le huit est la bêtise substantif	◇ un voyage, un travail
	♡ un amour
	♠ un mal
	♣ un objet

le sept est l'intention du neuf

l'as est l'action, jamais substantif, toujours verbe	◇ agir ♡ subir, refuser de subir ♠ nier, affirmer ♣
le rouge est la lumière	*le carreau* : le mouvement, l'action, la transformation *le cœur* : la passion, la passivité, la matière
le noir est la nuit	*le pique* : la négation, la destruction *le trèfle* : l'objet

Il est vrai et pas vrai que ces définitions sont arbitraires [1].

1. Roger Vailland a écrit après coup : « S'il y a quelque chose de vrai dans la religion, ce sont les *superstitions*. Certaines maisons sont réellement hantées. Certains gestes révèlent, engagent, sont efficaces.

» Il y aurait intérêt à repenser les croyances populaires en fonction de la dialectique matérialiste. Mais il faut liquider les thomistes et autres métaphysiciens du christianisme, au même titre que les antisémites : les uns et les autres ont détourné, au profit de la défense des privilégiés, de *saines réactions populaires*.

» Dans *certaines conditions*, l'addition d'un certain nombre de sensations change qualitativement la perception qui devient voyance. L'erreur des théosophes, etc., y compris les surréalistes, est d'interpréter la voyance dans les termes de la perception courante. Seul le matérialisme dialectique permettra une interprétation juste. »

[*Journal intime*]
Capri, Casa Malaparte, dimanche 25 juin

Du 12 au 25 juin lettre quotidienne à Elisabetta. Série articles *Tribune des Nations* et deux premiers chapitres de *Lettres de Rome* sur le Vatican. Nage, soleil, sobriété, corps reconstitué. Régime : alcool : seulement quelques verres de vin léger pendant les repas et accidentellement, mais à tort, un negroni à l'apéritif du soir (tentation de la Piazza) + photodyn + 2 simpamina par jour, le premier au réveil, à 4 heures du matin, le second au milieu de l'après-midi + thé, d'abord huit à neuf, maintenant cinq à sept heures de sommeil par jour, quatre à huit heures de travail effectif. Marche accidentée casa Capri ou équivalent dans rochers, quotidiennement.

Projets de courts essais :

— Civilisations de l'alcool, Américaines-cains à Capri, Italie civilisation du café.

— La voyance à Capri.

— Maria ou pourquoi le régime féodal implique superstition : tout s'obtient en sachant charmer le bon vouloir des maîtres. L'argent, la manna bourgeoise, s'obtient aussi par charme, seuls les grands bourgeois et les ouvriers savent comment se fabrique l'argent; encore les grands bourgeois croient-ils aux lois fatales de l'économie, etc.

Superstition : c'est ainsi et on ne peut le changer que

par magie. L'appel à la confiance, en matière financière.

Si Maria était ouvrière, elle serait militante communiste. L'importance de l'usine, ce n'est pas seulement la concentration de la main-d'œuvre, c'est qu'elle se fait et transforme la matière, ce dont, non seulement le patron, mais aussi chaque ouvrier, est bien obligé de prendre conscience.

Faire : le matérialisme a pris naissance chez les maçons.

Le régime auquel sont soumis intellectuels et artistes est encore féodal : d'où quasi impossibilité d'en faire des communistes. Le journalisme industriel, *Paris-Soir*, à la base de ma formation marxiste.

Dimanche, 25 juin
[A Élisabeth]

Tes télégrammes, tes télégrammes, va bene, va bene.

Ta lettre de Mercredi, va bene, c'est très bien d'avoir donné l'hospitalité à la jeune amoureuse fiorentina.

Le programme? J'attends la réponse de D. Mais de toutes manières, je vais à Rome, soit le 29, soit le 3, et nous partons ensemble, plus probablement le 29. Andremo (?) dans les Abruzzes.

Je viens d'écrire à ma « cousine » Annie[1] : « Vailland n'est plus l'homme le plus seul dans le monde! » Je relis tes lettres : c'est bien vrai que tu m'aimes, exactement comme j'aurais pu désirer être aimé. J'aime ton amour.

Il doit y avoir une fête sur la côte d'en face, versant Sorrente, des fusées éclatent, va bene.

Maria, la servante, et Maria, la sœur de Malaparte, se sont liées d'amitié sur le plan de la sorcellerie. Elles passent toutes leurs journées à faire des réussites (avec les cartes), à faire le blanc d'œuf (dans un verre d'eau), et à lire la clef des songes. Il y a aussi les esprits de tous les défunts de leurs familles qui viennent la nuit leur raconter des histoires. Maria-servante a même vu « dans une piscine d'eau claire », l'enfant de ma femme! Le gros événement en cours, c'est les

1. *Annie Hervé.*

talismans que la sorcière de Capri est en train de leur préparer pour que leurs amant et mari reviennent à elles. Un peu fatigante la Maria, mais elle m'apprend beaucoup de choses sur un certain peuple italien, j'ai noté dans mon journal :

« Maria, ou pourquoi le régime féodal implique superstitions (dont le christianisme catholique) : c'est que tout s'obtient et ne s'obtient qu'en sachant *charmer* le bon vouloir des maîtres... * L'importance de l'usine, ce n'est pas seulement la concentration de la main-d'œuvre, c'est surtout que l'usine *se fait* avec les mains et l'intelligence, est matière transformée par l'homme afin de transformer la matière... seuls les grands patrons, ceux qui créent des usines, et les ouvriers d'usine, qui les font et les font marcher, peuvent être des matérialistes conséquents... si Maria était ouvrière d'usine, elle serait communiste, etc. etc. »

Fait connaissance de Cagneta, communiste, professeur de philosophie chargé de cours à l'Université de Messine. Appris avec stupéfaction que beaucoup d'intellectuels communistes italiens repoussaient, condamnaient la « philosophie des lumières », l'illuminisme vous dites, des rationalistes français du XVIIIe siècle, l'une des trois sources pourtant de la pensée de Marx. Les Italiens auraient pourtant bien besoin de lire les « illuministes » français !

Je t'aime, à tout à l'heure, au téléphone, mon amour.

Ton Roger.

[*Journal intime*]
Capri, 26 juin

Cagnetta (et Mira) chargé de cours de philo université de Messine, origine féodale dans Pouilles, communiste, écrit 500 pages marxistes sur Capri, Robinson, l'homosexualité, etc.

Hier après dîner sur la Piazza, le lumpen-peuple, sur les marches de l'église comme au théâtre regarde les acteurs-clients.

* *charme :* en vieux français, « le procédé magique » des sorciers, puis tout moyen non rationnel d'agir sur autrui. *(Note insérée par Roger Vailland dans sa lettre.)*

Ce soir, orage et grosse houle.

Capri desespérée. Il était un rocher solitaire, piquant, brûlant, battu de toutes parts par mer, vint Krupp etc. et Tibère et maintenant les Américains. Au temps de l'occupation américaine les M.P. ont arrêté un soir à Capri 70 prostituées et les maris louaient leurs femmes aux nègres.

Ce soir au bar Tiberio, le genre bandit calabrais, et l'Allemande genre Nanette Simon.

Critique du sentiment de la nature.

Mardi 27, 15 heures
[A Élisabeth]

J'aime tes trois courageuses lettres de la clinique, mais elles ne constituent pour moi que des points de repère pour toutes les questions que je veux te poser.

A part le pubis devenu impubère, je vais avoir l'impression de détourner une mineure, que de plaisir en perspective, tu ne me dis rien de ta santé.

Mais ton coup de téléphone d'hier était gai et la voix bien assurée. Je conclus donc, volontairement optimiste, que les anxiétés de la clinique étaient le fruit de l'affaiblissement. Il y a toute une part de ta vie qui m'échappe complètement, tu es un peu pour moi comme les icebergs qui dérivent sur l'Océan Glacial, ce qui apparaît au-dessus de l'eau n'est qu'un vingtième de la masse totale, ce n'est pas bien sûr manque de sincérité de ta part — je crois totalement, je te le répète, à la sincérité, honnêteté, intégrité de ton amour — mais parce que toute une part de ta vie se déroule, dans un océan, un monde, un milieu, etc... auquel je ne comprends rien.

Je m'en vais à Capri porter cette lettre et acheter un masque-lunettes pour voir sous l'eau.

Le dessous de l'eau m'intrigue énormément depuis que je nage dans ma crique; c'est peut-être symboliquement à cause de mon Elisabetta-iceberg. Si tu veux encore me faire un cadeau, puisque le Casanova est réservé aux milliardaires, achète-moi un fusil-arbalète sous-marin, j'irai à la chasse aux tafani, ça aura peut-être une portée magique.

Capri est le pays le plus triste, le plus déchiré, le plus déchirant, désespéré et désespérant que je connaisse sur terre. Ça ne me gêne pas, puisque je vis enfermé dans mon couvent laïque (mais pas populaire), c'est au contraire plutôt excitant pour l'esprit. J'ai compris tout cela hier :

1° en voyant les peintures de Castello, peintre capriano, passé par Paris, les abstraits et les surréalistes, pas génial, mais écorché vif;

2° en me déchirant bien involontairement sur les rochers et dans les plantes piquantes, sous prétexte de raccourci, avec les jambes nues;

3° par suite d'un grand orage, qui a fait fuir tout le monde dans les cafés de la piazza, avec toute leur pourriture à vif;

4° encore l'orage... quand je vois les deux Marias faire toutes sortes de simagrées pagano-chrétiennes à cause de l'orage, alors qu'elles croient dur comme fer toutes les coneries sur l'U.R.S.S. qu'elles lisent dans *Il Tempo*, j'ai envie de leur foutre des gifles.

Mais je continue à bien travailler, et je vous aime plus que jamais. Je vous raconterai tout ce que j'ai vu sous la mer.

A tout à l'heure, mon amour. Ton

Roger.

Après échange de lettres, le contrat avec Corrêa est signé, dans des conditions honnêtes.

Capri, 18 h. 30, l'orage et toutes ses suites sont passés, la mer est calme, avec légère houle, je viens de revoir les peintures de Castello, il y a vraiment de très bonnes choses, et d'acheter le masque sous-marin, le plus beau de tous.

Je t'envoie la lettre, bien qu'elle marque un mouvement d'humeur à l'égard du monde, ce que j'y dis est d'ailleurs vrai, et d'abord que je t'aime, le reste demande des explications, et en particulier l'orage, les peintures et les jambes griffées.

Aucune nouvelle de D. et je n'ai pas revu Mia qui n'a pas le téléphone. Je t'appellerai Jeudi entre 15 et 16. Et très probablement à Vendredi.

Ton Roger.

[1950]

Vendredi 6 h 30 matin
[A Élisabeth]

Mon amour, juste ces quelques mots avant que Domenico parte pour Capri.

Le retour s'est bien passé, sauf ma petite douleur habituelle, gonflée sans doute par la chaleur, la marche et les cafés, devenue assez intolérable dans la soirée pour m'ôter même l'envie d'essayer mon fusil.

Il y a ici depuis quelques jours un majordome(?) du directeur du *Messaggero*, destiné je pense à remplacer Maria, qui fait une gueule épouvantable. Malaparte arrive Lundi, en principe.

Ci-joint les photos de Cagnetta; je n'ai ni doubles, ni pellicule, je le regrette pour deux que j'aurais voulu faire agrandir pour mon éditeur.

Je suis très anxieux d'avoir des nouvelles 1° de ta santé, 2° de ton retour à Rome.

Moi je t'aime comme je t'aime, t'aime, t'aime ma bien aimée, à tout à l'heure.

Roger.

[*Journal intime*]
Rifugio d'Aromagrio (Roccaraso) Abruzzes le 4 juillet

Départ de Capri, le 30 juin, matinée nez au vent dans Naples, la putain du restaurant, le quartier des putains, le marché, les marchands d'éventails vénitiens, la marchande de tortues, et dans l'autocar pour Rome, la « secrétaire » romaine, retour de vacances à Ischia, blonde, *cicciana*[1], narines ouvertes, et si visiblement bandante, qui me parle : « vous êtes Français, vous ressemblez à Cocteau, etc. » Elisabetta m'attend Piazza Esedra, à Rome.

L'arrivée au crépuscule, Elisabetta sur l'âne, sur le plateau d'Aromagna, avec l'immense nu cirque théâtral de toutes les Abruzzes. A l'approche du refuge l'attaque des grands chiens bergers blancs à muqueuses noires. Altitude 1450.

Aujourd'hui ascension mont Gréco 2280. Les bois de fayards puis les cirques nus superposés. Les bergers, les chiens. Grâce garçonnière d'Élisabeth, qui danse nue sur la neige, etc.

Le ragazzo qui nous met sur le chemin, le chauffeur de la jeep du refuge. Les bergers : confusion, mauvaise conscience politique, désespoir, résignation. Le peuple le plus abandonné du monde.

Cent anecdotes d'Élisabeth sur féodalisme des couples italiens. [...] Pour une catholique romaine, l'adultère est moins grave si pour rendre service au mari, ou à la mère, ou aux enfants, etc., que plaisir.

Pourquoi les bergers des Abruzzes préfèrent-ils être seuls? De toute manière c'est un métier condamné. Il faudra planter ces montagnes de fayards, etc. Le marxiste, comme le bourgeois, l'un sur le plan collectif, l'autre pour son seul profit, songe d'abord à transformer la nature; le sentiment de la nature? Romantisme, nostalgie féodale.

Dimanche, 11 h 30
[A Élisabeth]

Ta première lettre, mon amour, arrivée hier soir, envoyée à ton arrivée à Rome m'a rempli de joie. Je ne peux rêver d'être davantage pour un être, que ce que tu me dis que je suis pour toi : ta lucidité et ton courage. Va bene, va bene, la vie est belle.

1. *Très grosse (argot romain).*

J'aime bien aussi que mon « éducation » (de toi) ait des répercussions sur ta famiglia. Voilà du bon travail.

En ce qui concerne la guerre de Corée, je t'ai envoyé hier chez toi les éléments d'une explication et d'une argumentation. Mais tu avais déjà réagi très justement. Les peuples sont amenés à assumer leur destin, c'est-à-dire à prendre la responsabilité de transformer le monde; c'est un combat et tout combat fait des victimes, cela vaut quand même mieux que la résignation.

Il est normal, logique, juste, nécessaire, honnête, fondamentalement juste que l'URSS où le peuple est au pouvoir soutienne le peuple coréen dans sa lutte contre la bourgeoisie coréenne et son alliée et dominatrice, l'Amérique bourgeoise; la *camaraderie* l'exige. De même, l'URSS *devra* un jour soutenir les peuples italiens et français dans leur lutte révolutionnaire contre leurs bourgeoisies et l'Amérique qui les soutient, et les peuples italiens et français *devront* soutenir l'URSS, si l'Amérique et leurs bourgeoisies l'attaquent : la *camaraderie* l'exige.

Pour l'instant, l'URSS n'aide la Corée que par des envois d'armes, d'éducateurs, etc...; c'est juste, parce que l'intérêt de l'ensemble des peuples exige qu'une guerre générale soit évitée, dans toute la mesure du possible, c'est-à-dire tant que l'URSS, premier bastion du prolétariat maître de lui-même, n'est pas formellement attaquée.

19 h 30

Travaillé tout l'après-midi. Le rythme a mis deux jours à se retrouver, mais aujourd'hui c'est fait, la quatrième lettre est presque achevée. J'aime que tu aimes mon travail, et *ce travail-là* aussi.

Je n'ai pas encore tué un seul poisson, les trois premières séances ont été essentiellement consacrées à me débrouiller dans les multiples enchevêtrements du casque, du fusil, des cordes du fusil et des palmes des pieds, c'est de l'acrobatie, mais j'y arrive peu à peu, le plus important est d'économiser les gestes, dont la multiplication fait perdre le souffle, et l'essoufflement fait perdre le contrôle de soi. J'ai eu bien peur le premier jour, en me trouvant je ne savais où dans la crique, enchevêtré je ne savais comment, et sans plus de souffle. Mais cela ne se renouvellera pas, je suis devenu d'une prudence de serpent, drôle de lion!

Depuis mon arrivée à Capri, je ne suis pas retourné sur la piazza. Mais ce soir, dimanche, il faut inviter les Marias à dîner, elles m'emmerdent. Cette nuit, Maria-la-sœur a réveillé la maison par de grands cris; elle prétendait s'être réveillée avec un rat « nero come la peste! » dans son lit! Elle doit faire du delirium tremens.

Je suis nero come la peste, mais le cœur amolli, je vous aime plus que jamais.

A tout à l'heure mon amour

Ton Roger.

Lundi 10, 17 heures
[A Élisabeth]

Personne n'est encore allé chercher le courrier, je m'ennuie d'Elisabetta, je ne sais rien d'elle depuis sa lettre de Jeudi; rien du médecin, rien des tafani.

Mon amour, mon amour, vous serez bien malheureuse quand nous vivrons ensemble, parce que je suis un ivrogne, et il est bien connu que les femmes des ivrognes sont malheureuses.

Hier soir donc, mon amour, mon amour, aussitôt close ma lettre à vous, je montai à Capri rejoindre les deux Marias, que j'avais invitées à dîner, en l'honneur du Dimanche, c'est le rite. Puis je les emmenai boire un verre au Quisisiana, dix minutes, et je m'aperçois que je m'ennuie intolérablement, je n'ose sonner le départ, crainte de les vexer, enfin j'imagine de dire à Maria que je vais voir sur la Piazza si je ne vois pas son fiancé, je vais rôder sur la Piazza, puis faire le tour du Tabù, c'est triste, je descends à Number Two, je traverse la piste de danse, je m'approche du bar, et soudain je vois :

posée bien en évidence sur le bar, une bouteille de Pernod 45.

J'ai eu un choc, car je suis un ivrogne, et pourquoi ne serais-je pas un ivrogne ? Il faut reconnaître l'évidence : j'aime les endroits où l'on boit des alcools, les gens qui boivent de l'alcool, et boire des alcools fortes et tout particulièrement du Pernod avec des gens qui boivent des alcools fortes. Alors commence un ballet, dont les figures se font de plus en plus belles et qui ne s'achève que quand je m'endors ivre mort. Voilà comment je suis.

J'aime presque autant le ballet des nuits saoules que la lucidité des grandes matinées de travail. Voilà comment je suis. La vie idéale serait de se saouler toutes les nuits et d'être merveilleusement lucide tous les matins. L'ennui est qu'on ne peut pas être lucide le matin quand on s'est saoulé toute la nuit. Voilà une contradiction, qu'il s'agit de résoudre dialectiquement.

La solution dialectique d'une contradiction qui se situe dans le temps est le rythme. Les sociétés antiques l'avaient deviné en divisant l'année en jours de travail, temps de concentration, et en jours de fête, où *tout* était permis, temps de dispersion, c'est le rythme même de la respiration. Il en est resté dans les temps chrétiens le Carnaval. Plus la concentration est grande, plus la détente est intense, et inversement. Le tout est de trouver le bon rythme.

Combien de jours par an, ou par mois faut-il se saouler, consécutivement, ou pas, etc... tel est le problème à résoudre, problème de rythmique, pour avoir la lucidité et la saoulerie, la plus efficace et la plus agréable. Mon amour, mon amour, mon amour, il faudra m'aider à résoudre ce problème.

Cette nuit, donc, je me suis bien saoulé et énormément amusé, il faut bien le dire, il faut bien le dire, j'ai promis de tout vous dire. Les deux Marias se sont enfuies. Le ballet m'a donné successivement pour compagnons un prince romain, dont j'ai oublié le nom, un musicien nègre et un maçon napolitain. Une âme bienveillante a téléphoné vers l'aube à Maria, pour qu'elle envoie Domenico au-devant de moi. Le maçon m'a accompagné jusqu'à la rencontre de Domenico. J'ai très bien dormi. Et maintenant, frais, dispos, lucide, un vrai lion, je me mets au travail.

ET JE VOUS AIME VOUS AIME VOUS AIME VOUS AIME VOUS AIME VOUS AIME VOUS AIME PLUS QUE JAMAIS.

Ton

Roger.

Ce n'est pas vrai : tu ne seras pas malheureuse avec moi, parce que je t'aime et nous nous saoulerons ensemble.

Mardi 11 juillet
[A Élisabeth]

La quatrième lettre est finie, la cinquième commence, la pêche sous-marine est toujours négative, bien que je commence à me *délier* les jambes et le souffle, mais ce sont les poissons qui n'étaient pas là ce matin, j'ai inscrit un essai sur l'ivresse au plan triennal, et aussi un essai sur la voyance, voilà pour moi. Mon corps va bien malgré la saoulerie de Dimanche.

Bien pour le lit, pour Pippo[1], pour la discrétion de Prampolini et très bien pour ta certitude de guérir, mais pour Positano, je préférerais que tu trouves une solution plus astucieuse que Johnny pour notre correspondance.

Le thé est arrivé. Merci. Tu me rendrais encore le plus grand service :

1° en m'envoyant d'urgence un numéro du *Giornale della sera*, daté 25 décembre 1949 ou 24 ou 26, dans lequel il y a en troisième page un article sur le Russicum. Tu trouveras cela très facilement en consultant la collection du journal à son siège à Rome.

2° d'urgence également, les 6 ou 7 numéros de *L'Osservatore* qui ont suivi la décision américaine d'intervenir en Corée.

3° c'est moins urgent : un petit livre de Lamennais, intitulé *Lettres de Rome* — ou un titre de ce genre — épuisé en librairie, mais qui se trouvait d'occasion, il y a deux mois, chez un bouquiniste, dans le prolongement de

1. *Le père d'Elisabeth.*

la Via Condotti, entre la Place Borghese et le Pont Umberto, probablement via di Monte Brianzo, sur le trottoir de gauche quand on vient de chez toi, et dans la boutique, sur un casier, à main droite quand on vient de la rue, au fond, à hauteur d'homme. On me l'a proposé à ce moment-là pour mille lires, mais je pense qu'une Italienne doit pouvoir l'obtenir à moitié prix. J'ai eu l'avarice de ne pas l'acheter, et maintenant il me serait utile pour mon travail.

MERCI MERCI MERCI MERCI MERCI MERCI MERCI MERCI.

Depuis ma lettre à toi d'hier j'ai pensé beaucoup de choses sur les FÊTES.

Notre amour a été une suite de FÊTES, tu y as été très justement sensible, nous en parlions dans l'autocar entre Roccaraso et Napoli, une succession rythmique de *temps :*

la séparation est le *temps* travail
la réunion le *temps* fête
il y a eu les fêtes de Sceaux, de Sèvres,
les grandes fêtes dans le sous-marin
la fête très solennelle de Monte Cavo
la fête de Capri et la fête d'Aramogna

Si au lieu de consacrer tes *temps* de travail à un travail d'épouse féodale, c'est-à-dire mi-prostitution, mi-servage (une putain quand elle aime son amant n'est pas une prostituée, tu es ma putain), si tu étais par exemple ouvrière d'usine (ou n'importe quel travail digne) et militante communiste, nous serions je pense parfaitement heureux avec ce genre de vie.

Le péril pour le couple qui fait vie commune c'est qu'il y a union et non réunion et réunions, le rythme disparaît, l'amour cesse d'être une fête, une succession rythmique de fêtes. Mais à cela aussi on peut trouver une solution dialectique : ELLE RÉSIDE JE PENSE DANS LA RITUALISATION DE L'ÉROTISME :

C'EST SURTOUT A PARTIR DU MOMENT OU NOUS VIVRONS ENSEMBLE QUE TU DEVRAS ÊTRE UNE PUTAIN

ma putain,

et j'ai encore pensé mille autres choses sur ce thème mais il est six heures et je dois monter à Capri pour faire affûter la fourche de mon fusil que j'ai épointée en tirant sur un rocher en place du poisson qui s'était sauvé ou que j'avais mal visé putain de poisson gentille putain je chasse les poissons putains en pensant à ma putain

je ne boirai pas de Pernod ce n'est pas tous les jours dimanche ce n'est pas tous les jours fête je ne caresserai pas ma putain ce n'est pas tous les jours fête la belle ivresse que ce sera de boire le pernodfoutre de ma

ma putain

A TOUT A L'HEURE MA BELLE BEL LISABETH BELLE ISA BELLE BELLE BELLE MA PUTAIN QUE J'AIME

Ton

Roger.

Je t'aime, ma putain personnelle.

Le 12 juillet, 11 heures

[A Élisabeth]

Mon amour, mon amour, mon amour, j'aime de plus en plus vos lettres calmes paisibles confiantes dignes lucides tendres pitoyables aimantes élisabéthéennes.

N'est-ce pas Élisabeth cette reine de Suède qui correspondait avec Descartes, voilà que je ne suis plus sûr de son nom, toutes les femmes qui me touchent le cœur s'appellent maintenant Élisabeth.

Levé depuis quatre heures et demie, le soleil est monté au-dessus de la montagne, un peu à gauche de Positano, tout d'un coup, et puis très vite dans le ciel, pendant que j'étudiais ma méthode d'italien, dans la chaise longue, sur le toit; un troisième essai au programme triennal : le sentiment de la nature, dans ses rapports avec la pensée bourgeoise et non bourgeoise. La matinée fut très lucide, avec ton thé pour seul accompagnement dopant, et la totalité des cinquième et sixième lettres est maintenant bâtie, elles seront achevées d'ici Samedi.

Connu hier sur la piazza, par Castello, un certain Arrighi, corse, professeur à l'Institut français de Naples, ancien élève de ma khâgne à Louis-le-Grand, et tous deux admirateurs de mes œuvres, des gens de goût. Plein d'anecdotes piquantes sur la société napolitaine et le cardinal. Et il avait tué le matin même, sous-marinement, deux poissons,

donc je vais le rejoindre tout à l'heure en barque, à la Torre Saracena, pour prendre une leçon,

trouvé hier un serpent petit mais de sale gueule dans la salle de bains, qui à ma vue a eu tellement peur qu'il est allé se lover dans la fente du chambranle de la porte. J'ai eu le malheur d'en informer les deux Marias :

Maria la sœur s'est à peu près évanouie,

Maria la bonne est allée chercher du ciment pour MURER LE SERPENT DANS SA CACHETTE

à quoi je me suis opposé, gentil serpent, gentil serpent, elle m'a approuvé, non par serpentophilie, mais parce qu'une de ses superstitions lui interdit de tuer les serpents. Alors, ELLE A QUAND MÊME MURÉ LE SERPENT, MAIS EN LAISSANT UN PETIT TROU POUR QU'IL PUISSE S'ÉCHAPPER, ET EN POSANT FACE AU PETIT TROU UNE PLANCHE INCLINÉE MONTANT JUSQU'A LA FENÊTRE, POUR L'INVITER A SORTIR.

Maria la bonne est allée ce matin accompagner à Naples Maria la sœur qui s'en va (provisoirement). On attend Malaparte qui doit donner de l'argent à Maria la bonne pour qu'elle puisse aller chez son père. Les cartes lui annoncent toutes sortes de biens de ce voyage.

A TOUT A L'HEURE MON AMOUR MON AMOUR MON AMOUR MON AMOUR

Ton Roger qui t'aime d'amour.

[1950]

Lundi 24 juillet
[A Élisabeth]

Je t'ai laissée dans ton car « de luxe » et j'avais envie de toi, et j'ai envie de toi, ma maîtresse, mon esclave, ma bien aimée, ma putain, ma putain, ma bien aimée putain, ma putain bien aimée, comme je n'ai encore jamais eu envie de toi, j'y pense tout le temps.

Sur le quai j'ai rencontré Mia, et Landau qui la raccompagnait de Rome en voiture, on a parlé des événements, A BAS LES AMERLOS, MORT AUX YANKEES, AUX YANCULS, AUX YANCONS, AUX YANCONSCULS.

Sur la piazza, un verre avec Arrighi, et puis j'ai dormi, très tôt, très longtemps, j'étais tout battu de toutes sortes de fatigues, et de la meilleure qui est de t'avoir tant aimée. Ce matin le travail a tout de suite bien marché, mais seulement à 9 heures, je voudrais tant avoir fini d'ici la fin de la semaine.

A midi, Maria qui est devenue d'une extrême gentillesse a découvert qu'il restait dans la cave, du temps des Amerlos, un petit bateau de caoutchouc, qu'on a gonflé et mis à l'eau, il y a juste un tout petit trou, mais ça flotte déjà, que je vais faire réparer, voilà toute ma vie de chasseur changée, je vais pouvoir aller n'importe où par mes propres moyens. C'est formidable!

Je pars maintenant pour Capri, chez le tailleur et la chemisière, va bene, va bene à tout à l'heure, ma bien aimée, que j'aime plus que jamais, à tout à l'heure, ma bien aimée putain, ma putain bien aimée.

Ton Roger.

Mardi 25 juillet
[A Élisabeth]

Je viens de trouver sur la fenêtre un délicieux petit fouet qui a servi et qui servira à châtier l'esclave bien aimée. Comme j'ai envie de toi, mon amour, dans le demi-sommeil du début de l'après-midi, j'ai fait de formidables rêves érotiques, j'y ai même eu de toi la seule chose (j'excepte le meurtre et les blessures graves) que je n'ai encore demandée à aucune maîtresse, nous en reparlerons, nous en reparlerons.

Le travail à toutes pompes — Papa Pius prends garde à toi et tremblez Amerlos — mais serai-je prêt dimanche? Il me reste encore au moins trente pages à écrire, mais peut-être lundi qui est le 31 et la SAINT-IGNACE DE LOYOLA.

ENFIN SITÔT TERMINÉ JE COURS A ROME, et cette fois ce sera peut-être moi l'esclave — EN TOUT CAS JE TÉLÉPHONE VENDREDI OU SAMEDI.

Hier soir sur la piazza, avec Castello (qui te trouve entre autres choses très attirante sexuellement, « que de promesses dans ce visage, quelle femme sûrement extravibrante, etc... ») grande conversation sur la transformation des Faraglioni en centre de loisirs, nous allons faire deux projets, l'un pour le syndicat des métallos, l'autre pour celui des jardiniers progressistes.

Ce matin, grâce à la barque, découverte de nouveaux espaces sous-marins. En avant de la crique, à une profondeur d'une douzaine de mètres, il y a un grand plateau herbu, parmi lequel brillent de grands poissons plats (des soles?) à reflets d'argent. Et juste à la pointe, sous la maison, arrivaient des millions de sardines, et puis de gros poissons noirs, à sale gueule, vinrent se jeter dedans et en manger à crever d'indigestion; mon fusil ne sera affûté que demain...

Le tailleur, un copain, a pris les mesures, et la chemisière aussi, j'ai minutieusement décrit les coupes que je voulais, je serai tout prêt pour la PRISE DU POUVOIR.

Dans deux articles différents du *Monde*, deux correspondants de guerre américains racontent à propos du général Dean (dieu ait son âme, ils s'entendront bien ensemble) : « la dernière fois qu'on l'a vu, il se battait comme un tigre », et « la dernière fois qu'on l'a vu, il était assis devant son P.C., dans l'attitude du plus profond accablement ».

A TOUT A L'HEURE MON AMOUR A TOUT A L'HEURE

Ton Roger

qui t'aime.

Mercredi 26 juillet
[A Élisabeth]

MON AMOUR MON AMOUR MON AMOUR MON AMOUR MON AMOUR j'ai répondu d'avance, hier et avant-hier, à votre lettre de Dimanche soir, que j'ai trouvée à Capri, hier soir. Déjà j'ai dit comme j'étais émerveillé et hanté de ma putain personnelle. Notre amour, en cette septième fête, a pris comme une nouvelle dimension ; c'est un peu comme la découverte du monde sous-marin : je sens une anxiété voluptueuse, une peur qui est en même temps un plaisir, comme en entrant dans les parties sombres de la mer, ou bien sur le bord des grandes profondeurs, à la pointe de la crique, quand je pense à tout ce qui s'ouvre à nous depuis la découverte et l'acceptation de nostra comune puttaneria. Tout se serre en moi, du creux de la poitrine au bas du ventre, et je bande, dès que je pense à ta peau (je la sens dans le bout de mes doigts) et à ton regard dans l'amour.

Tu n'avais encore jamais été si belle, si émouvante, et si érotiquement bouleversante, que Samedi à Capri, et Dimanche à Naples.

Je répète ma lettre d'hier; j'espère avoir fini mon livre pour la Saint Ignace de Loyola, ce qui me rendrait possible d'aller à Rome le Mardi 1er. PUIS NOUS RENTRERIONS ENSEMBLE A CAPRI.

Il est 9 heures du matin, la mer est prodigieusement calme et transparente, si tentante que je change le programme de la journée. Je vais descendre maintenant à la chasse, supprimer la piazza, et essayer de faire d'une traite, de 4 heures à 10 heures de la nuit, mon avant-dernier chapitre.

18 heures. Je n'ai pas encore tué, mais j'ai découvert de mon corps dans l'eau la faculté de se déplacer *en profondeur*, c'est une nouvelle révélation. Je travaille. Je donne la lettre à Maria qui monte à Capri.

Merci, merci pour le thé.

A tout à l'heure mon amour,

Ton Roger.

Jeudi 27 juillet
[A Élisabeth]

Il est dix heures et demie du matin, et je suis extraordinairement heureux. Voilà, mon amour, ce qui s'est passé. Hier soir, j'étais mal foutu, et fiévreux, pour être, je pense, resté le matin trop longtemps dans l'eau, sous l'eau, et au soleil dans la barque, enfin le travail a marché moins bien que je ne l'espérais, et je me suis endormi dès minuit d'un sommeil très profond. Mais réveillé très tôt, je suis monté sur la terrasse, dans un état de très grande excitation, et ma prochaine pièce, celle à laquelle je rêvais, au sens le plus concret du mot, toutes ces dernières semaines, est sortie de moi toute construite, avec tous ses personnages, ses décors, déjà découpée en actes, avec quelques scènes déjà bâties dans le détail, et même des répliques. J'ai pris quelques notes hâtives. J'ai eu à plusieurs reprises les larmes aux yeux.

Cela s'appellera *Le major Brown est porté disparu*. Le major Brown est un officier américain en Corée, plutôt brave type et même un peu progressiste, ex-universitaire, à lunettes, con et con-vaincu qu'il est allé défendre la liberté en Corée. Il a installé son command-post assez loin du front, dont la mission est d'assurer les communications et le ravitaillement, chez des bourgeois coréens, collabos; il a pris comme secrétaire la jeune fille de la maison, Léa, qui a fait ses études dans une université américaine d'Asie. Pendant tout le premier acte, la menace des partisans croît. Brown, avec des tas de remords, prend des mesures de sévérité d'une rigueur croissante. Les parents de Léa l'encouragent à la cruauté; il faut faire peur aux communistes. Des incidents lui font douter de la justice de sa mission; mais il sévit quand même, quoique avec autant de modération que possible, la guerre est la guerre et le devoir militaire le devoir. Des documents militaires disparaissent, il doute un instant de Léa, mais elle lui prouve sa fidélité à l'Amérique en prenant l'initiative d'une mesure efficace contre les partisans. A la fin de l'acte, Hué, le chef des partisans, est amené prisonnier.

Deuxième acte, dialogue Brown-Hué; Brown est bouleversé par la rigueur de Hué, il doute de plus en plus de défendre une cause juste. Mais la menace des partisans s'accroît, on les sent partout présents, la peur s'installe au command-post. Les parents de Léa s'enfuient en Amérique, elle reste, son père lui demande pardon, cette scène peut être terriblement dure. Les partisans attaquent une jeep à la grenade, devant la maison du command-post. Pris de panique, Brown décide de faire exécuter Hué. Hué et Léa seuls, juste avant l'exécution; sentinelles américaines aux quatre coins de la scène. Hué et Léa parlent à voix basse, sur l'avant-scène; Léa dit que le gros des partisans est en train d'encercler la petite ville, qu'ils attaqueront et prendront à l'aube [...].

C'est elle qui passe les documents militaires américains aux partisans. Suit un dialogue très tendrement fraternel; Hué charge Léa de messages pour ses camarades et pour son amie, puis ils évoquent le monde de demain :

Hué — Les jeunes filles seront belles.

Léa — Elles seront plus belles qu'aujourd'hui.

Etc., etc.

Les Amerlos viennent chercher Hué. On entend en coulisse la salve de l'exécution. Puis les partisans arrivent. Brown s'est déguisé en simple soldat, mais Léa le désigne aux partisans et il est arrêté.

Le troisième acte est tout entier consacré au jugement du major Brown, par un tribunal populaire d'ouvriers et de paysans. Le problème est de décider s'il doit être traité comme prisonnier ou comme criminel de guerre. Les scènes sont coupées par des fragments d'émissions de la radio, tantôt l'américaine, tantôt la coréenne, qui annoncent les victoires de l'armée populaire, et le bombardement des villes coréennes par l'aviation américaine. Léa témoigne contre Brown, sans haine, mais fermement, en vraie bolchevik. Brown plaide *coupable ;* il est condamné et immédiatement exécuté : feu de salve dans la coulisse, au même moment la radio américaine annonce : « le major Brown est disparu », et commence l'éloge de son héroïsme; mais la voix du speaker est étouffée par le chant des partisans qui entrent en scène, avec le cercueil de Hué, couvert de fleurs rouges. Toute la salle debout reprend en chœur le Chant des Partisans. Rideau. (Le tribunal populaire est moitié sur la scène, moitié dans la salle, parmi les spectateurs.)

Un personnage secondaire sera le lieutenant américain Joe, belle bête sportive, à qui Brown confie ses scrupules, qui prend tout à la rigolade et avec la virilité du combat, et qui est tué, sans avoir compris pourquoi il se battait, au cours de l'attaque de la jeep.

Un seul décor; le command-post américain chez les bourgeois coréens. Cinq rôles seulement exigent des acteurs professionnels : Brown, Léa, Hué, le père de Léa, Joe, tous les autres peuvent être tenus par des militants amateurs de théâtre. La pièce peut donc être jouée, à Paris, en banlieue et en province, dans n'importe quelle salle de syndicat ou de mairie communiste. La loi française ne permet pas d'interdire une pièce par censure, mais seulement par mesure de police, si elle provoque des bagarres dans la salle, ce qui ne peut être le cas, si ma pièce est jouée en représentations privées, sur invitation des syndicats, etc. Le seul problème est donc d'obtenir l'appui du Parti, qui me semble tout acquis sur ce thème. Et puis il y aura les théâtres des républiques populaires, y compris celle de Corée.

Ce n'est bien entendu qu'un canevas que je viens de t'indiquer, mais je le crois suffisant pour exprimer toutes les colères et tous les espoirs qui bouillonnent en moi. Tout dépend bien sûr de ce que je vais maintenant y mettre, mais je sens cela tout mûr. L'efficacité sera d'autant plus grande que Brown et Joe seront plus humains, moins caricaturaux, ce sont les circonstances historiques, leur éducation, etc. qui les font se conduire en ennemis des peuples et exigent leur condamnation; Léa au premier acte devra se conduire tout à fait en jeune fille américaine, enfin, américanisée, bien élevée, servir le thé, danser, flirter. Mais au dernier acte, elle citera Saint-Just : « il ne doit pas y avoir de liberté, pour les ennemis de la liberté ». Hué ce sera moi. Et Léa toi.

Le major Brown plaidera coupable, et dans l'ambiance du Tribunal populaire reconnaîtra qu'il a été un ennemi du peuple et se repentira publiquement. C'est dans la logique du personnage et, si c'est bien fait, servira à l'explication des fameux procès des républiques populaires, que les cons s'obstinent à trouver mystérieux.

Le major Brown est porté disparu s'inscrit en priorité sur mon plan triennal, comme il était prévu pour la pièce de cette année. Je m'y mettrai dès achevé le Pape, c'est-à-dire à la fin de la semaine prochaine, au retour de Rome; et doit être terminé à Capri. Il est midi, je suis claqué.

Il est 16 heures, je me réveille, bonjour mon amour, que pensez-vous de ma pièce? les écueils du sujet, l'emphase, le pathos, le parti pris, sont bien plus sensibles au stade actuel que plus tard, car tu sais comme à l'exécution je sais les éviter.

Merci pour les photos, celle de face correspond tout à fait à l'image que j'aime qu'on se fasse de moi, je vais avoir beaucoup d'admiratrices du genre sérieux.

Merci de t'occuper du Lamennais, ce sont essentiellement *Les lettres de Rome* qui m'intéressent, si tu les trouves seulement maintenant, garde-les, car il me paraît de plus en plus nécessaire que ce soit à Rome que je fasse ma révision de mes *Lettres de Rome*. J'espère que ma pièce me laissera le calme nécessaire pour me remettre dès demain matin à la rédaction des deux dernières.

Merci pour les *Osservatore* arrivés hier, en même temps que la lettre qui les promettait.

Merci pour le thé qui est vraiment merveilleux; j'ai appris ce matin à Maria à moins en saboter la préparation.

Merci de me rappeler le paiement polonais, pour lequel je vais faire une nouvelle intervention.

Pas de nouvelles de Curzio.

Bravo pour le Commissariato, il devient de plus en plus urgent que tu récupères ta nationalité italienne... ne serait-ce que pour que je puisse t'emmener à la première de ma pièce à Prague, à Moscou, ou à Séoul.

Ai-je besoin de répondre à ta question si je resterai tien, au moins avec « ma pensée, mon amitié, ma vérité, quoiqu'il arrive »? Il me semble que maintenant cela va de soi. Et pour l'instant nous en sommes à un autre genre de découvertes.

La peur de la société foutue, je ne la vois pas ici, dans ma solitude, mais je la devine bien, et c'est l'un des aspects de ma pièce. J'apprends par la *Tribune des Nations* (que tu devrais acheter chaque semaine, on la trouvait au tabac de la Place d'Espagne), qu'en un seul jour de la semaine dernière, une seule banque française a transféré au Maroc, sur la demande de ses clients, pour 3 milliards de francs français.

Je pense que tu n'es plus seule à Rome, c'est bien triste. Je te désire toujours aussi intensément. Je t'aime. A tout à l'heure mon amour.

Ton Roger.

Lundi matin
[A Élisabeth]

Le livre, mon amour, ne sera pas achevé aujourd'hui, Saint-Ignace de Loyola, mais bien demain, Saint-Pierre-aux-Liens, ce qui n'est pas mal non plus. Je partirai pour Rome, Mercredi matin, avec ma machine, pour compléter certains passages d'après ce que je trouverai. Il sera bon au surplus que je me trouve en contact avec mes amis au cours de cette semaine, qui sera d'une importance politique considérable. Le triste est qu'avec toutes ces obligations, et la stricte nécessité de travailler à tout prix, notre fête risque d'être un peu moins totalement fête que d'habitude. Il nous restera tout de même nos nuits.

Mes aventures sous-marines m'angoissent de plus en plus, dès qu'on est sorti de la crique et qu'on arrive dans le monde des grands fonds tout prend des apparences redoutables, même les bancs de sardines.

On ne tue qu'à la troisième année de pêche sous-marine, m'a expliqué D'Hospital, du *Monde*, rencontré sur la Piazza.

Enfin avec :
la ritualisation naissante de notre amour qui n'a pas cessé de me hanter, ma putain bien aimée,
la pièce conçue,
la terminaison de l'antipape,
la relecture d'un Lénine capital, tant pour l'antipape que pour la compréhension des événements de la semaine qui commence,
les événements politiques,
et le monde sous-marin,
je me trouve en quelque sorte hypersensibilisé, ce qui n'est pas mal, quoique un peu fatigant, voilà comment vous allez me trouver, mais vous aimant plus que jamais.

A tout à l'heure, c'est Mercredi matin, à tout à l'heure mon amour.

ton Roger.

Le 9 août
[A Pierre Courtade]

Mon cher Pierre,

Je venais de lire ton article sur Burnham, que je trouve excellent, très solide et cependant sans concession à ce langage dit marxiste, qui sera aussi démodé dans vingt ans que le langage surréaliste ou le langage existentialiste, ou naguère le langage saint-simonien, le vrai écrivain n'écrit pas dans le langage type de son temps — quand j'ai rencontré Catherine, qui m'a parlé de toi.

Je crois qu'à l'heure actuelle on ne peut pas choisir d'autre voie que la tienne. Depuis plus de deux mois que je vis dans une solitude presque continuellement complète, très lucide puisque je ne bois presque jamais, mais cependant très au courant de ce qui se passe, grâce à un heureux choix de journaux et périodiques, j'ai beaucoup réfléchi à cela. Ma position relativement en marge pendant ce deuxième « entre-deux-guerres » que je ne regrette pas, puisqu'elle m'a permis un certain nombre de périodes de maturation, telle que celle que j'achève ici, n'est plus tenable aujourd'hui, et particulièrement depuis la guerre de Corée.

Pour qui écrire ? L'ambiguïté n'est plus possible. Les intellectuels, de gauche ou pas, ou même le public simplement « cultivé » ne m'intéressent plus. Aussi bien, je ne parle déjà plus leur langage, et ils ne m'acceptent plus que par suite de malentendus, que j'ai peut-être eu tort d'entretenir. Le succès d'*Héloïse*, relatif mais qui m'a permis, par voie directe ou indirecte, la paix matérielle de ces derniers mois, est basé sur une tromperie réciproque : je n'ai exprimé qu'à moitié ma pensée, et sur un plan relativement anodin, et mes supporters ont fermé les yeux sur ce qui était valable. Et mes spectateurs ont été dans leur presque totalité des gens que je méprise et avec lesquels je n'ai aucun contact humain possible.

Mon nouveau roman, *Bon Pied Bon Œil*, dont je suis en train de corriger les épreuves, quoique avec des positions beaucoup plus nettes, est de la même veine. Je le crois remarquablement écrit et construit, je n'ai pas peur de le dire, et très en progrès techniquement sur mes précédentes œuvres. Mais son contenu me paraît déjà singulièrement dépassé, non seulement par l'Histoire, mais aussi dans mon histoire personnelle. Je me demande avec angoisse ce qu'en penseront les éventuels lecteurs de l'an 2050 : peut-être tiendra-t-il quand même, à cause d'une certaine rigueur de langage, qui ne fait aucune concession aux modes, et surtout à cause d'un arrière-plan poétique que je ne crois pas sans grandeur ; mais que comprendra-t-on aux préoccupations de mes personnages et aujourd'hui même qui cela peut-il intéresser ? C'est trop dans la perspective communiste pour toucher les non-communistes sauf par malentendu, et trop en dehors des préoccupations des masses communistes pour avoir de l'effet sur elles. Enfin c'est mon dernier roman bourgeois et un bon exercice de style.

Et maintenant, que faire ?

Je pense beaucoup à tes dépressions, à tes heures de découragement. Peut-être paies-tu ainsi d'avoir au lendemain de la Libération cédé au préjugé de la Carrière, en te spécialisant dans les questions diplomatiques, alors que le reportage ou (et, puis) le roman conviennent mieux à tes penchants. Maintenant, c'est là qu'on a besoin de toi, et on ne veut pas te laisser à autre chose. Catherine me dit que ce qu'elle a lu de ton roman est bon, mais que tu ne le juges pas tel, c'est qu'il est presque impossible d'écrire un roman en même temps que d'autres choses, ou dans un laps de temps trop court.

Enfin je crois qu'on n'attrape ce fameux bonheur de la chasse qui est louable, qu'en ne partageant pas son temps, et en ne travaillant qu'à, et totalement, selon sa « vocation », surtout quand il s'agit d'un métier d'art.

Donc, il faut bien continuer d'écrire, puisque nous sommes écrivains. Et on retrouve les mêmes problèmes : écrire pour qui, pour quoi ? Dans les circonstances actuelles, il n'est plus possible, pour moi, comme pour toi, d'écrire autrement que dans une perspective totalement communiste.

C'est ainsi que, sur commande de Billoux pour les Éditions Sociales, j'ai consacré ces quatre derniers mois à la préparation, puis à l'écriture d'une étude sur *L'Impérialisme vatican contre la paix*, dans laquelle, taisant ma violente haine de la métaphysique chrétienne, je ne me suis attaché qu'à des objectifs actuels, dans notre perspective.

La pièce que je viens de commencer s'appelle — provisoirement : *Le major Brown est porté disparu*, et son action se situe aujourd'hui en Corée. Où et par qui va-t-elle pouvoir être jouée ? Voilà de terribles emmerdements en perspective, mais je n'ai plus le choix ni le goût de recommencer l'aventure d'*Héloïse*.

J'ai aussi en projet une étude théorique et pratique sur les guerres de partisans. Et divers essais d'esthétique marxiste, dont un *Sentiment de la nature au XXIe siècle*.

Et j'ai décidé de régulariser à la rentrée ma situation à l'égard du Parti, ce sera peut-être dans l'illégalité.

Le même problème se retrouve pour moi dans la vie dite privée, et d'une manière moins simple.

Je suis aimé de ce qu'on eût appelé au XIXe siècle une « femme de qualité ». Sa tendresse a fini par m'amollir le cœur. Bien qu'elle n'ait que dix ans de moins que moi, notre désir de peau qui n'a fait que croître régulièrement jusqu'ici semble pouvoir durer encore longtemps. Enfin elle est d'une si parfaite « éducation », si respectueuse de la dignité humaine, si patiente et si activement dévouée, que les conditions d'une vie commune heureuse me semblent réunies.

J'en ai fait une communiste, d'abord de cœur, et maintenant elle étudie les textes fondamentaux et cela marche très bien.

Mais maintenant que je vais devoir rentrer en France, que décider ?

Restant ici, elle pourrait être utile, en écrivant par exemple des articles pour *La Tribune*, ce pour quoi elle est admirablement placée, et capable d'une activité bien plus constante et bien plus dévouée que la mienne.

Nous nous verrions trois ou quatre fois l'an, à l'occasion d'un voyage de l'un ou de l'autre, et cela ferait de courtes périodes d'amour-passion, mais je sais tout des fêtes de l'amour-passion, et après chacune, et la période de repos terminée, passé le sommeil et l'espèce de détente du matin qui suit la nuit d'avant, il est plus dur et peut-être plus inutilement héroïque de se retrouver « l'homme le plus seul dans le monde ».

Mais l'emmener, l'enlever, car ce n'est pas simple et même dans l'immédiat immédiat presque impossible, c'est perdre entre autres libertés, celle qui fait que pendant de longues périodes je peux ne me soucier absolument pas de ne pas gagner d'argent. Elle peut participer, et plus largement que moi, à ces courtes et secrètes périodes de vie commune, mais, à rompre ouvertement avec sa vie actuelle, elle perdrait à peu près toute ressource personnelle, et n'a ni connaissances techniques, ni même une suffisante pratique du français, pour pouvoir travailler en France. Elle envisage ce genre de problèmes de gaieté de cœur, mais je redoute un certain genre d'engagement, un peu par lâcheté, beaucoup par expérience, et je sais aussi ce que coûte à une femme, quel que soit l'état de son cœur, une baisse brutale du niveau de vie, dans le domaine, par exemple, du vêtement. Et il faudra renoncer à un libertinage qui ne m'apporte plus grand-chose, mais qui de temps en temps me jette dehors, à la chasse, le cœur battant.

Mais une vie à deux, organisée, n'est-elle pas la condition de travail d'un vrai bolchevik?

Il va falloir d'ici un mois prendre une décision, au moins de principe, à moins que les circonstances ne me l'imposent, je suis en toutes occasions fermement persuadé que tout concourt finalement au bien de ceux qui aiment Dieu.

J'aimerais beaucoup recevoir un jour une lettre de toi. Je reste ici jusqu'à la mi-septembre au moins, et rentrerai à Paris, la pièce j'espère terminée, pour le service de presse de *Bon Pied Bon Œil*.

Je pense très souvent à notre voyage en Italie de 1948, la chasse au bonheur, la chasse au bonheur, c'est une chasse qui exige une terrible sévérité.

Embrasse pour moi Génia, à l'égard de laquelle j'ai parfois été dur, mais je me faisais gloire de n'avoir jamais le cœur amolli, voilà aussi qui est dépassé.

Je t'embrasse très affectueusement.

Roger.

Le 13 août
[A Élisabeth]

Je vous salue, Élisabeth, à votre arrivée à Rome.

Ces gens me fatiguent, je veux dire les amis de Curzio, les Capresi, et même l'ami de Catherine.

Cette promenade en automobile a été une stupidité. C'est puéril et malpoli, quand on a des hôtes à bord de sa voiture, de s'amuser à conduire dangereusement, de refuser d'arrêter et de tenir un horaire comme un chauffeur d'autobus. Je n'aurais pas tenu à vous voir dans la soirée, je les aurais laissés en route.

Ferragosto, foire d'enculés, 10 000 cons sont arrivés à Capri. J'ai dormi toute la journée, je monte un instant sur la piazza pour m'entendre avec Catherine pour demain, et puis j'espère être intelligent à domicile cette nuit.

On est gardé par un carabinier. Merde. Les Capresi et

Malaparte multiplient les manifestes et contremanifestes. Merde. Heureusement qu'il y a des Coréens.

La fête de demain ne m'amuse pas tellement, et je ne vais à Positano que pour vous voir. Encore ai-je tort, parce que ce n'est pas avec toutes ces présences que nous pouvons être heureux ensemble.

Il faut défendre comme des lions la solitude de notre amour.

Je meurs d'envie de travailler en paix.

Je serais tellement heureux avec vous, nous deux seuls dans une maison de garde-chasse au milieu d'une forêt.

Je vous attendrai mon Élisabeth.

A tout à l'heure mon amour.

ton Roger.

Capri, le 14 août 1950
[A Malaparte]

Mon cher Curzio,

Mon petit livre sur la politique vaticane, entièrement écrit sous votre toit, est achevé, et j'ai commencé aujourd'hui la rédaction de ma nouvelle pièce : *Le major Brown est porté disparu*, dont l'action, vous le savez, se déroule en Corée, et qui constituera, je l'espère, une violente et efficace critique de l'impérialisme américain.

Je choisis donc ce jour faste — celui de la première page d'une nouvelle œuvre — pour vous dire encore une fois ma reconnaissance de l'hospitalité royale que vous m'offrez sur un espace de plusieurs mois, de la paix et du confort que je vous dois et qui me permettent de travailler avec une intensité que je n'avais pas connue depuis longtemps.

Je vous en suis d'autant plus reconnaissant que l'hospitalité que vous m'offrez n'est après tout pas sans risque pour vous. Mon livre sur le Vatican va être publié aux *Editions Sociales*, qui sont les éditions du Parti Communiste français. Et ma pièce, où l'on fusille au dénouement un officier américain (qui a fait exécuter des prisonniers politiques) va certainement faire un beau scandale. On saura bien sûr que c'est chez vous, et grâce à votre amitié que tout cela a pu être écrit. Il n'est pas du tout impossible, dans l'époque de répression où nous entrons, qu'on vous en fasse grief. Du courage que vous manifestez ainsi, j'aimerais avoir l'occasion de témoigner, et je veux en tout cas que cette lettre soit un premier témoignage.

Au demeurant, je n'ai jamais douté, et toutes nos conversations me l'ont confirmé, que le jour où il faudra se battre, vous serez du bon côté, c'est-à-dire du côté du peuple.

Croyez-moi, mon cher Curzio, très affectueusement vôtre :

Roger Vailland.

[Malaparte à Roger Vailland]
Capri, ce 14 août 1950

Mon cher Roger Vailland,

Je suis tombé évanoui. Maria m'a inondé d'eau fraîche : je relis votre lettre, et je vais retomber dans les pommes. Mais, avant de sombrer dans le néant, permettez-moi de vous dire toute mon amitié et ma gratitude pour votre lettre si charmante. Oui, naturellement, et serai du côté du peuple : je l'ai toujours été. Mon père était un ouvrier. Et, je n'ai jamais été un parasite, ni un ennemi du peuple, dont je sors. Et voilà que je m'évanouis à nouveau...

Malaparte.

Le 16 août
[A Élisabeth]

Vous avez dû voir tout à l'heure, du haut de la montagne, l'orage qui grondait sur Capri, et qui nous fit un peu d'eau. Dès qu'il fut éloigné, je montai sur la terrasse, vous deviez être à Sorrente, et vous alliez vous éloigner encore et encore, c'est parfaitement absurde.

J'ai très profondément dormi. J'ai rêvé que j'étais dans une maison de santé pour nerveux, avec une femme que je ne connais pas, nous fumions l'opium très ouvertement, mais la pipe était toujours bouchée; les autres fous habitaient des sortes de dortoirs et voulaient absolument que j'y vienne vivre avec eux. Les rêves de la pipe bouchée, de la seringue qui ne marche pas, du flacon de drogue renversé, c'est tout ce qui me reste d'un passé déjà lointain, mais ils reviennent encore assez souvent.

J'ai trouvé ici une lettre de la petite Eva qui, après plusieurs mois de chômage, tourne un documentaire, comme assistante et comme monteuse. Mais elle sera de nouveau en chômage en Octobre. Ne pourrait-on pas lui trouver quelque chose à faire en Italie? Elle n'a pas grande classe, mais c'est une honnête technicienne, et elle a du goût. Par ailleurs une camarade.

Curzio est encore là, il partira ce soir, ou demain, il pleure Jana, mais la maison est calme, le carabinier se baigne.

J'ai l'esprit lent ce matin; je reste obsédé, et un peu abruti par l'absurdité de notre séparation.

Comme je vous aime, mon Élisabeth.

A tout à l'heure mon amour.

Roger.

Le 18 août
[A Élisabeth]

Mon Élisabeth, depuis hier matin, je suis dans la révision de mon antipape et dans le courrier en retard, je n'ai pas écrit moins de sept lettres ou huit lettres, et déchiré au moins vingt lettres auxquelles il est trop tard pour répondre.

Mais le plaisir, c'est toutes vos lettres de Positano, qui sont arrivées par petits paquets, mais maintenant c'est fini et j'ai bien peur de ne rien trouver à la poste ce soir. Comme c'est formidable de n'être plus l'homme le plus seul dans le monde. Je vous attends ma bien aimée, je vous attends, et sans me faire aucun souci de l'avenir,

car comme tu le sais, tout concourt au bien de ceux qui aiment Dieu.

Je suis tombé après déjeuner, en fouillant un peu la bibliothèque de la casa sur le *Journal* de Green. Comme c'est déjà démodé, comme je ne comprends rien à ces préoccupations, il y a toute une ère de l'histoire du monde entre l'avant-guerre et maintenant, mais déjà avant-guerre j'estimais tout cela dépassé. Les conversations de Green avec Gide, Cocteau et même ce pauvre Malraux, la Foi ou pas la Foi, oser parler de la pédérastie ou ne pas oser, aller au peuple mais sans perdre sa liberté (quelle liberté?) et ce continuel besoin d'appartenir à l' « élite » qui est sensible à la peinture, à la musique, le morceau de bravoure sur le Jacob de Delacroix, à Saint-Sulpice :

il y a dans cette volonté d'être l'élite, d'être sensible, d'être cultivé, d'avoir des inquiétudes, des préoccupations métaphysiques, le désir passionné de petits bourgeois de compenser par l'esprit leur infériorité à l'égard des grands bourgeois d'abord, du prolétariat ensuite, qui sont l'un et l'autre les éléments qui font réellement le monde d'aujourd'hui...

Pourquoi *** t'a-t-il fait un drame à propos des explications que Catherine et moi lui avons si poliment données? Lui, il tombe de son Ukraine en Europe, et croit se mettre au goût du jour en découvrant l'art moderne, l'inquiétude, le néo-thomisme and so on, qui sont de vieilles lanternes usées depuis vingt ans et qui n'ont jamais eu d'intérêt que comme symptôme du phénomène décrit au paragraphe précédent.

J'ai aussi trouvé le temps de lire *La Peau*. C'est tout le contraire du livre existentialiste que croient y découvrir les imbéciles. C'est l'œuvre d'un protestant, hanté par le péché, et que tout ce qui est naturel dégoûte : l'amour charnel, l'eau, la mort, la guerre. Il en est même à respecter la virginité. Les catholiques ont la même horreur de la nature, mais ils se trouvent plus à l'aise dans le péché. Curzio est foncièrement puritain. Il doit voir le diable comme Luther. Voilà qui explique l'affaire Jana, et d'autre part Maria. Un puritain en Italie ne peut que devenir fou.

Demain, je vais pouvoir me mettre pour tout de bon à la rédaction du *Major Brown*, ça mûrit, ça mûrit, j'ai rebâti cette nuit des scènes au premier acte, ce sera l'objet de ma prochaine lettre.

F *** N *** joue un petit peu trop les grandes dames affranchies du XVIIIe siècle français, mais elle est vivable. Maria la bonne est partie avant-hier avec Curzio, et nous restons tous les quatre dans une maison merveilleusement calme, Maria la sœur, F *** N ***, Domenico et moi. Le malheur est que l'amant de F ***, un jeune fasciste agressif et con (bien sûr) va venir passer le week-end, elle est déjà montée lui acheter quoi? DU POULET. DU POULET pour un fasciste.

Moi je te le ferais envoyer, non pas en Sibérie, qui est devenue un paradis, mais dans un faubourg de New York.

Revu avec plaisir, mais seulement pour un instant, Alicata et la petite société communiste en vacances à Capri, ils vont me téléphoner pour m'inviter à une grande nuit de pêche à la pieuvre avec les copains locaux.

Malheur de Maria la bonne : l'orage du matin de son départ a mis dans nos citernes pour au moins vingt jours d'eau, elle est partie bien triste.

Il passe sous la fenêtre une barque pleine de garçons et de filles, un joueur d'accordéon et une voix de femme, un peu basse, qui chante comme dans les faubourgs de Paris.

A tout à l'heure mon amour.

Ton Roger.

Capri, 18 août
[A Malaparte]

Mon cher Curzio,

Vous êtes un hérétique, un protestant, voilà pourquoi le Vatican a choisi de vous mettre à l'index. Je viens d'achever de lire *La Peau :* c'est l'œuvre d'un puritain; pourquoi diable, c'est bien diable qu'il faut dire, vous fait-on une réputation de cynique? Tout vous offusque, et surtout la chair, la virginité vous paraît sacrée, la prostitution et la pédérastie vous font vomir, *vous vous refusez à tuer*, vous êtes un objecteur de conscience, tout cela c'est du protestantisme, de l'hérésie; le catholique, lui, est tout à fait à l'aise dans le péché.

Pour Rome l'hérésie protestante est encore plus grave que l'athéisme. Le péché contre l'esprit, c'est-à-dire le libre examen, fondement du protestantisme, est le seul péché irrémissible. Votre film sera aussi condamné : le Christ n'est pas interdit[1], puisque son vicaire est honoré « ad oré », à Rome; pour le vrai catholique dire que le Christ est interdit, et interdit en Italie, est le sacrilège par excellence.

Comme vous êtes chrétien Curzio, il y avait bien longtemps que je n'avais pas lu de livre aussi chrétien que *La Peau*. Vous êtes hanté par le péché, il doit vous arriver de voir le diable. Mais il y a longtemps que les catholiques ne sont plus chrétiens dans ce sens-là; ils laissent à leur confesseur jésuite le soin de se débrouiller avec leurs péchés. Votre apocalypse finale, de l'éruption du Vésuve au dialogue avec les fœtus, est fondamentalement luthérienne.

A la lumière de *La Peau*, je comprends enfin votre sentiment pour Jana, qui jusqu'ici m'était resté mystérieux. Jana, formée en Amérique protestante, hantée par la psychanalyse comme les protestants le sont par la confession qu'ils n'ont pas, dégoûtée par les regards déshabilleurs des Italiens, en perpétuelle crise de conscience, était votre sœur.

Tout cela m'échappe d'ordinaire à moi qui suis foncièrement matérialiste, athée, rationaliste, qui ignore le remords, et pour qui tuer n'est pas un problème de conscience. Mais *La Peau*, parce que vous avez un très grand talent, est un grand livre de cette époque-là de l'histoire, ce sont les livres qui durent.

La pluie du matin de votre départ a fait reverdir vos arbres, c'est bien beau. Je travaille à ma pièce qui jette dans la guerre de Corée un homme du type de votre ami Jack de *La Peau*.

Bien affectueusement à vous

Roger Vailland.

Le 19 août
[A Élisabeth]

De mon sommeil de l'après-déjeuner je me réveille à l'instant mon amour avec le rêve suivant :

Je suis avec plusieurs personnes favorables à moi, dont un

1. *Roger Vailland fait allusion au film de Malaparte :* Il Cristo proibito (le Christ interdit).

guide, vaguement parent, et vraisemblablement ma mère (pas hostile pour une fois, contrairement à l'habitude de mes rêves), et un cheval sans cavalier. Nous montons une côte dans un pays plaisant et aimé de moi, en particulier à cause de la qualité de son gazon.

Nous arrivons en haut de la côte, et nous nous apprêtons à monter *tous ensemble* sur le cheval, qui est très gros et très vigoureux. Nous pourrons ainsi arriver plus vite, et avec moins de fatigue au but de notre voyage, une sorte de lieu sacré pour moi, et qui existe réellement en Auvergne, un lieu où j'ai été très heureux à quinze ans parce que j'y ai été *libre* (et aussi j'y ai fait l'amour pour la première fois) et auquel je suis retourné plusieurs fois comme en pèlerinage, dont à trois reprises avec des femmes différentes, dont une que j'ai aimée.

Mais je monte seul sur le cheval. J'escalade son dos énorme très aisément. Je lui mets une corde dans les dents en guise de mors. Je suis surpris de n'avoir absolument pas peur, alors que je me rappelle être très mauvais cavalier (ce qui est vrai). Je domine mes compagnons de route et un vaste plateau d'herbe tendre. Je m'apprête à partir seul, en avant, au galop, mais je m'aperçois soudain que *nous sommes déjà arrivés*.

L'endroit où nous sommes arrivés est une sorte de marché couvert mais en pleine campagne et où l'on vend seulement des meubles, et en particulier des armoires à glace. Je demande où habite un cousin à moi (qui a réellement existé à l'époque précitée de mon enfance). On me répond qu'il est employé de chemin de fer et parfaitement heureux de son sort, ce qui me fait bien plaisir. (J'ai entendu hier soir F.N. raconter qu'ayant demandé à sa femme de chambre pourquoi elle est communiste, il lui fut répondu : « parce que mon grand-père a été fait employé de chemin de fer par Garibaldi ».)

Je pense qu'en général il est juste d'interpréter un rêve comme l'expression symbolique de sentiments qu'on éprouve sans se les avouer ou de jugements dont on a tous les éléments en soi sans pourtant oser les formuler, l'empêchement pouvant venir de toutes sortes de raisons et non seulement d'une censure morale antilibido, comme croit Freud. Et le rêve est souvent prophétique, parce que le jugement non formulé ou le sentiment non avoué par quelque fausse honte est souvent plus juste que les jugements formulés ou les sentiments avoués. Mais comment interpréter ce rêve-ci ? Faut-il y voir l'expression d'un sentiment intime que le but à atteindre avec les « compagnons » est beaucoup plus proche et facile que je ne pense, et que je suis appelé à jouer un rôle de chef dans la lutte finale ? Et que notre vie commune, symbolisée par les armoires à glace (!) est liée à cette victoire ?

J'ai quand même eu une lettre de vous hier soir, elle est venue très vite, je suis béni du ciel, et je suis heureux que mon arrabbiatage vous ait plu et qu'au cours de notre prochaine fête vous ayez beaucoup de choses nouvelles à me dire sur nous deux. Vous serez ce soir à Venise ; j'y ai passé quelques jours à l'hôtel de la Lune, et j'ai perdu ce qui me restait d'argent à la roulette, au casino du Grand Canal ; je ne suis jamais allé au Lido.

Et j'ai reçu le thé, comme c'est merveilleux que tu penses tout le temps à ce qui peut me faire plaisir. Il suffira, je pense, jusqu'à la fin de mon séjour, car j'ai appris à Maria la sœur, promue maintenant par moi au titre de Donna Maria, à me le préparer « à la russe » pour toute la journée.

La révision de l'antipape sera achevée dans la soirée, je ne monte pas à Capri, les deux chapitres inachevés sont partis chez D.

A tout à l'heure mon amour, je t'aime et je t'attends,

Ton Roger.

Le 20 août
[A Élisabeth]

Neuf heures du matin, mon amour, et j'ai déjà fait une foule de choses :

J'ai vu le soleil se lever, et comme nous sommes déjà loin du solstice d'été, il se lève plus au sud que quand nous l'avons vu se lever ensemble en juin, c'est maintenant presque au-dessus de Positano.

Je suis resté longuement tout nu dans le soleil matinal, sur un tapis étendu à l'extrémité de la terrasse, je m'étirais, je me sentais bien dans mon corps, et si heureux de n'être plus l'homme le plus seul dans le monde.

Je lisais *la Tribune* et puis les *Idylles* de Théocrite trouvées dans la bibliothèque malapartienne, il y avait des pêcheurs qui retiraient des filets de fond avec quoi on pêche les rascasses, ces poissons couleur brique tout hérissés de barbes et de piquants, à museau de pékinois, qui donnent son goût à la bouillabaisse de Marseille, et puis les dauphins sont arrivés, un couple et plus loin un groupe de trois, qui émergeaient et plongeaient en cadence, avec un tel ensemble que selon les angles les trois poissons n'en paraissaient qu'un seul,

et si heureux de n'être plus l'homme le plus seul dans le monde,

et puis les dauphins ont joué dans les filets des pêcheurs qui faisaient toutes sortes de bruits pour les chasser, mais les dauphins les méprisaient parfaitement, la prochaine fois je descendrai avec la barque, le pistolet de Curzio, solennellement confié le jour de son départ, une belle arme allemande, et mon fusil sous-marin, et on verra bien ce qui arrivera, mais ce matin les filets ont été saccagés,

et si heureux de n'être plus l'homme le plus seul dans le monde,

et puis Domenico m'a gonflé et descendu la barque et nous sommes tous les deux allés acheter des rascasses sur le bateau des pauvres pêcheurs aux filets saccagés, j'ai marchandé comme un vieil Arabe, Domenico me dit que je les ai finalement eues à moitié prix, mais c'est sans doute faux et il a dû faire une petite combine avec eux,

la lumière est déjà bien plus tendre qu'en plein été, elle s'est amollie comme mon cœur,

et puis j'ai nagé sans masque ni palmes, en me laissant glisser du bord rond du bateau de caoutchouc, je me suis lentement étiré dans l'eau, comme avant dans le soleil. L'eau était fraîche comme les jours de bonheur calme,

et puis je suis remonté me doucher savonner frotter raser et maintenant je suis poli comme les cailloux des plages et tellement bien dans mon corps,

j'ai vos lettres devant moi, il en est arrivé trois hier, tendres et tristes, comme c'est bon de n'être plus l'homme le plus seul dans le monde, je bois le thé que m'a envoyé mon amour, et je vais me remettre à mes réflexions sur la cruauté en amour, commencées hier soir, en place d'aller à la piazza, et dont je t'enverrai une copie, dès qu'elles seront terminées.

13 heures 30, le premier jet des *Réflexions sur la Cruauté* est achevé, je vais le taper au net cet après-midi, je n'y attache pas beaucoup d'importance, mais c'est une occasion de noter quelques idées sur l'amour, les fêtes et le théâtre, ébauche de futurs travaux, c'est à quoi servent les revues, à utiliser les brouillons, et à obliger de faire des brouillons qui soient déjà en une certaine mesure « en forme », je n'aime pas les brouillons vrais, je n'en fais qu'avec des petits dessins et tout un jeu calligraphique, qui est déjà une sorte de forme, ce qui n'a pas de forme n'existe pas, j'ai bien peur que cette phrase n'ait pas de forme,

mais mon amour a une sacrée forme.

Le petit fasciste à F *** est arrivé hier soir, mais je l'ai à peine vu, parce que je me suis levé de table dès la fin du dîner, j'étais en veine de travail, la révision de l'antipape est terminée, je l'expédie demain, je ferai les corrections inspirées par D. sur épreuves.

Le petit fasciste à F *** s'appelle Dji-Dji, comme un pékinois, elle a aussi deux pékinois — auquel Domenico refuse avec beaucoup de dignité de préparer de la viande grillée, alors elle la prépare elle-même en racontant à Donna Maria des histoires sur ses amis princes ducs et marquis; je suis mal avec les pékinois qui m'aboient dans les jambes, je me demande pourquoi, alors je leur donne des coups sur la gueule avec mes palmes à nager, les vrais chiens m'aiment bien, mais il n'y en a pas à Capri.

Merci pour la petite Eva, je vais lui écrire [...]

Je t'attends les 26, 27, F *** sera sans doute partie et peu importe d'ailleurs, elle respecte la liberté mieux que Maria la bonne, c'est l'avantage tout de même de la bonne éducation.

16 heures 30, je me réveille en rêvant d'une bataille navale, l'état-major d'une flotte de secours est installé à une

croisée de chemins, dans une forêt, tout près de la mer qu'on ne voit pas, mais on voit une belle eau verte et agitée, dans des chemins de la forêt, en contrebas, c'est par là que je veux aller rejoindre le combat, je demande qu'on me confie un canot porte-torpille, je me laisserai glisser jusqu'à un gros bateau ennemi, on peut bien me le confier bien que je ne sois pas marin, puisque la situation est de toute manière désespérée pour les nôtres, sur une petite table de bois, des hommes marquent les coups sur une petite feuille de papier quadrillé, il y en a eu 21...

Il faut que je stoppe pour faire porter cette lettre à Capri, où je ne vais pas, je continuerai demain à répondre à vos lettres,

à tout à l'heure mon amour
je te vous aime

ton

Roger.

Piazza, 16 heures
[A Élisabeth]

Une Italo-américaine, venue il y a deux jours demander à visiter la casa, en se recommandant de Curzio et de Jana, m'a présenté à l'apéritif de midi, sur la piazza, à Jane Wolf, de la pension Racine!

Le monde est minuscule, diraient les deux Marias.

Nous avons déjeuné ensemble, nous t'avons appelée à Rome, et je lui ai laissé tes adresses et ton téléphone.

Puis je l'ai regretté. Elle nous a en effet emmenés après déjeuner au Quisisana, sous prétexte de l'aider à prendre ses valises (elle partait) et a tenté, en nous prenant à témoin devant le gérant, de nous mêler à une histoire compliquée de note à elle, à mettre sur le compte d'Orson Welles, dont elle serait la secrétaire. L'Italo-américaine, qui travaille à l'ambassade U.S.A. de Rome, m'avait d'ailleurs mis en garde, ce qui était au demeurant inutile. Enfin j'ai fui assez lâchement.

J'ai eu un instant l'idée de demander à cette employée d'ambassade (qui fait la revue de presse italienne pour l'ambassadeur) de venir écouter ma pièce. J'imaginais des réactions piquantes. Mais elle doit être du F.B.I., et il ne faut pas alerter l'adversaire prématurément.

Je vais aux chaussures, aux chemises.

A tout à l'heure mon amour.

Mardi 22 août, 17 heures
[A Élisabeth]

Je continue à tergiverser pour la mise en train de ma pièce.

Hier soir piazza, dîner avec Alicata et son amie, qui sont bien, et lui solide, puis avec eux au Tragara club, bu pas mal mais pas jusqu'à l'idiotie, le savoir-vivre des militants l'exige, l'avantage de sortir avec des bourgeois, c'est que je me moque de ce qu'ils pensent de moi, alors je peux me saouler à mort. Mais ce temps est passé, et je ne suis plus l'homme le plus seul dans le monde.

Rentré à deux heures, et ce matin fait suer l'alcool au soleil, puis quelques lettres, soleil, bain, barque, Faraglione, barque, bain, déjeuner avec les Alicata, et l'éternelle conversation des communistes, les souvenirs de prison. Il est cinq heures.

Pour la première fois pas de lettre de vous hier.

Je monte chez le tailleur, à la poste, je travaillerai ce soir.

Je me sens très bien dans mon corps, après tout ce bain, tout ce soleil, mais un peu las et pas intelligent, mais le cœur et le corps tout amollis.

La mer sous la fenêtre est la mer est la mer est la mer est la mer.

Comme j'ai envie de vous serrer dans mes bras. Lundi? Dimanche?

A tout à l'heure mon amour

ton Roger.

Mardi, 19 h. 30
[A Élisabeth]

C'était le troisième jour sans lettre de mon Élisabeth, mais j'en trouve trois ce soir, de Venise, je les ai à peine parcourues, je me dépêche de redescendre car j'ai laissé sur ma table des papiers que je ne voudrais pas que le Dji-Dji trouve, or je l'ai croisé à la montée.

Je t'attends, viens, le Dji-Dji part demain et il n'y a aucun obstacle d'aucune sorte à ce que tu viennes.

Je t'attends, je t'attends...

J'ai travaillé toute la journée, la scène 1 de l'acte I est terminée...

Je t'aime, je t'aime, ah! comme je t'aime.

A tout à l'heure mon amour

ton Roger.

25 août
[A Élisabeth]

J'aime que mon amour ait eu beaucoup de succès et que tout Venise ait bandé pour elle, j'aime terriblement cela, c'est le plus beau de mes luxes que mon amour soit le plus beau des amours, j'aime, j'aime, j'aime la beauté et le succès de mon Élisabeth, j'aurais voulu être là caché et entendre tout ce qu'on disait de toi.

Quand arrives-tu, nom de Dieu?

Pour moi aussi cette séparation a été encore plus absurde que toute les précédentes. Programme de la prochaine fête : préparer notre prise du pouvoir personnelle, c'est-à-dire ta libération.

Je pense tellement à toi en écrivant *le Major Brown* que j'entends Lya prononcer ses répliques avec ta voix et ton accent, et tes mouvements de tête, et devenir émue avec tes yeux.

C'est loin le 29 ou le 30, et j'ai tellement de choses à te dire et tellement envie de toi, les tafani ne m'ont jamais été encore odieux à ce point, mais tout concourt au bien de ceux qui aiment Dieu et ils seront victimes de leurs propres persécutions, c'est ce que nous allons mettre au point quand tu vas venir — si c'est le 29 ou le 30, je pourrais te lire au moins un acte entier du *Major Brown* en première version.

Pourquoi ne tiendrais-tu pas le rôle de Lya ? même ton accent servirait, et je peux imposer cela.

J'ai une lettre extrêmement aimable de Grassi, qui me dit : que *Héloïse* est au programme de sa prochaine saison, que la traduction faite par Giorgio Strehler sera publiée dans la collection *La Fiaccola*.

J'ai une lettre de l'éditeur polonais qui me dit que les démarches sont en cours pour le transfert des lires, mais qui ne me précise ni le chiffre, ni le délai.

Au demeurant je ne suis pas aux abois.

Je n'aime pas du tout cette phrase : « il cerchio si stringe e si stringe sempre più intorno me ». J'y pense sans cesse depuis hier soir. Il va falloir briser ce cercle-là.

Je t'aime mon Élisabeth, je t'aime, je t'aime, sens-tu comme je t'aime ?

A tout à l'heure mon amour

Roger.

Je ne voulais pas monter à Capri ce soir, et puis Prampolini vient de me téléphoner qu'il avait pris rendez-vous pour moi avec le directeur de la troupe qui joue demain *L'École des Femmes* ici, une soirée de foutue.

[Pierre Courtade à Roger Vailland]
Paris, le 22 août

Cher Roger, je veux te dire tout de suite combien j'ai été touché (et Génia également) de ta lettre si affectueuse. Voilà sans doute que j'arrive à un âge où l'on ne peut plus se passer des témoignages d'amitié. Et justement je n'ai presque plus d'amis — sans doute à cause de mon irascibilité et de ma neurasthénie et aussi parce que certains qui étaient amusants ne le sont plus. Car enfin on n'est pas seul à changer...

Mais toi, tu ne changes pas, tu restes plein d'entreprise et d'imagi-

nation. Je crois vraiment qu'en ce qui te concerne tu as choisi la meilleure voie, et j'avoue avoir un peu peur (pour toi) de projets dont l'exécution exigera une trop grande rigueur. Ne fais pas l'ange, c'est un métier de chien. Je viens de lire le journal intime de Tolstoï. C'est comme ça : Lundi : ne pas boire, ne pas forniquer, ne pas jouer, écrire tous les jours deux pages des « Cosaques ». Mardi : me suis enivré et querellé avec Kovalsky qui est un salaud, suis allé à Tiflis, paresse, ai forniqué, perdu 800 roubles plus mon cheval. — A quatre-vingts ans toutefois, il avait réalisé son programme. Il était végétarien et emmerdait le monde du bruit de ses vertus. Et alors? Qu'est-ce qu'il reste? La Guerre et la Paix. *Il n'était pas besoin pour cela de se transformer en poteau télégraphique dans le désert en s'émondant de tous les rameaux sauvages. Il faut connaître exactement ce que l'on* peut *supporter de vertu. Faute de l'avoir apprécié exactement on tourne à l'aigre.*

Je m'aperçois que je suis probablement en train de parler de moi...

Tout ce que tu dis sur la littérature me paraît d'une justesse absolue. Les écrivains du Dimanche passeront. Mais comment faire autrement?

Vivre de sa littérature est impossible ou humiliant, dans les conditions actuelles, et ne vivre que pour ça c'est laisser tout de même une trop grande chance à la paresse, c'est surtout ne plus rien voir et bientôt n'avoir plus rien à dire. Je crois qu'il faut trouver une espèce de compromis (l'hebdomadaire ou la revue, par exemple, mais pas le journal quotidien!). Mais bien sûr il faut que tu rentres à Paris et, si bête que cela puisse paraître, il faut que tu y aies un appartement, des livres, etc. Tout compte fait l'expérience prouve que c'est nécessaire.

Une femme? Je ne sais pas. Tu peux juger de ton cœur (si tu veux bien ne pas le laisser trop battre dans la poitrine de Stendhal qui, après tout, a loupé son affaire). Je crois que tu t'étais trompé, par une réaction bien naturelle après une expérience conjugale de dix ans, en pensant qu'il existait une liberté idéale. Cela n'est certes pas vrai et cette espèce de liberté fait perdre plus de temps que le mariage, mais il n'est pas vrai non plus qu'une « installation » définitive, qui ait un caractère « social » puisse être supportable pour un homme comme toi dont la vocation est tout de même la chasse! Alors un compromis existe, et pourquoi pas celui de la France et de l'Italie par voyages et courtes périodes d'amour-passion? Dans un seul domaine je ne crois pas le compromis nécessaire (ni juste) : c'est celui de l'adhésion au Parti. Cela oui, il faut le faire, maintenant surtout. C'est presque une question de style. Mais naturellement il vaut mieux savoir d'avance (mais tu le sais) que ta chasse au bonheur en sera rendue singulièrement plus difficile! J'ai absolument confiance en toi et je suis sûr que tu ne feras rien que tu ne puisses accepter jusqu'au bout.

J'ai très hâte de te voir. Catherine voulait me parler de toi mais je ne l'ai vue que cinq minutes à mon retour et elle est repartie à Lyon pour un procès.

Affectueusement. Pierre Courtade.

[Malaparte à Roger Vailland]
ce 23 août 1950

Mon cher Vailland,

Comment vous a-t-il fallu tant de temps pour comprendre de quelle matière je suis fait? Oui, vous avez compris, le portrait que vous avez dessiné de moi est très, très ressemblant, et je vous suis reconnaissant d'avoir deviné que Jana était ma sœur. Ce qui nous a empêchés de nous comprendre, c'est que nous étions trop semblables. Une fois le miroir brisé, l'image disparue, je me suis aperçu que cette image n'était pas la mienne, mais celle d'un autre, celle de Jana. Mais pourquoi se tuer? Si elle m'aimait, pourquoi se tuer?

Pour le reste, vous avez raison. Mais je ne crois pas que tuer un homme ne soit point une question de conscience. Vous le croyez, vous, parce que vous n'avez jamais tué un être humain. Même lorsque le mot assassin n'a aucun sens, la mort d'un homme demeure un fait terrible, si c'est vous qui l'avez tué. Pour le sens du péché, non, ce n'est pas cela, du moins ce n'est pas dans le sens catholique. Tout ce que l'homme fait est important : je suis toujours bouleversé par une femme qui se donne à moi, car j'attribue de l'importance à ce geste. J'en ai la responsabilité. Ce qui est ridicule, car ce geste, pour une femme, est tout naturel et tout simple. Mais je ne veux pas l'admettre. Ne riez pas si je vous dis que je me sens lié à jamais à toute femme qui se donne à moi. D'où viennent mes déceptions, mes remords, etc... Enfin, un drôle de jeu, la vie, pour moi.

Je suis heureux que vous soyez à Capri, chez moi. Travaillez bien, le reste ne compte pas : mais il faut que vous soyez content de votre travail.

Bien amicalement à vous, Malaparte.

[1950]

Dimanche 3 septembre
[A Élisabeth]

Tout est changé ici, c'est déjà complètement l'automne, l'air est beaucoup plus transparent, la mer beaucoup plus proche, l'eau est comme lavée, les arbres reverdissent,

et quelque chose d'angoissant, que je retrouve toujours en automne, dans n'importe quel pays, c'est sans doute un souvenir de la rentrée des classes,

la côte de Positano est comme à portée de la main, et tellement propre maintenant,

pas de fièvre, mais je demeure maussade et lent. Pour ne pas perdre de temps, je corrige mes épreuves qui me sont réclamées par télégramme. Le corps est lourd, cela va peut-être s'éclaircir avec le soir. J'ai énormément dormi depuis mon arrivée hier soir.

Il n'y a plus qu'à attendre : attendre la ferveur du travail et attendre ton arrivée.

Je ne connais plus personne à Capri, que Mia qui va venir chercher son fric tout à l'heure, et puis elle partira cette semaine, F *** aussi part cette semaine — et Castello travaille comme moi. Va bene va bene, rien ne gênera la ferveur du travail et celle de votre venue, elles viendront, elles viendront.

Vous aussi vous devez être toute mélancolique, moi je suis sec et flasque comme une pauvre vieille poulpe retournée et vidée.

Je vous embrasse très tendrement

ton Roger.

Toujours aucune nouvelle du Prix.

Lundi 4 septembre
[A Élisabeth]

Les épreuves de *Bon Pied Bon Œil* sont corrigées, encore un peu de courrier, et je me remettrai dans la soirée au *Major Brown*. J'ai l'esprit presque clair aujourd'hui, — après je ne sais pas combien d'heures de sommeil, je suis comme les bêtes, c'est le sommeil mon meilleur remède.

Encore un orage ce matin, la mer depuis ne cesse de grossir, et maintenant la côte en face, face au vent, à la pointe de la Campanella, est toute blanche d'écume. Ici de grosses vagues viennent se jeter sur la falaise et retombent en une pluie qui fait un bruit d'étoffes de soie froissées. Sous certains éclairages la mer devient pourpre, puis elle retourne au violet et à l'or, puis au bleu nuit; c'est extraordinairement fastueux. Pas une seule barque, les « estivants » ont été balayés par la tempête, et les pêcheurs aussi.

J'ai une longue lettre de Pierre, réponse à la vieille mienne du temps de Catherine, très amicale, un peu sceptique sur mes possibilités de vivre sans libertinage, mais il ne connaît pas ma tendre Élisabeth. Il a à peine vu Catherine, aussitôt repartie faire un reportage, je ne sais où. Une lettre aussi de la petite Eva, assez sotte, agressivement enthousiaste d'avoir participé aux rencontres franco-italiennes de Nice.

Je compte que tu seras là entre Dimanche et Mardi prochain; c'est la seule joie en perspective immédiate. Le train de 13 h. 30 laisse largement le temps d'attraper le bateau de 16 h. 30, à condition de descendre à Napoli Mergellina.

Il repleut. C'est beaucoup plus humain que le temps toujours serein des mois précédents. Je pense à une maison solitaire à habiter avec toi, dans une des belles forêts des environs de Paris; nous serons très calmes; tu me prépareras du thé, des toasts grillés sur un gril spécial, tu liras pendant que je travaillerai, nous irons à la pêche enveloppés dans de grands imperméables, tu feras des petits cadeaux aux enfants de la fermière; le Samedi nous mettrons la voiture en marche avec beaucoup de mal, pour aller chercher à la gare Courtade, Catherine, la cousine, Leduc et Jeanne Modigliani, on aura acheté une bouteille de whisky...

J'en ai un peu marre du romantisme solitaire de Capri.

Je t'attends mon amour. Voilà : je t'attends. Comme tu avais le visage bouleversé Samedi matin : comme la mer aujourd'hui.

A tout à l'heure mon amour, je te serre très fort dans mes bras,

ton Roger.

Mercredi matin
[A Élisabeth]

Mon amour, juste ce petit mot que Domenico va porter, pour que tu ne restes pas sans nouvelles. Mes journées sont décalées, car ne me baignant plus, je me laisse peu à peu aller à travailler la nuit, et à me lever tard, et hier plus personne ne partait pour Capri, que je ne t'avais pas encore écrit. Le désordre est d'ailleurs assez grand à cause des extravagances de F *** qui, par bonheur, part demain.

Moi, je suis à fond dans le *Major Brown*, j'ai travaillé jusqu'à 3 heures du matin et rêvé le reste de la nuit à de nouvelles scènes : en rêve je rêvais que je prenais des notes sur mon rêve afin de m'en souvenir au réveil; je ne me souviens que de bribes, qui d'ailleurs semblent ne pas coller dans la pièce. Il est neuf heures, je vais me remettre au travail.

J'ai vos deux premières lettres, la seconde m'a été apportée à 2 heures du matin par Maria la sœur qui s'était laissé débaucher par F *** qui sort toujours avec des gens « très, très, très riches » et de « la meilleure société ». Vos lettres me disent exactement ce que je pourrais vous dire, et à peu près dans les mêmes termes. Comme nous nous aimons *bien*, je veux dire de la bonne manière.

Tu dois savoir maintenant tes projets, nos projets. J'attends de tes nouvelles, des nouvelles, je t'attends...

La mer qui fut calme hier s'agite de nouveau; elle m'est tout le temps présente, elle est comme toi, vous finissez par vous confondre dans la même présence, mon amour, mon océan...

Je te serre dans mes bras mon amour,

ton

Roger.

6/7 septembre, minuit 30
[A Élisabeth]

Plus de bain, plus de piazza, les repas juste le temps qu'il faut pour les manger, toute la vie au *Major Brown*, le deuxième acte est presque terminé, dans son premier jet, j'écris tout d'un trait sans me relire, je voudrais que tout le premier jet soit terminé pour votre arrivée, puis je pense qu'il restera surtout des coupures à faire, et la langue à resserrer, mais je crois que la construction restera telle quelle.

Inventé aujourd'hui trois scènes capitales. Le petit Jimmy fait sa cour à Lya en dansant avec elle, dans le style de cour direct et gauche des jeunes Américains. Puis c'est le tour de Brown, exactement dans la même construction, mais dans le style tartuffe et sophistiqué d'un vieux gentleman du Sud. Elle se moque d'eux gentiment à tour de rôle, mais Brown s'en aperçoit, soupçonne qu'elle est espionne, et c'est la grande explication : « pourquoi somme toute êtes-vous avec nous ? », elle se défend héroïquement sur le thème : « mais nous sommes tous complices de la même pourriture », il la croit, c'est l'attirance de la pourriture, mais elle l'a échappé belle.

Le personnage de Lya devient plus complexe. Elle sait qu'elle s'est finalement corrompu le cœur en jouant les traîtresses, même pour la bonne cause, et aussi parce qu'elle reste malgré tout la fille de son riche père immonde. Elle s'en expliquera dans son dialogue avec Hué condamné à mort, qui la réconfortera : « c'est ton poste de combat », mais qui sait bien qu'elle restera le cœur flétri. Je m'explique comme un pied, mais dans le dialogue c'est très clair, je crois, et le personnage y gagne une troisième dimension.

Je n'ai pas encore ta lettre, mon pain quotidien. Personne n'est encore rentré de Capri, où ils doivent faire la fête, à leur manière con, sans même se saouler, qu'est-ce qu'on peut bien faire dans des boîtes de nuit si on ne pratique pas le ballet des nuits saoules ? Je les attends, c'est-à-dire ta lettre, pour me coucher, mais je commence à être claqué, je fonctionne avec un savant mélange de sympamin et de laudano (n'oublie pas de me rapporter des deux), il faut un doping dans les grandes périodes créatrices, surtout après une pneumonie, je n'abuse d'ailleurs pas.

Long coup de téléphone de Gala, très aimable, qui m'enverra 75 000 lires Mardi de Milan et qui s'occupera avec Grassi de l'aspect financier d'*Héloïse*. Mais elle semble beaucoup s'inquiéter de sa responsabilité de m'avoir fait connaître à toi. J'ai peur que ta famille ne nous fasse des entourloupettes : il ne faut jamais se fier à l'apparente bienveillance des chrétiens et bien savoir que s'ils finissent par se résigner, ce n'est que devant une inébranlable fermeté. Gala t'aidera, mais seulement devant des faits accomplis. Elle m'a annoncé victorieusement que les affaires de Corée marchaient brillamment ce soir. C'est curieux comme le sort immédiat de notre amour est lié à la politique des Soviets. Que l'armée américaine de Corée capitule ou que Mao prenne Formose, et nous trouverons tout de suite un appartement à Paris.

1 heure 25. J'attends toujours votre lettre mon amour.

ET JE T'ATTENDS TOI

Étudie les textes, mon amour, en même temps que l'histoire du P.C. (b). tu pourrais aborder le petit Lénine, *l'État et la Révolution*, il est important que tu aies une base solide, pas seulement de cœur, mais aussi de tête, c'est très important pour que tu gardes ton équilibre à travers tout ce qui peut nous arriver. Je recommence à avoir affreusement sommeil.

2 heures du matin. Ils rentrent même pas saouls, mais pas de lettre de mon Elisabetta ; que se passe-t-il ? Je te serre dans mes bras, mon amour, bonsoir, à tout à l'heure,

ton

Roger.

[1950]

Piazza, 8 heures
Vendredi matin
[A Élisabeth]

... le bateau qui emporte mon amour, s'en va sur la mer, s'en va sur la mer.

J'ai trouvé Castello sur la Piazza, il était allé se promener à l'aube sur les hauteurs au-dessus de la Casa, et il nous a vus partir. Il semble que vous lui ayez fait un grand effet.

Les photos sont così-così, je vous envoie la plus passionnée, j'en fais tirer trois autres, dont une très pin-up à la cigarette.

Et voilà... et voilà... le bateau ne se voit même plus... plus d'Élisabeth.

Tout mélancoliquement tout à fait à toi, après cinq jours de bonheur parfait.

Ton Roger.

Le 15 septembre, 16 heures
[A Élisabeth]

Et nous voici en plein mystère. *** est disparue. J'imagine qu'elle est en train de se faire baiser par [...] ou par quelque maquereau napolitain, mais il est assez étrange qu'elle ne téléphone pas. La capitainerie du port de Naples interrogée téléphoniquement confirme que le *Tripolitania* est parti hier à 15 heures. Si elle ne revient pas par le bateau du soir je téléphonerai à Curzio ce soir, et j'alerterai éventuellement la police demain. Je pense que s'il devenait nécessaire de procéder à une enquête sérieuse, il ne serait guère possible de ne pas dire que tu étais là; je dirais que tu étais venue au titre d'amie de F *** N *** et de Curzio, et je ne donnerais que ton adresse de la via Propaganda, et préviendrais F *** et Curzio, et toi bien sûr. Les cinglés amènent toujours des complications.

Un peu sonné, comme chaque fois que nous venons de nous séparer. C'est si bête que j'en demeure stupide. J'ai pris un café sur la piazza avec Castello, et puis je suis allé essayer mon veston de velours chez Ricci, il est grandiose, et puis je suis rentré, j'étais tout bête, j'ai lu les travaux stratégiques de Mao, j'y ai retrouvé quelque agilité d'esprit, j'ai déjeuné très tôt, j'ai dormi, maintenant sympamin et j vais Browner tant que ça pourra, je suis une brute.

Les tafani doivent être flytoxés, c'est un principe de saine hygiène. De même pour les curés et quelques autres.

C'est si creusant le cœur, une grande maison sans Élisabeth. Je suis votre Roger tout bête d'amour et je vous embrasse tout bêtement comme un garçon de quatorze ans.

Ton Roger.

qui t'aime qui t'aime qui t'aime qui t'aime

Raconte-moi en détail tout ce qui s'est passé à ton retour.

Le 16 septembre, matin
[A Élisabeth]

Mon amour, mon amour, cette nuit à deux heures très exactement, j'ai été réveillé par ta voix, qui semblait venir du côté de la crique. Tu as crié très fort : « Roger », c'était comme un appel au secours extrêmement pathétique, comme si tu étais frappée, tu tombais, tu mourais. Bien sûr, ce n'était qu'un rêve, mais j'en reste bouleversé.

Il ne faut absolument pas que tu continues de vivre même peu de temps avec ton hystérique tafano, tu es déjà suffisamment malade, et il finira par avoir ta peau. Pourquoi ne te retirerais-tu pas provisoirement chez ta sœur, bien sûr cela compliquera un peu son existence, mais puisqu'elle t'aime, elle doit tenir d'abord à ce que tu survives — et n'est-elle pas un peu responsable de ton mariage ?... Je préfère devoir t'attendre plus longtemps et qu'il y ait plus de complications pratiques, mais te savoir immédiatement en sécurité et *en paix*.

Raconte-moi vite et en détail, comment s'est passé le retour de ton tafano.

*** est rentrée hier soir, sans avoir téléphoné, et très excitée par sa visite de Naples, avec je ne sais qui.

Passé toute la journée et la soirée d'hier avec les textes stratégiques de Mao Tsé-toung et de Lénine, cela ne m'éloigne pas, tout au contraire, du *Major Brown*, et va me permettre d'enrichir considérablement certains dialogues, et d'ajouter une discussion Masan-Brown, au premier acte. La meilleure façon que tu restes très proche de moi ces jours-ci serait que tu lises les mêmes textes qui, en outre, enrichiront ta conception du monde, car ils dépassent de beaucoup le cadre de la guerre, et qui t'aideront même à affronter les circonstances présentes de notre vie; il faudrait que tu commences par lire dans l'histoire du PC (b), que tu as, le chapitre consacré à la base philosophique du marxisme-léninisme.

Puis de Berthold C. Friedl : *Les fondements théoriques de la guerre et de la paix en URSS*, éditions Médicis, Paris 1945, que tu trouveras très probablement à la librairie de *L'Unità*, soit en français, soit en italien, ou que quelqu'un comme Chilanti pourra te procurer. Les principaux textes de Lénine sur le sujet y sont reproduits, ainsi que le texte de l'histoire du PC (b), que je te conseille plus haut. Et comme c'est un ouvrage d'un professeur américain, destiné à l'état-major américain pour le documenter (mais parfaitement honnête), tu peux le lire en présence de ton tafano.

Puis de Mao Tsé-toung : *La stratégie de la guerre révolutionnaire en Chine*, certainement traduit en italien, très remarquable, très important, et qui te permettra en outre de suivre sans inquiétude les hauts et les bas de la guerre de Corée.

Comme j'ai envie de t'avoir près de moi.

Une lettre de Corrêa confirme pour Octobre la parution de *Bon Pied Bon Œil*, à condition que je renvoie dans les 48 heures les épreuves de la mise en pages, que j'ai exigées, et qui vont partir de Paris.

19 heures

mon amour, mon amour malgré mon inquiétude pour vous, j'ai magnifiquement travaillé, le premier acte est de nouveau complètement rebâti, le dialogue Masan-Foster (c'est le nouveau nom de Brown, que j'ai au surplus promu colonel) entièrement mis sur pied, j'ai tout remis sur pied, en tenant compte de l'hypothèse que la Corée pourrait être temporairement battue par les États-Unis, comme elle le fut par le Japon, et comme le fut la Chine, et Mao triompha finalement, j'ai tapé la distribution et fait les plans du décor, j'ai enfin jeté par écrit les éléments d'une préface qui sera une sorte de manifeste du nouveau théâtre.

Maintenant je monte à Capri pour porter cette lettre, prendre le courrier, et faire un peu d'exercice.

La mer est devenue mauvaise, comme chaque fois que nous nous séparons, elle n'aime pas ça, elle est humaine, elle. Cela a commencé ce matin, par un orage venu côté Sicile, puis vers midi le vent a tourné à l'ouest, c'est le vent d'Espagne, le vent de Franco, cette partie de la côte en est abritée, mais il doit être méchant, car en face, à la pointe Campanella, la mer rebondit sur la côte avec des gerbes d'écume bien plus hautes que les maisons qu'on aperçoit sur la montagne. Ici elle fait gros dos, et vers le large des sortes de tourbillons et plus loin elle est toute crêtée d'écume.

À tout à l'heure, mon amour, mon amour, je te serre très fort dans mes bras, je te supplie de rester très calme, comme si j'étais tout le temps avec toi, laisse gueuler les tafani, les tiphoni, les tifonidi, les tafanarii, lis Mao et Lénine, pour que la Corée ne te décourage pas; quand ça va mal les bourgeois vaguement ralliés au communisme deviennent pessimistes, puis lâchent pied, mais toi tu seras une vraie bolchevik.

Je t'aime

ton

Roger.

Lundi matin 18 septembre
[A Élisabeth]

Le dimanche c'est le jour sans lettre d'Elisabetta, tristes dimanches.

Le matin le ciel était sans nuages, le vent apaisé et la mer s'apaisait peu à peu. Les falaises étaient bien lavées, bien propres, l'air bien transparent. Pour la première fois la côte d'en face était visible jusqu'à Pæstum et encore plus au sud.

Vers onze heures j'ai fait descendre le batello. La mer faisait encore gros dos ou plutôt elle se soulevait et s'abaissait lentement, en vagues peu hautes mais très allongées, comme une femme à gros seins quand elle respire très profondément pour faire sa gymnastique matinale. J'ai joué avec jusqu'à l'endroit où nous sommes allés l'autre nuit acheter des poissons à ventouses au pêcheur. Plongé seulement deux minutes, parce que l'eau était froide, à l'endroit où vous fûtes si émue de voir les profondeurs dangereuses, pour me rappeler votre émotion.

Bien travaillé. Les quatre premières pages du premier acte sont tapées et maintenant cela devrait rouler tout seul, parce que les problèmes de construction semblent résolus.

Pendant les repas Maria me raconte les mystères de la famille Suckert. Elle est somme toute très fière de son père, saxon et luthérien, et méprise les Italiens papistes, y compris son mari et son frère Curzio, Kurt, qui a opté pour l'armée italienne en 1915 et pris un pseudonyme italien.

Ce matin, le ciel et l'eau sont de nouveau en train de se troubler, je n'irai pas à la mer, mais je la guette presque amoureusement, c'est ma seule compagne depuis ton départ. C'est à Capri que ce Savoyard aura appris à aimer la mer.

Il est 8 heures et demie. Je donne cette lettre à Domenico et je vais me mettre au travail.

Je te serre très fort contre moi.

Ton

Roger.

Mardi matin, 8 heures
[A Élisabeth]

Mon amour, tes deux lettres de Samedi, arrivées hier soir, m'apaisent au sujet du tafano. Ton appel de la nuit de Vendredi reste mystérieux, comment dois-je l'interpréter? Enfin, vive le voyage en France dans l'accord parfait du ciel, de la terre et de l'enfer.

J'ai reçu aussi le thé, merci mon amour qui penses toujours à moi.

Samedi soir, coup de téléphone de Gala, tout est en ordre avec Grassi, et elle semble emballée de la petite comédienne « molto brava ». Elle m'a envoyé 50 000 et je vais en recevoir 25 000 à Milan. Va bene.

La mise au point de l'Acte I du *Colonel Foster* est aux 2/3 achevée, 17 pages sans interligne tapées en 48 heures, je ne fais absolument rien d'autre. Quelques nouvelles trouvailles, heureuses je pense, mais j'ai peur que le démarrage soit un peu lent. J'espère t'expédier demain l'acte achevé, tu me diras ce que tu penses.

Lis-tu Mao? C'est mon soutien pour la Corée.

Je te serre très fort dans mes bras.

A tout à l'heure mon amour.

Ton
Roger.

Le 20 septembre, 7 heures du matin
[A Élisabeth]

Le premier acte, deuxième version, sera achevé vers 10 heures du matin. Je te l'enverrai par le courrier du soir.

Pourquoi ai-je eu dans la nuit du 15/16, à deux heures, l'intuition des violences qui se sont déroulées du 16/17, à la même heure?

Avant cette nouvelle lettre de toi, je pensais que tafano avait voulu te prendre au cours de la première nuit, que tu avais cédé pour avoir la paix, d'où sa relative bonne humeur (et mon anxiété).

Maintenant je ne pense plus rien, ce sont de vagues coïncidences, et j'emmerde la télépathie.

Un orage venu d'Anacapri est en train de rencontrer un orage venu de Salerne, entre la casa Malaparte et la pointe Campanella, c'est du spectacle. Cette maison m'aura donné toutes les sortes de plaisirs.

Et maintenant mon amour, je me remets au travail. Je suis seul debout. Maria ne doit pas oser sortir de son lit, à cause de l'orage, et Domenico se lève tous les jours un peu plus tard.

J'espère que vous avez trouvé Lundi matin mes deux lettres de Vendredi et celle de Samedi.

Je te serre très fort dans mes bras.

A tout à l'heure mon amour.

Ton

Roger.

Jeudi 21 septembre
[A Élisabeth]

Mon amour, mon amour, mon amour, MON AMOUR !

Je suis émerveillé que Paris s'arrange si bien, tout concourt au bien de ceux... nous pouvons donc en rester en principe aux dates que je t'ai indiquées hier.

Je serais très heureux de faire Siena et Firenze avec toi. Chaque fois que je suis allé à Florence, je rêvais d'y être avec l'amour, mais je n'y suis jamais venu qu'avec des amis.

Et nous irons voir ensemble les camarades du journal communiste de Toscane dont un est très gentil et très cultivé.

Foster va le tonnerre, quoique les problèmes de construction se reposent sans cesse.

Je relis Corneille et Racine pour essayer de comprendre le sens de la division de la tragédie en *cinq* actes, cela me paraît assez arbitraire, mais quelque chose doit m'échapper, qui doit correspondre à ce que je sens ne pas aller dans mes deux derniers actes. Ce soir, je verrai Shakespeare.

Ci-joint tout ce qui est tapé jusqu'ici. Je n'ai pas relu,

ça doit donc être plein de fautes et de négligences. Mais je file tout droit... je réviserai tout ensemble.

Marque au crayon tout ce qui te choque, te paraît long, etc... Nous en parlerons ensemble.

Hier soir, à huit heures, après avoir travaillé toute la journée sans souffler, je suis brusquement parti pour Capri, pernod chez Eduardo, puis dîner seul à la Gemma, puis saoulé avec un médecin bolonais et sa femme, connus quelques jours plus tôt dans notre crique, le ballet des nuits saoules a raté parce que j'ai été trop vite abruti, j'avais mal gradué mes effets, je ne les ai même pas perdus, mon délire s'est borné à des éloges passionnés des femmes italiennes, ma maîtresse est précisément bolonaise, etc... etc... rentré vers deux heures sans trop tituber.

Ce matin bain très court dans la mer fraîche, puis sué mon alcool au soleil, puis *Foster*...

Je vous serre très fort dans mes bras. Je suis merveilleusement heureux que nous allions passer un mois sans nous quitter.

A tout à l'heure mon amour

ton Roger.

Jeudi 21, 23 heures
[A Élisabeth]

Toutes tes lettres, je les lis très attentivement, quoique tu sembles croire, et je crois ne plus faire trop de contresens. De celle de Mardi, que Domenico m'a apportée tout à l'heure, je retiens surtout que nous allons être ensemble pendant tout un mois, c'est presque incroyable.

Mais je demeure très inquiet pour toi que tu aies encore à supporter pendant presque deux semaines les persécutions tafanesques. D'autant plus que j'ai l'impression que tu ne me dis pas tout. Et que je reste très angoissé de cet appel de deux heures du matin, bien que je ne comprenne plus du tout les dates, tu m'as bien écrit que tafano n'avait pas tafanisé la nuit de son retour, mais seulement la nuit suivante, ou alors tu as voulu me tranquilliser.

Je crains aussi que sa mansuétude quant au voyage à

Paris ne cache quelque traîtrise, mais peu importe du moment que tu peux partir.

En ce qui concerne la Corée, demeurent de nombreuses choses que je ne comprends pas faute d'informations, que je ne peux évidemment avoir ici. Et d'abord, pourquoi les Soviets ne fournissent-ils pas de l'aviation à la Corée?

Est-ce pour éviter à tout prix les risques d'un conflit maintenant avec les États-Unis? Ce serait légitime, vu que le rapport de forces sera dans cinq ou dix ans infiniment plus favorable à l'URSS et aux républiques populaires, malgré le réarmement américain, anglais, etc... parce que la production soviétique s'accroît plus vite. Mais alors pourquoi avoir laissé la Corée s'engager dans la guerre? ou bien la Corée se serait-elle engagée dans la guerre sans l'approbation soviétique? C'est peu probable mais possible.

Mais il est évident que la Corée seule, et sans aviation ni marine, sera finalement vaincue par l'Amérique et ses alliés. Ou du moins réduite à une situation analogue à celle où l'Indochine se trouve depuis des années.

Est-ce là précisément le but, d'user l'armée américaine par une guerre de guérilla qui s'éterniserait en Corée, de même que l'armée française (et le budget français) s'épuise depuis cinq ans en Indochine?

Il semble qu'en Indochine précisément de sérieuses opérations soient en train de s'engager, comme je te l'avais annoncé. La Corée est-elle destinée à fixer les Américains, pendant que de vastes, plus vastes opérations vont s'engager en direction de l'Indochine, de la Malaisie, des Indes néerlandaises, de la Birmanie et des Indes?

Demeure le mystère qu'alors que, de l'aveu même des Américains, l'aviation soviétique est à l'heure actuelle plus nombreuse que la leur, moins forte en bombardiers, mais beaucoup plus forte en chasse, les Soviets ne fournissent pas de chasseurs aux Coréens. Ce n'est pas à Capri que je peux le deviner.

Quant au fond, demeurons comme tu le fais dans la « perspective historique », même si la Corée est provisoirement vaincue, l'Histoire marche avec elle et avec nous. Dans *Foster*, acte I, que je t'ai envoyé aujourd'hui, je dois encore renforcer le passage sur ce sujet. L'exemple de la Commune de Paris est très insuffisant. Les conditions ne sont plus les mêmes. La Corée peut être vaincue, provisoirement, mais l'ensemble des pays communistes ne peut plus être « mis à genoux », même provisoirement, il est assez fort pour ne plus connaître que des échecs locaux.

Vendredi 22, 10 heures et demie. Lu assez tard cette nuit *Henri V* de Shakespeare. Ce matin : le courrier en retard, puis je monte à Capri, chercher à la banque l'argent de Gala, essayer les chaussures, etc... Je ramène Castello déjeuner à la maison.

Puis de 4 heures à ..., j'espère terminer le deuxième acte.

C'est affreux et inadmissible que tu doives te cacher dans le bain pour lire *l'Histoire du Parti*. Tu as raison cependant, c'est une « retraite stratégique » parfaitement justifiée, puisque l'objectif unique de ces deux semaines doit être : le voyage à Paris. Concentration de toutes les forces sur un seul point, c'est la clef de la bonne stratégie. Et je te fais confiance en tout.

Je te serre très fort dans mes bras (et puis aussi, je m'abandonne à toi, « comme un garçon »).

A tout à l'heure mon amour

Ton Roger.

Équinoxe d'Automne
23 septembre, 7 heures, matin
[A Élisabeth]

Mon amour, mon amour, le monstre de Domenico est rentré hier soir à onze heures, ayant oublié le courrier chez l'épicier. Pour la première fois j'ai gueulé : via! va a casa tua! fuori! non voglio più vederti, enfin tout ce qui me sert d'italien. Ce matin le ménage est déjà fait, et il n'attend plus que ce mot pour partir à Capri. Je commence à comprendre comment on peut battre un domestique.

Le deuxième acte sera terminé aujourd'hui, j'espère.

Je vous serre très fort dans mes bras.

A tout à l'heure mon amour Ton Roger.

Dimanche 24 septembre
à huit jours du bonheur
[A Élisabeth]

J'ai des quantités de lettres de toi, mon amour, mon amour, j'adore tes petites histoires, comme celle du chauffeur et des techniciens du son.

Les mystères d'Henry ne me surprennent pas, ni qu'il t'ait charmée, mais je suis toujours sans nouvelles directes de lui.

Je suis heureux de ton bonheur qui est le mien et je te confirme la date de notre départ.

Lundi 2, par le rapido qui quitte Napoli à 10 h. 55. Je voyagerai en seconde classe, place retenue par la *CIT* de Capri, dont je t'enverrai en temps voulu le numérotage en gare de Rome, je serai, comme tu me le demandes, dans le wagon-restaurant, et j'aurai retenu pour toi une place en face de moi.

Domenico, prévenu par moi, que s'il n'était pas de retour (hier matin) à dix heures, avec le courrier égaré la veille, il trouverait ses affaires sur le chemin, et serait définitivement chassé sous ma responsabilité, est rentré à dix heures moins le quart avec le courrier miraculeusement retrouvé. Il y avait une lettre de toi, un avis de ma banque de Paris, et le début des épreuves de la mise en pages de *Bon Pied Bon Œil*.

Là-dessus, j'ai fait téléphoner par Maria chez l'épicier, où il avait dit avoir oublié le courrier. Comme je m'y attendais, c'était faux. Peut-être l'avait-il simplement oublié chez la Gobba, ce qui ne serait rien.

Mais Castello et le Ciro le considèrent comme un mouchard, au service des ennemis de Curzio ou de je ne sais quelle sorte de police, j'ai mal compris, et Maria l'aurait surpris en train de fouiner dans le bureau de Curzio, et aussi d'essayer de forcer la porte de Maria la bonne, où sont enfermés les papiers de Curzio, je fais toutes réserves.

Mais tout cela, ou partie de tout cela, expliquerait les anomalies du courrier, bien que l'espresso du jour de ton départ ait été mis à la poste par moi-même, le matin même.

Enfin, désormais, nous nous relayons, Maria et moi, pour assurer tour à tour le service du courrier, tant pour le prendre à la poste que pour le poster.

Il est 21 heures. Le deuxième acte est terminé, ainsi que la première scène du trois : l'interrogatoire de Paganel. Je n'ai pas décollé de ma table de toute la journée, sauf une heure pour le bain, l'eau est comme aux plus beaux jours de Juin et la mer toute caressante. Il est arrivé des petits oiseaux bleus. Je crois avoir résolu le problème du cinquième acte en général, mais j'en ai marre du théâtre pour aujourd'hui. Je t'expliquerai une autre fois.

Je vais dîner, puis porter cette lettre à Capri, et sans doute bien sûr boire un verre. Mais je n'ai pas envie de me saouler, juste de me détendre les jambes.

A tout à l'heure mon amour, je te serre très fort dans mes bras.

Ton Roger.

Mardi 26 septembre
à six jours du bonheur
17 heures 30
[A Élisabeth]

Ni vent, ni vague, ni nuage, l'air tiède et l'eau à peine fraîche. Je me suis donné ce matin quatre heures de bateau, et j'ai visité toute une série de petites criques, vers le nord, en direction de Marina Grande. Paix. Mais déjà le soleil ne se lève plus qu'au-dessus de Salerne, se couche derrière les Faraglioni, laisse en plein midi de grandes ombres au nord de la crique, et ne parcourt plus dans tout le ciel d'une journée que la moitié du chemin qu'il faisait en Juin. Jamais autant que cette année je n'ai été sensible à la descente de l'année vers l'hiver, qui se fait sensible dès le Ferragosto, et qui m'angoisse toujours (par contre je sens le printemps souvent dès le 20 janvier); j'ai généralement beaucoup de mal à garder mon équilibre en Septembre et Octobre. Cette année mon amour tout neuf, et aussi la paix de Capri, et l'intensité du travail, m'ont presque totalement supprimé l'angoisse.

Mais comme je redouterais le retour à Paris, si tu ne m'y accompagnais. Comme cela c'est une fête.

La soirée d'hier à Capri a été sans histoire.

Un verre au Tabù, seul endroit où il y avait du monde. Américains, Scandinaves, Allemands, très peu d'Italiens, sauf les maquereaux capresi, beaucoup plus apparents qu'en été. Rencontré Ciro qui a achevé, involontairement, de m'éclairer sur le vrai rôle de Capri, et la vraie raison de son attrait pour les Nordiques : *c'est un bordel d'hommes*.

Les femmes surtout et aussi les pédérastes, trouvent des bites à acheter un peu toute la journée sur la piazza, le soir au Tabù, et de 10 à 16 heures à Piccola et Grande Marina : elles louent une barque et un rameur et se font baiser par le rameur à des endroits qu'ils connaissent. Je comprends maintenant des tas de détails qui du haut de la terrasse m'avaient intrigué. Et aussi le style des hommes capresi, exactement celui des putains de bordel.

Ensuite un tour au bal caprese des joueurs de football...

Maria vient de me dire pour la deuxième fois qu'elle part pour Capri où c'est son tour de poste. Je continuerai demain. J'espère qu'elle va me rapporter au moins une lettre de toi... en attendant je me remets à *Foster*.

Je te serre très fort dans mes bras.

A tout à l'heure mon amour

Ton Roger.

25/26 septembre
à six jours du bonheur
Une heure du matin
[A Elisabeth]

Toutes les difficultés du troisième acte, qui étaient grandes, semblent résolues. Il sera terminé demain soir ; et à toi expédié.

C'est la pleine lune.

La mer est plus calme qu'aux plus beaux jours d'Août.

Maria m'a apporté pour le dîner tes trois lettres de Vendredi et Samedi.

Six jours, c'est encore long, et mon anxiété d'équinoxe prend cette année cette forme « pourvu, pourvu, pourvu,

pourvu, pourvu qu'il n'y ait pas de catastrophe pendant ces six jours, elle ne me parle pas de sa santé, *** lui prépare peut-être un sale tour, etc...

Ne t'inquiète surtout pas des questions d'argent, Octobre s'annonce très bien pour moi.

Tes observations sur ma pièce me paraissent toutes très justes. Je les ai annotées. Nous en parlerons en route.

J'ai la veste de velours.

Les chaussures doivent être achevées depuis ce matin.

Trois chemises étaient prêtes, mais j'en attends une quatrième que je fais faire dans une jolie flanelle que j'ai trouvée.

Encore six grands jours, mais *Foster* et sa préface seront terminés. Il faudra bien sûr les revoir en route, et puis encore à Paris.

Encore six grands jours mais nous avons toujours tenu strictement nos programmes.

Tout à l'heure a six jours.

A tout à l'heure mon amour.

Je te serre très fort dans mes bras.

Ton Roger.

2 h. 45 du matin, le vent vient de se lever, la mer fait du bruit, un banc de nuages barre le ciel vers Salerne. Mais ici le clair de lune est encore total.

Je me couche, j'ai terriblement envie de toi.

26, 9 heures du matin, bonjour mon amour, j'ai trop envie de vous et la journée ne finira pas, que, vous créant devant moi, je ne me sois conduit comme un garçon de 14 ans.

Mercredi 27 septembre
11 heures du matin
à cinq jours du bonheur
[A Élisabeth]

Le troisième acte a été terminé comme prévu, une demi-heure après ton anxieux coup de téléphone.

Je demeure mal foutu, mais je n'ai absolument pas de

fièvre (37,1 ce matin), nerveux surtout, je pense que c'est à cause du mistral (le mistral, qui vient du nord, ne se fait pas sentir sur cette rive qui est protégée par les petites montagnes de l'île, pas le moindre vent donc, on se trouve comme dans un creux sans air, et les vagues qui viennent maintenant battre très fort contre nos falaises ne sont pourtant qu'un remous, en sens inverse, de très grosses vagues qui doivent se former au large, quand le mistral saute sur la mer par-dessus Capri, et comme un écho de la tempête qui doit se jeter sur la côte de Calabre.)

Mais c'est bien plus angoissant, ces dures vagues dans ce creux sans vent.

Dans notre crique à toi et moi il y en a qui escaladent notre rocher jusqu'au sommet, et dans toute la crique l'eau est décomposée, comme le visage d'une femme enceinte,

les vagues détonent sur les rochers, éclatent puis retombent sur les vagues qui les suivent, — comme un coup de martinet sur les fesses de la bien aimée;

je deviens de plus en plus nerveux, et ça se reporte obsessivement sur Domenico, à qui j'ai envie de casser la tête contre les murs, chaque fois que je le vois, — mais comme bien sûr c'est absurde et qu'un vrai bolchevik ne doit pas être hystérique, je ne le lui montre pas.

En France le mistral a un rythme ternaire, et comme c'est le même vent, je devrais retrouver mer et cœur calmes dans la nuit du 28/29.

J'aurais mille choses à te dire et à répondre à tes lettres que j'aime de plus en plus.

Mais je dois monter à Capri, pour mes chaussures, chemises, etc..., et la *CIT*, et il me paraît beaucoup plus prudent, vu l'état des nerfs, d'y aller le matin.

La pièce devrait normalement être achevée et les dernières épreuves de *Bon Pied Bon Œil* corrigées et expédiées Vendredi soir.

Je te prends tout entière dans mes mains et je te triture comme une pâte à gâteau, j'en ai terriblement envie.

Tout à l'heure = 5 jours.

A tout à l'heure mon amour Ton Roger.

Jeudi 28 septembre
22 heures 30
à quatre jours du bonheur
[A Élisabeth]

Comme je vous l'ai fait télégraphier tout à l'heure mon amour la pièce est terminée depuis cinq heures de l'après-midi, sauf le chant des partisans, très avancé, et qui doit être logiquement achevé dans la matinée de demain.

Les épreuves de *Bon Pied Bon Œil* très avancées partiront demain.

J'ai ta lettre d'après le coup de téléphone, je sais trop bien ce que c'est que l'anxiété mon amour pour pouvoir jamais te la reprocher, et j'aime ton anxiété pour notre amour.

La journée d'hier dont je t'ai méthodiquement décrit les circonstances météorologiques a été insupportable pour les nerfs. A Capri tous les gens étaient comme fous, et la malheureuse Jane Wolf plus que tout le monde. Et je ne parle pas de Maria, très charmante et consacrant désormais son temps à essayer de me faire du gratin dauphinois et du gâteau de Savoie, mais très suocera et disant : « je vais écrire à Élisabeth que vous vous êtes baigné, que vous avez bu du pernod, que vous êtes allé raconter des histoires aux femmes qui étaient sur le toit, etc. etc. », mais qui dès qu'il y a une femme sur le toit ou sur le chemin me crie : « Roger, Roger, alerte à la femme », et qui hier, pour échapper au bruit de la mer, s'est enfermée fenêtre close dans sa chambre, puis s'est enfuie sur la piazza et est restée pendant trois heures assise sur un banc *à la poste*...

Depuis ce matin la mer est plus calme, l'atmosphère se détend peu à peu, et maintenant c'est l'orage pacificateur, il tonne tout près, j'ai fermé les compteurs, puisque je sais maintenant qu'il est plus difficile de faire venir des ouvriers à la casa Malaparte que de gagner le gros lot du Totocalcio, et je t'écris à la lueur de ta bougie rose, qui devait avoir un sort plus plaisant (mes prévisions d'érotisme enfantin d'hier se sont bien sûr réalisées avec grand déploiement d'imagination et j'ai inventé une machine à double usage, mâle et femelle, à utiliser ensemble, et que nous pourrons faire fabriquer par quelque artisan de Sceaux).

Vendredi 29, à trois jours du bonheur. 6 heures, la fanciulla doit encore dormir dans le sous-marin, et puis elle va se réveiller, en pensant à ses vacances toutes proches, le professeur est déjà parti (j'espère qu'il n'est pas revenu).

Ma nuit a été pleine de rêves inquiets, avec des chevaux qui ruaient et se roulaient par terre, des Russes blancs qui arrivaient à l'hôpital de la rue de Sèvres, en costume de cour, un couple de vieux amis, qui me montrait comme preuve de sa réussite dans la vie une vitrine pleine d'objets de toilette intime, avec un rayon pour chaque membre de la famille,

et puis une histoire d'enfants :

j'ai un autre vieux couple d'amis, qui s'appellent Raymond et Gaby, je marchais, rue de Sèvres encore, avec Gaby, elle me demande :

— Vous allez reconnaître l'enfant d'Odette ? (je ne sais pas qui est Odette)

— Si ça peut vous faire plaisir...

— Mais vous n'avez pas couché avec Odette!

Je réfléchis qu'en effet ne j'ai pas couché avec Odette.

— Ah! dis-je, mais j'ai cru que vous parliez de l'enfant que va faire Élisabeth.

— C'est pour rendre service à Raymond que vous reconnaissez l'enfant d'Odette...

— Je veux bien rendre service à Raymond, mais j'aimerais bien voir quand même l'enfant d'Élisabeth...

— Oh! vous, me dit-elle, vous n'attachez pas d'importance à ces choses-là, vous pouvez bien rendre service à Raymond.

Un orage rôde encore dans le coin, il a dû rôder toute la nuit, la mer remue de nouveau, mais de plein fouet, c'est plus sain, il pleut et la falaise est enveloppée de nuages.

A tout à l'heure au téléphone, je te serre très fort dans mes bras

ton Roger.

9 heures 20, suite du bulletin météorologique. Le temps se lève. La mer n'est froissée qu'en surface, tout à fait comme le papier d'étain dont on entoure le chocolat, le « papier d'argent » que dans mon enfance on récoltait pour la conversion des petits Chinois, ça n'a heureusement servi à rien, VIVE MAO!

Je monte à Capri régler avec Castello le sort de mes étoiles de mer et de ses toiles.

Je t'aime.

[1950]

[Sceaux] Lundi 6 novembre, 21 heures
[A Élisabeth]

Tu arrives à Rome. Voilà.

Je ne suis pas allé à Paris, je n'ai pas quitté la maison, je n'ai pas même téléphoné à Emmer, comme je devais le faire, j'ai écrit mon article pour *la Tribune*, le courrier en retard, c'est un peu comme Capri, après tes départs, et maintenant, comme à Capri je me mets à ma machine pour t'écrire.

Seul de nouveau mais une énorme différence avec le passé : je ne suis plus l'homme le plus seul dans le monde. Tu es en voyage, mais tu reviendras à la maison, « chez nous ». Un bien sale voyage, quand même.

Je pense que tu as été émue de trouver les Hervé à la gare. Moi aussi, et si heureux que tu aies tout de suite été acceptée dans la « famille ». Je suis allé manger le boudin chez eux, Emmer avait d'autres Italiens à accompagner au train de Milan. A minuit j'étais rentré à Sceaux.

Demain il y a des tas de rendez-vous à Paris, dès 10 heures du matin. Aujourd'hui j'étais plutôt sonné par la séparation, abruti, endolori. Tu ne vas même pas pouvoir t'offrir ce repos de l'abrutissement, ma toute petite, ma toute petite...

La femme de ménage est venue, elle a été bien sage, j'ai tout expliqué et maintenant l'ordre devrait être mécanique. Toutie est venue dire : « alors maintenant, tu couches tout seul ». La femme de ménage s'appelle Léontine. Léontine a bien ri de la remarque de Toutie.

Puis est venu le frère de Nora, chercher les affaires qu'il avait laissées dans l'armoire. J'ai échangé avec lui mon manteau poil de chameau contre un manteau de cuir en bon état, d'une seule pièce, long, qui sera formidable pour faire la révolution.

Mardi matin : un peu moins abruti, je me suis plutôt réveillé comme un lion : un lion furieux qu'on lui ait arraché sa lionesse. J'ai déjà fait beaucoup de bruit parce qu'on ne m'avait pas remis tout de suite ton télégramme.

Je file, je suis en retard, je te serre très fort dans mes bras, je te cherche, je te cherche, je t'aime.

Ton Roger.

Les photos sont presque toutes bonnes, elles sèchent.

Mercredi 8, 10 heures
[A Élisabeth]

Ma léonité d'hier fut sans objet : d'André aux Polonais, qui vont sans doute m'acheter *Bon Pied Bon Œil*, de Leduc, qui m'organise Samedi soir chez lui une lecture par moi du *Colonel Foster*, devant quelques responsables du Parti, à Pierre Berger de *Paris-Presse*, qui méritait bien une visite, je ne vis que des amis, des hommes « bienveillants »...

mais ma lionesse est en proie aux persécutions : *il faut tout me raconter, mon amour*, je veux au moins, comme cela, participer à tout de ta vie.

J'ai dîné seul, au Vieux Paris, dont les patrons me connaissent depuis dix ans, et sont bienveillants avec moi. A dix heures, j'étais rentré, puis plongé jusqu'à 3 heures du matin dans l'histoire des partisans soviétiques : j'ai promis pour Vendredi, à *Action*, un article *stratégique* sur la Corée,

mais ma lionesse était peut-être en train de livrer combat à quelque hippopotame rhinocérosesque...

Ma pièce, mon livre, mon départ[1], voilà tout le programme

1. Roger Vailland devait partir en reportage pour l'Indonésie.

des jours qui viennent, et la stratégie bien sûr, la stratégie est devenue le seul plaisir d'un cœur solitaire,

mais ma lionesse se bat jour et nuit... Qu'elle n'oublie surtout pas qu'elle doit écrire dès cette semaine... [...]

Il va bien falloir penser téléphoner à Emmer, mais chose curieuse, je n'ai pas envie d'entendre parler de toi par personne d'autre que mon cœur

Le Monde et *le Figaro* continuent à ne pas parler de *Bon Pied*...

Ma cousine Annie m'a téléphoné tout à l'heure, mais chose curieuse, je n'ai envie de m'entretenir de toi avec personne d'autre qu'avec mon cœur, un pauvre cœur tout endolori. J'ai reçu la carte endolorie de ma toute petite, nous sommes deux pauvres petits, comme je t'aime mon amour, je te serre très fort dans mes bras.

Ton Roger.

Jeudi 9 novembre
[A Élisabeth]

Trouvé hier soir en rentrant ta tendre triste lettre du train et le télégramme, j'appellerai Pippo cet après-midi...

Je ne sais pas faire de miracles, mon amour, l'amour ne fait pas de miracles, personne ne fait de miracles, rien ne fait de miracles, on fait ce qu'on fait, voilà, et nous nous retrouverons parce que nous voulons nous retrouver, et que nous ferons ce qu'il faudra pour nous retrouver... je ne suis pas encore retourné à l'agence de voyages, et n'ai pas de nouvelles du visa, mais je pense que tout cela sera réglé d'ici la fin de la semaine.

Pas encore de nouvelles de toi de Rome, il faudra tout me dire, bien concrètement, bien en détail, je veux au moins pouvoir vivre avec toi par l'imagination, et souffrir avec toi, s'il faut souffrir.

La journée d'hier fut celle des éditeurs. Rien de concret de Haumont qui n'a pas d'argent. Corrêa m'a payé 114 000 de la Pologne, ce qui est relativement honnête. Buchet m'a proposé tout un plan de campagne pour les Goncourt, mais je ne veux pas faire personnellement de démarches, sauf auprès de Salacrou, qui est un quasi-camarade, encore est-ce que ça m'ennuie de le voir, je n'ai envie de voir personne qu'une Élisabeth qui n'est pas là, mais je le verrai quand même, en mémoire de tous ceux qu'elle voit et qu'elle ne voudrait pas voir, et puis je suis un homme d'acier, et il serait à tous points de vue utile que j'aie quelques voix au Goncourt, le prix lui-même, cela me semble impossible pour les raisons politiques.

Tout de suite après avoir reçu mon chèque polonais, je me suis acheté une magnifique écharpe de laine noire, qui me donne l'allure la plus romantique, c'est une sorte de châle en laine des Pyrénées, que j'ai eu pour 1 500 francs à la Samaritaine, au rayon où les femmes de ménage vont acheter leurs fichus, la matière est un peu comme l'angora, tout le monde croit que cela coûte une fortune faubourg Saint-Honoré...

L'après-midi s'avançait, j'étais malgré l'écharpe triste et arrabbiato de ne pas te rejoindre, te la montrer, puis nous serions allés dîner au chinois, j'ai poursuivi jusqu'à *Action*, j'ai bu quelques verres avec Hervé, on a dîné en vitesse, il tenait une réunion à Suresnes et Annie était immobilisée aux Combattants de la Paix, je suis rentré, et voilà une journée d'homme solitaire...

Téléphoné à Salacrou, qui me dit qu'on a beaucoup parlé de mon livre hier à la réunion préparatoire des Goncourt.

Déjeuné avec Nora et Henry, et maintenant à la stratégie, je ne sortirai qu'en fin d'après-midi pour porter mon papier à *Action*.

17 heures. Encore sans nouvelles de toi romaine au courrier de cet après-midi.

J'ai téléphoné à Pippo, je le verrai demain matin à 11 heures. Il a été aimable, bref, m'a félicité du succès de *Bon Pied*.

Je t'aime mon amour, je te serre dans mes bras.

Il faut avoir confiance, je t'attendrai (ou bien j'irai te chercher).

A tout à l'heure, ma toute petite.

Ton Roger.

Samedi 11 novembre
[A Élisabeth]

Trouvé hier, mon amour, en partant de chez nous, ta première lettre de Rome, celle donc de mercredi; comme je t'imagine bien tombant en larmes contre ta mère, et gonflant tristement ta joue, à la manière que j'aime, j'ai horreur de ton malheur et je n'arrive pas à réaliser qu'on ne puisse rien là contre, et que je ne puisse rien faire. Mais il ne sert à rien de rugir.

Vu à son bureau ton Pippo, qui n'était en retard que de une demi-heure sur le rendez-vous fixé. J'ai eu l'impression qu'à cause de toi nous étions un peu intimidés l'un par l'autre. Finalement nous n'avons parlé qu'affaires, tout en nous répétant à chaque tournant de la conversation que « nous avons tellement de choses à nous dire », c'était finalement assez émouvant.

Puis j'ai vu des tas de gens :

— Pierre et Annie à laquelle j'ai lu le passage de ta lettre.

— Leduc chez lequel je vais ce soir, et qui m'a dit : « amène ta femme », « ma femme est à Rome »...

Dans tout le milieu des camarades, comme si on s'était donné le mot, on me dit en parlant de toi « ta femme », et cela prouve des tas de choses : qu'on t'a acceptée, qu'on est d'accord, qu'on trouve bien pour moi que je me décide enfin à « prendre femme » et à changer de vie, qu'on se félicite que ce soit avec toi, etc... j'en suis énormément heureux.

— Un représentant officieux des Indochinois libres qui m'a promis que si je parvenais par mes propres moyens au cours de mon voyage à X ou Y, on me prendrait en charge pour faire un tour dans le maquis vietnamien.

— Les Peytavin, chez qui j'avais écrit la première version de *Bon Pied Bon Œil*, et que tu aimerais. Ils sont comme les Manevy tendres et un peu paternels avec moi, mais ce sont des communistes, et lui colonel et ancien chef de maquis.

— Et en fin de soirée, Jacques mon fils [1], et deux petits cons

1. Roger Vailland parle ici de Jacques-Francis Rolland, dont il avait fait son fils d'élection.

d'intellectuels de gauche non communistes, qui m'ont fait grief d'avoir accepté l'hospitalité de Malaparte, j'ai assez mal pris la chose, mais ils ont achevé de m'attrister. Bu trois grands verres de rhum blanc et rentré très sombre.

Tout à l'heure je pars avec Buchet (Corrêa) chez Pierre Mac Orlan, à une cinquantaine de kilomètres au nord de Paris.

C'est le 11 Novembre, anniversaire de Victoire, fête nationale et demain dimanche, cela représente deux jours sans lettres de toi.

Des avions à réaction, qui vont survoler le défilé militaire, passent au-dessus de Sceaux en sifflant, cela me fait penser aux Ricains de Corée et je rugis.

La femme de ménage est parfaite, sauf pour le repassage, et notre maison merveilleusement en ordre.

Je te serre très fort mon courageux amour dans mes bras. Comme je t'aime!

A tout à l'heure ma toute petite.

Ton Roger.

J'ai déjà quatre photos de toi, bonnes, que j'ai accrochées côte à côte dans notre chambre. Les autres pas encore tirées.

Mardi 14 novembre

Mon amour mon amour, Henri m'a avoué tout à l'heure qu'il avait égaré ma lettre de dimanche, que je lui avais confiée à poster, moi je restais à la maison, alors il faut que je te raconte tout de nouveau, bon mais comme déjà je n'avais pas eu le temps d'écrire hier, tu vas rester je ne sais combien de jours sans lettre, enfin je t'ai télégraphié...

[...]

Je te supplie de ne te laisser affoler, ni par le chantage, ni par l'hystérie, il n'est pas de situation sans issue, *même dans l'immédiat*.

[...]

Aucune place sur aucun bateau pour l'Extrême-Orient avant Janvier. Je partirai donc par avion de la compagnie hollandaise KLM *de Rome*, au début de décembre, je te préciserai la date dès que j'aurai mon visa, j'espère cette semaine, visa obtenu, il faut encore compter quinze jours pour avoir une place sur l'avion, et pour tous les vaccins, il faudra sans doute par ailleurs que je reste à Paris jusqu'au prix Goncourt, dont la date n'est pas encore fixée, mais qui se donne toujours dans la première quinzaine de décembre.

Tu peux donc prévoir que je serai à Rome entre le 10 et le 15 décembre, sauf visa refusé

Vu donc samedi, dans sa maison de campagne, Pierre Mac Orlan, juré Goncourt, romancier d'aventures, « vieux dur », apolitique, un rapport d'amitié d'hommes un peu de la même race s'est tout de suite créé, et il semble aimer sincèrement mon livre.

Sur le voyage du retour, dans la voiture de Buchet (Corrêa), Mme Buchet m'a dit qu'elle aimerait t'avoir à déjeuner chez elle, c'est la première fois qu'elle invite une femme qu'elle voit avec moi, mise à part Roberte, mais elle l'invita une fois et fut guérie pour la vie de l'envie de la voir, à la suite de quelques incidents qui m'avaient d'abord amusé, mais cela devint lassant.

Samedi soir lecture de ma pièce chez Leduc, devant la « section idéologique » du Parti, presque au complet, accueil chaleureux, et après accord de Duclos, qui semble sûr, j'aurai *l'accord matériel et moral* total du Parti, et ils sont tous d'accord qu'il faut de vrais acteurs, une vraie mise en scène, etc., la question est déjà à l'étude.

Mais comme je pars et *qu'ils voudraient que cela soit joué rapidement*, il faut trouver un metteur en scène en qui je puisse avoir totalement confiance, à tous les points de vue, ce qui pose beaucoup de problèmes, mais résolubles, enfin de quoi encore occuper très largement la semaine.

Les autres partis, resté jusqu'à quatre heures chez Leduc et Jeanne (qui te sont très favorables comme tous mes amis, à boire de la grappa.

Dimanche : dormi et lu, fatigué.

Hier lundi, déjeuner Barbizan d'abord avec Luciano et Morelli, puis une demi-heure seul avec Gala : *ton nom n'a pas été prononcé*, ni par les uns, ni par les autres, et ce n'est pas moi qui aurais commencé, les hommes ont seulement fait quelque ironie : « le bruit court que vous avez changé de vie, que vous ne buvez plus, que vous vous couchez tous les soirs à huit heures » — mais mon air de glace les a tout de suite stoppés.

Puis compagnies de navigation et d'avions, *Tribune*, *Paris-Presse* où Manevy me dit que Gérard Bauër, autre juré Goncourt, très influent [...], l'a assuré que j'aurais plusieurs voix, mais je n'arrive pas à savoir qui est pour moi, qui est contre.

Puis interview pour *les Nouvelles Littéraires*, sur l'humour, par Claudine Chonez (que je t'ai présentée chez Corrêa), je l'ai invitée à dîner, rentré tôt.

Aujourd'hui je ne bouge pas de Sceaux, Monica retour d'Angleterre vient déjeuner avec moi, puis article *Tribune*.

Et voilà le journal terminé mon amour.

Ce que je n'ai pas dit, c'est qu'à travers tout cela, je pense tout le temps à toi,

et tantôt c'est très bon et très doux, parce que tu es mon amour, et je suis ton amour, et que nous nous retrouverons, et que nous vivrons ensemble, et que nous serons heureux comme je ne connais personne d'heureux,

tantôt c'est très amer, parce que tu souffres, et je ne peux rien pour t'arracher à la souffrance,

et tantôt c'est très arrabbiatant, parce que l'absurde de notre séparation me suffoque d'indignation, et je m'imagine giflant à tour de bras la cause de notre séparation,

je hais les mâles qui revendiquent leur soi-disant droit, malgré l'horreur qu'ils ne peuvent pas ne pas sentir qu'ils inspirent... et puis c'est quand même très doux, parce que je vois tes yeux tendres et ta moue de toute petite, et tout de toi, et puis je sais que je ne suis plus l'homme le plus seul dans le monde, et puis j'ai tellement confiance en toi, et puis de penser à toi *cela fait très concrètement comme quelque chose qui s'ouvre dans le creux de la poitrine là où logeait jadis l'angoisse, ce doit être mon cœur amolli*, tu m'as rendu mon cœur que j'avais changé en roc, il y a longtemps, longtemps de cela, quand pour préserver mon intégrité, j'avais dû me durcir contre ma mère, et puis il avait fallu me réendurcir pour résister à Roberte,

mais maintenant, tant que je saurai que tu m'aimes comme tu m'aimes, je ne pourrai plus jamais être « triste jusqu'à la mort », comme Lamballe dans sa solitude,

ce qui a frappé Claudine Chonez dans *Bon Pied Bon Œil* et précisément dans les passages que j'ai réécrits ce printemps et que je te lisais à mesure, c'est pour la première fois dans mon œuvre de la bonté et de la tendresse,

et merci merci à Pippo et à toute la famille de t'avoir encouragée à negare tutto, mais si cela crée une hystérie dangereuse pour toi, *il faut absolument te réfugier chez eux jusqu'à ce que tes papiers soient prêts.*

Je t'envoie par courrier ordinaire l'article des *Lettres Françaises* (il paraît qu'il y en a eu d'autres, notamment dans *Ce Soir* et dans de nombreux journaux de province, mais je ne les ai pas encore vus) et le mien dans *Action.* Je serre très fort dans mes bras ma toute petite.

A tout à l'heure mon amour

ton : Roger.

Mercredi 15 novembre
[A Élisabeth]

Reçu au petit déjeuner ta longue lettre de dimanche, plus paisible que les autres,

il se trouve que sur beaucoup de points j'y ai répondu hier par avance, comme il arrive si souvent entre nous.

Chez nous,

tout va bien,

sauf que l'armoire n'est pas encore terminée, ce sera fait dimanche,

Léontine fait bien sagement tout ce que tu lui demandes de faire dans tes lettres et que je note sur un papier avant de sortir mais chez nous sans toi est triste et il n'y a jamais de fleurs pas d'Élisabeth, pas de fleurs, pas de rires,

voilà la vie,
sans Élisabeth c'est une vie provisoire.

Monica hier a été tendre, un peu égarée, un peu confuse, enfin Monica, elle doit aller à Rome fin décembre,

nous avons déjeuné à la brasserie alsacienne et puis elle s'est perdue dans des coups de téléphone.

Cela m'a beaucoup détendu de pouvoir rester hier ici toute la journée, j'étais couché à 10 heures et j'ai longtemps lu.

Je serre très fort ma toute petite dans mes bras à tout à l'heure mon Élisabeth aimée.

Ton Roger.

Jeudi 2e jour du neuvième mois
[A Élisabeth]

Heureux de ton entrevue avec Henry[1] auquel j'écris par le même courrier, à peine un peu inquiet de sa séduction, mais tellement content que vous puissiez l'un par l'autre échapper un peu à votre solitude. C'est un de ces hommes que j'aime le mieux au monde. Parle-lui de nos amis de Paris, décris-lui la famille.

Je ne vois André que tout à l'heure, j'ai passé la matinée à écrire mon second grand article stratégique, cette fois sur l'Indochine; ci-joint le premier sur la Corée, j'ai peur qu'il ne sente encore un peu l'école (militaire), dans celui d'aujourd'hui, je suis déjà plus à l'aise.

Hier mon ami indochinois avait amené au déjeuner un prince indochinois, proche parent de l'empereur Bao-Dai, mais luttant du bon côté. Ce fut tout de suite, de la part des deux, mis en confiance par des choses que j'avais naguère écrites, le même regard bienveillant, la même sorte de tendresse que dans la famille, enfin de quoi réchauffer ce cœur que tu as amolli, mais que ton absence glace.

1. *Ami égyptien de Roger Vailland.*

Nous avons fait de grands projets.

Retombé de là chez Corrêa et les combinaisons littéraires pour le Goncourt, que je sais bien que dans les circonstances présentes je ne peux pas avoir. C'est par surprise, par maldonne qu'une partie de la presse bourgeoise a tout de suite si bien parlé de *Bon Pied*, mais la critique favorable de la presse communiste lui a ouvert les yeux, et déjà la conspiration du silence s'organise, nous en avons dix preuves [...] ils veulent la guerre sur ce plan-là aussi, ils l'auront; dès le 4 décembre (Goncourt) dépassé, j'attaque personnellement dans *Action* et *les Lettres Françaises* [...]

Rentré à l'heure du thé, lu le bouquin de Stéphane sur les aventuriers auquel je fais allusion dans le papier de *la Tribune*, ci-joint,

puis monta une certaine exaltation et je pris des tas de notes pour toute une série de futurs articles sur le héros et l'aventurier, l'infantilisme des intellectuels bourgeois de la présente période, etc.

Ce qu'il est difficile de répéter sans cesse, c'est comme tu m'es toujours présente à travers tout cela, et je pense tout le temps : « je vais le dire, le raconter à Élisabeth », mais Élisabeth n'est pas là.

Je crois que cette fois le 17e jour sera absolument horrible.

16 heures, il faut que je file à Paris pour toutes sortes de devoirs, je te serre très fort dans mes bras, ma toute petite, à tout à l'heure,

ton Roger.

Vendredi 17
[A Élisabeth]

Comme je t'aime mon amour, comme je t'aime toujours davantage, à Capri comme je t'aimais déjà, mais si ta lettre avait une journée de retard, c'était seulement désagréable,

mais au courrier de ce matin pour la première fois pas de lettre de toi et ce fut un *grand manque douloureux*,

puis au courrier de l'après-midi ta lettre de mardi est arrivée et maintenant je suis heureux.

Je me réjouis de pouvoir parler de toi à Pippo, il doit être

Lundi à Paris, je me réjouis qu'il ait un faible pour moi, je crois que les sympathies, comme les amours sont toujours partagés quand ils sont vrais, moi aussi j'ai un faible pour lui, c'est dans l'ordre,

et j'en suis tellement content parce que j'espère que cela facilitera ton évasion,

je vais donc en parler très sérieusement avec ton Pippo.

Merci de m'avoir envoyé l'histoire des pétroles, elle n'est pas intéressante par elle-même, étant extraite d'une publication officielle que tout le monde peut acheter. Mais j'aime ton soin scrupuleux.

Suzanne a dû t'écrire hier comme tes lettres lui font plaisir, comme elle est contente. Je déjeunerai chez elle dimanche, et je me réjouis à l'avance de les lire, je te dirai ce que j'en pense personnellement, mais André jure déjà que tu feras une excellente journaliste, tu as le don et la conscience nécessaire, il pense qu'il faut te laisser faire, te laisser aller, que les conseils littéraires ne servent à rien, tu es seule juge, et c'est bien puisque tu t'en tires très bien,

comme j'aime que mon amour soit sérieuse, consciencieuse, travailleuse,

comme j'aime que mon amour ait été émue que Leduc m'ait dit : « amène ta femme »,

comme j'aime que mon amour ait le cœur tendre.

Pierre est à Varsovie, Annie est allée à Londres, je ne l'ai pas vue depuis, il est possible qu'elle soit aussi à Varsovie, on m'avait invité aussi, mais c'eût été imprudent pour mon visa, qui n'est toujours pas arrivé, mais il paraît que c'est normal.

J'oubliais en effet de te dire, ta lettre m'y fait repenser, qu'à la sortie nord-est de Paris, on trouve la campagne vraie, à moins de vingt kilomètres de la porte de Vincennes, il y a deux vallées, celle du grand et celle du petit Morin, affluents de l'Oise, qui sont belles, « tendres » (comme ton cœur, comme le mien) par leurs lignes et leur lumière, avec beaucoup de vieilles maisons très humaines, certaines isolées en pleine campagne, je pense qu'il sera relativement facile d'en trouver une, dès que nous aurons la voiture,

repéré en particulier une vieille très grande ferme fortifiée, avec une immense cour intérieure quadrangulaire, dont il serait formidable de pouvoir louer une aile,

comme nous allons être heureux mon amour,
comme j'aime que tu prépares déjà tes valises,
j'aime bien le projet de ton voyage éventuel avec Pippo, *mais c'est une solution définitive qu'il faut chercher.*

Oui mon amour, je mets la main sotto il tuo seno et je te promets de veiller à moi durant mon voyage, c'est normal puisque je ne suis plus l'homme le plus seul dans le monde.

[...] Hier soir dîné chez Pierre Berger, le critique littéraire de *Paris-Presse*, tu te rappelles son gentil et intelligent article, avec le metteur en scène Pierre Chenal, un vieil ami, retour d'Amérique du Sud, et leurs femmes, mais moi j'étais sans ma femme, nous avons dîné à la vodka, puis Cave du Vieux Colombier (mais Sydney Bechet n'était pas là, Claude Luter très en forme, et un vieux formidable chanteur noir dont j'ai oublié le nom) puis Rose Rouge, déjà en train de fermer, puis un bistrot de Saint-Germain puis j'ai été saoul et Chenal m'a ramené dans sa voiture. Mais pas de ballet, l'ivresse froide, à l'anglaise, d'un cœur solitaire.

André t'a envoyé hier les *Tribune* en retard, puis le service va t'être régulièrement fait. Une bonne critique de *Don Quichotte*, que je t'enverrai demain.

18 heures, j'ai passé toute la journée *chez nous* à lire et écrire, j'ai vu notre Léontine. Je lui ai fait repasser mes pantalons, je lui ai parlé de « Madame », je t'aime. Je lui ai fait acheter pour chez nous une belle brosse en nylon et... une pelle à ordures!

Ce soir Barbizan et Morelli, je ne boirai pas, pour les faire râler.

Les autres photos pas tirées, l'armoire pas terminée, c'est le tempo de la maison, si dimanche ce n'est pas fait, je fais venir un professionnel.

Je te prends contre moi mon amour. Je regarde le fond de tes yeux. Je te serre très fort,

Ton Roger.

J'envoie espresso pour que tu reçoives cette lettre Dimanche, je sais maintenant comme c'est triste de ne rien trouver de son amour dans le courrier.

Samedi 18 novembre
[A Élisabeth]

10 heures, chez nous dans le bureau, déjà debout, déjà trouvé et lu la lettre de mon Élisabeth, déjà baigné, déjà habillé, costume gris, cravate et golf vert tendre, tout est formidablement en ordre chez nous...

Le dîner Luciano-Morelli, au Cabaret du Rond-Point des Champs-Élysées a été plutôt agréable. J'ai fait parler Luciano sur le plan des affaires, c'est par rapport à leur technique que les hommes ont le plus de choses à dire, il y a mis une certaine flamme, et il n'est pas sot, quoique avec les vues limitées de quelqu'un qui n'a pas de formation marxiste.

Par exemple, il m'a décrit très joliment la vieillesse du matériel industriel français. Une machine-outil moderne se démode en cinq ans; l'âge moyen des machines françaises est de quinze à vingt ans; d'où l'impossibilité pour les industriels français de faire face à la concurrence américaine, allemande, voire même italienne. Mais il en voit la cause dans le taux excessif des impôts en France, qui empêche les industriels de renouveler leur outillage, ce qui est regarder les choses par le petit côté de la lunette; la vérité est que le capital français depuis déjà plus de cinquante ans, n'est plus industriel producteur mais financier, bancaire, il se place à l'étranger, dans les jeunes pays capitalistes; Lénine écrivait déjà en 1917 que la France était devenue l'usurier du monde, et y voyait la conséquence des lois générales d'évolution du capitalisme,

mais je ne me suis pas aventuré à discuter sur ce terrain, il était bien plus instructif et amusant de l'écouter.

[...]

Il m'a accompagné à la gare Denfert et nous nous sommes quittés affectueusement. [...]

C'est demain la Sainte-Élisabeth, je crois qu'Élisabeth veut dire celle que j'ai choisie, élue, celle que j'ai élue entre toutes les femmes, mon élue. J'ai insisté pour qu'on précise de ne t'envoyer que des roses rouges, j'espère que le fleuriste italien aura été fidèle.

Je te serre très fort dans mes bras, je suis heureux qu'on te trouve toujours plus belle.

A tout à l'heure mon amour

ton Roger.

Dimanche, 10 heures
[A Élisabeth]

hier en fin d'après-midi, je vais à l'imprimerie chercher le nouveau numéro d'*Action*, et je trouve à mon article (ci-joint) ce titre imbécile « mon avis sur... » je gueule.

Hervé, Farge, Anselme sont à Varsovie, et c'est un petit con qui a fait le numéro.

Je gueule donc auprès du petit con et il me répond :

« Ton article est violent et pourrait éventuellement provoquer des poursuites. Je n'ai osé prendre la responsabilité ni de le modifier, ni de ne pas le publier, ni d'engager la responsabilité du journal à son sujet. Alors, j'ai pensé qu'avec ce titre ça n'engagerait que toi... »

Et ce végétarien édenté ose se prétendre communiste, voilà des mois que je n'ai pas été aussi arrabbiaté,

enfin je suis rentré tout droit à Sceaux, parce que je suis devenu un vieux monsieur très sage qui ne se laisse plus aller au premier mouvement d'arrabbiatage,

et par bonheur j'ai trouvé ton télégramme, et j'ai été heureux,

et content que ce fussent des roses, j'espère qu'elles sont rouges comme j'avais demandé,

comme je t'aime mon amour comme je t'aime.

Debout ce matin depuis six heures, je suis aussitôt descendu ranimer moi-même le chauffage, et puis je me suis mis à écrire deux nouveaux articles,

en pleine forme somme toute, quoique arrabbiaté d'un tas de choses, le retard du visa, la campagne de silence du *Figaro*, la lâcheté du petit con d'*Action*,

et par-dessus tout la totale imbécillité de notre séparation.

Jean est en train de réparer enfin l'armoire, puis il ira vendre *L'Huma-dimanche*, il pleut, un chat, qui n'est pas de ceux de la maison, malade ou blessé ou je ne sais pas quoi, hurle depuis deux heures, en courant d'un bout à l'autre du jardin, fou de douleur, et même pas un revolver dans cette putain de maison pour que je le soulage de la vie, les cloches sonnent à la messe,

le dimanche est le sale jour où il n'arrive pas de lettre de mon Élisabeth,

mais je vais déjeuner chez André et je verrai tes lettres à Suzanne.

Lundi 20, matin. Reçu ce matin ta lettre de samedi. Il ne faut pas désespérer mon amour : quoiqu'il arrive notre séparation cessera avec mon retour en Europe, parce que nous le voulons.

Visa toujours pas arrivé.

Déjeuner hier chez André, lu tes lettres à Suzanne, bien spirituelles, j'en aime beaucoup le ton, et les vues nous paraissent justes, il faut continuer, cela fera boule de neige et tu deviendras une grande journaliste.

Soirée assez morne avec Jean, Jeannette et Génia, que j'avais invités à boire un verre au Carol's, boîte à la mode, aux Champs-Élysées, le dimanche est comme à Capri le jour des politesses, et il est vrai que je ne m'ennuie jamais complètement dans une boîte, j'ai trop d'intérêt pour les humains, et quelques robes étaient jolies, le noir domine, on fait de très jolis cols blancs, mousseux ou raides montant très haut, que j'ai enviés pour toi.

Heureux des roses rouges comme je les avais voulues, de ta fraternité avec Henry, de la prochaine venue de Pippo, auquel je parlerai en toute sincérité,

et que tu continues à penser à tous les détails de chez nous. Ce matin même, j'ai demandé de nouveaux draps etc... L'armoire n'est pas achevée, parce que Jean s'est mis en tête de la reconstruire complètement, il en avait hier soir les mains écorchées, après y avoir consacré toute son après-midi, et je n'ose plus le priver de ce plaisir, mais j'espère que vu son enthousiasme ce sera fini cette semaine, — et sûrement avant mon départ.

La semaine va être surtout de travail à la maison, articles et réfection de l'antipape.

J'ai été ravi d'apprendre par une des lettres à Suzanne que tu as été amenée à constater que je n'exagérais pas en soulignant les conflits entre le Vatican et le clergé français, entre les jésuites et les dominicains, tu avais souri la première fois que je t'en avais parlé à Rome.

Je m'ennuie terriblement de toi.

A tout à l'heure mon amour, je suis en retard, pas encore rasé, je vais déjeuner avec le ministre de Hongrie. Je te serre très fort dans mes bras, je t'aime

Ton Roger.

Place Denfert-Rochereau
Lundi soir, minuit moins cinq
[A Élisabeth]

Le prochain train est à minuit 25, je suis un peu, pas trop, mais un peu saoul, je t'aime, je t'aime, je t'aime, je t'aime tellement que jadis j'aurais pensé que c'était absurde de te le dire, oh! comme je t'aime mon Élisabeth!

Je rebois un rhum, parce que l'alcool ne mord pas sur l'acier (mais le malheur d'être séparé de son amour mord quand même sur l'acier. J'ai honte de l'avouer mais je suis *malheureux* que nous ne soyons pas ensemble — voilà.)

Passé soirée avec André et Monica, puis Monica dans restaurant chinois, puis dans bars, avec affreux remords amusé à cause d'un article à livrer avant demain midi et pas commencé.

Et totale impossibilité de rien prendre au sérieux que toi — et ce qui est sérieusement sérieux mais ce n'est pas sérieux, etc, etc, etc.

J'ai tout le temps tes yeux devant moi, et c'est le sens de ma vie, je veux dire c'est exactement d'accord avec le sens de ma vie.

Oh! comme je te suis reconnaissant que mes camarades t'aiment!

Je t'aime encore bien plus que tu ne peux croire

Ton Roger.

J'aime mon Élisabeth, je l'aime, je l'aime, je l'aime, la prochaine lettre, je lui raconterai l'histoire tellement *édifiante* d'Élisabeth de Hongrie telle que me l'a racontée à midi le ministre de Hongrie. Je t'aime.

Mardi 21
[A Élisabeth]

Après la saoulerie monica-éenne, le sommeil fut profond. Elle (Monica) m'a téléphoné ce matin pour me dire qu'elle avait des remords à ton égard pas tant de m'avoir encouragé à boire, j'y suffisais, mais de m'avoir ensuite laissé rentrer tout seul, mais qu'y pouvait-elle ?

Dans un des bars Champs-Élyséens où nous avons traîné, nous avons rencontré Morelli et une amie à lui, fille de mineur, très prolétarienne, c'était inattendu. J'ai dû faire les présentations. Mais je n'étais pas encore saoul, et répétant la comédie Pandolfi, j'ai accablé Monica de remarques désagréables sur ses goûts anglo-saxons.

Consacré la matinée à écrire un article pour *Les Lettres Françaises*. C'est la première fois depuis 1947 que *Les Lettres Françaises* me demandent un article. Elles sont dirigées par Aragon. J'ai tenu à faire l'article pour sceller la réconciliation. Je viens de le livrer. Il est possible que *Les Lettres* publient tout de suite ma pièce, je serais payé par un tirage de luxe à exemplaires très limités, avec quelques illustrations par un peintre à mon choix, qui m'appartiendraient, et un peu de publicité pour que je puisse les vendre. C'est à étudier.

Je t'écris de chez Capoulade, tout près de la gare du Luxembourg. Je n'ai plus de rendez-vous, j'irai tout à l'heure dîner dans le coin, puis je rentrerai.

C'est plein de couples étudiant-étudiante. J'ai l'impression que les étudiants couchent beaucoup plus que dans mon temps. L'impudeur des filles est d'un naturel émouvant. Ils doivent être beaucoup plus heureux. La difficulté de baiser pour un garçon jeune qui n'a pas d'argent avait fini par me transformer en obsédé sexuel, elle m'avait somme toute italianisé.

[...]

Tu es partie le 5 novembre. Le 6 fut le premier jour de notre séparation. 21 — 6 = 15, nous sommes à deux jours du fameux 17e jour.

Je redoute beaucoup pour nous deux la journée de jeudi.

Les intoxiqués appellent « le manque » en français, « nyen » en chinois, l'état où les met le manque d'opium. C'est horriblement douloureux. Tout le corps appelle, se tord *de besoin.* Je suis *en manque* de toi

Moi qui me croyais à jamais *au-dessus* de la passion.

Mais toi et moi ce n'est *pas seulement* la passion.

Un garçon et deux filles parlent à côté de moi. C'est un genre de flirt. Mais à ce qu'ils disent, et qui n'est absolument pas politique, j'ai la certitude immédiate qu'ils ne sont pas des copains. Il y a des plaisanteries, etc, et surtout un ton qu'un communiste ne fait pas, n'a pas. Mais cela tu le sais déjà. Et l'une des raisons pour lesquelles la « famille » t'a tout de suite adoptée, c'est que tu n'as jamais eu un mot « déplacé » (quant à notre style).

Monica et moi, hier soir, nous nous sommes longuement émerveillés comme l'unanimité s'était aussitôt faite à ton sujet. *Ce n'était jamais arrivé*, on fait généralement un long stage avant d'être admis dans la famille.

Merci des précisions de ta lettre de ce matin, — et d'avoir par avance, comme toujours, répondu aux inquiétudes de ma lettre qui s'est croisée avec la tienne. Nous devons prendre toutes sortes de décisions à mon passage en Italie. Mais quoiqu'il arrive je *t'emmène à mon retour des Indes, et je tiens à ce que ce soit dans les conditions les plus justes et les plus raisonnables, non en elles-mêmes bien entendu, et cela ne veut rien dire, mais par rapport à cette décision de nous deux.*

Les garçons et les filles des tables voisines semblent beaucoup plus futiles que dans « mon temps ». Nous étions sots aussi, mais avec davantage de recherche de choses vraies. C'est peut-être fonction de ce café où les étudiants sympathiques n'ont pas les moyens d'aller. [...] Il est logique que les enfants d'une société qui est au dernier stade de sa décomposition manquent de nerfs (et de couilles).

Je suis tellement triste de ne pas pouvoir penser : tout à l'heure Élisabeth va rentrer, et puis nous allons dîner et rentrer ensemble.

Comme je t'aime mon Élisabeth, je te serre très fort dans mes bras.

Ton Roger.

Attention! J'ai reçu hier matin lundi ta lettre postée ordinairement le samedi, tandis que ta lettre *espresso* de vendredi n'est arrivée à la maison qu'*hier soir*. L'as-tu mise toi-même à la poste? Qui peut l'avoir lue?

Mercredi 22, 10 heures
[A Élisabeth]

Journée passée chez nous, mais pas de lettres de toi, c'est triste.

Je remanie l'antipape, c'est mélancolique de revenir sur de vieilles histoires.

J'ai écrit à Henry.

Je suis morose.

L'ambassade n'a toujours pas reçu de réponse pour mon visa.

Je voudrais ne voir personne que toi.

Les enfants me tapent sur les nerfs, les parents aussi, ça m'ennuie de manger ici, ça m'ennuie aussi d'aller au restaurant, je voudrais dîner avec toi.

J'ai été intelligent dans la matinée, mais maintenant c'est bien fini, mais je voudrais que le boulot avance, ce genre de vie sans toi est parfaitement idiot.

Je rêve à toutes sortes de solutions pour abréger notre séparation.

Je fume trop, j'ai la bouche amère comme mon cœur.

Le ministre de Hongrie m'a raconté l'histoire de sainte Élisabeth de Hongrie : les pains qu'elle avait cachés dans son sein, pour les donner aux pauvres, se changèrent en roses, quand le roi son mari, qui était avare, fut sur le point de les découvrir,

mon amour est mon amour est mon amour est mon amour est mon amour et s'appelle Élisabeth.

Je dois terriblement me dépêcher de finir l'antipape,

mais j'ai plutôt envie de prendre un somnifère et de dormir pendant douze heures, — enfin jusqu'au courrier de demain matin.

DEMAIN LE DIX-SEPTIÈME JOUR

Je te serre très fort dans mes bras, à demain matin ma toute petite (d'acier)

Ton Roger.

Il serait bien utile, pour compléter mon antipape, que tu suives de près le congrès des ordres monastiques qui commence le 16 à Rome, et que tu m'en racontes des choses.

Chez nous, jeudi 23
[A Élisabeth]

Je viens de déjeuner avec Jeanne Modigliani, qui comme tous mes amis t'aime, qui par ailleurs s'est jadis trouvée dans une situation analogue à la tienne et qui avait amené un juriste spécialisé dans ce genre de questions [...]

J'ai eu deux lettres (datées lundi et mardi) de toi ce matin, auxquelles je répondrai demain, puis ce bienheureux juriste, et le 17e jour allait se passer sans trop d'anxiété, mais je viens de recevoir ton télégramme « Pippo Rome, sois sans peine pour moi » signé d'un Élisabeth tout sec, qu'est-ce que cela veut dire ? pourquoi sans peine ? moi je suis en peine de toi, je me perds en hypothèses, je vais te télégraphier, sale 17e jour, je suis moi *ton*

Roger

qui te serre très fort dans ses bras.

S'est-il passé quelque chose depuis mardi 17 heures, date de ta dernière lettre ?

Vendredi 24
[A Élisabeth]

Reçus ensemble ce matin, ton télégramme numéro 2, et ton exprès de la veille qui m'expliquait le sens du télégramme numéro 1, et qui mirent fin aux angoisses de ce sacré 17e jour.

Bravo de ta dévorante activité et de ton entrée théâtrale au ministère de l'Intérieur, j'aime que mon amour soit efficace et théâtrale,

j'aime aussi que tu te sentes légère après le travail, c'est sain et d'une vraie Bolchevik!!

Mais cela ne change rien à ma lettre d'hier,

je pense qu'il faut profiter de ta situation actuelle, c'est son seul avantage, pour divorcer ou faire annuler ton mariage.

[...]

Je suis très excité d'avoir trouvé plusieurs manières sérieusement envisageables de rompre les obstacles qui nous séparent encore.

Surtout ne te laisse plus influencer par la superstition féodale italienne du mari souverain. Le professeur n'a aucune sorte de pouvoir réel sur toi.

S'il se rend trop odieux, va immédiatement te réfugier chez ta mère, où je passerai te chercher à mon retour des Indes.

Si tu ne peux pas vivre dans ta famille jusque-là, on va chercher un moyen pour que tu puisses m'attendre chez nous.

[...]

Écris-moi vite que tu es d'accord.

Je pense toute la journée à notre retrouvaille.

Déjeuné avec mon Vietnamien, qui a tout arrangé de son côté mais j'attends toujours le premier visa, il me dit que c'est normal, vu que les administrations orientales sont très lentes.

Je te laisse pour m'habiller tout de bleu, pour un dîner très officiel paraît-il chez l'amie de Monica, au sujet duquel, depuis lundi, elle m'a téléphoné au moins une fois par jour, c'est une tourmentée.

Je te serre très fort dans mes bras, mon unique amour s'appelle Élisabeth.

A tout à l'heure mon Élisabeth

Ton Roger.

Dimanche 26.

Bonjour mon amour, qui s'appelle Élisabeth

[...]

Vendredi soir dîner chez l'Odette de Monica, la maison est très humaine, la nourriture mieux qu'honnête, et le serveur en gants blancs, la femme est de vieille bourgeoisie protestante, [...] la conversation parfaitement futile, ce fut finalement reposant.

Monica nous envie de nous aimer et était mélancolique, les invités sans intérêt.

Hier après-midi mondanité littéraro-progressiste à la Maison de la Pensée, tous les gens habituels, les Aragon, les Roy, Génia et son Odette, etc, etc.

« Que devient Élisabeth, que devient votre belle Italienne ? » « Elle m'attend à Rome ».

Puis dîner à la maison chez Henri-Nora, avec un psychiatre georgien, citoyen soviétique, qui vient d'achever ses études en France et qui va retourner bientôt à Tiflis, remarquablement intelligent et lucide, et un journaliste communiste français, nous avons parlé très tard,

aujourd'hui je reste chez nous.

Je suis terriblement en manque de toi.

La dernière lettre que je possède de toi, arrivée hier, est de jeudi, le dix-septième jour, elle répond à ma lettre de lundi, il nous faut presque une semaine entre lettre et réponse, comme nous sommes loin, et puis ça me crève le cœur toutes ces heures que tu es obligée de consacrer au professeur, cette dérisoire perte de temps et de bonheur, alors que, lorsque nous sommes ensemble, nous sommes tellement heureux, à chaque minute.

Il ne reste, comme je le pensais, que très peu d'espoir pour le Goncourt, et *Le Monde* et *Le Figaro* n'ont toujours pas parlé de *Bon Pied Bon Œil*, mais la vente est honnête.

Toujours pas de réponse pour le visa, et toute l'organisation de ma vie est suspendue à cela.

Cette semaine va être essentiellement consacrée à toucher des gens pour organiser, en liaison avec le Parti, un théâtre, etc. pour *Le Colonel Foster*.

Comme ce dimanche de fin novembre *sans toi* est triste chez nous.

Je t'aime mon amour comme je t'aime, et *maintenant c'est dur de vivre seul*.

[...]

J'ai passé [...] deux jours d'excitation presque maladive, c'est l'effet du 17e jour, qui est comme une équinoxe,

et maintenant, comme l'écrit Voltaire vieillissant, « mon âme est mal à l'aise dans mon corps cacochyme ».

J'ai les membres brisés et la tête vide.

Je te serre très fort dans mes bras, ma toute petite, fais ta moue, sans trop de tristesse, à tout à l'heure mon amour

ton Roger.

As-tu reçu la lettre, j'imagine très tendre, que je t'écrivis lundi soir 20, de la gare Denfert après avoir quitté Monica, et très ivre ? Je pense qu'elle a dû t'arriver mardi.

Télégraphie-moi quand Pippo viendra à Paris. A tout hasard je téléphonerai demain matin.

Mercredi 29
[A Élisabeth]

Mon amour, mon amour, je ne t'ai pas écrit hier, c'est que j'ai eu, depuis quatre heures de l'après-midi, tous mes instants pris à suivre les événements politiques, que nos succès en Corée, et en France l'affaire Moch, et en Angleterre l'opposition grandissante à l'Amérique, rendent excitants au plus haut point.

Je ne pense pas que d'Italie tu aies pu comprendre toute l'importance de l'affaire Moch :

Moch est le Scelba français, maintenant ministre de la guerre, après avoir été longtemps ministre de l'intérieur, le premier qui ait fait tirer sur les ouvriers depuis la Libération, et c'est lui qui négocie avec les Américains toutes les choses d'ordre militaire, c'est le symbole même de l'anticommunisme, et un homme féroce parce qu'il sait que nous le pendrons.

La Chambre devait se prononcer hier sur une proposition communiste, pour qu'il soit traduit en Haute Cour [...] Un vote pour comparution en Haute Cour se fait, selon la Constitution, à *scrutin secret ;* le scrutin dépouillé, il s'est révélé que plus de cent députés non communistes, c'est-à-dire un grand nombre de membres de la majorité, avaient profité du secret pour voter contre Moch, et donc en même temps contre leur propre gouvernement,

c'est une preuve magnifique de la décomposition interne de la coalition anticommuniste, de son désarroi, etc.

C'est très important, surtout pour décourager les Américains, qui se trouvent déjà très embarrassés par l'opposition anglaise à la stratégie de Mac Arthur,

et même si le gouvernement obtient tout à l'heure un vote de confiance, ce qui qui n'est pas sûr, il sortira de l'affaire tellement affaibli, qu'il lui sera de plus en plus difficile de prendre des positions fermes, tant sur la guerre d'Indochine que sur l'alliance américaine.

Le Monde a repris intégralement, sous la signature d'un mystérieux officier supérieur, les conclusions de mon article d'*Action* sur l'Indochine (mon titre, qui fut imbécilement changé, était : « Impossible de poursuivre la guerre d'Indochine sans y envoyer massivement les jeunes Français »).

Tu imagines ma joie des événements de Corée, quoique la situation n'ait jamais été si grave, en ce sens que quelque fou de général américain peut à chaque instant profiter des circonstances pour se livrer à une provocation qui déclencherait une guerre générale, heureusement que les Russes sont merveilleusement maîtres de leurs nerfs et regardent toutes choses dans la fameuse « perspective historique ».

Ta lettre si triste reçue hier matin (datée de dimanche) m'a pourtant comblé de joie.

Je suis totalement d'accord *pour que tu viennes en France dès que possible, même si je suis aux Indes.*

Réponse visa toujours pas arrivée.

S'il n'y avait la si excitante actualité politique, je serais certainement très déprimé par cette attente imbécile, *qui me paralyse pour tout projet immédiat, soit te concernant, soit concernant mon travail.*

Hier au début de l'après-midi André et Suzanne m'ont trouvé tout « déconfit », très « âme en peine », ils ont été très affectueux, André s'est réjoui que « *pour la première fois de sa vie Roger aime enfin comme un adolescent* ».

Je viens de transmettre à Léontine toutes tes consignes pour mes vêtements.

Pas de lettre de toi ce matin, peut-être tout à l'heure? J'attends avec grande impatience des nouvelles de tes démarches de lundi.

Ce soir vernissage Picasso *sans mon Élisabeth*. J'emmène Monica. Le Tout-Paris progressiste sera là, ce serait très merveilleux si le gouvernement tombait juste à ce moment-là. Comme c'est triste, triste que tu ne sois pas là...

Et voilà mon amour, et voilà, je te serre très fort dans mes bras.

Je t'attends à chaque minute de ma vie,
à tout à l'heure ma bien aimée

Ton Roger.

30 novembre, matin
[A Élisabeth]

Mon amour mon amour mon amour bonjour mon amour.

Ton Pippo, joint par téléphone finalement à la fin de l'après-midi, est venu me rejoindre au vernissage Picasso, à la Maison de la Pensée (là où il y eut la vente du CNE).

Il est venu avec une foule de gens, et était très affairé, devant retrouver une femme, la raccompagner chez elle, puis aller en rejoindre une autre,

nous avons fait le tour de l'exposition, bras dessus bras dessous, je l'ai présenté à Monica et à Claire Roy : « le père d'Élisabeth ».

Nous avons ensuite rencontré les Emmer, elle nettement hostile à mon égard, me saluant à peine, je l'emmerde, lui l'air gêné, je ne sais pourquoi, beaucoup d'amis très chaleureux m'ont entouré pendant que Pippo parlait avec Emmer, j'ai présenté Monica à Jacques Duclos, elle en était tremblante de joie, puis j'ai retrouvé le Pippo et nous avons repris rendez-vous pour minuit et demi bar du Plaza,

parti à pied au Plaza avec Claude Martin, intelligent metteur en scène de théâtre, auquel je confierai probablement la réalisation de ma pièce, et qui m'a tenu compagnie au bar jusqu'à l'arrivée de Pippo, à une heure du matin.

Nous sommes tout de suite et très amicalement tombés d'accord sur tout.

[...]

Il a d'abord cru que notre amour n'était qu'un « goût », légitime mais passager, et il était à ce moment-là hostile à ce que tu ridiculises le professeur.

Il est d'accord avec moi, il en a même parlé le premier, que, au moment où nous nous sommes connus, tu t'étiolais, tu devenais « assistante sociale »,

mais il est très frappé du changement qui s'est opéré en toi, de ton épanouissement, il ne t'a jamais encore vue ainsi,

et c'est pourquoi il est totalement pour nous, pense que notre amour doit être sans bavure, et estime que tu dois rompre nettement et légalement avec le professeur.

[...] Il aime beaucoup *Bon Pied Bon Œil*, m'en a parlé intelligemment, et veut lire mes autres livres,

nous nous sommes quittés très amicalement.

Ce matin j'ai reçu tes deux lettres de lundi et mardi, et comme toujours elles précèdent ma pensée et tu me donnes l'accord que je voulais te demander,

mais je demeure surpris de la peur que t'inspire le professeur :

ou bien il possède sur toi un moyen de pression que j'ignore, mais pourquoi ne m'en aurais-tu pas parlé ? cela me paraît invraisemblable ;

ou bien le professeur est ce qu'on appelle en argot français un « baratineur », c'est-à-dire un escroc du langage, j'en ai connu beaucoup de cette sorte parmi les Balkaniques qui arrivent à Paris pour conquérir l'Occident, on dit, en argot également, qu'ils vous « possèdent » en vous « entortillant », tout leur talent réside dans l'art de persuader par répétition obstinée et obsessive qu'ils sont des gens extraordinaires, qu'ils possèdent des talents, des pouvoirs, etc... qu'ils n'ont pas, et ils finissent par cet usage quasi mécanique de la parole par placer leur proie dans une sorte d'état quasi hypnotique, et la contraignent ainsi à leur obéir. Dès qu'on s'est éloigné d'eux, on retrouve sa lucidité, on se réveille, on ne comprend plus, on est tout surpris d'avoir été dupe.

Aussi bien, quand je t'ai connue, accomplissais-tu tous les faux devoirs auxquels tu consacrais ton temps avec l'air mécanisé d'une hypnotisée,

mais puisque l'hypnose n'est plus maintenant que d'ordre juridique, le remède est facile : va trouver un juriste d'esprit clair et logique, par exemple, si c'est le cas, l'avocate conseillée par ton père, expose-lui sans détour ta situation et ta volonté, il ou elle te proposera une ou plusieurs solutions, il n'y a pas de cas juridique sans solution,

et il n'y a rien de tel qu'un clair raisonnement de juriste pour dissiper les nuées et les fantômes des hypnotiseurs.

[...]

L'Italien garde certains mystères pour moi : pourquoi en sortant de chez le si bienveillant président du conseil d'État as-tu extériorisé ta joie en achetant chez un petit marchand de paille un pied doublé (cesto foderato) pour tes trois souffles du soir(per i miei tre abiti da sera) ? C'est du surréalisme.

[...]

J'ai écrit à Curzio à Capri, j'ai arrangé avec mon éditeur la publication d'un de ses livres de guerre, encore inédit en français.

Ton Anglais du palais Barberini est bien plaisant et j'aime que tu sois à l'honneur. J'espère qu'on fut unanime à t'admirer. Moi tous les gens rencontrés hier soir ont répété que je n'avais jamais été aussi en forme que depuis mon retour d'Italie, « c'est à cause d'Élisabeth » pensais-je.

Je n'ai pas commandé de pantalons, parce que c'est d'un costume entier, genre du gris, que j'aurais besoin, et comme ce n'est pas urgent, j'attends une nouvelle rentrée d'argent.

Ci-joint mon article des *Lettres*.

Plus aucune chance pour le Goncourt, le barrage est fait et bien fait. La presse orale reste bonne.

Foster est en lecture en divers endroits,

Foster doit être monté cette saison,
si je vais aux Indes, il serait très utile que tu sois à Paris, pour t'en occuper en mon absence, et veiller à ce que *je ne sois pas trahi*,
tous les manuscrits disponibles sont pour l'instant en main, et je n'en fais pas faire d'autres, le texte devant être publié rapidement, soit dans *Les Lettres*, soit ailleurs.

Allora, bien sûr que je veux mon Élisabeth, je ne veux que mon Élisabeth, je ne pense pas à autre chose,
et je suis très heureux par la certitude d'avoir bientôt mon Élisabeth.

La vie va être belle.

Je te serre très fort dans mes bras, je t'aime, je t'aime, ah! comme je t'aime,
tout à l'heure sera très bientôt.

A tout à l'heure mon amour

Ton Roger.

Vendredi 1er décembre
19 h. Café Capoulade
près du Luxembourg, comme l'autre jour
[A Élisabeth]

Ce matin à 10 h 30, mon amour, la ravissante petite consul asiatique m'a téléphoné :

— Missié Véland, j'ai lé plasire dé vous dire qué votrou visou est arrivé.

Un certain sort est donc jeté. La Compagnie d'aviation exige dix jours entre la piqûre anti-fièvre jaune et le départ, et l'Institut Pasteur ne fait pas la piqûre avant lundi 4 Décembre. Donc, avec la meilleure volonté, je ne peux pas m'envoler de Rome avant le 10.

En fait, mon projet est de quitter Paris le 9 ou le 10 au soir et de rester avec toi, dans le nord de l'Italie, de préférence côte ligurienne, au sud de Gênes, au moins cinq jours.

Télégraphie-moi Lundi matin de combien de jours tu peux disposer grâce à Pippo.

Je ne retiendrai ma place avion qu'après ton télégramme, et te télégraphierai aussitôt les dates de mes départs de Paris et de Rome.

Ce voyage prévu, mais dont je commençais à douter, ne change bien entendu rien à nos projets. Je serai en principe de retour avant le 15 février, et en mon absence *chez nous reste chez nous, et je préfère t'y savoir, plutôt que n'importe où ailleurs.*

[...]

Mon amour, mon amour, je suis en manque de toi plus que jamais mais la période horrible d'attente *passive est passée maintenant je peux agir.*

[...]

NOUS NE NOUS QUITTERONS PLUS A PARTIR DE MON RETOUR.

Étourdissant bonheur de vivre.

[...]

Je vais tout à l'heure écouter des tziganes en privé avec mon psychiatre géorgien.

J'ai écrit ce matin pour *Action* une « lettre ouverte » au sénateur Brewster (cet affreux Américain qui réclame l'emploi de la bombe atomique contre les Chinois) dans laquelle j'ai mis tout mon cœur.

Vu Manevy (le mari de Gabrielle) qui t'aime beaucoup et qui me déconseille, *à cause de toi*, nous en reparlerons, de profiter de mon voyage pour aller voir Ho Chi-Minh.

A tout à l'heure mon amour, comme je t'aime.

Ton Roger.

Il n'y a que des tantes dans ce café aujourd'hui.

Lundi matin 4.
(d'un café en sortant des agences de voyages)
[A Élisabeth]

Mon amour,

Je confirme mon télégramme : je suis libre à partir du 14 et peux te rejoindre n'importe où (ou te recevoir ici, bien sûr)

[...]

Je t'écrirai plus longuement tout à l'heure de chez nous où je rentre.

Lu hier chez Suzanne une passionnante et très juste lettre de toi. Je pense que tes amis de Positano doivent être assez déconfits de la défaite *politique* et *militaire* des U.S.A. Que penses-tu de mon article d'*Action ?* Tes lettres sur mes articles m'encouragent beaucoup à travailler. Je t'aime.

A tout à l'heure mon amour.

Ton Roger.

Je t'aime Je t'aime

Lundi [4 déc.]
Closerie des Lilas
18 heures
[A Élisabeth]

Je t'écris avant de prendre mon train, pour que ma lettre parte aujourd'hui,

heureuse journée qui a commencé par trois lettres de mon Élisabeth, et trois lettres qui confirment *notre accord total*.

Toute notre vie est maintenant suspendue à mon putain de visa, qui n'était pas encore arrivé ce matin, l'ambassade que j'emmerde sans cesse, me répète que c'est normal, que c'est toujours long, que ce sera sans doute pour demain matin; « demain demain » ça me rappelle mes précédents voyages en Orient, ce n'est pas question de race, c'est la vieille méthode pour se défendre contre les blancs, mais c'est bien exaspérant.

[...]

Je ne suis qu'attente (de ta visite d'aujourd'hui chez l'amie de Pippo, de mon visa ou pas, de ce que diront les juristes) et cela finalement gêne beaucoup mon travail : je ne peux pas tout à la fois :

— réviser un bouquin sur des questions qui ne me touchent pas immédiatement en ce moment

— voir des gens pour ma pièce

— écrire des articles

— faire mes petits devoirs envers mes amis

— être dans l'incertitude complète de ce que je ferai dans huit jours

— suivre les événements dans le monde
— réfléchir quand même un peu (au moins dans le bain)
— attendre mon visa
— et quand je ne me saoule pas, ce qui est la majorité des jours, rentrer à la maison avec l'angoisse en moi, parce que tu n'y es pas, parce que je déteste ce que ta vie est forcée d'être, etc, etc...

Bien sûr que rien de tout cela n'est tragique, et qu'il serait absurde de me plaindre et de vouloir me faire plaindre, alors que moi je peux au moins être seul quand je veux, tandis que toi... mais ta vie me fait enrager encore bien plus que la mienne, et comme maintenant ta ma notre vie c'est ensemble etc.

Je deviens gâteux. Le plus triste c'est que pour nous deux ça fait du temps perdu et dans les circonstances historiques présentes le temps d'amour est très précieux.

Vu aujourd'hui Hervé, retour de Varsovie, Lumbroso (ce vieil ami dont je t'ai parlé, chez la mère de qui je voulais t'emmener), André qui a reçu l'interview du Père Lombardo (qu'il trouve à juste titre trop cher, il répond avec des contre-offres).

Le congrès commencé hier à Rome pour la réforme des ordres monastiques, et dont le Père Lombardo parle dans son interview, est celui que je te demandais de suivre, pour mon livre et *uniquement pour ce dont la presse habituelle ne parle pas.*

Suzanne est heureuse de ta dernière lettre.

Mercredi soir vernissage nocturne solennel de la nouvelle exposition Picasso,
j'ai deux invitations,
qui vais-je emmener?

Il n'y a que toi au monde que j'aie envie d'avoir à mes côtés,
c'est bien la première fois que cela m'arrive depuis 43 ans que je suis sur cette terre,
j'aurais en d'autres jours choisi ou une femme que j'eusse désirée sans la connaître encore,
ou plus probablement une femme à faire râler les autres,
ou parce que belle, ou élégante, ou mieux l'air très putain, mais tout cela était bien puéril,
je m'émerveillais ce matin, comme j'ai de la chance d'être né à la date où je suis né, ce qui m'a permis de mûrir à

mesure des circonstances historiques, et de te rencontrer, juste à la date où je devais te rencontrer.

Il est presque 7 heures,

je me sens un peu lâche devant cette nouvelle nuit sans toi, mais je vais prendre mon train, sans boire un verre de plus, parce que bien sûr je suis un homme d'acier,

et comme je t'aime,

comme j'aime ma leonessa, je te serre très fort dans mes bras,

à tout à l'heure mon amour

Ton Roger.

Tribune, mardi soir 19 h 30
[A Élisabeth]

Mon amour, mon amour, juste deux mots pour que tu ne restes pas toute une journée sans lettre. Je me suis mal organisé aujourd'hui, je n'ai eu fini qu'à l'instant mon article pour *La Tribune*, qui doit faire le pendant de l'interview du P. Lombardo, j'étais resté idiot jusqu'à 3 heures de l'après-midi, mais je l'ai fait quand même, *à cause des lettres que tu m'écris sur mes articles*.

Tout sera en route pour ma pièce avant mon départ, et l'antipape définitif réglé. Mais j'ai encore dix démarches à faire pour les visas de transit, etc, etc, etc, je vais traverser six à dix pays de régimes variés, et tout cela demande une attention extrême.

Achète *Action* de cette semaine (Piazza Colonna) dont je remplis la moitié de la première page,

et aussi *Carrefour* où l'on parle de *Bon Pied*, je ne les ai pas sous la main.

Les nouvelles politiques et militaires de la soirée sont merveilleuses.

A demain pour une longue lettre, je t'aime, je te serre dans mes bras.

Ton Roger.

Vendredi 8 décembre
[A Élisabeth]

Comme j'aime tes lettres mon amour, et comme j'aime que mon Élisabeth soit nette précise et efficace.

[...]

Je suis très fatigué physiquement par toutes les courses et démarches de ces derniers jours, et puis j'étais sans nouvelles de toi depuis ton télégramme de lundi soir, j'ai reçu seulement ce matin, toutes ensemble, tes trois lettres de lundi, mardi et mercredi.

[...]

Je perds beaucoup de temps, parce qu'il me faut les visas de transit du Pakistan, des Indes, de Birmanie, de Thaïlande et de Malaisie, et ce sont chaque fois des démarches délicates, vu les articles que j'écris.

(Ma lettre ouverte d'*Action* au sénateur Brewster a fait beaucoup de bruit. On m'a raconté que dans certaines familles on l'a lue à table, à haute voix. Elle est parue le matin même du jour où on donnait le Prix Goncourt, et il paraît qu'elle m'a empêché d'avoir des voix, qui n'auraient d'ailleurs pas été suffisantes pour me faire obtenir le prix.)

Comme je te le télégraphie, je quitterai Paris le 15 au soir par le rapide de Rome, et je te retrouverai à Gênes.

Je ferai l'impossible pour être de retour le 13 février,

je retrouverai mon Élisabeth à Paris,

j'aurai énormément de travail parce qu'il me faudra faire immédiatement un grand nombre d'articles,

nous irons pour cela nous enfermer dans quelque campagne, je serai parfaitement heureux, parce que je serai avec mon Élisabeth pour toujours.

J'ai tellement hâte d'être avec mon Élisabeth, que j'ai fait hier quelque chose que je n'aurais jamais envisagé pouvoir faire : j'ai décliné la possibilité de prolonger mon voyage en Chine, cela aurait fait trois mois de plus, ce n'était pas politiquement nécessaire, mais pur plaisir et enrichissement pour moi de rencontrer enfin Mao Tsé-toung, et invité par lui,

et pour la première fois de ma vie, je serai totalement

prudent au cours de mon voyage, — qui tel quel sera d'ailleurs passionnant dans les circonstances actuelles,

nous mettrons au point à Gênes les moyens de nous retrouver quoi qu'il puisse se passer dans le monde entre maintenant et le 13 février. Aussi bien je ne suis pas d'accord avec tes Romains et je ne crois pas à une guerre immédiate parce que à l'heure actuelle les Américains n'ont plus d'armée de terre, et qu'ils viennent d'apprendre en Corée que c'est avec des fantassins qu'on gagne une guerre.

Entre maintenant et ce soir où je dîne à France-URSS avec des écrivains soviétiques, je n'ai pas moins de cinq rendez-vous tous importants, et une foule de coups de téléphone, ce ne serait rien, si je savais retrouver ensuite mon Élisabeth chez nous.

Comme j'aime que mon Élisabeth continue dans chacune de ses lettres à veiller à ce que tout soit en ordre chez nous. Je transmets tes ordres à Léontine : « madame a écrit que vous laviez la robe de chambre rouge, que vous ciriez la valise, etc... madame reviendra bientôt... »

La soirée tzigane a été médiocre. La soirée avec Aghion s'est terminée dans le whisky, je ne supporte plus bien l'alcool, et ma fatigue s'en est trouvée accrue.

Aujourd'hui en 8 je prendrai le même train que mon amour, pour aller rejoindre mon amour la vie est quand même belle. Je t'aime. Je te serre dans mes bras. A tout à l'heure mon Élisabeth

Ton Roger.

Je t'aime je t'aime je t'aime

Je t'aime Je t'aime

Lundi matin
bar de l'aérogare des Invalides
où j'attends André
[A Élisabeth]

Mon amour, mon amour,

Très fatigué, un peu fiévreux, et secoué sans cesse d'une toux superficielle mais violente et exténuante, genre coqueluche, je suis resté couché de samedi soir à ce matin, chez nous, à prendre l'aspirine, sans même le courage de lire ou de manger, enfin roulé en boule et grognant.

Personne d'ailleurs ne s'est occupé de moi.

Jeannette partait le soir pour Saint-Raphaël.

Jean était plongé dans ses tourments de conscience habituels. Jacques tremblotait je ne sais où et Nora emmerdée par tous ces gens boudait,

moi je refusais de répondre au téléphone et comme c'était dimanche il n'y eut pas de lettre de toi,

voilà la solitude,

mais je ne suis plus l'homme le plus seul dans le monde,

et ce matin comme il y avait tant de choses à faire pour partir vendredi soir, je me suis levé et naturellement je vais maintenant beaucoup mieux,

et j'accumule les visas de transit, lettres de recommandation, démarches à l'office des changes, etc.

Mais samedi matin je serai avec mon amour à Gênes et bientôt toujours avec elle.

Samedi soir j'avais dîné avec Tillon, du Comité Central du Parti, ancien mutin de la Mer Noire, combattant d'Espagne, chef F.T.P. et ministre des Armements en 45-47, œil de verre mais homme d'acier, et le Colonel Rol, chef de l'insurrection de Paris, le seul colonel communiste qu'on n'ait pas encore chassé de l'armée française, et leurs femmes.

Nous nous sommes quittés à 11 heures (ils m'ont ramené à Denfert), et je voulais t'écrire avant de prendre mon train, et te parler de cette chose socialement et humainement entièrement nouvelle dans le monde : les femmes des grands responsables du Parti,

nous autres nous fréquentons plutôt des intellectuels, et je ne vois qu'Annie et toi qui apparteniez à cette race, en mieux d'ailleurs que celles de Samedi soir, mais,

avec une grande réserve, beaucoup de silence, un grand contrôle d'elles-mêmes et ce poids que donnent les périodes passées de persécution, de l'homme en prison, etc,

elles arrivaient à compenser leur manque de la grâce que tu as et à être d'une présence émouvante,

je voulais te raconter tout cela et t'expliquer tout cela et comme toi tu as tout ce que j'aime et comme je t'aime, mais j'étais trop mal foutu, j'ai pris le premier train et j'ai dormi 36 heures.

Maintenant je te télégraphierai surtout, et samedi nous serons à Gênes ensemble.

18 heures. Après André, banques, etc. Puis Hervé et Farge.

Tout à l'heure apéritif avec Monica et je rentre.

Je n'ai pas eu connaissance de tes dernières lettres à Suzanne, parce qu'elles sont paraît-il si spirituelles qu'elles circulent de main en main, comme celles de Mme de Sévigné.

Je poste tout de suite pour que la lettre parte ce soir.

Je ne tousse plus mais j'ai tellement pris de cachets à la codéine que j'ai la gorge sèche et que je suis comme ivre.

A Samedi mon amour, je te serre dans mes bras.

Ton Roger.

[1950]

Tunis, 23 décembre
[A Élisabeth]

16 heures à la belle montre de mon amour. Le billet est visé. Les bagages portés à la compagnie T.A.I., le passage de l'avion confirmé, je m'envolerai vers 2 heures du matin, la chambre est payée et évacuée, je t'écris du salon d'écriture du Majestic, qui est un vieux palace rénové, qui sent encore la peinture. Je suis seul. Je t'aime.

J'ai laissé mon amour qui avait le cœur gros sur le bord de la piste boueuse. Je ne lui ai pas embrassé les lèvres à cause du rouge. Mon Élisabeth avait le cœur gros. Moi aussi. Le petit avion était tout à fait un avion d'amateur, avec seulement deux hommes d'équipage, très français, gentiment arrogants. Mon Élisabeth a dû le regarder s'envoler, elle devait avoir le cœur gros. Moi aussi. Nous avons foncé droit vers la mer, où nous avons rencontré de gros nuages couleur de plomb, qui nous secouaient; une Italienne derrière moi était verte de peur, puis elle s'est mise à vomir; elle avait de beaux yeux battus de Romaine, mais tout le reste de son visage était très exactement vert. Alors nous sommes montés au-dessus des nuages, dans le soleil et nous n'avons plus vu que le coton des nuages, en dessous de nous, et quelquefois dans un trou, la mer très très loin en dessous de nous. Je suis allé m'asseoir près du professeur qui venait de lire *Bon Pied*, et qui m'a raconté les potins habituels des milieux d'ambassades. Et puis tout de suite il n'y a plus eu de nuages, nous avons aperçu une côte avec des montagnes, l'avion a commencé à descendre, et à 4 heures 5, nous avons atterri à Tunis, juste une petite promenade, et j'étais déjà si loin de mon amour.

J'ai pris un bain, je me suis rasé, et puis je suis allé me promener dans Tunis, très au hasard. C'est comme Naples, mais avec beaucoup moins d'allure, un faubourg sans centre. Une ville en décomposition : les Arabes sont petits, mal faits et pour la plupart pouilleux, les Français vulgaires, négligés, on croirait les habitants d'une toute petite ville de province du Midi de la France, uniquement préoccupés du jeu de boules et de boire des pastis. Les tramways datent de l'an 1900 et les autos sont petites et vieilles, les rues mal éclairées, les vitrines des magasins sans chic, les cafés vastes, sales et tristes. Ainsi se décompose l'Empire Français.

Mais bien sûr mon hôtel, qui est l'un des deux meilleurs de Tunis, est plein d'Américains en uniforme, des aviateurs et aussi des officiers d'état-major. Je n'ai par contre pas encore rencontré un seul officier français en uniforme. A l'occasion d'une récente fête religieuse musulmane, pendant de notre Noël, le bey (sultan) de Tunis, poussé par les Américains, a fait une avanie au Résident (gouverneur) français en lui préparant au-dessous de son trône un siège qui n'était haut que de vingt centimètres ; le Résident a refusé d'assister à la cérémonie.

J'ai longuement cherché un restaurant à peu près humain. Tout ce qui était européen était vaste et triste, demi-désert et terriblement provincial. J'ai finalement échoué dans un bistrot arabe, assez sale, avec seulement des hommes, mais plein et bruyant, où j'ai mangé un couscous tout juste honnête.

A neuf heures, j'étais couché et j'ai dormi d'une traite jusqu'à six heures et demie du matin, j'ai pensé que mon amour devait déjà être debout et se préparer à prendre le car de Positano, et qu'elle allait pendant je ne sais combien de jours être livrée aux méchants. J'ai un peu lu en anglais, je me suis rendormi et quand je me suis réveillé, il était midi et demi à la belle montre de mon amour. J'ai commandé un thé complet, je suis allé régler mon départ. Je vais consacrer le reste de la journée au travail.

23 heures. J'ai écrit presque toutes les lettres que je devais écrire, et corrigé l'article sur Gênes.

J'ai dîné avec le correspondant le l'A.F.P. (Agence Française de Presse).

Je te serre très fort dans mes bras : à tout à l'heure mon amour

ton Roger.

23. Minuit et demi. Hall du Majestic. J'attends l'autocar de la T.A.I. qui doit venir me chercher pour me mener à l'aérodrome.

Au dernier coup de téléphone, mon avion a déjà une heure de retard au départ de Paris.

Je viens de faire une promenade autour de l'hôtel en semant dans les ruisseaux, déchirés en petits morceaux, les papiers qui ne doivent pas aller en Égypte.

Quand je suis revenu, l'un des Arabes, qui attendent en permanence devant l'hôtel, m'a demandé : « Tu cherches quelque chose? », et il était bien clair que je pouvais lui demander n'importe quoi qui se vend ici, fille, garçon ou haschich. « Non, ai-je répondu, j'attends le car pour l'aérodrome. » Alors il a regardé le ciel : « Il fera beau a-t-il dit, Dieu te protège. »

Je te serre dans mes bras, je t'aime

ton Roger.

Calcutta, Grand Hôtel, le 26 [décembre]
15 heures ici, 8 heures à Positano où tu dois te réveiller.
[A Élisabeth]

Bonjour mon amour, je salue et j'embrasse mon Élisabeth, je suis assis à une petite table dans le coin d'une vaste chambre à quatre baies, peinte à la chaux; il fait chaud; un ventilateur à trois pales tourne au plafond; l'hôtel est immense, avec plus de 800 chambres dans toute une série de bâtiments, des cours et des jardins, et des quantités de domestiques de toutes les couleurs.

J'aime mon Élisabeth et mon Élisabeth m'aime, la vie est belle.

Un voyage de cette sorte, *en avion* est parfaitement inhumain, mais d'une assez piquante extravagance. Inhumain :

1° parce que le temps perd sa valeur habituelle. Dans le même temps-montre (à la montre de mon amour) de, par exemple, cinq heures, il arrive qu'on vieillisse de huit heures et demie, non seulement à l'heure officielle mais à l'heure solaire, puisqu'on va au-devant du soleil. Exemple : nous avons quitté Le Caire à 7 heures et sommes arrivés à Bahreïn, après cinq heures de vol, à 7 heures + 5 + 3 1/2 = 15 heures 1/2 et le soleil était vraiment celui du milieu de l'après-midi. Mais dans l'autre sens ce sera l'inverse puisque nous irons dans le sens du soleil, c'est-à-dire que quittant Bahreïn à 7 h. + 5 h. de vol — 3 h 1/2 de soleil, nous serons au Caire à 8 heures 1/2, après avoir volé pendant cinq heures.

2° parce que l'avion vole toujours entre 3 et 4 000 mètres de hauteur. A cette hauteur un homme est pratiquement invisible. Le monde apparaît à l'échelle des grandes villes, des fleuves, des montagnes, des continents et des mers. J'ai traversé aujourd'hui, entre 5 et 10 heures du matin, les Indes dans toute leur largeur, de Bombay à Calcutta, j'ai donc survolé en cinq heures des dizaines de millions d'hommes. Il faut un gros effort pour réaliser par la pensée que chacun de ces dizaines de millions d'hommes a une vie individuelle qui a de l'importance. La vision du monde de l'aviateur ou de l'homme qui a l'habitude de voyager en avion est nécessairement inhumaine et impérialiste (à moins qu'il n'ait une solide éducation politique, l'amour du peuple, etc...). Il se fait l'illusion qu'il peut faire ce qu'il veut de ces peuples qu'il a de si haut « sous la main » et qui semblent de si haut tellement incapables de gêner son vol d'ange; il oublie aisément qu'un avion doit toujours finir par se poser quelque part et que là, il se trouve à la merci des mécanos qui remettent le moteur au point, des raffineurs d'essence, etc... La guerre de Corée, c'est le paysan mandchou vainqueur au sol du super-aviateur américain.

3° parce que le grand changement d'altitude plusieurs fois par jour et par nuit abrutit, engourdit et désensibilise. On finit par vivre en état de demi-torpeur, dans un monde à demi abstrait. Je n'ai pas pu écrire ni lire trois lignes dans l'avion, et il en était de même de mes compagnons de voyage.

Et maintenant que je suis en paix, à terre, depuis plusieurs heures, voici ce que j'ai retenu pour mon amour, depuis ma seconde lettre de Tunis.

Le retard était grand. J'ai attendu trois heures dans un fauteuil de l'aérodrome désert, devant un feu de coke flambant dans une grande cheminée. L'avion est arrivé. Petit déjeuner au restaurant de l'aérodrome avec les autres passagers, parmi des petits jeunes gens et jeunes filles de Tunis, en smoking et robes de soirée, venus finir là, sans doute parce que c'est le seul restaurant de Tunis ouvert à cette heure, une nuit de bal. Tous mes co-passagers sont des hommes de Saïgon, retour de Paris où ils sont allés pour affaires, et tellement réactionnaires et colonialistes qu'ils ne pensent même pas à haïr les communistes; pour eux l'ennemi est le socialiste et même le M.R.P., et l'empereur Bao-Daï, créature des socialistes et des M.R.P.; ils ne parlent même pas de Ho Chi-minh (sais-tu qui c'est?), de Mao Tsé-toung ou de leurs camarades dans le monde, sinon comme de fléaux naturels : des pestes, des tremblements de terre ou une race de panthères noires particulièrement sauvages, enfin de ces choses mystérieuses contre lesquelles on ne peut pas grand-chose et sur lesquelles il est préférable de se taire; — mais je n'ai appris cela que tout au long du voyage.

La seule femme est l'hôtesse de l'air, au moins 40 ans, un peu fripée, décorée, le comportement mi-rude, mi-maternel, un peu infirmière, des femmes qui ont vieilli dans la camaraderie des hommes.

Le steward a pris en charge un chien berger-allemand qu'un éleveur français envoie à un colon d'Indochine; il ne s'occupe que de lui et pas moyen d'en obtenir une tasse de thé. Il a hâte d'être revenu en France où, dans sa maison des environs de Fontainebleau, il consacre chaque entre-deux-voyages au piégeage et à la capture des petits oiseaux; à chaque étape il nous imitera, avec beaucoup de talent, le chant de l'alouette, du bouvreuil, de la mésange grande charbonnière et même du rossignol. De Saïgon où il va une fois par mois, il ne connaît que les Chinois marchands d'oiseaux siffleurs. Les pilotes et les radios, couturés d'or, mangent à part aux étapes et vivent dans l'avion dans un monde clos où les passagers n'ont pas accès; ils ont l'air pondéré et attentif des hommes qui manient des mécaniques dangereuses, mais ne semblent préoccupés le reste du temps que des petites affaires intérieures de la ligne : avancements, émoluments, privilèges, etc...

Donc nous nous envolons à 5 heures du matin, et par pleine lune nous engageons sur la mer, droit vers la côte de Tripolitaine. Je m'endors. Je me réveille au-dessus du désert. Nous atterrissons à côté de Tobrouk, à l'aérodrome militaire britannique d'El Adem pour refaire de l'essence; pistes gigantesques permettant l'envol de bombardiers atomiques vers l'URSS; radars; discipline britannique; quatre pas à pied dans le désert; ré-envol, re-désert, la verte vallée du Nil, Le Caire.

Nous descendons de l'avion, de désagréables policiers égyptiens nous immobilisent. Mais s'avance le chef de la police de l'aérodrome :

— M. Vailland est-il parmi vous?

— C'est moi.

On s'écarte de moi avec surprise, je m'applique à une voix ferme.

— Monsieur Vailland, deux officiers et deux dames vous attendent... Veuillez me faire l'honneur de me suivre.

Tous les cercles de flics et de douaniers s'écartent par enchantement et me voici en voiture avec les amis et la femme de notre ami.

Je retrouve les rues et l'atmosphère du Caire qui après mon séjour de six semaines, il y a trois ans, me sont restées très familières. Ils m'emmènent déjeuner au Gezireh sporting-club, qui est le club le plus élégant du Caire, avec piscine, pelouses, etc... Et commencent sur les sujets bien connus une série de conversations et d'entrevues qui dureront jusqu'à 23 heures, où ils me ramèneront à l'hôtel de la compagnie d'aviation. J'écris à ce sujet à notre ami.

Deux whiskys avec mes co-passagers, coucher à minuit trente (c'est la nuit du réveillon), réveil à 5 heures, envol à 7 heures, et pendant cinq heures le désert d'Arabie, sans rien d'humain, si l'on peut dire, que vers la fin, les baraques des compagnies pétrolifères américaines. Le Golfe Persique est du même vert que l'émail des poteries persanes, avec beaucoup de bas-fonds où le vert se décompose dans toutes ses composantes, y compris les jaunes. L'Ile de Bahreïn semble faite de rocs pelés, coupés de petits paradis de palmiers et plantes vertes clos de murs, et une toute petite ville arabe, comme dans les vieilles gravures. C'est une île célèbre par ses puits de pétrole et ses pêcheurs de perles; mais je n'en connaîtrai que les baraquements de l'aérodrome.

Sous le regard sévère des domestiques indiens, une dizaine d'employés et d'ingénieurs anglais, smokings mais chapeaux de cotillon sur la tête et petites trompettes à la bouche, parfaitement ivres mais marchant très droit, y achèvent de fêter la nuit de Noël (il est près de quatre heures de l'après-midi). A notre arrivée, ils chantent la Marseillaise. Une seule fille avec eux, très blonde, très blanche, un peu anémique, aussi ivre qu'eux, mais muette et droite. Elle lève une branche de gui au-dessus d'elle; et ils viennent lui baiser les lèvres à tour de rôle; si le baiser se prolonge, les autres crient « Break » (séparez-vous!) et l'homme s'écarte, et un autre lui succède; quand chacun a eu son baiser, ils vont tous ensemble, y compris la fille, au bar, boivent un verre, puis deux hommes soulèvent la fille sur leurs bras croisés et, suivis de tous les autres en file, font en chantant le tour de la baraque, puis ils rentrent, re-baiser, re-verre, etc... Ça a duré tout le temps que nous déjeunions et que l'avion s'emplissait d'essence, et que je boive trois excellents whiskys à des prix dérisoires.

Nous fonçons sur la mer droit vers Karachi. Je m'endors. Quand je me réveille, il fait nuit. Tous les passagers dorment encore. Nos quatre moteurs ronronnent doucement; l'air fait sur les flancs de l'avion le bruit de l'eau sur la quille d'un bateau. C'est très paisible.

Soudain la côte et une énorme ville avec des millions de lumières. Nous descendons au ras de Karachi. De larges boulevards illuminés, des quantités de voitures. Nous glissons jusqu'à l'aérodrome.

A peine sommes-nous posés qu'un personnage solennel vêtu d'une grande houppelande bleue entrouvre la porte de l'appareil et y souffle dix bouffées d'une sorte de fly-tox (ce qu'on soufflait à Capri pour tuer les moustiques) et referme précipitamment la porte. Puis il rentre à nouveau et très solennellement nous asperge tous à tour de rôle de son fly-tox, puis les membres de l'équipage, puis chaque coin de l'avion, y compris tout particulièrement les cabinets. Du seuil de la carlingue toute une grappe de visages noirs nous regardent en rigolant : fly-toxer les Européens, c'est la revanche des Pakistanais, indépendants depuis seulement quatre ans, après deux siècles de domination anglaise, pendant lesquels ils furent traités comme des pouilleux.

Ce fut ensuite, bien que nous n'ayons pas à sortir de l'aérodrome, la visite médicale, et la douane, mais c'est toujours plaisir d'humilier le blanc; ce fut assez simple cette fois mais il paraît qu'une douanière particulièrement féroce s'amuse à fouiller les femmes blanches très méticuleusement, y compris cul et con.

Les Pakistanais sont petits, maigres, avec des membres très frêles, bâtis comme des garçonnets malingres. C'est évidemment une race sous-alimentée depuis longtemps. Les uniformes officiels flottent autour d'eux. Ils marchent et parlent très vite. Il y en a des quantités dans tous les coins, et il faut bien reconnaître que la plupart sont très sales. Toutes ces tracasseries par ce monde d'insectes, c'était évidemment assez cauchemar. Mes compagnons râlaient terriblement. Je fus réconforté au restaurant par la présence d'une délégation populaire chinoise, venue dans un avion chinois, de solides prolétaires, placides, aux visages très sculptés, vêtus de peaux de mouton.

Nous mangeâmes fort mal une sorte de cuisine à l'anglaise. Au bar, et à l'indignation de mes compagnons, je bus un whisky en compagnie de deux Pakistanais exceptionnellement courtois.

Il y avait de la brume sur New Dehli qui nous fut interdit et nous nous envolâmes à minuit vers Bombay. Je m'endormis. Je me réveillai (pleine lune) au-dessus de l'embouchure d'un énorme fleuve, c'est l'Indus, il a quantité de bras, tous aussi gros qu'un seul fleuve, et une ville entre chaque bras, ce sont les faubourgs de Bombay, puis une plus grande ville encore et fantastiquement éclairée, c'est Bombay.

Ici, ce n'est plus le Pakistan musulman mais l'Inde hindoue.

L'accueil fut courtois — et sans tracasserie. Je bavardai avec le consul norvégien, ancien étudiant Sciences Po à Paris, et sa femme, smoking blanc et robe de soirée de fin de Noël, venus accompagner l'agent de notre compagnie et ravis de rencontrer un écrivain français. Nous nous réconfortâmes de quelque thé, œuf et bacon, et nous réenvolâmes à 5 heures.

Large virage au-dessus de la ville illuminée, puis nous montons en même temps que la terre qui se soulève vers un haut plateau montagneux. Très au loin, très au bas, le large Indus sous la lune et toute une ceinture de villes lumineuses. Et de gros nuages en forme de tours, que parfois nous côtoyons et dans lesquels parfois nous entrons et nous sommes secoués durement. C'est fabuleusement grandiose. Et puis nous sommes au-dessus d'une mer de nuages, très, très haut sans doute car j'ai mal aux oreilles, l'avion cesse de grimper et glisse doucement dans le frou-frou de l'air, je m'endors. Au réveil, nous survolons une vaste plaine avec des quantités de rivières, de fleuves et de terrains inondés, toutes ces régions de l'Inde ruissellent d'eau, la saison des pluies vient de finir. Il y a des collines boisées posées sur la plaine comme des jouets d'enfants. Beaucoup, beaucoup de petits champs, de maisons, de villages.

Calcutta à 10 heures du matin. La population est plus saine qu'à Karachi, mais grouillante à m'étourdir. Le Grand Hôtel. Douche bienfaisante. Une promenade au marché : je suis resté une heure devant les oiseaux, des perroquets, des perruches, des toucans, avec des associations de couleurs que je n'avais jamais vues ni imaginées, et c'était déjà l'heure du déjeuner. De Calcutta, je ne connaîtrai que le marché aux oiseaux.

Cet après-midi sieste. Et puis je t'ai écrit.

Nous repartons à 10 heures. Je serai demain matin à Bangkok.

Je vais prendre un bain et descendre faire un petit tour avant dîner.

Je te serre très fort dans mes bras.

A tout à l'heure ma toute petite.

Ton

Roger.

Bangkok, nuit 27/28, 1 heure
[A Élisabeth]

Bonsoir, bonjour, bonjour, bonsoir mon amour, je n'ai pas dormi réellement depuis je ne sais combien de temps.

Parti à minuit de Calcutta, arrivé à 6 heures du matin, à Bangkok, capitale du Siam, l'avion continue sans moi vers Saïgon.

A 10 heures du matin, et toutes banques refusant de changer mes chèques, pour des raisons compliquées (zone non sterling et pas de Barclay's, au Caire c'était dimanche et à Calcutta le sterling était bloqué), je me trouve sans un sou, au milieu d'une ville aux trois quarts chinoise, et où même les noms des rues sont en caractères extravagants.

Mais tout concourt au bien de ceux qui aiment Dieu, le consul de France est amoureux de *Drôle de Jeu*, puis le restaurant de l'hôtel genre luxe colonial où il m'emmène déjeuner est tenu par une amie à moi d'il y a vingt ans, bedonnante maintenant et cheveux blancs, confidente des éminences locales et à 3 heures je prends le café avec le général en chef.

De fil en aiguille, que je te raconterai demain, j'ai abouti tout à l'heure en nombreuse compagnie dans un dancing chinois à taxi-girls (chinoises); enfin on vient de me reconduire à l'hôtel de l'aérodrome, où je serai réveillé à 5 heures pour m'envoler à 7 heures, droit vers le sud.

Je n'ai pas bu, la conversation était trop excitante.

Je serai vers midi à Singapour, où je dois m'arrêter pour changer mes chèques, et où il me faudra rester jusqu'à Dimanche pour retrouver un avion vers Djakarta.

Cela fera un peu de repos, et le temps de t'écrire longuement.

Je te serre très fort dans mes bras, je vais me glisser sous la moustiquaire (je prends sagement la quinine achetée à Tunis).

A tout à l'heure mon amour.

5 heures 25.

Réveillé tout à l'heure avec un excellent thé, que je double de sympamin. Plein d'idées de travail. J'aime mon Élisabeth, comme je voudrais lui raconter tout ce que je suis en train de penser. *Je suis certain que le monde va bouger beaucoup plus vite que nous ne le croyons en Europe.*

Je t'aime

ton Roger.

Jeudi 29, entre Bangkok et Singapour,
9 heures 10, au-dessus de la mer
[A Élisabeth]

Bonjour mon amour,

Cette fois je suis sur un merveilleux avion, la France est vraiment un très pauvre très vieux très sale très triste pays, voyager sur un avion hollandais, au sortir d'un avion français, je veux dire sur une ligne hollandaise en quittant une ligne française, car les deux avions sont également américains, c'est comme passer d'une troisième classe italienne dans un Pullman.

Le personnel est plein de prévenance, tandis que les stewards et hôtesses de l'air français sont pleins d'un égal mépris pour leurs passagers et pour les indigènes des pays traversés, j'eus dix fois envie de leur foutre des baffes, surtout à la fille, le steward sera beaucoup pardonné à cause de son amour des bêtes; cette espèce de salope ne rêve qu'extermination des Asiatiques, à cause des petites vexations sottes qu'ils nous firent subir, mais ils ont tellement d'humiliations graves à venger.

Et cette basse crapule de petit employé de commerce de Saïgon qui me disait très paisiblement, en prenant l'apéritif : « en 44, dans la plaine des joncs, quand il y a eu la première révolte des Viets, les paysans les aidaient, alors nous avons cerné tout un district, j'en étais, et nous en avons tué 14 000 en huit jours. Si nous avions continué comme cela, c'était la bonne manière, nous ne serions pas aujourd'hui en train de nous faire chasser d'Indochine ». J'espère qu'il sera bientôt pendu par les pieds.

Comme j'ai été malheureux tout le long de ce voyage de la haine que j'inspirais, parce que je voyageais avec ces salauds, dans cet immonde avion de la ligne d'Indochine, le triste est que, depuis Bangkok, il faudra revenir sur la même ligne.

Les Hollandais ne valurent pas mieux, mais comme ils sont chassés d'Indonésie depuis plusieurs années, ils sont moins haïs. Le maximum de haine, à cause de la Corée et de l'Indochine, c'est pour les Américains et les Français qui sont en plus ridicules, parce que battus malgré leur sauvagerie.

Hier matin, quand j'étais seul dans Bangkok, et suant dans mon costume trop chaud, j'entends à plusieurs reprises sur mon passage : oké, oké, je me retournais et je voyais les gars rigoler, c'est qu'ils me prenaient pour un Américain, et que Mr. OK est devenu la risée de toute l'Asie.

La victoire des Chinois en Corée a et aura des conséquences incalculables.

Nous survolons maintenant un promontoire de la côte malaise, c'est la fameuse jungle aux tigres, mais nous sommes si haut et il y a tellement de nuages au-dessous de nous, qu'on ne voit à peu près rien, c'est toujours l'inhumanité de l'avion.

La victoire de Mao en Corée est aussi importante que Valmy, te rappelles-tu ton histoire, ce fut la première victoire des sans-culottes de la révolution française sur les armées régulières des rois. Les notables siamois que j'ai vus hier jouent maintenant perdants, ils ne cachent même pas qu'ils ne font plus que gagner du temps pour expédier leur argent et leurs familles en Afrique ou en Amérique, ils pensent qu'avant un an la totalité de l'Asie sera communiste.

— Dans combien de temps repassez-vous par Bangkok ? m'a demandé le général,

— Dans six semaines environ...

— Espérons que vous le pourrez encore.

J'ai passé une merveilleuse soirée dans les quartiers chinois de Bangkok, j'aime les Chinois, les boutiques chinoises, les bistrots chinois, même riches ils sont « peuple », sans être pouilleux comme les Hindous (à première vue, mais c'est bien sûr très superficiel, les Indes me sont terriblement étrangères, y compris leurs religions à la noix qui tournent la tête des intellectuels français), les Chinois sont « humains » au sens où nous l'entendons, je me réjouis déjà qu'il y ait toute une ville chinoise en marge de Djakarta.

Heureux somme toute de toutes ces choses, et dès le réveil, mais quand je me suis installé dans ce merveilleux avion, j'ai trouvé dans un sous-main des petits tableaux qui m'ont permis de calculer que j'étais à près de 10 000 kilomètres de mon amour, qu'il était 7 heures pour moi et 11 heures du soir pour elle, qu'elle n'était sûrement pas encore couchée, et seule parmi des non-humains, et j'ai eu les larmes aux yeux. J'essaie de consoler mon cœur en pensant que nous parcourrons un jour ensemble l'Asie libérée où nous ne rencontrerons plus que des regards bienveillants, c'est fantastique comme le regard des Asiatiques peut soudain changer quand ils comprennent qu'on est un ami, cela s'est passé hier soir, il y avait parmi les salauds un jeune professeur d'université et nous avons soudain compris par des demi-mots que les autres ne pouvaient pas comprendre, même pas des mots, une certaine façon de poser les questions, une certaine succession dans les questions, nous avons compris que nous vivions pour les mêmes causes et nous nous sommes soudain regardés avec amour — il avait auparavant un visage terriblement clos, et ne cillait pas aux plaisanteries imbéciles de l'attaché militaire français qui ne s'est pas encore aperçu qu'il y a quelques dizaines d'années qu'il n'est plus glorieux d'être français.

Je ne peux plus continuer parce que nous sommes dans un banc de nuages et ça remue trop.

Comme je t'aime mon amour.

Singapour, 15 heures

Il fait très chaud, et il pleut.

J'ai très mal aux oreilles parce que l'avion est descendu trop vite de trop haut au milieu d'un orage. Je vais dormir.

Je te serre dans mes bras.

A tout à l'heure ma toute petite

Ton

Roger.

Singapour, Cockpit hôtel, le 29 décembre
[A Élisabeth]

Midi. Bonjour mon amour,

J'ai dormi quinze heures et mis quatre bonnes heures à me réveiller, doucher, etc... Je commence tout doucement à redevenir un lion,

ce genre de voyage trop rapide est épuisant pour moi, c'est, je crois, que je sens tout trop vivement.

Je suis maintenant à 10 945 km de Rome, il est entre quatre et cinq heures du matin à Positano, tu es peut-être en train de te réveiller pour prendre le car de Rome.

Je n'ai à peu près rien vu de Singapour, je n'y connais personne, et j'ai l'intention de rester tranquille pendant ces deux inattendus jours de halte (+ celui passé à dormir).

Ce matin, pour me réveiller, j'ai lu pendant deux heures des textes (que j'ai emportés) du « Baffone[1] » sur les questions nationales et coloniales.

Je t'aime,

je descends déjeuner, l'hôtel est très beau, dans le style colonial, avec des quantités de bars, de salons, de vérandas à fauteuils, et de jardins à palmiers, mais pas trop immense comme celui de Calcutta, et un service très attentif, par des Malais silencieux.

Le 30 décembre, 9 heures

Mon amour, mon amour, c'est une honte, c'est une maladie, c'est un crime, je me suis rendormi hier après déjeuner jusqu'à six heures, un tour au bar, un seul whisky, je remonte dans ma chambre pour me changer pour dîner, et je m'endors jusqu'à ce matin.

C'est peut-être aussi une saine réaction, je commence à me sentir un peu mieux dans mon corps, qui était devenu très inamical à mon égard.

Hier toute la journée, autant que j'aie pu m'en apercevoir dans mes entresommeils, il n'a cessé de pleuvoir, une pluie

1. Baffone : *le moustachu ; il s'agit de Staline.*

très dense, comme le comble d'un orage en Europe, et sans qu'il fasse moins chaud pour cela, les cigarettes s'amollissent d'humidité, et il n'y a plus moyen de frotter les allumettes; toute la clientèle de l'hôtel est anglaise, les hommes portent quand même des cravates dès le petit déjeuner, les femmes sont blanches, pas maquillées, raides et gauches.

Il paraît qu'à cause des « bandits communistes » il est impossible de circuler dans l'intérieur du pays, en dehors de quelques grandes routes, et l'on vient de supprimer l'unique train de nuit, parce que plus personne n'osait le prendre.

Je te laisse parce qu'il faut que je me dépêche d'aller régler au bureau KLM mon départ pour demain.

Je te serre très fort dans mes bras, je t'aime, à tout à l'heure ma toute petite,

ton Roger.

Singapour, 31 décembre
Cockpit hôtel, 9 heures du matin
[A Élisabeth]

2 heures du matin en Italie, où mon Élisabeth est-elle en train de dormir : à Positano ou à Rome comme elle espérait? Sent-elle comme je pense intensément à elle?

Mon cœur est devenu trop tendre, c'est de votre faute, cette nuit à deux heures du matin, je suis descendu dans les bars du Cockpit, on dansait, on buvait, les femmes étaient en robe de soirée, les Anglaises, si étriquées dans leurs robes de ville, sont presque belles, et même quelquefois belles en robe de soirée, les Anglais en smoking blanc ou noir, les Américains (très peu) en chemise, moi dans mon gris d'été fait à Rome avec vous, une Chinoise éclatante dans une robe (à l'européenne) noir et or, la soirée finissait, l'orchestre a joué leur hymne national, ils se sont tous levés, moi aussi, ils ont trinqué le dernier verre et puis un vieil Anglais saoul a remarqué que j'étais le seul à être seul et est venu trinquer avec moi, qui pensais que tu étais peut-être en train de penser à moi au milieu de l'après-midi du 30 décembre, quelque part en Italie, j'ai eu les larmes aux yeux, ce n'est pas du tout dans mon style, et je me suis mis à marcher d'un bar à l'autre, voilà ce que c'est que d'avoir le cœur amolli.

Comme je t'aime mon Élisabeth.

Ce matin, premier réveil frais et dispos, ou presque, depuis mon départ. Quand le boy est venu m'apporter le thé à sept heures, j'étais déjà en train de lire le Baffone sur les questions nationales et coloniales, quelle grande idée d'avoir emmené ce livre (sous une fausse couverture), c'est simple, clair, lucide, solide et définitif, ça me fait gagner un temps considérable dans la compréhension des choses d'ici.

Hier matin longuement marché dans les quartiers chinois de Singapour. Toujours le même ravissement devant l'intensité de la vie chinoise. Les boutiques regorgent de toutes sortes de choses, je n'arrive souvent pas à deviner quoi, il y a des poissons secs qui ressemblent à des chauves-souris, mais ce sont peut-être des chauves-souris, et puis c'est une imprimerie, et puis on décharge des matières puantes qui sont peut-être destinées à habiller, ou peut-être à être mangées, et des quantités d'enfants qui sourient dès qu'on les regarde, et plein de marchands ambulants qui vendent de toutes petites choses qui se mangent délicieusement du bout des baguettes.

Passé l'après-midi à lire, et la soirée à écrire un article pour *la Tribune*. Je m'envole à midi, je passerai peu après l'équateur, puis tomberai tout droit sur Djakarta.

Comme je t'aime mon amour,
je te serre très fort dans mes bras.
A tout à l'heure ma toute petite

Ton Roger.

Djakarta, le 2 janvier 1951
7 heures trente du matin
[A Élisabeth]

Pas trouvé de lettre de toi en arrivant à Djakarta, avant-hier, il paraît que c'est très normal, et qu'entre l'arrivée de l'avion et la distribution, les lettres s'attardent un certain nombre de jours, pour subir des « vérifications douanières ». De même au départ. Écris-moi désormais : hôtel des Indes, Djakarta, Indonésie.

Mais hier matin, à onze heures, l'agence me téléphonait ton télégramme d'amour, comme je t'aime, mon Élisabeth.

Mon reportage se fait dans d'excellentes conditions, et sera terminé plus vite que je n'aurais espéré. *Je prends ce matin même mes dispositions pour être de retour à Paris avant le 10 février, c'est-à-dire prendre à Bangkok l'avion T.A.I. de la deuxième semaine de février.*

Je suis donc arrivé ici dimanche après-midi. Le correspondant de l'A.F.P., un garçon du nom de Taslenko, auquel j'avais télégraphié de Singapour, m'attendait à l'aérodrome. C'est quelqu'un de sensible, éduqué artistiquement, grand travailleur, amoureux du pays, au courant de tout, et connaissant tout le monde, qui m'a d'ores et déjà rendu les plus grands services, auquel il ne manque que la « perspective historique », pour comprendre ce qui se passe, faute de quoi il est finalement naïf et interprète tout de travers, mais j'ai la perspective pour lui. Humainement agréable, il a fait ses études au lycée de Sceaux, avec Hervé, Courtade et Meyenbourg, qu'il est surpris d'avoir vu tourner si mal politiquement parlant, et il est l'intime d'un garçon que je connais bien, [...] enfin c'est presque l'air de la famille.

Crise de logement à Djakarta, ex-Batavia, où viennent se réfugier les planteurs hollandais de l'intérieur auxquels les ex-partisans, qui tiennent encore les montagnes, mènent une vie plutôt raide, et je partage ma chambre avec un jeune ingénieur américain, tu sais comme j'aime cette nation, il est myope et bigle, et passe le plus clair de son temps à laver à la mousse de savon les tasses et les verres dans lesquels nous buvons une sorte d'eau distillée, c'est bien gentil, et à manœuvrer un super-poste de radio, qui vous attrape New York comme Bécon-les-Bruyères.

Dimanche donc, après un vol sans histoire au-dessus des îles des mers du Sud des romans d'aventures de jadis, je me trouve à Djakarta avec Taslenko, et nous allons tout droit dîner dans le quartier chinois, pâtés de crabes, ailerons de requins, ça c'est humain, puis faire le réveillon chez un journaliste hollandais avec toutes sortes de journalistes, hollandais, australiens, indonésiens, se disputant leurs rares femelles, une pour quatre, hollandaises ou métisses, moi je fais la cour au whisky, et ils sont bien contents, parce qu'ils craignaient la double concurrence de la nouveauté, quand tout le monde a déjà couché avec tout le monde, et de la réputation française de lécheur de cons,

et puis l'année changea de numéro, c'est bien abstrait, mais mon Élisabeth pensait à moi quelque part à Rome, et moi j'aimais mon Élisabeth quelque part à Java, mais je n'étais plus triste du tout, parce que j'avais l'impression d'être désormais sur l'autre versant de la séparation, et de ne plus m'éloigner, mais au contraire de déjà couler vers toi, et cette fois pour une retrouvaille ouverte et définitive, comme je t'aime mon Élisabeth.

Et puis il y eut encore du whisky, jusqu'à cinq heures du matin, où je retrouvai mon Américain, assis sur le bord de son lit, à côté d'une fille (métisse) habillée, lui aussi habillé, il est parti la raccompagner chez ses parents, cette race (américaine) est vraiment étonnante, je n'étais pas tellement ivre, mais j'ai admirablement dormi.

J'ai cependant fait le serment de ne plus me saouler tant que je serai dans ce pays, c'est question de climat, et puis j'ai énormément de travail à faire très vite, et puis chaque chose a son temps.

A midi de ce premier janvier, j'étais avec Taslenko à l'aérodrome pour attendre le ministre des Affaires étrangères, retour de La Haye, ce fut l'occasion d'un premier contact avec le premier ministre et quelques autres, mais tu liras cela dans *La Tribune*.

Après-midi passé à dépouiller les archives de Taslenko, puis cocktail à l'ambassade de France, j'ai naguère connu l'ambassadeur à Budapest, il connaît mes livres, l'attaché militaire est amoureux de *Héloïse et Abélard*, la critique du *Monde* sur *Bon Pied* a fait grand effet, enfin on me reçoit avec tous les honneurs, et j'aurai désormais accès pour mon travail à tous les services de l'ambassade, je m'aperçois au cours de ce voyage que je suis bien plus connu que je ne l'imaginais, c'est le double résultat de *Héloïse* et de *Bon Pied* la même année.

Dîner avec Taslenko dans un restaurant indien, couché très tôt.

A tout à l'heure ma toute petite, je te serre très fort dans mes bras,

comme je t'aime ton Roger.

Djakarta, hôtel des Indes, le 4 janvier
[À Élisabeth]

Salut à toi, l'amour de ma vie.

J'ai trouvé avant-hier matin ta première lettre, celle écrite au soir de mon départ. Je te réponds : oui, c'est vrai, mon Élisabeth, le nostre vite non sono più fatte per essere solitarie, et c'est bien qu'il en soit ainsi, et je suis parfaitement heureux qu'il en soit ainsi, et Henry aussi à raison : « lei deve fare tutto per potersi non separare più da Roger ».

Tout à fait d'accord pour les articles pour l'hebdomadaire italien, mais je ne veux pas les envoyer mais les rapporter, pour la simple et principale raison que je fais une étude systématique et très en détail du pays, que je commence par le commencement, c'est-à-dire par les fondements économiques et politiques, et que pour l'instant je n'aurais pas grand-chose à dire dans un hebdomadaire, *ni le temps d'écrire des articles*, car j'ai un énorme travail, et j'ai *retenu ma place d'avion pour la deuxième semaine de février*, ce qui devrait m'amener à Paris pour le *13* au plus tard, j'attends confirmation de Saïgon, j'aime mon Élisabeth.

Il est sept heures et demie du matin, il y a un peu de soleil dans un ciel brumeux, tout à l'heure de gros nuages vont arriver, puis de dix heures à quatre ou cinq heures, il pleuvra toutes les heures pendant dix minutes, une espèce de pluie d'orage, qui n'est plus une pluie mais un énorme flot d'eau qui inonde tout, puis le temps se ré-éclaircira et la nuit sera belle, c'est tous les jours la même chose, c'est ce qu'on appelle la saison des pluies, la température est honnête, entre vingt-cinq et trente degrés, mais elle reste exactement la même toute la journée et toute la nuit, et il fait si humide que la peau reste tout le temps moite, mais je me porte maintenant *comme un lion*, c'est sans doute par réaction contre les Européens qui ne cessent de se plaindre d'être fatigués, dysentériqueux, etc... etc...

Mon concubin américain est en train de se raser, avec un rasoir électrique bien sûr, je le regarde vivre et j'écoute ses confidences, c'est un bon fils et ce sera un bon mari, et c'est un bon citoyen américain, et il a sur sa table une petite bible qu'il ne lit d'ailleurs jamais, il ne boit que dans des verres propres et prend tous les médicaments préventifs qu'il faut prendre et il n'a sûrement jamais baisé qu'avec des préservatifs et des remords de conscience, il écrit à sa maman et respecte ses patrons, qui sont une société mondiale d'équipement aéronautique, en un mot : il s'applique en toutes occasions à faire exactement ce qu'il pense qu'il doit faire, « vois, maman, vois comme ton petit Robert a été sage ».

C'est qu'il est très exactement comme les enfants, ou encore comme les sauvages des tribus tout à fait primitives; il a peur de la vie, du monde, de la nature, des hommes, des épidémies, de la vérole, des crises économiques, des méchantes femmes, de l'enfer, des bolcheviks,

et comme les enfants, les sauvages et Maria de Capri, il n'espère se protéger de tout cela qu'en accomplissant bien ponctuellement les rites appropriés.

Il n'y a dans le monde actuel, que les vrais B. [1] qui soient des hommes mûrs.

J'imagine très bien mon concubin fondant en larmes ou piquant une crise de nerfs s'il s'apercevait tout d'un coup que le rite ne fonctionne plus, si par exemple il se découvrait lépreux malgré son hygiène, maman, maman, je ne suis qu'un tout petit enfant.

Truman et Cie ne font d'ailleurs pas autre chose que de piquer des crises de nerfs en s'apercevant que leurs tanks préventifs et leur capote anglaise d'aviation ne les ont pas empêchés d'attraper la vérole en Corée.

Depuis ma lettre d'avant-hier matin, j'ai passé la plus grande partie de mon temps à dépouiller et à mettre en fiches la documentation de Taslenko, c'est comme s'il n'avait travaillé que pour moi depuis six mois qu'il est ici, puisque tout ce qu'il a rassemblé par conscience professionnelle prend sens et ne prend sens que dans la « perspective historique », c'est marrant.

1. Bolcheviks.

Dîné hier soir chez l'attaché militaire français que l'attention flatteuse que lui portait l'auteur d'*Héloïse* a poussé à de bien curieuses confidences.

Achevé de prendre contact avec les autorités locales.

Enfin je n'ai pas encore eu le temps de faire une promenade à pied dans Djakarta, qui ne semble avoir ni cœur ni centre, pas une ville mais une agglomération de bungalows hollandais et de masures malaises, bâtie sur un marais, suante d'eaux sales, avec de grands canaux qui entraînent vers la mer un flot d'immondices.

Il paraît que les montagnes à cent kilomètres seulement sont merveilleuses, mais on ne peut plus y aller parce qu'elles sont tenues par toutes sortes de bandes de tueurs.

Mais j'irai la semaine prochaine dans l'est de Java et à Bali, en avion et en jeep, retour par mer, en trois ou quatre jours sur les petits bateaux des mers du Sud dont j'ai toujours rêvé, je crois que ce sera un étonnant voyage (les montagnes en arrière de Djakarta sont tenues (semble-t-il) par des fanatiques musulmans, à la solde de je ne sais pas encore qui, mais Bali est bouddhiste et encore paisible).

Je te serre très fort dans mes bras.

Au 13 Février, à tout à l'heure mon amour.

Ton Roger.

Je ne bois plus du tout, et seulement du thé aux repas.

Djakarta, hôtel des Indes, le 5 janvier
[À Élisabeth]

Salut, amour et fraternité à la plus tendre des Élisabeth.

Il ne faut pas croire, mon amour, il ne faut pas croire que Naples soit la ville la plus vivante du monde. Par comparaison avec Djakarta-Batavia, Naples est morte, Naples est dépeuplée, le cœur de Naples est un désert et une solitude où chaque habitant dispose d'un *vaste* toit pour s'abriter.

J'ai passé une partie de la journée d'hier dans les kampang, c'est-à-dire les villages dont l'agglomération inorganique constitue cette immense ville sans queue ni tête, c'est à moitié dans l'eau et il y a encore plus d'eau en suspension dans l'air que dans la boue et dans le marais, c'est plein de déjections végétales, animales et humaines, un gigantesque fumier, sur lequel grouille une foule de petits hommes actifs, au milieu desquels se promènent solennellement des femmes enceintes, c'est la vie dans toute sa violence.

Il n'y a pas de bord de mer, mais la mer, qui n'est pas profonde, se prolonge sur la terre en marais, il n'y a pas de coupure nette entre la mer grouillante de poissons et la terre grouillante d'hommes, je suis longtemps resté au marché au poisson, on les met par petits tas sous une grande halle, puis on vend chaque lot aux enchères, — il y en a de toutes les couleurs et de toutes les formes, ceux de Capri sont pâles par rapport — et d'énormes langoustes noir, bleu turquoise et or, et puis à l'aquarium voisin j'ai vu un poisson qui ressemblait à un poussin à deux têtes, à deux longs becs, et qui se traînait lourdement dans l'eau, comme s'il n'avait pas été achevé, des poissons blanc-malsain, comme chauves, avec de grosses gueules molles, qui rampaient méchamment sur le sable, d'autres comme des troncs d'arbres mal dégrossis, avec des rayures concentriques, comme le nœud du bois, et d'autres au contraire très déliés, comme des oiseaux ou des insectes, avec des rayures bien nettes, et des couleurs à l'état pur, comme les pierres précieuses,

et à côté le port avec des centaines de petits voiliers à hautes proues rangés, serrés côte à côte, avec sur chacun une dizaine d'humains, qui font la cuisine, mangent, dorment, chient, réparent leurs filets, et sans doute pêchent aussi, mais il paraît que c'est très facile, et que chaque coup de filet ramène une multitude de poissons, car cette mer sans fond est aussi peuplée que cette terre sans socle et puis j'ai mangé des mets indéfinis et très épicés, dans un de ces petits bistrots où les blancs ne vont pas, parce qu'ils croient que c'est sale, mais ce n'est pas vrai, et puis je ne peux plus souffrir le restaurant de l'hôtel des Indes, qui est immense, avec sa population de blancs, ou d'aspirants à la blancheur, qui flottent comme des somnambules à la surface des peuples de ce pays.

L'hôtel des Indes, qui est le plus grand et le plus fameux hôtel des Indes Orientales, est un cauchemar à la Kafka, il y a un plan à l'entrée tellement c'est vaste, des cours plantées d'arbres énormes, et autour de chaque cour des bungalows à un seul étage, et dans chaque bungalow des couloirs comme dans une clinique mais ouverts sur les cours, et chaque logement est identique, une véranda avec des fauteuils de rotin, c'est de là que je t'écris, une chambre à deux lits sous moustiquaires, comme celle que je partage avec mon triste Ricain, et une petite salle de douche en ciment, — et au milieu de tout cela surgissant de partout une multitude de domestiques malais, silencieux, souriants et ironiques, qui n'ont aucune langue commune avec les clients, sauf quelques mots de convention pour les besoins essentiels de la vie, qui font toujours semblant de ne pas comprendre, qui disparaissent comme ils arrivent, qui doivent être très bien politiquement, et ne supportent plus que provisoirement de travailler pour la lèpre blanche, il paraît que de temps en temps ils se mettent en grève, alors il n'y a plus d'eau distillée, plus de nourritures de blancs, plus de lavage des chemises qu'on brûle de sueur au moins deux fois par jour, et c'est la grande panique des blancs.

La situation se tend à cause de l'histoire de Nouvelle-Guinée, et je vais peut-être avoir l'occasion d'assister au boycott des Hollandais, dans ce cas j'irai demander l'hospitalité à des Malais, ce sera beaucoup plus humain que l'hôtel des Indes.

Je suis aussi allé en fin d'après-midi dans un grand parc d'attractions du quartier chinois, où j'ai trouvé la carte que je te joins pour Henry, les Chinois y vont en famille, c'est surtout des cinémas (films chinois), des restaurants, et des baraques foraines (comme à Gênes), avec une très triste pièce d'eau croupie, au-dessus de laquelle les restaurants avancent leurs terrasses sur pilotis, dont le seul luxe est l'éclairage multicolore.

Utile dîner en privé chez l'ambassadeur de France, qui est aussi intelligent que peut l'être un diplomate qui n'a pas notre perspective historique.

Il est neuf heures, le ciel est déjà couvert, je m'en vais travailler avec des Indonésiens du ministère de l'Information.

Je me trouve très bien dans mon régime sans alcool. Les Américains, Australiens (surtout ceux-là), Anglais, Suédois, et même Hollandais, sont ivres-morts chaque soir, c'est qu'ils s'ennuient dans leur monde somnambulique, l'alcool ici est typiquement colonialiste, il fallait donc bien ne plus boire.

Le 6 janvier, 7 heures du matin.

Salut, salut à la bien aimée, dans un gros arbre, devant la véranda, un merle à bec d'or poursuit sa femelle à bec d'or.

Reçu hier trois lettres de toi, l'une du 24 de Positano, les deux autres du 28 et du 30 de Rome, comme je t'aime mon Élisabeth, comme j'aime ton amour, ta tendresse, la vigilance de ton amour, je te le dis, je te le dis, je te le répète, tu es tout mon amour, toute ma joie, et *j'ai tellement hâte* que ces comédies professorales et autres soient terminées.

Je voulais te téléphoner après avoir reçu ces lettres si longtemps attendues, c'est trop long ces échanges de lettres, je voulais quelque chose de toi dans l'instant, je suis allé à la poste, des raisons obscures font qu'il n'est pas possible d'obtenir Rome, mais *en faisant la demande huit jours d'avance*, on obtient Paris à l'heure GMT demandée, avec préavis pour la personne demandée.

Fais-moi donc savoir le plus vite possible la date de ton arrivée à Paris, et le numéro de téléphone où je pourrai te demander, tu seras prévenue au moins la veille de mon appel et de son heure précise.

J'ai très besoin d'un contact concret avec toi, enfin au moins d'entendre ta voix, que nous vivions au moins cela ensemble dans le même instant.

Cette lettre t'arrivera vers le 13.

J'aurai ta réponse autour du 20.

Je pourrai donc t'atteindre au téléphone entre le 27 et le 30, juste à la veille de mon départ d'ici. Entre le 9 et le 20, je serai dans l'Est de Java et à Bali, pratiquement inatteignable, tes lettres m'attendront à Djakarta.

La totalité de la journée d'hier avec de jeunes fonctionnaires indonésiens, avec lesquels je poursuis sur un rythme accéléré ma documentation, ils sont pleins de feu, j'essaie de comprendre, j'essaie de comprendre, j'y suis beaucoup aidé par la lecture du Baffone, auquel le fait d'être géorgien, c'est-à-dire minoritaire parmi les Grands-Russiens permit tout particulièrement de comprendre les problèmes nationaux et coloniaux qui dominent tout présentement en Asie — et en Europe maintenant que nous sommes en train d'être colonisés par les Ricains.

Dès qu'une conversation est terminée, j'en mets les résultats sur fiches, je n'ai jamais été si sérieux de ma vie, j'aurai à la fin du mois un matériel formidable pour écrire toutes sortes de choses. Nous irons ensemble mettre cela au point à la campagne.

De Bangkok j'ai envoyé à ton amie Gala une carte postale de Nouvel An, style siamois, avec seulement ma signature et la date, au bas des vœux, je pense qu'elle doit être prodigieusement intriguée.

Hier soir vers sept heures, j'ai bu solitairement sur la terrasse de l'hôtel des Indes l'unique gin tonic que je m'autorise, la foule des voitures et des pousse-pousse tricycles emplumés coulait coulait coulait, c'est le flot innombrable des humains, et moi j'étais là tout seul, à l'écart d'eux, mais par amour pour eux, c'est une singulière situation.

A dix heures j'étais couché et je dormais tout de suite, le sommeil me guérit des contre-coups des émotions trop épuisantes.

Vers une heure, mon Ricain est rentré, il était tout heureux d'avoir passé la soirée avec une American girl; mais ce matin il m'a tout d'un coup confié, comme une découverte qui l'illuminait soudain, que tout compte fait, il préférait les métisses.

A tout à l'heure mon amour, je vais vite porter cela, c'est l'heure du courrier KLM.

Comme je t'aime, comme je t'aime,

Ton Roger.

Samedi 6, Djakarta, hôtel des Indes
[A Élisabeth]

Salut à mon amour, salut, ô salut à la bien aimée, il est 17 heures à la belle montre de mon amour.

J'ai reçu aujourd'hui une nouvelle lettre de mon amour, elle est datée 26 et vient de Positano, c'est la deuxième lettre de Positano que je reçoive après ta lettre de Rome du 30, il semble donc que ce soit la poste italienne qu'il faille accuser du retard ou les curiosités italiennes.

Il est 17 heures à la belle montre de mon amour et je viens d'acheter un ruban noir et rouge, voilà de quoi jouer en travaillant, mais il me paraît incontestable que le ruban rouge marque moins nettement que le noir.

Je passe maintenant chez Taslenko à l'autre bout de l'hôtel, chercher les dépêches d'agence de l'après-midi, où en sont, où en sont mon amour les vaillants cavaliers mandchous? Je vais voir où en sont les valeureux cavaliers mandchous anéantisseurs des brutes occidentales, puis je vous retrouve, à tout à l'heure mon amour...

17 heures 45

L'all-out offensive coréano-chinoise balaie les envahisseurs, et mon malheureux amour est encore enfermé dans le camp adverse, mais au début de février je partirai délivrer mon Élisabeth.

Mon programme de voyage vers Bali est fait, et j'ai déjà les places d'avion.

J'aime beaucoup dans cette seconde tienne lettre de Positano, que tu ne puisses plus supporter ces tristes misérables, ils doivent d'ailleurs faire une sale gueule mais bientôt bientôt bientôt bientôt j'irai délivrer mon Élisabeth.

Il doit encore me manquer des lettres de toi d'avant le 30...

J'ai commencé au hasard de mes courses dans la ville la recherche des cadeaux. J'ai repéré des châles blancs des Indes pour ta mère, et des batiks pour Élisabeth...

Dimanche 7, 9 heures

Hier soir, j'avais décidé en fin de compte de dîner seul, puis d'aller me promener seul dans le quartier chinois,

mais en entrant dans la salle à manger j'ai été happé au vol par le colonel ***, délégué français à la commission militaire de l'UNO pour la pacification de l'Indonésie et la charmante colonelle qui sait par cœur les noms des interprètes de *Héloïse*, et le fils de dix-sept ans, qui a lu *Drôle de Jeu*, « est-ce que cette jeune fille toulousaine a réellement existé ? », enfin la colonelle et le fils se sont assez rapidement épuisés, et j'en ai eu jusqu'à une heure du matin avec le colonel, sur les conditions militaires locales et du voisinage, tu sais comme la stratégie me passionne.

Puis un verre tout seul dans le dancing d'en face, que je n'avais pas encore eu le temps de découvrir, rien que des gens dans l'ivresse alcoolique, ce vice colonialiste, et de malheureuses petites métisses, toutes menues, toutes mignonnes, toutes fines, qui gagnent leur vie auprès de ces brutes, et cela fermait déjà, car à deux heures c'est le couvre-feu.

Tout à l'heure je vais visiter des plantations et des rizières dans les environs. Avec mes notes pour mon reportage à mettre chaque jour à jour, mon temps est finalement minuté comme il ne l'a jamais été...

Le voyage à Bali s'annonce très bien, Taslenko qui parle un peu l'indonésien m'accompagne, et un vieux fonctionnaire francophile, « à cause de la révolution de 89, votre grande révolution, Danton, Camille Desmoulins, les bouquinistes des quais de la Seine », m'a donné une chaleureuse recommandation pour son fils qui commande l'armée balinaise, ou ce qui en tient lieu.

A tout à l'heure mon amour, tout mon plaisir, tout mon loisir c'est de t'écrire,

comme je t'aime mon Élisabeth, comme je t'aime.

Tu resteras peut-être quelques jours sans nouvelles, car la censure intérieure fait, paraît-il, perdre beaucoup de temps au courrier venu de l'intérieur. Mais ne t'inquiète pas. Les régions où je vais sont très calmes, et je ne suis pas hollandais.

(Je suis ce matin dans une tenue caprese à affoler tout l'hôtel des Indes : short et chemise couleur paille, chaussettes noires, la ceinture noire que mon amour m'offrit à Florence, et au poignet la montre de mon amour, noire et or, et sortant un peu de la poche du short, le portefeuille noir que m'offrit mon amour)

Lundi matin, 8 janvier, 6 heures, mais c'est aussi que je me suis couché très tôt, j'étais claqué par la longue excursion, qui nous mena jusqu'à 1 400 mètres dans les montagnes du sud-ouest de l'Ile.

Il y avait avec moi Taslenko, et Beaumont, conseiller à l'ambassade, dans sa grosse Buick, huit-cylindres. C'est très important, le moyen de transport. En avion, on croit avoir la Corée dans le creux de sa main, on oublie les Coréens. Les hommes se rencontrent à pied, dans les marchés, les réunions publiques, les manifestations. Le pousse-pousse tricycle est un moyen de transport encore relativement humain, bien qu'il ne le paraisse pas à première vue, et blesse les âmes sensibles, parce qu'on se trouve assis dans une ravissante petite cage peinte et ornée de plumes et poussé par un vigoureux garçon qui, invisible derrière le rideau de la petite cage, pédale sur le vélo qui sert de moteur. Il semblerait que ce soit typique de l'exploitation de l'homme, puisqu'on reste confortablement assis dans sa ravissante petite cage, tandis qu'un autre homme pédale pour vous épargner la fatigue de la marche. Erreur totale, conception sentimentale et sotte de vieille fille américaine, l'essence de leur voiture ou le drap de leur manteau est bien davantage le fruit de l'exploitation de l'homme par l'homme. En fait le tricycle pousse-pousse est un moyen de transport populaire par excellence, les colonialistes européens sont motorisés et le dédaignent, on se trouve au niveau d'une foule d'autres tricycles pousse-pousse qui transportent des Javanaises retour du marché avec des tas de légumes sur leurs genoux, une Javanaise et sa fille qui s'en vont en visite, deux petites jeunes filles qui rigolent, on croit qu'elles ont du rouge sur les lèvres, mais ce n'est pas vrai, c'est d'avoir mâché le bétel, un gros marchand chinois, un peu koulak celui-là, mais on en tirera quand même quelque chose puisque déjà, par prudence, il verse une cotisation mensuelle à l'association pour l'école communiste du soir, et finalement y envoie son fils qui y étudie l'histoire du PC(b) et les campagnes du grand Mao, tout comme toi et moi — et nous autres les clients des pousse-pousse nous avons peur tous ensemble quand fonce sur nous une grosse Buick qui transporte des colonialistes,

en Buick huit-cylindres donc, je me suis trouvé toute la

journée dans cette espèce de monde abstrait où se meuvent les touristes blancs en pays de couleur. Mais aussi bien faisais-je une expédition plutôt géographique, et cela convenait assez.

Mais il faut d'abord te dire en deux mots ce que c'est que Java. Imagine un sol très riche, comme celui de Normandie, par exemple. Arrive une poussée volcanique qui le hisse à 2 et 3 000 mètres de hauteur, et l'enrichit encore par le mélange avec les sels minéraux montés avec la lave des entrailles de la terre. Bon. Cela se passe sur une île étroite entourée de tous côtés par une grande quantité d'eau, ce qui est le propre des îles, et quasi sous l'équateur, c'est-à-dire sous un soleil très chaud. Bon. Alors toute la journée le soleil pompe l'eau et la transforme en nuages, les nuages se cognent aux volcans et s'y changent en pluie, cela fait un énorme et perpétuel ruissellement d'eau, qui par maints ruisseaux, torrents, rivières, fleuves, coule sans arrêt des sommets de l'île vers les côtes. Compris ? Bon. Mais cette eau éternellement ruisselante ne cesse d'entraîner avec elle sur les flancs des montagnes, puis dans la plaine d'en bas, la terre doublement riche des sommets, elle en entraîne tellement que la plaine côtière, depuis des centaines d'années ne cesse de s'agrandir aux dépens de la mer. Si bien que la totalité du sol, aussi bien celui des flancs des montagnes, et encore bien davantage à mesure qu'on descend vers le bas, ne cesse de s'enrichir. Bon. Et comme il ne cesse de pleuvoir que pour faire très chaud, n'importe quoi semé n'importe où se met aussitôt à pousser à toute vitesse.

Parti de la plaine côtière, j'ai fait hier le chemin donc des terres les plus riches vers les relativement moins riches. Tout à fait en bas, rien que des jardins et quelques rizières, avec des maisons partout, Java est une des terres les plus peuplées du monde, plus d'habitants que l'Italie, avec une superficie moitié moindre.

Puis le caoutchouc, qui est la sève de l'hévéa, c'est un arbre élancé, à feuillage dense, un peu comme celui du laurier, qui fait une ombre dense, avec un joli sous-bois bien net.

Puis les rizières des collines, par petites terrasses superposées, c'est aussi des jardins, et comme le climat est à peu près le même toute l'année, on a dans le même coup d'œil d'une petite vallée du riz à tous ses stades : quand il vient d'être semé, c'est seulement un petit lac d'eau brune,

quand il apparaît au-dessus de la surface de l'eau, un vert tendre presque doré, parmi lequel se jouent les reflets des nuages dans l'eau, et ces parties-là sont tout à fait luxueuses, comme les bassins superposés de la grande cascade du parc de Sceaux qu'on aurait semés d'une plante en or,

puis les verts, à mesure que l'eau disparaît sous les tiges grandissantes virent au bleu, puis soudain dessèchent jusqu'à la paille et l'or rouge, mais chaque nuance, bien sûr, a sa terrasse individuelle,

et quand la récolte a été faite, il reste une boue brune et grise où se vautrent des buffles couleur de boue.

La route se mit à monter en lacet, et le riz fit place au thé. Ce fut en vérité une seule immense plantation de thé qui couvrait la totalité d'une énorme montagne. Le thé est un arbuste pas plus haut que toi, à feuillage un peu comme les fusains, on ne recueille que les très jeunes feuilles de l'extrémité des tiges, ce qui revient à le tailler continuellement, il a donc une forme trapue. Il a besoin d'ombre et d'air à la fois, on mêle donc aux théiers une variété d'arbres à fûts élancés, dont le feuillage très ombreux ne s'épanouit qu'à vingt ou trente mètres de hauteur — vois donc : les pentes d'une montagne ruisselantes de petits torrents, les arbustes trapus et bien taillés, à ta hauteur et les autres arbres sveltes et élégants, c'est comme un parc.

C'est l'heure du courrier, il n'y en a pas eu depuis Samedi matin, c'est pourquoi j'ai tout groupé,

à tout à l'heure mon amour, comme je pense fortement à toi maintenant, et chaque fois que je suis ému par quelque chose, et quand je me réveille la nuit.

je t'aime, toi,

ton Roger.

Comme je t'aime toi.

Djakarta, le 8 janvier
deuxième lettre aujourd'hui
[A Élisabeth]

19 heures 30

On m'apporte à l'instant une lettre de toi du 29, qui se dit être la septième, il y en a donc encore deux en route, ou perdues, la première de toutes que j'ai reçue, est je crois bien celle du 30 où tu m'annonçais ton nouvel an avec Henry, j'ai très peur que tu ne t'inquiètes, car il doit arriver la même chose à mes lettres.

Oui, mon amour, oui mon Élisabeth, je te le dis, comme tu me demandes de te le dire, tout cela est stupide, et nous ne devons plus désormais nous séparer.

Cette lettre si lointaine, où tu t'inquiètes des causes de mon arrêt à Singapour, et Singapour est déjà si lointaine de moi dans le temps et dans l'espace.

Je n'ai encore reçu de réponse de toi à aucune de mes lettres y compris celles de Tunis, auxquelles tu fais allusion, mais il a dû s'égarer de toi ta première lettre à ton retour de Positano à Rome.

Comme j'envie Henry d'être si souvent avec toi.

Mais je l'aime de prolonger la famille auprès de toi.

Comme j'aime aussi Moussia, Giovanna, et Enzo [1] de suivre mon voyage avec toi, et d'être tellement humains avec toi, mais comme je suis exaspéré de cette lenteur des courriers, d'autant plus stupide que l'avion KLM ne met que trois jours entre Djakarta et Rome, et il y a un service quotidien, mais il se passe je ne sais quoi entre-temps...

Triste, triste surtout de partir demain matin très tôt, sans donc plus d'espoir maintenant de recevoir rien de toi... et je ne rentrerai pas ici avant dix jours au moins, même davantage, aux dernières nouvelles le seul bateau utilisable de Bali, ou de Java orientale vers Djakarta est le 19, et met au moins deux jours et demi et je tiens absolument à faire ce trajet en bateau, au moins dans un sens.

1. *La mère, la sœur et le beau-frère d'Élisabeth.*

Comme je t'aime mon amour.

J'ai écrit partout pour être sûr d'avoir à Bangkok l'avion TAI Saïgon-Paris de la deuxième semaine de Février, c'est-à-dire entre le 4 et le 11.

As-tu reçu ma longue lettre de Calcutta ? C'est déjà si loin.

Il a fait une journée épuisante et pour la première fois j'ai eu vers midi les jambes très exactement coupées, mais un orage vient enfin d'éclater, et les membres s'allongent et s'allègent tout d'un coup.

J'attends un jeune Russe, parlant chinois, qui va m'emmener dîner dans le quartier chinois, enfin une soirée libre pour la Chine.

A tout à l'heure, mon amour.

Onze heures et demie.

Le petit Russe tout sinologue qu'il soit est un con :
— la seule chose intéressante fut les librairies communistes chinoises en plein vent, et jusque tard;
— mangé pas mieux que rue Monsieur-le-Prince;
— puis un dancing corrompu où les Chinois dansent exactement comme à Capri, y compris la Samba, avec les même attitudes, et l'éclairage avec la boule tournante, comme les bals musette de Paris.

A tout à l'heure mon amour,

6 heures, aérodrome.

A tout à l'heure, mon Élisabeth,
je te serre dans mes bras

ton Roger.

Djokdjakarta, le 9 janvier
[A Élisabeth]

7 heures du matin.

Je vous hais, abominable Élisabeth, j'ai fait cette nuit un rêve détestable, tu m'expliquais que tu t'étais trompée sur l'objet de ton amour, qui n'était pas moi, mais un autre lequel avait vraiment besoin de toi, tandis que moi j'étais à la fois fort et frivole, etc... etc... tu parlais comme un curé, je ne répondais pas, mais je serrais ton cou de toutes mes forces, tu devenais toute molle, et moi j'étouffais tellement de rage, que je m'en réveillais essoufflé...

Qu'as-tu fait ? quelle mauvaise pensée as-tu eue ? Je suis encore tout arrabbiato contre toi, et je passe sur les détails. Pardon mon amour.

Comme j'aime mon Élisabeth !

Il fait presque frais ce matin. De grandes bandes de jeunes gens et de jeunes filles, chemises blanches, blouses blanches, shorts kaki, jupes bleues, comme au Siam, s'en vont à bicyclette vers leurs bureaux, et moi demi-nu sur la terrasse de l'hôtel Garuda,

Garuda est un dieu-diable hindou à corps de félin et à tête d'oiseau,

j'écris à une monstrueuse Élisabeth qui s'est cette nuit même si mal conduite avec moi, que je n'ai eu d'autre ressource que de la tuer, non par sens de la justice, qui n'a rien à voir avec l'amour, mais parce que je ne suis pas un végétarien édenté,

mais hier fut une journée royale pendant laquelle tu ne m'as guère quitté,

dès l'aube j'étais avec Taslenko sur l'aérodrome de Djakarta, je fermais l'ultime lettre à mon amour, et la confiais à une hôtesse de l'air (une très jolie, moqueuse, putote quarteronne) parce que la poste n'était pas encore ouverte, et le petit avion rouge et blanc de la compagnie indonésienne nous enlevait, une tasse de thé servie par une délicieuse hôtesse de l'air, métisse cette fois de chinois et de malais, timide et rougissante, nous survolons des rizières, et il y en a d'un vert si tendre que bien sûr le soleil de midi va les faner, et j'en suis tout triste, puis la terre se soulève en même temps que nous, et se couvre de forêts, nous contournons un volcan si gros que ce serait trop fatigant pour l'avion de le survoler, nous glissons entre deux rangées de volcans plus petits, et l'île est déjà traversée, voici l'océan Indien, couleur forêt d'automne en France, une côte sauvage, nous franchissons un petit promontoire cerné d'écume et là l'océan devient tout à fait caprese, nous décrivons je ne sais pourquoi une large courbe au-dessus de l'eau, nous rentrons dans les terres au-dessus d'un fleuve boueux et contourné comme les ornements style 1900; et nous piquons sur les cocotiers ridicules comme les gravures de *La Case de l'Oncle Tom;* tu as dû lire ça vers tes treize ans; une grosse voiture américaine et deux charmants fonctionnaires nous attendent au sol, cette fois nous sommes organisés...

La « perspective historique » est une grande chose. De ma première semaine de séjour, il ressortait clairement que l'actuelle république indonésienne est du style république démocratique bourgeoise, dont le premier exemplaire historique fut la république française de 1793, j'aurais d'ailleurs pu le deviner dès Paris. Bon. Mais voilà qu'à Djakarta tout le monde me dit : « il n'y a pas de bourgeoisie malaise, la grande bourgeoisie est hollandaise, la petite est chinoise, et les Malais ne sont que prolétariat agricole ». Ce n'était pas vraisemblable, puisqu'il y a un gouvernement malais du type indiqué plus haut, qui ne pouvait pas avoir été inventé par quelques fils de paysans auxquels les Hollandais avaient fait faire des études en Hollande, mais qui devait avoir une base dans le pays, car il n'y a pas de gouvernement sans une base, si faible soit-elle dans le pays qu'il gouverne, j'entends bien une base de classe. Bon. Ayant là-dessus remarqué que la plupart des ministres et des membres du parlement provisoire avaient fait leur carrière dans la région de Djokdjakarta, il ne me restait plus qu'à venir voir à Djokdjakarta. Et j'avais raison, comme toujours, c'est fou ce que je peux avoir toujours raison, ça en est démoralisant.

J'ai donc d'abord visité une fabrique de batiks, c'est encore du travail à la main, la machine la plus compliquée étant une sorte de tampon de cuivre ouvragé, très finement ciselé, une sorte de pochoir somme toute, que l'ouvrier trempe dans la cire et applique successivement sur toutes les parties de l'étoffe qui doivent être décorées, cela fait gagner beaucoup de temps sur l'ancien dessin à la main,

mais déjà la division du travail est extrême, chaque ouvrier applique toujours le même pochoir, ou surveille le même bain de teinture, etc... etc..., enfin la plus grande fabrique que j'ai vue avait 200 ouvriers, achète ses cotonnades brutes en Angleterre, vend ses batiks dans tout le Sud-est asiatique, c'est déjà une industrie,

et ces fabriques sont la propriété de Malais dont j'ai vu ensuite les belles demeures dans les environs de la ville, voilà ma base bourgeoise découverte...

On vient me chercher pour m'emmener visiter les temples bouddhiques de Boroboudour, je poste cette lettre tout inachevée, parce qu'il y a un avion ce matin.

Je continuerai plus tard le récit de mes découvertes d'hier, dont une forêt de bites de toutes tailles édifiées par un roi qui aimait tellement l'amour qu'il s'enferma avec 10 000 femmes et en mourut.

Comme j'aime mon Élisabeth. Je la serre très fort dans mes bras.

A tout à l'heure.

Ton Roger.

Djokdjakarta, le 10 janvier
[A Élisabeth]

J'ai tant de choses à te raconter mon Élisabeth, et déjà dans une heure on vient me chercher pour m'emmener à un spectacle de danses, Djokdjakarta est la ville classique des danses nationales javanaises.

Je t'ai laissée hier matin dans la fabrique de batiks, j'en ai visité une seconde, où tout le travail est encore fait à la main, c'est-à-dire sans tampon-moule-pochoir, mais chaque ouvrière ne fait qu'une toute petite partie du dessin et toujours le même, l'étoffe vient aussi de Manchester, vulgaire cotonnade, deux teintures seulement font toutes les combinaisons de teintes, l'une provient de l'écorce d'un arbre d'ici, l'autre est d'origine chimique et vient d'Europe, le propriétaire enfin n'a avec ses ouvriers que le lien du salaire, il s'agit donc encore d'un début d'entreprise industrielle capitaliste, un batik à la main vaut au moins cent roupies, un ouvrier est payé trente roupies par semaine,

j'ai ensuite visité (tout cela sur ma demande bien sûr, les étrangers ne vont d'ordinaire que chez les marchands), des fabriques d'objets en argent, services de tables, cendriers, bracelets, boîtes de toutes sortes, c'est après le batik la seconde industrie régionale,

dans ce domaine le nombre d'ouvriers ne dépasse pas quinze par entreprise, mais il y a également division du travail : la matière première ce sont de vieilles pièces d'argent (monnaies) hollandaises et des vases d'argent (sans doute d'église),

on les fond dans de petits creusets de terre, on les coule dans des godets en forme de dés, on les aplatit au marteau en plaques rectangulaires de la taille d'un paquet de cigarettes, mais très plat,

dans un autre atelier, on repousse l'argent, avec un marteau et des clous, selon les lignes d'une ornementation dessinée schématiquement au crayon sur la plaque d'argent,

c'est ici que joue l'inspiration, car chaque ouvrier est responsable de tout un côté de la plaque, et, bien que l'ensemble de l'ornementation doive obéir à des thèmes traditionnels, jouit d'une certaine liberté dans l'exécution du détail,

aussi l'atmosphère est-elle déjà très différente de celle des usines à batik, les ouvriers chantent en travaillant, il se crée des rythmes dans le bruit des marteaux tapant sur le métal, les regards sont plus éveillés, le besoin de doping se fait sentir : j'ai remarqué des tasses de thé et de café, à côté de presque chaque travailleur,

dans l'atelier voisin, on assemble les pièces, on les soude, on les polit, on les brunit,

mais même ces ouvriers d'art restent des salariés au sens le plus strict, la fabrique ne vend qu'en gros, aux commerçants de toute l'Asie du sud-est, c'est l'industrie capitaliste à son stade le plus élémentaire,

et les fils du patron vont à l'école secondaire (pas les fils des ouvriers), ils deviendront avocats ou employés supérieurs des ministères, c'est de cette classe qu'est issu le personnel gouvernemental et administratif actuel,

c'est un personnel typiquement petit-bourgeois, je l'ai

constaté encore chez l'un des jeunes fonctionnaires qui nous accompagne, qui ne m'a interrogé de France que sur Joséphine Baker et pour savoir si le cinéma français valait le cinéma américain (« ici nous n'aimons que les films américains »).

L'après-midi d'hier et la matinée d'aujourd'hui furent consacrés à la visite des temples et tombeaux bouddhistes de la région,

il faut d'abord que tu saches que le bouddhisme n'a été pratiqué à Java que du huitième au quatorzième siècle, et en se combinant avec les religions primitives locales, a pris un caractère très particulier, à dominante sexuelle,

déjà à Bangkok j'avais remarqué dans une enceinte sacrée une femme (sans doute stérile), en train de coller des petites feuilles d'or sur une énorme bite de pierre,

ici il semble que les rois de Mataram avaient fait de l'érotisme une sorte d'ascèse, et pensaient arriver par lui à l'extase, à l'union avec le principe divin,

l'un d'eux, le dernier je crois, se fit murer dans son palais avec dix mille femmes, et ne se consacra plus qu'à l'amour, il en mourut, l'adorable mort, je hais tous les puritanismes et en particulier l'islam qui triompha ensuite ici, y détruisit comme partout tous les arts, et y abrutit le peuple comme partout,

l'enceinte sacrée la plus prodigieuse est précisément celle des tombeaux des rois de Mataram, deux statues de pierre de huit mètres de haut gardent l'entrée, portant en guise d'armes deux bites de deux mètres de haut,

chaque tombeau a la forme d'une bite dont jaillissent en guise d'ornementation d'autres bites, et de bite en bite, on aboutit à la bite terminale qui darde vers le ciel,

on se retire pour méditer dans une chapelle ronde sous-jacente à la bite médiane, c'est-à-dire à l'intérieur d'une grosse couille,

mais le tombeau-temple de Boroboudour surpasse encore tout cela,

il couvre tout le sommet d'une colline et s'étage en quatre galeries quadrangulaires, surmontées de trois galeries rondes, en circonférences décroissantes, ce qui lui donne la forme du sein des femmes celtiques, carré à l'attache, puis arrondi :

les proportions sont celles d'une cathédrale, la pointe est une énorme bite,

les galeries quadrangulaires sont décorées de bas-reliefs qui racontent la vie du bouddha, avec énormément de femmes à gros seins, et il faudrait des heures pour les voir en détail, des journées même, les galeries supérieures ne sont ornées que de bites et la bite qui couronne le tout est sans doute la plus grosse du monde, c'est à l'intérieur d'elle-même qu'était enfermé le corps du monarque,

à cette hauteur, le paysage est purement minéral, un jardin de pierre, un parc de bites de pierre, la matière est une roche volcanique noire et grise, que des mousses parasitaires ont bronzée,

j'ai longuement erré parmi cette forêt de bites pétrifiées, deux grosses rivières grondaient au bas de la colline sacrée, puis un coup de vent découvrit à l'horizon deux jeunes volcans qui ont la forme de tes seins vus de profil quand tu lèves les bras, d'autres nuages énormes et noirs jouaient parmi les montagnes en les découvrant et les voilant tour à tour, et il en sortit un orage qui vint droit sur nous, je vis la pluie s'avancer très exactement comme un mur, elle enveloppa le temple, il y eut d'énormes coups de tonnerre, et la bite géante étincela de grands éclairs.

Retour parmi les rizières, c'est une des vallées les plus peuplées du monde, jusqu'à 1 200 habitants au kilomètre carré, on doit baiser énormément, pas une parcelle de sol qui ne soit très savamment irriguée, cultivée, il n'y a d'arbres, tropicaux et extravagants, qu'autour des maisons à cause de l'ombre, pour faire du bois, et pour abriter le jardin familial, mais il y a des maisons partout, et des gosses qui crient « merdeka » (liberté) quand ils voient qu'il y a des blancs dans la voiture (je les en embrasserais) et des foultitudes de femmes en cloque...

Toute cette vallée appartient au sultan de Djokdjakarta, dernier descendant des rois de Madaram, et auquel la multitude des paysans paie fermage. Il est maintenant ministre de la coordination de l'armée et de la police, le Pacciardi indonésien et l'homme sur lequel son pays compte le plus pour le protéger du communisme. Les Hollandais ménagèrent sa famille, il fit ses études en Hollande, où il fut reçu par l'aristocratie, pour autant qu'on puisse parler d'aristocratie en Hollande. Mais au moment de la lutte pour l'indépendance, pendant la guerre et aussitôt après, il devint l'un des chefs de la « résistance » et y acquit un grand prestige.

J'avais fait sa connaissance le lendemain de mon arrivée, quand j'étais allé sur l'aérodrome de Djakarta attendre le ministre des Affaires étrangères, retour de La Haye, et j'avais été frappé de sa « classe » très supérieure à celle des autres ministres petits-bourgeois, de sa grande aisance, enfin de tout ce qui fait la « race », avec aussi de la cruauté dans le bas du visage,

maintenant je suis dans son domaine, qui est aussi celui de la formation de la jeune république bourgeoise — et voici déjà un éclairage sur les liens de classe.

Avant de partir ce matin pour Boroboudour, j'ai visité son palais. Ses gardes personnels, très strict costume national : veste bleu foncé à petit col fermé comme les blouses russes et sarong (jupe) long et étroit de batik, pieds nus, veillent aux portes ou errent silencieusement par les cours, armés soit d'une lance soit d'un kriss, armes évidemment symboliques, puisque tout le monde ici se sert couramment de mitraillettes d'autant de modèles qu'il y eut de genres d'occupations,

les serviteurs saluent très bas, très exactement en pliant l'échine et en s'effaçant ensuite; le ton dont ils parlent du maître ou de ce qui appartient au maître est tout à fait semblable à celui des domestiques des châteaux au centre de très grands domaines, en France ou, je pense, en Italie,

il y a en plus le silence des pieds nus dans les grandes cours désertes, avec au centre des sortes de préaux à toits de style mi-hindou, mi-chinois, qui sont les salles d'apparat,

insolites au milieu de tout cela, dans ces pièces en plein air, des miroirs et des tables Louis XV, des statues d'anges venues certainement de quelque cimetière à l'italienne, c'est la contrepartie des chinoiseries ou des japonaiseries de nos salons, — et des toitures de tôle ondulée,

un garçon ambigu nous accompagnait continuellement, fils peut-être du chef des serviteurs qui nous servait de guide, ou bâtard du sultan, ou je ne sais quoi, très beau, avec de très longs cils, un rire et des gestes très féminins, et souriant en montrant toutes ses belles dents chaque fois que je le regardais,

on entendait cependant des rires de femmes dans la partie du palais qui leur est réservée et à laquelle nous n'avions pas accès,

tout cela avec de grands arbres bien ombreux, le sol fraîchement arrosé, il y fait presque frais

....

Même jour, 23 heures 30.

J'ai presque oublié le méchant rêve de cette nuit, mais je t'en garde encore un tout petit peu obscurément rancune, pardon mon amour, mais nous sentons tellement toujours les choses en même temps *que je ne parviens pas à m'empêcher de croire que ce rêve a quelque signification*, pardon mon Élisabeth — comme j'aimerais trouver à mon retour à Djakarta un télégramme : « aime. Élisabeth ».

Je reviens du théâtre privé du sultan, c'est aussi une école de danse et d'art dramatique, où j'ai assisté quatre heures durant à des répétitions de danses javanaises, d'abord les filles de tous âges, puis les garçons,

c'est le frère du sultan qui préside à l'établissement, il semble un homme cultivé, et met une certaine affectation à porter le costume local très strict, à marcher pieds nus, et à ne s'asseoir que les jambes croisées,

et c'est la sœur du sultan qui s'occupe personnellement des danseuses,

des danses mêmes, je ne te dirai rien pour l'instant, car j'imagine que vue la Meri [1] (?), tu connais la question bien mieux que moi,

quelques notables, en sarongs de très beau batik, assistaient aux leçons, donnaient des conseils, semblaient de vrais connaisseurs et protecteurs des arts, un peu comme cela devait être à l'opéra dans le temps jadis,

moi je m'émerveillais de cette époque merveilleuse où

1. Professeur de danse à Florence; elle enseignait les danses hindoues, espagnoles mexicaines, etc.

coexistent et se combattent, ici et partout dans le monde, la féodalité dans ses plus vieilles formes, les bourgeoisies naissantes et mourantes, et les naissantes déjà mourantes, et les partisans des montagnes qui ne doivent pas être loin d'ici, puisque plusieurs fois ce matin, sur la route, nous fûmes arrêtés par des barrages de police, qui fouillaient toutes les voitures, sauf la nôtre, bien sûr, puisque nous étions des officiels,

et je m'émerveillais, venu ici comme j'y suis venu, d'être dans ce théâtre princier, et d'être si loin et si près de tout cela, — et d'être si loin dans l'espace et si près quand même de toi dont la pensée ne me quittait pas,

et je pensais aussi à mille choses : car ces danses laissent le temps de penser à mille autres choses, que je préfère humainement le prince aux deux fonctionnaires petits-bourgeois, si gentils, si affables, qui nous accompagnent,

le plus jeune (25 ans) est fils de médecin, sera bientôt magistrat, ces danses-là ne l'intéressent pas, « mais à Sourabaya, il y a des night-clubs où l'on danse le tango et le slow »; l'autre est catholique romain, et quand je lui ai demandé ce qu'il espérait de la vie m'a répondu « conserver mon poste » — et il ne le conservera sans doute pas, car il occupait déjà le même poste sous les Hollandais, et tous les catholiques sont suspects ici, à juste titre, car pendant la guerre d'Indépendance, ils collaborèrent presque tous avec les Hollandais,

j'aime qu'on soit capable de se passer de manger, de boire et de baiser, mais je ne l'aime que chez les hommes qui ont de gros appétits de toutes sortes, ce sont ceux-ci, et non les végétariens édentés, qui changent la face du monde,

parmi les hommes comme parmi les animaux, il y a des bâtards et des bêtes de race, des « Rodrigue qui ont du cœur », c'est-à-dire qui sautent à la gorge quand on les gifle, et des lâches qui tendent l'autre joue, des carnivores et des végétariens,

je lutte pour tous les hommes, parce que j'ai un grand cœur bienveillant, et parce qu'il est absurde que ce soient des végétariens de nature qui mangent de la chair à cause de vieux privilèges qui engourdissent le monde et l'empêchent d'être vivable, mais je me refuse absolument à jouer les végétariens par sympathie pour ceux qui ne peuvent pas manger de la viande, de la chair,

le Baffone est un solide buveur d'alcool, et je suis sûr qu'il a une grosse bite et s'en sert... nous reviendrons sur tout cela, et il faudra aussi que j'en parle avec Henry, qui me semble peut-être mettre trop de zèle à refréner des appétits qui, j'en suis sûr et j'en suis heureux pour lui, sont considérables,

quand on ne mange pas, ou ne boit pas selon sa gourmandise on finit par rêver de gros bonbons, et quand on ne baise pas selon sa bite on finit dans des constructions cérébralo-sentimentales malsaines et mal-lucides... J'ai sommeil, à tout à l'heure mon Élisabeth...

11 janvier, 7 heures du matin

Tu ne m'as pas fait de vacheries cette nuit, je t'aime. Je relis la page ci-dessus, comme j'étais donc cette nuit arrabbiaté,

c'était à cause de mes deux fonctionnaires édentés,

par rancune aussi contre ta folie de la nuit précédente,

par lyrisme aussi, quand comme maintenant je reste longtemps sobre et chaste, j'ai une telle exubérance de forces, ma vie m'emporte vertigineusement, je pourrais avec autant de lyrisme faire la guerre, écrire des choses, ou faire ce que je fais en ce moment, mais c'est un peu trop vertigineux, je sens par moments que par excès de vitesse je « perds les pédales » comme dit l'argot français, je les ressaisis mais ça va de plus en plus vite, dommage d'être obligé de tuer une partie de sa vitalité pour rester maître du reste.

Je t'avais donc laissée au théâtre du sultan. Les danses durèrent une heure, puis ce fut l'une des dernières répétitions, donc assez au point, de la représentation d'un drame classique du théâtre javanais, j'emmerdais mes hôtes par d'innombrables questions en mauvais anglais, c'est un art devenu formaliste, comme il est normal puisqu'il est l'expression d'une féodalité qui se survit dans l'état présent du monde, mais comme il est très fidèlement conservé, j'ai appris pas mal de choses qui m'ont remis en tête mon projet de rénovation, de re-création de l'Opéra. J'ai pris plusieurs pages de notes, je n'ai pas le temps de te les remettre au net.

Au retour de Boroboudour, j'étais allé passer une heure à la toute récente école des Beaux-Arts, ouverte depuis un an (depuis la proclamation de l'Indépendance), avec une grande exubérance de jeunes talents, encore très confus, qui en sont à découvrir l'impressionnisme, c'est très confus, très inégal, mais plein de dons,

les sculpteurs ont repris, sur le thème des portraits des héros de la résistance, dont le sultan bien sûr, la tradition bouddhique des statues géantes taillées directement en pleine pierre.

Et entre tout cela j'ai parcouru les boutiques,

j'ai trouvé pour mon amour un poudrier en argent, dans la technique décrite au début de la lettre, mais je pense qu'il faudra faire refaire l'intérieur, assez sommaire, le style de l'ornementation n'est pas sans rapport avec les vieilles argenteries florentines, autant que je me les rappelle,

j'ai acheté, je ne sais pas encore pour qui, un assez beau batik, dans la technique décrite dans la présente lettre, il est encore tout raide de cire,

(mais pour mon Élisabeth, je cherche un batik ancien, sur soie de Chine, ou au moins sur étoffe locale tissée à la main, dessins entièrement à la main, et surtout sans couleurs chimiques, ni sans cette teinture d'écorce d'arbre, spéciale à cette région, et qui donne un ocre foncé mélancolique, il paraît qu'à Bali ils ont d'autres traditions de teintures, je voudrais des rapports de bleu turquoise, de rose et de noir, comme j'en ai vu au musée).

Le petit artisanat est resté (ou redevenu) très inventif, au moins en matière de jouets (et de chaussures de femmes, elles ne seraient utilisables qu'à Capri, mais j'attends aussi Bali, où on dit qu'elles sont plus belles, Bali est la seule île indonésienne qui n'ait pas été islamisée), alors j'ai acheté beaucoup de jouets, les uns pour les enfants, les autres pour les grandes personnes, il y a tellement de cadeaux à faire avec toute cette famille, je ramène en particulier toute une ménagerie, en toutes sortes de matières, bois, coquillages, caoutchouc, vieux ressorts.

Je pars tout à l'heure pour Semarang et je dormirai ce soir à Sourabaya, demain à Bali.

On vient me chercher.

Je te serre très fort dans mes bras, à tout à l'heure, mon Élisabeth bien aimée

ton Roger.

Vendredi 12
Sourabaya. Hôtel Orannje
8 heures du matin
[A Élisabeth]

Salut à toi le plus tendre des amours

Je me suis encore éloigné de quelque six cents kilomètres de mon Élisabeth, mais j'ai tout de même l'impression d'être en train de revenir vers elle,

il est vraisemblable que dans un mois nous serons réunis.

Hier nous avons d'abord traversé Java dans sa plus petite épaisseur, de Djokdjakarta à Semarang, en auto, avec nos Indonésiens des jours précédents,

nous avons remonté la vallée au riz, la route est comme les meilleures d'Europe, mais continuellement des maisons (de paille tressée ou de bambous), et l'innombrable flot des humains qui vaquent à leurs petites affaires, portent leurs petits ou leurs gros fardeaux,

et les femmes en cloque, solitaires, taciturnes et solennelles comme des monstres sacrés,

et les chars à buffles, les petites voitures tirées par des sortes de poneys, les camions-autobus chargés de gerbes d'humains, et la multitude des cyclistes,

hélas, nous fendons tout cela clos dans notre grosse Dodge « Deluxe », comme il est écrit dessus, la fraternité des humains nous est interdite, nous appartenons à la race maudite, nous sommes les nazis de l'année 1950, les journaux sont pleins du récit des tortures que les soldats français infligent aux Vietnamiens et aux Chinois du Vietnam, on lit :

« à ..., des colonialistes français ont torturé pour leur extorquer de l'argent, plusieurs jeunes Chinoises qui arrivaient de Hong-kong. L'une d'elles, Mlle ... a succombé, son foie ayant éclaté sous les coups reçus »,

on lit tous les jours des choses comme cela, qui sont vraies,

et à l'entrée de Djokdjakarta, il y a une grande affiche représentant deux visages douloureux qui ont l'air de crier au secours, VIETNAM, en très gros caractères, puis un texte en indonésien,

j'ai demandé à l'un de nos guides de traduire, « ce n'est rien, ce n'est rien », m'a-t-il répondu, et il a fait signe au chauffeur de filer.

La honte d'être français.

Il y a bien sûr aussi la honte d'être hollandais, mais les Hollandais ne se sont battus que pendant quelques jours, puis les Américains, qui espèrent prendre leur place, leur ont imposé de retirer leurs troupes, si bien qu'ils n'ont eu le temps de brûler que quelques villages,

et ils ont eu l'habileté de ne pas tuer eux-mêmes, mais de faire assassiner par des indigènes à leur solde les cinq mille communistes internés dans un camp qui ont été massacrés dans cette affaire.

Il y a aussi la honte d'être américain, mais la Corée est loin, beaucoup plus loin que le Vietnam, on n'a jamais vu de Coréen ici, tandis que les Vietnamiens sont de tout proches parents. Et les Américains n'apparaissent encore pour l'instant que comme de discrets et lointains protecteurs contre les Hollandais — les tractations économiques échappent aux masses inéduquées politiquement.

Semarang, sur la mer de Java, larges avenues bordées de masures, n'a de vivant que son marché, avec des monceaux d'étoffes de toutes les couleurs, venues de toutes les parties du monde, et même d'Italie, des nourritures de toutes les odeurs, et deux belles allées aux chaussures, j'y ai trouvé pour mon Élisabeth quelque chose de rouge et or qui pourra lui servir de mules ou de sandales de plage,

de Semarang à Sourabaya, le port militaire naguère hollandais, maintenant indonésien, le Toulon ou la Spezia de Java, en avion au-dessus des rizières, à l'heure du thé,

dîné et passé la soirée avec le capitaine français (corse) très bavard, observateur militaire au titre de l'ONU, qui m'a confirmé en tous points l'intérêt que les Ricains portent à ce pays — et à la Palestine où il séjourna au même titre qu'ici, pendant la guerre israélo-arabe,

nous avons un peu traîné dans les boîtes, pas longtemps, le couvre-feu est à minuit, elles sont vides et sinistres, une patronne nous expliqua : « vous auriez dû voir cela avant la guerre, mais maintenant c'est la mort, pensez-vous que les femmes d'ici, même les putains, ne veulent plus fréquenter les blancs... »

la honte d'être blanc

Dans une heure je m'envole pour Bali.
Je serre ma toute petite très fort dans mes bras.
A tout à l'heure,
tout à l'heure = 30 jours (?)
je t'aime,

ton Roger.

Denpasar, Bali le 14 janvier
Bali Hôtel, 16 heures
[A Élisabeth]

De Djakarta, ça fait encore mille kilomètres plus loin de mon Élisabeth, c'est aussi l'extrême terme oriental de mon voyage.

En arrivant ici, vendredi après-midi, je sentais tellement fort cette distance, augmentée encore du fait qu'on me dit que les lettres avion mettent quinze jours dans chaque sens, et de quelque chose qui pesait encore sur moi de l'affreux rêve de l'avant-veille,

je t'ai télégraphié pour apprendre ensuite que les

télégrammes mettent trois jours dans chaque sens, l'unique câble avec Djakarta étant généralement monopolisé par les militaires, puis c'est transmis par radio à Amsterdam puis je ne sais comment à Rome,

enfin, je ne pars que le 19, et un miracle peut faire que j'aie ta réponse avant.

Je t'aime.

La fin de l'après-midi de vendredi fut consacrée au bazar, j'y tombai pile sur ce dont je rêvais pour toi, une écharpe de batik ancien, sur soie chinoise vert jade, ce n'est pas du balinais mais du javanais occidental, égaré ici par le hasard des navigations de l'ancien temps, le dessin entièrement à la main à dominante brune-or, les craquelures nettes, sans être excessives; la pièce terminée à chaque extrémité par un motif spécial et des franges, ce qui est rare, a une longueur d'environ 3 mètres quarante et une largeur de cinquante centimètres, tu pourras presque t'en envelopper de la tête aux pieds.

Le soir nous assistâmes, dans le village voisin de l'hôtel, à une représentation théâtrale, orchestre, danses et chants, dix danseurs, douze danseuses, deux vieux acteurs pour les bouffonneries,

c'était l'histoire (indoue) d'un prince parti pour combattre un méchant dragon et que deux belles jeunes filles s'efforcent de séduire, pour le détourner de son héroïque entreprise, mais c'est un homme d'acier, un vrai bolchevik, il les repousse, et tue le dragon, qui porte un masque terrifiant et agite de grandes ailes de chauve-souris, d'une seule flèche tirée avec un joli petit arc,

le rôle du prince est tenu par une adolescente,

les filles sont serrées dans des tuniques très étroites qui les rendent presque asexuées,

les spectateurs sont des villageois groupés tout autour d'une scène rectangulaire, basse, l'orchestre à l'un des longs bouts du rectangle, énormément d'enfants, très beaux, parmi les spectateurs, et qui rient très fort aux bouffonneries des vieux acteurs, à la fin du spectacle acteurs et spectateurs s'en vont en même temps, sur la même route, les petites danseuses deux par deux, se tenant bien sagement par la main, éclairées par l'un des vieux qui tient une lampe-tempête à la main.

Deux belles putains, aux longs cheveux noirs dénoués, qui se trouvent dans la foule, mais n'ont rien à voir avec la troupe, nous font des agaceries (nous, c'est Taslenko et moi), et se font aussitôt engueuler par les passants, elles disparaissent dans la nuit — ici, nous passons pour des Américains, mais peu importe au demeurant la nuance, les blancs sont des blancs.

L'île de Bali fut l'ultime refuge des communautés hindouisantes des Indes orientales, qui ne voulurent pas se convertir à l'islam, au quatorzième siècle,

et l'on continue aujourd'hui encore à y pratiquer une religion qui mélange assez joliment les pratiques de la secte bouddhiste des adorateurs de Siva, le culte à la chinoise des dieux familiaux, et mille superstitions à l'italienne,

ce qui fait qu'on ne peut faire deux cents mètres sans rencontrer quelque chose dans le genre d'un sanctuaire, généralement gracieusement enfoui dans la végétation qui est du même type luxuriant qu'à Java,

et chaque village, et cette petite île avec ses deux millions d'habitants n'est qu'une agglomération de villages, a son théâtre et sa troupe de danseurs mi-religieux, mi-profanes, et partout, partout, partout dans des petites cages d'osier tressé des coqs de combat — le combat de coqs est un jeu mi-religieux, mi-profane.

Les Balinaises sont belles, et se promenaient toujours, il y a encore deux mois, les seins nus, ce sont de très beaux seins, même quand les femmes ne sont plus jeunes, parce qu'elles passent leur vie, le long des routes, à porter des choses très lourdes sur leur tête,

les Hollandais exploitèrent peu l'île de Bali, c'est qu'ils en avaient fait une réserve à femmes, la plupart des métisses qu'on rencontre dans toute l'Indonésie sont d'origine balinaise,

et puis, entre les deux guerres, ils commencèrent à en faire une gigantesque exploitation touristique; la dernière île du monde où les femmes se promènent les seins nus, quel paradis pour Américains masturbés! il en vint de pleins bateaux,

l'affaire appartenait entièrement à la puissante compagnie hollandaise KPM qui avait pour Bali, les Célèbes, les Moluques, et autres îles jusque sur les bords du Pacifique, le monopole de la navigation, de l'hôtellerie, des transports automobiles, et je suppose des bordels,

il vint aussi, mais toujours sous l'égide de KPM, des Anglais, des Belges, des Allemands, des Français et même dit-on un Italien, sans compter les Japonais,

la guerre mit un terme provisoire à ce monopole colonialiste des seins nus,

mais ça recommença dès 1946 avec cette fois une clientèle presque exclusivement américaine, les seins pour les seingneurs, pour les saigneurs,

tu imagines ce que peuvent donner des bandes de Ricains saouls dans une île pleine de femmes à seins nus,

les Hollandais ne valent pas mieux (ni les Français en Indochine), mais les Hollandais ont un vague reste d'éducation, qui leur fut apporté par les conquêtes françaises du XVIIIe, et qui les rend moins apparemment mufles,

enfin l'Indonésie conquit l'an dernier une indépendance qui pour n'être encore sur bien des points que théorique, mit le pouvoir militaire dans les mains de jeunes officiers javanais solidement nationalistes,

ils eurent quelque mal à s'installer à Bali, qui se trouvait sous le contrôle de milices indigènes catholiques, originaires de l'île d'Amboine dans les Moluques, l'île aux épices, qu'évangélisa saint François Xavier, parfaitement corrompues et demeurées par la bande à la solde des Hollandais,

ces mercenaires, vendus à Rome et à La Haye furent cependant assez vite liquidés,

restait à se débarrasser des Américains : un décret interdit aux femmes de se promener les seins nus, et c'est bien la première fois que j'applaudis à un décret puritain,

puis quelques rafales de mitraillettes par-ci, par-là, accréditèrent le bruit que la sécurité n'était plus assurée à Bali, c'est ce qu'on me dit à Djarkarta, et que nous étions fous de vouloir faire ce voyage, etc., etc., je savais bien que c'était faux, et comme toujours j'avais raison, nous avons fait la nuit dernière 30 kilomètres en jeep avec des officiers indonésiens (javanais) qui n'avaient pas jugé utile de prendre avec eux même un revolver, il n'y a plus ni catholiques, ni Américains dans l'île, elle ne fut jamais si sûre, mais ces merveilleuses rafales de mitraillettes, qui ne tuèrent que des « collaborateurs » des Japonais ou des Hollandais eurent l'heureux résultat de dégoûter les touristes.

Hier samedi matin, nous allâmes rendre visite au major Salim, commandant militaire de Bali et de toutes les petites îles de la Sonde, fils d'un de nos amis de Djakarta, un jeune officier, au regard ferme et bienveillant, qui me fit une excellente impression, il m'a paru du même type, en plus solide, que l'ami de Henry qui vint me chercher à l'aérodrome du Caire.

Il a décidé de liquider en deux ans l'analphabétisme, qui est encore de 90 % dans son domaine. Une école par village.

Et quand, dans un village, il n'y a personne capable de devenir instituteur, un militaire donne des cours du soir, et en profite pour donner à la population quelques aperçus sur la vie économique, sociale et politique dans le monde contemporain. Voilà qui me paraît du bon travail.

Nous sommes ensuite allés faire visite à un peintre belge, nommé Le Mayeur, sans grand talent de peintre, mais qui habite, sur une plage de l'océan Indien à cinq kilomètres d'ici, une charmante maison, style local, à claire-voie comme il se doit en ces climats.

Arrivé ici en touriste, il y a dix-sept ans, il s'est épris de la danseuse numéro 1 de la troupe d'un petit radjah, elle n'avait que onze ans, il attendit deux ans pour l'épouser, et vit depuis lors avec elle sur sa plage solitaire, entouré de toutes les petites cousines de sa femme qui se renouvellent de génération en génération, et celles de cette génération en tout cas sont toutes fort belles ; ce sont les servantes de la demeure ; la femme ex-danseuse cependant reçoit comme une maîtresse de maison européenne, porte des sarongs et des bijoux fastueux, et a conservé beaucoup de beauté, de grâce, et de majesté,

ils nous ont gardés à déjeuner,

mais entre-temps nous ont menés au bain, c'est une plage

comme dans les romans sur les mers du Sud, entourée de cocotiers, demi-circulaire, et séparée de l'océan et de ses requins par un récif de corail,

j'avais emporté mon masque, mais l'eau était trouble, et je n'eus pas assez de souffle pour atteindre le récif dont j'attendais des merveilles. La prochaine fois (mardi) je me ferai conduire au récif en barque.

Ce matin le tarif des voitures de louage, encore monopole KPM étant prohibitif pour nous, et toutes les voitures de l'armée occupées à leurs œuvres progressistes, nous sommes partis sur des bicyclettes empruntées aux boys de l'hôtel, nous avons assisté au hasard des petites routes à maintes choses charmantes, dont une vente aux enchères du riz sur le champ même où il vient d'être récolté, et c'est une fête à laquelle participe tout le village, nous avons abouti sur une autre plage-des-mers-du-Sud, nous étions absolument crevés, c'est assez pénible de pédaler sous ce soleil, et le bain dans l'eau tiède, avec des courants plus frais, et des vagues fouettantes, fut un des plus voluptueux que j'aie jamais pris,

puis nous roulâmes sur le sable mouillé jusqu'à un village de pêcheurs, les pirogues à balancier rentraient de la haute mer, je m'étendis à l'ombre d'une case, un peu inquiet des regards que les jeunes gens jetaient sur la belle montre élisabethéenne, mais tout se passa très gentiment, et nous rentrâmes lentement, moi sous un immense chapeau de paille, acheté trop tard, puisque je flamboie maintenant d'un magnifique coup de soleil.

Lundi matin.

Il paraît qu'il y a un avion ce matin, et je ne veux pas rater cette occasion d'abréger la longueur du courrier. J'ai pourtant encore mille choses à te raconter, ce sera pour cet après-midi.

Je ne sais même pas où tu seras quand cette lettre parviendra en Europe, ça me fout arrabbiato.

Je te serre très fort dans mes bras.

A tout à l'heure ma toute petite

Ton Roger.

Denpasar, le 15 janvier
[A Élisabeth]

A mon Élisabeth, salut et amour,

il y a onze mois et deux jours qu'Élisabeth et Roger s'aiment, et avant un mois ils seront réunis pour ne plus se séparer.

Il est 17 heures trente, au Bali Hôtel, j'ai fait une longue sieste, j'ai pris la troisième douche de la journée, je suis pieds nus, et vêtu d'un simple short, sur la véranda de ma chambre, qui donne de plain-pied sur un grand jardin où flambent des flamboyants, et toutes sortes de fleurs, il n'a pas encore plu aujourd'hui, et il fait lourd, j'ai mis le moteur du ventilateur au sixième cran, c'est le maximum de vitesse, le thé est servi, il y a des fleurs sur ma table, la fécondité balinaise est telle qu'en trois jours il s'est développé de petites racines blanches sur les tiges coupées des fleurs.

A Rome où c'est le matin mon Élisabeth est peut-être en train de faire ses valises pour Paris où nous nous retrouverons,

où nous nous retrouverons où nous nous retrouverons.

Depuis Singapour le Bali Hôtel est le premier hôtel humain où je loge. Les Indonésiens n'ont pas encore eu le temps de former des mécaniciens, mes chers mécanos, alors les chasses d'eau des cabinets cessent de marcher, puis c'est l'alimentation de la baignoire, puis la tuyauterie des douches, puis les systèmes de ventilation, and so on, c'est l'ennui des périodes de transition, d'autant plus que ce qui reste de Hollandais ne rate pas une occasion de saboter, et l'on se croirait souvent dans ces dessins de Dubout, ou tous les objets foutent le camp entre les doigts des humains, mais dans quelques années les Indonésiens auront leurs mécanos... Ici, l'hôtel KPM, l'ancien luxe colonial est demeuré total, et il est presque parfait, quoique hollandais, la lampe de chevet n'éclaire que le livre qu'on lit, la lampe de la table de travail épargne les yeux, la ventilation est graduée, le service est silencieux, rapide et efficace, et il y a sur la table une carafe thermos pleine d'eau perpétuellement glacée,

et au restaurant, où il fait frais, quatre boys attentifs servent beaucoup plus de nourritures de toutes sortes qu'on ne peut honnêtement manger,

tandis que les Balinais les jours de fête partagent un œuf à quatre personnes et un poulet à douze,

mais il n'y a plus qu'une douzaine d'Américains à l'hôtel, quelques commerçants hindous des îles, et des officiers de passage, c'est l'agonie de la vie coloniale.

21 heures

en rentrant pour dîner j'ai trouvé le télégramme de mon Élisabeth, arrivé beaucoup plus vite que je n'osais l'espérer,

heureux heureux heureux heureux heureux heureux, le rêve horrible de la première nuit de Djokdjakarta est maintenant complètement effacé,

tu m'attends tu m'attends et je pense qu'en arrivant à Djakarta je vais trouver des lettres de toi un peu partout (parmi les premières les unes sont arrivées à l'AFP, comme l'adresse, mais d'autres à l'ambassade et l'une même à l'United Press),

avant le dîner j'avais encore couru les antiquaires du bazar, et trouvé pour la famille Naldi [1] une peinture balinaise ancienne, assez grande, avec des dizaines de démons et de dieux enchevêtrés dans une bataille à l'Uccello, pour André et Suzanne quatre bois sculptés curieusement réalistes dans le fantastique d'hommes à têtes de monstres, pour quelqu'un de la famille une broche d'argent repoussé,

la manie des cadeaux est la première des manies naldiniennes qui m'aura contaminé.

Ne parle pas encore à nos amis de ce que je leur rapporte, car les destinations peuvent être changées, selon ce que je trouverai encore, et selon ce que tu jugeras bon.

Samedi soir, le major Salim, qui ne pouvait venir, parce que sa femme était en train de faire un enfant, nous imposa

1. *La famille d'Élisabeth.*

à un dîner offert dans son palais par le radjah de Gianjar à l'amiral de la flotte de l'Indonésie orientale,

nous n'étions que douze, le radjah et sa femme, l'amiral et sa femme, six officiers supérieurs, Taslenko et moi, c'était un dîner politique assez curieux, qui se déroula en diverses langues et beaucoup d'apartés,

un orchestre balinais cependant jouait dans la cour intérieure du petit palais, et pendant que nous dînions les serviteurs disposaient les nattes qui allaient servir de tapis de scène, et les familiers du palais se groupaient tout autour,

la femme de l'amiral avait de grands yeux comme mon Élisabeth, mais sans tendresse, et paraissait avoir une gorge prodigieuse, c'est une Javanaise,

enfin nous passâmes dans la cour-théâtre, il y avait maintenant une centaine de personnes, dont, comme toujours, beaucoup d'enfants, tout le monde sur le sol, les jambes croisées, et pour nous un rang de fauteuils Louis XV,

seulement trois danseuses, qui dansèrent pendant une heure et demie sans interruption, sur un rythme la plupart du temps beaucoup plus rapide que celui des danses javanaises, très jeunes, la cadette devait avoir dix ans et les deux autres treize ans, elles abandonnent la danse quand elles se marient, elles doivent être vierges pour danser les danses sacrées,

en fait, et tant à cause de l'âge que du costume fourreau rigide brodé d'or et d'argent qui comprime leur jeune poitrine, asexuées ou hermaphrodites comme tu voudras, « les anges, a dit Swedenborg, sont hermaphrodites et stériles », et il en savait quelque chose, les fréquentant quotidiennement,

ces danseuses étaient évidemment des anges,

la plus jeune adroite précise et par moments vibrant sur elle-même comme les ailes d'une libellule, le visage monstrueusement grave, (elle pourrait évidemment donner des récitals triomphaux dans n'importe quelle capitale du monde) c'est très exactement un « monstre sacré » fabriqué dans des écoles spéciales, où les sujets entrent entre cinq et six ans, et sont soumis à un entraînement intensif de trois fois trois heures de travail par jour,

c'est un art essentiellement aristocratique, qui ne peut vivre que par la protection des radjahs, seules les sociétés aristocratiques-féodales et socialo-communistes permettent le développement des arts majeurs : avec la société bourgeoise, où le pouvoir appartient à une classe coupée des masses, et fragmentée en un grand nombre d'individus, on tombe dans la villa de banlieue, la peinture de chevalet, et la musique de chambre,

mais l'art populaire socialiste correspondra à la maturation des masses, l'exprimera, et les grands artistes proviendront de la sélection d'un grand, d'un immense nombre de troupes d'amateurs,

l'art aristocratique tel qu'il existe encore ici n'est pourtant pas séparé du peuple, à preuve la vogue immense du théâtre dans ces villages, mais c'est d'un peuple qui n'est pas mûr, et lié au souverain par des liens comme d'enfants à parents dans les vieilles familles très rigides,

c'est-à-dire par des liens sado-masochistes, qui s'expriment précisément comme tels, dans ce théâtre non humain, formaliste et cruel, d'ailleurs délicieusement,

c'est en fonction de cela, je pense, que l'hermaphrodite triomphe en ces pays, non seulement au théâtre mais autant que je peux le deviner, sexuellement. J'imagine à mille signes qu'à l'échelon aristocratique ou populaire-féodal, les hommes cherchent le plaisir essentiellement dans le commerce des adolescents, ou bien enculent leur femme, quand ils n'ont pas d'adolescent sous la bite, mais n'enconnent que pour faire des enfants, c'est du moins ce que je suppose quoique manquant d'éléments d'appréciation directe et de connaissances linguistiques pour obtenir des confidences,

tandis que les éléments progressistes mettent une certaine affectation à s'affirmer comme couples, et doivent baiser de la manière dite normale,

les danses hermaphrodites et la pédérastie seraient donc l'expression tragique du sado-masochisme dans le lien parents-enfants, peuple-maîtres des sociétés féodales.

Le dîner avait été très formaliste, jamais je ne fis aussi attention de manger correctement, c'est que dans ces époques de conflits raciaux, tous les gestes deviennent signes de mépris ou de respect, etc. etc.

Le matin j'avais recueilli sur la plage de beaux coquillages, de toutes les couleurs et de toutes les formes, et des branches de coraux, pour faire un collier de plage à mon Élisabeth

Mardi 16 janvier

Salut et amour à mon Élisabeth!

hier matin nous nous sommes fait conduire à Boena, village célèbre par ses peintres et ses sculpteurs sur bois,

l'intérieur de l'île, découvert par la même occasion, est un parc où roucoulent des tourterelles, et énormément de coqs de combat dans des petites cages d'osier, et où se gonflent aux carrefours des allées les plus belles gorges du monde — car dès qu'on s'éloigne de Denpasar les règlements de police vestimentaire ne jouent plus,

c'est la nature la plus *humanisée* du monde, ce que deviendra l'Italie dans le monde socialiste, l'homme a complètement et fraternellement transformé la nature (le culte de la nature *sauvage* est un phénomène bourgeois de *compensation*), le système d'irrigation destiné à la culture du riz est considéré par les spécialistes comme le plus ingénument raffiné du monde entier, enfin l'eau coule partout, passe par-dessus les routes sur de minuscules aqueducs en écorce, jaillit au sommet des collines, et de bassins en bassins que sont les rizières, qui ourlent de cent minces ourlets les flancs des collines, ruisselle jusqu'au bas par maints filets chantants, et se réunit au creux des vallées, en petits torrents qui bondissent sur des blocs de basalte sombres et polis, en laissant des petits bassins ombragés d'arbres à palmes, où se baignent tout nus les femmes aux gorges royales et les beaux adolescents,

les routes innombrables sont des allées moussues qui s'enfoncent sous le couvert d'arbres géants, dans une ombre lumineuse, bordées à l'infini de temples champêtres, car chaque maison a son temple personnel pour le culte des dieux familiers, chaque groupe de maisons son temple collectif, chaque village son temple supercollectif, etc. etc., et les statues des temples ornent les flancs de la route, comme dans le parc de Versailles ou le Pincio, cela pourrait paraître le paradis, mais l'aspect sado-masochiste de la famille féodale est bien nettement souligné par les formes grimaçantes et menaçantes des dieux et des démons, les pointes torves des architectures, le fait que ce sont essentiellement les femmes qui portent les fardeaux, et l'ambiguïté de la sexualité (je pense décidément que la pédérastie est foncièrement réactionnaire, et que les hommes d'acier ont totalement raison dans leur méfiance à l'égard des homosexuels des deux sexes),

nous visitâmes plusieurs ateliers de peintres et de dessinateurs, leur histoire est typique,

jusqu'à la fin de la première guerre mondiale, les artistes se bornaient à recopier à l'infini les sujets traditionnels de l'hindouisme adaptés jadis, dans une époque créatrice qui doit remonter aux grands empires indonésiens expansionnistes des VIIIe et Xe siècles et qui « rendent » assez bien, quoique fabuleux, l'aspect parc de la nature à Bali, mais cet art d'éternelle copie était par nature mort,

après 1920, sous l'influence des albums d'art européens qui pénétrèrent jusqu'ici et d'une petite bourgeoisie commerçante, il y eut un mouvement de libération artistique, qui aboutit à un réalisme très original, qui s'exprima soit dans une manière nouvelle de traiter les scènes traditionnelles de la mythologie indoue-balinaise, soit même dans l'expression des scènes de la vie locale,

de ce mouvement naquirent quelques excellents peintres, en particulier un certain Sobrat, dans le genre scènes locales, et un prodigieux nommé Debelog, dans le genre fantastique, quelque chose qui tient de Jérôme Bosch et de William Blake, il est maintenant fou,

j'ai bondi la première fois que j'ai vu un dessin de lui, j'ai voulu l'acheter, on m'en a demandé 1500 roupies, c'est-à-dire 75000 francs,

c'est que la totalité des œuvres de cette jeune école a été monopolisée par des galeries d'art de La Haye ou d'Amsterdam qui les achètent à la production,

nous n'avons rien pu acheter ce matin car il aurait fallu acheter en contrebande et à des prix fabuleux, on se méfiait d'ailleurs de nous, car nous aurions pu être des sortes d'inspecteurs des galeries d'art,

la plupart de ces peintres n'en vivent pas moins assez misérablement dans leurs cabanes de paille tressée,
voilà jusqu'où va le colonialisme.

Salut à toi mon amour et amour de toi, je vais me promener...

Mercredi 17 janvier 8 heures.

J'ai encore mille choses à vous raconter mon amour, mais Taslenko part ce matin en avion et cela fera gagner plusieurs jours à ma lettre de la poster à Djakarta.
Je gagne demain l'autre bout de l'île (nord) d'où je m'embarquerai à 15 heures sur un vieux petit bateau qui mettra quatre jours à gagner Djakarta mais c'est exactement ce que je veux.
Je pense beaucoup au 13 février.
Où es-tu ?
à Paris ?
Si tu vois *** dis lui que j'ai été invité par le gouverneur des « petites îles de la Sonde » (ainsi se nomme la province de Bali) *pour faire une étude sur le théâtre balinais*.
Dis à Nora et à Jeannette de ne pas annoncer au téléphone mon retour ; elle doivent répondre : « il est en Extrême-Orient, pour un mois ou dix ans, on ne sait jamais avec lui ».
Dès mon retour nous disparaîtrons.
Je te serre très fort dans mes bras, je t'aime, je t'aime, je t'aime, je t'aime

Ton Roger.

Denpasar, le 17 janvier
16 heures 30
[A Élisabeth]

Salut et amour à mon Élisabeth, c'est la plus belle et la plus tendre de toutes les Élisabeth et peut-être bien de toutes les femmes du monde.

Me voici donc seul, avec un dictionnaire anglo-indonésien, c'est-à-dire anglo-malais, c'est une langue que somme toute j'apprendrai beaucoup plus facilement que ton italien, les sons se prononcent comme ils s'écrivent et la grammaire est très simple, les verbes ne s'emploient qu'à l'infinitif et pour faire le pluriel on double les mots : un homme : orang, plusieurs hommes : orang-orang, ça correspond à peu près à mes facultés linguistiques.

Taslenko a été un bon et précieux compagnon, qui m'a rendu mille services, par sa connaissance des langues, des gens du pays, et par sa gentillesse humaine, qui est extrême; et il s'occupait de tout, nous avions même mis chacun une somme égale d'argent dans une de ses poches, et il payait tout, sauf les cadeaux que j'achète. Mais je n'ai pas grand-chose de plus à en dire que le premier jour.

Quand je suis comme en ce moment sobre et chaste, je vis pour rien, l'alcool et les putains furent toujours mes plus gros frais, alors maintenant les marchands viennent me trouver, les statuettes de démons pour André atteignent les douze, mais je crois que je vais faire deux lots,

enfin je marchande depuis 24 heures, pour mon Élisabeth, un sarong tissé brodé à la main de couleurs prodigieuses, une robe de reine, il n'est pas encore à ma portée, mais vu la crise des Américains, il le deviendra peut-être avant mon départ.

Tout le temps que je ne passe pas à voir des gens ou des choses ou encore à écrire à cette Élisabeth est consacré à des lectures sur le pays, alors je deviens savant sur des tas de sujets, comme la culture de l'hévéa, l'arbre à caoutchouc, ou la structure des monopoles hollandais.

Hier soir nous avons assisté à Boena, à une vingtaine de kilomètres de Denpasar, à la danse dite ketchak, ou encore « danse des singes »,

le chœur est d'environ deux cents hommes, assis les jambes croisées, rangés concentriquement autour d'un cercle vide relativement étroit qui constitue la scène,

le spectacle de danse, sur cette petite scène, est du même ordre que celui du premier soir, au village, mais de moindre qualité,

le choral très bouleversant, mêlant jusqu'à quatre groupes de voix, ou bien une ou deux voix solitaires, avec accompagnement de claquements de mains, ou de soufflements, cela ressemble parfois aux chœurs russes, et parfois au chant grégorien,

les choristes sont en même temps des danseurs, mais très statiques, tantôt se renversant en arrière, et les deux cents corps s'enchevêtrent, tantôt faisant bruire, je ne sais exactement comment, leurs bras dressés tous en même temps vers le ciel, cela fait un bruit de feuillages denses secoués par l'orage, et ils soufflent en même temps un son rauque, et parfois le cercle se scinde en deux, les deux parties s'affrontent l'une debout, l'autre renversée dans une terreur feinte, ou bien se mélangent dans un combat simulé, mais tout le monde se retrouve aussitôt à sa place,

cette fois c'est un art authentiquement populaire, les choristes étaient venus tout droit des champs, dans leurs costumes de travail,

et la pratique du chœur elle-même est certainement née dans le travail, puisque le repiquage et la récolte du riz sont faits en commun par tout le village,

art cependant déjà dégénéré : c'était à l'origine, et il y a certainement encore peu de temps, un art magique :

le chœur par ses chants et ses danses, *travaillait*, sur un rythme d'une intensité régulièrement croissante, à mettre en transe la danseuse qui se trouvait seule au centre du cercle,

afin que dans sa transe elle parvienne à entrer en contact avec les esprits qui arrêteront une épidémie, ou feront tomber la pluie,

l'art vrai a toujours pour but de produire un *effet*, c'est un alcool d'un genre particulier : tout art pourrait à la rigueur être défini dans un procédé de mise en transe, l'art pour l'art est une déviation, quand l'œuvre d'art est devenue une marchandise, dont il importe de stabiliser la valeur, et quand l'artiste est tellement séparé du reste des humains qu'il est obligé de se trouver une justification d'être, et une compensation à sa faiblesse sociale,

mais la danse ketchak n'est évidemment plus cela aujourd'hui, du moins celle à laquelle les blancs peuvent assister, la danseuse hier soir faisait honnêtement son boulot, et j'étais bien le seul dans une sorte de transe, d'ailleurs toute relative, et le « sujet », l'histoire qui sert de support à toute la danse, et devait être également excitateur à la mise en transe, « sujet » tiré du Râmâyana, a évidemment cessé également de signifier quelque chose pour ces gens, du moins profondément,

ainsi privé de son contenu, le ketchak vaut encore par la perfection demeurée, et certainement déjà dégénérée, de son exécution, mais c'est devenu un exercice formel, et comme il est tel, il est logique que les touristes, c'est-à-dire les gens qui n'ont rien à faire dans ce pays et qui n'y comprennent rien, soient assis au premier rang,

et tout cela, comme tu le devines, me ramena à mes projets de re-création de l'Opéra,

imagine ces mêmes chœurs et danses, avec un contenu actuel, la guerre de Corée, ou la grève de l'Ilva de Gênes, ou sur un sujet ancien à contenu actuel, la révolte par exemple des marins de la Mer Noire, ou un épisode de la Commune,

la transe devient l'excitation et l'exaltation au combat,

en sortant d'un vrai spectacle, les spectateurs doivent avoir envie, par exemple, de dresser des barricades.

Je te parlais dans une précédente lettre de notre visite à Œboed, village des dessinateurs, et du monopole des galeries d'art hollandaises sur les productions de talent,

j'ai appris depuis que l'intermédiaire entre les peintres et les galeries d'art, est l'ex-radjah d'Œboed, que nous avons d'ailleurs rencontré,

et qui se trouve être le frère de l'ex-gouverneur de Macassar, qui il y a six mois fut l'initiateur de la révolte des milices chrétiennes contre la jeune république indonésienne,

ce qui te montre une fois de plus comme tout se tient dans le monde actuel, comme l'art autant que la religion ne peuvent être séparés de la politique,

et que bien sûr tout concourt au bien...

ce qui m'amène par liaison indirecte à penser à notre ami Castello, que penserais-tu d'aller à Sceaux, d'y prendre ses toiles et d'aller les montrer à Caputo et autres?

18 janvier 7 heures

Salut et amour à mon Élisabeth ! ce que je peux penser à cette Élisabeth, érotiquement aussi bien sûr, si nous réalisons toutes les choses que j'imagine avec une terrible précision, mon imagination dans ce domaine est méticuleuse, pour réaliser toutes ces choses nous en avons pour un an à ne pas quitter le lit, ce sera la plus belle des années, mais quand elle sera finie nous nous apercevrons que nous n'avons encore eu le temps de faire l'amour que comme des enfants, mais je rêve beaucoup que tu me prends comme un garçon, j'aurais voulu te ramener une belle bite, je ne peux quand même pas transporter en avion le temple de Boroboudour, et c'est en vain que je fouille les bazars, il y a bien des tubes à bétel, mais ce n'est pas ce que je veux, mais que ne trouverai-je pas dans tous les bazars de la circumnavigation que je commence cet après-midi ?

Je me suis réveillé plusieurs fois cette nuit, tu m'attendais en haut de l'escalier de la gare des Invalides.

J'ai envoyé à la Gala une carte postale ainsi rédigée : « l'été à Capri, l'hiver à Bali, toujours au soleil le plus chaud, comme le soutier devant sa chaudière, quel métier ! J'aimerais vous rapporter une petite danseuse balinaise, mais il semble que l'exportation en soit prohibée. En souvenir d'un été délicieux, je vous devrais pourtant bien cela... c'est toujours plus à l'est que se lèvera le soleil (rouge comme il se doit à l'aube), je vais au-devant... »

Si tu es obligée de la voir, te la montrera-t-elle ?

J'imagine que la première de *Héloïse* à Milan se fera sans nous.

J'ai finalement fait connaissance des trois couples d'Américains, qui sont en ce moment avec moi, les seuls Européens du aux quatre cinquièmes vide Bali Hôtel :

un vieux médecin de Chicago, et sa vieille épouse, qui sur la fin de leur vie se baladent à travers le monde, en chassant le tigre aux Indes, le lion au Kenya, plutôt sympatiques, c'est une vieille génération de Ricains, du temps où la bourgeoisie américaine était encore classe montante, solides, sains, curieux d'un tas de choses, ne fumant ni ne buvant, certainement très courageux, et sachant assez de choses pour ne pas mépriser tout ce qui n'est pas américain,

un autre vieux couple du même genre, qui pousse le goût de l'humain jusqu'à aimer voyager, tout comme moi, sur de vieux petits bateaux qui s'arrêtent partout, ils arrivent de San Francisco comme cela, ils aiment les Chinois, ils aiment même les Italiens, et dès qu'ils ont eu assez d'argent pour voyager sont allés passer six mois à Ravello, c'était avant la guerre, il faut venir à Bali pour trouver encore des Ricains de ce genre,

le troisième couple est jeune, un ingénieur des pétroles de Palembang (Sumatra) et sa femme, étudiante en chimie, qu'il a connue à l'université, en vacances ici, c'est moins cher que de retourner aux U.S.A., je ne sais pas de quoi parler avec lui, sinon de pétroles, mais c'est lui qui n'y tient pas; la femme est bien foutue et change de robe trois fois par jour, je crois que c'est un peu à cause de moi, le prestige de l'écrivain français, mais elle avait l'air très étonnée que je sache me servir d'une machine à écrire, elle est même venue voir si c'était une machine faite comme les machines américaines, je n'exagère pas, elle a été rassurée et admirative de voir que oui, et elle vient m'apporter des fruits, quand je suis en train de travailler sur ma véranda. Alors, ce matin pour lui montrer qu'il n'était pas insensible aux beaux-arts, le mari est en train de commander son buste à un sculpteur indigène...

Je pars à midi, avec deux Chinois en voiture rejoindre à Boelelang, c'est à l'autre bout de l'île, mon petit bateau qui va me promener pendant quatre jours sur la mer de Java.

Ce soir donc j'aurai commencé à me déplacer en direction de mon Élisabeth! Je te serre très fort dans mes bras, ma toute petite,

à tout à l'heure. ton Roger.

Je t'aime, je t'aime, comme je t'aime.

18 janvier,
Rade de Boelelang, Bali
14 heures 30
[A Élisabeth]

Salut et amour à mon Élisabeth,

je t'écris du hall d'attente de la KPM, c'est au fond d'une rade ourlée de cocotiers, la mer est parfaitement calme, c'est la mer de Java, qui n'est jamais profonde de plus de cinquante mètres,

le petit vapeur sur lequel je vais m'embarquer, à peine le double des bateaux de Capri, semble-t-il à vue de nez, est ancré au milieu de la rade, je ne peux pas encore distinguer son nom, il bat pavillon hollandais, de grosses barques viennent lui apporter des marchandises, je ne peux pas distinguer quoi,

pas de quai, juste une sorte de jetée, et de gros bœufs-buffles mous, couleur de viande écorchée,

la ville derrière est toute petite, juste deux rues de commerçants chinois, et j'ai vainement cherché un tube de crème à raser, mais il y a de jolis bijoux en feuilles d'or pour mettre dans les cheveux, c'est léger, léger et tout aérien, j'ai essayé d'en acheter pour mon Élisabeth, mais c'est trop cher pour un écrivain progressiste, c'est réservé aux femmes des négociants chinois,

et tout de suite derrière deux gros volcans enveloppés dans les nuages,

il est très joli mon petit vapeur noir et blanc, ancré tout seul au milieu de la rade, c'est tout à fait comme cela que j'imaginais les choses en lisant les romans de Conrad.

Mes Chinois ont voulu partir dès dix heures ce matin, ils avaient raison, et je venais juste de finir de t'écrire, c'est un jeune couple de commerçants de Sourabaya, elle a l'air d'avoir quatorze ans, mais cet air-là ne prouve rien chez les Chinoises, elle a peut-être bien 23 ou 33 ans, on ne peut pas savoir, elle est en début de cloque, et elle va à chaque instant se cacher pour dégueuler...

On vient me chercher pour me conduire sur ce charmant vapeur, à tout à l'heure mon amour

19 janvier, à bord du Kaloekoe
8 heures du matin

C'est un bien honnête bateau ce Kaloekoe, prononce Kaloukou, plus gros que je n'avais d'abord cru *, ventru, costaud, avec un joli moteur à mazout, et des vrais mécanos,

je suis le seul passager blanc, enfin !

il y a aussi, de blanc et de hollandais, le capitaine et ses deux lieutenants, mais ils restent sur leur passerelle, et on ne les voit pas,

sur le pont inférieur, troisième classe, il y a les passagers malais, c'est-à-dire indonésiens, qui campent, font leur cuisine, se lavent,

et six buffles,

dix-sept vaches balinaises, qui sont d'une race spéciale, avec des jambes très fines, quelque chose d'intermédiaire, avec leur museau allongé, entre le daim et la vache,

un grand nombre de cochons, également balinais, de la race des cochons chinois, gris perle, avec des gueules de sanglier sans défenses, enfermés et liés dans des cages d'osier, ils criaient beaucoup hier soir, ils crient beaucoup moins ce matin, ils doivent avoir sombré dans le désespoir,

un grand nombre de tourterelles, dans de petites cages, je ne sais pas ce qu'on a l'intention d'en faire, peut-être les mangera-t-on ?

un grand nombre de coqs, dans de grandes cages,

trois perroquets, sur des tiges aériennes, liés par la patte, l'un est blanc à aigrette jaune, comme l'un de ceux que j'avais vus à Calcutta, ces perroquets-là, comme les lézards bleus des Faraglioni, sont des énigmes zoologiques, c'est un cas très spécial, de transition entre la faune australienne et euro-asiatique, quelque chose comme des kangourous à tête de lion, on les trouve seulement dans les petites îles à l'est de Bali,

* 2143 tonnes, mais ça ne doit pas te dire grand-chose.

sur le deuxième pont, deuxième classe, il y a un petit salon et des cabines à trois couchettes, habitées par des Chinois, et trois Malais, seulement,

sur le pont supérieur, première classe, il y a deux grands salons, et des cabines à deux couchettes, habitées exclusivement par des Chinois, et par moi en compagnie d'un Chinois,

et tout au-dessus donc à l'étage de la passerelle, les officiers hollandais,

la disposition de mon bateau traduit très exactement la hiérarchie sociale en Indonésie à l'heure actuelle,

les Malais, bien sûr, sont officiellement au pouvoir (et leurs officiers supérieurs et hauts fonctionnaires voyagent en avion) mais économiquement et socialement, ils sont restés passagers de pont (sauf la toute petite classe repérée à Djokdjakarta, c'est elle, ou plutôt ses fils, qui fournit les passagers des avions),

les Chinois tiennent tout le commerce intérieur, un peu de l'extérieur, les petites et moyennes banques, et le peu qu'il y a de l'industrie moderne,

ils sont haïs comme tels des Malais non éduqués politiquement, c'est-à-dire de la majorité des Malais, les Chinois sont les Juifs d'ici,

mais à la différence des Juifs, qui n'ont pas de patrie juive, ils appartiennent à une nation qui groupe des centaines de millions d'hommes, sur l'un des plus grands territoires du monde, et possède une armée qui vient de battre l'armée américaine en Corée,

mais comme les Juifs d'Europe Centrale, les Chinois d'ici constituent une petite bourgeoisie, prête comme toutes les petites bourgeoisies, à tous les opportunismes,

mais comme les Juifs ils sont éternellement menacés de pogroms (il y a eu de grands pogroms de Chinois en 1945),

maintenant plus que jamais, car tout le monde serait bien content de pouvoir les charger de tous les péchés d'Israël,

ce qui les oblige de se faire défendre par leur mère-patrie, représentée par une puissante ambassade, et il se trouve que cette mère patrie a maintenant un gouvernement communiste et un puissant prolétariat au pouvoir.

Voilà quelques-unes des contradictions parfaitement dialec-

tiques que les révolutionnaires d'ici auront, ont à résoudre,
elles se traduisent dans le moindre détail :

ainsi est-il nécessaire à cette moyenne et petite bourgeoisie chinoise d'Indonésie, pour défendre ses privilèges, d'avoir ses propres écoles, distinctes des écoles malaises,

mais les professeurs de ces écoles sont plus ou moins contrôlés par l'ambassade chinoise et font de leurs élèves des communistes, tout concourt au bien de ceux...

mais ces communistes restent des intellectuels petits-bourgeois, coupés des masses, et c'est un nouveau problème à résoudre pour les communistes,

etc... etc... *

9 heures, le Kaloukou arrive devant Sourabaya, je veux voir cela, à tout à l'heure mon amour

16 heures trente, sur le Kaloukou, en port de Sourabaya

Salut et amour amour amour amour à mon Élisabeth!

Nous ne partirons que demain matin, le Kaloukou est ouvert jusqu'au fond de son ventre, on y fourre des containers qui contiennent je ne sais pas encore quoi, mais je vais trouver quelqu'un qui sera capable de me le dire, dans une langue que je comprenne vaguement **, et de gros ballots de plaques de caoutchouc brut, les pauvres vaches se sont affalées dans leurs stalles, les coqs chantent quand même.

(J'ai eu bien envie d'acheter le perroquet-miracle, mais je suis lâche, et comme pour le chien des Abruzzes, j'ai reculé devant les difficultés de transport!)

J'ai fait ce matin la sottise de vouloir aller à pied, j'en ai marre des automobiles colonialistes, du port à la ville, ça fait cinq kilomètres sous le soleil, je suis encore un peu plus brûlé, mais je le supporte de mieux en mieux, je suis bronzé, tanné, ridé comme un pirate malais des livres d'enfants, Rimbaud a dit : « les femmes aiment à soigner ces féroces infirmes, retour des pays chauds ».

* *23 janvier*, j'ai beaucoup réfléchi à tout cela, et c'est maintenant bien mieux au point, je t'expliquerai...

** De l'huile de noix de coco.

Le port de Sourabaya est grand avec de beaux quais, et plein d'entrepôts, c'est le plus important port d'Indonésie, il y a beaucoup de bateaux, presque tous appartenant à ce fameux monopole KPM,

mais je déteste la ville de Sourabaya, que j'avais déjà vue, tu t'en souviens, à mon passage en avion, je n'ai pas trouvé le petit capitaine corse de l'UNO, je me suis autorisé un whisky, un seul, dans un bar sinistre, avec des géants hollandais dedans, c'est une race de géants, et il y en a, parmi les aviateurs et les marins, qui portent des barbes rousses, afin de mieux terroriser les peuples, et ils rient comme des tremblements de terre,

leurs femmes aussi sont des géantes, mais elles ont d'étranges difformités, il leur arrive par exemple d'être hautes comme un volcan, mais d'avoir des bras de garçonnet chétif, ou bien elles sont couvertes de taches de rousseur, ce qui les fait ressembler à une colline de rizières à divers stades de maturation, ou bien encore elles ont dans une face de pleine lune de petits yeux clignotants dissimulés derrière des lorgnons,

le portrait de la famille royale de Hollande qu'on trouve chez tous les Hollandais ressemble à un douanier Rousseau.

Mais j'en étais resté à t'expliquer que les Chinois d'ici sont des Juifs, avec toutefois cette énorme différence, et qui change tout, qu'ils ont derrière eux la Chine de Mao, et non une pauvre petite Palestine artificielle que Weizman a vendue au banquier américain Morgenthau et à quelques autres,

ici cependant, et dans le moment présent, les Chinois sont des Juifs et comme tels persécutés, et même de temps en temps pogromisés,

hier, à Boelelang, pour m'être présenté à la police du port dans la compagnie de mes deux petits Chinois, avec lesquels bien sûr on m'avait vu déjeuner, j'ai failli ne pas pouvoir m'embarquer, le chef de la police devait être antichinois avec une particulière virulence, il nous a engueulés à en devenir cramoisi dans une de ces innombrables langues que je ne comprends pas, et puis il a fallu aller faire viser nos papiers à une deuxième police, qui nous a encore engueulés mais moins, puis à une troisième, et le bateau allait partir, du moins s'il avait suivi l'horaire, mais ça n'arrive jamais, et la pauvre petite Chinoise en cloque et dégueulante nous attendait avec nos bagages au soleil sur la jetée, et je ne m'arrabbiatais pas, parce que je sais que dans ces cas-là la seule chose qui importe est de ne pas s'arrabbiater, et puis personne n'aurait compris ce que j'aurais dit, et j'aurais été ridicule, et puis je m'en foutais de rater le bateau, ça m'ennuyait surtout à cause des petits Chinois, et puis quand les flics ont été las de gueuler, et nous ont laissés passer, le bateau était encore là,

auparavant, nous avions traversé Bali, qui comme tu le sais est un parc, du sud au nord, nous avions escaladé la chaîne aux volcans, aux rizières avait succédé une forêt pleine de fougères arborescentes et de toutes sortes de fleurs, les unes que je connais, comme les volubilis et des sortes de glaïeuls, les autres que je ne connais pas et des arbres comme le dôme de Saint-Pierre, s'il lui tombait au travers de la figure une chevelure de racines aériennes,

puis nous sommes passés entre deux volcans qui fument, c'est ce qu'on m'a dit, mais je ne l'ai pas vu, parce que leur tête était enveloppée de nuages, nous avons longé les flancs de deux cratères éteints, il y avait des lacs dedans, comme aux Castelli Romani, mais pas d'Élisabeth à qui les montrer,

puis nous avons encore monté, mais je n'ai plus rien vu parce que nous étions dans un nuage qui était en train de se changer en pluie,

puis nous sommes descendus sur Boelelang en lacets encore plus raides que ceux de la route de Sorrente à Positano, si bien que nous avons été tout de suite dans les rizières, les plus extravagantes rizières que j'aie jamais vues, et Dieu sait si j'en ai maintenant vu des rizières, celles-ci se superposant sur de minuscules petites terrasses tout le long des à-pics et, dans les angles, certaines rizières n'avaient que quelques mètres carrés, et sur les grandes pentes, il y en a des centaines les unes sous les autres, et comme ainsi que je te l'ai déjà raconté chaque rizière est un petit bassin où se reflète le ciel (sauf quand le riz est trop haut et cache l'eau), cela fait comme cent jardins de la villa d'Este superposés et enchevêtrés, et les filles à gorges nues, et les petits temples avec leurs sculptures sado-masochistes,

et la pauvre petite Chinoise en cloque suait et dégueulait, à cause des virages trop rapides, et le malheureux petit

Chinois était tout malheureux que je voie sa femme dégueuler et moi qui étais assis à côté du chauffeur, je faisais bien attention de ne pas me retourner, même quand le paysage m'intéressait à l'arrière aussi, mais je les regardais dans la glace du rétroviseur, et ils étaient vraiment minuscules et perdus perdus sur les coussins de la grosse voiture du Bali hôtel, monopole KPM,

et ainsi étions-nous arrivés dans cette petite rade de Boelelang, au milieu de laquelle nous attendait ce bateau sur lequel nous devions avoir tant de mal à nous embarquer.

Sur le pont supérieur donc, au-dessus des Malais, des vaches, des cochons et des coqs de troisième classe, au-dessus des Chinois et des trois Malais de luxe de la deuxième classe, au-dessus des Chinois de première classe, il y a les officiers de marine hollandais, employés du tout-puissant monopole KPM, qui, bien que théoriquement sans pouvoir politique, représente, avec quelques autres trusts du même genre, le véritable pouvoir,

au stade trust d'ailleurs les nationalités ni les races ne comptent plus, chaque groupe de plantations ici, est une Conca del Fucino, qui au lieu d'appartenir à la famille Torlonia, appartient à un groupement financier international, où les intérêts sont liés de façon si complexe qu'il est difficile de savoir si les vrais maîtres sont des Hollandais, des Anglais, des Français, des Suisses ou des Américains,

les soldats américains d'ailleurs, y compris les aviateurs atomiques, n'étant finalement, tout comme les soldats français, ou italiens, ou mes officiers de marine hollandais, ou les coolies malais ou napolitains, ou les peintres balinais, ou les braccianti de Fucino (car je repense que les Torlonia sont liés à des groupes financiers), ou mes malheureux intermédiaires chinois, que les esclaves conscients ou pas de cette clique internationale-là,

bon, c'est encore empêtré, mais je commence à y voir plus clair dans cette Indonésie,

c'est somme toute comme la France et l'Italie, à un stade différent d'évolution, plus voisin de l'italien que du français, mais on se laisse facilement mystifier par les différences de races qui se superposent aux différences de classes.

A midi donc je m'emmerdais dans mon bar à Hollandais, ces gars-là sont tristes parce qu'ils sont mal payés, c'est que dans ce régime-là les travailleurs sont une marchandise, et comme en Hollande il y a surabondance de garçons exportables sous les Tropiques, le prix en est tombé très bas, on peut s'offrir ici un employé hollandais pour à peine plus cher qu'un commis malais, et pour moins cher qu'un bon commis chinois, et puis j'étais furieux de ne pas hier avoir acheté quand même cette aérienne branche de feuilles d'or, que je vois si bien au-dessus de ton oreille, ou sur ton épaule avec une robe de soirée,

je suis allé manger un nazi goerang, c'est un riz frit, avec des viandes de je ne sais quoi grillées et des tas d'épices, je ne supporte bien sous ce climat que le riz et les mets très épicés, mais ils me font flamber, alors pour me détendre je prends, je dois prendre des douches toute la journée, voilà un genre de contradictions que la dialectique ne permet pas de résoudre aussi facilement que les contradictions politiques,

puis j'ai fait chercher un taxi, ce fut compliqué pour des raisons que mon inintelligence des langues vivantes ne me permit pas de comprendre, je me suis fait conduire à mon bateau, j'ai fait la sieste, sans pouvoir vraiment dormir, et depuis lors je t'écris, maintenant il fait nuit et tous les bateaux dans le port ont des lumières dans leurs mâts.

Je suis en manque de toi, mais terriblement en manque de toi, et de toutes les manières...

Un Chinois vient de me dire que le dîner est servi, j'en ai marre des Chinois.

21 heures 30. Erreur erreur fatale erreur ô mon amour, ce Chinois est une merveille, nous n'étions que tous les deux dans la salle à manger, tous les autres étant restés dans Sourabaya, il est négociant de films, nous avons commencé par dire du mal des films américains, puis il m'a tâté très prudemment, sur ce que je pensais de la Chine nouvelle, et puis nous avons fait le tour du monde, et je lui ai raconté les traditions barricadesques du faubourg Saint-Antoine, et puis

nous nous sommes juré que nous ne ferions jamais la guerre au Baffone,

tout cela bien sûr est un peu sentimental, mais j'avais besoin ce soir d'avoir un peu de cœur avec moi, j'ai le cœur lourd, et si je n'avais ce reportage à faire, je me demanderais bien ce que je fous là, le temps du tourisme est passé,

ce Chinois au demeurant n'est pas un copain, mais, et c'est lui-même qui me l'a dit avec beaucoup de lucidité, en tant que minoritaire dans un pays étranger, il se sent fortifié et il est fier d'appartenir à la grande formidable Chine nouvelle, et comme il était ému qu'un Français lui cite comme un texte classique, dans mon mauvais anglais, la traduction française du début des leçons stratégiques de Mao,

ce qui vérifie tout ce que j'ai dit sur les Chinois d'Indonésie dans tout le début de cette lettre,

et ce qui nous reste à eux et à moi d'intellectuel petit-bourgeois, mais cela se dépasse avec les circonstances, à preuve notre entente très concrète en ce qui concerne l'Amérique.

Et maintenant mon amour j'ai quand même le cœur lourd, c'est que la dernière lettre que j'aie eue de mon Élisabeth date d'il y a dix-neuf jours, heureusement il y a eu ce télégramme à Bali,

mais c'est quand même bien inhumain que de rester si longtemps séparé de l'Élisabeth bien aimée, maintenant que j'ai le cœur amolli, et de la savoir au surplus au pouvoir des méchants et qu'elle attend attend attend la délivrance, et que je ne peux plus présentement rien faire pour abréger sa captivité,

j'ai le cœur lourd ce soir ma bien aimée parce que tu es si loin de moi, parce que je suis si loin de toi

20 janvier, à bord du Kaloekoe,
toujours dans le port de Sourabaya

Salut et amour à mon Élisabeth!

Il est dix heures et demie et, à en juger par les marchandises encore accumulées sur le quai à bâbord, et sur des péniches à tribord, nous ne sommes pas encore près de partir, c'est extraordinaire ce qu'on peut enfourner de marchandises dans un putain de bateau,

moi je m'en fous, je suis bien mieux sur le Kaloukou que dans ma chambre de l'hôtel des Indes à Djakarta avec cet Américain, et je profite du loisir pour mettre mes notes au point, faire une liste des questions qui me restent à étudier, réfléchir un peu,

et écrire à ma bien aimée Élisabeth (mon Chinois compagnon de cabine a débarqué à Sourabaya, ce n'est pas le même que le simili-copain, et je dispose pour moi tout seul de tout l'espace de cette cabine hollandaise, bien propre, bien luisante et même confortable, je n'ai besoin de rien de plus matériellement dans la vie).

J'ai déjà fait une longue promenade sur les quais où l'on charge et décharge les bateaux de la KPM, c'est bien intéressant, mais ce que je peux être ignorant en matière de produits exotiques ou même de matériel industriel, c'est une honte, et quand nous aurons un enfant, il faudra lui faire donner une éducation un peu plus en rapport avec ce qui se passe dans le monde,

es-tu d'accord pour qu'il ne perde pas son temps à apprendre le latin et le grec, ce qui n'a pour résultat que de donner le sentiment fallacieux d'appartenir à une élite, mais le russe, l'anglais et peut-être le chinois?

je crois que ce serait très bien qu'il apprenne le chinois, c'est un tout autre mode d'expression que les nôtres, une logique énumérative et descriptive, il y a par exemple un caractère-racine pour tout ce qui sert à habiller, puis on ajoute des caractères secondaires pour préciser quel genre de vêtement, quelle forme, quelle matière, quelle couleur, ce sera excellent pour lui apprendre à distinguer l'essentiel du contingent,

et puis lui faire apprendre aussi bien sûr la mécanique et les sciences exactes,

et aussi la boxe, le judo, l'escrime, le tir et bien sûr la danse,

j'aimerais qu'il soit savant, adroit, et en toutes occasions merveilleusement à l'aise, un vrai fils (ou fille) de roi, ô ma reine.

Mon Chinois d'hier soir est allé en ville faire ses affaires, c'est assez extraordinaire d'avoir rencontré sur ce petit bateau, un Chinois né dans une petite île de Malaisie, et capable de m'expliquer les causes et les effets du Plan Marshall dans le monde comme un intellectuel soi-disant progressiste, français ou italien, n'est généralement pas capable de le faire,

mais il avait d'abord fallu que je lui jure que ce n'est pas de ma faute à moi si les Français font des coneries en Indochine,

cette guerre d'Indochine, c'est la plaie que je porte au flanc tout au long de ce voyage,

je suis un genre de Christ, je porte le poids de tous les crimes commis par les hommes de ma race...

J'ai rêvé cette nuit que toi et moi nous allions au-devant d'un tank américain avec un panier de pommes, nous lancions des pommes aux soldats américains, puis je leur lançais de la même façon une grenade, nous nous cachions vite derrière un mur, nous entendions une explosion, c'était la grenade et le tank qui explosaient,

puis nous nous trouvions dans une chambre, et par maladresse j'amorçais la grenade que je tenais à la main, je la jetais dans un coin de la pièce, et je te criais de venir avec moi te réfugier dans la pièce voisine, mais tu ne comprenais pas, et tu tournais en rond autour de la première pièce et je te courais après pour t'entraîner à l'abri dans l'autre pièce, mais tu tournais de plus en plus vite, je ne pouvais pas te rattraper, et cette grenade qui allait exploser, j'eus une terrible angoisse, et je me réveillai baigné de sueur,

c'est ainsi qu'en rêve, pour la deuxième fois depuis huit jours, j'ai tué ma bien-aimée,

qu'est-ce que tu peux bien être en train de faire à Rome ou à Paris, pour me remplir de tant d'angoisses, et pour mériter de tels châtiments, heureusement heureusement heureusement que j'ai reçu à Denpasar ce télégramme rassurant,

comme je t'aime mon Élisabeth.

Ma promenade de ce matin dans le port m'a aussi mené au bout de la jetée, là où il n'y a plus de gros bateaux, mais seulement quelques barques de pêcheurs, où les pêcheurs dormaient en attendant je ne sais quoi, c'était tout à fait comme à Capri, l'exotisme, c'était jadis dans les grandes plantations avec beaucoup d'esclaves qui préparaient des boissons fraîches, qu'on buvait dans des fauteuils de rotin, sur des gazons, à l'ombre des palmes et derrière la haie de bambous, il y avait des cases où l'on allait, chaque fois qu'on se sentait capable de bander, baiser les belles métisses, qu'on faisait fouetter par un nègre de Macassar *, quand elles avaient été maladroites,

mais depuis longtemps déjà les plantations appartiennent à des sociétés anonymes, et sont gérées par des ingénieurs mal payés, qui vivent avec des épouses à lunettes, et les belles métisses ne couchent plus qu'avec les commerçants chinois, ou bien elles sont devenues hôtesses de l'air, singent les stars américaines, et se font offrir des week-ends dans les stations de luxe de la montagne par les pilotes de la KLM,

mais moi j'ai une esclave nommée Élisabeth, et docile à tous mes désirs, et je n'ai pas besoin de nègre de Macassar, je la fouetterai moi-même, si elle ne se conduit pas comme la lionne doit se conduire avec le lion, ou simplement si tel est mon bon plaisir, et je suis aussi son esclave et elle peut à son gré user et abuser de moi, voilà notre vie à nous, c'est une vie magnifique,

mais l'exotisme (littéraire) donc, ce fut l'expression littéraire de la classe des planteurs, et des rêves de devenir planteur-roi que faisaient les malheureux qui vivaient médiocrement dans les métropoles,

c'est bien typique que le casque colonial soit disparu en même temps que les colons de l'ancien type. Quand je suis allé pour la première fois sous les tropiques, c'était en Éthiopie, en 1932, on m'avait bien averti que si je quittais, ne serait-ce qu'une minute, ce fameux colonial casque, je risquais de mourir net d'insolation. Mais ici, pendant l'occupation japonaise, qui marqua la fin de la colonisation blanche ancienne manière, les blancs furent internés dans des camps, *sans leur casque*, ils y moururent de faim et de toutes sortes de maladies, mais pas un seul ne mourut d'insolation. Et maintenant, ils vont tous tête nue, et ne s'en portent pas plus mal. Ce qui prouve, entre autres choses, que l'insolation, comme la

* Il n'y a pas de nègres à Macassar!

chaudepisse et la vérole, sont des maladies mentales, et qu'il est donc inutile de brûler de l'alcool dans les bidets des hôtels,

en fait et en dépit de la taille des arbres, du régime des pluies et de la plus ou moins grande chaleur du soleil, le mode de vie des hommes ne dépend pas des conditions géographiques, mais uniquement des conditions de classe et de profession,

et en ce sens les paysans de la Bresse où j'ai écrit *Les Mauvais Coups*, ou les bergers que nous rencontrâmes cet été dans les Abruzzes, sont beaucoup plus *primitifs* que les savants riziculteurs javanais, ou balinais, et les commerçants chinois de Sourabaya beaucoup plus évolués que le mercier ou le quincaillier de Mâcon ou d'Eboli,

la recherche du primitif est d'ailleurs une nostalgie petite-bourgeoise de végétariens édentés, qui rêvent d'avoir des dents et de l'appétit,

le « nid d'aigle » de Berchtesgaden est typiquement une réalisation compensatrice d'impuissant,

cet aigle déplumé était d'ailleurs végétarien, ne buvait pas d'alcool, ne fumait pas, et l'on n'a jamais pu savoir s'il bandait,

il avait remplacé sa bite molle par des canons, c'est le sens du slogan : « vous mangerez moins de beurre, vous aurez davantage de canons », c'est aussi un rêve compensateur,

tout cela a fini, comme les histoires de masturbés, au fond d'une courette, dans un puant brûlot d'essence synthétique,

j'aime beaucoup ton Pippo d'être exactement à l'inverse de tout cela.

20 janvier, en mer, 7 heures du matin

Salut et amour amour amour à la bien aimée Élisabeth.

J'ai encore rêvé de toi cette nuit, mais le souvenir s'en est aussitôt effacé, mais comme je suis de bonne humeur ce matin je suppose que tu ne m'as pas fait de ces choses qui m'arrabbiatent,

merveilleuse Élisabeth, voici presque un an que je l'aime d'un amour sans cesse croissant et elle ne m'a encore arrabbiaté qu'en rêve.

Le Kaloukou est en train de doubler un cap montagneux, avec des brumes matinales qui traînent dans les creux, plus loin il y a un volcan, avec des cercles successifs de nuages de la base jusqu'au-dessus de sa tête qui est presque pointue, cela fait comme un nimbe à un saint,

c'est toujours un peu solennel de s'approcher à l'aube du rivage d'une côte étrangère.

Nous ne sommes partis de Sourabaya hier qu'à cinq heures de l'après-midi, ainsi aurai-je passé toute la journée dans le port,

ça tient de l'étable et de l'usine,

entre six et sept heures du matin, arrive le troupeau des bateaux arrivés au large du port pendant la nuit, et que les pilotes viennent d'aller chercher,

à sept heures la sirène du port siffle et c'est l'entrée des dockers qui grimpent partout, courent partout, et ce sont souvent de vrais mécanos, qui font marcher adroitement toutes sortes de machines tireuses, porteuses, souleveuses,

ils travailleront jusqu'à 17 heures, avec une pause d'une heure à midi,

à 17 heures la sirène siffle et les dockers s'en vont,

alors les bateaux sortants se détachent un à un des quais, poussent chacun son tour un grand beuglement quand arrivés au milieu du bassin, et ils s'en vont à la queue leu leu vers le chenal de sortie.

Un peu avant le départ sont arrivés les nouveaux passagers, mais je reste seul dans ma cabine,

trois Chinoises : une vieille dame, très digne, mangeant tout à fait à l'anglaise, et les yeux vifs derrière ses lunettes, et ses deux petites filles, 15 et 20 ans, très approximativement *, rieuses et vives comme les enfants qui n'ont jamais eu de soucis, la cadette du type chinois du centre de la Chine, à visage ovale, et peau très fine, qui doit être douce, yeux presque tendres, belle, sauf les dents mal plantées,

ce sont des Chinoises de luxe, filles de banquier chinois d'Indonésie, famille installée en Indonésie depuis plusieurs

* 16 et 17.

générations ; elles sont allées à l'école secondaire hollandaise, elles parlent hollandais entre elles et dans leur famille, l'anglais assez bien, savent des éléments de français mais ne parlent que mal le malais, et pas du tout le chinois, ce qui est politiquement très grave et il faudra bien sûr que je revienne là-dessus (elles viennent d'arriver dans la salle à manger-salon d'où je t'écris, c'est la troisième fois depuis hier 17 heures qu'elles ont changé de robe),

autres nouveaux passagers :

une jeune femme hollandaise, qui à première vue semblerait « honnête » mais on croirait qu'elle boite, tellement elle marche disgracieusement, les Hollandaises ont toujours quelque vice,

un métis exceptionnellement laid (ils sont généralement réussis), bedonnant, il porte le casque ! marié à une affreuse Hollandaise à lunettes, à lèvres minces et à voix pointue et insolente. Il porte un short, des chaussettes montantes couleur caca d'oie, une petite croix en or, et il lit une biographie en anglais de *Bernadette de Lourdes* !!

Les cabines étant à deux couchettes, le steward (chinois) malicieux avait placé ensemble l'aînée des petites Chinoises (l'autre dormant avec sa grand-mère) et la jeune Hollandaise,

et le cuisinier (chinois), comme c'était vendredi, avait préparé des biftecks bien saignants,

alors ces affreux allèrent faire une scène aux officiers, l'une parce qu'elle ne voulait pas dormir dans la cabine d'une Chinoise, et les deux autres parce qu'ils prenaient le bifteck pour un défi,

le résultat de ces drames (qui passionnent tout le bateau, parce que les prestiges nationaux et raciaux sont en cause), c'est que nous ne fûmes que six hier soir dans la salle à manger, autour de la même table (ronde) : les trois Chinoises, mon ami chinois de la veille, et un autre Chinois,

les petites Chinoises firent très attention de bien manger à l'anglaise, et comme elles ignoraient que les Français mangent comme des cochons, pour être sûres de ne pas se tromper, à chaque plat elles attendaient que j'aie pris le couvert approprié, avant de le prendre à leur tour,

le métis et sa mégère cependant mangeaient je ne sais quoi dans leur cabine, tandis que la Hollandaise seule s'était laissé inviter par les officiers, et le steward vient de me révéler qu'elle avait passé la nuit à leur étage, la putain!

Ce matin, la cadette des Chinoises se promène avec un roman anglais qui s'appelle *Lonesome :* solitaire. Mon ami chinois prétend que c'est une invitation (pour moi).

Mon ami chinois a beaucoup de mépris pour ces deux filles, c'est parce qu'elles ne parlent pas chinois et singent les manières européennes, lui c'est un patriote, il dit en parlant d'elles et en généralisant à tous les « collabos » chinois : « those people... ».

C'est le fils de coolies chinois venus comme ouvriers agricoles, braccianti, dans une petite île voisine de Sumatra, puis, comme tous les Chinois, qui sont démerdards, ils acquirent un petit commerce, et envoyèrent leur fils faire ses études secondaires, puis la faculté à Pékin, c'est la grande aventure de sa vie,

il y connut des étudiants communistes qui, à cette époque, étaient traqués et torturés par la police de Tchang Kaï-chek, et il y acquit une admiration, qu'il a conservée, pour les communistes qui sont des hommes d'acier — et incorruptibles : dans la Chine de Tchang Kaï-chek c'était quelque chose de jamais vu que des hommes incorruptibles,

il dut revenir en Indonésie, un peu avant le début de la guerre, et pendant plusieurs années creva de faim, dans de petits emplois de bureau à Djakarta. Finalement, il accepta un poste dans un important comptoir chinois, qui vend et achète de tout, dans l'île de Lombok, un million d'habitants, à l'est de Bali, il y est maintenant chef du département des jeux et plaisirs, et c'est à ce titre qu'il s'occupe de location de films,

il s'est fait son esthétique du cinéma :

on va au cinéma pour voir des héros, un spectacle sans héros n'intéresse personne,

les films américains ont des succès parce que Tom Mix (c'est encore le clou ici), Tarzan, Superman, sont des héros,

mais ce sont des héros stupides et invraisemblables, c'est encore plus bête que les contes des religions,

tandis que dans les films russes, le héros c'est le peuple,

on joue en ce moment cinq films soviétiques à Djakarta, alors il s'est embarqué pour Djakarta, afin d'essayer de louer des films soviétiques, ainsi va le monde ainsi va le monde ainsi va le monde,

et moi, me voici plein d'obligations :

je ne peux pas monter à l'étage supérieur écouter la radio et bavarder avec les officiers, comme l'un d'eux me l'avait proposé hier, parce que ce serait maintenant pactiser avec la méchante putain hollandaise et l'affreux métis pieux,

je ne peux pas flirter avec les petites bourgeoises chinoises, parce que j'y perdrais l'estime de mon Chinois (et de toutes manières je ne l'aurais pas fait, parce que seule mon Élisabeth m'émeut),

et je ne peux pas me saouler parce que ce sont des manières colonialistes,

ainsi va la vie ainsi va la vie ainsi va la vie.

22 heures

Le Kaloukou toute la journée a marché bien sagement, au ronronnement de ses jolis moteurs nickelés, et depuis hier soir il m'a rapproché d'au moins six cents kilomètres de mon Élisabeth.

(Nous avons croisé des bandes de petits poissons qui sautent en faisant des ricochets, ce doit être ce qu'on appelle des poissons volants, et des oiseaux qui ont des têtes de mouettes et le reste du vautour, à part cela, la mer de Java est beaucoup moins animée que la Méditerranée.)

Depuis un bon moment, il fait des manœuvres, au large d'un petit port qui s'appelle Tegal, puis il a complètement stoppé à quelques kilomètres de la côte, et un remorqueur nous a amené une grosse péniche qui nous a abordés,

elle est couverte d'une grosse bâche et on ne peut pas voir ce qu'il y a dedans, mais ça ne doit pas plaire au capitaine, car deux fois déjà les coolies ont commencé à retirer la bâche et puis on la leur a fait remettre, maintenant ça discute ferme là-haut,

demain matin, nous irons à Cheribon, pour charger du sucre (de canne à sucre).

J'ai fait la sieste, et puis j'ai tapé un long article pour *la Tribune*, il ne t'apprendra pas grand-chose, car je te dis tout d'abord dans mes lettres (et mon autre reportage, je ne le rédigerai qu'au retour).

C'est la coutume sur les bateaux que le commandant mange avec les passagers de première classe, mais celui-ci n'avait pas encore daigné le faire, il est apparu à midi avec un de ses lieutenants, et on a fait une table exprès pour eux et les passagers européens, je veux dire le métis et les deux tordus hollandais, moi je suis resté bien sûr avec mes Chinois.

(Il est affreux, le commandant du Kaloukou : il louche, et sa peau est malsaine, comme si on l'avait écorché et que le derme ne se soit pas reformé. Plein de décorations. Peut-être a-t-il été brûlé vif à la guerre, avant de devenir conducteur d'autobus sur la mer de Java. Ainsi va la vie, va la vie, va la vie...)

Ce soir, après le dîner, qui a eu lieu à sept heures, je leur ai fait les cartes, selon la méthode dite des 48 heures, mise au point à Capri avec Maria,

mon ami m'a demandé (timidement) s'il deviendrait coolie ou « président »,

j'ai annoncé aux filles qu'elles épouseraient des Américains, elles étaient bien contentes, mais elles tiennent aussi absolument à venir à Paris, c'est bien gentil,

ce sont des Sourabayennes qui viennent faire leurs études en droit à Djakarta, elles sont aussi sottes que les jeunes filles du XVIe arrondissement (de Paris) ; elles ont aussi des points communs, me semble-t-il, avec ***, le même genre d'allure, et aussi puériles — elles sont maintenant en train de jouer aux cartes avec la grand-mère, en riant, riant, comme si elles avaient sept ans, quelques bonnes fausses couches leur mettront du plomb dans la tête.

Si on te demande ce que je fais, tu pourras répondre que je dis l'avenir à des Chinois, sur un petit bateau qui se promène sur la mer de Java, ainsi finissent les écrivains progressistes (sans amertume, car je m'amuse bien, comme tu peux l'imaginer).

Ça y est, la discussion est terminée et l'on a commencé à enfourner dans l'insatiable ventre du Kaloukou le contenu de la péniche : des sacs de sucre (de canne à sucre) — je pense que la discussion, c'était parce que le capitaine avait peur que le sucre fonde : il pleut.

Tous les Chinois se sont réunis dans le salon des secondes, et font un grand jeu de cartes, auquel bien sûr je ne comprends rien, mes deux Chinoises bavardent avec leur grand-mère et rient, et rient, et rient, les coolies se battent avec les sacs de sucre, la mer fait de petites vagues, c'est son métier, le ciel fait des éclairs, c'est le sien,

et moi je serais l'homme le plus seul dans le monde, s'il n'y avait pas cette Élisabeth que j'aime et qui m'aime et qui m'attend à Paris ou à Rome.

(Je suis allé voir les vaches qui sont de plus en plus fatiguées, et, plus jeune, j'aurais acheté le perroquet blanc et or, mais je suis si vieux que j'ai eu peur de tous les ennuis avec les avions et les douaniers, comment peux-tu aimer un si vieux monsieur ?)

Le 22 janvier, 7 heures du matin

Le Kaloukou a jeté l'ancre à l'aube en rade de Cheribon, à quelques kilomètres du port, que domine un volcan qui ne paraît pas en activité... ça commence tout à fait comme les récits des anciens navigateurs... ce que j'aurais été heureux, quand j'avais quinze ou douze ans, de savoir que je ferais ce voyage, et dans quel but.

Hier soir, je suis resté assez tard, sur un fauteuil de rotin, seul sur l'arrière du pont, à regarder charger ces sacs de sucre. Les coolies dont beaucoup portaient des sarongs de couleur vive, criaient pour les manœuvres des treuils, les projecteurs du bord les éclairaient violemment, les palans en tournant faisaient un bruit de muscles froissés. La lune était voilée de brumes. De grosses méduses flottaient à la surface de la mer. L'air était chaud et humide, ma peau devenait poisseuse, un monde vaginal. C'est la vie c'est la vie c'est la vie. Je m'étais endormi quand le Kaloukou a repris sa marche vers mon Élisabeth.

Un remorqueur vient de nous amener quatre péniches de sucre, qu'il va falloir vider dans le ventre du Kaloukou, avant de repartir pour Djakarta, si je devais continuer à voyager à ce train-là, j'arriverais à Paris l'année prochaine...

Du haut de sa passerelle le commandant bigleux pêche à la ligne.

Le vilain métis vient de me raconter de terribles histoires de planteurs assassinés, de factoreries pillées, de bateaux piratés, comme dans l'ancien temps les pirates montent à bord comme passagers de pont, en cachant leurs armes, puis quand le bateau est en mer essaient de s'en emparer, enfin la belle vie coloniale n'est plus possible, pour le métis c'est de la faute des Américains, qui ont voulu prendre la place des autres blancs partout dans le monde, mais qui en sont incapables, parce qu'ils n'ont ni armée, ni fermeté, ni intelligence — depuis ses défaites de Corée, M. OK est devenu le bouc émissaire de tous les péchés de la race blanche, une bonne leçon.

16 heures, en mer

J'ai profité des allées et venues des remorqueurs pour aller faire un tour à Cheribon avec Chen, mon ami chinois, et un autre Chinois qui est étudiant, et va bientôt aller poursuivre à Pékin sa formation politique et morale. Nous avons visité l'école secondaire chinoise; dans la salle d'honneur, le drapeau rouge à étoile d'or, et le portrait du grand Mao. Avant les grandes victoires de Mao, les Chinois les plus aisés envoyaient leurs enfants à l'école hollandaise, maintenant à l'école chinoise, c'est très important.

Les deux petites Chinoises conasses sont restées à bord. Chen dit qu'elles ne sont même pas belles, l'une ayant la figure ronde comme la pleine lune, l'autre allongée comme une jument, tandis qu'une belle Chinoise doit avoir le visage, just like an egg, exactement comme un œuf.

Djakarta
le 23 janvier au matin

18 lettres de mon amour en arrivant à l'hôtel,
je suis heureux, heureux,
je n'ai encore lu que les plus récentes et parcouru le reste. Comme c'est merveilleux d'être aimé par toi comme tu sais aimer, l'amour est une institution inventée par Élisabeth Naldi,

et comme j'aime qu'Enzo ait affiché la carte dans la chambre des enfants et que vous suiviez tous ensemble mon voyage, et que Moussia eût aimé que je sois son fils, merveilleuse et digne d'être aimée famille Naldi !

Totalement d'accord avec toi sur ton programme de libération :

le 4 février, tu vas secrètement à Paris, rue de Sèvres, le 13-x février, tu viens me chercher à la gare des Invalides,
et nous disparaissons, sauf pour la famille,
aussitôt ton avocat demande le divorce,
et le mien de même.

Comme j'aime mon Élisabeth et aussi qu'elle soit tellement efficace.

A tout à l'heure mon amour, j'ai énormément de choses à faire ce matin.

Je te serre très fort dans mes bras,

ton Roger.

Djakarta, hôtel des Indes,
le 25 janvier
[A Élisabeth]

Salut, amour et bonheur bonheur bonheur bonheur à mon Élisabeth !

Je lis lis et relis toutes tes lettres, comme tu sais bien aimer et comme tu sais bien enseigner l'amour,

je croyais tout savoir de l'amour mais ce n'était absolument pas vrai : c'est toi qui me l'apprends tous les jours, et voilà que nous sommes comme deux jeunes fiancés qui attendent le soir de leurs noces,

et comme tu sais me rendre heureux,

du bonheur aussi, je croyais tout savoir, mais ce n'était pas vrai non plus, je savais seulement l'art de ne pas être malheureux, et mon bonheur, enfin, ce genre de bonheur-là, ne dépendait jamais strictement que de moi, je m'étais durement appris à ne jamais faire dépendre mon bonheur de rien d'autre que de moi-même (c'est aussi pourquoi, sans doute, je suis tellement détaché des objets et pourquoi *je ne pense jamais* aux êtres qui m'ont fait du mal; telles ma mère, Roberte et quelques autres),

je crois que peu d'êtres au monde ont pu être *détachés* au point où je l'étais quand nous nous sommes connus,

cela ne m'empêchait pas d'être sensible, bienveillant, curieux, etc... mais je coupais toujours le courant *à volonté* tout était *facultatif*, comme certains arrêts d'autobus, j'ai été un vrai stoïcien, au sens de la philosophie stoïcienne,

même quand j'ai fait du mal à mes ennemis, et je n'en ai jamais manqué l'occasion, avec le maximum d'efficacité que je pouvais, c'était plutôt par devoir, enfin par principe, mais sans véritable plaisir, car parallèlement à mon ignorance du vrai amour, j'ignorais la véritable haine, j'avais des haines *facultatives*,

mais maintenant si quelqu'un te faisait du mal, je saurais ce que c'est que la haine,

(je pense à Mao Tsé-toung dont les fascistes japonais ont tué la compagne),

mais maintenant tu m'as enseigné le vrai bonheur, tu m'as appris le bonheur, et mon bonheur dépend de toi, ma bien-aimée,

et voilà que parce qu'ils t'aiment et savent être tellement chaleureux avec toi, j'aime Moussia, Giovanna, Enzo, est-ce que pour la première fois de ma vie, en plus de la « famille », je vais avoir une famille?

de combien de dons tu me combles et comme tu sais bien donner,

moi aussi je te dis merci, mon Élisabeth, merci merci merci à la bien aimée Élisabeth.

Mille choses me comblent de joie dans tes lettres, les dix-huit et les deux du 17 janvier reçues hier et les deux du 18 reçues aujourd'hui :

et d'abord ton amour,

et tout de suite après, et cela est merveilleux, que depuis trois jours déjà maintenant tu sois libre et que tu n'aies plus besoin de jamais revoir le professeur,

que tu sois une fanciulla jeune joyeuse, tous les jours plus belle et libre désormais, et qui attend librement son fiancé,

que les camarades de Gratienne t'aiment,

et puis que Suzanne soit contente de toi, et que Henry « homologue » tes progrès,

je suis très heureux de tout ce que tu me racontes de tes rapports avec Henry,

j'aime beaucoup beaucoup Henry, et qu'il soit tel avec toi,

je suis très heureux que mes amis t'aiment,

et je suis émerveillé, c'est presque effrayant, et je continue à me demander ce que cela pouvait signifier, de notre communion à distance, jusque dans nos rêves,

comment se fait-il que tu ne m'aies jamais parlé de la carte de Nouvel An que j'ai envoyée de Bangkok à la famille Naldi, ne serait-elle pas arrivée ? ou bien la lettre où tu m'en parlais?

J'ai déjà rassemblé près de cent photos exclusives, achetées à des professionnels, ou exploitables en association avec eux (mais c'est moi qui les paierai), pour illustrer des reportages non politiques (du moins apparemment), destinés à faire de l'argent,

mets ton ami de l'agence au courant, je ferai la plupart de ces articles à mon retour.

J'ai encore des millions de choses à te dire, mais c'est l'heure ultime du courrier. Je te serre très fort dans mes bras. A tout à l'heure ma bien aimée.

Ton Roger.

Hôtel des Indes, 26 janvier
[A Élisabeth]

Salut amour et bonheur à la plus digne aimée et à la plus aimée de toutes les femmes de la terre!

9 heures et demie (du soir), je suis déjà rentré, j'ai volé cette soirée aux tâches politico-mondaines, qui sont le plus clair de ma vie depuis mon retour à Djakarta, je vais me coucher avec le bouquin du Baffone, il faut aussi le temps de réfléchir un peu sur ce que je vois,

je ne suis pas du tout sûr que l'ambassadeur chinois ici ait une politique juste, j'essaie de comprendre, j'essaie de comprendre,

mon ignorance des langues vivantes me complique terriblement mon métier de reporter.

27, 8 heures du matin

Un peu las, le climat de Djakarta me déprime (physiquement), n'importe quel mouvement, et seulement d'essayer de se concentrer, devient un effort...

Mais je vais trouver tout à l'heure à l'agence une lettre de mon Élisabeth!

Je voudrais terminer la semaine prochaine mon enquête ici et consacrer les derniers jours à rédiger mes articles les plus urgents, afin qu'André me laisse partir à la campagne avec toi dès mon retour, peut-être j'irai pour trois jours dans une station de montagne où l'altitude permet la concentration. Mais je doute d'avoir le temps.

Comme je t'aime, toi.

A tout à l'heure ma bien aimée

ton Roger.

Le 28 janvier
[A Élisabeth]

amour amour amour, mon amour,

tu seras à Paris dans quelques jours, tu m'attendras, tu verras la famille,

et puis nous ne nous quitterons plus,

et nous donnerons au monde le parfait exemple de deux parfaits amants.

J'ai maintenant très hâte de partir.

Je rencontre maintenant partout où je vais une espèce d'ordure d'Américain à tête de technocrate, qui ne doit pas aimer mes livres et qui s'arrange, je ne sais comment, pour me refroidir les mêmes gens encore si gentils avec moi à mon retour de Bali.

Je hais de tout mon cœur les Américains à lunettes, raidis dans leur orgueil de techniciens des affaires du monde, et je crois qu'ils me le rendent bien, sauf qu'ils n'ont pas de cœur, ce sont de froids assassins,

mais les femmes me sont bienveillantes, je ne flirte même pas avec elles, je leur dis seulement des gentillesses, mais comme il m'est toujours arrivé, il se crée immédiatement une sorte de complicité entre elles et moi, et elles aiment me protéger.

J'aurai des tas de jolis potins à te raconter; fais-moi penser à te décrire le colonel, la colonelle et le colonellot, les deux petits Bretons du bureau du deuxième étage, la dame qui veut se consacrer au bien de l'humanité, et la petite copine indonésienne dont le patron est vendu à la technocratie.

Je suis mélancolique, c'est dimanche, il pleut.

Mon compagnon de chambre, le petit ingénieur américain, est de plus en plus amoureux de sa quarteronne, il lui achète des bijoux, ainsi les dollars gagnés sur l'Asie retournent à l'Asie, l'ouvrier indonésien travaille pour l'ingénieur américain, qui travaille pour la putain, qui travaille pour son maquereau. Le roi du monde occidental, je veux dire sous domination occidentale, c'est le maquereau.

Sa compagnie d'aviation Convair a demandé à mon amoureux compagnon de chambre un rapport sur la situation politique en Indonésie, je lui ai donné quelques excellents conseils, il n'en est cependant sorti qu'un tissu d'enfantillages, il n'y a rien à faire avec ce peuple américain...

Comme je t'aime, toi.

J'ai fait hier avec le conseiller de l'ambassade de France une promenade au jardin botanique de Bogore, à une trentaine de kilomètres d'ici, c'est un très beau parc avec des arbres théâtralement solennels, et d'autres tout à fait extravagants, j'aime beaucoup les parcs, les jardins de pierre, comme Boroboudour, ou les architectures végétales, comme Bogore.

C'est la dernière lettre que j'envoie à Rome, elle a des chances d'arriver, et tout à l'heure j'aurai des photos que je t'enverrai directement rue de Sèvres. Maintenant tu es libre, c'est une « toute grande », une grande fille majeure que je serre dans mes bras. J'espère pour aujourd'hui ta première lettre dans la liberté.

A tout à l'heure mon amour,

ton

Roger.

Et dis à toute la famille Naldi et Enzo comme je les aime.

Djakarta, le 30 janvier
[A Élisabeth]

Salut amour tendresse et bonheur à mon Élisabeth!

Je t'aime,

tes lettres sont ma joie et mon bonheur et continuent à m'enseigner chaque jour ce que c'est que l'amour,

tu es mon professeur d'amour mais je surpasserai mon

maître, qui est ma maîtresse, et la femme la plus aimée de la terre.

J'en ai à peu près fini avec ma documentation pour mes articles et avec Djakarta que je n'aime pas.

Je t'aime d'amour d'amour d'amour d'amour.

Le vilain technocrate américain a été victorieusement contré, il est membre de l'Institute for pacific relations, mais officieusement chargé par son gouvernement d'une enquête sur le développement du communisme en Indonésie, « c'est un expert en communisme » formé à l'université de Columbia, comme la plupart des « experts en communisme » que Washington envoie maintenant dans tous les pays du monde,

il tenait beaucoup à me connaître parce qu'il avait lu dans la collection du ministère indonésien de l'Information quelques-uns de mes articles d'*Action*, dont ma lettre ouverte au président Roosevelt,

il aurait été très déçu par l'entretien que j'ai fini par lui accorder, il paraît que je ne suis qu'un damné pauvre petit existentialiste, et que comme tous les Français, qui n'ont plus la virilité de combattre pour leur liberté, je serai finalement fusillé par les communistes, et ce sera bien fait pour moi.

Je me console de mon manque de virilité en faisant les cartes aux membres de la délégation de l'UNO et de l'ambassade de France. Je crois que j'ai un véritable don de voyance, je finirai cartomancien,

imagine qu'hier soir, comme j'étais en train d'exercer mes talents chez le colonel *** arrive M. Y, délégué [...], représentant, dans la commission d'arbitrage, les intérêts de la [...], que depuis deux ans d'ailleurs il trahit régulièrement au profit des thèses américaines,

il me demande son avenir, et il sort un jeu si abominable, que je me refuse d'abord à parler, il insiste, je suis bien obligé de dire ce que je vois :

pas une seule femme, pas d'avenir, la vie comme coupée par un relativement proche passé terriblement dramatique, avec des tas de morts violentes, « vous êtes, dis-je, un homme redoutable, une sorte de Borgia », tout le monde rit, car c'est un homme très doux, très cultivé, très charmant,

mais lui blêmit, et cinq minutes plus tard s'en va,

aussitôt le colonel me prend à part :

— Vous avez un don extraordinaire, me dit-il, M. Y était avant de venir ici le chef de [...], et l'ami personnel de [...], personne ne le sait ici...

N'est-ce pas drôle?

Enfin ma réputation croît, et il est certain que si je restais ici ces messieurs et ces dames n'entreprendraient plus rien sans me consulter au préalable,

je dois aller retrouver mon amour, ce qui est bien mieux que de devenir mage.

J'en ai marre de l'exotisme et des pseudo-salons,

je m'ennuie de mon amour,

je t'aime.

Tes dernières lettres sont arrivées dans l'ordre suivant :

20 janvier, 21, 19 (deuxième lettre), 22, 23

Je t'aime toi, comme je t'aime,

je pense, je pense, je pense à cette gare des Invalides.

Tu n'as pas oublié que c'est à Nora que j'ai confié la clef de la chambre où j'ai enfermé nos affaires.

Je t'aime je t'aime je t'aime je t'aime, à tout à l'heure ma toute petite, je te serre très fort dans mes bras.

Tout à l'heure se rapproche d'heure en heure.

Je t'aime

ton Roger.

Bandoeng (prononce Bandoung), le 3 février

[A Élisabeth]

9 heures du matin, mon Élisabeth est en route pour Paris, bienvenue, amour et bonheur, dans ma ville, à mon Élisabeth!

Je pense au retour, je pense au retour, je pense au retour, à cet escalier de la gare des Invalides;

j'ai déjà fait mes valises (et je les ai laissées à l'hôtel des Indes, avec dedans, par malheur, les lettres de ma bien aimée, si bien que je ne sais plus exactement le numéro de la rue de Sèvres), mes places sur les avions sont retenues.

Je suis arrivé hier ici, à Bandoeng, où se tient le congrès des syndicats d'obédience socialiste, c'est une station d'altitude, tout près des grands volcans, dont quelques-uns sont en activité, il fait beaucoup moins chaud qu'à Djakarta, mais aussi humide. J'habite un grand hôtel colonial à la hollandaise. Mais jusqu'ici je n'ai guère fait que dormir.

Bandoeng, au centre-ouest de Java, est au centre de montagnes qui ne sont pas peuplées de Javanais, mais de Soundanese, qui sont de fervents musulmans. Ils ont formé des sortes de maquis nationalistes, et c'est la guérilla. Il y a beaucoup de troupes dans la ville, et mon hôtel, où sont descendus deux ministres, est gardé par de jeunes soldats armés de mitraillettes. Les Européens de Djakarta disent que même la grande route n'est pas sûre, ce que je ne crois pas. Mais, comme, pour être sûr de retrouver mon Élisabeth, à la fin de la semaine prochaine, je me suis changé de lion en serpent, j'ai suivi les conseils de prudence, et je suis venu, et je repartirai lundi matin en avion.

Il n'y aura plus que deux jours à passer à Djakarta, et j'y ai déjà dix rendez-vous.

Je te télégraphierai mercredi en arrivant à Bangkok, afin que tu n'aies plus qu'à m'attendre dans la paix.

Embrasse les copains et toute la famille, je te serre très fort dans mes bras, ma toute jeune et vierge fiancée,

à tout à l'heure ma toute petite

ton Roger.

[1951]

[A Pierre Berger[1]]
Les Allymes, novembre 1951[2]

Mon cher Pierre,

Je pense qu'il y a malentendu total, au sujet du *Jeune Homme Seul*, et je te suis reconnaissant de ta lettre sans réticences qui m'a obligé de faire le point pour moi-même.

I

Naturalisme ? J'y répugne totalement. Zola m'ennuie totalement, sauf quand il devient épique, c'est-à-dire quand il cesse d'être naturaliste. Populisme ? Je n'ai jamais pu lire plus de dix pages d'un roman dit populiste, et il me paraît complètement faux d'écrire comme on parle, de sténographier un dialogue, etc., de même d'ailleurs pour le monologue intérieur qui prétend calquer la démarche de la pensée. Joyce en ce sens me paraît avoir échoué ; et je préfère finalement le « il pensa que... » avec la suite en style indirect.

Puisque tu m'as forcé à y réfléchir je crois que dans mes quatre romans et mes deux pièces, je n'ai jamais fait que

1. *Pierre Berger, critique littéraire à* Paris-Presse, *avait adressé à Roger Vailland, qui était son ami, une série de questions sur son itinéraire intellectuel.*

2. *Après son voyage en Indonésie, Roger Vailland s'installe avec Élisabeth dans le hameau des Allymes, dans l'Ain, puis à Meillonnas. Ce sera une « saison » particulièrement studieuse, au cours de laquelle il ne tiendra pas de journal intime.*

peindre sous des aspects variés la lutte de Saint Georges et du Dragon.

La clef de toute mon œuvre, puisqu'il commence à y avoir œuvre, c'est page 101 de *Héloïse et Abélard*, le dialogue du Prince et du Chevalier :

« LE PRINCE — Mais qu'opposes-tu à la vilenie si tu n'es pas vil toi-même, à la bassesse si tu n'es pas bas, à l'ignominie si tu n'es pas ignoble ? »... etc.

La clef du *Jeune Homme Seul* c'est la référence à Corneille comme préférence littéraire d'Eugène-Marie Favart. Toute la première partie du *Jeune Homme Seul*, et les chapitres du mariage en particulier, ce n'est pas une tranche de vie naturaliste, c'est le héros livré aux infâmes et en lutte avec eux. Au cours de la seconde partie, les infâmes semblent l'avoir emporté, mais le héros est sauvé par l'amour : c'est l'histoire de la Belle et la Bête; la référence à ce mythe que j'aime entre tous y est formellement indiqué : page 320.

« Il n'est pas seul, dit la vieille Favart, puisqu'il t'a.

« — Je ne l'ai peut-être pas assez aimé, dit Domenica.

« — Il travaille, dit Eugénie Favart. Il n'est pas plus seul que Madru, que 2 000 camarades accompagnent au cimetière.

« — Ses camarades de travail ne l'aiment peut-être pas assez, dit Domenica. »

Je simplifie bien sûr, mais la simplification me paraît nécessaire, puisque le malentendu sur mes intentions est aussi grave.

Et en simplifiant je donne partie belle aux reproches du genre « images d'Épinal », que n'ont pas négligés des critiques qui ne sont pas comme toi de bonne foi. Tant pis. Je crois que de retrouver spontanément, et avec un contenu actuel et donc nouveau, les anciens mythes, n'implique pas de retomber dans quelque académisme que ce soit. Au surplus j'aime les images d'Épinal, et si elles peignaient aujourd'hui les vrais exploits des héros de notre temps, je les afficherais sur mes murs.

Donc je peins la lutte des héros contre les dragons. Et le critique qui me semble avoir le plus justement rendu compte de mes intentions, c'est un garçon dont je ne sais rien, Gérard Caillet, dans une revue que je ne lis jamais, *Hommes et Mondes*, écrivant (avant le *Jeune Homme Seul*) :

« que si l'on cherche alors pourquoi Roger Vailland a écrit ce roman puis un autre, je réponds : pour défendre sa ligne. Et sa ligne, c'est la manifestation de l'honneur de l'homme... Ce souci de la dignité, ce refus de plier... voilà ce qui donne sa grandeur à l'œuvre de R.V. »

II

Mais il est essentiel de bien préciser ce qu'on peut entendre en notre temps par héros. Et c'est somme toute ce que je m'efforce de faire, de roman en roman, pour moi-même et pour les autres.

Un de mes amis communistes me reprochait tout récemment de peindre mes communistes trop cornéliens, d'en faire précisément des héros avec tout ce que cette notion comporte d'exceptionnel. Il aimerait que je m'attache à peindre une collectivité. Il est prêt à penser qu'une collectivité peut être héroïque et que seule une collectivité peut aujourd'hui être héroïque. Je ne suis absolument pas d'accord. Le héros est par définition meilleur, plus courageux, plus fier, plus « grand format », plus doué, plus audacieux, plus intrépide que les autres hommes. Les grands romanciers soviétiques ne s'attachent pas à peindre de petites gens heureux de leur sort, mais des héros qui lancent des défis à leurs ennemis et à la nature ou à l'un et à l'autre conjugués et qui triomphent au cours d'un combat surhumain; relis *la Mère*, *Tchapaiev*, *Et l'Acier fut trempé*, *Un Homme Véritable*, *Loin de Moscou*, etc.

Dans *Loin de Moscou* qui raconte l'épopée, je dis bien l'épopée, d'un petit groupe de héros animant et métamorphosant une masse d'hommes d'abord inerte et démoralisée, pour poser en pleine guerre et en plein hiver un pipe-line en Sibérie, le problème est exactement posé : deux hommes se trouvent à la tête du même chantier : même âge, même origine, même éducation, même concours de chance et de malchance dans leur carrière, devant la même tâche l'un se montre intrépide, efficient et fier, l'autre mou, désorganisateur et lâche.

Mais tu dois très bien connaître ce problème, toi qui as été déporté et dont un camarade de déportation m'a dit et cela m'a semblé un immense éloge : « Berger s'est conduit en homme véritable ».

Disons donc que le héros est un homme exceptionnellement véritable (la notion de stakhanoviste, de « héros du travail », de défi lancé d'une entreprise à l'autre, relève de la même volonté d'héroïsme).

Les recherches para-scientifiques dont je t'ai parlé, tournent autour de la même idée. Elles tendent à prouver que, lorsqu'un éleveur ou un horticulteur disent : « un cheval racé, un beau bœuf, une glorieuse tulipe », ils définissent un rapport qui n'est pas seulement de producteur à produit mais qui existe objectivement de bœuf à bœuf, de cheval à cheval, de tulipe à tulipe.

III

La contrepartie indispensable à ce discours est d'opposer catégoriquement le héros à l'aventurier, ou, en d'autres termes, de ne pas séparer l'héroïsme de son contenu.

Le chevalier errant, mythe du héros médiéval, n'était pas un mercenaire, qui mettait son héroïsme à la solde de n'importe qui ou de n'importe quoi. Il défendait les opprimés, la veuve ou l'orphelin.

Il ne s'agit pas non plus de manichéisme. La vérité est que la vie sous toutes ses formes (biologiques, sociales, politiques, psychologiques) ne m'apparaît pensable et exprimable que *dramatiquement*. Drame : une situation donnée au premier acte contient un certain nombre de conflits qui se développent jusqu'à aboutir au dénouement, à une situation nouvelle, radicalement, ou en langage dialectique qualitativement différente de la situation initiale.

Or, pour moi, qui ne suis pas chrétien et qui répugne à toute métaphysique de l'éternel, la vie sous toutes ses formes est *orientée*. Elle va du simple et de l'amorphe vers le complexe et l'organisé, de la mobilité végétale vers la mobilité animale et la liberté humaine, de l'oppression de la classe au pouvoir vers la société sans classes.

Les protagonistes des drames qui mènent la nature sous toutes ses formes de métamorphose en métamorphose ne peuvent donc pas être placés sous le même signe. Les uns sont positifs, les autres négatifs. Disons très sommairement, mais il faut bien être sommaire au début d'un dialogue, que saint Georges représente le progrès et le Dragon la réaction.

Le malheur de Lawrence, le Colonel, n'est pas le « malheur de l'homme » en soi-même. C'est de s'être identifié à la cause de l'indépendance arabe, à mesure qu'il luttait pour elle, d'avoir ainsi cru devenir le héros de l'indépendance arabe, et d'avoir finalement été obligé de prendre conscience qu'il n'avait servi que la couronne britannique contre les Arabes, qu'il n'avait été qu'un mercenaire et un aventurier.

Malraux après avoir longtemps tourné autour du sujet, et d'assez près pour avoir contribué, comme tu le dis, à former beaucoup de jeunes communistes, s'est lancé dans la singulière entreprise de défendre Lawrence contre lui-même, en niant l'échec de Lawrence maintes fois proclamé par Lawrence lui-même. L'action pour l'action, l'héroïsme pour l'héroïsme, c'est un non-sens par définition, c'est-à-dire une notion vide, une forme sans contenu ; pratiquement c'est une mystification du même ordre que celle qui a fait du jeune nazi animé à l'origine d'une sincère passion de libérer l'Allemagne du traité de Versailles et du capitalisme international, un SS geôlier d'un camp de concentration. Et déjà Malraux en est à ne plus parler que pour les « belles-mères » R.P.F., héritières des belles-mères P.S.F., au service d'un général qu'il ne se cache pas de mépriser.

Le libertin (nous y arrivons) fut un héros dans la perspective historique où il convient à mon sens de l'envisager. D'abord au XVIIe siècle en se proclamant athée et matérialiste contre la toute-puissante Église. Au XVIIIe siècle, en affrontant avec la même rigueur le trône, l'autel et l'hypocrisie morale qui n'accordait la liberté sexuelle qu'aux privilégiés. En ce sens, *La philosophie dans le boudoir*, où Sade attaque concurremment, avec la même violence, le même lyrisme, le même héroïsme, le trône, l'autel, et leur morale de l'amour, demeure l'un des textes les plus beaux et les plus héroïques que jamais homme ait eu l'audace d'écrire.

C'est un texte d'autant plus édifiant qu'on y découvre en pleine lumière la contradiction où aboutit la poursuite conséquente (héroïque) d'une liberté dont le contenu n'a pas été au préalable strictement défini. Cette liberté, au nom de laquelle le désir est libéré de toute entrave, transforme finalement en esclave, en victime, et mène enfin à la mort la plus ignominieuse, cet autre humain, qui est l'objet du désir.

La même conséquence était impliquée dans *Les Liaisons dangereuses* où, au nom de la liberté, les humains sont finalement partagés en sujets (Valmont, Merteuil) et en objets (Cécile, la Présidente), en tyrans et en victimes.

Sade n'a pas surmonté sa conséquente contradiction, et il est devenu fou de la folie qu'on enferme, dans le temps même où le peuple français répondait à ses espoirs en secouant (héroïquement) le joug du trône et de l'autel. Laclos a surmonté sa contradiction en devenant général d'artillerie des armées de la Révolution.

Je lie très à dessein la notion de liberté et celle d'héroïsme, car il me paraît n'y avoir d'héroïsme vrai qu'au service de la liberté et de liberté possible que conquise héroïquement. Mais je précise, et il me paraît essentiel de préciser car la plus grande confusion règne en ce moment à ce sujet parmi les intellectuels « occidentaux », y compris ceux qui sont de bonne foi : la liberté n'est pas une forme vide; comme les aiguilles d'une montre ou comme un nombre algébrique, elle varie de sens, elle est tantôt positive et tantôt négative; selon son contenu, elle est tantôt libération et tantôt asservissement.

Exemples :

la Révolution Française a été gain de liberté pour la bourgeoisie et une partie du peuple français, perte de liberté pour le roi et les privilégiés;

la Révolution Russe de 1917 a été gain de liberté pour les ouvriers et les paysans, perte de liberté pour l'aristocratie et la bourgeoisie;

dans le domaine biologique le cancer est gain de liberté pour l'ensemble des cellules cancéreuses, perte de liberté qui va jusqu'à la destruction pour l'ensemble de l'organisme;

au même sens à peu près le fascisme est gain de liberté pour les profiteurs du régime et perte pour ses victimes, etc., etc.

On ne peut pas parler de liberté-tyrannie sans en définir le sens, dans la perspective historique. Je dirai donc liberté tout asservissement qui entraîne ou prépare une libération plus grande (cela est vrai également de l'entraînement auquel s'asservit le sportif) ; tyrannie toute libération qui provoque ou prépare un asservissement plus grand (cela est vrai aussi du cancer, qui libère certaines cellules de la hiérarchie organique en entraînant pour l'organisme une servitude croissante, qui aboutit à sa destruction, du monopole, du trust, etc.)

A la limite et dans la perspective historique, la liberté totale que l'homme tend héroïquement à conquérir peut se définir dans la société sans classes, par l'asservissement total de la nature et de l'homme en tant que nature, au profit de l'homme en tant qu'homme. (Et voici répondu à ta question sur l'humanisme.)

Le héros est l'homme qui sait mieux qu'un autre s'asservir à sa propre volonté, c'est-à-dire réaliser son unité, c'est-à-dire grouper toutes ses énergies et les porter au maximum d'efficacité, *au service de* ce qui est à son époque la cause de la liberté positive.

Pour ce qui est de notre époque aucune ambiguïté ne me semble possible. Entre le partisan accroché à sa forêt et l'aviateur qui, du haut du ciel, le bombarde au napalm, inutile de demander qui est le héros, même si l'aviateur se joue à risquer sa vie dans de périlleuses acrobaties. Et cela demeure vrai, même si le rapport de forces se trouve dans l'instant apparemment modifié : le pauvre petit paysan britannique mobilisé par force, qui tombe sans pouvoir se défendre dans une embuscade tendue par les Frères Musulmans, n'est pas un héros.

Mes romans, pour y revenir, pourraient avoir pour surtitre général : « A la recherche de l'héroïsme ». La différence qu'il y a de l'un à l'autre, et selon moi le progrès, c'est que l'héroïsme y prend un contenu toujours plus positif. Le *Jeune homme seul*, qui est en somme le récit d'une série d'épreuves, finit au moment où le postulant (à l'héroïsme) se trouve enfin au point de devenir un vrai héros, sur et déjà au-delà du seuil d'un héroïsme à contenu positif. En arrière-plan j'ai esquissé la silhouette du héros accompli, le cheminot Madru; ce n'est pas un communiste quelconque; dans son éloge funèbre page 231 j'écris, très à dessein : « les communistes disaient qu'il avait été un « vrai bolchevik »; c'est une forme d'éloge qu'il est possible que certains communistes me reprochent, quoique je l'aie entendu dans la bouche de certains d'entre eux, et des meilleurs, à propos des meilleurs;

et je n'entends pas bien sûr par ce mot bolchevik une référence nationale, mais une distinction précisément entre les héros et ceux qui ne sont pas moins bons « en soi », mais qui les reconnaissent comme modèles, entraîneurs, et meilleurs dans le moment.

Et je ne veux pas dire non plus qu'un héros de notre temps soit nécessairement un communiste. J'ai cité tout à l'heure le Frère Musulman qui est sans doute un anti-communiste, mais qui lutte concrètement, justement et héroïquement, contre la tyrannie qui s'exprime dans cet instant-là sous la forme d'un pauvre petit soldat anglais qui se trouve peut-être philocommuniste.

Mon *Jeune Homme Seul* ne s'engage pas dans la voie de l'héroïsme en adhérant au parti communiste, mais en faisant acte de résistance, aux côtés d'un cheminot communiste, d'un cheminot chrétien (Roncevaux membre de la CFTC), et d'anonymes dont je ne précise pas l'appartenance. Et la conclusion : « il a retrouvé les siens » est exprimée par la vieille Favart qui n'est pas communiste, qui appartient à un réseau de résistance gaulliste, qui rappelle continuellement ses origines paysannes et savoyardes, et qui entend évidemment par là : « mon petit-fils a retrouvé les siens, qui étaient des gens du peuple, originaires de la province de Savoie, France ».

A la correction des épreuves, j'ai failli modifier cette conclusion, par crainte d'un malentendu qui la ferait apparaître par trop barrésienne. Au contraire, une grande partie de la critique, de M. André Rousseaux, du *Figaro Littéraire*, à Mme Jeanne Alberte Hesse(?) de *Franc-Tireur*, n'hésite pas une seconde à interpréter « les siens » comme les communistes. Ainsi volent-ils à l'aide des communistes qui affirment être désormais les seuls défenseurs des traditions françaises.

Oui, mon cher Pierre, j'ai bien dit barrésien. J'ai aimé Barrès et même Psichari, beaucoup plus que Gide, dont je me suis surtout servi pour moraliser les jeunes filles que des préjugés empêchaient de se laisser aller à leurs goûts naturels pour le plaisir. La vie austère du méhariste, coupée de brèves et totales débauches, m'a paru désirable. J'ai eu par bonheur tout de suite assez d'esprit critique pour analyser que l'officier de Psichari était mystifié, que son austérité héroïque servait la pire des causes, et que les miens n'étaient pas les coloniaux mais les colonialisés.

Ensuite, des surréalistes j'ai surtout aimé l'intransigeance dans le scandale et les réalisations expérimentales.

Puis mes maîtres furent les penseurs français du XVIIIe siècle : Diderot, Laclos, Saint-Just. Survint une courte phase saint-simonienne : c'est chez un Saint-Simonien que j'ai lu pour la première fois : « faire succéder l'exploitation de la nature à l'exploitation de l'homme », mais le Saint-Simonisme mène à la technocratie ; Marx, Engels, Lénine et Staline vinrent tout mettre au point que je découvris dans le même temps que juin 36 faisait battre mon cœur.

Tu vois que mes « phares » ne sont pas les mêmes que les tiens, et que je ne dois strictement rien à Malraux, ni à Camus, ni à Sartre, ni à Saint-Exupéry, ni à René Char. Au demeurant, les circonstances d'une vie assez aventureuse (toujours la passion de la vérification, et surtout de la vérification de moi-même) m'ont tenu jusqu'à une date toute récente très à l'écart de la vie littéraire et même de la vie politique. Maintenant c'est la passion du travail qui me contraint à une sorte de retraite, il me faudrait cinq ans de travail sans souffler pour écrire tout ce que j'ai envie d'écrire immédiatement ; je vis donc à la campagne, totalement à l'écart, comme tu le sais, des gens de lettres, et je n'ai même pas encore adhéré au Parti Communiste, dont j'approuve cependant totalement la politique.

Je parviens donc difficilement à comprendre ta crainte que le militantisme ne déforme mon œuvre et ne la rende par excès inefficace. Jamais un de mes amis communistes n'a essayé sous quelque forme que ce soit de me plier à une consigne quelconque. Dans les quelques entretiens que j'ai eus avec des responsables politiques, j'ai au contraire rencontré un respect de la liberté de l'écrivain qui allait au-delà de mon désir, puisque j'aurais aimé recevoir des conseils (je dis conseils et non pas consignes). Non seulement respect, mais aussi tact et bienveillance que j'ai très rarement rencontrés ailleurs. Aussi bien c'est, comme tu le sais, la presse bourgeoise qui a introduit la coutume infamante pour l'écrivain du rewriting et du digest. Et c'est le secrétaire général de *Paris-Soir* qui a dit devant moi :

« Si Stendhal nous apportait *La Chartreuse de Parme*, nous la lui ferions récrire, et elle y gagnerait certainement. »

Reste à savoir pourquoi la première partie de *Un Jeune homme Seul* a produit sur toi un effet aussi éloigné de mon dessein, pourquoi tu y as vu une « tranche de vie », dans le style naturaliste.

Ma première tentation, te sachant de bonne foi, est de conclure que je n'ai pas su réaliser mon dessein. A la réflexion, je la repousse, car la « situation » (au sens dramatique) de mon apprenti héros se trouve définie dès le premier chapitre : tentation de la facilité : « le garçon se sent soulagé », exigence de l'honneur : « le garçon se sent humilié », et c'est cette « situation » de départ qui conditionne tous les conflits des chapitres suivants.

Je crois par contre découvrir deux causes à ce que j'appellerai donc jusqu'à nouvel ordre, et en acceptant bien entendu d'en discuter avec toi, ton erreur d'interprétation.

La première c'est que Favart, mon héros d'aujourd'hui, n'est pas comme les héros de mes précédents romans un être en marge, un meneur de jeu désinvolte, pour qui les questions d'argent ne se posent pratiquement pas, mais un personnage strictement défini par sa profession, ses origines familiales et son milieu social. Strictement mais pas totalement défini, et il y a entre ce qui sépare ce strictement et ce totalement tout ce qui fait que de deux ouvriers d'origine identique l'un devient un jaune et l'autre se fait licencier pour avoir tenu la grève jusqu'au bout, que de deux frères l'un devient collabo et l'autre maquisard, que de deux grands physiciens d'aujourd'hui l'un ose proclamer qu'il reste totalement attaché au déterminisme matérialiste et que l'autre, cédant à toutes sortes de pressions, n'ose plus l'avouer qu'en cachette.

J'ai jugé cependant indispensable de définir strictement mon apprenti héros, pour donner à son héroïsme un contenu bien précis, et supprimer ainsi toute ambiguïté qui pourrait le rapprocher des « aventuriers » que je condamne plus haut.

Mais ce faisant je demeure aussi rigoureusement opposé aux théories dites naturalistes, qui prétendent tout expliquer par l'hérédité, le milieu etc., que Lénine pouvait l'être aux sociaux-démocrates qui jugeaient inutile de faire des révolutions puisque le déterminisme historique amène fatalement la destruction du capitalisme. C'est la classe montante qui s'empare du pouvoir, tel est le moteur de l'histoire. C'est chaque homme qui fait dramatiquement son histoire, tel est le seul sujet des romans et des drames, tout le reste est description patascientifique, mais qui fait son histoire dans des circonstances sociales, historiques et géographiques bien déterminées, pas seul mais en conflit ou en accord avec les autres hommes, tel est le seul contenu possible de ces romans et de ces drames, tout le reste est délire patamétaphysique.

L'autre cause de ce que je persiste jusqu'à nouvel ordre à appeler ton erreur d'interprétation est ta hantise du militantisme. Sans doute parce que tu n'as pas encore résolu intellectuellement des problèmes qui sont déjà résolus dans ton cœur, tu es porté à voir des consignes, des mots d'ordre, des slogans, dans des réactions de mes personnages, où les gens que je fréquente dans ma campagne, le notaire, le directeur de l'école, l'ingénieur, le contrôleur des postes, ne voient que des réactions toutes naturelles aux événements de l'histoire que je raconte.

Réponds-moi. Je te répondrai, — moins longuement je l'espère mais ta lettre était si pleine de questions authentiques que je n'ai pas su me modérer. Et il y aurait encore beaucoup à dire. Vois ce que tu peux faire de tout cela comme dialogue ; je te demande bien entendu de me le soumettre avant publication, car j'ai écrit strictement « au courant de la machine ».

Élisabeth et moi nous vous embrassons très affectueusement, Stéphane et toi :

Roger Vailland.

[1952]

Le Caire, mercredi soir[1]
[A Élisabeth]

Ma tendresse, mon amour, merci de ton télégramme, boomerang du mien, et que j'ai trouvé mardi soir en rentrant, après une journée très fatigante, et énormément de visages nouveaux, dont un de très grande classe, celui d'un ami musulman de Henry.

Le voyage en avion fut tout à fait ridicule. Dans la nuit, on ne s'aperçoit pas même du moment où l'on quitte le sol. La compagnie offre un dîner froid au champagne, on abaisse les dossiers des fauteuils, on s'endort, on se réveille au-dessus de la mer, à un endroit où de bleue elle est en train de devenir jaune : c'est le delta du Nil. A peine le temps de prendre le petit déjeuner et on atterrit.

Personne ne m'attendait, parce que Ruth était partie la veille soigner son enfant qui est agonisant en Suisse. Je me suis débrouillé très bien tout seul. Et voilà.

Il fait une vilaine grande chaleur humide; la crue du Nil commence.

Je pars demain pour deux jours à Alexandrie, où sont actuellement la plupart des gens que je dois maintenant voir.

1. *Août 1952. Roger Vailland vient d'arriver en Égypte, où un coup d'État militaire, dirigé par de jeunes officiers, a obligé le roi Farouk à abdiquer. Roger Vailland sera arrêté et emprisonné au cours de ce voyage, dont il rapportera* Choses vues en Égypte. *On trouvera plus tard dans son roman* La Fête *quelques pages directement inspirées de son aventure égyptienne.*

Je suis un peu fatigué, un peu mélancolique, tout est bien moins facile que ne le croyait Henry, je m'ennuie terriblement de toi, je pense à toi dans les Allymes, j'ai le Nil et une demi-lune immense sous les yeux, mais je pense à toi dans notre petite maison. Salut à Ecco, salut à Ecca, salut à Tigressa. A tout à l'heure ma mienne :

ton Roger.

Le Caire, lundi 18
[A Élisabeth]

Mon amour, ma beauté, ma douceur, mon bonheur, ma mienne,

Enfin terminé et expédié cet interminable et toujours à recommencer papier pour *Défense de la Paix*, c'était devenu une obsession et chaque fois que j'allais le finir la situation évoluait et il fallait tout repenser.

Apaisé, soulagé, je me suis assis dans un impossible petit café, à côté de la poste, derrière l'Opéra, avec de mystérieux ivrognes qui ne boivent pas, sans doute des haschichins, j'ai enfin le temps d'écrire longuement à ma mienne. Il n'y a pas encore huit jours que nous nous sommes quittés, moi dans cet absurde avion fantomatique, et j'ai vu, entendu, essayé de comprendre tant de gens, et finalement toujours seul, sauf quelques bons sourires de copains, mais ce sont ceux qui ne parlent pas français, tout cela comme dans un tunnel chaud et humide, et j'ai l'impression d'avoir parcouru une route sans fin. Il aurait fallu pouvoir te retrouver au moins un peu, à la fin de chaque journée.

J'ai trouvé hier à mon retour d'Alexandrie tes deux lettres du 12 et de notre 13, chronique des Allymes, c'était très bon, comme je t'aime, comme tu es mienne.

J'en ai marre des voyages et surtout des pays dont je ne comprends pas la langue.

J'en ai marre qu'on me raconte des histoires politiques sur un pays qui n'est pas le mien et dans lequel je n'ai pas de rôle actif à jouer.

L'horrible « corniche » d'Alexandrie : villas, attractions, fêtes foraines, cabines de bain, rien que des cabines de bain à perte de vue, et, sous des parasols, entre les cabines et la mer, les hommes politiques, en tenue de ville, qui jacassent des événements, qui se saluent, qui s'embrassent, qui chuchotent et qui tremblent; et puis encore des villas, jusque dans le désert, qui est un terrain vague, sale, avec des petites plantes comme des orties, et des boîtes de conserves.

J'en ai marre du petit avocat juif que Henry m'a donné comme guide, qui est charmant, dévoué, convaincu, mais indiscret, toujours présent, et qui poursuit des buts qui ne me paraissent jamais bien clairs. Je l'ai fui toute la journée, il doit être bien triste. Je pars demain matin, pour deux jours, avec un poète arabe, qui parle mal le français, mais qui a le fameux regard « ferme et tendre » : nous allons voir les campagnes et les petites villes du delta.

J'ai déjeuné avec un pacha « progressiste ». Je ne comprends pas non plus très bien les buts qu'il poursuit. Quand je suis entré chez lui, il a vite remis son veston, qui est de même étoffe que le costume que nous avons commandé à Paris. On vit ici, et même sur la plage d'Alexandrie, en veston et cravate, moi comme les autres, pour le standing. C'est un pays terriblement peuplé : les 22 millions d'habitants tiennent sur une bande de terre qui n'a que 5 à 10 kilomètres de large, de chaque côté du Nil. On n'est jamais seul. Après cet horrible hôtel d'Alexandrie et cette musique et cette foule sous les fenêtres, j'ai retrouvé ma chambre du Sémiramis, le seul endroit du Caire qui soit calme, ombreux et silencieux (mais terriblement cher. La solitude et le silence sont ce qui coûte le plus cher dans ce pays).

On va pendre un ouvrier tout à l'heure. Il semble que ce soit inévitable et le moindre mal. Il a eu le tort de n'être pas éduqué politiquement et de céder à la provocation. Voilà les pires victimes de la lutte : même leurs camarades ne peuvent les pleurer ouvertement. Quel sujet de tragédie!

Tu liras dans mon article le seul vrai, authentique, raisonné, récit des événements. Je n'ai pas le courage de recommencer à l'écrire. Même Henry déraillait un peu, quoique beaucoup moins que nos amis français, dans son interprétation : tel est l'effet de l'exil. Ses amis d'ici l'adorent, de cœur, mais je ne suis pas tout à fait sûr qu'ils jugent son retour immédiat opportun : autre sujet de tragédie. Et, comme toujours, j'ai terriblement raison : son successeur est costaud, a gros appétit, et est sans problèmes moraux personnels; un roc tranquille, lucide, clairvoyant et bienveillant, mais rien d'un ascète.

Où sont les jardins de Mitchourine? Je souhaite dans mon cœur que le visa iranien n'arrive pas à temps. Qu'irais-je foutre dans ce pays mal-heureux? Mais, bien entendu, j'irai, si le visa arrive à temps.

Mes conditions personnelles de bonheur sont tellement simples : toi près de moi, notre vie *réglée* des Allymes, écrire, et de temps en temps une nuit passée à boire et à converser avec des êtres jeunes et bienveillants. Mais nous sommes tous les deux des humains de notre temps et même les Allymes perdraient toute signification et le bonheur s'en irait si nous n'étions pas à la place juste dans la bagarre de notre temps.

Je pense que je vais retrouver toute ma jeunesse maintenant que ce putain d'article, où j'ai voulu tout expliquer justement, est terminé.

Transmets mon amitié toute particulière à Dalmas, pour qui j'ai beaucoup d'estime et d'affection.

Peut-être trouverai-je plusieurs lettres de toi à mon retour de la « province »?

Maintenant je dois aller voir une espèce de socialiste, sans doute tordu.

Comme je t'aime toi ma mienne.

A tout à l'heure.

Ton Roger.

[1954]

Mai 1954
[A Jacques Duclos, secrétaire
du Parti Communiste Français]

Cher Camarade Jacques Duclos,

Pourrais-tu nous recevoir prochainement, Henri Bourbon, Claude Martin et moi-même?

Voici de quoi nous voudrions t'entretenir :

Notre travail en commun pour la préparation de *Batailles pour l'Humanité*, au Vél' d'Hiv'[1] (Henri Bourbon, secrétaire fédéral de l'Ain, où habite Vailland, nous ayant très efficacement aidé par les conseils que lui dictaient son expérience politique et sa sensibilité de militant) nous a amenés à concrétiser des projets auxquels nous avions pensé, chacun séparément, depuis longtemps.

Nous t'écrivons cette lettre et nous te demandons de nous fixer un rendez-vous pour te faire part de ces projets et pour demander l'appui du Parti sur un point précis.

BUT

Le théâtre constitue par excellence une arme d'agitation et de propagande.

1. *Roger Vailland avait écrit pour le cinquantenaire de* l'Humanité *un texte dramatique :* Batailles pour l'Humanité, *qui avait été présenté au Vélodrome d'Hiver.*

C'était déjà le cas de la tragédie grecque, dans la lutte pour l'indépendance et la liberté des cités helléniques.

C'était le cas de la tragédie classique française, au service du roi (Corneille) contre les grands féodaux.

Le cas du théâtre français du XVIIIe siècle au service de la bourgeoisie, classe montante, pour la conquête des libertés démocratiques.

Aujourd'hui, des spectacles comme *Le colonel Foster*, *Drame à Toulon*, *Batailles pour l'Humanité*, ont voulu servir d'arme d'agitation et de propagande pour notre Parti. La reprise du *Cid* par le Théâtre National Populaire a servi finalement le même but ; des reprises de nombreuses pièces « classiques » peuvent le servir. Le journal *Le Populaire* a accusé Jean Vilar de « faire le jeu des communistes », en montant *Le Cid*, parce que cette pièce exalte « l'honneur national ».

En donnant à un contenu politique, apparent ou non, une forme concrète, singulière, dramatique, tragique ou plaisante, le théâtre permet d'atteindre des couches de la population beaucoup plus vastes que celles que touchent les journaux, les tracts, les affiches. Pour les militants éduqués même, le théâtre crée une émotion, un sentiment d'urgence, qui les enthousiasme pour l'action. Il peut également avoir un rôle indirectement pédagogique et contribuer à « l'élévation du niveau idéologique » de nos camarades.

C'est cette arme tout particulièrement efficace que nous voudrions rendre à notre Parti.

CRITIQUE

De nombreux efforts ont été faits, au cours des trente dernières années, pour mettre le théâtre au service du Parti. Ils ont abouti quelquefois à des réussites sans lendemain, le plus souvent à des échecs.

Pourquoi ?

Tantôt de bonnes troupes ont joué des pièces pleines de bonnes intentions, mais médiocrement faites, par des auteurs sans expérience du théâtre.

Tantôt de bonnes troupes, travaillant avec des moyens de fortune, ont joué médiocrement des pièces qui avaient déjà fait leurs preuves, travaillant en parents pauvres du théâtre bourgeois, et ne pouvant donc pas résister longtemps à sa concurrence.

Tantôt enfin, on s'est efforcé de rester dans le « circuit normal ». Un auteur dramatique éprouvé, des acteurs connus, ont joué une pièce « progressiste » (au sens le plus large) dans un théâtre où le public était habitué à venir. Ils ont couru leur chance, comme n'importe quel auteur dramatique et n'importe quelle troupe.

Cette méthode du « circuit normal » ne peut plus conduire aujourd'hui qu'à des échecs.

Pour des causes multiples en effet (le prix des places en premier lieu, les heures tardives des spectacles, l'agrandissement des villes : les « banlieusards » de Paris, Lyon ou Marseille ne retournent pas, le soir, dans le « centre » pour voir une pièce), *le nombre des spectateurs de théâtre, à Paris comme en province, s'est considérablement amenuisé au cours des cinquante dernières années.*

Le très petit nombre de théâtres qui fonctionnent encore de façon régulière, à Paris comme en province, fournit des spectacles *toujours plus coûteux* à une clientèle *toujours plus restreinte.*

Ils ne sont plus accessibles ni aux grandes masses, ni même à la majorité de la bourgeoisie.

La toute petite minorité de privilégiés qui va encore au théâtre exige naturellement des pièces qui correspondent à ses goûts. Ce sont soit des comédies légères, agréables à voir après un bon dîner, ce que Bert Brecht appelle le « théâtre de digestion », soit des pièces idéologiques répondant aux besoins de la bourgeoisie décadente : pièces noires à la Kafka, pièces de « renouveau religieux » à la Gabriel Marcel.

Le théâtre du « circuit normal » est enfermé dans un *cercle vicieux.*

Les frais généraux de montage d'une pièce et les frais particuliers à chaque représentation s'amortissent en fonction du nombre de spectateurs. Un petit nombre de spectateurs oblige à augmenter le prix des places. Le prix élevé des places réduit le nombre des spectateurs. Le petit nombre des spectateurs oblige à produire des spectacles qui conviennent à un nombre toujours plus réduit de spectateurs. La réduction du nombre des spectateurs oblige à augmenter de nouveau le prix des places, etc., etc.

Conclusion : les auteurs communistes et progressistes doivent rester dans le « circuit normal », dans la mesure où cela signifie que leurs spectacles, comme n'importe quel autre spectacle, doivent s'imposer par la qualité du texte et de l'interprétation, et par rien d'autre, au public le plus vaste possible.

Mais le « circuit normal » ne peut et ne doit être utilisé par eux qu'à condition de sortir du « cercle vicieux » où il est actuellement enfermé.

C'est certainement possible, puisqu'il existe à Paris, en banlieue et en province, un très grand nombre de salles de spectacles, souvent complètement inutilisées, et dans toute la France un nombre immense de spectateurs virtuels.

POSSIBILITÉS

Un immense nombre de spectateurs virtuels.

L'expérience faite par Claude Martin avec *Drame à Toulon* l'a prouvé. Malgré les circonstances désastreuses de l'exploitation (interdictions policières, etc.) la pièce a eu 250 représentations avec une moyenne de 650 spectateurs par représentation. L'entreprise s'est soldée par un bénéfice, sans avoir rien coûté aux fédérations, au contraire. *Drame à Toulon* a été un spectacle *rentable.*

Le Théâtre National Populaire de Jean Vilar a retrouvé pour ses meilleures productions une large audience qui lui a permis de mettre ses places à un prix accessible aux masses. Mais le fait d'être un théâtre subventionné a limité la portée de son effort; le gouvernement a empêché Vilar de monter les pièces qu'il aurait voulu monter; les servitudes de la subvention ont rendu la subvention indispensable et après avoir fait la preuve qu'il existe un immense public pour le théâtre, il est retombé dans le « cercle vicieux ». A l'opposé, mais confirmant la thèse, à Ambérieu-en-Bugey, 7 000 habitants seulement, une très médiocre revue mais qui intéressait le public parce qu'elle traitait de questions (locales) qui l'intéressaient, a fait trois fois de suite des salles combles de 450 spectateurs. Autre preuve de la possibilité d'intéresser de vastes masses à un spectacle théâtral : le succès remporté au Vél' d'Hiv' par *Batailles pour l'Humanité*.

Les spectateurs existent.

Les salles existent.

Le répertoire existe ou existera. Nous envisageons de produire tous genres de spectacles :

chanson (reprise en particulier du vieux répertoire français, Béranger, etc...), qui correspond admirablement aux nécessités de la lutte pour l'indépendance nationale et les libertés démocratiques;

des sketchs, renouvelés de la Commedia dell'Arte, avec un contenu actuel;

des drames, des comédies, en faisant appel aux meilleurs auteurs dramatiques progressistes d'aujourd'hui (nous sommes en pourparlers avec Sartre, pour une pièce sur le thème de la paix, Vailland nous réserve ses prochaines pièces; nous pensons à Roblès, Spaak, etc.);

des opérettes, Kosma, Prodromidès, Nigg, sont d'accord pour travailler avec nous;

les éléments « actuels » du répertoire classique;

et même des sortes de tragédies, s'adressant à de vastes publics et dont *Batailles pour l'Humanité* fut une toute première ébauche.

Les acteurs existent. Le chômage touche aujourd'hui même les meilleurs. Il en est peu, même très éloignés de nous politiquement, qui refuseront de travailler avec nous.

Le besoin existe.

Des *Vél' d'Hiv'* à la fête de *L'Huma*, aux fêtes fédérales et aux goguettes, nos organisateurs cherchent des spectacles de qualité, n'en trouvent pas, et sont le plus souvent obligés de se contenter de médiocres numéros de music-hall, qu'ils paient fort cher.

Les imprésarios bourgeois sont également à l'affût de spectacles de *qualité* (ayant fait leurs preuves). Le contenu politique, s'il n'est ni schématique, ni déclamatoire, n'est pas un obstacle. Le théâtre des Champs-Élysées a présenté pendant des semaines un couple de danseurs espagnols; pourquoi refuserait-il un récital de la chanson française, si les artistes sont de la plus grande *qualité* et si le spectacle a déjà *fait ses preuves* devant de vastes auditoires populaires (les imprésarios, normalement, veulent le minimum de risques; ils exigent la preuve).

Spectateurs, salles, répertoire, besoin, existent donc. Pour sortir du « cercle vicieux » qui paralyse le circuit normal, il faut créer le lien qui n'existe pas entre l'immense masse des spectateurs virtuels et nos productions. C'est un problème d'organisation.

UN PROBLÈME D'ORGANISATION

Nous disposons d'un petit capital qui nous permet *de préparer* nos deux premiers spectacles (probablement une pièce de Roger Vailland et le festival de la chanson française).

Nous pourrons rouler, si les spectateurs virtuels nous commandent *ferme* nos spectacles, au moins au départ de notre entreprise, et comme ils ont besoin de spectacles de ce genre, il est logique qu'ils nous en fassent la commande.

Ce que nous demandons au Parti, c'est de nous aider à organiser nos rapports avec nos futurs spectateurs.

Ce que nous demandons au Parti, c'est un organisateur. Et comme le travail de cet organisateur sera d'abord de toucher les organisations de masse, il est indispensable que cet organisateur ait une longue expérience du travail de masse — et soit pleinement convaincu de la grande portée politique de notre entreprise. Et qu'il ait la confiance du Parti.

Nous souhaitons vivement que ce travail, absolument nécessaire à la réussite de notre entreprise soit confié à notre camarade Henri Bourbon, avec lequel nous avons longuement discuté de nos projets.

Son rôle serait :

1° avec l'accord et l'appui du Parti, d'entrer en contact avec les organisations politiques et syndicales de la classe ouvrière et toutes organisations de masses (Partisans de la Paix, U.F.F., etc.) pour leur vendre nos spectacles — et nous faire connaître leurs besoins;

2° avec l'aide au début d'imprésarios (amis personnels de Martin ou de Vailland) d'organiser nos tournées, également dans le « circuit normal »;

3° d'administrer notre troupe;

et enfin d'être le lien entre notre troupe, *troupe indépendante*, mais dirigée par des communistes qui entendent mettre leur art au service du Parti, et la direction du Parti.

Notre camarade Henri Bourbon est actuellement occupé :

1° 8 heures par jour par son travail de facteur aux écritures à la S.N.C.F.

2° par ses responsabilités politiques dans le département de l'Ain.

La société que nous constituons pour l'exploitation de notre production théâtrale lui assurera un traitement qui lui permettra de demander à la S.N.C.F. sa mise en disponibilité.

Il faudrait qu'il puisse consacrer tout son temps à l'administration de notre troupe.

Il estime avec nous que notre travail sur le plan théâtral peut et doit être de la plus grande efficacité dans la lutte que mène actuellement notre Parti.

Pourrais-tu nous recevoir tous les trois le plus rapidement possible, pour que nous te donnions tous les détails complémentaires nécessaires ?

En fraternelle affection.

[1955]

Le 7 mai
[A Élisabeth]

Ma douceur, comme c'est triste de voyager sans toi.

Il est 13 heures 20. En Tchécoslovaquie [1].

Le convoi vient de s'arrêter. Je ne sais pas pourquoi.

Je suis dans l'autobus T 14. Il y a des maisons ouvrières. Il semble que nous soyons sur un grand plateau. Il souffle un grand vent très froid.

Nous n'avons plus d'interprète, parce que nous allons franchir tout à l'heure la frontière allemande. L'interprète tchèque s'appelait Slavka; elle avait un petit visage, très frêle, presque sans lèvres et elle n'aime que la musique. Comme elle souriait tout le temps, les autres journalistes croyaient qu'elle avait 19 ans. Mais moi qui sais tout, je savais qu'elle avait 32 ans. Je lui ai offert un disque de Chopin.

Les coureurs doivent être quelque part très loin derrière nous. Les Indiens sont bien gentils, qui arrivent toujours quatre heures après les autres. Ces autres sont sérieux. On est très sérieux.

C'est ma première lettre, parce que c'est seulement aujourd'hui que je suis adapté à cette vie très spéciale de coureur sur autobus. Maintenant je crois que je pourrai continuer éternellement, et même écrire un roman en route...

1. *Roger Vailland fait un reportage sur la « course de la paix », course cycliste qui se déroule en République Démocratique Allemande, Tchécoslovaquie et Pologne.*

... Mais, ma tendresse, comme c'est triste de voyager sans toi.

On loge dans des grands hôtels, dans des grandes chambres, à plusieurs lits. Depuis deux jours je couche avec *L'Unità* et *l'Avanti*. La nuit d'avant j'avais couché avec *l'Ahram* du Caire, qui s'appelle Neguib comme l'autre. Notre conversation a commencé ainsi :

— Monsieur Roger Vailland, comme je suis honoré de vous connaître...

— Très flatté, croyez, de même...

— Seriez-vous par hasard déjà venu en Égypte ?

— Oui. En prison.

Mais, mon amour, comme c'est triste de voyager sans toi.

Je ne bois que de la bière et de l'eau minérale. Aussi bien le slivovice est exporté et la vodka coûte plus cher que le whisky du Pont-Royal...

Il est 18 h 10. A Dresde.

Ma douceur, comme c'est amer de voyager sans toi.

... j'ai été dérangé tout à l'heure de t'écrire par les coureurs qui nous sont tombés dessus à 40 à l'heure, poussés par un vent de tempesta. Notre autobus a eu bien du mal à les rattraper. On a traversé au milieu d'eux une sorte de région où la terre est toute retournée, comme dans les mines du Nord, mais la terre est brune, ça doit être des mines de fer; et puis des hauts fourneaux, des cheminées et une foule immense qui agitait des petits drapeaux rouges et acclamait les coureurs et l'autobus T 14; je répondais gentiment de la main, alors on acclamait encore plus fort...

Les enfants des écoles sont rangés le long de la route et agitent des banderoles de papier, comme il doit y en avoir en Italie.

Enfin le T 14 a réussi à dépasser les coureurs, et la foule n'a plus eu que nous à acclamer. On est monté à travers des grands sapins comme en Savoie, une montagne qui s'appelle l'Altenberg et qui doit être très célèbre, ça se sent à des petits détails comme des bancs sur les parapets, des sentiers bien propres, on doit y grimper le dimanche en chantant, ce n'est pas notre genre...

Mais, ma sagesse, comme c'est folie de voyager sans toi.

En haut, à la frontière, j'ai retrouvé les chères étoiles des camarades soviétiques, mais il y avait aussi des Allemands, je sais bien que ce sont aussi des camarades, mais ce n'est pas la même chose, gloire au grand Staline, à bas les sociaux-traîtres.

A peine avions-nous franchi cette frontière que des interprètes se sont précipités dans le T 14. Je n'ai pas de chance, le mien est un garçon, il fait des chroniques littéraires, il est très inquiet de savoir pourquoi un écrivain comme moi suit une course. J'ai cru comprendre que les écrivains comme moi ne quittent plus leur bureau que pour des réunions genre C.N.E. La presse internationale annonce que je prépare un roman sur le cyclisme...

... Avant-hier Slavka m'a conduit dans une ferme remise en valeur par une brigade de jeunes Praguois, près de la frontière bavaroise. Eux aussi étaient surpris de voir un écrivain, car il paraît que seuls les journalistes se dérangent pour voir ce dont ils parlent. C'était fort gai. Mais tu liras cela dans *l'Avant-Garde*.

Mais, ma bienveillance, comme cela rend maussade de voyager sans toi.

Les coureurs nous ont suivis de près dans la descente. Les Allemands nous acclamaient moins; les Allemandes sont moins fraîches que les Tchèques. Le T 14 est tombé en panne, juste à l'entrée du stade de Dresde où 50 000 personnes hurlaient parce que le haut-parleur annonçait que c'était un Allemand qui était en tête à l'entrée de la ville. Mais au dernier moment, c'est un Belge qui est passé premier. Grosse émotion. Pour moi aussi, c'est très excitant une arrivée avec la foule qui hurle (alors j'ai des larmes dans les yeux). Et puis je cours voir les premiers coureurs arrivés, qui titubent, ou bien restent encore un moment à vélo, en tournant sur eux-mêmes.

Le gouvernement italien a refusé leur passeport aux coureurs italiens. Mais il y a un Français dans le peloton de tête : il s'appelle Orphée Meneghini. Il est 6e aujourd'hui. Mais il pourrait bien être premier, dit-on, à Varsovie.

Mais, mon amour, comme cela dessèche le cœur de voyager sans toi.

A Prague, j'ai surtout vu Ivo qui a demandé au Ministère un congé de six mois, qu'il consacre à la poésie. Nous avons parlé interminablement, et surtout du romantisme révolutionnaire. Il attache beaucoup d'importance à *Beau Masque* (j'emporte le contrat de traduction dans ma poche, malgré l'Agence Littéraire Parisienne qui avait voulu forcer la main aux Tchèques. J'ai mis cruellement les choses au point). J'aime beaucoup Ivo. Stacha est en train de perdre sa mère, qui a un cancer dans l'intestin. Tous t'embrassent beaucoup, et tout et tout.

La traductrice de *Beau Masque* s'appelle Dacha Steinova. Dacha est le diminutif de Dagmar. Dagmar est le nom d'une reine de Bohême, qui était d'origine danoise. M. le Professeur psychiatre Stein a baptisé sa fille Dagmar, pour qu'elle soit viable aussi bien en Allemagne qu'en Tchécoslovaquie. Là-dessus Hitler est arrivé et les Stein sont partis pour l'Angleterre. Le père y est resté et y pratique l'élevage des vaches, selon des méthodes à lui. Mais Dagmar devenue communiste en pleine guerre est partie par l'Égypte, l'Irak et l'Iran en U.R.S.S., puis aujourd'hui à Prague, où redevenue Dacha, elle va traduire *Beau Masque*. Tel est le monde d'aujourd'hui.

Mon interprète arrive. Cette nuit, je concubine avec un journaliste belge.

Comme c'est triste, comme c'est triste mon amour de voyager sans toi.

Demain je suivrai la course dans une vraie voiture de course, décapotée, jusqu'à Leipzig, où fut tué mon ami Madrus.
A tout à l'heure mon amour

Roger.

Non ce n'est pas Leipzig, c'est Karl Marx Stadt, anciennement Chemnitz. On tombe dans les fêtes de la Libération. On va faire trois petites étapes jusqu'à Berlin.

Ma fidélité, comme c'est « qu'est-ce que je suis venu faire là ? » quand je voyage sans toi.

Karl Marx Stadt (ex-Chemnitz)
Dimanche 8 mai, 19 heures, hôtel
[A Élisabeth]

Ma beauté, comme c'est laid de voyager sans toi.

J'ai fait alliance avec *L'Unità* et l'*Avanti* et aujourd'hui et pour les jours suivants, nous suivons la course, dans une petite voiture, conduite par un illustre chauffeur de course tchèque. Petite étape de 100 kilomètres, mais je me suis bien amusé à la fin, quand tout le monde s'est excité, et moi aussi. C'est un Français qui a gagné et que 50 000 Allemands ont acclamé à tout rompre sur le stade de l'ex-Chemnitz. Telle est l'histoire de notre temps. Marco et Guido étaient bien contents pour moi.

Ma joie matutinale, comme ça manque de sel de voyager sans toi.

Les femmes ont moins d'éclat et de rires qu'en Tchécoslovaquie. Elles ont encore la guerre et la misère sur le visage, moins qu'à Berlin il y a deux ans, mais encore beaucoup. Comme nous attendions d'être rejoints par les coureurs dans une petite ville, j'ai regardé tendrement une petite volkpolizei, qui est devenue toute rose de plaisir ; elle n'était pas jolie du tout et ne me plaisait pas, mais c'était pour lui laisser un joli souvenir. Elle m'a fait de grands gestes d'adieu, quand nous avons démarré en flèche, pour suivre le Français, futur vainqueur, qui venait de se détacher du peloton et filait comme le vent. Peut-être qu'elle va rêver de moi pendant des années. C'est bien plaisant à penser.

Mais, quand même, ma pétulance, comme c'est lourd de voyager sans toi.

Ce matin j'ai parcouru le centre de Dresde. C'est une plaine rase où l'herbe et les buissons poussent sur des ruines bien nettoyées, bien aplanies. Au milieu les Saxons ont reconstruit une église et un palais d'un style baroque autour de 1700, plus italien que nature mais avec démesure, et qu'ils considèrent vraisemblablement comme leur tradition nationale. Telle est l'histoire de notre temps. Et puis je me suis fait expliquer par un spécialiste les porcelaines (de Saxe bien sûr) du musée.

Mais comme il serait bon, ma grâce et ma fraîcheur, d'être avec toi derrière les rideaux violets.

Ce musée montre avec beaucoup de clarté l'histoire de ces fameuses porcelaines. Les Allemands font très bien les musées. J'en ai retenu beaucoup de choses pour Meillonnas. Il faut d'abord trouver les couleurs qui réussissent avec une terre donnée. Ensuite on joue avec. Au fait, je rapporte beaucoup de choses pour notre petite maison, et surtout de très belles estampes chinoises, insectes, fruits et fleurs, découvertes à Prague, de quoi faire un immense panneau, sur le mur du fond de la cuisine.

Mais comme c'est triste, mon amour, de ne même pas savoir où tu es, ni ce qui s'est passé avec ce grain de beauté. J'ai téléphoné à Genève ce matin, mais ça ne répondait pas.

Tout le monde parle de Leipzig où nous serons demain, comme d'une grande capitale. Ici, c'est plutôt comme la banlieue bien propre d'une ville qui n'aurait pas de centre. Je vais tout de même aller voir cela d'un peu plus près. Marco et Guido doivent avoir fini leurs articles.

A tout à l'heure, ma beauté, mon amour. Comme c'est absurde de voyager sans toi.

Comme je t'aime, comme je t'aime

Roger.

Ce soir enfin une chambre seule et même un bain. En arrivant j'ai fait ma lessive!

Dis beaucoup de choses tendres à Henri et à Jeannette auxquels je pense très souvent, et embrasse pour moi notre Huguette.

Lundi 9 mai

Ma pétulance matutinale, je te salue.

Je suis dans la petite voiture, sur une place de Karl Marx Stadt, en attendant le départ de la course. Guido fait de la dépression mélancolique (sous-tendu par manque de café à l'italienne).

Les Républiques populaires sont déjà socialistes par le contenu (socialisation des moyens de production) mais encore bourgeoises par la forme. La classe opprimée, en prenant le pouvoir, adopte les formes de vie de l'ancienne classe privilégiée. C'est particulièrement sensible dans l'habillement et l'ameublement et tout particulièrement le dimanche. Le prolétariat tout entier a soudain les moyens de vivre comme la petite bourgeoisie et le fait, dans les mêmes formes. La nation tout entière se met à porter des cols durs. Et elle s'y complaît. Le rôle du parti communiste reste donc plus que jamais d'avant-garde, avec tout ce que cela comporte d'héroïsme et de risques de se couper des masses; sur le plan concret cela se traduit par une lutte de tous les instants contre les opportunistes qui, satisfaits des possibilités du présent, essaient d'empêcher qu'on garde la priorité à la production des moyens de production.

A Karlovy-Vary, j'ai passé une dernière soirée fort pénible, dans la grande salle à manger d'un palace 1900, face à un programme « artistique » baptisé « soirée culturelle » et aussi ignoble qu'il aurait pu l'être à Vichy ou à Évian, avec jazz, acrobates burlesques, qui ne différaient que par encore plus de médiocrité de ce que nous refusons d'aller voir en France. Or le public, incontestablement populaire, était content.

La première réaction est évidemment de se demander s'il n'est pas absurde de nous battre pour permettre aux masses populaires d'accéder à des plaisirs que nous méprisons.

Réaction juste, dans le moment où elle se produit mais qui doit être surmontée dans les perspectives staliniennes. Et aussi en approfondissant la notion marxiste de l'aliénation. Enfin, en contrepartie, et à l'inverse, en se gardant de ceux qui veulent imposer au peuple une culture « populaire » au lieu de laisser le peuple se la forger, dans la société sans classes... Il faudra mettre tout cela au point.

Mardi 10 mai, Leipzig, matin

Foule énorme tout le long de la route hier.

Les ouvriers, ouvrières, employés, employées des usines et des mines massés le long des routes. Le peuple allemand est beaucoup plus « humain », à l'aise, souriant, simple, naturel en semaine que le dimanche : parce que en costume de travail. L'embourgeoisement est lié à l'endimanchement.

Comme à Dresde, Karl Marx Stadt et naguère à Berlin, tu te rappelles, l'horrible hôtel caravansérail. Le garçon qui se plaint en français d'avoir été négociant en vins et de ne plus l'être; comme il devait être respectable et respectueux ce négociant; et comme c'est piquant de le voir faire de l'équilibre avec son plateau de demis de bière. C'est le côté négatif des révolutions qui est le plus plaisant. Mais comme je suis de nature plutôt bienveillante, j'ai fini par avoir pitié de lui. Et l'interprète juive des Anglais, fort élégante dans un tailleur sport de gabardine beige, qui plie en vitesse dans un journal les petits pains laissés sur la table.

Les coureurs français, vainqueurs à Karl Marx Stadt ont été écrasés à Leipzig, pulvérisés. Le premier est arrivé avec trente minutes de retard.

Scène poignante à la salle de massage. Je vais voir Gouget, le vainqueur de la veille, qu'on est en train de masser. Il ne me parle que d'une petite statue de bois dont on lui a fait cadeau le matin. Il la tourne et la retourne dans ses mains, la caresse. Il ne me dit pas qu'il n'est pas allé jusqu'à la ligne d'arrivée, mais que très en queue de la course, pris de désespoir, il a tout plaqué à quelques minutes de l'arrivée, et est allé tout droit à l'hôtel. Et moi qui devine quelque chose de ce genre, je n'ose pas lui poser de question. Nous n'avons parlé que de la statue.

Un singulier Anglais. En Bohême, au cours d'une étape très dure, se trouvant en tête, il s'arrête pour boire un verre de bière dans une auberge, puis rattrape le peloton. Hier, à quelques kilomètres de Leipzig, et se trouvant dans le peloton de tête, il en a eu brusquement marre, a laissé là son vélo et est monté dans une voiture qui passait. Le voilà éliminé. Dommage.

Mon amour, mon amour, comme c'est triste de voyager sans toi.

13 heures. J'attends au téléphone Genève où tu es peut-être encore...

23 heures. Cette journée de repos (pour les coureurs) à Leipzig, vient de s'achever sur un banquet à la Présidence du Conseil. Salle de réception neuve, toute blanche avec les couleurs vives des drapeaux comme ornement, un peu dans le style de chez nous.

Je me suis mis avec les mécanos, masseur, directeur de course de l'équipe de France. Curieux langage très parisien entièrement fait de jeux de mots et d'obscénités.

Comme c'est triste un long voyage, sans toi, ma beauté fidèle.

Je t'aime

Roger.

Wroclaw (ex-Breslau), dimanche 15 mai
[A Élisabeth]

Mon amour, ma tendresse, ma douceur, ma sagesse.

Je t'avais laissée à Leipzig, je ne sais plus quand, il y a très longtemps, il ne m'est plus resté de temps pour écrire, et puis je passe par une crise de sommeil, c'est peut-être le manque de bon café, dès l'étape finie je m'endors.

(Sauf à Gœrlitz (Saxe), dernière étape allemande, où il y a eu une fête de nuit offerte par un journal sportif allemand, que j'ai finie au soleil levant, en me congratulant, avec un journaliste soviétique et beaucoup de vodka, de Stalingrad et de la résistance française, je crois bien que nous en avons pleuré tous les deux.)

Ce fut la seule dérogation à mon régime sec.

Marco, qui est de Lucques, a fait ses études à Florence et vit à Rome, de type plutôt florentin, a été éreinté par les Allemandes. Elles l'ont poursuivi de ville en ville et il les retrouvait, une petite valise à la main, devant la porte de nos nouveaux hôtels.

C'étaient des Allemandes d'un type particulier, tête de mort mais peau très rose, très maternelles, qui lui caressaient les cheveux en disant avec un accent italien pire que le mien : « mangia, mangia, piccolo mio... » Curieux peuple, où au demeurant les goûts à la [...] [1] continuent de prédominer.

A Berlin, je n'ai vu que Benno et Ivy, les Langholf étant à Weimar pour un festival Schiller. J'ai donc dîné chez Ivy, puis nous sommes allés tous les trois faire un tour à la Moeve. Atmosphère beaucoup moins tendue qu'en janvier 53. Jolie vitrine. Bien plus encore qu'en Tchécoslovaquie, tout ouvrier allemand commence à accéder au bien-être petit-bourgeois. Une double et gigantesque loterie nationale hebdomadaire sous forme de lotto et toto, à l'italienne, passionne toute la R.D.A.

Très heureux, hier, d'avoir passé la frontière polonaise, où se retrouve tout de suite un vrai peuple.

1. *Homosexuel.*

Lodz, mardi 17

10 heures, comme c'est triste les matinées, quand ma pétulance matutinale ne danse pas autour de moi.

Bon. La course sera finie tout à l'heure. Elle est déjà jouée. Plus question de l'équipe française, sauf dans le genre héroïsme gratuit qui sidère tout le monde : le blessé par une chute jusqu'à l'os du genou, qui court tout de même encore 120 kilomètres pour finir l'étape. C'est un Allemand qui va gagner et c'est le meilleur; tout est en ordre.

Depuis quelques jours on m'interviewe pour toutes sortes de journaux de toutes sortes de pays. Je suis le phénomène, l'écrivain qui ne reste pas dans son bureau. Mais je commence à être fatigué.

Et puis il y a le côté Kafka de ce genre de caravane, surtout pour moi qui ne comprends aucune langue étrangère. Je ne sais jamais très bien jusqu'à quel point je suis réveillé, je perds ma voiture, ma place à table, et ma tête. Par bonheur, tout le monde est très gentil. Par bonheur, pas d'articles à téléphoner; alors, à la fin de l'étape, quand tous les copains se battent au téléphone, je prends mon bain, je me rase, je fais ma lessive et je réapparais frais et dispos. Les journaux parlent de moi sur ce ton : « au milieu de la caravane sportive quel est cet homme d'environ 45 ans, toujours vêtu de sombre, col et cravate impeccables ? » Marrant.

Mais ma joie, mon bonheur, ma fidélité, comme c'est mélancolique de voyager sans toi.

« Cet homme d'environ 45 ans »... n'a plus envie de voyager. Il faut pourtant. Je crois que j'ai compris beaucoup de choses au cours de ces deux semaines. Très intéressant de revoir ces pays avec justement des sportifs apolitiques. Je me fais beaucoup de mises au point.

Mon amour, quand tu auras cette lettre, je ne serai plus loin. Comme je t'aime, mon bonheur.

Roger.

[1956]

Le 27 février

Mon cher Sylvestre,

Je suis content que tu préfères le Bressan « personnage presque mythique »; c'est bien lui qui approche le plus de ce que je voudrais faire.

Je m'embarque dans une grande entreprise romanesque; au centre un révolutionnaire professionnel, ce que je n'ai pas réussi avec Pierrette Amable, la solitude du communiste quand il est vraiment à l'avant-garde, l'avant-garde est par définition seule. Pour la forme, orientation Flaubert-Hemingway, la prose-objet, objet comme un poème, mais à sa manière de prose, dans son asymétrie, ce dont je me suis approché dans la chasse des *Mauvais Coups*, la promenade dans la montagne de *Beau Masque*, la course de *325 000 francs*. Je ne suis pas encore tout à fait embarqué. C'est un très gros morceau. Mais je ne peux pas éternellement éluder le vrai grand sujet. C'est pourquoi aussi je suis touché des exigences de ta lettre.

Quant au livre d'Hervé je le trouve indéfendable, en particulier parce qu'il est le produit des maladies infantiles qu'il prétend combattre[1]. Un certain nombre de « permanents » de sa génération ont un complexe d'Œdipe vis-à-vis du Parti, ils tapent du pied et cassent une potiche. Ma mère

1. *Roger Vailland fait allusion au livre que Pierre Hervé, encore membre du Parti Communiste, venait de faire paraître sous le titre* La révolution et les fétiches.

disait que tant qu'on n'a pas l'âge de raison on ne doit pas se mêler des conversations des grandes personnes.

Sauf contre-ordre, nous irons dîner chez vous à Lyon le vendredi 16 mars à 20 heures, et bavarder de tout cela.

Notre amitié à vous deux.

Roger Vailland.

1956-1965

Fin février 1956, alors que vient d'être présenté à Moscou le retentissant « rapport Khrouchtchev » (dont on ignore tout en France), Vailland songe donc à un nouveau roman, qui aurait la même inspiration que Beau Masque *: il reste invariablement dans cette « perspective communiste » qui est la sienne depuis 1950. Son dernier roman,* 325 000 francs, *a paru en feuilleton dans* L'Humanité, *et quand, dans les réunions politiques, on le présente : « Roger Vailland, un écrivain au service du peuple », il en est à la fois ému et heureux.*

Quelques semaines plus tard, les premiers échos du rapport Khrouchtchev lui parviennent, et en mai un voyage à Moscou lui permet de tout apprendre. C'est pour Vailland un véritable traumatisme. « Duc s'était trouvé comme mort. L'histoire de son temps et sa propre histoire qu'il croyait aller de concert, et il s'en glorifiait, lui avaient paru soudain aller à contretemps. Tout avait été remis en question de ce qu'il avait estimé le plus assuré[1]. »

Au drame que connaissent tous les communistes s'ajoute pour lui un drame propre, qui tient à son équation personnelle : il s'est forgé du bolchevik une image où entre peut-être une part des fantasmes de sa vie passée : le bolchevik est un type d'homme que rien, aucune forme de tabou ne peut intimider. Et voilà que l'image s'écroule. L'année précédente encore, il écrivait dans 325 000 francs : « L'écrivain arrivé à maturité a résolu ou surmonté ses conflits intérieurs; ses problèmes sont devenus ceux de l'humanité de son temps; il ne lui reste plus comme problèmes personnels que ceux de

1. *La Fête.*

la diététique. » *Mais il s'aperçoit, à quarante-neuf ans, que sa maturité était bien dérisoire.*

Il s'enferme à Meillonnas, pour faire le point de lui-même. « Il avait écrit sur deux colonnes, *j'aime, je n'aime pas* [...] Il avait décidé de consacrer une journée (ou une semaine ou un mois) de méditation, plume à la main, à chacun de ces chapitres. Cela devait faire un livre. Vers la soixantième page, il avait écrit : « Ça ne m'intéresse plus [1]. »

« Je me trouvai, *dira-t-il encore*, si battu, si brisé de fatigue, que, pour un temps je ne pensai plus qu'à dormir, oint d'huile d'olive, nu dans le soleil, sur une plage italienne de l'Adriatique[2]. »

Il en naîtra La Loi. *En mettant au centre de son roman Don Cesare, monarchiste libéral qui continue de cotiser au parti monarchiste libéral, mais sans croire à sa victoire ni même à la légitimité de sa victoire, et qui meurt en posant la main sur ce qu'il a le plus aimé dans sa vie, Vailland proclame sa propre mort en tant que communiste : il en a terminé avec le temps de la fraternité.*

Il quittera le Parti sans éclats, se bornant à ne pas « reprendre sa carte ». Il part, après le Goncourt, pour un long voyage dans l'Océan Indien. Il lui faudra longtemps pour se remettre de sa déchirure; La Fête *en sera l'écho.*

Il entreprend ses œuvres posthumes. « Oui. Je tiens des cahiers intimes. C'est drôle, vous voyez, je les ai commencés avec ce voyage dans l'Océan Indien. Au fond dès que j'ai eu renoncé à transformer le monde [3]... »

1. *La Fête.*
2. *Le Regard Froid.*
3. *Interview au* Monde *par Jacqueline Piatier (16 février 1963).*

[1956]

[Prague [1]]
Dimanche après-midi [avril 1956]
[A Élisabeth]

Mon amour, mon amour, mon amour,

Le congrès est terminé.

Je pars demain pour Moscou.

Ci-joint quelques-uns de mes portraits dans la presse Tchèque et Slovaque. Sur une des photos, Nazim Hikmet avec qui j'ai fait grande amitié.

Impossible de parler d'autre chose que de politique, même avec les filles. En rentrant, je ferai huit jours de jardinage, sans voir personne d'autre que toi, sans lire un journal, sans écouter la radio.

Mon amour, mon amour, mon amour, nous sommes des lions et de vrais bolcheviks, mais ça semble devenir bien démodé.

Il va falloir inventer quelque chose de drôle pour distraire notre vieillesse.

Je t'embrasse comme je t'aime, c'est-à-dire comme le Vésuve et l'Etna combinés.

Roger.

1. *Roger Vailland assiste au Congrès des écrivains tchécoslovaques.*

[Moscou]
[A Élisabeth]

A la fin des temps
c'est la fin des anges
c'est la faim des langes
c'est la fin des faims.

Ma douceur, ma pétulance matinale, ma joie vespérale, mon plaisir poméridien, mon bonheur nocturne...

Comment t'expliquer tout cela ? Cette grande histoire qui se déroule ici depuis presque un demi-siècle, est entrée dans une nouvelle phase. Il y aura des pas en arrière, des retours de flamme, mais dans l'ensemble il se forme quelque chose de tout à fait nouveau. Nos amis français ont beau s'écraser les yeux pour ne pas voir, c'est comme cela. Tes ancêtres d'Imola auraient mieux compris : imagine les salades de leurs petites républiques à l'échelon d'un seul grand État de 200 millions d'hommes.

On ne trompe pas sa faim
avec des mate-la-faim
On ne tue pas son père
Avec n'importe quelle pierre
Car il faut [1]

Il va falloir retirer le portrait au-dessus du bureau. Ce fut un homme très génial et très terrible, je l'aime, mais il n'a pas plus de raison d'être là (au-dessus de mon bureau) qu'Héliogabale. Maintenant on tâtonne dans du nouveau, qui n'est pas encore bien plaisant, mais qui va devenir bien piquant et tout à fait différent de ce qu'imaginaient les pédants et les puritains.

Je n'ai pas le temps d'écrire en détail mais fais-moi penser à te raconter :

1er mai, dans la foule, à la fin du défilé.

1er mai, un bal dans le « parc de la culture » de l'usine Zim.

1. *Inachevé dans le manuscrit.*

1er mai, même soir, une fête très en privé des jeunes gens du cercle théâtral de la même usine,

l'histoire d'un mauvais jazz spontanément remplacé par les délégués des peuples africains et asiatiques, ce qui constitue aussi une fameuse leçon de politique;

une histoire d'oranges sur quoi j'ai édifié une théorie parfaitement dialectique de la corruption;

une mise en scène de *Nekrassov* de Sartre par Ploutchik disciple de Meyerhold — et la terrible histoire de l'assassinat et de la réhabilitation de Meyerhold;

le cimetière des artistes, écrivains et femmes illustres du régime, au Couvent des Nouvelles jeunes filles. Penser à faire un album sur les nouvelles formes de l'art funéraire au pays des Soviets [1].

21 mai 56
[A R.M.]

... On se croit à l'extrême pointe de son temps et l'on réalise soudain que l'histoire est entrée dans une nouvelle phase, sans qu'on s'en soit aperçu. Il a bien fallu au retour décrocher le portrait de Staline. J'en reste un peu comme mort. Je crois que je serais maintenant capable d'écrire un livre sur moi-même, ce qui, à mon âge et après les précédents livres, est bien le comble du détachement de soi...

1. *Lettre inachevée et non envoyée.*

[1956]

[*Journal intime*]
5 juin

Je reviens de Moscou.

A mon arrivée, quinze jours plus tôt, la statue en pied de Staline était encore dans le hall de l'aérodrome. Le jour de mon départ, elle y était toujours, mais recouverte d'une housse blanche. On va bientôt l'enlever. Les hommes du bâtiment la fixeront avec des nœuds coulants et tireront sur le palan.

J'ai aimé jusqu'aux tics de son langage. Il posait les premières pierres d'un raisonnement, puis il disait « poursuivons »; j'ai adoré cela. Mais rentré chez moi, il a bien fallu ôter son portrait sur le mur, au-dessus de mon bureau; le laisser, c'eût été prendre parti contre ceux qui, là-bas, poursuivent la construction du monde qu'il a commencé d'édifier, et pour ceux qui, ici ou ailleurs, aspirent à la tyrannie.

Je ne mettrai plus jamais le portrait d'un homme sur les murs de ma maison.

Dans le coin de la bibliothèque réservé aux historiens de la révolution française, j'ai également décroché les deux grandes gravures d'époque, titrées « Journée du 21 Janvier 1793 », « Journée du 16 Octobre 1793 »; on y voit le bourreau montrer à la foule la tête de Capet, un autre bourreau lever le couperet de la guillotine, tandis que ses aides font monter sur l'échafaud Marie-Antoinette. La foule applaudit. Conventionnel, j'eusse voté pour la mort de Louis XVI et pour celle de Marie-Antoinette; je veux dire par là qu'aujourd'hui encore, dans des circonstances analogues, je voterais la mort. Mais Meyerhold que j'aime, que j'aimais, a été fusillé, en exécution d'un jugement inique, dicté par Staline, que j'aimais. Je ne pourrai plus jamais me réjouir que le sang soit versé, même celui de mes ennemis, sauf si c'est par moi-même, en loyal combat.

Je n'ai pas le cœur tendre. Un jour, j'ai chassé de chez moi la femme que j'ai le plus aimée; je l'ai regardée qui descendait l'escalier, traînant ses bagages après soi; elle a retourné vers moi son visage inondé de larmes, ce visage dont naguère chaque expression s'inscrivait au creux de ma poitrine, me remplissant d'angoisse ou de bonheur, je n'ai pas versé une seule larme. Par la suite, elle est revenue dans mes rêves, m'a puni de jalousie, comme aux premiers temps que je l'avais connue; je la voyais descendre l'escalier, comme le jour du départ, mais c'était un visage joyeux qu'elle tournait vers moi, « je vais rejoindre mon amant », disait-elle. Mais de mes rêves aussi je l'ai effacée et je ne pense plus jamais à elle. Autre chose : en juin 1940, la défaite de mon pays ne m'a pas fait verser une seule larme; j'étais plutôt joyeux; les Français m'irritaient à cause de leur goût exagéré pour les villas de banlieue et les petites automobiles.

Mais j'ai pleuré le jour de la mort de Staline. Et j'ai de nouveau pleuré sur le chemin de Moscou, à Prague, j'ai pleuré toute une nuit, quand j'ai dû le tuer une seconde fois, dans mon cœur, après avoir lu le récit de ses crimes.

Dans la même nuit, j'ai pleuré sur Meyerhold, assassiné par Staline, et sur Staline assassin de Meyerhold. Je me citais Shakespeare, *Jules César*, acte III, scène II, Brutus :

« J'aimais César, et je le pleure; il fut heureux dans ses entreprises et je m'en félicite; il fut courageux, et je lui rends honneur; mais il avait décidé de se proclamer roi, et je l'ai tué. »

Je répétais :
« J'aimais Staline, et je le pleure; il fut heureux dans ses entreprises et je m'en félicite; il fut courageux et je lui rends honneur; mais ce fut un tyran et je le tue... »

En rentrant à la maison, j'ai mis à la place du portrait de Staline la joueuse de flûte qui orne le trône de Vénus du Musée des Thermes, à Rome. C'est encore un poète anglais qui me revient à la mémoire : « a thing of beauty is a joy for ever ». Mais je suis comme mort.

On se croit à l'extrême pointe de son temps et l'on réalise soudain que l'Histoire est entrée dans une nouvelle phase, sans qu'on s'en soit aperçu.

J'admire qu'un homme ait osé décider de changer le climat d'un continent et créer une mer sur les sables du désert *.

Le bolchevik m'avait paru par excellence l'homme de mon temps, et je pensais que c'était sur lui que je devais me modeler, si je voulais vraiment vivre mon temps, et lui que je devais parvenir à peindre, dans toute sa réalité, si je voulais être un écrivain qui dure, c'est-à-dire qui a peint, dans son essence, le monde de son temps. Mais déjà le bolchevik est un personnage historique, comme les disciples de Socrate, les Romains de la république, les chevaliers errants, les conventionnels ou les chefs d'entreprise qui édifiaient des empires sur leurs machines. Un autre type d'homme est en

* Mais on vient de me raconter que des millions d'arbres ont été plantés dans un sol où l'on savait qu'ils ne pourraient pas pousser et le canal d'Asie creusé dans un sol fissuré, parce que personne n'avait osé dire à Staline qu'il se trompait dans le choix des essences du rideau d'arbres et sur le tracé du canal.

train de se forger, qui ne devine pas lui-même ses traits, et qui ne ressemblera à rien de ce qui a encore existé. Il faut planter là tout ce qui n'est plus déjà vivant que dans la mémoire.

J'en serais comme mort. Mais si tu penses que tu en es comme mort, c'est que tu vis, ô homme.

Une autre histoire de ma vie. Il m'est arrivé d'être très malade. Une maladie qui pendant des années m'a englué le sang. C'était comme si mes veines charriaient des toiles d'araignée poussiéreuses qui traînent dans les recoins des granges. Mon visage avait pris la couleur du plomb. J'étais devenu comme ces plantes qu'on trouve parfois quand on soulève une grosse pierre, qui ont poussé sans air et sans lumière, qui se sont quand même développées, mais blanches et molles, souvent démesurées, comme des géants sans squelette, se nourrissant en quelque sorte d'elles-mêmes. J'avais perpétuellement une buée grise devant les yeux. Je croyais le monde devenu sans consistance parce qu'il y avait toujours cette buée entre lui et les organes de mes sens, et je m'en réjouissais paradoxalement, parce que je croyais avoir trouvé ainsi la liberté de l'esprit; je parlais, je pensais avec une extrême aisance, ne parlant plus qu'à moi-même; j'écoutais non sans plaisir ma pensée s'emballer comme un moteur qui ne meut rien que lui-même, peut-être étais-je en train de muer, à l'intérieur de mon cocon; la chrysalide qui pousse ses ailes doit ainsi s'exalter (se réjouir) de la vélocité de sa métamorphose.

Je m'étais incorporé à ma maladie. Je passais le plus clair de mon temps à en guetter les effets, à essayer de les régler; je dosais à l'infini le remède (qui était aussi le poison), cessant peu à peu de m'étonner que l'accumulation ne produise pas nécessairement un changement et parfois le changement inverse de celui qui avait été escompté. J'ai ainsi appris sur mon propre corps la dialectique de la quantité et de la qualité.

Je me suis fait soigner quand déjà la maladie que j'avais si longuement nourrie de moi-même, s'était détachée de moi.

Je suis de bonne race. Chaque fois que j'ai pu croire que la maladie, ou la passion d'amour ou les affaires politiques, me possédaient si bien que je n'étais plus qu'elles-mêmes, je me suis aperçu dans le même moment qu'elles s'étaient déjà constituées en un organisme étranger; quand je suis entré en clinique, le médecin n'eut qu'à trancher le cordon ombilical.

C'était à Lyon. Un lit et une chaise de fer, une table de bois blanc; une chambre comme une cellule; aussi bien y enfermait-on parfois les fous. Le bâtiment est édifié sur une colline qui domine la Saône, où mènent des jardins en terrasse; mais de mon lit je ne voyais que le ciel, au travers de la fenêtre.

Aussitôt apaisés les spasmes du sevrage analogues aux convulsions du nouveau-né, comme un fruit dont on vient d'arracher l'écorce, pour la première fois nu dans la lumière, le froid, les bruits et les attouchements, aussitôt dégorgées les humeurs de la mue, je fus comme mort...

De petits bancs de nuages pommelés, que la lumière de la fin de l'après-midi rendait roses, glissaient très lentement dans le ciel. J'étais comme mort. Je me sentais me dénouer, exactement comme se déliaient ces minuscules nuages, quand le vent très léger qui les avait fait entrer dans l'horizon méridional de la fenêtre et qui accentuant lentement la courbure de l'arc qu'ils dessinaient, tendait à mesure qu'ils approchaient de l'horizon septentrional, à les dissiper en une brume dorée. Ainsi, pensais-je, sans angoisse ni bonheur, comme si j'étais une chose pour moi-même, ainsi pensais-je est la mort, ma mort. Mais si tu fuyais ta mort, c'est que tu vis, ô homme. Et je me mis soudain à chérir ce ciel tendre de mai, ma vie, au-dessus de la Saône que je devinais, lente, comme mon regard, le reflétant.

J'ai, comme disaient mes ancêtres, la vie solidement chevillée au corps.

Très important aussi. A peine avais-je perçu que je n'étais pas mort, je me mis à chercher les mots pour décrire ma mort. La même chose m'arriva le jour où le malheur d'amour fondit sur moi; je ne pensai qu'à le bien peindre et les mots se nouant bien, il se changea en exaltation. Non, je ne dirai pas, comme ce camarade français rencontré à Moscou et qui venait de lire le rapport du 25 février 1956 sur Staline : « Nous ne pourrons plus jamais être heureux. » Écrivain : inapte au malheur.

Je ne suis pas mort, seulement convalescent. C'est un état plutôt plaisant. On est léger, délivré, mué, nu.

Après l'autre affaire, celle de ma maladie, quelques jours après ma pseudo-mort, je descends pour la première fois en ville, par l'escalier de pierre de la Croix-Rousse, à tâtons; tant de lumière, tant de bruits, me faisaient tituber. Je ne pensais qu'à ne pas me cogner aux passants; je me sentais fragile et précieux. Le premier vol d'après la métamorphose; je ne ramperai jamais plus; pas une seule soie du cocon qui soit restée accrochée aux facettes de mes yeux; je suis lisse; mes ailes sont plus délicates que l'aube. Le premier vol est exaltant et épuisant. Je m'accotai à une maison face au petit portail de l'église Saint-Nizier. Son ogive est exquise. Ce fut à vrai dire la première chose que je vis de Lyon, ce jour-là, ayant été jusqu'alors trop uniquement préoccupé d'assurer ma démarche. Cette ogive s'inscrivit en moi, dans cette autre ogive que dessinent les côtes au creux de la poitrine. Quand je me remémore cet instant, je sens encore la poussée de cette voussure contre la voussure la plus sensible du corps de l'homme. Une ogive absolument parfaite; elle devait être ainsi, sans réserve. A thing of beauty, un objet de beauté. Belle comme est belle cette joueuse de flûte que je viens d'accrocher au-dessus de mon bureau, à la place du portrait de Staline. Si la flûte était un peu plus ou un peu moins inclinée vers le genou, la tête autrement penchée vers l'embouchure de la flûte, le coussin où s'inscrivent les fesses (un peu carrées comme d'un garçon) plié différemment, je souhaiterais peut-être la cuisse moins longue, le sein plus fier; mais il n'y a rien à changer, rien à souhaiter; un objet de beauté est tel qu'il est absolument. Ma chance aura été de découvrir à chaque convalescence un objet de beauté. Ainsi le monde salue mes renaissances.

Cette fois, c'est Rimbaud qui revient à ma mémoire.
Un soir, j'ai assis la Beauté sur mes genoux. — Et je l'ai trouvée amère. — Et je l'ai injuriée...

Cela s'est passé. Je sais aujourd'hui saluer la beauté.

Drôle d'histoire, qui commence à Rimbaud et aboutit à Jdanov. Au fait il y eut déjà Savonarole, Mahomet. Cela va et revient. J'espère qu'un jour, on sera bien étonné qu'on ait pu être pour ou contre « l'Art pour l'Art ». L'artiste ne peut que tricher avec la commande. « La foi naïve des constructeurs de cathédrales » : ne faites donc pas le jocrisse; les sculpteurs prenaient prétexte de la danse macabre pour dessiner l'*arabesque* qu'ils cherchaient depuis le premier jour où ils avaient commencé de tailler la pierre et dont ils approchaient peu à peu — ou pour glorifier le plus précieux de leur fille. L'art au service du peuple est aussi dévergondé que l'art au service des marchands de tableaux. Laissez faire ceux dont la vocation est d'utiliser la pierre, le mot, le son ou la couleur, non pour bâtir des maisons, donner des ordres, sonner l'alarme ou bleuir les vitres de la serre, mais pour apaiser leur main, leur cœur, leur oreille, leur œil trop sensibles, et, quand ils sont grands, rendre réel dans une seule œuvre, leur œuvre, tout ce que leur siècle, les siècles, édifient à tâtons. Et puis qu'on ouvre à tous la porte de ce festin; chacun y trouvera ce qu'il est digne de goûter.

Après avoir salué la beauté je continuai, dans une fièvre sans cesse croissante, de célébrer mes retrouvailles avec le monde. J'allai passer six semaines, dans une haute vallée, près du Mont Blanc. C'était le printemps, la fonte des neiges. Les torrents grondaient tout au long de mes nuits encore insomnieuses; (le sommeil profond de la nuit est l'ultime récompense qui n'est accordée qu'à la fin des convalescences). Au réveil, je découvrais de nouvelles cascades jaillies au flanc de la falaise. La montagne tout entière dégorgeait ses humeurs, comme j'avais fait le jour de ma re-naissance. J'unissais dans le même hymne triomphal la montagne et mon corps. J'allais dans la neige fondante cueillir la soldanelle, plante sans feuille, à tige de chair, et dont les fleurs en étoiles comme les cristaux de neige se flétrissent, comme ils fondent dans la main. Je m'émerveillais de trouver si chaude une terre dont jaillissaient de toutes parts des eaux glacées. Sentir le chaud, le froid, je retrouvais âme. Sur les flancs méridionaux, l'herbe était déjà haute; j'avançais lentement, comme on nage, et le menton comme sur la vague, je humais l'air, pour me diriger vers les zones de plantes à parfum; voilà des années que je n'avais pas perçu une odeur; j'ai retrouvé un à un les parfums de toutes les plantes des montagnes, et celui que je préfère à tous, de la terre mouillée et chaude. Je bénissais ma maladie puisque je lui devais les jubilations de la guérison et de découvrir le monde, à 36 ans, avec l'innocence de la première enfance. Un après-midi, couché dans la prairie, tué d'ivresses, je rêvai d'une grande fille qui courait nue dans l'herbe haute; de grosses gouttes de rosée perlaient sur ses cuisses; à longues et lentes foulées, elle n'allait pas très vite, exactement mon train; de temps en temps, elle se retournait et me souriait, comme pour m'encourager; elle était sûrement d'accord pour m'aimer mais elle ne ralentissait pas et je m'essoufflais vainement à vouloir l'atteindre. Je retrouvai aussi le corps des femmes, qui est comme la montagne, avec des zones d'ombre et de lumière, des fraîcheurs et des chaleurs et des parfums où l'on plonge, et toutes ces sources, frappées de lance, où boire. Ainsi se reconstituait ma mythologie de l'amour, avec la femme terre mer, prenante prise, et la fille merveille, consentante et inatteignable, — « comme j'aurais bien su t'aimer », m'avait dit le jour de notre séparation celle que je n'avais eue.

Je m'aperçus que je n'aimais plus les alcools. L'odeur même du vin me soulevait le cœur. Je retrouvai le goût de l'eau, des eaux, du lait, du beurre sur le pain avec un peu de sel pour en faire chanter la saveur. L'enfance revécue avec la conscience de l'adulte, ma merveilleuse histoire.

Un jour, j'ouvris un livre. C'était Flaubert, *La Légende de Saint Julien l'Hospitalier*. Il me semblait avoir imaginé cela jadis, une prose totalement prose, mais qui dépasse la différence entre la prose et la poésie, non pas un poème en prose, qui n'est qu'un poème mal fini, mais une prose en poème. Je fis venir Hemingway, *Sur les Vertes Collines d'Afrique*, qui est allé un peu plus loin dans la même direction. Flaubert, Hemingway, voilà les bons maîtres pour inventer la prose du XXIe siècle. Je pris la plume et j'ébauchai une sorte d'ode à la montagne, en me gardant bien du nombre et de la mesure. Guéri.

Dix ans voués à la passion d'amour, dix ans à l'opium, dix ans à la passion politique; on approche de la cinquantaine. Comme cette jeune fille qui, durant que j'étais à Ostie, plongea dans la mer Tyrrhénienne et nagea vers le couchant jusqu'à ce qu'elle n'ait plus de souffle; les pêcheurs retrouvèrent à l'aube son corps flottant sur les eaux; il serait légitime que je ne songe plus qu'à m'endormir doucement dans le roulement de l'onde amère. Aucun regret à traîner après moi comme une bouée dans cette ultime course. Je ne vous aime ni ne vous déteste plus, ô humains. Mais j'ai écrit des livres, et j'écrirai des livres; je suis un homme d'œuvre et la première ligne de ma première œuvre ne prendra tout son sens que quand j'aurai mis le point final à la dernière. Lié à l'œuvre, ma merveilleuse et amère aventure. Voici l'Ararat où accrocher mon arche sur le désert des eaux.

Comme j'avais fait l'inventaire de mes sens, après le dégel de mon sang, je ferai donc aujourd'hui l'inventaire de mon arche.

J'ai écrit sur deux colonnes, j'aime, je n'aime pas.

J'aime une femme, quand elle est gaie, le matin, au réveil. Je n'aime pas les femmes gourmandes, les femmes voraces.

J'aime la désinvolture des riches, je n'aime pas le contentement des riches.

J'aime la pudeur, l'absence de pudeur, je n'aime pas l'impudeur, l'impudence.

J'aime l'occhiata assassina de la jeune femme qui était assise un soir à côté de moi dans un café de Turin et à laquelle je n'ai pas parlé; je n'aime pas la salle de jeux du casino d'Annecy.

J'aime les grands hommes, Brutus, César, je n'aime pas qu'on respecte les grands hommes...

J'ai écrit ainsi plusieurs pages, d'une écriture serrée. Puis j'ai essayé de mettre un peu d'ordre dans tout cela; j'ai le goût de l'ordre quand je pratique mon métier. Mes goûts et mes dégoûts se sont trouvés ainsi groupés en un certain nombre de chapitres. Je les ai rangés dans l'ordre du plus simple au plus complexe comme me l'ont appris Descartes et l'étude des sciences biologiques. J'ai décidé de consacrer une journée de méditation à chacun de ces chapitres. Ce sera l'objet de ce livre.

PREMIÈRE JOURNÉE

Je venais de survoler des steppes, des forêts, un fleuve débridé, qui divaguait sur des espaces nus, en laissant des lacs sur son passage, des plaines tellement planes qu'à 3 000 mètres au-dessus d'elles, avec un horizon de [1], on ne voyait pas une seule montagne, des montagnes noires parmi lesquelles erraient des orages.

L'avion commença de descendre bien avant d'arriver à Orly, et c'est à basse altitude qu'il survola la Champagne et la Brie.

Des vallées avec des peupliers rangés symétriquement. Des châteaux, au milieu de leurs parcs entourés de murs, avec des pelouses, des étangs, des bocages, des bosquets, des boqueteaux et les frondaisons claires des tilleuls, sombres des chênes. Beaucoup de châteaux, toujours davantage de châteaux à mesure que l'avion approchait de Paris. Je pensai

1. *En blanc dans le manuscrit.*

à un château souvent entrevu dans mon enfance, à la tombée de la nuit, de la portière du rapide Paris-Reims, à proximité de La Ferté-Milon : une longue allée de peupliers, un étang, un pavillon Louis XIII, pierres de taille et briques rouges, le toit d'ardoise à la Mansart. J'aime les châteaux et les parcs. Les blés de printemps commençaient à verdir, avec encore un peu de l'or du germe quand il point, vert, or, rose, mordoré; les dents de la herse étaient encore inscrites dans la terre, les champs de blé poncés, peignés comme de grandes allées dont le sable vient d'être ratissé. Chaque village serré autour du clocher, comme les bâtiments du château autour du donjon. De Venise à Turin, toute l'Italie du Nord n'est qu'une seule ville; pas de champs, rien que des jardins; pas de châteaux, des palais; civilisation citadine. L'Ile-de-France est un seul grand parc, parsemé de châteaux; civilisation de châteaux.

Je pensai à un château que j'ai habité dans mon enfance, près de Montlhéry. Un modeste bâtiment avec un fronton dans le style Empire. Mon père m'avait demandé de dire « le pavillon » et non pas « le château », pour ne pas vexer la vieille dame, qui aurait pu croire que, par comparaison avec d'autres habitations du voisinage, plus conséquentes, j'employais le terme par dérision.

Une pelouse en terrasse, encadrée de deux bois de lauriers, dominait la vallée de l'Yvette. Sur la balustrade de pierre, un cadran solaire. Au centre de la pelouse, un buste de l'époque napoléonienne, à demi enseveli sous un buisson de roses.

L'été, il faisait frais sous les lauriers. C'était dans cette ombre noire, à forte odeur, que je lisais les livres que me prêtait la vieille dame : Corneille, l'*Histoire de la Révolution* de Thiers, la *Vie des Hommes Illustres* de Plutarque, une mythologie très savante dans le style allemand, par un auteur dont j'ai oublié le nom, dans de gros in-octavo reliés plein cuir.

En contrebas du bois de lauriers, le vivier, où il n'y avait plus que très rarement du poisson, la vieille dame ne pouvait plus tenir son train de vie. C'était pendant la première guerre mondiale; le prix de la vie augmentait tous les jours; l'étranger commençait à ne plus payer les intérêts de ses emprunts; la vieille dame était triste chaque fois qu'elle revenait du Comptoir d'Escompte, à Paris, où elle était allée toucher ses *coupons*.

Trois potagers complètement entourés de murs, avec des serres, des couches, des châssis, des cloches à melons, des pailles. Avec surtout des espaliers, car la vieille dame était amateur de fruits; la dernière année de cette guerre-là, elle se mit même à en vendre; je l'aidais à les ranger sur la paille, en prenant bien soin qu'ils ne se touchent pas, ce qui aurait pu les faire blettir, dans les cageots que le jardinier chargeait sur la carriole, pour les conduire à la gare de Massy-Palaiseau.

Elle ne permettait à personne d'autre qu'à elle-même de tailler et traiter les espaliers, et d'en cueillir les fruits. Elle m'emmenait souvent avec elle. Elle m'enseignait le nom des pommes, la calville, l'api, le fenouillet, la court-pendue, la reinette, des poires, la bergamote, la duchesse, la louise-bonne, le bon-chrétien, la fondante, la doyenne, le beurré, la crassane; celles qui fondent dans la bouche (il est préférable de les faire tiédir au soleil); les plus fermes, mais qui ont davantage de saveur; certaines qui paraissent dures, mais il faut les mettre d'abord au frais, elles résistent d'abord à la dent, puis elles fondent par petits blocs, comme de la neige, c'est délicieux en plein été, il faut mordre dans le fruit, détacher un gros morceau et puis appuyer la langue contre le palais.

Au-delà des potagers, le verger de plein vent, dont l'herbe suffisait pour la nourriture du cheval et de la vache, la vigne qui faisait tout juste le vin de la vieille dame, du jardinier et de la servante, la mare à tanches, et la mare à carpes et à tanches, deux petits bois, l'un de chênes bordé de noisetiers rouges, l'autre de châtaigniers, le tout entouré de murs, mon paradis clos.

Ce matin, j'ai écarté de moi les journaux, que j'avais pris, depuis plusieurs années, l'habitude de lire dès le réveil. Pour se retrouver et se situer dans le monde, il faut prendre ses distances. Mon attention fut cependant attirée par un gros titre, en lettres blanches cerclées de noir, au milieu de la première page de *La République* de Lyon :

DIRECTION BONHEUR

Pour seule explication, la photographie d'un adolescent, levant un marteau, au-dessus d'un cercle de métal, posé sur une sorte de colonne tronquée. Il se penche vers son ouvrage, un air d'extrême attention sur le visage. Maladresse ou nécessité d'une technique particulière, il tient le marteau par le milieu du manche.

Poursuivant l'examen, je m'aperçois que le journal n'est pas daté. Mais sous le titre en rouge et à la place où s'imprime d'ordinaire la date, dans un cartouche, en grosses capitales noires, la mention :

HORS SÉRIE

Ce journal non daté qui fait irruption dans mon temps, à un moment où les circonstances l'ont fait singulièrement lâche, ce HORS SÉRIE en écho du mot BONHEUR, sous cet énigmatique garçon en train de marteler le disque solaire, j'eusse vu à l'époque surréaliste, dans cet assemblage, un intersigne.

En quatrième page seulement, je trouve une explication apparemment raisonnable. *Direction Bonheur* est répété sur toute la largeur de la page, cette fois en lettres rouges. Je lis au-dessous : « En ce printemps 1956, comme jamais dans l'histoire des hommes, le bonheur est à portée de nos mains. ...Les jeunes Français, que les prêcheurs de mort calomnient, croient ardemment au bonheur... » C'est la présentation d'une enquête consacrée au bonheur. Le reporter a demandé à un certain nombre de jeunes gens de la région lyonnaise : Que pensez-vous du bonheur ? Que serait votre bonheur ?

Que le bonheur « en ce printemps 1956 soit à portée de nos mains », me fait évidemment sursauter. J'aurais plutôt écrit direction malheur. Mais le mot bonheur tel quel, le bonheur, le bonheur, réveille en moi de très anciennes résonances.

O saisons, ô châteaux

J'ai fait la magique étude
Du bonheur, que nul n'élude.

A onze ans, à l'âge où l'on commence, sans le savoir, à faire de la métaphysique, en fonction des lois mal enseignées, mal comprises, de la mécanique élémentaire, l'équilibre des forces, le fonctionnement de la balance, je m'étais persuadé qu'il est donné à chaque homme des parts rigoureusement égales de bonheur et de malheur; elles se répartissent différemment; les uns ont la jeunesse malheureuse et la vieillesse heureuse, et inversement, une abominable treizième année et une cinquantaine radieuse, ou toute autre répartition imaginable, mais qu'en fin de compte, la balance est égale et la somme nulle. Ainsi, et jugeant tristement du présent, je légitimais mes espoirs (mon espérance).

A vingt ans, étant pauvre et les bonheurs réels m'étant par là même interdits, j'entrepris la recherche du bonheur absolu. Encore de la métaphysique, la transposition des lois de la physique dans les domaines dits de l'esprit. Le froid absolu n'a jamais été atteint en laboratoire, mais les expérimentateurs s'en approchent toujours davantage. Saint Jean de la Croix (la nuit n'est pas la nuit, langage de physicien), Sainte Thérèse d'Avila, les Vedanta et une interprétation fallacieuse de la *Première Méditation Métaphysique* de Descartes par là-dessus, Roger Gilbert-Lecomte, René Daumal et quelques autres, nous entreprîmes la recherche expérimentale de l'extase. Unissant, à la mode de l'époque, l'humour, ultime hommage à l'intelligence critique, au sérieux absolu de l'entreprise, nous avions nommé notre laboratoire le Club des Simplistes. (Dans le même esprit, nous avions publié une revue, *Le Grand Jeu.*)

Un soir d'hiver, René Daumal et moi, nous bûmes chacun deux absinthes particulièrement bien servies dans une brasserie que nos moyens nous interdisaient d'ordinaire. En sortant, ô saisons, ô châteaux, nous léchâmes la neige sur la feuille des fusains. Quand nous fermions les yeux, le monde basculait derrière nos paupières. Nous nous communiquions minute par minute la courbe de nos *états*. Aucune de nos expériences mystiques ne nous avait procuré de tels transports. Le lendemain, primaire (mais n'avais-je pas exigé que parmi les aphorismes du premier numéro du *Grand Jeu* fût inscrit : « l'anticléricalisme le plus primaire sera toujours le nôtre », je dois tenir cela de mon grand-père qui s'échappa du séminaire pour aller rejoindre les Communards), je demandai dans quelle *demeure* l'absinthe eût transporté Sainte Thérèse. Daumal soutint que l'alcool n'avait été qu'un adjuvant, une sorte de jeûne, cela est permis. Ce fut ce jour-là que nous commençâmes de nous séparer.

Par la suite, la plupart de nos complices en sainteté tombèrent sous l'emprise d'un illustre mystificateur, le théosophe Gurdjieff. Après notre dernière dispute, comme Daumal venait de me quitter et descendait l'escalier, le même escalier qu'illustrèrent dix ans plus tard les larmes de la mal bien-aimée, il se retourna, comme elle devait faire, et je vis sur son visage un sourire humble et distant, le sourire supérieur du croyant *. Je me fis le serment de ne jamais abdiquer au profit d'aucune foi; j'écris ce livre, pour une part, afin de me prouver que j'ai tenu ce serment. J'ai vu le même sourire sur le visage de certains communistes, ceux que je n'aime pas.

Vers la même époque, je fis un de ces rêves du sommeil le plus profond, solennels, auguraux, dont on garde le souvenir toute une vie durant, que les Anciens prenaient pour un avertissement des Dieux. Je courais, la main dans la main avec Roger Gilbert-Lecomte, sur l'herbe rase d'un plateau incliné vers l'ouest; je savais que c'était l'ouest, à cause du soleil couchant, et un plateau, non une plaine, comme on sait ces choses-là dans les rêves, sans doute parce que je savais que nous allions arriver sur le bord supérieur d'une falaise. Nous courions à foulées lentes, très allongées, presque un vol. J'étais au comble du bonheur. Il faut dire que j'ai aimé Roger Gilbert-Lecomte, je crois d'amour; de tous les hommes que j'ai approchés, ce fut le seul qui avait le visage que l'on imagine à l'adolescent de génie, idée

* (Celui qui sait mais qui est si conscient de la supériorité que lui donne son savoir qu'il ne veut pas humilier celui qui n'a pas compris.)

romantique; quand j'étais en khâgne à Louis-le-Grand, un samedi soir, j'allai l'attendre à la Gare de l'Est, venant de Reims où il faisait ses études en médecine; nous descendîmes à pied jusqu'à la place Saint-Michel, ma main posée sur son bras; je fus, pendant toute cette marche, indiciblement heureux; faubourg Saint-Denis, rue Saint-Denis, chemins pour moi de l'amour prodige, étrange histoire; mais je ne pensai pas un instant que ce sentiment pût être nommé amour; malgré une forfanterie de la dépravation, nous étions d'une innocence extrême, prenant très au sérieux notre alchimie *simpliste;* nous fîmes bien rire de nous, avec nos souliers de provinciaux à grosses semelles et à tiges montantes, brodequins de soldats, quand nous entrâmes pour la première fois au Bœuf sur le Toit, le bar où, avions-nous lu, se réunissaient les poètes d'avant-garde. Je volais donc, la main dans la main avec Roger Gilbert-Lecomte, sur l'herbe rase d'un haut plateau. Nous atteignîmes le bord de la falaise, laquelle était si haute que la plaine, tout en bas, tout en bas, paraissait noyée dans la brume, je fus saisi d'angoisse et je retins mon ami.

— Impossible, criai-je. C'est un à-pic!

— Mais non, dit-il doucement, mais non, regarde plutôt. Cela fait comme une échelle.

Je me penchai et je vis un arbre gigantesque qui montait de la plaine jusqu'à nos pieds. Un arbre mort. Il n'en restait, dressé du fond de l'abîme, que le tronc et l'amorce des branches maîtresses; mais cela dessinait en effet comme les degrés d'une échelle. L'échelle de Jacob peut aussi se descendre. Toutefois, le moignon de la branche la plus élevée était déjà si bas, c'est-à-dire si loin de nos pieds, qu'il me parut impossible d'y sauter d'un bond, sans y rencontrer autre chose qu'un tremplin qui nous ferait rebondir dans le gouffre.

— Regarde mieux, dit Gilbert d'une voix presque tendre.

Je me penchai de nouveau et m'aperçus qu'entre l'échelon supérieur de l'arbre foudroyé, notre échelle, et le sommet de la falaise, s'entrouvraient les fortes tiges d'une plante qui pousse d'ordinaire dans les fentes des vieux murs et sur les ruines, la chélidoine majeure. Quand on la brise, il en sort en abondance un suc couleur d'or auquel les paysans attribuent la vertu de guérir les verrues.

— C'est l'herbe aux lépreux dit solennellement Gilbert, l'herbe à Rimbaud. (Tous nos rêves dans ce temps-là, étaient nourris d'une certaine littérature.)

Nous nous laissâmes glisser, côte à côte, en nous retenant aux tiges de l'herbe à Rimbaud. C'était facile. Nous atteignîmes, avec une aisance extrêmement plaisante, la première branche.

Puis, de nouveau, comme sur le plateau, la main dans la main, nous sautâmes d'une branche à l'autre. Un sentiment de plus en plus exquis m'envahissait à mesure que nos bonds s'allongeaient davantage.

Mais quand nous fûmes arrivés à la branche la plus basse, la plaine était encore à une distance infinie. Le plaisir se changea en angoisse. J'étreignis de toutes mes forces le tronc de l'arbre foudroyé.

— Suis-moi, dit Gilbert.

L'angoisse devint de plus en plus intolérable. J'étreignais le tronc de toutes mes forces, désespéré qu'il fût si large que mes bras ne pouvaient en faire le tour, si lisse que je ne pouvais m'y incruster.

Gilbert tourna vers moi son visage de jeune adolescent. Il me sourit presque tendrement.

— Suis-moi, répéta-t-il. C'est très facile...

Il s'élança dans le vide. Je me réveillai en hurlant.

René Daumal et Roger Gilbert-Lecomte moururent, beaucoup d'années plus tard, car le destin est toujours beaucoup plus lent qu'on ne croit à s'accomplir, d'avoir poursuivi avec trop de rigueur notre alchimie du bonheur, l'un à la suite de jeûnes rigoureux, l'autre pour avoir pris le tétanos au cours d'une expérience de mystique pratique. Je rends honneur à leur fidélité à notre jeunesse. Moi, je suis trop paysan pour donner de bonne grâce ma vie, je suis déjà en sursis de ne je sais pas combien de morts.

Je n'avais cependant pas abandonné la recherche du bonheur. Je le retrouvais dans les bons auteurs. Stendhal, Gœthe des *Affinités Électives*, Gobineau des *Pléiades*, « être heureux c'est une vertu et la plus puissante des vertus », Marx et Engels. Claude Roy et moi, nous écrivîmes ensemble une lettre à *Action* pour protester contre un écrivain qui trouvait la recherche du bonheur indigne d'un communiste; c'était au contraire pour cela que nous étions devenus communistes. Saint-Just, le bonheur est une idée nouvelle en Europe. En 1948, Pierre Courtade et moi, fidèles à nos classiques, nous fîmes un voyage en Italie, pour suivre les élections législatives et pour trouver le bonheur, les *Promenades dans Rome* à la main; comme nous entrions dans le Latium, un oiseau venu de la gauche se fracassa le crâne contre le pare-brise de la voiture; nous en tirâmes mauvais augure pour notre parti quant aux élections, et pour nous-mêmes quant à nos bonheurs, ce qui se vérifia. Mais il m'est arrivé souvent, j'ai écrit cela dans un autre livre, d'être invraisemblablement heureux. J'ai largement profité de mes sursis.

Ce matin donc et ainsi rêvant, je reportai l'œil sur le numéro « hors série » de *La République. Direction : Bonheur.* Je lus :

« *Gérard (16 ans) nous dit :*

« *Je prépare le C.A.P. de chaudronnier au Centre d'apprentissage de l'École des Métiers à Lyon. Mon père est cuisinier; mais j'ai choisi la chaudronnerie parce que ce métier me plaît.*

« *Je veux être ouvrier qualifié, carrossier si possible et travailler en France, de préférence dans un petit pays tranquille.*

« *Le bonheur? Une famille, des enfants, un bon petit travail avec une paye qui permette de vivre aisément.*

« *Pour le moment, je travaille dur. Il faut souvent se coucher à minuit pour potasser les cours.* »

A peu près toutes les réponses étaient dans le même ton *. Le plus hardi consentait que le « choix d'un métier est la chose la plus importante de la vie ». Bien sûr. Il y a toutes sortes de vocations.

* *La République* est le journal communiste local.

Lothaire, mon meilleur ami, ancien ouvrier, ancien chef de partisans, député communiste, révolutionnaire professionnel :

— Est-ce que tu te bats, lui demandai-je, est-ce que tu te bats depuis trente ans, y compris les campagnes disciplinaires et les années de prison, — la prison, l'université des communistes — pour que Gérard ait « un bon petit travail », une bonne petite femme et de bons petits enfants, « dans un petit pays tranquille »?

— Tu dérailles, me répondit Lothaire. Il faut ouvrir des horizons à Gérard. C'est ton rôle d'écrivain.

— Je veux « changer la face du monde ». Mais je ne lèverai pas le petit doigt pour Gérard.

— Gérard ne peut pas avoir les perspectives que tu avais à son âge. Ce n'est pas de sa faute...

Ce n'est pas de ma faute si l'un des premiers livres que j'ai lus et qui m'a marqué pour toujours, c'est la *Vie des Hommes Illustres* de Plutarque.

C'est la vieille dame qui m'avait donné à lire Plutarque, dans un gros in-octavo relié en cuir.

J'ai pensé à la vieille dame, l'autre soir en rentrant de Moscou.

A proximité du rucher, dont la vieille dame extrayait elle-même les cadres, le visage sous le masque, le mirabellier, dont j'allais secouer les branches à ma portée. Je laissais les petits fruits d'or chauffer dans l'herbe au soleil. Je m'abattais à mon tour. Comble de la volupté, cette double chaleur sucrée dans le bourdonnement proche des ruches.

Mais la vieille dame m'apprit à préférer le goût savant des pommes et des poires de haute qualité — et toutes les manières de les manger.

C'est la vieille dame qui m'a appris à vivre.

Je pensais à tout cela tandis que l'avion approchait d'Orly, en regardant les châteaux et les parcs d'Ile-de-France, et les champs de blé bien ratissés, allées royales du plus beau parc du monde. Si tendre mon pays. J'en étais ému jusqu'à l'angoisse.

Mais l'avion atterri, je ne sus pas où aller.

Aucun endroit où j'eusse envie d'aller, personne que j'eusse envie de voir. La seule idée d'être assis dans un endroit public et obligé de voir les visages de mes compatriotes me soulevait le cœur.

Étranger dans mon pays.

Les voitures se croisaient et se dépassaient sur la route de Fontainebleau.

Il m'est arrivé de prendre en dérision l'éternelle discussion sur les mérites comparés de la Simca et de la 11 CV Citroën. J'avais tort. Le souci de l'automobile est la préoccupation la plus commune et la plus constante des Français de mon époque. C'est dans leurs réactions vis-à-vis de l'automobile que j'ai le plus de chance d'appréhender leur réalité. Un écrivain ne doit pas laisser échapper cela.

Moi aussi j'aime les voitures.

La première voiture que j'ai conduite, — j'avais 14 ans — était une Ford, haute sur roues, une Ford *araignée*. Les chauffeurs de l'administration des Régions Libérées, mes maîtres, faisaient la course, sur la route Epernay-Reims, dans leurs Ford araignées; tout l'art consistait dans l'usage de la manette d'avance à l'allumage. Aussi difficile à bien comprendre que les fondements de l'arithmétique, le principe et l'usage de l'avance à l'allumage; il faut opposer les notions de vitesse et d'effort; contradiction déjà au-delà de la métaphysique classique.

J'aimais tellement *conduire*, et j'estimais cela tellement noble dans l'échelle des occupations qui m'étaient permises, que je me faisais des scrupules de conscience. Je me suis reproché toute une semaine d'avoir préféré un rendez-vous avec une jeune fille à l'occasion de *conduire*. (Les filles devaient me procurer bien d'autres remords jusqu'à l'époque, qui dura assez longtemps, où je décrétai que l'amour était la plus noble des occupations.) Mais je suis resté fidèle à l'automobile, que je n'ai jamais choisie pour séduire une ou les femmes, mais pour elle-même. Encore maintenant, j'ai une instinctive répulsion pour les hommes, beaucoup, qui choisissent leur voiture en fonction du prestige qu'elle leur confère, et non pour ses qualités particulières (à la voiture).

Il est sans doute plus significatif d'étudier un Français en fonction de la voiture (ou de la moto), qu'il a ou qu'il rêve d'avoir, que par rapport, par exemple, à son épouse, dont le choix est le plus souvent dû au hasard, ou à une mystification réussie, ou même à son appartenance politique, où l'*occasion*, sauf en période de persécution, même quelquefois en période de persécution, joue souvent un aussi grand rôle que l'amour.

Parmi les petites cylindrées, les hommes 2 CV Citroën peuvent difficilement frayer avec les hommes 4 CV Renault. Je ne suis jamais surpris qu'un homme 2 CV manifeste soudain dans une occasion imprévue de la vie, la plus noble désinvolture. Mais je suis certain que Gérard (16 ans), voir plus haut, rêve que son bon petit travail lui permettra de devenir 4 CV dans son « petit pays tranquille ».

(Oui, trop amer, pour être encore bienveillant.)

En ce qui concerne les moyennes cylindrées de série, je ne compte aucun ami personnel parmi les hommes Aronde, l'homme 403 est généralement un adversaire, mais j'ai tendance à le respecter; je suis, pour le présent, un homme traction avant.

Mais il m'est arrivé de ne pas avoir de voiture. La dernière fois, cela dura cinq ans, de 1948 à 1953. Cela ne changea rien à mon bonheur, ni à mon malheur. Je veux dire : ne pas avoir de voiture ne sera d'aucun poids dans cette balance bonheur-malheur, dont je guette le fléau avec tant de vigilance, depuis mon enfance engoncée de métaphysique.

Au début de cette époque, j'ai habité la banlieue de Paris, à 7 kilomètres de la Porte d'Orléans. Je me trouvais si pauvre que, lorsque j'avais raté le dernier métro de la ligne de Sceaux, je devais rentrer à pied.

La vieille dame m'avait donné à lire Plutarque.

Quand le vent soufflait du nord, on entendait le canon; les Allemands attaquaient la Somme. Certaines nuits, Paris était bombardé; de la terrasse au buste Empire, je suivais les projecteurs qui s'entrecroisaient dans le ciel et parfois saisissaient au vol un avion; de grandes lueurs rouges, des fumées pourpres, montaient à l'horizon. Si les Allemands arrivaient jusqu'à Paris, c'était toute la ville qui brûlerait. Je trouvais cela *naturel;* quand l'ennemi prend la ville, il y met le feu, ainsi va la vie.

Je ne détestais pas les Allemands. « Mais après la défaite de Pharsale, que Pompée s'en fut fui vers la mer, et que l'on vint assiéger le camp, Brutus en sortit par les portes sans être aperçu, et se jeta dans un marécage plein d'eau et de roseaux palustres; puis quand la nuit fut venue, il sortit et se retira en la ville de Larissa, de là où il écrivit à César, lequel fut bien aise de ce qu'il était sauvé, et lui manda qu'il s'en vînt vers lui, et quand il fut venu, il ne lui pardonna pas seulement, mais le retint autour de lui, en aussi grand honneur que personne y fût ». Voilà une des manières de traiter ses ennemis.

« ... ils condamnèrent à mourir par proscription trois cents des principaux citoyens de Rome, et Antoine commanda à ceux qui en eurent la charge, après qu'ils auraient tué Cicéron, qu'ils lui tranchassent la tête et la main droite, de laquelle il avait écrit les oraisons invectives Antoniennes contre lui. Quand on lui apporta ces pauvres membres tronçonnés, il les regarda longuement à grande joie, en riant très fort, et à plusieurs fois, de grande aise qu'il en avait; puis après avoir bien saoulé son cœur de les regarder, il les fit mettre au lieu plus éminent de la place, sur la chaire publique, dont il avait coutume en son vivant haranguer au peuple... » Voilà une autre manière de traiter ses ennemis. Il y a toutes sortes de manières de traiter ses ennemis. Antoine savait haïr. Ainsi va la vie...

La vieille dame m'avait également donné Shakespeare, qui illustre les récits de Plutarque. Et je lisais en cachette Suétone. A onze ans, je n'ignorais plus rien des jeux terribles et frivoles des derniers fils de la république romaine.

Antoine et Cléopâtre, et leurs amis, généraux vainqueurs de tous les rois du monde, rois vaincus, musiciens, joueurs, bateleurs, tous ensemble : « ils firent entre eux une bande qu'ils appelèrent Amimetobion, c'est-à-dire la vie non pareille, et qu'autres ne sauraient imiter, se festoyant l'un l'autre par tous, en quoi il se faisait une dépense qui excédait toutes bornes et toute mesure de raison ».

Mais Antoine perd à Actium ses armées de terre et de mer; Hérode, le roi des Juifs, passe du côté d'Octave, « et tous les autres rois pareillement, de sorte que hormis ceux qui étaient à l'entour de sa personne, il n'y avait plus rien qui tînt pour lui ». A onze ans, j'ai souffert de la défection des amis d'Antoine, comme si elle devait inéluctablement faire partie de mon propre destin. Et dans le même temps, elle me paraissait infiniment enviable; comme si d'être finalement vaincu et trahi achevait et consacrait la grandeur de l'homme.

Antoine vaincu va rejoindre à Alexandrie Cléopâtre et ses derniers amis, les musiciens et les gens de théâtre, les mimes et les danseurs. Octave l'assiège par terre et par mer. Mais la vie non pareille ne déchoit pas. « Il est vrai qu'ils abolirent cette première bande qu'ils avaient nommée la Bande de la vie non imitable; mais ils en remirent sus une autre, qu'ils appelèrent Synapothanumenon, c'est-à-dire la bande de ceux qui veulent mourir ensemble, laquelle en somptuosité, dépense et délices, ne cédait de rien à la première. » La « bande des Commourants », je n'ai pas renoncé d'en trouver les partenaires.

Après un ultime et absurde combat, sous les murs d'Alexandrie, Antoine « se donna de l'épée dans le ventre ».

Dercetas. — Il est mort. Tué non par un bourreau, ni par un poignard soudoyé; mais par sa propre main. De cette main qui bâtit en prouesses sa gloire, il s'est, avec tout le courage dont son cœur l'animait, percé le cœur...

Octave. — Vous semblez tristes, mes amis. Que les dieux me réprouvent si ce n'est pas un deuil à remplir de larmes les yeux des rois.

Agrippa. — N'est-il pas étrange que la nature nous force de pleurer nos succès les plus poursuivis?

Mécène. — Ses torts et ses mérites se balançaient exactement.

(Togliatti, après le XXe Congrès : il faudra que les futurs historiens de Staline soient rompus à la dialectique.)

Octave. — O Antoine, c'est à cela que je t'ai réduit... Force était de t'offrir le spectacle de ma chute ou moi d'assister à la tienne. Nous ne pouvions tenir ensemble dans l'univers. Mais maintenant, je te pleure avec des larmes brûlantes autant que le sang du cœur, toi, mon frère, mon rival au sommet de toute entreprise ; mon égal en empire, ami voisin sur le front des combats, toi, le bras de mon corps, cœur où le mien réchauffait ses peines...

Mais bien qu'il eût rendu hommage, comme je l'eusse fait moi-même, me persuadais-je aisément, à son royal ennemi, je n'aimais pas (et je n'aime toujours pas) Octave César Auguste :

« Son corps était, dit-on, parsemé de taches... Il avait la hanche, la cuisse et la jambe gauches moins fortes, si bien qu'il boitait souvent de ce côté... En hiver, il portait avec une toge épaisse, quatre tuniques à la fois, et, sous la dernière, un gilet de laine... Il soutenait sa faible santé à force de soins, surtout en se baignant rarement. Il se faisait assez souvent frotter d'huile et suait auprès du feu ; puis il se faisait arroser d'eau tiède ou chauffée à un soleil ardent...

» Attachant un grand prix à conserver le peuple romain pur de tout mélange de sang étranger ou servile, il fut très avare du droit de cité et restreignit les affranchissements. Il réprima avec tant de rigueur la licence des histrions qu'il fit battre de verges sur trois théâtres et exila Stephanion parce qu'il avait appris qu'il se faisait servir par une dame romaine, vêtue en jeune garçon et rasée autour de la tête. Aux spectacles... il sépara le soldat du peuple. Les adolescents eurent leurs banquettes tout près de leurs précepteurs. Il ne permit aux femmes de voir les gladiateurs même que d'une place plus élevée, tandis qu'auparavant, elles avaient coutume de se mêler aux hommes... Il éloigna avec tant de rigueur toutes les femmes des spectacles d'athlètes, qu'aux jeux pontificaux il remit au lendemain matin un pugilat qu'on lui demandait entre deux lutteurs...

» Quintus Gellius, prêteur, était venu le saluer, en tenant de doubles tablettes cachées sous sa robe : il soupçonna que c'était un glaive, et n'osa point s'en assurer sur-le-champ, de peur qu'on trouvât autre chose, mais peu après, il le fit arracher de son tribunal par des centurions et des soldats et mettre à la torture comme un esclave; et ne pouvant obtenir aucun aveu, il le fit mettre à mort, après lui avoir arraché les yeux de sa propre main ».

Octave César Auguste, infirme, pudibond, peureux et cruel. Tandis que Marc Antoine : « la barbe forte et épaisse, le front large, le nez aquilin, et apparaissait en son visage une telle virilité que l'on voit représentée sur les médailles et images peintes ou moulées d'Hercule. »

L'été passait. Les Allemands étaient repoussés au-delà de la Somme. Les poires de Curé commençaient à mûrir et la vieille dame préparait les bassines à confitures. Je n'en finissais plus de me désoler qu'Octave eût finalement triomphé d'Antoine. Devrais-je toujours voir cela? Est-ce ainsi que va la vie?

Octave César « répétait souvent ces maximes » : « Hâte-toi lentement » et : « Mieux vaut un chef prudent qu'un chef audacieux » et encore : « On fait assez vite si l'on fait assez bien ». Il disait qu'il ne fallait livrer de bataille ou entreprendre de guerre que lorsqu'on voyait plus de profit à espérer que de perte à redouter...

Je me demandais s'il est inévitable qu'Octave finisse toujours par triompher des hommes de cœur.

Je revenais à Brutus, qui conspirait contre César qui lui avait généreusement pardonné; mais c'était juste, parce que César aspirait à la tyrannie.

Brutus, Cassius, Porcia, Antoine m'ont appris à vivre et à mourir.

Ce sont les grands hommes qui font l'histoire, vérité d'évidence et non-sens. Mais ce qui m'intéressait dans l'histoire, c'était qu'elle permît aux grands hommes de se développer.

Plus tard, j'ai aimé le communisme de susciter les bolcheviks, les hommes d'acier, les lions. Staline, СТАЛИН, l'homme d'acier par excellence.

Pour l'avenir, la société communiste me paraissait la plus souhaitable parce que Mozart enfant... *

Les bolcheviks se battaient contre le monde entier et s'entredéchiraient pour constituer la société sans pareille. Les lions préparaient dans le feu et le sang l'ère des licornes. Tout était en ordre.

Ce qui me paraissait absurde à onze ans, c'étaient les hommes de paix et de démocratie, les hommes comme mon père, qui n'aimait pas faire la guerre, qui avait profité d'une « relation » pour se faire rappeler du front des Flandres dans un bureau de Paris, qui portait un complet-veston et un faux col raide.

Je n'ai pas changé. Je reconnais qu'il existe aussi une certaine valeur en complet-veston (?). Le livre sur la mort de Gide et de Claudel. Hommes de lit; moi, j'espère bien mourir les armes à la main.

ÇA NE M'INTÉRESSE PLUS

Meillonnas-Rodi Garganico jusqu'au 9 juillet.

* Pas pour Gérard (16 ans) dans son petit pays. Mais pour qu'il pût développer ce quelque chose de génial qui se cache peut-être en lui. Ce que je ne pardonnais pas à la France contemporaine, c'était de ne lui avoir ouvert comme perspective que... Hélas! c'est dans un journal communiste que j'ai lu aujourd'hui que *(inachevé dans le manuscrit)*.

[1956]

Ce 5 juillet

Rodi Garganico[1]
(Foggia) Italie

Mon cher Henry, nous aussi nous gardons nos têtes froides, bien que ce ne soit pas très facile. L'usage de la tête tend à l'échauffer, comme il est bien connu de toutes espèces de moteurs.

Mon livre tend à tourner autour de l'idée de *souveraineté*, le contraire, ou le pôle positif, de ce que Marx appelle *aliénation*.

Abstraitement, le schéma serait :

— l'animal sauvage (non social, par opposition à l'animal domestique) est souverain (n'a aliéné sa souveraineté au profit de personne)

— le communisme sera la société où tout homme sera souverain, « où toutes les bergères seront des reines »

— du clan, à la tribu, à l'empereur, au seigneur, au roi, au monopole capitaliste... et à ce que les soviétiques appellent si bizarrement « culte de la personnalité », l'individu abdique diversement sa souveraineté (en langage marxiste s'aliène)

Aspect positif : c'est ce qui a permis à l'homme et ce qui lui permet de dominer chaque jour davantage la nature, d'humaniser le monde, à l'humanité de se constituer comme telle;

1. *Roger Vailland se trouve en Italie méridionale où il est allé chercher refuge après le choc provoqué par le XX*e *Congrès. Il en fera, un peu plus tard, le cadre de* La Loi.

c'est ce qui donne un contenu toujours plus grand, quantitativement et qualitativement, à la souveraineté de l'homme.

Aspect négatif : la souveraineté s'abolit en créant son contenu : pour chaque individu historique, c'est-à-dire ni animal sauvage (âge d'or en arrière), ni membre de la société communiste qui ne sera réalisée que quand la nature sera totalement dominée (âge d'or en avant), le problème est de résoudre, dans les conditions historiques où il vit, cette contradiction fondamentale : être [1]

1. *Lettre inachevée.*

[1956]

[APRÈS SUEZ[1]]

I. L'événement principal de cette période est le vote conjoint de l'URSS et des USA à l'ONU contre l'agression anglo-française en Égypte.

L'attitude des USA s'explique sans doute en fonction des luttes inter-impérialistes pour un nouveau partage des marchés et sources de matières premières. Les USA veulent se substituer à l'Angleterre et à la France au Moyen-Orient et en Afrique. Ceci n'est pas nouveau.

Ce qui est nouveau et essentiel c'est que la contradiction principale entre États capitalistes et États socialistes tend à passer pour une période au second plan, les conflits entre puissances impérialistes passant pendant cette période au premier plan. L'accentuation de la lutte inter-impérialiste va dissimuler pour une période donnée la contradiction principale.

II. Pendant cette période, l'accentuation des luttes inter-impérialistes va contraindre les pays capitalistes et tout particulièrement les USA à un compromis avec les pays socialistes.

Ce compromis, imposé aux pays capitalistes par leurs contradictions internes et par le rétrécissement des marchés et sources de matières premières depuis la fin de la seconde guerre mondiale par l'extension de la sphère socialiste et la lutte

1. *Note écrite au lendemain de l'affaire de Suez (octobre 1956).*

des pays sous-développés pour leur indépendance, est une victoire des pays socialistes. Il créera les conditions politiques (fin du camp retranché) et économiques (diminution des budgets militaires) pour le passage graduel au communisme en URSS, au socialisme en Chine.

Tel est l'aspect positif du compromis pour les pays du socialisme.

III. Mais tout compromis a également un aspect négatif.

Pendant la durée de ce compromis, le conflit principal de l'histoire contemporaine, à savoir le conflit entre pays capitalistes et pays socialistes, se trouvant voilé ou mis entre parenthèses, les contradictions qui vont apparaître au premier plan et s'accroître dans le camp du socialisme vont être :

1° Les contradictions entre pays socialistes inégalement développés sur le plan économique et politique.

2° En URSS principalement mais également dans tous les autres pays du socialisme, les contradictions et conflits internes résultant de la liquidation des formes de gouvernement et d'administration constituées à l'époque dite du « camp retranché » et de l'invention maintenant nécessaire de nouvelles formes de gouvernement et d'administration.

Comme il apparaît dès maintenant (en Pologne, en Yougoslavie, en Hongrie et sans doute en Chine), les solutions trouvées dans chaque pays socialiste aux contradictions et conflits internes réagiront profondément sur les contradictions et conflits entre pays socialistes. Il s'agit en vérité de deux aspects de la même contradiction principale de la période du compromis.

IV. En Europe, l'exaspération des contradictions internationales *à l'intérieur de chaque camp*, semble devoir avoir pour effet la désintégration simultanée du Pacte Atlantique et du Traité de Varsovie.

Dès à présent il semble que ni l'URSS ni les USA ne peuvent plus compter ni politiquement, ni militairement sur leurs alliés. Les dernières propositions soviétiques de désarmement, si elles sont acceptées par les USA, ce qui ne paraît pas impossible, aboutiraient à la neutralisation de l'Europe.

En Europe, cette neutralisation sera l'aspect militaire du compromis.

V. Compromis implique *statu quo* pendant la période du compromis.

[1956]

[*Journal intime*]
24 octobre

La « vieille garde » du P.C.F. mène une lutte désespérée et sans issue pour ne pas céder au titisme, pour rester fidèle à la notion de dictature du prolétariat, c'est-à-dire à l'édification du socialisme sous la direction étatique, dictatoriale, d'un parti ouvrier.

Alors qu'il est déjà devenu un parti parlementaire (augmentation des voix parallèle à désagrégation des organisations : 5 millions de voix pour moins de 500 000 membres, moins de 50 000 activistes, 1 %, effondrement de la presse),

alors que la classe ouvrière française comme telle est en train de disparaître (évolution des techniques, paysans-ouvriers, héritages et combines, main-d'œuvre étrangère),

alors que ce qui reste d'ouvriers français ne désire pas le pouvoir politique mais des 4 CV et des machines à laver que la bourgeoisie est assez riche pour lui offrir,

alors que, dans le parti, les ouvriers sont devenus la minorité,

alors que les Soviétiques veulent qu'on leur foute la paix, qu'il n'y ait donc plus pour un temps *x* de révolution prolétarienne,

alors que partout dans le monde se concluent des compromis pour le partage du pouvoir étatique en vue de l'édification du socialisme, que les nouvelles techniques rendent inévitable,

alors qu'une partie au moins des dirigeants soviétiques

semblent résignés, sinon même désireux que l'État français qui réalisera le socialisme soit à direction bourgeoise,

alors que, même parmi les dirigeants communistes qui paraissent inébranlables sur les principes, beaucoup sont déjà résignés à ce que la classe ouvrière entre par la petite porte dans l'État dirigé par la bourgeoisie,

la vieille garde, avec la seule grandeur dont la nation française (en voie de portugalisation) semble désormais capable, le sabordage, meurt et ne se rend pas.

[1956]

le 14 novembre 1956
Au camarade Gaston Plissonnier
à l'intention du Secrétariat du
Parti Communiste Français.

Camarades,

Il ne me sera pas possible de venir à Paris, 19, rue St-Georges, comme vous me le demandez, le vendredi 16 novembre [1].

Je viens en effet de reprendre mes travaux littéraires, trop souvent interrompus, depuis un an, par des événements politiques qui m'ont profondément bouleversé. Et je souhaite n'avoir aucune sorte d'entretien à leur sujet, avant d'avoir achevé le roman en train. Bref, je sollicite de votre fraternité le loisir de me consacrer sans partage aux soins de mon métier.

Pour éviter toute confusion, je vous rappelle que mes derniers actes politiques ont été exclusivement :

1° le 5 novembre un texte signé en commun avec Jean-Paul Sartre, Vercors, Claude Roy, etc.

2° le 7 novembre, un télégramme adressé à *L'Humanité* pour me solidariser sans réserve avec mon parti, face à l'agression fasciste [2].

1. Roger Vailland avait signé une motion de protestation contre l'intervention soviétique en Hongrie. Il avait été aussitôt convoqué par le Parti Communiste.
2. Le siège du Comité Central du Parti Communiste Français avait été assailli.

3° le 13 novembre, des explications données à ma cellule. Étant en cause, je ne suis intervenu ni dans la rédaction, ni dans le vote des motions, qui vous sont communiquées par ailleurs, et qui ne m'engagent donc pas.

Je repousse donc par avance, et démentirai, toute tentative, d'où qu'elle vienne, qui pourrait être faite, pour cette période et sans doute pour longtemps, de m'associer à toute autre manifestation.

Recevez, Camarades, mes salutations communistes.

Roger Vailland.

Ce 4 décembre 1956
[A Pierre Courtade]

Mon Cher Pierre,

Je lis dans les Mémoires de Gorani, édition Gallimard, pages 147 et suivantes :

« Vers la fin de juin 1762 arrivèrent à Magdebourg (...) parmi lesquels le marquis de Casellas .. Il me prouva sérieusement, les cartes et les dès à la main, ce qu'il fallait pour me convaincre que je ne jouais jamais avec une égalité de chances, et que, quelle que fût la manière que j'employais pour jouer, j'étais toujours assuré de perdre, puisque ceux avec lesquels j'avais à faire me trichaient impunément et avec des procédés qui m'étaient inconnus jusqu'alors. Enfin, il parvint à me faire toucher, pour ainsi dire, du doigt, que je n'avais été que triché toutes les fois que j'avais joué... Aussitôt que je fus initié dans ce ministère d'iniquités, il n'y eut plus de moyens de m'engager à jouer... »

Ce qui n'empêcha pas le marquis de Casellas de reprocher publiquement à Gorani de ne pas « observer la règle du jeu », de ne pas « jouer le jeu ».

Je t'embrasse.

Roger.

[1957]

[*Journal intime*]
Meillonnas, 7 avril 1957, dimanche

Réveil, Beethoven, romances nº 1 et 2, comme la veille au soir.
Jardin, engrais aux rosiers.
De 16 heures à tard dans la nuit divertimento à la maison avec Pierrette I... (32 ans) et Yolande B... [...] venues de Lyon. Yolande, gros seins lourds à tétons très marqués qui peuvent se branler comme des grosses bites. Grande, taille mince; yeux verts sous front étroit; le regard pourrait être *fou*, la fille bacchante. Mais reste désaccordée, pas finie.
Pierrette, jolie tête, yeux bleus transparents à fleur de tête, joues lait et rose qui s'enflamment tout soudain dans le plaisir, éclat. Taille pas marquée, corps mal dégrossi, mais petits seins plaisants, ventre agréablement poilu, clitoris fort, bien bandant.
Après préludes rapides, grâce à Pierrette, Yolande risque quelques sarcasmes (prétentions intellectuelles; le sarcasme pour échapper à la gêne?); Pierrette et moi la châtions aux orties (que nous avions préparées); les fesses deviennent instantanément d'un beau rouge, les gros seins roses et cloques blanches; poursuivons au martinet sur dos et fesses; pleure, quelques gifles, pleure, se plaint des brûlures aux seins, je me prête avec plaisir à la réciproque, orties administrées par Yolande (avec trop de rage), martinet par Pierrette (bonne volonté mais manque d'expérience); j'enfile Yolande, je poursuis et achève dans Pierrette [...]

Je mets Mozart, divertimento 11 en ré majeur, puis nous laissons choix des disques à Yolande qui, sauf concertos brandebourgeois, reste à Beethoven, concertos et sonates.

Seconde séance, Élisabeth et Yolande; Élisabeth se plaint des excès de tendresse et du manque d'habileté. Dans le même temps j'enfile Pierrette classiquement sur le lit, puis avec davantage de plaisir pour elle et un plaisir plus réel pour moi je lui branle et suce le clitoris.

Déjeuner à l'auberge bressane, deux bouteilles blanc de blanc. A la maison une bouteille et demie scotch, rôti, fromages, gâteaux, l'ivresse ne vient heureusement que tard et graduellement. A deux heures du matin, Pierrette dormait, Yolande ivre me donne enfin du plaisir en offrant assez théâtralement ses seins pendant qu'Élisabeth me suce avec succès.

Yolande insiste pour dormir avec Élisabeth (et moi de l'autre côté).

Elles partent à six heures trente, moi dormant.

Meillonnas, 8 avril

Réveil, Mozart, divertimento. Puis dans la journée Beethoven 14e quatuor et à plusieurs reprises et au coucher Mozart quatuor 18.

Pour la première fois Mozart quatuor 18, quoique merveilleusement formel, ne me paraît marquer l'effort, laisser voir le travail, manquer de naturel. Un peu de pathétique facile par comparaison dans Beethoven 14e quatuor, quoique ce soit pour moi Don Cesare et que j'admire énormément le finale, « et maintenant je vais vous montrer ce que quand même je sais faire ». Totale maîtrise. Maturité du talent.

Un peu las, avec troubles thermiques.

Repris deux heures préparation *Casanova* pour *Constellation;* carnet de comptes.

Dîné par devoir filet saignant plus œuf frit pour récupérer.

Reparlé de la veille avec Élisabeth : éloge de Pierrette, naturelle, « gentille », totalement sans vanité, fille de prolo, qui ne s'est pas embourgeoisée malgré la fréquentation des « grands écrivains », politiques, etc.

Marcelle a tous les défauts que Pierrette n'a pas. Désinvolture d'Élisabeth à l'égard des êtres qu'elle a cessé d'aimer ou plutôt cessé de se laisser *posséder* par eux.

Affreux vent du nord-ouest froid. Petits travaux jardin : rempotage, engrais, repiquage. Projets fresque trompe-l'œil à l'italienne, sur mur petit jardin.

Élisabeth remarque que Yolande a peur de vieillir. Elle s'est petit-embourgeoisée, quoique effort contraire. Élisabeth : « moi je ne veux pas faire l'amour avec elle : elle n'aime que la tendresse, ça ne m'intéresse pas ; Pierrette n'est pas une vraie putain : elle jouit ».

Mais avec les professionnelles nous nous foutons complètement de ce qu'elles sentent.

Pierrette pourtant à Lyon couche pour 10 000 francs.

Curieusement a gardé vif sens de classe.

Couché à 22 heures, foudroyé par Imménoctal.

Parfaitement heureux. Élisabeth : « Moi aussi ».

Les orties me brûlent encore aux seins.

Meillonnas, 9 avril

Réveil Mozart, « la petite sœur ».

Matinée Bourg, banque, préparatifs voyage Italie. Visite à Jeannette qui n'est plus « la tendre Bérénice ». La politique aussi, dans son reflux, décolore tout.

Midi, première moitié Beethoven 7e symphonie.

Achevé préparatifs rédaction *Casanova.*

Théo Doline passe.

A 19 h. nous allons chercher une bouteille whisky à Bourg. Mais buvons modérément avec à plusieurs reprises Mozart, concerto 5 qui aujourd'hui me paraît au-dessus de tout.

Coucher 22 h. 30

Meillonnas, 10 et 11 avril

Rédigé 29 pages *Casanova* pour *Constellation.* Fin.

Concertos et quatuors Mozart. Whisky et champagne modérément après 20 heures.

Turin, 12 avril[1]

Plaisir d'aller par les larges et lentement montantes vallées françaises vers la Gaule cisalpine.

Foire à Saint-Jean-de-Maurienne, peuple ivrogne et puérilement retors; je ne l'aime pas.

Le col du Mont Cenis est encore fermé, ce qui fait rater la descente vers Susa, vers les jardins.

La *navette* des voitures sur wagons dans le tunnel, petit train international, les tantes suédoises, les américano-allemands; une très charmante petite juive noire. Descente en course sur Turin poursuivi par la Pontiac des Suédois.

Whisky au bar Augustus où, il y a deux ans, occhiata assassina; elle n'est pas là.

Dîner (voir 13 avril).

Dancing comme Robinson plus quelques maris.

Turin, 13 avril

Les serveuses des restaurants de Turin, que j'avais tant aimées au cours des précédents passages, sont généralement toscanes, le plus souvent de Lucques.

Nous avons timidement invité Silvia (18 ans) à venir nous prendre à l'hôtel à 16 h. 30 « pour faire des achats ensemble ». Par téléphone Élisabeth a donné l'ordre au concierge de la faire monter un « momentino ».

J'avais demandé à Élisabeth (qui ne croyait d'ailleurs pas à la réussite) de lui dire : « mon mari vous aime et voudrait vous faire un joli cadeau », ce qu'elle dit.

Mais Silvia comme Marie-Jeanne. D'abord seulement cou et taille, avec extrême froideur. Se renseigne avec toute la prudence des filles de haute civilisation. La spécialité de son

1. *Roger Vailland va préparer en Italie un reportage sur les courses automobiles.*

restaurant est que les serveuses sont mineures. Mais elle situe (non expressément) le débat sur le terrain de luttes de classes :

« Nos clients (médecins, ingénieurs Fiat, étudiants, *famiglia per bene*) sont trop riches pour nous. Quand ils nous invitent c'est pour un divertimento. »

Affirme se défendre dans toutes limites du possible, ce qui est certainement vrai — et être vierge. Mais se doute que de privauté en privauté elle finira par être eue, car les hommes sont *maligni*.

Les bénéficiaires sont les patronnes-maquerelles qui ont inventé (ou importé de Toscane ?) la tenue merveilleusement provocante : pull-over flottant sur taille, serrant frôlant les seins, jupe très serrée sur les fesses, chaussons de danseuses. Travail très rapide, très souriant, très provocant des yeux, des seins, des fesses. Parlant avec clients qui restent fidèles pendant des années (un *signorino* à cheveux gris), font leurs confidences, racontent exploits avec maîtresses, montrent photos. Serveuses-confesseurs.

Travaillent 9 h-16 h, 18 h-23 h. 30. Non seulement servent, mais lavent etc.

Pour parler avec clients, tantôt posent un genou sur chaise libre (quand fatiguées des chevilles, Élisabeth dixit), tantôt s'appuient des bras étendus sur deux dossiers de chaises (quand davantage fatiguées des reins, Élisabeth dixit).

Économisent sur salaires, pourboires et sans doute petits cadeaux de flirts, pour se constituer petite dot et épouser jeune homme de leur classe. Celles qui tiennent le coup par robustesse et contre-ruse contre la *malignità* des hommes riches, deviennent à leur tour patronnes de bistrot ; évidemment la petite minorité ; comme dans toute guerre sans merci, les survivants triomphent, mais sont rares.

Le début de la défaite au restaurant voisin. Serveuses entre 20 et 30 ans. Même tenue, etc. Mais la plupart ont déjà la bouche amère.

Élisabeth m'a comblé de cadeaux : étonnantes chemises de laine : vert mousse, bleu roi, blanches. Tweed fastueux. Et tous les assortiments.

Acheté Neuvième symphonie par Toscanini.

Partons vers Toscane.

Lucques, 15 avril

Turin-Modène sans rien d'autre que conduire sur la Via Valpadana Inferiore un dimanche des Rameaux. (Déjeuner hôtel gentiment équivoque, fille poilue, noire, très excitante, mais accompagnée par manchot).

Modène, pris contact avec Albergo Reale des coureurs, Élisabeth reconnaît Behra, échangeons quelques mots, Pippo est peut-être là ; pour attendre allons boire negronis dans bar transformé en salle de bal où *cadets* en grand uniforme, debout au bas de la salle, partent tous ensemble au premier mouvement orchestre, d'un pas résolu, chacun vers danseuse qu'il a choisie, s'incliner un peu sèchement pour inviter (certaines refusent).

Poursuivons jusqu'à Bologne, hôtel Baglioni, chambre 248. Devant chambre 247, *baule armadio*[1] de T. D., prima donna, ancienne amie d'Élisabeth. La femme de chambre nous parle d'elle avec tendre admiration. Élisabeth laisse un mot, pour qu'elle nous réveille à n'importe quelle heure. Élisabeth me la raconte, folle merveilleuse putain extravagante (qui ne doit pas avoir dépassé 38 ans).

Dîner chez Nerina dont le bistrot (où dînâmes avec Pippo pour mon anniversaire 1955) s'est transformé en lumineux, luxueux restaurant italo-américain deux étages, éclairages indirects énormes dans faux rustique mais gigantesque : un arbre entier, un gros long tronc de chêne fluorescent suspendu (avec à l'intérieur tubes lumineux) au plafond de la salle principale. Au fond, portrait photo de Nerina, avec croix sur poitrine, comme si déjà morte pour la patrie à Verdun. Vient demander à Élisabeth si vraiment bien. Beaucoup de monde. Près de nous, fille coiffée comme Saint-Germain-des-Prés, lèvres fausses-minces, lesquelles, quand elle sourit, révèlent larges excitantes muqueuses, fermes mâchoires carnassières, yeux battus (a sans doute baisé l'après-midi avec gars qui l'accompagne), se confirme son pouvoir par deux ou trois occhiate assassine qui m'enchantent. Beaucoup de monde, de bruit, d'affreux chapeaux 1925.

1. *Baule armadio : la malle-armoire des acteurs.*

A deux heures T. D. nous téléphone et entre aussitôt dans notre chambre, en robe de chambre de jersey de laine. Mais c'est une femme triste et plus jeune, qui ne paraît plus aimer son métier, pas du tout licorne, qui pense au journalisme etc., surtout au suicide depuis que lâchée, il y a trois ans, par coureur auto qui ne court plus, s'est mariée, enfant, etc.

Retombons dans sommeil triste et apprenons au matin accident Françoise Sagan qui me touche comme les suicides 1925. Pippo téléphone trois fois très gentiment pour organisation pratique du voyage.

Traversons l'Apennin, déjeunons au Paretano (belle servante toscane froide, jolie voisine de table émilienne, occhiate au mécontentement de son jeune probablement mari).

Retombons amèrement sur Pistoia, un peu trop quant à moi amer, râlant contre escroqueries communistes, pourquoi voyager, etc...

Tout le monde appelle Élisabeth signorina; on la prend pour une puttanella qui a levé un riche Français.

Pensons tous deux beaucoup à Françoise Sagan. Arrivons un peu nerveux à Lucques, Albergo Universo, maîtrise de soi (un peu mélancolique) retrouvée avec la *Petite Sœur* de Mozart puis la *Sonate à Kreutzer*, puis dernier tiers *Neuvième*.

Passeggiata, whiskys, vitelloni en auto pour Italiennes, insolence toscane, rentré hôtel 21 h. 30.

Toute la journée, beaucoup pensé par intermittences à pièce kafkaéenne sur *Il Cucciolo*[1]. J'ai déjà de très bonnes scènes mais pas encore l'unité d'action.

Sienne, 17 avril

De Lucques à Sienne, c'est horticole, riche, puis la terre devient rouge. Les *poggi*, les ressauts de terrain.

San Giminiano, je m'en fous.

A Castelfiorentino, trois jeunes Françaises en panne de 4 CV chez un patron de restaurant peintre dilettante, marqué par Braque et qui fait des copies de copies de Van Gogh.

1. *Le restaurant de Turin dont les serveuses l'avaient tant frappé quelques jours plus tôt.*

La fille qui a l'air prolo de Paris ne veut pas de vin à table, mais exige l'apéritif.

Sienne, ville illustre du xe au xiiie siècle par la défense de sa liberté et de ses libertés populaires. Ces gens-là étaient extraordinairement riches et le sont restés longtemps après la perte de leurs libertés, comme il arrive généralement, ce qui donne un peu d'espoir.

Chercher causes de la richesse des républiques toscanes.

Luxe provocant du Duomo. Ils avaient décidé d'en faire le chœur d'un nouveau immense duomo qui ne fut jamais achevé, mais dont demeurent d'étonnants gigantesques pans : une ville-palais; mais les malheurs politiques survinrent avant la fin. Ces gens-là n'avaient pas par bonheur « la foi naïve des constructeurs de cathédrales » qui enchante l'immonde « fils du peuple ». Païens, sensuels, sceptiques, orgueilleux, vaniteux.

Musée (Pinacothèque) très bien organisé chronologiquement, des étages supérieurs aux inférieurs. xie-xiie siècles : rien que des Christs-Staline et des Vierges-Lénine en portrait ou dans les grands épisodes de la Crucifixion ou des martyrs (ces épisodes, style illustrations en couleur de la *Domenica del Corriere*). A partir du xiiie (avec richesse et en même temps décadence politique) on commence enfin à s'intéresser aux couleurs, etc. et à ne plus prendre les Vierges que comme prétextes sensuels.

Rien que la forme, le plaisir et la vraie liberté commencent.

Étonnante identité de tous les Christs-totems des xe et xie : c'est vraiment le portrait de Staline.

Yeux petits, étroits, triangulaires, vert-marron, perfides des Siennois-noises, de la passeggiata : le même que dans les tableaux des xiiie et xive.

Restaurant Guido où vont les troupes théâtrales et les étrangers italianistes (le couple bavarois).

Baruffe Chiozzotte de Goldoni, joué dans très charmant théâtre par troupe vénitienne, Baseggio ex-grand acteur fatigué naguère découvert par Reinhardt, entouré d'une troupe médiocre rive gauche de folklore. Ni à Bologne, ni ici n'avons encore retrouvé les actrices-putains-licornes dont parle sans cesse Élisabeth.

Une belle fille style Annonciation toscane XIIIe assise près de nous au théâtre, mais sans doute enceinte et en compagnie prétentieux intellectuel province sans lèvres.

Élisabeth m'a acheté deux étonnantes paires chaussures daim, noires et vertes.

Rome, dimanche de Pâques, 21 avril

18 avril, jeudi Saint, Siena-Orvieto par la Radicofani. Apercevons sur la gauche, sur la crête, Montalcino où se réfugièrent les libertins de Sienne, après la défaite héroïque. Jeux automobiles.

Un Anglais, en costume de ville très strict, jumelles et tout petit sac en cuir en bandoulière, fait du stop sur la Radicofani.

Devant le duomo d'Orvieto retrouvons Giovanna et Enzo Lezzi + Carlo, avocat à Naples, amoureux de Daria [...]

Déjeuner chez Daria, castelletto, longue allée de cyprès.

Daria, fille de fattore (entre régisseur et métayer), enceinte à 18 ans, épousée par le propriétaire terrien qui a bonificato toute la région, 60 ans, il meurt tout de suite. Beaux yeux ombriens (plus arqués que toscans), bien faite, élancée, mains paysannes; pas excitante, sans doute parce que pas encore éveillée, bien que maintenant 30 ans, Lucia 13.

Lucia davantage troublante; on aimerait l'ensevelir-jouer dans sable chaud, comme dans *Saison Chaude*.

Continuons sur Rome.

(Le soir Carlo fait cour à Daria, en lui expliquant comment elle peut légalement s'enrichir de l'usufruit des propriétés, avant la majorité de sa fille. Puis il passe la nuit à rédiger projets juridiques exploitation, qu'il lui propose au matin. Daria : « quand avez-vous rédigé ? » Carlo : « toute cette nuit. Je suis votre avocat, gratuitement ». Elle pleure de joie d'être enfin aimée.)

Soirée à Rome avec Donna Raissa[1]. Mais je bois trop de whisky et de vin. Fin un peu râleuse. (Ritirato tutto).

19-20 Avril, à Rome, chambre sur beaux toits, Albergo Milano.

Les admirables filles des rues de Rome. Dîners chez Totto, fleurs aux Suédoises.

Triomphales rencontres d'Élisabeth, toute la clientèle du quartier.

René Clément à Cinecittà, en train de tourner *Barrage contre le Pacifique*. Aimable avec un peu d'ostentation, semble avoir double mauvaise conscience, 1° à l'égard des communistes, 2° à l'égard des « intellectuels » parce que tend de plus en plus à films à grand spectacle à l'américaine. Nous montre quelques fragments de son film; paraît devenu très maître de son métier, mais avec manies, fréquentes chez autodidactes, de mettre partout psychanalyse etc.

Magda dans bordel, via Capo le Case. Visages tragiques des hommes qui attendent. Exquise urbanité des putains de Rome. Adresse à fabriquer en quelques instants phallus sur mesure, avec armature papier journal, enveloppement ouate effilochée, le tout recouvert double préservatif, mis dans l'eau chaude. Une fois placé, le manie du genou comme un levier, gardant ainsi les deux mains et la bouche libres pour d'autres travaux. Beauté lombarde un peu lourde. Airs d'opérettes. Gentillesse (coccolone).

Déjeuner au restaurant de la villa Hadrien avec Pippo-Moussia-Gratienne-Enzo.

Je n'aime guère les ruines ni aller en touriste dans les palais des autres.

Grandeur de P.N[2], 71 ans, plein d'ennuis d'argent depuis toujours à cause de son amour des femmes.

1. *La mère d'Élisabeth.*
2. *Le père d'Élisabeth.*

Modena, 28 avril, Albergo Reale, dimanche.

Lundi et mardi à Rome. Dîner chez H... très beau, grand, sombre [...], l'opposition parlante du P.C.I.. Sa fille, 16 ans, sensuelle et vive, paraît admirable en tous points. Femme épaisse, cuisses massives, gros seins, sans en paraître le moins du monde gênée; elle doit avoir telle quelle beaucoup de succès *romain*. Exactement un an après mon départ pour Prague-Moscou d'après le XXe congrès, ai pu passer la soirée entière à parler des malheurs des partis communistes, sans amertume, ni tristesse. Il se vérifie de plus en plus qu'on échappe à la passion politique comme à celle d'amour : le 24e jour passé, on pense à autre chose.

Mercredi Rome-Modena par la Flaminia, la Tiberina, déjeuner à Todi en Ombrie, le contraire de la barbarie des provinces françaises, fin du voyage très fatigante par l'Emilia avec le soleil couchant puis les phares dans l'œil.

Elisa, femme de Carlo (cf. Daria, 21 avril), calabraise, jalouse, quand son mari rentre tard l'oblige le matin à aller communier sans s'être confessé.

Lu dans *Messaggero :* un jeune mari romain s'étant attardé à boire avec des amis et craignant d'être querellé à la maison, va raconter à la police qu'il a été enlevé en voiture par deux Américaines qui ont voulu le violer.

Jeudi, vendredi, samedi, premiers contacts avec Maserati. Restons surtout enfermés, étudiant courses dans livres, écoutant Mozart surtout quatuors, concertos violons, baisant beaucoup.

Jeudi soir, concert piano Robert Casadesus, mon premier concert soliste. Vieille élégance sobre française, la virtuosité complètement dominée, qui semble faire grosse impression sur public italien.

A l'hôtel, les amis de Pippo regardent-guettent sournoisement Élisabeth, rendue plus désirable à leurs yeux par tout ce qui se chuchote du libertinage paternel, et de ses anciens maris.

Dimanche matin, à la sortie de la messe du Duomo, sous le portique à lions si peu religieux. Aucun provincialisme. La plupart des filles sont élégantes, et beaucoup dignes d'admiration : grandes, sveltes, taille mince, éclat naturel du teint et du regard.

Modena, 30 avril, Albergo Reale

Correction épreuves *La Loi.*

Beethoven, concerto pour piano n° 4, quatuor 14.

Behra et l'équipe Maserati sont partis faire des essais sur le circuit de Nurburg.

Aspect 1900 de l'automobile survit avec Zender, calabrais, ancien coureur, 56 ans, qui prépare une Talbot moteur Maserati pour les 24 heures du Mans, aux frais des apéritifs Dubonnet, en compagnie d'un mannequin de Paris, lapone, Annika, qui vient pleurer dans notre chambre sur le non-sens de sa vie. Maxim's, Aga Khan, etc., mais cet homme a eu les membres brisés à maintes reprises.

Modena 5 mai, dimanche, Albergo Reale

Achevé correction épreuves de *La Loi.*

Avons détaillé les beautés de Mozart concerto 23 pour orchestre pendant deux jours.

Lieu d'angoisse. Tout le monde attend quelque chose, en général une voiture, toujours de l'argent, qui n'arrive jamais. Pippo aussi, dans de compliquées histoires [...]. J'en prends l'impression qu'on se demande pourquoi je suis là, etc + le dancing, avec ces filles déconcertantes, aux regards et gestes si tendres et auxquelles il doit être si difficile de toucher, et ces hommes qui attendent avec de gros rires de voir passer les filles qu'ils ne toucheront pas.

Samedi, Brescia et Lac de Piseo.

Accablé aujourd'hui par non-sens universel.

La chambre de Horace Gould, la coupe d'argent du Prix de Naples, avec la photo de la fille de Modène dedans.

Concert solo piano, Michelangeli, sans autre intérêt que d'être cela en ce moment de la musique pour moi.

Modène, 13 mai, Albergo Reale

Du 5 au 13 dépression, causée partie par atmosphère hôtel-coureurs, partie par impression que j'ai du mal à surmonter d'être « suspect » dans ce milieu.

Vendredi, Palazzo du Te à Mantoue, lieu de plaisir de Frédéric Gonzague. Difficulté d'imaginer dans salles démeublées et abîmées. Il faudrait étudier en détail les fresques allusives d'Amour et Psyché. Surréaliste salle des chevaux.

Samedi, départ des Mille Miglia à Brescia.

La veille, accident de Behra à l'essai.

Pourquoi au-dessus d'une certaine vitesse la route se change en tapis roulant? Le coureur immobile *fait son travail*, *négocie* ses virages, avec, semble-t-il, modification de la conscience du temps, comme dans les rêves du réveil où l'on est conscient d'une longue histoire, qui ne dure qu'un fragment de seconde du temps réel.

Behra, recousu de toutes parts, après cinq accidents très graves, fait 50 mètres de cabrioles après être « *sorti* » à 200 à l'heure, poursuivi par voiture également cabriolante, se lève, ramasse son casque et son oreille de plastique, et va s'asseoir sur le bord de la route, attendre une voiture qui l'emmène à l'hôpital.

Le chirurgien de la clinique nous dit qu'il est *fifone* (majoratif et péjoratif de douillet) comme tous les coureurs, anxieux de la douleur d'une piqûre, d'un point de suture. Estime que c'est la même sensibilité nécessaire pour manier très puissantes voitures à très hautes vitesses qui provoque sensiblerie à la clinique.

Dialectique du moi-pas moi dans tapis volant analogue au comédien ou à l'orateur, du très-hardi-fifone, notions apparemment contradictoires de la sensibilité dans des situations différentes.

A midi, rencontré à Modène puis le soir à Brescia, P*** chroniqueur sportif Franpar, qui a débuté en même temps que moi dans le journalisme, en 1928. Énumération des morts, la plupart par alcoolisme. Bedonnant, les pommettes rouges de l'ivrogne, fait tenir par sa femme une auberge dans les environs de Paris, vulgarité du Français multipliée par prétention du journalisme, mais sauvé par une sorte d'enfantillage, presque aux larmes d'un « ratage » ou de n'avoir pas le téléphone à temps, traînant avec lui chienne caniche taillée, Puce; les sportifs l'appellent Pépère.

Pour la troisième fois la belle route de Mantoue dans la campagne-jardin d'Émilie-Lombardie, les ormeaux, les vignes; le Pô, passé sur un pont de bateaux, puis très belle route sur digue, est un des grands fleuves du monde, rapide, limoneux, ample, sans frein imaginable (sauvage, insoumis).

La cognata du patron de l'hôtel Regina de Brescia, mantouane, boiteuse, assez belle, volubile, ambiguë : « Qu'est-ce qu'on peut faire à trois dans une chambre? » On ne peut jamais être sûr de la vraie ou fausse ingénuité des Italiennes. Pays où il semble difficile de faire l'amour. D'après Paolo, barman pédéraste, amateur de théâtre, la demi-putain, médiocre, de l'Albergo Reale, ancienne institutrice violée par le directeur de l'école de campagne, puis abandonnée avec enfant par un cadet de l'École Militaire, coûterait 15 000 lires, très cher; n'a que de gros seins et certainement sans talent. Sans doute pourquoi les hommes gardent à la maison leurs précieuses femmes et détaillent tellement les autres dans les rues.

Les bals du dimanche après-midi à l'Albergo Reale. Les cadets et les vendeuses, dactylos, font l'amour en dansant, faute de pouvoir être seuls quelque part. A 20 heures, les cadets rentrent à l'École et les filles dans leur famille.

Mais on dit Modène la ville la plus corrompue d'Italie. Où? Comment? (Notre voisin de chambre drogué?)

A partir de 23 heures à Brescia, départ théâtral de la Mille Miglia. Aspect commercial-publicitaire du classement par catégories. L'enceinte réservée à la vérification des voitures où l'on veut se montrer, se faire photographier; Harry Schell et sa maîtresse affichant l'étiquette « meccanico », joli privilège des maîtresses de coureurs; mais cela sent la décadence, la fin de quelque chose, les gentilshommes devenus agents de publicité.

Les *tifosi* de l'automobile avec leurs petites voitures bricolées seraient plus vrais (c'est-à-dire dans l'époque) anxieux, râleurs, disparaissant l'un après l'autre dans la nuit pour leur longue randonnée solitaire. Solitaires justement. Accomplissent solitairement un exploit dont nul ne parlera, sinon eux-mêmes, dans leurs clubs locaux, et incapables de rendre la réalité de l'exploit, ou pas crus.

Une fille sotte, blonde, de Brescia, préposée à servir d'interprète aux coureurs étrangers, a amené des roses pour De Portago. Sur les murs « Vive l'Espagne » et « 531 », le numéro de sa voiture. Prestige de l'homme *grand* (une Italienne mariée à un homme plus petit qu'elle renonce aux talons pour se rapprocher de sa taille, c'est le comble de l'amour — remarqué devant le Duomo à la sortie de la messe) et *qui semble à l'aise dans sa peau* (marquis, apparenté à la famille royale d'Espagne, richesse non acquise, naturelle) et *qui fait avec hardiesse des exploits dangereux.*

Les non-coureurs conduisent en course dans les rues étroites de Brescia leur voiture de série. Goût de la maestria et aussi sans doute compensation sexuelle.

Repassons à l'aube le fleuve Pô.

A partir d'onze heures, devant l'Albergo Reale, assis sur fauteuils de fer peints blancs, parmi les *tifosi* locaux. Les voitures (d'abord petites cylindrées) passent au ras du trottoir, freinant ou rétrogradant pour prendre virage à angle droit. Joviales invectives (mais peut-être blessantes ?) des ferraristes au dernier maseratiste resté fidèle. Vulgarité des bourgeois italiens (bourgeoisie récente, au sens moderne, et femmes exclues de la vie sociale dans lieux publics).

Les petites voitures (souvent cabossées) sur la fin de leur grand circuit solitaire.

Puis les grand-sport Ferrari, Porsche, Maserati, menées par les héros, annoncées depuis le passage à la Futa. Au passage de Portago le journaliste I. U. brandit un *zampone*. Portago salue d'un grand geste ses amis de l'hôtel.

Des façons très diverses de prendre un virage à angle droit.

Le visage maculé de Taruffi. Les tifosi disent qu'il est bambola (poupée) è bambola (imbambolato), curieux équivalent de knock down (poupée de son ?).

Vers 18 heures nous apprenons la mort de Portago et Nelson, au-delà de Mantoue. Le barman Paolo nous dit que I. U. porte mauvaise chance et nous fait toucher du fer.

Musso, larmes aux yeux, écoute la nouvelle à la radio (une calotte comme de chirurgien, mais bleue) et s'en va brusquement. Le personnel de l'hôtel le dit *fifone* et maladivement superstitieux (scène parce que pyjama défait sur le lit).

Nelson, journaliste américain surnommé Vensi parce que *venez ici*, allure Anglais de bonne éducation, arrivé bien avant Portago dont il est le coéquipier-sans-conduire, métier incroyable, toujours en train de lire, généralement seul, veston de tweed, cuir aux manches. L'avant-veille, rasé, coupé cheveux, changé costume pour recevoir Italienne, étudiante air petite putain, se parlant en dînant avec dictionnaire. Sa dernière fille. A la fin du dîner Scarlati et son amie (fiancée ?) calabraise-grecque jeune, belle, s'étaient joints à eux. Avant de partir pour Brescia avait demandé à Marisa, femme de chambre d'étage, pas belle, de l'embrasser pour lui porter bonheur (lui donner un baiser sur chaque joue).

L'hôtel de l'attente de la mort. Le vieux patron, gros, cheveux blancs, très émilien, dans la petite pièce au fond de la salle à manger; la signora Lucia réception-portier, lourds cheveux noirs, fantaisies italiennes de lainage, lourde, encore-jeune-mais-qui-a-vécu, à l'aise dans son compliqué métier, la vieille propriétaire maquillée maquerelle, autre gérante analogue tante Paolo, barman Paolo passionné des gens de théâtre, femmes de chambre Marisa, Dorina. Vivent quelques jours, quelques mois avec les coureurs qui vont mourir + le dancing aux cadets + les tifosi locaux au bar le soir.

Retour de Scarlati, vainqueur Maserati (mais en 4e position). Paolo : « C'est bien. Un garçon qui a besoin d'argent ».

Sens de classe du personnel : les plus aimés sont les sans argent au départ ou maintenant : Behra, Nelson. Ou les ayant de naissance dépassé l'argent et ayant la gentillesse des gens de qualité : Portago.

Ce matin Marisa pleurait Nelson, la chambre vide, l'unique valise avec une blouse, des souliers et un lapin de feutre, qu'il avait achetés pour une fille. Lucia pleurait Portago, reprochait à Scarlati de n'avoir parlé au retour que de sa victoire, de sa moyenne, accessoirement « Portago ammazzato ».

Le temps propre aux coureurs : attendre (un engagement, une voiture, une réparation), puis ce temps spécial dédoublé des essais ou de la course.

Élisabeth rapporte : Dorina avait pensé que Taruffi mourrait parce que pour la première fois lui a serré la main et donné pourboire.

« Tous les coureurs qui m'ont donné une seule fois le pourboire et serré la main avant de partir en course, sont morts dans la course » (ou au moins grave accident comme Musso).

Musso, cette nuit, est sorti plusieurs fois de sa chambre, marchant dans le couloir.

Deux coureurs étrangers, en mauvais italien :
— Io bello uomo. Io vivrò.
— Io più bello che mio amico. Io vivrò.
Ils sortent. Elle est sûre qu'ils mourront. Ils meurent.
Tout l'hôtel persuadé que c'est au tour de Musso de mourir.

Ascari non plus ne donnait pas de pourboires. La première fois qu'il en a donné, il est mort.

La fille de Nelson, connue au bar, un après-midi d'ennui, parce qu'il pleuvait. Il l'invita à dîner.

Monte-Carlo, Hôtel de Paris, 19 mai

« Adventure is like religion. And in religion you must have faith. I have faith in myself. » Portago, quand à 28 ans décida de devenir en deux ans champion du monde.

Alfonso, Antonio Vicente Eduardo Blas Angel Francisco Borja, Cabeza de Vaca, Grandee of Spain, Count of Mejorada, Count of Pernia, Marquis de Moratalla, Marquis de Portago, Duke of Alagon.

[1958]

[*Journal intime*]
15 mars, sur *Jean Laborde* entre Sardaigne et Messine [1]

Embarqué la veille très fatigué et fiévreux. Repos parfait dans cabine blanche assez vaste, léger roulis, reflet de la mer qui glisse sur le plafond, bruit très régulier du moteur à mazout, glissement de l'eau (?) sur la coque, frémissements de l'armature, favorisent le sommeil et la détente.

La dernière fois, en Mars, je crois, 1947, après B. conduite à la clinique [2], j'avais dormi jusqu'au large de la Crète.

La fatigue — et l'alcool — ont été tels les derniers jours que le tabac n'a pas encore repris son goût.

16 mars (Entre Messine et Crète)

Cette cabine de « demi-luxe », de dimensions à mon souhait, avec le personnel encore distant, malgré la gentillesse d'Élisabeth et la vie réglée du bord. Nous y passons la plupart de notre temps. Il fait froid et pluvieux sur le pont et je n'ai encore distingué aucune passagère. Tout à fait la cabine capitonnée que je désire si souvent.

Le mouvement du bateau dispense du besoin de bouger; la chambre dont on n'éprouve pas le besoin de sortir, c'est évidemment une cabine de bateau.

1. *Roger Vailland s'est embarqué pour l'île de la Réunion. Il est parti à la recherche de Paul et Virginie.*
2. *B. : la première femme de Roger Vailland.*

Relis Valery Larbaud (Pléiade), *Barnabooth*, poèmes et journal. J'aime la recherche consciencieuse, méticuleuse, du poids juste dans les descriptions :

« *je considère ses grands membres forts et doux sous la soie ouverte de toute part, et qui, humiliée, fait place à la peau de blonde et d'enfant, rose, luisante, pleine de fossettes* ».

p. 115 — me donne envie de relire Malherbe.

p. 112 - 113 à propos de l'Italie, très typique recherche d'être une balance sensible et juste.

Beaucoup de réserves quant à présent (p. 139) quant à l'aspect conte moral. Nous verrons. Nous verrons. Mais la première lecture de *Barnabooth* (au lycée de Reims) m'a certainement marqué.

Le tabac commence de reprendre goût.

17 mars

Je ne descendrai pas demain à Port-Saïd. Les affaires d'Égypte ne m'intéressent plus. Cet ennui de savoir par expérience que mes amis les meilleurs (qui m'aiment vraiment) pensent d'abord à m'utiliser pour leur cause (Kamal, à côté de moi, menottes aux mains, tous deux sur le camion : « ton arrestation n'est pas inutile, elle prouve aux camarades du mouvement qu'ils ne sont pas seuls », il y avait aussi sans doute l'arrière-pensée de forcer la main au P.C. français, de l'obliger à reconnaître leur mouvement), cela, aujourd'hui, malgré la chaleureuse et efficace amitié qu'ils me prouvèrent, me dégoûte autant que la provocation de police. [...] Si bien que je n'ai même plus envie de promener Élisabeth dans la foule que j'aime tant du vieux Caire, poussière, radio en arabe, odeur d'épices.

Soirée d'hier à jouer whisky aux dés avec colonel plaisantin et autres.

Le temps s'est levé, avec un vent frais.

Barnabooth : tout le débat moral, milliardaire-peuple, protestant-catholique, début de siècle, quoique moins ennuyeux que Gide. Moi aussi j'aime les *popolane* et j'apprends énormément d'elles; mais le problème est mal posé; il eût fallu pousser un peu plus : la sagesse de la femme et du peuple, c'est la finesse nécessaire à l'esclave pour survivre, et l'approfondissement du vocabulaire par ceux dont le seul moyen de penser le monde est de parler (faute ou grâce au fait de n'avoir pas été formés à la pensée conceptuelle et d'ignorer les grands mythes culturaux (Marie-Jeanne).

Mer Rouge, 19 mars

Hier, sur la rive du canal, dans le désert, terrain vague, des centaines de fellahin en train de creuser une seconde berge, nous sifflaient et nous criaient « go home », avec des gestes obscènes. (Plus près de la rive les tentes brunes, coniques, de leur « camp de travail ».) Plus loin un enfant, délicieux dans sa djellaba mimait de nous foutre le pied au cul. Je ne me sentais pas concerné, non pas parce que, comme j'eusse été il y a deux ans, du côté des fellahin, mais sans doute parce que, à ce stade nouveau (de développement) dans lequel je suis probablement entré beaucoup plus avant que je n'ai conscience, on ne se pose pas la question de prendre parti.

Du développement des végétaux et des hommes par stades.

Élisabeth, ce matin, écrivant son journal, encore émue aux larmes de l'inquiétude de mes amis de Paris : « Nous lâche-t-il donc pour de vrai ? » Ils commencent à douter que ce soit des vacances.

Océan Indien, 23 mars

Avant-hier, à Djibouti, le crépi rose écaillé, ton plâtre fout le camp, sous les arcades. La secrétaire éthiopienne du directeur de Radio-Djibouti lui demande : « Qu'est-ce que cela veut dire l'expansion européenne se poursuivit au début du XXe siècle ? » L'épouse cependant beurre les sandwichs pour le pince-fesses, comme ils disent, du soir. « On s'amuse à Djibouti » a dit à Élisabeth le lieutenant radio. C'est très probable.

Fiévreux ces derniers jours, toussant un peu et hier

« détendu » jusqu'au bord des larmes. Lu tout Mérimée Pléiade.

Aujourd'hui lu pour la première fois et avec un très vif plaisir *Le Cahier Rouge* de Benjamin Constant. Du ton.

Canal Mozambique, 28 mars

Premier jour sans fièvre, malgré ce matin assez longue promenade dans Dar es Salam.

La nuit de la fête du bord (passage de l'équateur), la farandole sur le pont illuminé émerveilla la petite Malgache fille du sénateur; je la menais fermement par la main, « que c'est beau! que c'est beau! ». Un petit nègre ivre titubait au milieu de la piste : « c'est un Réunionais » m'expliqua, avec mépris, le sénateur. Le lieutenant parachutiste embarqué à Djibouti, taillé en brute, fit souvent danser, le plus convenablement du monde, la fille du colonel, 17 ans, très sage; on baise, semble-t-il, très peu à bord; l'armée adoucit les mœurs. Mais la colonelle se luxa l'épaule en dansant la farandole; elle était si contente de retourner à la colonie vingt ans plus tard; entre-temps, la succession des guerres l'avait coincée à Gagny « triste banlieue ». Il n'y a que nous en première qui ne soyons ni militaires ni fonctionnaires.

Comme il y a trente ans, la conversation me reste toujours extérieure, masque du rite alcoolique ou prétexte pour préparer-obtenir.

Dans l'estuaire de Mombassa les Anglais entretiennent encore quelques jolies pelouses. Mais toute cette côte d'Afrique semble envahie par des Indiennes à lunettes, darwinistes et marxistes, comme la future population du globe.

31 mars, entre Majunga et Diego Suarez

Le pont m'est interdit le jour à cause des enfants qui crient et s'y bousculent. Ces fonctionnaires et militaires ne savent plus (ou n'ont jamais su) élever leurs enfants. Les parents parlent de leurs problèmes d'administration. Mais je continue d'aimer la cabine et une certaine légèreté revient avec la santé.

Journée plaisante avant-hier, au large des Comores, en partie sur passerelle du commandant, avec des « grains » qui se promenaient dans le ciel et dans le radar.

Benjamin Constant abandonné depuis plusieurs jours, malgré la froideur du ton, aussi odieusement « parvenu » (de la classe qui « parvient » au pouvoir) que Gœthe de *Poésie et Réalité*. Retourné par contre avec un plaisir croissant à Valery Larbaud, son extrême conscience d'artiste.

Les filles que je n'aurai pas eues : à Majunga, dans le vrai faux bistrot à marins, la *petite* putain noire, qui louchait, merveilleusement maussade, d'abord en robe bleue, puis après une passe, seulement corsage bleu et slip noir, se faire minutieusement déchirer par elle, moqueuse. Une autre, en pousse, beau visage, tout le reste enveloppé dans le lamba blanc, s'asseoir près d'elle et la baiser aussitôt, au trot de l'homme, sous le lamba soulevé. Nous étions en trop nombreuse compagnie.

Le commandant du port de Majunga, vigoureux, malin, sans aucune prétention à aucune sorte de culture, sans doute l'ancien type du Français de la colonie, sa faiblesse est évidemment sa femme, toute petite parvenue, très sotte, dont l'attachement passionné aux signes extérieurs de la petite bourgeoisie arrive à rendre vulgaire leur maison solitaire à côté du phare en pointe sur la rade, sous trois cocotiers. Lui sûrement brave.

Au bar à matelots : réunionais, employé comme adjectif péjoratif. Conversation aussi des officiers du bord. Comme si nous allions, étape par étape, vers le pays du comble de l'abjection.

Roman à faire sur le Blanc qui se laisse aller.

Port de Tamatave, 3 avril

Valery Larbaud, *Amants, heureux amants*, page 636 : « ... Ugo Foscolo, ou l'après-midi solennel. Ah, ces gens-là seuls ont vécu et donné la vie, et les autres ont été comme s'ils n'étaient pas. Leurs plaisirs et leurs peines sont les seules choses qui comptent dans le monde : les seules peines et les seuls plaisirs qui n'aient point passé comme des rêves, parce qu'ils n'ont pas été seulement éprouvés, mais repris à la mémoire et transformés en objets qu'on voit et qu'on touche, et en voix qu'on entend... »

M. Sinclair, de Diego-Suarez, crâne rasé, nous a menés dans son Aronde à 1200 mètres d'altitude, dans des cratères éteints plantés en forêt tropicale, très silencieuse à 11 heures du matin, avec seulement l'aboiement d'un invisible perroquet. Une lourde cascade tombait entre de grandes fougères dans une vasque sombre où le conservateur des Eaux et Forêts fait porter de jeunes truites qu'il élève dans un bassin, sous un hangar où il est interdit d'entrer. Des scolopendres, je crois, poussent dans le creux des arbres, jusqu'à une grande hauteur; j'aurais dû emmener ma *Flore Complète de France*, qui eût le plus souvent été suffisante quant aux familles et genres.

Les femmes que je n'ai pas baisées : au restaurant de Joffreville, en short très court, la femme de ce Sinclair, œil marron, vif et provocant.

Majunga, Diego-Suarez : des villes pas encore commencées, que l'armée et la marine tiennent ouvertes pour personne. Aussitôt commence la blache qu'on a négligé de faucher, immémorialement.

A la poste de Tamatave, beau vestibule entouré de parterres de fleurs, un employé malgache colle très lentement des télégrammes sur un cahier d'écolier.

[...]

La Montagne, maison Courtier, 18 avril

Arrivés à Saint-Denis lundi soir, installés ici jeudi soir.

Les filaos comme des pins maritimes. Villa une pièce avec brise-soleil à la Le Corbusier et ventilation multiple. Frigidaire, eau chaude, radio. Un peu Cap d'Antibes. Lotissements. Bulldozers en route. Fossés des canalisations d'eau pas achevés.

Mais, cet après-midi, à pied, descendons vers l'Océan qu'on entrevoit entre les filaos :

1° Villa directeur européen d'une agence auto, engrais, etc.

2° Plaque indicatrice : propriété des Phosphates d'Alsace — (en plus petit) don des Phosphates d'Alsace.

3° Un bulldozer défonce la brousse, soulevant des blocs de lave noire.

4° Descendons de bloc en bloc.

Cabanes de demi-noirs, enfants à yeux bleus, vaches maigres, poulets maigres, dans mauvaise herbe (abandon). Mais au milieu de la « blache » de la sale herbe, des petits carrés (un quart de mètre carré) de terre, avec morceau de bambou creux protégeant jeune plant de filao (pour le compte du propriétaire du territoire).

5° Écrasés, dans le vent très fort, contre un bloc noir en surplomb, 246 mètres plus bas, l'Océan Indien, plombé, sans une échancrure, dans la falaise, sans un bateau sur l'Océan, énorme solitude.

Retour en arrière. Très important : le 10, à Tamatave, au sortir du cyclone[1], goût amer dans la bouche, sentiment comme d'un trou au creux de l'estomac, vide dans le ventre comme Belaïd Hocine avenue de Flandre s'écroulant blanc

1. *Le* Jean Laborde *avait dû se dérouter pour éviter d'être pris dans un très violent cyclone.*

une balle dans le ventre [1]. Vésicule biliaire bloquée, 39°5 de fièvre. Obligé à suppression totale tout alcool.

Je ne commence à retrouver *goût* de la vie qu'aujourd'hui 18, l'amertume parallèlement disparaissant de la bouche.

+ pendant même période bite paralysée par dartre annamite.

La Montagne, 19 avril

Matin. Mozart concerto piano 12.

La musique accompagnement du chant : figurative (ou plutôt chorale). Musique de danse : décorative. Tout le reste : abstrait.

Retour en arrière. Les filles que je n'ai pas baisées : Yasmina apparue au-dessus de la piscine du bateau, longues cuisses très découpées (torsées), également la taille, petits seins, musulmane de Bombay, 22 ans, fille d'un riche commerçant de Tananarive, faisant avec son père, sa jeune sœur et une amie, les deux autres en sari, la croisière de Pâques, Tamatave-Maurice-Réunion-Tamatave. Elle a fait quelques études dans une école internationale de Genève et obtenu de son père, qui l'aime, à 22 ans, d'attendre encore un an avant de se marier avec un Indien. Elle s'habille comme une élégante entre Européenne et Américaine et quelquefois un sari plus moulant que les Indiennes. Je lui fis deux soirs la cour, une fois au bar des premières, une autre fois, tard dans la nuit, chez le docteur, après le souper à l'annamite, « mais non je ne suis pas belle », « c'est la première fois que j'arrive à croire que je suis belle », elle a les lèvres épaisses, le nez un peu écrasé, de beaux yeux sombres, et les cheveux coupés à la plume très faubourg Saint-Honoré, à son avantage; mais c'était le temps du whisky, je ne me rappelle pas nos dialogues et je ne poussai pas l'attaque. A Tananarive, elle a obtenu, conquête, de faire seule du cheval et de l'auto.

Autres femmes du bord mais qui ne me tentèrent pas, sans doute à cause du whisky :

1. *Belaïd Hocine avait été tué à Paris, en 1952, au cours d'une manifestation contre le général américain Ridgway. Roger Vailland, qui participait à la manifestation, l'avait vu tomber.*

Noëlle E..., femme d'un fonctionnaire de Madagascar, Bretonne aux belles épaules blanches, pourrait être femme-sale-gamine, l'âge ingrat à 35 ans.

Une Italienne de Menton, mariée à un jeune capitaine de la Coloniale, maigre brune, la crudité *popolana*. Les imbéciles, comme elle ne peut avoir d'enfant, viennent d'adopter un nourrisson d'un orphelinat italien. *Bastardino mio !* disait-elle.

« Tendre gorge », la femme de l'agent des Messageries à Tamatave, les robes toujours glissant sur de rondes épaules et découvrant de trop petits seins (quant à la femme) enfermés dans un soutien-gorge noir. Récente ablation des ovaires. Ces femmes de fonctionnaires coloniaux parlent de leurs ennuis de ventre avec autant de facilité et d'abondance que les paysannes de Meillonnas.

Les bateaux des Messageries Maritimes excitent tout particulièrement les douaniers (à la différence de ceux de la Havraise) : équipages marseillais, contrebande, derniers héritiers du commerce *interlope*. Le coiffeur, survivance des officiers de *pacotille*. Les douaniers de Tamatave faisaient descendre de voiture et fouillaient les hommes d'équipage et tout particulièrement les officiers. Le coiffeur goguenard sur le bord du trottoir assistant au passage d'une contrebande, la voiture saisie, mais le contrebandier filant avec des paquets d'opium à sa ceinture.

[...][1]

La Montagne, 21 avril, lundi

Hier, avec Courtier, à Dos d'Ane et au Cap Noir, au-dessus du cirque de Mafate. C'est du côté des « pauvres blancs » qu'il y a à chercher pour moi (la population de Islettes). Terre encore sans histoire, le contraire de l'Italie du Sud. Puis sur une plage corallienne de Saint-Gilles, chez le fils de Monfreid, sympathique.

1. *Notes sur des lectures consacrées à l'histoire de la Réunion.*

La vie revient dans la sobriété. Les dartres annamites se dessèchent. Euphorie des désintoxications. Après l'alcool, il restera encore le tabac. Je serai tanné et déchaîné.

La Montagne, 22 avril, mardi

Vendredi dernier, au marché de Saint-Denis.

1° Chez le quincaillier « les petits blancs » pieds nus, pantalons rapiécés, chemise sale, loqueteuse, achètent un tuyau de caoutchouc pour moteur qu'ils mesurent avec un centimètre d'acier de haute précision.

2° La vendeuse de fleurs saoularde mi-clocharde et le nègre qui marchande le bouquet à 25 francs.

Musique (suite)... pas tout à fait abstraite à cause du *spectacle*, de l'orchestre (comme le film de Clouzot sur Picasso en train de peindre), mais achevé de devenir abstraite avec le microsillon.

La Montagne, 23 avril

Une île sans marin, un océan sans bateau. Une côte sans abri. Une butte de 3000 mètres posée sur des fonds de 3 à 4000 mètres avec des requins etc. etc. jusque sur le bord.

Mascareigne est le bout du monde parce que seulement rades foraines. [...]

La plaine des Cafres, 24 avril, mercredi

Fragile et sensible J.V.D, amateur de jeunes filles de couleur.

Entre Saint-Denis et la plaine des Palmistes, premières vues tropicales : les cannes vues d'en dessous, avec les buissons pleins d'oiseaux et de vie. Puis on entre dans le virage, on en sort, on y revient.

Visite au centre d'insémination.

(Retour en arrière : le généticien spécialiste de la vanille, au centre d'essai à côté de Tamatave.) M. Cancre, sain, améliore les descendants des quatre génisses et du taureau abâtardis de zébu[1] par des taureaux hollandais (pour le lait) suisses (pour le lait crémeux à beurre) et charolais (pour la viande). On injecte du mâle étranger pour améliorer (en *bois* d'abord, en ossature) les femelles locales.

Un Breton introduisit, par « goût » peut-être, des ajoncs épineux qui sont en train de bouffer les pâturages. M. Cancre, pour nourrir son troupeau modèle, en six ans a détruit 200 hectares d'ajoncs ; il introduit (dans les sentes des bestiaux) un chiendent sud-africain, bon fourrage, qui...

Entre ses taureaux, vaches, génisses, étalons, pouliches, à cheval dans ses pâturages, envoyant ses inséminateurs à travers toute l'île, défrichant, semant, repiquant, tendre avec ses bêtes, mesurant déjà sur sept ans une amélioration des bovidés dans divers secteurs de l'île, M. Cancre est heureux (la nuit du cyclone, avec tous ses palefreniers et tout son bétail rassemblé dans les grandes étables, un homme, douze heures durant, à côté d'un poulain apeuré, pour l'apaiser).

Dans les décades à venir, les débuts probables du socialisme, le bonheur est pour les techniciens d'État, intelligents et probes, inventifs, « praticiens et théoriciens ».

La plaine des Cafres, 24 avril

Matin : Grand Bassin vu d'en haut, le futur téléphérique pour descendre l'école par pièces détachées, 1 000 mètres à pic, puis l'institutrice, vingt heures par le sentier.

Le Tampon : les anciennes maisons créoles, tout en bois, murs et toits en *bardeaux*. La *varangue* avec les fougères ou autres dans les pots de sphognum.

Après-midi, marche de trois heures en direction de la forêt de Bé-Bourg, descente dans le ravin du Bras-Noir, dans

1. *Roger Vailland avait noté au cours de ses lectures que quatre génisses et un taureau avaient été introduits dans l'île en 1649.*

le nuage qui se fait et défait, avec parfois un rais de soleil, parfois la pluie, les premiers végétaux sur la lave : joncs, herbes et très vieux, tordus parce que depuis des siècles coupés par les cyclones puis viennent les rejets, l'arbre (brandes ?), les trous noirs de la rivière, les cascades, les mousses profondes comme la canne ; gonflé d'eau, moite, frais quand même, froid moite.

Plaine des Cafres, 26 avril

Course de la plaine des Palmistes à l'Ilet Patience.

[...]

Journée heureuse. Forme retrouvée : 500 mètres de dénivellation par pente très raide aller et retour en cinq heures. Le dégoût de l'alcool persiste, très vif. Forme étonnante d'Élisabeth, toujours en avant. Il faudra décrire le bois genèse, le premier bois sur la lave dans la ouate ruisselante d'eau. Ramené nombreuses orchidées dont une en fleur. Jean V.D., très « gentil » compagnon.

La Montagne, mardi 29 avril

Samedi 26, dimanche 27, lundi 28, excursion au Volcan avec Michel Courtier, couché les deux nuits au refuge forestier de Bellecombe (2 226 mètres) dans enclos de grand et petit *tamarin des hauts* (Acacia heterophilla et Sophora nitida, bois rouge, fort parfum du bois).

Forte fatigue, douleurs, à la fin de la première journée, deuxième journée heureuse, joie du corps peu à peu retrouvé et dominé, 17 jours après la crise et sevrage alcoolique de Tamatave. A la fin du 3e jour, fatigue nerveuse, due semble-t-il, davantage à conduire 100 kilomètres contre soleil couchant qu'à la course assez dure des jours précédents et du matin même. Aujourd'hui repos, lectures, courrier. Irrité ce matin par les nouvelles d'ailleurs peu claires de la radio Réunion ; tout le monde, y compris et d'abord l'URSS et le P.C., est prêt à laisser tomber le F.L.N. comme naguère Markos (ou, en moins dramatique, les F.F.I. en 1944); c'est ainsi et il est enfantin de s'irriter; mais tout enthousiasme révolutionnaire devient impossible et dans quelle mesure la « trempe » est-elle possible sans pathétique? Le pathétique depuis 45-47 joue de plus en plus souvent contre le communisme. Je m'aperçois de plus en plus que je n'ai pas encore résolu le problème clairement posé dans *Drôle de Jeu* (et *325 000 francs)* : pour l'ouvrier énergique et intelligent, sortir (s'affranchir) seul de sa condition ou s'affirmer ouvrier et homme de qualité en luttant révolutionnairement.

Surface considérable de *l'Enclos* du Volcan (environ 10 kilomètres sur 10 kilomètres), paysage entièrement minéral, noir, aristotélicien : la terre, l'eau, l'air, le feu, dans leurs combinaisons, non, leurs luttes primordiales (l'eau aussi toujours présente, nuages aspirés ou refoulés par la « gueule » — des rivières — qui tombent à la mer tantôt visible, tantôt cachée par ces nuages, mieux ces « nuées » langage créole, en deux ou trois étages, coupés net).

« Ceci, dis-je à Courtier, plus encore que par l'émotion (d'origine historiquement récente, romantique; « ces affreux précipices » disait-on au XVIIIe siècle et aujourd'hui le garde forestier, les cœurs simples), est valable comme matériel pour la pensée autre que conceptuelle » (comme les dessins de William Blake).

L'eau... dans l'échafaudage, le bouillonnement des gros nuages (cumulus), parfois soudain plus importante que l'Enclos avec tous ses cratères — enfin plus insidieusement présente dans son union-lutte avec le feu, par ces vapeurs brûlantes qui sortent des fentes de la lave,

le feu, dans son mariage avec la terre, présent par la calcination du minéral, ferveur retombée, pétrifié à tous ses degrés, du mâchefer à la dalle et au tube de céramique, dessinant parfois de monstrueux accouplements,

dans certaines fentes, les premiers lichens, mousses, très petites brandes (et parfois pissenlits!),

total silence,

pas d'oiseaux sauf un tic-tic, peu d'insectes : quelques araignées et formica-leo (mais, nous dit le vieux guide Alfred Picard, quand coulée de lave en train de couler, des bandes de tic-tic viennent tout près, en chasse des araignées qui fuient le feu),

feu aussi le soleil réverbéré par les coulées de lave figées quand elles ont la couleur de l'étain (comme en ce moment, entre les filaos de la montagne, l'Océan Indien).

Dans les « enclos » plus anciens (plaine des sables), l'eau et l'air (et le gel) ont changé la lave en sable rose, plaine absolument plane jusqu'à l'aplomb des étages de basalte (six marches = 2 à 300 mètres).

Dans les « enclos » encore plus anciens, les tamarins morts, d'un blanc minéral (phosphore blanc ?), forêt pétrifiée.

La Montagne, 30 avril

L'océan, comme la neige, n'est beau ni laid, plaisant ni déplaisant. Tout dépend de ce qu'on en fait.

(Suite à la dialectique du maître et de l'esclave : Gauguin, Noa Noa : « mais quel Diogène a donc dit que les lions volés par nos ménageries au désert sont moins notre propriété que nous ne sommes la leur, puisqu'il nous faut nous rendre leurs domestiques pour les garder dans la cage ? »)

La Montagne, jeudi 1er mai

Journée passée chez Monfreid fils (dans sa maison de la plage de Saint-Gilles) qui me dit des choses intéressantes sur les habitants du cirque de Mafate, dont il construisit l'école portée à dos d'homme, et où nous irons (il semble à maints « intersignes » que ce voyage à la Réunion se concentre autour de l'école de Mafate).

Quelques mètres carrés pour se baigner sur tout le littoral de l'île; encore n'est-il pas sûr qu'on n'y rencontre pas de requin ou pire.

La belle-sœur de Monfreid, une femme qui vint déjeuner, et, à la rigueur, la femme de l'architecte son associé me plaisent à titres divers.

La Montagne, 2 mai

Raisonnement contradictoire de Monfreid et de la plupart des zoreilles[1] :

1° « les petits-blancs » des Hauts sont dégénérés *a*) par mariages consanguins, y compris incestueux, *b*) par alcoolisme, *c*) par sous-alimentation.

2° Les petits-blancs des Hauts sont d'une extraordinaire résistance. Pour construire école de Mafate, deux fois mille mètres de dénivellation par jour, sentier très abrupt avec 50 kilos sur la tête.

Ce qu'ils appellent dégénérescence est l'adaptation à un milieu très particulier. Il n'en résulte pas « dégénérescence » mais difficulté d'adaptation ailleurs.

Le couple d'habitants d'une îlette à une longue journée de marche (l'îlette à cordes parce qu'on y montait avec une corde à nœuds), qui vint danser toute la nuit (avec le môme sur les bras) pour l'inauguration de l'école, et repartit au matin. L'homme en costume bleu, avec grosse moustache noire.

La Montagne, samedi 3 mai

Au fait, tout ceci me laissera un creux, tant que je n'aurai pas fait l'amour à une Créole. Mais ce creux est peut-être la condition de créer avec : exemple Rodi Garganico, *La Loi*. Enfin ce soir nous allons dans les bals créoles.

Lettre d'Irène S. sur l'agonie de Maurice Thorez. Cela ne me fait plus même penser à des actions possibles. Tout se passe comme si, depuis les événements qui suivirent le XXe congrès, « *changer la face du monde* » *ne me concernait plus*. Ma vie, comme le développement des plantes par stades, se découpe en périodes bien tranchées. La période commencée en 1943 avec ma désintoxication et mon entrée dans la Résistance est close.

Génial Lyssenko. Mon goût pour la biologie, pata-biologie,

1. *Les « zoreilles » : les Français de France en poste à la Réunion (ils ont des oreilles partout).*

pata-agrobiologie pata-bio-sociologie est bien plus profond que ne le pensent les jeunes marxistes, qui y voient coquetterie.

Aucune plante de montagne sur le Volcan, entre 2 000 et 2 400 mètres, et où il gèle plusieurs mois par an. Parce que 1° les jours sont sensiblement égaux tout le long de l'année 2° pas de neige qui ne fondant qu'aux jours longs dénude brusquement la plante avec excès de lumière.

La totalité des zoreilles que nous avons rencontrés, sans contacts avec Créoles, et « déséquilibrés » (comme boussole affolée, balance instable). Parce que non adaptés, demeurés extérieurs, en équilibre instable avec ce milieu très particulier : la Réunion et ses créoles.

Lettre à Lazareff : « une île sans bateau, voilà bien l'endroit le plus isolé et le plus fermé du monde : un œuf posé au milieu de l'Océan. Nous voici au milieu de l'œuf, nous essayons de comprendre, nous cherchons à tâtons, nous étudions l'histoire, la géologie et la botanique pour trouver des points de repère, et nous allons passer cette nuit dans les bals créoles, avec un créole, en quête de la créole qui, en nous ouvrant son cœur, nous initiera à la créolité. »

Le sentiment de la propriété quand il est frais. Sur le sentier de la plaine des Palmistes à l'Ilet Patience : « Passage ouvert. Défense de pénétrer sur ma propriété. Paul Voiret ».

La Montagne, dimanche 4 mai

Bal sans zoreilles que nous (semble-t-il). Les notables — notaires, avocats, hommes d'affaires, tous créoles — débraillés et buvant sec, invitent à leur table les très jeunes vendeuses, dactylos, etc., teintées et malabaraises, souriantes et « bien élevées ». Ils sont pour la plupart mes conscrits. L'Ouest américain dut être ainsi, il y a un siècle (?). La Réunion pays sans histoire, neuf.

Mais le vieux de Villèle les bras croisés, debout, devant les cafrines debout.

J'aime que les jeunes filles soient respectueuses envers les hommes forts.

Rose-Mai, institutrice au port, 19 ans, malabaraise, robe rose, et sa sœur robe blanche. Les deux sœurs filles de riches commerçants malabarais, l'aînée moins de 18 ans, foncée, l'œil noir sauvage, élève de première au lycée — et leur grosse mère, que J.V.D. et moi avons raccompagnées innocemment en voiture jusqu'à leur demeure, au coin de la rue de Paris et de la place de Paris.

J'ai bandé en dansant avec Gigi (créole mâtinée chinoise ?) des chaussures Bata, et Janine, trop mièvre, mais j'étais excité, dactylo créole.

Jusqu'à trois heures, sans boire d'alcool, l'euphorie persiste, je ne me suis pas ennuyé.

Aujourd'hui déjeuner chez Bergerot, agent des Messageries Maritimes, sa femme, ses deux jeunes filles, le fils « militaire », la famille coloniale depuis toujours, Changhaï, Saïgon, Nouvelle-Calédonie, le colonial (marseillais) français, qui ne manque pas d'allure (la femme surtout), mais déjà d'un autre monde, courageux, traînant sans rechigner toutes ses maladies tropicales et ses histoires d'amour-passion.

La Montagne, mardi 6 mai

Hier, tour de l'île par Saint-Pierre, Saint-Joseph, le bas du Volcan, Sainte-Rose, Saint-Benoît.

Recueilli des orchidées épiphytes dans forêt domaniale du Grand Brûlé. Pas un seul bateau sur l'Océan toujours visible. *Une île continentale.*

Le travail de l'homme curieusement *à la surface* de la nature encore inhumaine : de jeunes plants de filaos dans les coulées de lave relativement récentes, qui n'en sont au naturel qu'au stade lichens et mousses, des vanilliers, plantés par les eaux et forêts contre les arbres les plus divers de la forêt tropicale, apparemment inextricable, mais il y a les petits sentiers des forestiers, par-ci par-là, — et un grand nombre d'écoles Le Corbusier, dans d'incertains villages de cases. La côte est plus tourmentée, âprement découpée et les brisants, soufflants, etc. qu'aux plus beaux lieux de Bretagne et plus ensoleillée qu'en Italie mais on ne la ressent pas belle, parce qu'inaccessible.

Même sentiment ce soir à la Montagne : l'Océan Indien entre les filaos, proche et lointain, étain et plomb, cela est mort, d'avant l'homme.

Les filles que je n'ai pas baisées : Marcelle H., que nous prîmes à Saint-Gilles et qui nous accompagna dans le tour de l'île. Grande, robuste fille, rieuse, que je n'ai désirée que parce qu'elle paraissait aisément baisable, mais les circonstances ne s'y sont pas prêtées. Au fait, nous apprîmes qu'elle sortait d'une dépression nerveuse et son sourire est pour une part un rictus — choses dont elle parle intelligemment. Laure de Monfreid nous fit visite tout à l'heure, désemparée, parce que semble-t-il, elle était venue, il y a six ans, dans cette île, croyant que c'était Saint-Tropez en plus sauvage.

La Montagne, 7 mai

Projet de pamphlet aimable : la politique au service de l'art ou la politique et l'amour au service de l'art.

La Montagne, 11 mai

Vendredi visite aux écoles, système approximativement Freinet, de Ravine des Cabris (pays des sorciers et jeteurs de sorts, sang très mêlé), Grand Bois (sucreries), Saint-Joseph (culture canne à sucre), avec vice-recteur, inspecteur enseignement primaire, etc. et Le Guen.

Le Guen, ancien rédacteur *Huma* parti sur désaccord sans éclat en 48, un an chômeur, un an instituteur en Bretagne, puis à La Réunion école du Tévelave, méthode Freinet, jolie jeune femme, 3 enfants, peinture non sans intérêt, pas du tout embourgeoisé ni colonial, vivement intéressé par tout, heureux semble-t-il et « d'équerre » à la différence des autres zoreilles; garde souvenir très pénible, anxieux, de l'année de Bretagne où pris entre les communistes qui le soupçonnaient et les autres qui lui reprochaient d'être communiste.

Samedi soir, bal de la société « Amusons-nous », hôtel de l'Europe à Saint-Denis. Presque uniquement des créoles (du blanc au beige) ; familles, dactylos, secrétaires, employées. Mais je crois qu'il n'y a que les Cafrines qui m'excitent : la négresse qui provoque et qui rit moqueusement ; il n'y en avait pas.

Les Créoles un peu teintées, les Créoles en général ont le visage méchant ; il n'y a qu'un siècle que l'esclavage est aboli.

[...]

Cilaos, lundi 12 mai

La mèche du fouet de Madame Z. s'est enroulée autour de sa gorge.

Plusieurs fois J. Z. nous avait fait allusion à ses rapports pénibles avec ses parents, singulièrement avec sa mère, Créole blanche, en particulier à cause de sa dureté avec *ses gens ;* « elle prend le deuil quand leurs parents meurent, mais elle les traite comme si encore esclaves ».

Son père et lui-même sont teintés. Il dit avoir fait de vaines recherches sur sa généalogie. Mais il suppose, ce qui paraît vraisemblable, que le métissage est malabar.

Son père d'origine très pauvre, d'abord sciuscia de Saint-Denis. Sa mère, par contre, d'une riche ancienne famille blanche de la Réunion (mais cheveux crépus).

Il a épousé une Lorraine maigre et blonde, qui, aujourd'hui, par haine pour lui, accentue par la teinture sa blondeur jusqu'au bleu-violet. Indifférence haineuse également à l'égard de leurs deux petites filles, olivâtres.

(La haine inévitable au couple plus manifeste à la colonie qu'à la métropole. Au contact de milieux très divers — races, nationalités, religions — le métropolitain qui n'a pas reçu une très forte éducation — catholique, anglaise, ou communiste — allégoriquement désorienté de voir le soleil de midi au nord, perd la tenue, perd la face. C'est pourquoi les coloniaux de vieille tradition, comme Mme Bergerot, tiennent tellement aux formes de la religion et jugent des gens essentiellement sur leur bonne ou mauvaise éducation.

Les étrangers amenés à vivre dans un milieu, en étrangers précisément, dans un milieu très clos, très particulier, « perdent les pédales » dirait Henri, s'ils ne restent pas fidèles *formellement*, jusqu'au *formalisme*, à *leur formation*.

J. Z. et sa femme affirment assez paradoxalement ne maintenir que par convenance une union de froide politesse perpétuellement crevée de mots haineux (lui, menu, les attaches fragiles, son maintien raidi à l'anglaise, perpétuellement trahi par la souplesse des hanches). Il ne cache pas d'avoir des maîtresses, un goût prononcé pour les filles très jeunes aux longs cheveux noirs. Cinq ans durant, une institutrice (malabaraise sans doute) qu'au moment de la rupture il maria à un professeur, son ami, en mutuel accord; celui-ci maintenant son pire ennemi.

Il nous avait fait savoir que son père, ancien haut fonctionnaire colonial, maintenant en retraite, désirait me rencontrer, qu'il nous conseillait de le voir, mais qu'il ne serait pas présent. Puis il avait évité la prise de contact. C'est par hasard et une initiative de celui-là qu'Élisabeth, à l'hôtel, fit connaissance du haut fonctionnaire.

Hier donc nous fîmes visite aux Z. senior, maison isolée, au bout d'un chemin à pic, 18 000 mètres de terrain. Le mur sans nef de l'Océan, de 800 mètres plus bas, dressé, largement déployé.

Une maison de ciment, terrassée, grande, par eux édifiée au-dessus de fondations préexistantes, un seul étage, mais l'édificateur des fondations voulait en édifier quatre ou plus jusqu'à ce que l'on voie Saint-Denis.

Grand salon de théâtre, bibelots coloniaux.

La mère dans son fauteuil enveloppée dans un châle de laine tricotée au point russe (blanc). Deux poufs pour allonger ses jambes.

Les deux petites filles, 9 ans, 7 ans, serviront les apéritifs. La mère : « comme toutes les coloniales, je ne bois jamais que du whisky » (très étendu de soda).

La servante ne fera qu'apparaître, jeune, svelte, blanche, cheveux très noirs, *sculettando* légèrement.

On ne parla d'abord et très longuement que de la santé de la mère, frappée depuis deux mois d'un mal qu'aucun médecin de la Réunion ne peut identifier : salivation sans fin dégoulinant jour et nuit * (une jeune femme de Saint-Paul, c'est l'inverse, dessèchement jusqu'à l'étranglement faute de salive) et perte de la sensibilité des chevilles.

Ils vont partir « pour France » afin de voir des médecins d'abord. Mais vendre la maison ici, le terrain, les ananas, les bananiers, tous les projets de culture.

— Nous ne savons pas, dit la mère, faire travailler les gens d'ici.

Ils s'installeront à Nice, avec les deux petites filles :

— ... qui n'ont que nous pour s'occuper d'elles.

Le second thème tout en allusions (mais rien qu'en allusions) au désintérêt du fils et de la bru pour les fillettes.

Énergique, cette femme. Expliquant comment elle se soigne méthodiquement, quoique ne sachant comment se soigner. S'obligeant à marcher ne serait-ce que quelques pas.

Ils avaient déjà envisagé de s'installer à Nice pour leur retraite, mais elle s'y était refusée, connaissant déjà cette ville, y ayant eu un appartement de congé colonial, ayant vu le Colonel en retraite qui revenait du marché en ramenant les provisions dans une voiture de bébé, refusant ce destin de coloniaux finissant leur vie avec des moyens diminués, peu à peu gâteux, sur la Côte d'Azur, cette vieille dame assistant à un spectacle de casino le dos tourné à la scène.

Le père : « On dit que je suis le capitaine, qu'elle est le commandant. »

Forte, énergique coloniale, dressée contre ce pays (qui est le sien), raccrochée à sa tradition catholique *à la française* contre celle d'ici (à l'italienne), attaquant violemment le curé de la plaine des Cafres, parce qu'il donne l'absolution à des paroissiens « *qui font de la sorcellerie en brûlant des cierges près du calvaire du carrefour* ».

La conversation tourne très longuement sur la sorcellerie, la magie. Tous sorciers, les malabars, les cafres, les créoles! *Ici même* . . . une histoire compliquée d'un sorcier qui voulait une case, les 26 poulets égorgés rituellement, à celui-ci on enlève le cœur, à celui-ci le cou etc.

Elle ne croit pas à la sorcellerie, elle appela les gendarmes,

* Bassin près d'elle à demi caché par les poufs.

elle dit à la femme qu'elle devait seulement se méfier du poison.

Le père plus réticent, timidement, pour la guérir, alla voir le sorcier : pourquoi ne pas tout essayer ? Mais elle refusa de prendre la « poudre de perlimpinpin ».

Dans cette maison même, ils eurent tout récemment un malabar de ceux qui marchent dans le feu... qui entrait en transe dans la cour.

J. Z. au bal de samedi nous avait raconté que les malabars lui étaient favorables. Il trouvait, bon présage, à certaines époques, chaque matin, une fleur rouge devant sa porte (les mauvais sorts sont plumes ou entrailles). Quand ils font cérémonie, l'un vient chez lui avec offrandes, lui fait signe de Siva, il donne 100 francs.

Pourquoi avaient-ils fait bâtir cette maison ? Ils avaient d'abord, au début de la retraite, habité une maison de famille, à la Plaine des Cafres. Ils avaient aussi songé prendre leur retraite en Mauritanie.

Le père : J'ai été administrateur civil dans le Sud Marocain. Ma femme excellente méhariste. Course de méharis, plus beaux que chevaux.

Ils avaient aussi pensé prendre leur retraite en A.O.F.

Le père : J'ai fait vingt ans d'administration en A.O.F., presque toute une carrière.

La mère et Élisabeth de nouveau sur la santé, sur les fillettes. Le père passionnément :

— Vous savez certainement que j'étais Gouverneur de *** *au moment de la rébellion...*

— ... La cause profonde peut-être, expliqua-t-il (« peut-être » d'abord, puis avec une passion contenue) c'est l'attitude des colons.

Anecdote du professeur de lettres malgache, à la Faculté de Tananarive, arrivant en retard à une réunion de hauts fonctionnaires, en majorité blancs, riant, mondain, racontant :

— Savez-vous ce qui vient de m'arriver... Je pensais à notre réunion... j'étais distrait... Le gros typographe m'a attrapé par le bras... « sale malgache, tu ne me laisses pas le haut du trottoir... » j'ai retiré mon chapeau... je me suis excusé...

Moi : La seule chose impardonnable c'est l'humiliation.

Le père : Oui, c'est l'humiliation.

Puis développé tout ce qu'il a fait pour apaiser les colons.

Le père : Je n'ai fait intervenir l'armée que quand il n'était plus possible de faire autrement...
(= 80 000 morts ?)

La mère : Ici même dans cette maison j'eus un domestique malabar...

(Il suffit de rester assez longtemps dans un endroit sans s'endormir, c'est-à-dire sans boire, sans jouer au bridge, sans manie (hobby) en *veillant :* alors il se passe quelque chose de si *réel* que c'est incroyable.)

Cilaos, mardi 13 mai

Ces montagnes par elles-mêmes, tout comme au bas l'Océan Indien, ou n'importe quelle montagne, ou n'importe quelle mer, ne valent rien.

Cilaos, mercredi 14 mai

Le propre de l'être vivant est de se voir. Le lièvre (et sans doute l'amibe, le corail) s'imagine. L'homme se pense par parole, par concept ou par image (s'imagine comme le lièvre, mais plus richement, avec tout le matériel des mythes).

— De qualité ? par rapport à quoi ? demandait Sartre, à Dieu ? Par rapport à lui-même dans sa contradiction fondamentale d'être vivant se pensant soi-même et pensant le monde et-lui-même-dans-le-monde (la nature). La nature léporisée par et pour le lièvre, humanisée par et pour l'homme.

L'Histoire et moi n'allons pas de concert en ce moment, nous ne nous rencontrons pas, ou bien nous nous croisons.

C'est une erreur de jugement (ne pas mettre les choses à leur place dans la-nature-et-soi-même-dans-la-nature) que de se croire obligé par l'Histoire ; c'est se donner trop ou trop peu de place, identifier l'Histoire à son histoire, annuler son histoire dans l'Histoire.

L'homme, comme tout être vivant, encore davantage dans mesure où davantage différencié, se développe par stades. Enfant, l'Histoire fait son histoire; jeune, il met son histoire au service de l'Histoire; homme mûr, l'Histoire et son histoire l'une l'autre se font; vieillesse, achèvement, perfection, dix de carreau, il plie l'Histoire au service de son histoire. Développement qui ne se déroule avec bonheur que dans la mesure où le milieu et lui-même réalisent les conditions nécessaires et suffisantes à chaque stade; sinon il s'étiole adolescent, végète aux approches de la maturité ou meurt de sa floraison.

Plantes annuelles, tuées par leur propre floraison, elles ne font que des graines, elles ne font que se répéter, leur histoire avorte. Plantes vivaces intermédiaires : le sceau de Salomon qui conserve son histoire dans sa tige souterraine, mais elle se répète, elle ne progresse pas. Mais l'arbre, dans les meilleures conditions, achève son histoire.

Glorieux vieil olivier, superbe infirme, debout sur ta propre écorce (ayant achevé d'olivériser toute la nature à ta portée, puis achevant de te naturaliser dans la nature olivisée et ne mourant que lorsque complètement consumé).

Sur Cilaos — Je n'aime pas, par moments jusqu'à l'irritation, cette nature qui, comme la viande de veau, n'est pas *faite*. La période glorieuse de la pierre en fusion est terminée (ferveur retombée); le faste concentré de la roche cristalline (la cristallisation) n'est pas commencé, un paysage effrité de mâchefer, où des rachitiques (décalcifiés) ont construit des bidonvilles.

De 1739 à 1829 refuge des esclaves marrons. Et leur point de départ pour des expéditions contre les blancs du littoral. Les blancs, chasseurs d'oreilles.

« Pendant le dit temps (interrogatoire), les forces du dit Grégoire (esclave blessé et pris) diminuant et le dit sieur Mussard (chef du détachement) voyant qu'il n'était pas loin de sa fin, lui aurait demandé s'il voulait être baptisé, il aurait répondu que oui et après qu'il eut reçu le baptême il expira.

» Desquels noir et négresse morts on a coupé les mains droites.

» ... Est retourné avec son détachement en ce quartier, y a fait apporter les quatre mains ci-dessus énoncées qui nous ont été montrées, et lesquelles par ordre de M. Brénier, conseiller-commandant en ce quartier Saint-Paul, ont été attachées au lieu accoutumé. » 31 octobre 1751. Greffe du quartier Saint-Paul.

Tsilaos en malgache signifierait « le pays où ne vont pas les lâches ».

Les Blancs seulement depuis 1848 :

(Jean Defos du Rau. Les cahiers d'outre-mer.)

« Après l'abolition de l'esclavage en 1848... Cilaos vit affluer des Petits Blancs, la plupart cadets de famille ruinés par la constitution de la grande propriété sucrière et l'obligation de payer des salaires aux anciens esclaves; ils se refusaient à servir un autre Blanc plus riche, et d'être ainsi l'égal de leurs anciens serviteurs... »

En fait lumpenproletariat, chasseurs, cueilleurs de fruits sauvages, aujourd'hui ouvriers à la journée pour l'administration et service des touristes, culture sur sol brûlé, gratté, puis abandonné. Les seuls jardins, mais prouvant la possibilité de culture, sont ceux des gardes-forestiers et des gendarmes (venus d'Europe).

(La bourgeoisie française, si elle était encore intelligente, utiliserait la droite pour liquider les colonies et les communistes pour faire travailler ouvriers et paysans.)

35 sourds-muets pour 5 000 habitants etc. Lumpenproletariat « dégénéré » mais adapté : le portage. La fameuse « dignité » des petits-blancs dont on nous rebat les oreilles depuis notre arrivée à La Réunion est une fantaisie : ils ont l'obséquiosité des mendiants et petits larrons. Les premiers gosses que nous avons rencontrés nous ont demandé, avec un faux sourire franc, la charité de cinq francs.

Toute classe montante laisse derrière elle des déchets qui ne s'intègrent pas dans la classe opprimée, future classe montante. Nous trouvons ici, dans un cirque clos, les déchets de la concentration sucrière de la première moitié du XIXe siècle conservés sans changement parce que cirque clos.

Sagesse d'Élisabeth de n'avoir pas voulu et de ne vouloir pas avoir de domestiques dans la maison. (Pierre Audart en me laissant son appartement de la Place Saint-Michel : ce que nous avons de plus proche de nous, c'est notre domestique). Virgilio Panella, uomo di alta cultura, n'accepte d'être servi que par sa belle-fille[1]. Mais la plupart des femmes ne se pensent maîtresses (de maison) qu'en se faisant *reconnaître* telles par des domestiques : c'est pourquoi les femmes des zoreilles, bien que malheureuses ici, redoutent de rentrer en France où elles ne seront pas *servies*.

Midi et demi, un coup de téléphone de J. V. D. nous informe du coup d'État militaire à Alger.

16 heures

Voici donc que mon sage vieillissement va être mis aussitôt à l'épreuve. Persister dans le projet de partir demain matin pour quatre jours dans le cirque de Mafate, où nous serions rigoureusement sans nouvelles ou rentrer à Saint-Denis écouter les nouvelles de la radio?

Pour l'instant contrarié à l'idée que mes projets d'automne soient traversés par les événements, mais sans passion, comme si l'histoire en train de se dérouler appartenait déjà au passé et ne me touchait que par effets seconds. Ce n'est vrai que si je suis capable de partir ces quatre jours, sans être autrement *préoccupé*.

La Réunion est un œuf. Tout à l'heure le garçon de l'hôtel (34 ans) :

— ... Ce n'est plus comme avant. Nos instituteurs étaient des ivrognes, sinon je serais facteur, je gagnerais ma vie... mais jusqu'au service militaire j'ai cru, nous avons été beaucoup à croire, que tout ce qu'on racontait de la France et même de Madagascar était des mensonges... qu'il n'y avait que La Réunion.

1. *Pierre Audart appartenait à l'équipe du* Grand Jeu. *Virgilio Panella avait été l'hôte de Roger et d'Élisabeth Vailland à Rodi Garganico en 1956.*

— ... Vous aviez pourtant bien vu des autos ?
— Nous avions été quelques-uns à aller jusqu'à Saint-Denis, nous avions vu des ateliers, des fabriques, nous pensions que c'étaient les gens de Saint-Denis qui fabriquaient tout cela.
— ... des bateaux
— seulement des petites barques de pêche
— ... des avions
— cela était arrivé. C'était comme cela.

Quoiqu'il arrive, ne pas se décider par passion ni par amitié, mais politiquement, de puissance à puissance à l'égard de n'importe quelle puissance du monde.

La Montagne, mardi 20 mai

Le jeudi 15 mai, accompagnés de Michel Courtier, d'un guide et de deux porteurs de Cilaos, moi parti d'assez méchante humeur, nous avons marché huit heures, franchissant le col de Taïbit (taille bite) à 2 080 mètres. Les jambes raidies par la fatigue, j'ai peiné dans la descente.

Nous avons couché à Marla, dans une des paillotes de M. et Mme Paul, 76 et 73 ans, petits-blancs. Une paillote est faite de planches, clouées sur des pieux, protégées à l'extérieur par de la paille de vétiver, à l'intérieur par des journaux *(Provençal, France-Soir)* collés sans intentions décoratives. Toit de paille de vétiver.

On peut vivre de rien mais ce n'est pas drôle. M. et Mme Paul, sans métissage semble-t-il, et non dépourvus de vivacité (dans le regard, dans le maintien) et d'une certaine dignité hospitalière (maître chez soi, accueillant chez soi), commune au demeurant à beaucoup de nomades, sont des outlaws, installés à Marla depuis 48 ans, mais ayant auparavant émigré de cirque en cirque, toujours fuyant forestiers et gendarmes, vivant de cultures frustes, sur des sols provisoirement enrichis par des incendies de bois, ensuite emportés par les pluies (maïs, patates, différents tubercules pour cochons noirs); élevage réduit à ces cochons noirs, attachés, pataugeant dans l'enceinte (mal définie) des paillotes, et à quelques moutons errant en liberté sur les pentes. Il n'y a plus de chasse depuis longtemps, ne reste plus que d'attraper les petits oiseaux à la glu. Meubles grossiers, assemblés sur place. La civilité réduite à une nappe et quelques fleurs de France (dahlias, la dauphinelle (?) de Mme Tatto, fuchsias non taillés). Pas de cheminée; petit feu sans foyer, la fumée sort à travers la toiture de vétiver; sièges très bas à cause de la fumée. Au matin, Mme Paul a emporté avec une allégresse cupide le pain et la viande que nous lui avions donnés. La liberté dans le dénuement aboutit nécessairement à la cupidité (R. S. des Allymes ramassant les chutes de fil de cuivre de l'installation d'électricité, les bouts de grillage).

Le vendredi 16 mai, nous avons marché huit heures, d'un côté et de l'autre de la Rivière des Galets, par de très mauvais sentiers, de Marla à Roche-Plate, accompagnés par trois porteurs de Marla. J'ai beaucoup peiné, souffrant en particulier des jambes et des pieds et ne cessant de me demander pourquoi je m'étais engagé dans cette absurde aventure, parmi d'affreux précipices, dans cette montagne de mâchefer, effritée, sèche et sans végétation plaisante. Beaucoup pensé aux parcs à l'anglaise et à la française, mais très peu aux événements de France et d'Algérie. Hédiard place de la Madeleine expose et vend des produits tropicaux plus plaisants et délectables que ceux que l'on peut trouver dans n'importe quel pays colonial.

Nous avons couché à Roche-Plate, hameau habité par les descendants d'anciens esclaves marrons, malgaches, dans une école de ciment, architecte de Monfreid, suintant l'eau, les murs moisis. Deux jeunes institutrices, Créoles blanches, 22 et 23 ans, la grosse, rieuse mais comme une débile mentale, la bouche méchante, le menton effacé, la mince, pâle, anémiée, neurasthénique; c'est l'éclat et l'animation qui me touchent, chez les filles. Les membres moulus, il a fallu attendre quatre heures, assis sur un banc dur, qu'Élisabeth et Michel aient fini d'échanger des politesses avec ces deux déchets de la culture française.

Tous les matériaux pour la construction de l'école ont été apportés à dos d'homme, par un col, 1 000 mètres plus haut. Le médecin ne vient jamais, n'est jamais venu.

— Que font les malades ? demande Élisabeth.

La grosse éclate de rire.

— Ils meurent, dit-elle joyeusement.

Elle répète avec une jovialité croissante :

— Ils meurent.

La neurasthénique commente sans ironie :

— Le cimetière est un peu plus bas.

Chacune deux robes genre nylon, fraîches. Mais ni meubles (sauf empruntés, deux lits sommaires, en principe réservés aux voyageurs, dits de « touristes », une affiche dactylographiée collée au mur) ni livres, ni radio. Elles ne boivent ni vin, ni rhum et ne fument pas. Mangent, dans la pailote voisine, chez la Malgache qui cuisine pour la cantine scolaire, sans doute aux dépens de la nourriture des gosses. Leur seul intérêt dans la vie doit être de garder leur traitement intact (pour leur trousseau ? leur dot ?)

Le samedi 17 mai, nous avons marché quatre heures par de mauvais sentiers, mais sans fatigue (laquelle cependant pour moi pointait à l'arrivée) de Roche-Plate à Grande-Place. Arrivés à treize heures. L'institutrice nous avait fait préparer le presbytère, baraque propre, quelques livres de théologie, Bossuet, Massillon, les *Métamorphoses* d'Ovide, un tome de l'*Histoire de France* d'Anquetil (le curé ne monte qu'une fois tous les deux mois), où je me suis reposé tout l'après-midi, lisant *Les Grands Chemins* de Giono. Les courbatures ont disparu dans la soirée.

L'institutrice, Gilberte, 20 ans, c'est son premier poste (était encore l'an dernier au cours complémentaire du port) grande, assez fortement teintée, beaux yeux (mais sans vivacité), grosses lèvres (ce qu'en général je trouve plaisant), longs cheveux noirs, très sûre d'elle-même, un peu lente, cette majesté royale qui m'avait jadis vivement ému, au début d'un bal chez moi, des adolescentes de Chavannes entrant dans la danse. Jupe à fleurs, chemisier blanc, tricot rose foncé ouvert devant. Originaire de Dos d'Ane, à quatre heures de marche rapide, où son père est facteur, ce qui est l'aisance. Le frère cadet, 17 ans, vient chaque semaine lui porter du ravitaillement. Reine, elle a invité à vivre près d'elle, à ses frais, une suivante, son amie, sa « confidente », orpheline de Dos d'Ane, qu'elle nous a présentée d'emblée, avec aisance.

L'école et son habitation sont des « cases », plus élaborées que les paillotes, planches mieux jointes, toits de tôle. Tables, chaises, lit, un poste de radio à piles, un phonographe (les filles de Roche-Plate n'avaient d'autre glace qu'un petit miroir de poche). La reine et sa suivante passent leur soirée à jouer aux dominos. Elles nous offrent du vin doux (pas moi) du pays : les petites treilles autour des paillotes.

La suivante a les yeux battus, plus mince, moins grande. Mais je n'ai désiré ni l'une ni l'autre, soit à cause de ma fatigue, soit du fait de leur manque de vivacité et d'éclat, soit parce qu'elles semblaient tellement à l'aise dans un milieu-comportement qui m'est si totalement étranger, que je n'imaginai aucun moyen de m'y insérer. La grosse débile mentale de Roche-Plate m'eût à la rigueur excité, c'est qu'il était aisé d'imaginer les réactions qu'elle aurait eues si, seul avec elle, je l'eusse touchée.

(Dans la case voisine, le petit Chinois, la petite Chinoise enceinte qui ne font pas de bonnes affaires, à cause de la pauvreté des habitants et parce que le cyclone, en coupant les chemins, a augmenté le prix du portage.)

Nous dînons chez la reine. Elle nous parle des reines de beauté, des combats singuliers ou collectifs qui opposent les hommes du pays, à coups de galets, avec rendez-vous pour la suite ou pour la revanche. Et des persécutions dont est victime le garde forestier — qui ne peut monter sans risque de mort à l'Ilet aux Orangers ou l'Ilet à Cordes.

Nous écoutons les informations de la Réunion, qui nous paraissent très en faveur d'Alger. Puis, Michel et moi passons la soirée à essayer de saisir des postes étrangers, sans y parvenir. Moi, sans être autrement préoccupé, comme je me l'étais promis.

(La suivante, non sans grâce dans son deuil, robe de coton noir, corsage de coton à jours, noir, léger.)

Le dimanche 18 mai, réveillé dispos, nous avons marché sept heures en descente, de Grande-Place à Rivière des

Galets, sans fatigue, quoique les quatre dernières heures dans le lit de la rivière, la franchissant quatre fois à gué, sentier mal ou pas frayé dans les cailloux. Changement brusque de lumière, élargissement, l'air devient doré au débouché sur l'Océan.

A la Rivière des Galets où nous attendons la voiture chez le Chinois, les dockers noirs ont le même port balancé et insolent que les chauffeurs poids lourds (Edmond Simonin). Boivent le rhum blanc cul-sec.

A un gué de la rivière : le petit noir, une croix noire dans la main droite (sans doute pour le cimetière) et, de la main gauche, soutenant contre le courant, délicatement, comme pour une danse, sa petite négresse qui porte leur enfant dans ses bras, chétifs, avec cette petite croix noire, dans le lit de galets largement épandu au pied de l'énorme cirque.

Ils ont tous peur dès que la nuit est tombée. La reine à son frère (17 ans), lui demandant d'aider Élisabeth et Michel à transporter la table du presbytère à l'école :

— Prends la lampe électrique. Tu n'as pas peur ?

Soirée du dimanche 18 mai passé à la Radio-télévision, à Saint-Denis, à essayer avec une certaine inquiétude mais sans nervosité, de comprendre ce qui se passait en France.

Même chose, soirée du lundi 19, discours de de Gaulle : « Je ne suis à personne mais je suis à tout le monde », singulier double sens, l'homme public ne peut rester solitaire ni le solitaire s'affirmer public sans se condamner à toutes les ambiguïtés.

Suite de l'histoire du fouet de Mme Z.

... Ce domestique malabar était donc un sorcier, de ceux qui marchent sur les braises ardentes.

La mère baisse la voix, pour que ni les petites filles, ni la servante n'entendent. Il s'agit de la servante. Elle en parle avec véhémence, depuis cinq ans à son service, formée par elle, elle l'emmènera en Europe, « c'est comme si c'était ma fille ».

Or cette fille tomba un jour à genoux devant elle :

— Ici, vraiment devant moi, ici, vraiment à genoux,

lui racontant que le malabar l'avait prise par sorcellerie, venant dans sa chambre, faisant des sorcelleries dans sa chambre et elle, à cause des sorcelleries, ne résistant pas et, maintenant terrifiée, peur d'être enceinte.

Mme Z, levant le bras, comme pour jurer :

— Cela (la virginité de la fille) c'était sacré...

pour expliquer qu'elle avait fouetté le Malabar ici aussi :

— Là par terre, devant moi, lui couché là...

Elle avait fait venir l'oncle du Malabar, elle avait fait chercher un fouet, disant à l'oncle :

— Voilà ce qu'il a fait... ça c'était sacré... tu vas le corriger... mais c'est moi d'abord qui vais le corriger...

Elle l'avait fouetté de toutes ses forces. Elle tremble encore d'épuisement, rien que d'en parler, tant elle s'était épuisée à frapper. Et puis c'était l'oncle qui avait frappé.

Un jour, me promenant à Saint-Denis avec J. Z., nous avons croisé une noire, jeune, belle, arrangée, « la secrétaire de mon père qui lui a reproché de me faire des avances, sans doute jaloux ». Son père amateur comme lui de jeunes filles. Peut-être de la servante aussi, laquelle, craignant d'être enceinte, avait, de connivence avec le père, à son instigation, inventé l'histoire du Malabar ? Ou s'étant fait baiser par les deux ? Ou le fils aussi ?

Peut-être J. Z. ayant appris la flagellation alla-t-il soigner le Malabar, s'occupa-t-il de lui ?

Il eut certainement une explication violente avec sa mère.

A sept heures et demie vint chercher les filles. En entendant le moteur de sa voiture, la mère pâlit, se raidit dans son fauteuil :

— ... l'heure de la cérémonie, dit-elle.

Il entra dans le salon de sa démarche la plus anglaise, s'approcha du fauteuil de sa mère, la baisa sur le front (sans toucher sa main, ni rien d'elle comme s'écartant d'elle en même temps qu'il lui baisait le front) :

— Bonsoir mère,

elle encore plus raidie, plus blanche, ne bougeant pas, ne répondant pas,

puis touchant la main de son père sans l'embrasser, nous disant quelques mots...

(cette maison avec ce quelque chose de dévasté, d'abandonné, les orchidées pas remises debout après le cyclone, des demeures où l'on est en train de divorcer, déjà abandonnées par l'imagination)

... appelant ses filles et repartant aussitôt.

C'est depuis que le Malabar a été fouetté que Mme Z. salive sans fin et a ses points d'insensibilité aux jambes, aux chevilles, aux pieds. Hystérie ou sorcellerie. Pour l'hystérie savoir si la mèche du fouet s'est enroulée autour du cou, aux glandes salivaires, aux chevilles du Malabar.

Élisabeth prédit qu'elle (la mère) mourra sur le bateau qui la ramènera en France, qui ne la ramènera pas.

La Montagne, mardi 27 mai

L'absence totale de passion, voire d'intérêt, m'a permis au cours de cette semaine, d'attendre sans la moindre fièvre les rares nouvelles qui viennent de France.

Lu avec un très vif intérêt *Les Palmiers Sauvages* de Faulkner. C'est pourtant doublement traduit, de l'anglais pas trop bien semble-t-il, et pour moi à chaque ligne d'une métaphysique qui m'est étrangère (et une troisième fois sans doute de la langue des ivrognes).

(Aujourd'hui six semaines et trois jours sans alcool.)

Mais ce tâtonnement autour du réel (imaginé) pour le faire vivre le plus complètement possible m'est aujourd'hui très proche. Un des thèmes (la fausse couche) que j'aimerais depuis toujours choisir, un roman, sans morale ni bible, mais avec la même épaisseur.

Dégoûté par *Pleure ô Pays Bien Aimé* d'Alan Paton, intéressant quand même puisque je ne savais rien sur l'Afrique du Sud, hypocrite reportage sur un pays de colons paternalistes et de pasteurs progressistes.

Le jeudi, aux Avicons et à Tévelave avec l'instituteur Le Guen, encore une fois étonné de la puérilité des procédés de culture, en particulier pour les jardins.

Samedi soir deux heures à Saint-Denis dans un bal du type des précédents, sans qu'une seule fille m'ait excité.

18 h 30 J. V. D. me téléphone que de Gaulle « a accepté de former le gouvernement ».

Il me semble à prévoir :

1° qu'il n'y aura pas de réaction populaire profonde contre, mais au contraire le fameux « lâche soulagement »;

2° Que de Gaulle pratiquera la politique « paix négociée en Algérie » (ouvertures à l'Est et lutte contre les gros colons, betteraviers, etc.) pour laquelle le P.C. fut incapable de se battre. Dans un contexte économique et international favorable, d'où succès, gloire, euphorie. La dialectique du pouvoir personnel n'apparaîtra que dans cinq ans.

J'avais raison de penser que le P.C.F. s'était suicidé après les élections de 56, en votant les pleins pouvoirs à Guy Mollet. Il est probable qu'il ne livrera même pas le baroud d'honneur qui lui permettrait de revivre dans cinq ans. Il est aussi « démodé » d'être aujourd'hui bolchevik que bonapartiste en 1830. Dans un siècle le monde entier sera communiste mais sous d'autres noms.

De Gaulle disait en septembre ou octobre dernier à Pierre Hervé et Roger Stéphane qu'il était désormais « désintéressé » comme Don Cesare. Très sensible sans doute à la « portugalisation » de la France. Mais le pronunciamento aussi est un phénomène portugais.

Moi, j'édifierai la nouvelle philosophie stoïcienne; cela peut bien s'achever par un suicide (dans la joie).

Une heure du matin. Dîner chez les Bergerot. Entendu chez eux à 20 h 30 le bulletin de la radio (= Paris 17 h 30). Cette séance à l'Assemblée sonnait terriblement dupe, terriblement triste, avec les seules protestations du vieux Jacques et de Mitterrand. Contre un pronunciamento une république qui n'ose pas armer le peuple et un parti communiste qui n'a plus depuis douze ans que le souci d'être respectable sont évidemment impuissants. Être reçu chez les bourgeois, parmi les partis bourgeois, etc. Pauvre Lothaire doublement trahi par son « Maurice » et par sa femme qui met un horrible chapeau de plumes pour aller au bal de la préfecture.

Parfaite, Mme Bergerot, avec insistance, enchaîna, et, chacun pensant ce qu'il pensait, on parla d'autre, chose, jusque tout à l'heure.

La Montagne, mercredi 28 mai

Journée passée à attendre le bateau qui doit nous mener à Rodrigues, et les nouvelles de France à la radio.

Lu *Voies Nouvelles* nº 2. C'est presque aussi indéchiffrable que les nouvelles tronquées qui viennent de France. Contre qui cette phrase inachevée est-elle dirigée ? Vers quoi s'oriente cette apparente hardiesse ? J'en ai marre des perpétuelles références à Marx, Lénine, etc., des exégèses. Un bon mot de Lefebvre : informer ↔ donner forme, article qui m'informe de tout un ordre de recherche qui s'apparente à la mienne, moins conceptuelle, sur la forme.

Lu dans la Pléiade l'introduction (médiocre) de Giono à Machiavel, la biographie, et avec un vif intérêt quelques lettres.

Quel est l'événement qui dans l'après-midi d'hier a rendu courage aux socialistes ? Une intervention diplomatique ? (cela semblerait le plus probable ; les événements de France ont évidemment un contexte international) l'éveil d'un mouvement populaire quand même ? ou n'est-ce qu'une ruse ? une hésitation ? un moment d'enthousiasme.

Froid, vent, pluie. La chaleur des tropiques, mythe qui s'est évanoui en même temps que le casque colonial qui ne garde assez de force que pour enrhumer les zoreilles qui s'obstinent à ne pas porter de lainages.

La Montagne, dimanche 1er juin

(Sept semaines et deux jours sans alcool, élément essentiel du voyage, lié à l'encoconnement dans le bateau puis dans l'île, doit permettre la re-naissance qui se préparait depuis le voyage dans les Pouilles.)

Essai de déchiffrement - défrichement des événements de France : le peuple n'a pas voulu se battre pour que ce soit Maurice plutôt que Charles qui pratique la « politique de grandeur nationale »; il n'y voyait pas son intérêt, il s'en est désintéressé. La bourgeoisie a sauté sur l'occasion des monômes d'Alger pour faire couvrir par de Gaulle son échec militaire en Algérie *. De Gaulle, après quelques hésitations, s'est prêté à l'opération, dans l'espoir d'y trouver l'occasion de faire prendre forme à ses rêves.

La bourgeoisie a estimé de Gaulle plus économique que le Front Populaire. Elle a peut-être fait erreur. Si de Gaulle a mûri politiquement dans la solitude, il s'appuiera sur les masses populaires contre ceux qui l'ont porté au pouvoir. Ensuite pourra faire l'artiste.

De Gaulle peut réussir (à donner à la France la forme de son rêve). Le temps que la Chine s'industrialise et que l'Inde passe à son tour au communisme, la France restera peut-être dans un de ces creux de l'histoire qui permettent de rêver. Même le fédéralisme africain pour un temps ne paraît pas utopique : il consiste à remplacer par des universitaires indigènes les compradores anciennement puisés dans les minorités nationales : les nationalistes malgaches sont gaullistes *contre* les Indiens, Syriens, Libanais. Le compradorisme même a changé de forme : les masses indigènes ne sont plus dans le circuit, ne produisent plus que pour leur propre consommation; le travail forcé est en voie de disparition; l'exploitation des matières premières n'est plus rentable sans capitaux ni outillage (c'est-à-dire sans l'investissement de la plus-value du travail des ouvriers métropolitains). C'est ainsi que « l'élite » indigène se trouvera associée à l'exploitation des ouvriers métropolitains; les masses indigènes en profiteront également, leur « prolétarisation » leur assurant paradoxalement un niveau de vie plus élevé que l'actuel.

* L'aile vivante de cette bourgeoisie (plus vivante que les ouvriers de 14) n'y voyant que le moyen le plus économique, cherché à tâtons, trouvé presque par hasard dans l'utilisation du mouvement désordonné des gamins et des paras d'Alger, pour liquider contre ceux-ci mêmes la guerre d'Algérie et poursuivre et développer l'exploitation des moyens qualitativement nouveaux de production.

Essai d'analyser mon refus de collaborer à *Voies Nouvelles*. C'est une voie oblique. Les communistes, militants, se considèrent comme une armée qui restera en guerre jusqu'à la réalisation du communisme; par le même processus que les ultras d'Algérie ils considèrent comme traître quiconque parle d'un compromis; comme les « jusqu'au boutistes » de la guerre 14-18 quiconque met en doute la sagacité du commandement suprême. *Voies Nouvelles* en ne dénonçant pas la règle du jeu se prête à être légitimement accusé de tricherie, de trahison. Il faudrait d'abord poser que la guerre n'est pas la paix, que la paix n'est pas la guerre, et que l'une et l'autre imposent des disciplines différentes.

En fait, les communistes français se sont démobilisés peu à peu depuis 45, complètement depuis 1956. Reste un État-Major qui au lieu de se comporter comme un état-major en temps de paix, c'est-à-dire préparer la prochaine guerre, se rêve comme à la tête d'une armée victorieuse. Schizophrénie. Des tentatives comme *L'Étincelle* ou *Voies Nouvelles* encouragent cette schizophrénie, en donnant à un pouvoir illusoire l'illusion d'une opposition.

Même en URSS où le Parti détient le pouvoir la question s'est posée. La dévalorisation du mot bolchevik exprime la démobilisation spontanée des masses, malgré la pression de l'appareil d'État. Pas de veille sans sommeil, aucun peuple n'accepte d'être indéfiniment mobilisé.

Et le bolchevik ne se retrouvera pas dans les pays encore capitalistes. La lutte syndicale, en devenant légale, ne se prête plus à la formation de ce type particulier, héroïque, maintenant archaïque de combattant, la figure dominante de la première moitié du XXe siècle. La direction du P.C. français est faite de vieux bolcheviks et de jeunes ambitieux qui se sont fourvoyés dans un rêve (dans le rêve des grognards de la garde).

Ils ne m'avaient pas demandé de venir à eux; l'ironie de Fajon en 52, quand il m'a dit : « alors tu l'as ta carte ? » Il serait de mauvaise grâce de leur claquer la porte au nez ou de leur faire des crocs-en-jambe. C'est pourquoi je me tais. Laissons les « s'endormir du sommeil de la terre ».

Notes prises dans la matinée :

1. *Sur l'animal.*

Ce qui différencie l'animal du végétal c'est qu'il cesse de croître quand il a achevé de se développer. A maturité, au lieu de se métamorphoser (de conserver son histoire dans sa propre forme) il transforme le monde, le léporise ou l'humanise ou le corallise.

Ce que le végétal et l'animal ont de commun est d'être relativement responsables de leur forme et limités par elle dans le temps comme dans l'espace, de naître, de se développer et de mourir.

La matière « inanimée » n'est pas responsable de sa propre forme, sa croissance n'a pas de limite intrinsèque. La cristallisation, première ébauche de la vie ?

2. *Sur l'homme.*

Le termite et le castor font des maisons. La grandeur de l'homme ce n'est pas de faire des maisons et encore moins des enfants, mais des palais et des parcs et des statues.

L'imagination du lièvre reste *virtuelle*. Quand il fuit tout *se passe comme* s'il se déplaçait dans une nature léporisée. La spécificité de l'homme c'est de produire des images réelles : des maisons et des parcs.

Le propre du Souverain (et de l'artiste ou de l'artiste comme seul souverain ou du souverain comme artiste) est de faire des œuvres apparemment inutiles : pour donner à son royaume immédiatement la forme qui apaise-épuise son désir.

L'artiste retrouve ce que le fabricant avait aliéné, toute la partie végétale-animale, en lui donnant forme dans l'objet inutile. Il développe son œuvre comme un arbre...

Maurice, Plage du Morne, vendredi 13 juin

Nous dormons dans un rondavel qui est une hutte ronde de bambou couvert de chaume, électricité, eau courante, sol de ciment, rideaux de cretonne. Quand nous sommes arrivés, Olga Deterding, venue pour huit jours, était là depuis un mois, ayant pêché le plus gros requin de l'année. Nous voulûmes aussi tâter du requin, à la rigueur du thon japonais, c'est une pêche très dure, sur la vedette à moteur de M. Gambier, robuste créole, cou de taureau, propriétaire de tout un territoire, troupeau de zébus, canne à sucre, bois de filaos alignés sur du rude gazon à la limite de la plage blanche du lagon ; on est assis sur des fauteuils comme Hemingway avec une longueur de câble comme *Le Vieil Homme et la Mer*, et un tambour à frein ; mais je ne pris, avec une grosse émotion, qu'un vulgaire poisson à appâter et Élisabeth rien du tout. C'était hier. Aujourd'hui la mer est trop grosse pour franchir la passe qui ouvre le lagon. La grosse houle qu'on voit venir de très loin, s'éplume, se plume sur le récif.

Le riche M. Gambier, le planteur des mythologies, on l'imagine très bien du temps de l'esclavage, l'homme qui défend ses droits. Je ne pense pas moins que naguère en termes de classe. La différence est que je ne prends plus parti. Le « rapport des forces » entre humains m'intéresse comme s'il ne me concernait pas : comme quand, étendu sur le lit, je regarde le toit du rondavel, me demandant, essayant de comprendre par suite de quels rapports de forces, la poutre médiane tient sans être soutenue.

Les humains s'éloignent de moi, voilà la constatation de ce voyage, « je ne vous aime ni ne vous déteste plus », comme je constatais au retour de Moscou, en juin 1956, il y a juste deux ans, prennent place dans la nature humano-léporisée de ce lièvre des Allymes, de quel droit, demanderaient également Sartre et les marxistes, je me pose en dieu, face à l'humanité et sans même essayer de l'informer, ni même transformer, mais c'est ainsi. Je l'ai senti très fortement hier, jour férié de l'anniversaire d'Elizabeth d'Angleterre, le « campement » plein de jeunes filles en blue-jeans : je les voyais mimer du vêtement, de la moue, des mouvements, du fredonnement, du langage, la jeune fille de *Elle* et du cinéma qu'elles « réfléchissaient » exactement comme le madrépore réfléchit son rêve dans le récif — ou l'arbre réfléchit dans sa forme le mouvement qu'il ne fera jamais, je les regardais avec exactement la même sorte d'intérêt que le récif ou l'arbre, tout en sachant fort bien que si l'une ou l'autre, en particulier la petite blonde bleu pâle à la moue boudeuse à la Brigitte

Bardot, avait consenti à faire tel ou tel geste que je lui aurais dicté, je l'aurais désirée, et que même sans doute ensuite dans le plaisir ou à cause de quelque vivacité liée au plaisir j'aurais éventuellement pu la chérir, avec quand même la même totale absence d' « humanité » dans l'intérêt que lorsqu'il s'agit de l'arbre ou du corail.

Les filles de couleur au fait m'excitent plus immédiatement. Marie, notre servante cafrine à La Montagne; je bande d'à peine la frôler, mais elle est si parfaitement interchangeable et également la satisfaction de mon désir, que la simple crainte de sa familiarité et, très exceptionnellement de ma part, de ses éventuelles maladies, a suffi à m'imposer retenue. Je n'ai pris qu'un plaisir distrait à toucher Emmanuelle, gentiment amenée par J.V.D. parce que, quoique bien teintée, elle réagit comme Colette ou Isabelle (moins bien qu'Isabelle qui mimait avec assez de nuit mon rêve érotique). Davantage ému par l'institutrice malabaraise, 17 ans, que J.V.D. amena pour nous accompagner à l'aérodrome de la Réunion, mais pour de tout autres raisons : l'œil battu d'amour de l'adolescente qui sortait du lit en cette fin de samedi soir, son regard vif intéressé par toutes choses, le mythe de la pupille.

L'ennui avait effleuré à plusieurs reprises (qu'est-ce que je fais là ? Où me mettre dans le monde ?). C'est peut être pourquoi l'activité des hommes quand elle n'est pas entièrement commandée par la lutte pour satisfaire les besoins immédiats, comme il arrive aux plus pauvres Indiens, m'apparaît aujourd'hui comme une série d'entreprises plus ou moins efficaces contre l'ennui. Ainsi arrivâmes-nous ici mardi, pensant que la pêche aux requins organisée à l'anglaise — d'autres font des concours hippiques, d'autres se saoulent le matin à la bière, le soir au whisky, dans les bungalows de Curepipe, au milieu des parcs tropicaux, derrière la haie de bambous taillés — constituait un rite efficace contre l'ennui. Mais nous arrivâmes à contre-saison, dans un club dont nous ne sommes pas membres. Il faut être dans le coup de l'ennui pour en triompher; je ne me suis jamais assez ennuyé pour apprendre à jouer au bridge; je n'ai pas mérité non plus de prendre des requins — ou de savoir me servir de la mer; cela s'appelle yachting, cela consiste à se servir de la force démesurée (et terrifiante) de la vague pour triompher d'elle; cela exige l'apprentissage long d'une technique; j'imagine très exactement le plaisir qu'on y trouve; je n'ai jamais eu, je n'ai pas le temps.

Pendant 24 heures, Olga Deterding s'est distraite en discutant la note d'hôtel. De rogner sur les notes est un plaisir qui n'est permis qu'à ceux qui disposent d'une infinité de temps et d'argent.

Sur les murs du « campement » les photos, format presse, des pêcheurs, chacun avec sa prise, la date, le poids *homologué*. La technique aboutit à une image homologuée sur le mur d'un club. Une image réelle après que le corps (total) s'est formé à la mer et à la pêche par un très grand nombre d'images virtuelles.

Maurice, par rapport à la Réunion, est un parc : la nature détruite puis refaite par l'homme. La lutte contre l'ennui passe au premier plan; c'est une activité de club. Le fils du vice-recteur de la Réunion, élevé en Australie, dans une ville parc-club, ne s'y ennuie pas. Il ne comprend pas même une question; il pratique toutes sortes de sports; il y a même des bals; il a appris d'être inspecteur des laines; il exercera en Afrique du Sud ou en Argentine. Est-il légitime que cela m'apparaisse la mort? Les rites contre l'ennui comme le consentement à l'ennui? A la limite c'est poser le suicide réel comme seul moyen d'éviter le suicide virtuel.

Maurice, Park Hôtel, 14 juin

Trouvé ici toute une série de lettres sur les événements de France : intelligente d'Hélène, gentiment (quoique semi-agressive) adolescente de Gratienne, tristement d'Henri, demi-solde qui entrevoit de resservir.

Plaisir d'un bon hôtel anglais.

Oppressé toute la journée par la tristesse des Indiens qui surpeuplent l'île. (Lu ces jours derniers *Le Riz et la Mousson*, que nous voyons vivre ici, quoique en beaucoup moins misérable.) Impossibilité de m'intéresser à des humains qui n'ont que les besoins élémentaires. L'histoire de l'Inde est dans le passé féodal, dans l'avenir communiste; aujourd'hui c'est l'horrible.

A l'autre bout de l'horrible : samedi à midi arrivant à Morne Plage, les Mauriciens (d'origine lointaine française) fils de famille : l'un d'eux avec un bonnet de laine rouge, style ski.

La Montagne, 17 juin

Mon histoire n'est pas nécessairement moins intéressante que celle de la France, du P.C. (b) d'U.R.S.S., de l'Église Romaine ou de l'Empire de Chine. Pour moi elle a quelque chose d'absolument singulier : c'est que la France, le P.C., Rome ou Pékin, ne me concernent que dans la mesure où ils servent à la conformer. Pour mon histoire, la France, le P.C., Rome et Pékin naissent à ma naissance et meurent à ma mort. Mon histoire elle-même, pour moi-même absolument n'a d'intérêt à chaque instant que dans mon état présent, s'exprimant hors du et par le temps et l'espace (non historiquement ni géographiquement mais cependant daté et situé) dans ma « forme ».

La Montagne, 27 juin

Lettre à Henri Lefebvre (exclu pour un an du P.C.F.) * : « Mon cher Henri, voici plusieurs jours que je veux t'écrire mais je ne sais absolument pas quoi te dire, sauf mon affection. Tout ce qui se passe dans le monde me paraît tellement dérisoire, que j'en suis devenu muet. Mais, me demanderas-tu, dérisoire par rapport à quoi ? faute en effet d'échelle à quoi se référer, l'emploi même du mot dérisoire devient dérisoire. Il faudrait essayer de retrouver l'envie d'écrire un livre; cela distrait (mais de quoi ?); c'est ce que je te souhaite. Mon amitié à Éveline. Je t'embrasse. »

* Pas envoyée.

Tess des d'Urberville de Thomas Hardy. Un peu ennuyeux, très grand, un Lautréamont puritain.

Joui de la mulâtresse Emmanuelle, dans la forêt de Saint-François. Ses poils noirs et raides sous l'aisselle sentent fort; elle consent comme allant de soi — mais en me regardant avec curiosité — à ce qui me plaît. Elle voudrait faire du cinéma et mille choses, faisant passer très vite devant elle-même, déguisés en projets fallacieux, ses désirs de partir. Je suis toujours touché du bavardage confus (incluant toutes les « personnalités » de la ville) des filles jeunes que le désir qu'elles inspirent introduit par la bande dans des jeux sociaux dont elles ignorent la règle; mais pas assez pour avoir envie de revoir celle-ci à qui j'ai donné de l'argent pour qu'elle aille passer toute seule ou avec qui elle veut le week-end que je lui avais promis à Saint-Gilles.

Par moments, au cours de ces derniers jours, un ennui insupportable. Ne pas boire, ne pas « jouer » pour être au moins prêt s'il se propose quelque chose d'excitant. Ne pas bouger inutilement. Assez déprimé, « moralement » par la fatigue physique de l'excursion à la Roche Écrite; irrité contre ces muscles courbaturés, qui obéissent mal.

La Montagne, 8 juillet

Dix jours mornes. Traînassé. Je manque de désirs. Lu avec plaisir Faulkner : *L'Invaincu* et moins de plaisir *Sartoris*. Joui dans la voiture d'une petite putain cafrine en blue-jeans; sa copine sur la banquette arrière : « quelle pitié »; les champs de canne près de l'aérodrome; « il faut se méfier de ces Cafres; capables de vous lancer un galet ». Beaucoup de journées d'alizé; il fait froid.

Promenade « détendue » hier, de la plaine des Palmistes où nous avons couché dans la case des 15 hectares que vient d'acheter Michel Courtier (terrain vague, « zone » comme toute une partie de l'île) à la forêt de Bébour et forêt de Bélouve avec forestier Miguet. Forêt primaire (voir plaine des Cafres, îlet Patience), puis jeune forêt de tamarins, œuvre des Eaux Forestiers :

La première année on coupe la forêt primaire, on nettoie, on gratte le sol, on égalise la couche d'humus végétal, pas encore « fait », on gratte (bine); la seconde année on bine encore. A la fin de la seconde année germent très serrés les tamarins (dont les graines très dures conservent cinquante années peut-être leur pouvoir germinatif; il faut un accident, feu, ou l'action du gel et de l'eau à la suite du binage, pour que l'écorce se brise; alors toutes (ou presque toutes ou partie des) les graines accumulées germent d'un seul coup; Miguet raconte son émerveillement à chaque printemps, au moment de la grande germination.

Ce matin, j'entends battre le linge et chanter dans la rivière (le torrent) sous la maison. Je descends de rocher en rocher, parmi les filaos; elles chantent, deux jeunes Cafrines; je reste un moment caché derrière les agaves, puis j'applaudis; grands rires, etc. Quand je m'en vais, celle qui me plaît davantage chante ce n'est qu'un au revoir.

Dzaoudzi, Mayotte, 25 juillet

Après heureuse partie de pêche à la cuillère, lu quelques excellentes nouvelles de Hemingway *(Paradis Perdu)*, en particulier *Une très courte histoire.*

Nouvelle.

Il vira de la rue centrale dans une rue qui menait vers la jetée. L'Océan Indien, devant lui, vieil étain, comme chaque fin d'après-midi. Le sol était défoncé. Il ralentit et passa en seconde. Il se trouva à la hauteur de deux négresses qui venaient en sens inverse. La plus mince portait des pantalons corsaire; elle lui lança au passage :

— Tu nous emmènes?

Il continua lentement. La voiture rebondissait à chaque trou.

Il y avait quinze jours qu'il était arrivé dans la colonie;

il avait de bons appointements. Chaque fin d'après-midi, il faisait un tour près du marché, dans le quartier où un collègue lui avait dit qu'il arrivait qu'on rencontrât des prostituées. « Elles se tiennent généralement dans le voisinage des cinémas, jusqu'à l'ouverture des salles ». Mais il n'en avait encore jamais rencontré. « Il n'y a que très peu de prostituées, lui avait dit son collègue. Elles ne sont pas utiles. Les jeunes filles couchent facilement, surtout les métisses. Le plus simple est de t'adresser aux secrétaires de l'entreprise. Tu les emmènes passer le week-end sur la plage. » Mais il préférait les prostituées, il ne l'avait pas dit à son collègue, c'était trop long à expliquer.

Il tourna dans la première ruelle pour rejoindre la grande rue.

« Voilà, pensa-t-il, les pantalons corsaire si Saint-Germain-des-Prés. »

Il remonta la grande rue et tourna de nouveau vers la jetée. Les deux Cafrines étaient presque à l'angle. Il stoppa à leur hauteur. Les chauffeurs de taxis et les boys qui s'assoient à côté d'eux le regardaient. Mais il avait dépassé depuis très longtemps l'âge où il se sentait gêné quand on le regardait accoster une prostituée.

Les deux filles s'étaient également arrêtées.

Il se pencha et entrouvrit la portière en regardant la plus mince.

— Où m'emmènes-tu ? demanda-t-elle.

— Où tu veux.

— Il faut emmener aussi ma copine, dit-elle.

— Bien sûr, dit-il.

La plus mince monta à côté de lui. L'autre derrière.

— Où veux-tu aller ? demanda-t-il.

— C'est comme tu veux.

— Je ne connais pas la ville, dit-il.

— Allons au champ d'aviation, dit-elle.

— Il y a quelque part où on peut aller au champ d'aviation ?

— Je connais quelque part au champ d'aviation.

Elles avaient le nez écrasé, le cheveu crépu. La plus mince avait le nez moins écrasé, l'œil plus éveillé. Il pensa qu'elles étaient cafrines. La plus mince avait probablement un peu de sang indien. Elle portait un tricot rapiécé qui se terminait au ras du pantalon corsaire, poitrine plate ; l'autre une écharpe blanche à la mode du pays, par-dessus une robe de cotonnade ; elle déplaça l'écharpe ; elle avait de gros seins. Elles paraissaient toutes deux entre seize et vingt-cinq ans pensa-t-il. Avec les négresses on ne sait jamais exactement.

— Comment t'appelles-tu ? demanda-t-il à celle qui était assise près de lui.

— Jacky, dit-elle.

Ils roulaient dans le faubourg en direction du champ d'aviation. Ils croisaient des autobus chargés d'indigènes. Sans ralentir, il passa la main droite sous le tricot de la fille au pantalon corsaire ; le sein était dur et plus gros qu'il n'avait pensé.

— On va s'amuser, dit la fille.

— On va s'amuser, répondit-il en clignant de l'œil vers elle.

Il remit la main droite sur le volant pour doubler la voiture d'un Européen. Les deux filles jaccassèrent en créole ; il ne comprenait pas encore le créole :

— Qu'est-ce que vous dites ? demanda-t-il.

— On le connaît, dit la plus mince.

La grosse pouffa. Il l'observait dans le rétroviseur. Il pensa qu'elle n'était pas mal non plus, mais il ne savait pas encore ce qu'il avait envie d'en faire. En fait, il n'était pas encore excité ni par l'une, ni par l'autre, mais il savait qu'il le serait dès qu'ils se seraient arrêtés et qu'il aurait imaginé avec précision ce qu'il voulait d'elles.

— Qui connaissez-vous ? demanda-t-il.

— Celui que tu viens de dépasser. Nous connaissons tous les Français par le numéro de leur voiture.

— Qui est-ce ? demanda-t-il.

— Un C.R.S., dit-elle. Et toi qu'est-ce que tu fais ?

— Je travaille, dit-il.

Ils arrivèrent à hauteur des baraquements du champ d'aviation. Il ralentit :

— C'est plus loin, dit-elle.

Ils tournèrent à l'extrémité du champ d'aviation, dans un chemin qui s'enfonçait parmi les cannes à sucre. Ils passèrent devant des cases habitées par des Cafres qui les regardaient passer en silence, debout sur le seuil. Ils allaient maintenant très lentement en cahotant sur le chemin de terre. Ils se retrouvèrent sur le champ d'aviation.

— Arrête-toi là, dit la plus mince.

Il stoppa.

— Où est-ce? demanda-t-il.

— C'est tout près, dit-elle.

La grosse se mit à parler très vite en créole.

— Qu'est-ce qu'elle dit?

— Elle dit que les Cafres vont nous embêter.

— Qu'est-ce qu'ils nous feront? demanda-t-il en riant.

Il avait la sûreté arrogante des Blancs.

— Les Cafres sont méchants, dit la grosse.

Je l'avais crue tout à fait cafrine, pensa-t-il. Peut-être a-t-elle aussi un peu de sang indien. Il ne lui posa pas de questions pour ne pas la blesser. Il n'était pas encore initié à la hiérarchie des sangs sur cette partie de la côte; il savait seulement que la susceptibilité était grande sur ce point.

— Ils aiment embêter les gens qui s'amusent. Ils lancent des galets.

— Qu'est-ce que tu en penses? demanda-t-il à l'autre.

— Je ne sais pas, dit-elle.

Elle regardait en arrière. Il suivit son regard et aperçut un grand Cafre, debout derrière le premier rang de cannes à sucre. Il mit le moteur en route.

— Je connais un autre endroit, dit la grosse. Il faut retourner sur la route.

Il manœuvra pour retrouver le chemin de terre. « Je choisirai moi-même l'endroit », décida-t-il. Il sut en même temps ce qu'il voulait d'elle.

Dzaoudzi, 28 juillet

Martini, gérant de l'hôtel et du comptoir de la Bambao, ancien d'Indochine, ancien para, joue, affectueux et cruel, avec son nain noir. D'accord avec moi, écœuré aussi, par les fonctionnaires à enfants, qui se retrouvent le soir, pour jouer à la pétanque, sur la petite place monégasque de Dzaoudzi, îlot administratif. Il ne voudrait pas se laisser déposséder de sa vie; mais il ne sait pas quoi en faire — moi non plus, sauf quand j'écris.

Déjeuner hier à Mayotte chez Favetto, origine italienne, directeur des 2 000 hectares de la plantation Bambao, café, sisal, ylang-ylang, citronnelle, coprah, vanille; achète aux indigènes puis distille plus que ne plante et cultive. Les cultures ne sont rentables qu'à cause du très bas prix de la main-d'œuvre. L'indigène mauvais cultivateur : le jardinier français est le produit d'une longue civilisation. Favetto garde l'équilibre, dans sa plantation isolée au centre de l'île parce que vie de famille petite-bourgeoise : sa femme, créole de Madagascar, fait une savante cuisine; les enfants chassent (les vols de perruches, au fusil à air comprimé) en attendant d'être envoyés en pension à Tananarive. Discipline de vie sans trop de questions.

Le mécanicien solitaire, venu d'Evreux après avoir écrit à toutes les Chambres de Commerce d'Outre-Mer, avec sa vieille jeep rafistolée *. Ne fréquentant pas les Noirs. Mais ne paraît guère croire que la Bambao pourra durer longtemps. A Anjouan il a fallu céder devant la grève politisée, renvoyer un employé français.

Promenade avec les Favetto au triste étang. Les poules d'eau noires s'envolent. Les zébus attachés. Comme à la Réunion ou sur la Côte Est de Madagascar les plantes importées bouffent la végétation insulaire, moins résistante : l'avocat marron, la corbeille d'or, le bimpellier (solaire), végétation de fortifs, de « zone », où l'indigène campe dans des huttes de bambou tressé ou de pisé. Ce qui m'enchanta, le jeudi précédent, sur la côte sud, fut quelques sourires de filles, plus éveillées (l'Islam) qu'à Madagascar. Mais l'impression revenue aussitôt que, dans cette fin de la colonisation, l'indigène et l'Européen foutent le camp, se dénouent parallèlement.

Aucun contact. Le ministre noir, notre voisin de chambre, ne reçoit que des Noirs et des Noires. Mettait toute la journée sur son électrophone des canzonette. Arrêt aujourd'hui, depuis que nous nous sommes plaints, par l'intermédiaire de

* Quel est son vice? malsain, doucereux, sournois. Refuse de chasser : « je n'aime pas tuer », mais on l'imagine aveuglant des oiseaux.

la gérante. Mais aucune idée, de part ni d'autre, d'un contact direct. Doit être persuadé, comme moi, que c'est inutile, faux, trop fatigant pour un résultat faux.

Les fonctionnaires en famille (il devait y avoir un semblant de rapport vrai quand les fonctionnaires célibataires se mettaient en ménage avec des indigènes),

les anciens paras,

les hommes de recherche : le généticien de la vanille à Ivouline, Cancre à la Plaine des Cafres, Miguet à la Réunion, forêt de Bélouve; ici, Foumanoir, qui dresse la Systématique des poissons de l'Océan Indien, parlant bas, attirant comme tous les hommes de technique, mais un peu gênant, comme maniaques et schizophrènes,

dans une maison voisine, un lecteur de Genêt, qui a repeint sa maison, nappes et nattes, protestant, lunettes, dodu, chef des services agricoles, disques de negro-spirituals,

tous ces Français, dont aucun ne se ressemble, s'étant presque chacun fait sa conception du monde,

au centre de ce lagon, à l'abri du tout proche hostile impitoyable océan,

entre les deux jetées, celle pour les vents d'été, celle pour les vents d'hiver,

avec le moteur, de 18 à 22 heures et souvent le matin, à faire l'électricité, les sirènes de la pinasse de Mayotte, les moteurs des camionnettes du champ d'aviation, les électrophones.

2 août

C'était vers minuit une relativement grande marée basse, occasion de se promener sur les coraux du récif. Pleine lune.

Le pêcheur numéro 1, c'est le Toulousain inspecteur des contributions. Il a un hors-bord, moteur 5 CV; mais une pièce est cassée depuis longtemps, qu'il attend d'Amérique; il a réussi à trouver quelques dollars; mais pour éviter les frais d'avion, il faut attendre que la pièce vienne par bateau d'Amérique en France et de France aux Comores. La maison américaine a été très correcte, elle a répondu tout de suite qu'elle expédiait la pièce; il faut quand même attendre.

L'administrateur a prêté son moteur hors bord. Il n'aime

pas la pêche ou il ne l'aime plus; voici deux fois trois ans qu'il est en poste aux Comores, et il ne peut plus du tout supporter l'ennui de l'Océan Indien; sa femme est déjà partie pour la France; au début de leur premier séjour, elle avait pris un barracuda à la ligne; cela l'avait beaucoup excitée; elle traînait souvent son mari à la pêche, ses premières années; mais elle n'a jamais rien repris; lui, il n'a jamais rien pris. Ce soir, s'il vient, a-t-il précisé, c'est seulement parce qu'il n'a pas tout à fait confiance dans l'adresse de l'inspecteur des contributions à diriger le hors-bord sur les récifs. Ou bien c'est un prétexte qu'il donne et qu'il se donne. Il ne vient peut-être qu'à cause de la compagnie, pour gagner quelques heures sur l'ennui. Ce qu'il y a de plus difficile à supporter pour l'Européen, sous les Tropiques, c'est l'ennui.

Le technicien de la radio est arrivé dans sa 2 CV. Il n'est pas du tout pêcheur et il n'a donné aucune explication pour se joindre à la partie. C'est un ancien d'Indochine. Il semble qu'on ne s'ennuyait pas en Indochine. Il a été le radio-technicien personnel de Bao-Daï et l'a accompagné à Cannes, dans les casinos et les boîtes de nuit. Il a les joues couperosées des buveurs de Pernod; mais ici on boit très peu; ni le whisky, ni le Pernod n'arrivent plus. Si le *Comorien* touche Dzaoudzi après être allé à Zanzibar, on pourra peut-être boire du whisky dans la cabine du capitaine. Si on le rencontrait en France, dans un bistrot au bord de l'eau, on imaginerait que le technicien de la radio est un pêcheur à la ligne. Il a épousé une métisse du Nord-Vietnam; elle a le visage large des Chinois du Sud; elle reste à la maison, qu'elle régit fermement.

Le quatrième de la partie, c'est le trésorier-payeur général, qu'on appelle payeur, le crâne tondu, long, mince, courtois, sans âge défini. Il collectionne les coquillages, une partie de sa collection est déjà en Europe, qu'il a ramenée en l'empaquetant dans des copeaux et dans de la ouate. C'est pour les coquillages qu'il va cette nuit sur le récif.

L'homme des contributions emporte une fouane, le payeur un couvert à salade, fourchette et cuillère de matière plastique; après tant d'années, c'est le couvert à salade qu'il estime le plus efficace pour recueillir les coquillages. Et puis nous deux avec les cigarettes, maillots de bain, serviette, sac, pistolet-arquebuse. Tous en short, sauf moi.

La femme de l'inspecteur des contributions aurait aimé venir; elle aime les promenades sur les coraux; mais un de ses enfants a une bronchite et on ne peut pas se fier aux boys. A Madagascar c'est mieux, parce qu'on trouve des femmes malgaches pour s'occuper des enfants; mais en pays musulman, les femmes ne vont pas travailler « chez les autres » comme dit Marie-Jeanne. Bon. Elle restera à la maison. Elle nous sert de la bière pendant que la marée baisse.

La mer a déjà beaucoup baissé quand nous partons. Il faut porter le hors-bord jusqu'au flot, en pataugeant dans la boue. Nous avons deux fanaux qui aveuglent. A flot. On monte quatre. Les contributions et le payeur nous poussent puis escaladent le bord. On est serré dans la nacelle. On ne pourrait pas être plus nombreux. L'administrateur tire sur la ficelle pour mettre le moteur en route. Il n'y parvient pas. On échoue. Les contributions et le payeur doivent nous repousser. Le moteur part. Il bourdonne comme un moustique. Nous gagnons le chenal entre les deux îles. On cache les fanaux, qui éblouissent.

La pleine lune sur le lagon, c'est la pleine lune sur le lagon, avec les cocotiers, etc... Mais hors du lagon le terrible Océan Indien. Pas un feu sur les îles. On lutte contre le courant entre Dzaoudzi et Mayotte, toute l'administration de l'archipel, la littérature française et l'alliance italienne, sur une toute petite nacelle, pour une partie de pêche qui n'amuse personne. Des poissons bleu électrique, minces, fuselés, pointus, filent et sautent; on les appelle « aiguilles ». L'administrateur fait des plaisanteries sur les requins qui ne mangent les hommes qu'ailleurs, à Majunga ou à Anjouan. Les contributions donnent des indications : sur la droite, sur la gauche. Le seul danger serait de se briser sur les coraux, mais il sait où sont les bancs. Le radio et le payeur sont assis côte à côte à l'avant, tournés vers l'arrière; ils ne disent rien, ne regardent rien; leur visage paraît soucieux; c'est sans doute faux; ils font ce qu'ils font; ils ne font rien.

On arrive sur un îlot. L'administrateur met le moteur sur *slow*. Le payeur penche le fanal sur l'eau pour voir venir les coraux; ce sont des masses sombres, comme de gros galets, des champignons, des dalles, le fond de sable plus clair et dans les trous seulement l'eau bleu noir sale.

— Allez-y, il y a encore au moins deux mètres.

— Non ça se relève, à droite, à gauche, devant.

L'administrateur relève son moteur, on va atterrir sur une petite plage, on tire l'embarcation, on patauge dans la boue, entre de fins rochers noirs, pas de coraux, pas de poissons, on marche en ordre dispersé, le payeur le plus au large, courbé, avec son couvert à salade, l'eau est froide sur les jambes, il n'y a vraiment que des trous d'eau entre les rochers.

— La marée n'est pas encore tout à fait basse.

— Nous avons le temps d'aller aux Trois Frères.

— Qu'est-ce que les Trois Frères ?

— Les trois gros rochers près du récif.

— Il faut bien une heure pour aller aux Trois Frères.

— Une demi-heure seulement.

— Je n'aurai pas assez d'essence.

— On reviendra à la rame.

— Le courant se renverse après la marée.

— Vous avez bien assez d'essence.

— Mon moteur ne fait que 2 CV et demi.

Etc., etc.

Nous sommes partis vers les Trois Frères. Les aiguilles continuaient de filer. Il a fallu contourner les Trois Frères par le nord pour les aborder. Nous avons laissé dessus les contributions, le payeur et le technicien de la radio, qui sont partis de rocher en rocher, avec un des fanaux, la fouane, le couvert à salade; le technicien de la radio, rien du tout dans les mains, il n'avait toujours rien dit; il ne paraissait pas s'ennuyer.

Nous sommes restés avec l'administrateur sur le hors-bord.

— J'ai quand même des lignes, a-t-il dit.

Il a remis le moteur en route puis s'est mis en panne, de l'autre côté des Trois Frères. D'un côté nous avions les coraux, bien visibles à la lueur du fanal, les champignons maintenant vivant, les infusoires comme des gerbes de vulves. De l'autre côté l'eau vert sombre sur les fonds qu'on ne voit pas.

L'administrateur avait deux cordeaux avec des bouts de viande accrochés à de gros hameçons au-dessus du plomb. Nous les lancions dans le vert sombre et les laissions traîner jusqu'à ce qu'ils s'accrochent aux coraux. Alors on tirait doucement, le canot venait avec le fil; l'hameçon se décrochait quand nous étions à la verticale. Nous tirions pour vérifier qu'il y avait encore de la viande à l'hameçon. Puis nous relancions. L'administrateur avait renoncé dès le premier accrochage.

— On ne prend jamais rien, avait-il dit.

Nous pêchâmes ainsi jusqu'à deux heures du matin. La marée était tout à fait basse. On apercevait le fanal des trois autres, entre les Trois Frères. Nous ne prîmes rien, nous ne vîmes pas un seul poisson, sauf des aiguilles.

A deux heures nous allâmes chercher les trois autres. Ils n'avaient rien pris non plus. Le payeur donna à Élisabeth trois coquillages qu'il avait déjà dans sa collection.

Nous sommes revenus en luttant contre le courant qui se renverse quand change la marée. Nous sommes allés boire un verre de cognac à l'eau chez l'administrateur, en parlant des moteurs de hors-bord. Puis, chacun chez soi, a pris des cachets pour dormir*.

L'Océan Indien est terrible. On va dessus sur des boutres qui sont comme des roulottes. En effet, ce qui est terrible, c'est comme quand j'étais enfant, les fortifs. C'est le contraire de Genève, ou du Faubourg Saint-Honoré.

Terrible = qui inspire de la terreur.

C'est vraisemblablement moins difficile de traverser de Majunga à Bombay sur un boutre que d'escalader [1] — ou descendre en ski [1]. Mais c'est beaucoup plus terrible.

Mutsamudu, Anjouan, mardi 12 août

La côte Est appartient aux grands planteurs, Bambao, M. Anjot. Week-end chez ce dernier, à Ajaho. Mme Anjot, comme Mme Daujon, les fortes Françaises de la province, à

* Et mieux souligner l'aspect *bravura* de cette dérisoire partie de pêche — et le caleçon bite pendante du radio.

1. *En blanc dans le manuscrit.*

la conquête de Paris ou des Comores. M. Anjot, trente ans d'Anjouan, se promène dans son domaine, 5 000 hectares, 22 000 habitants, comme les anciens barons (sur ses chemins de terre, dans sa Renault Domaine) ; les traits forts, l'œil rusé de sa mère grecque; parlant calmement, parfaitement l'anjouanais (dont il a fait une grammaire). Repérant les filles : la grande provocante effarouchée, qui revient de Majunga. L'absent M. Hébert qui habite le fort de l'ancien sultan de Bambao, ministre comorien, deux filles adoptives élevées à la mode musulmane ; a épousé une métisse Mac Lucky.

Comment un baron fabrique un conseiller de l'Union Française [...].

Le sisal, géométrie sur géométrie, sur terrain sec. Le beau blanc de la fibre qui sèche. Plantation plaisante quand entourée de kapokiers comme peupliers.

La vanille ici s'accroche sur pignon d'Inde, on croirait des vignes. Ce sont les enfants qui fécondent les fleurs, le matin, tôt, d'un certain jour. Il en faut parfois 2 ou 300 dans un champ. L'ylang-ylang, comme les ormeaux d'Italie, mais à taille d'homme. La fleur à cinq pétales effilés, pendants, vert doré. Les femmes les cueillent entre l'aube et dix heures et les rapportent sur leur tête à la Bambao, reviennent à la distillerie, 2 ou 300, marchant très vite, tristes (lasses) sur toute la largeur du chemin, sous la conduite d'un « caporal ».

Le poivre, des lianes sur support (comme la vanille). Le pied doit être maintenu humide (par cosses de coco).

La futaie de cocotiers avec taillis d'ylang-ylang est d'un bel effet de parc.

Le jasmin buissonne comme à Meillonnas. Les femmes cueillent les fleurs qu'on distille à l'éther de pétrole, industriellement.

Le jeune Mazel (?) fils héritier du propriétaire du domaine Anjot était venu en faire connaissance. Était destiné à son frère, Agro, mais pas sérieux, n'est jamais venu. « Moi je suis industriel ». Terne, sérieux, triste.

La côte ouest, plus humide, plus verte, petits colons indigènes, mélangent tout dans le plus charmant désordre, tout le précédent + bananiers et pois, le jardin anglais de la culture tropicale. Vendent vanille à des collecteurs, puis ce sont des spéculateurs, le Corse Grimaldi, jusqu'à l'ice-cream-soda.

Domoni, petite ville en cube déblanchie, 3 000 habitants, capitale du fief Anjot. On dit Sodome et Gomorrhe, ce que impossible vérifier. Nombreuses mutines petites putains, que les circonstances ne m'ont pas permis de baiser. La procession, au tambourin et bouffon à la flûte, des garçons du mariage, commis de magasin, infirmiers, lunettes au chiqué, veston et fez, dansant sur place, et dans la main : ou canne, ou torche électrique, ou plumeau, autour du cou des guirlandes de papier comme au 14 Juillet. Triste, pauvre, rusé, méchant, c'est la loi.

Le jeune administrateur français a épousé la dentiste française ambulante. Ils habitent une charmante sobre version coloniale du Grand Trianon, avec une tapisserie de Lurçat, écoutant de bons disques.

Mutsamudu, gênant lumpenproletariat, dans très pauvre petite ville arabe.

Le village et les villes n'ont pas, n'ont plus de centre, encore ou redevenus inorganiques.

Le saint jeune homme de cheik, fils de l'illustre défunt cheik de la communauté de Majunga, toujours ivre, essaie de se faire donner par nous de l'argent pour se percer les joues et le bras. L'Islam lumpenprolétarisé.

M. Hébert, administrateur de la Bambao, va prendre sa retraite. Reste à Anjouan, ministre. Quittera le fort. S'est construit modeste maison, à l'écart de la côte ouest.

M. Anjot a vendu les parts de sa société. Prendra bientôt sa retraite dans Lot-et-Garonne, où a acheté des propriétés. Garde à Anjouan une affaire commerciale personnelle, pour avoir un prétexte de revenir dans son fief.

Temps, nous dit-on, anormal pour la saison. Pluies fréquentes, brèves et violentes comme à Java. Un peu fatigués de l'inconfort, décidons qu'après Zanzibar nous continuerons sur Kenya (plus que l'inconfort pas grand, c'est la familiarité maladroite du service). Le français de caserne de l'intermédiaire à tout faire : ce mec-là, m'a dit mon capitaine, n'y pige que dalle, moi je ne décone pas.

Il semble que pour qui est un peu familiarisé avec le pays, des villes comme Domoni ou Mutsamudu soient d'agréables bordels, les femmes mutines, provocantes-farouches, jouant à cache-cache avec leurs voiles, comme dans le merveilleux bordel (Petite Roulure) de Lyon, pour 500 francs.

Nouvelle : le souvenir de Petite Roulure.

Politiquement : jusqu'au référendum (au moins), « je passe » (comme au poker)

Dîner chez Ahmed Abdallah (conseiller de l'Union Française).

Ahmed Abdallah appelle ses domestiques « boy! ».

Moroni (Grande Comore), le 15 août

Nous habitons l'appartement de passage vaste, haut, un peu à l'abandon, de l'Administrateur Général, servis par un « garde » comorien à fez rouge.

Suran, administrateur de la subdivision, Bressan, aime son métier. Il nous montre ses chantiers de routes. Il fait partout des routes. L'hôpital où nous avons reconduit de nuit le capitaine de gendarmerie, illuminé, en style local, mais tout neuf, avait l'air d'un palais arabe, le seul. Suran, sans aucun apparat, n'élevant pas la voix, poli et distant avec ses boys, ni crâneur ni débraillé (à Anjouan, Gey très quai d'Orsay). Le style actuel des administrateurs coloniaux : « désintéressés », discrets, efficaces le plus souvent, cultivés souvent (disques classiques, livres), généralement persuadés qu'ils devront bientôt partir et que toute leur œuvre s'effritera, faute d'assez de main-d'œuvre formée, faisant quand même, par goût de faire.

Repas à l'hôtel (plutôt délabré, mais bonne cuisine, ce qui est le style des hôtels coloniaux créoles). Pour le 15 août les jeunes colons (créoles d'origine Réunion) et leurs jeunes femmes, de toutes couleurs, déjeunent ensemble. A part : le « baron » Anjot avec son jeune propriétaire, Mazel, XVIe arrondissement élevé chez les jésuites, qui nous a précisé qu'il était allé ce matin à la messe.

Sur Gey, Suran, etc. : le style actuel « décontracté », c'est toute une morale.

Promenade à Mitsamiouli, aspect désolé des récifs de corail à marée basse (sauf si on nage au-dessus avec le masque ou si l'on survole). Les maisons des notables, comme des villas de banlieue. La ville à l'arabe, lépreuse, faute de chaux. Le paysage du nord de l'île : entre les cocoteraies de vastes coulées de lave, en graillon, à peine peuplées de fougères frêles. Les longues femmes au crâne rasé, souriantes à l'homme.

Moroni, le 16 août

Au début de la campagne de la vanille, mois humides, décembre janvier, les grandes compagnies, Bambao et le sénateur Grimaldi, ancien commis d'administration, marié à une préparatrice de vanille vingt ans plus âgée que lui, maintenant probablement milliardaire, envoyèrent lettre recommandée aux colons fixant plafond à 500 francs C.F.A. le kilo de vanille verte. Les avances furent consenties sur cette base.

La vanille monte à New York, une campagne de presse dénonçant la vanilline (synthétique) des ice-creams comme cancérigène.

Avril-mai : Bambao et Grimaldi achetèrent aux petits colons sur base 500 francs C.F.A., alors que leurs collecteurs achetaient déjà 600 et au-dessus. Mais petits colons liés par avance.

Il faut 4,5 kg vanille verte pour un kg préparé. Vanille préparée aujourd'hui 9 000 frs métropolitains = 4 500 C.F.A. donc sur base 1 000 C.F.A. vanille verte, la préparation étant insignifiante.

Le collecteur semble recevoir 50 par kg. Mais il se fait toutes sortes de spéculations à terme ou non.

A déjeuner longue conversation avec Henri Toinette, héritier 200 hectares, père réunionais, mère métisse Lorrain-Comorienne, très teinté, coincé par crédits, obligé vendre ses 500 kg vanille à Bambao pour 500 francs C.F.A., voudrait aller Paris pour traiter directement avec il ne sait pas qui. Fut scaphandrier.

Tout le monde plante un peu de vanille. Exemple, notre chauffeur de ce matin.

(L'or de l'ice-cream.)

Moroni, le 20 août

Grande Comore, 100 000 habitants, 3 gendarmes français, 20 gardes comoriens. L'administration débonnaire.

Dimanche 17. Le Belvédère, résidence administrative, dans la montagne, sur les flancs du volcan Kusthala, beau « pavillon de chasse » avec escalier monumental, terrasses, à l'abandon.

Dans les nuages, les chauve-souris géantes, fannys.

Chasse aux pigeons, avec le ramasseur noir excité ; marché dans la lave plantée de bananiers, manioc, canne à sucre, beaucoup de cases, des gosses surgissent, la brume, la pluie chaude, les fannys.

Lundi 18, le domaine de la Bambao, de la mer (où ateliers séchage coprah, préparation cacao) à la limite inférieure de la forêt. Très belle futaie de cocotiers avec taillis de cacaoyers, à l'infini, avec chemin sinueux, moussu, comme un parc, puis la forêt avec les grands troncs couverts d'orchidées épiphytes et de plantes à spores.

La soirée dans une case (en dur) des hauteurs avec les naturalistes : l'ornithologue anglais qui tremble quand il voit espèce rare et tremble tellement qu'il fait tirer par les autres, la botaniste anglaise, femme de l'ornithologue, abondante, exubérante d'affabilité, civilisée (cendriers) (peu botaniste, collecte surtout, avec acharnement) et l'entomologiste français du centre scientifique de Tananarive, il était venu à Madagascar comme commerçant, mais dès l'enfance collectionnait les insectes, son fils a grandi, il lui a passé l'affaire périclitante, la Recherche Scientifique l'a engagé, il est enfin heureux ; il met en batterie deux lampes à vapeur de mercure et les papillons de nuit viennent se poser sur le mur, il enferme dans un flacon-poison ceux qui l'intéressent. Tout un matériel pour camper dans la grande forêt moite.

Dîner avec les naturalistes et le Français Bayard, directeur de la scierie, marié à une métisse (une des innombrables, non, 50 ou 60 bâtardes du également naturaliste Humblot), *stregona*[1], qui regarde Élisabeth, autre *stregona*, avec amitié et

1. Stregona : *mot italien, augmentatif de* strega, *sorcière.*

circonspection. L'administrateur Suran, également, curieux de tout, qui ré-examine la scierie, les planches, leur longueur, se fait expliquer la préparation des oiseaux, l'usage du microscope, les herbiers, les lampes à vapeur de mercure, essaie les fusils. Pas mal de cognac. Retour un peu ivre, par le beau long chemin de parc en lacet dans la futaie.

Mardi 19, le *Comorien* a un jour de retard. Déjeuner chez le médecin de l'hôpital, Auvergnat jovial marié à une jeune Périgourdine, exubérante, instable, mal adaptée à la colonie, avenante. Il fallait faire une césarienne à une indigène pauvre; on a fait venir un avion militaire pour la mener à l'hôpital de Majunga; c'est gentil.

Mombassa, Mayor Hôtel, le 26 août

Le 20 : départ sur le *Comorien*, 500 tonneaux, qui transporta des pavés sur la Seine de Dieppe à Paris, commandant Kerloc'h, chef mécanicien norvégo-corse teinté Field, agent de l'armateur Leconte.

Les passagers comoriens pétrifiés sous la tente bâche verte sur le port.

L'escalade de chaque vague « en tortillant du cul ».

50 heures jusqu'à Zanzibar. Départ à 16 heures. Dès midi du lendemain, Kerloc'h ne cesse plus de faire le point avec le soleil, puis Vénus, puis Mars et les radiophares. Atterrissage en latitude. Entré dans le port sans pilote. La fausse manœuvre des pavillons, jaune sanitaire, jaune ponctué de bleu immigrants, rouge pour le sultan. Le pavillon bleu qui se lève au-dessus de la ville pour annoncer l'entrée d'un navire. Le désagréable policier indien qui exige caution; colère de Kerloc'h.

Dîner Pigalle Hôtel, patronne Mme Margot, qui faisait venir des hôtesses « chez Margot » à Dar es Salam. Son associée fit Hong Kong, Singapour, elle aussi. Extravagantes vieilles Françaises, solides, dures. Pas de filles; fureur triste de Kerloc'h ivre, enfantin.

Le peintre polonais, dans son petit palais, ruiné, sur plage à l'abri récifs, citation André Breton, femme analogue Donna Raïssa, fille difforme caissière au Pigalle Hôtel — après avoir été planteur au Kenya (les planteurs ruinés : mari de Margot dans tabac, polonais dans thé).

24 : Zanzibar. Tanga. Mombassa par avion. Retrouvons équipage du Jean Laborde. Organisons safari. Assez fatigués, quittons peu l'hôtel.

27 août

Mombassa-Namanga : voiture (haute Chevrolet).

Deux babouins, trois girafes,

Moshi, déjeuner, le planteur et sa fille ou sa poule.

Arusha, croisement, centre la route Le Cap-Le Caire, rien que des garages et quelques Masaïs,

entre Arusha et Namanga, girafes et Masaïs également d'apparence fossile.

Le nègre pour une part est un animal fossile. On rend un certain nombre d'espèces fossiles en introduisant dans un milieu bien déterminé une nouvelle espèce qui les détruit. L'homme dans certaines conditions peut perpétuer, voire recréer des espèces fossiles : les réserves et le tamarin des hauts.

Si je me prête vie, je serai un bon philosophe à 60 ans.

Il a fallu à un certain nombre d'intellectuels de ma génération militer un certain nombre d'années dans le couchage et le communisme pour réintégrer (réassumer) les parties biologiques, viriles, guerrières (se prouver son courage) et ouvrières (compter et même bricolage) d'eux-mêmes. Puis s'en affranchir pour faire sa totalité, s'intégrer soi-même à soi-même.

Nuit dans le charmant hôtel anglais de Namanga. Le couple vieil anglais : impression qu'ils doivent maintenant « compter », comme les Polonais de Zanzibar, mais dignes, pas vaincus, parce que « après ». Eau chaude et froide dans chaque case, électricité, piscine, moteurs, admirable organisation. On boit beaucoup : bière, whisky, lait de brandy.

28 août, Amboseli National Reserve. Ol Tukai Lodge, 16 heures.

Lente descente vers le dry-salt lake Amboseli, avec troupeaux de girafes très proches et dans le lointain troupeaux de zèbres, puis quelques autruches,

mirages en arrivant sur le lac, puis premier wildebeest, qui tient du cheval, de la chèvre, du mulet et du bœuf — antédiluvien comme girafes et Masaïs (dont villages ronds de buisson et pisé, grands troupeaux soulevant nuages de poussière),

puis de très près grands troupeaux, souvent mêlés de zèbres, wildebeests, babouins — autruches isolées.

Ol Tukai Lodge, campement à baignoire eau chaude et froide. Notre chauffeur Mohammed, cuisinier Andrò ; le guide à fez qui nous mène à quatre lionnes digérant sous des buissons(le regard franc, c'est-à-dire sûr de sa force : par qui les « Anciens » ont-ils appris que le lion est le roi des animaux ? le regard hardi du souverain prêt à se battre et se sentant capable de se battre avec toutes ses chances), puis quadrillage des buissons et arbustes épineux jusqu'à découvrir deux éléphants en train de paître, leurs oreilles dans l'air comme les nageoires de la raie dans l'eau, parenté de forme des mammifères fossiles et des poissons, bien plus évidente encore avec le rhinocéros découvert paissant dans un buisson, dirigeant ses oreilles comme vulves des anémones de mer (un oiseau bleu et rouge dans chacune et sur le dos) et ses petits yeux comme des ouïes, parenté de peau aussi avec les poissons de rochers.

19 heures

game = jeu (m) partie (f) gibier (m)

une jolie partie de gibier à vue entre 16 h 30 et 18 h 30.

Il faut d'abord évidemment mettre de son côté les humains du lieu — non seulement par l'argent,

écrire une sorte de poème quand même sur les plaisirs de l'argent,

mais en ayant la manière avec. Nous avions serré la main à

Mohammed et Andrò, quand l'agence nous les amena, devant le personnel du Marmor Hôtel, puis le ton, la manière d'Élisabeth, et à midi, pas seulement offert le whisky, mais de le boire avec nous, ce qu'ils refusèrent « à cause des Européens ». Un des plaisirs de voyager avec Élisabeth c'est la grâce qu'elle crée dans les rapports avec les « gens de la maison » sur terre ou sur mer.

Retrouvé d'abord, cette fois accroupies, les quatre lionnes de ce matin, en réalité deux lionnes, un lionceau, une lionçonne. Gracieux mouvement du lionceau (sa jeune virilité) pour s'étirer, pattes en l'air, puis se retourner sur le côté en cherchant-posant la patte sur la lionçonne.

Un troupeau d'éléphants paissant. Le gros mâle comme un très vieux chêne, les défenses dissymétriques, grattant le sol pour détacher les mottes d'herbe, malaxant la motte dans le creux de la trompe puis avec la trompe l'enfouissant dans l'orifice buccal. Ou bien aspirant semble-t-il la poussière avec sa trompe et la pulvérisant sur lui-même. Ou bien, immobile, debout, étant comme ce vieux chêne, lui-même. Les autres un peu plus loin, les uns couchés, les autres arrachant, pour en paître les branches, un grand arbre.

A moins de deux cents mètres, un rhinocéros, moins grandiose que celui du matin, debout dans les buissons. Mohammed explique qu'il n'attaque pas les éléphants en troupe.

Ainsi va-t-on dans la Chevrolet, quadrillant les buissons, le désert du lac, autour du dernier point d'eau de la dry season,

croisant des troupes de gazelles, et deux, hélas trop rapidement, probablement extrêmement fossiles, un peu sanglier-chien, le mâle avec cimier *warthog*,

le rhinocéros et le warthog étant devant la girafe et l'éléphant les plus fossiles des espèces rencontrées jusqu'ici, et aussi, si exactement identifié, le secretary bird avec sa coiffure de chef sioux,

et nous tombons sur cinq rhinocéros, dont trois très gros, très groupés, qui nous regardent, Mohammed inquiet, approchant en marche arrière, puis se déplaçant très lentement, sur le rythme préhistorique.

Au retour, grands troupeaux de wildebeests revenant d'un point d'eau.

Énormément d'oiseaux, que la plupart je ne connais pas.

Une hyène, seule, dans la plaine blanche du lac asséché.
Végétation strictement épineuse dans la poussière se soulevant en hauts tourbillons, végétation, pour moi à tort peut-être, adaptée à une terre relique se dissolvant peu à peu, à cause des destructions humaines, de la grande forêt au désert, brousse stade intermédiaire. Des animaux reliques sur une terre en désintégration — sauf le lion, tellement à l'aise... (le zèbre aussi doit être une relique, ou une branche ratée).

29 août Arusha, Tanganyika

La nuit dernière à Amboseli, souffle et sorte de braiment, devant notre case. Élisabeth me réveille. « C'est le lion. » J'aurais bien voulu. J'écoute. « Non dis-je, c'est un âne ou tout au plus un zèbre. » C'était le lion, Simba, nous dirent au matin les boys.

Au matin, assez vaine recherche. Mais tout de même une lionne en marche, puis un troupeau de 24 éléphants de toutes tailles, que nous avons suivi un moment, se déplaçant lentement, au ralenti, comme les poissons un peu gros dans les trous au bord des récifs.

Sur le chemin du retour vers Namanga, deux jeunes filles Masaï nous demandent de l'eau, puis la bouteille vide de soda près du grand troupeau qu'elles gardent avec un long large couteau.

L'hôtel ici est un confortable caravansérail au croisement des grandes routes de l'East Africa.

Zanzibar au fait évoque un peu Monte-Carlo. Ici, malgré ségrégation très évidente, l'impression est moins de colonie qu'à Madagascar ou Comores, sans doute parce que grands garages, ateliers, ouvriers noirs, etc.

Élisabeth : les tziganes de Hongrie aussi sont des fossiles (= aussi témoins au sens géologique).

La grandiose continentale descente de Namanga à Arusha avec les migrations de troupeaux Masaï parallèlement à la route.

30 août, Ngorongoro Crater

200 km dans la brousse épineuse, sèche, puis montée en deux brusques haussements en lacet jusqu'à la forêt nuage. Lichens-orchidées dans les grands arbres, on suit une crête dans le nuage, on surgit au-dessus du nuage sur la crête d'un immense cratère de sable avec lac et lagunes dans le fond, forêts autour, sables sur les plus hautes crêtes (about 4 000 mètres), démesuré, avec des troupeaux suivis à la jumelle, réduits à des points se déplaçant lentement.

Frais à midi, cottages, notre cottage, feu de bois dans la cheminée, bain chaud.

Pour la première fois du voyage, sans voix l'un et l'autre devant la grandeur.

Et maintenant, au crépuscule, une immense ligne de flamme, à mi-horizon sur la limite de la savane et de la forêt,

se levant à flanc de montagne, dans la forêt, plus distinct à mesure que tombe la nuit.

Nous ne pouvons pas rester étrangers aux gens à notre service. Mohammed est tellement à vif devant le mépris de la direction blanche du New-Arusha Hôtel, du boucher blanc pour Blancs, etc., que ce matin le début du voyage dans la gêne. Nous avait expliqué hier qu'il était Soudanais, d'une république maintenant indépendante, d'ailleurs fils de koulak planteur de coton avec deux caterpillars et un frère cadet étudiant aux U.S.A. pour être ingénieur, lui-même marin, pompier à Liverpool pendant la guerre, de nouveau marin, maintenant chauffeur, sur le point de rentrer au Soudan, où sa femme l'a précédé — ce qui orientait évidemment ma pensée vers Henry, etc.

Nuit tombée, le feu s'épointe dans le sens du vent, très rapidement.

Trouvé ce matin sur siège de Mohammed, traduction anglaise des *Essais* de Mazzini.

4 septembre, Nyali Beach

Retour en arrière. La très belle et très heureuse journée du 31 août à Ngorongoro Crater

La Land-Rover conduite par le ranger aux yeux concentrés sur le loin, quitte le Lodge dans la brume du petit matin.

Dès quittée la route de la veille, dans la forêt au lichen, au premier tournant, un grand léopard juste au milieu de la route, qui nous regarde et bondit dans l'herbe haute-savane du talus, où il disparaît.

Cent mètres, nouveau tournant, trois buffles à proportion de l'éléphant, du rhinocéros et des plus grands lions, paissent paisiblement la vert-foncé raide herbe du bord de la route.

Longtemps plus rien. On descend vers le cratère au travers du nuage. A l'entrée du cratère, maintenant fond assez visible sous le nuage, qui cache la forêt du haut, coupe d'herbe sèche jaune sable, avec au lointain les fumées des incendies si clairs cette nuit, et plus proche un autre de bas en haut.

Zèbres et wildebeests (tellement la licorne non glorieuse de la fameuse tapisserie) d'abord clairsemés puis très nombreux avec des gazelles de Grant et de Thomson, quelques chacals très à l'aise, des élans par trois ou quatre — dans espaces très découverts d'herbe sèche.

Sur bord de savane et roseaux, dans savane plus rien. Nous cherchons les endroits où plus rien, pour découvrir les lions que tous les autres fuient. Guettons quand les autres paraissent inquiets, tous tournés dans même direction, allons aussitôt dans cette direction, guettons où planent vautours. Quadrillons la savane, stoppant parfois et le ranger montant sur le capot pour chercher avec jumelles. Trouvons seulement deux jeunes lions, inquiets de leur famille.

En nous dirigeant vers les bouquets d'arbres du déjeuner, sans doute famille acacias, sur une butte, butons sur cheetah que nous suivons un moment le long d'un ruisseau.

Sous le tertre du déjeuner-sieste, marécage-roseaux, allongé sur tout fond du cratère vers lac où « sans doute, dit le ranger, dorment à présent les lions ».

Dès 14 heures requadrillons espaces ras et savanes de tout le sud du cratère sans rien découvrir que :

sous 8 à 12 vautours cadavre tout récent, jambes raides d'un wildebeest, un œil déjà arraché saignant. Puis arrive une hyène précautionneusement décrivant cercles de plus en plus courts, puis doucement, par petits bonds et écartant les vautours, peu effrayés, se posant à peine plus loin, s'écartant quand même, la hyène quelques bonds, patte levée, vers l'un ou l'autre, à droite, à gauche, les uns et les autres comme sachant rituellement que cela s'accomplit nécessairement ainsi — et grand troupeau de wildebeests, rapprochés les uns des autres, pas très loin, tous tournés vers cadavre-hyène-vautours, ne paissant plus, immobiles,

et la hyène surveillant sans cesse la limite de la savane (par crainte du lion, dit le ranger),

puis brusquement soulevant à demi le cadavre du wildebeest par l'arrière,

puis le lâchant, regardant la savane, s'éloignant, les vautours reviennent, revenant...

Longeons la procession de zébus et wildebeests à 16 heures se dirigeant pour boire vers la rivière alimentant le lac.

Lac, hippopotames, flamants roses, sel, bosquets déserts.

A 17 heures longeons la lisière orientale du marais roseaux. Le vieux noble lion, la lionne à quelque distance. Le lion *brontolone*[1] soufflant, ennuyé, comme moi-même au réveil. Puis sortent non sans prudence du marais, six moins âgés lions, deux mâles, quatre filles-femmes qui viennent se grouper autour du porte-crinière; un mâle s'approche, frôle une fille (avec qui avait d'abord flirté au sortir des roseaux); le vieux porte-crinière se dresse pour la première fois, gronde, le jeune mâle se couche aussitôt, ventre en l'air, pattes molles. La lionne s'approche pour voir, se rééloigne, se couche. Tout s'apaise. Les jeunes peu à peu s'avancent dans l'espace libre, guettant pour la chasse du soir...

Au retour le rhinocéros chargeant pour jouer les groupes de zèbres,

et sur les hauts, les groupes de buffles et d'éléphants paissant.

1. *Grognon.*

Le whisky du soir, le feu de bois, et les incendies comme hier, plus calmes, dans moins de vent.

Le 1er septembre déjeuner à Arusha, coucher à Maranga au Kibo Hotel, point de départ pour l'ascension du Kilimandjaro.

Région bien irriguée, très verte, de petite culture indigène du café. Importante mission catholique; Noirs d'aspect un peu réunionais; énormément d'ivrognes; fausse affabilité; la puanteur catholique. Le nègre catholique ivrogne triste. Andrò catholique.

Hôtel tenu par vieux juif allemand et sa femme allemande non juive. Le vieux raconte des « histoires »; Anglais plus délurés qu'à Arusha, un peu sans doute hôtel de couchage; on boit davantage.

Le 31 ne pas oublier les troupeaux Masaï et le village Masaï.

7 septembre, Mombassa

Retour en arrière. Le 3 septembre retour à Mombassa. (Le 2 dans le Tsavo Royal Park. Dry season. La brousse a été ravagée par de grands incendies. Peu de bêtes, mais pour la première fois des kudus, des impalas en grand nombre. Un beau couple de lions en plein midi, sur des rochers.)

[1959]

JOSEPH KESSEL[1]

Quand j'appris que Joseph Kessel allait publier *Le Lion*, je me trouvais en Afrique, dans un parc national analogue à ceux qu'il a décrits, et occupé toute la journée à chercher, pister, découvrir, suivre les lions. Je ne savais encore rien du *Lion* de Kessel, mais je commençais à savoir quelques petites choses sur les lions. Ma première pensée fut que *Le Lion* devait être une autobiographie. Je crois volontiers que chaque être humain a un totem, un animal (ou une plante) qui lui est apparenté ou plutôt qu'en nommant en même temps que lui l'animal (ou la plante) qui lui ressemble, on le décrit plus complètement, plus totalement que par une longue analyse. Je connais beaucoup de serpents, de hyènes, de chacals et même quelques crocodiles. Je connais très peu de lions, mais Kessel en est sûrement un.

Le lion est le roi des animaux, parce qu'à poids égal, il est le plus fort; à poids moindre (contre le buffle, le rhinocéros, l'éléphant) il gagne l'adversaire de vitesse; il est plus rapide, plus nerveux. Il ne craint rien, d'où cette démarche royale, c'est-à-dire aisée, puissance et force tranquille. La démarche de Kessel, quand il entre quelque part.

Je m'aperçois que je parle de lui comme si j'en étais amoureux. Non, c'est de l'amitié, la plus virile amitié. Kessel est un des rares écrivains de notre temps qui aient su décrire, chanter l'amitié virile. C'est un sentiment qu'il place très haut, plus haut que l'amour, c'est pourquoi sans doute on

1. *Article de Roger Vailland* (Livres de France, octobre 1959).

prend le langage de l'amour pour évoquer l'amitié qu'on lui porte et qu'on espère de lui. Ce que je préfère dans son œuvre, ce sont les romans de l'amitié, cette amitié tendre et dure, plus tendre encore que dure, des compagnons de guerre et d'aventure; et que l'amour ou l'aventure elle-même finit toujours par fêler; ainsi va la vie; Kessel ne s'en console pas. Il doit rêver d'une république d'amis. Mais il aime trop la vie; il s'échapperait de sa trop parfaite république.

Lion, roi, souverain; dans les salles de rédaction que je fréquentais, jeune journaliste, nous avions surnommé Kessel : l'Empereur. La fille qui l'aimait me demandait : « As-tu rencontré cette nuit l'Empereur ? » Car, comme les lions, l'Empereur vivait surtout la nuit. Ses livres et sa vie reflètent cette période d'entre-deux-guerres que nous avons été beaucoup à passer dans les bars et les boîtes de nuit. Un de ses romans que j'aime le mieux : *Les Enfants de la Chance*. Nous étions, nous voulions tous être les enfants de la chance. Il y avait toute une légende de l'Empereur : il s'était enfermé quinze jours dans une villa de Sainte-Maxime pour écrire un roman; le quinzième jour et le roman achevé, il avait fait réouvrir le casino de Sainte-Maxime, fait sauter la banque, bu une quantité incroyable d'alcool, enlevé la plus belle fille du lieu, après avoir descendu d'un crochet à la mâchoire l'homme qu'elle accompagnait, il avait encore... il y avait toute une *saga* des nuits de Joseph Kessel. On racontait qu'il était capable de briser un verre de cristal entre ses doigts et de le manger; c'était vrai.

Des nuits de Kessel, je me rappelle surtout celles que nous avons passées à écouter les tziganes Dimitrievitch, dans une cave de la rue Vavin. Il aimait les chants des femmes, les voix graves qui semblent sortir du ventre. Il écoutait, attentif, silencieux, n'élevant la voix que pour demander au maître d'hôtel de porter du champagne aux chanteuses et aux danseurs. Un de nos amis aima d'amour une de ces tziganes. Le père ne voulait la céder que contre une dot proportionnée au champagne que nous buvions avec lui. Kessel prit l'initiative que nous nous cotisions pour permettre le mariage de notre ami. Nous allâmes tous à la noce, dans une roulotte, à Asnières.

Kessel travaille beaucoup, ayant besoin de beaucoup d'argent, parce que beaucoup de personnes qu'il a connues çà et là dans le monde dépendent de sa générosité. Léonité oblige.

Il est très consciencieux dans son métier d'écrivain et de journaliste. Doué, doté par la chance, rapide, mais consciencieux; j'aime cela. Il sait construire une action dramatique et faire vivre des personnages; c'est la première qualité d'un romancier (et d'un scénariste) et qu'on néglige trop. Il entre dans le détail. Quand je débutais dans le journalisme, j'ai travaillé avec lui; j'avais fait un long récit pour *Confessions;* il m'expliqua longuement tout le bénéfice que j'aurais eu à ne pas appliquer mécaniquement la fameuse règle de concordance des temps, à éveiller le passé simple par un brusque imparfait, un présent, voire un futur inattendu; c'est une leçon que je n'ai jamais oubliée.

Quand il raconte, écrit, comme quand il vit, il y a toujours dans Kessel un excès de puissance, comme d'un moteur qui a toujours plus de ressources que l'effort qu'on lui demande. S'il lui arrive d'être mal à l'aise c'est par excès d'aisance, parce qu'il pourrait faire plus qu'il n'est possible. Un enfant de la chance. Quand je le rencontre, je suis sûr que la journée sera faste.

[1959]

[NOTE MURALE]

Le dégoût est un sentiment aussi respectable que le goût. Les Français en particulier, les humains en général, me font mal au ventre.

R.V. 5 octobre 59.

[1959]

[*Journal intime*]
16 novembre

Je surprends ma mère — un peu plus âgée qu'elle ne devrait être — en train de faire sortir à la dérobée (par une cour intérieure) des meubles qui me reviennent par héritage (château Renaissance comme la bibliothèque de mon père)[1].

Aussitôt après je lis son menu-programme :

1. *Rognons à la mort fault*

Mort fault me paraît extrêmement indécent, et je substitue à la ligne précédente :

2. *Rostov sur le Don*

(avec l'idée que la slavisation suffira à dissimuler la vérité).

La substitution, loin de me satisfaire, provoque le réveil, dans une angoisse qui se prolonge toute la matinée.

Rostov sur le Don associé à grande carte de géographie. J'avais une carte d'Europe au 1/500 000 qui couvrait tout un mur de la chambre que j'habitais à l'époque où les Russes ont repris Rostov aux Allemands, bataille que j'ai suivie avec passion.

C'est à cette époque, dans cette chambre, que j'ai fait un rêve dont l'analyse m'a fait retrouver le souvenir de ma grand-

1. *Il s'agit fort évidemment ici de la relation d'un rêve.*

mère me menaçant de me couper les couilles si je continuais à me masturber.

Ce qui me permet de déslaviser Rostov en roustons. Je le remets à sa place en 1.

J'obtiens au menu de ma mère-grand-mère :

1. Rognons les roustons

Reste pour le second terme du menu-programme :

2. La mort fault sur le Don.

La contrepèterie me paraît évidente. Je rétablis :

2. La mort fond sur le dos.

Aussitôt, souvenir de ma grand-mère me menaçant, si je continue de refuser un lavement, de substituer à la canule un ancien clystère qu'elle m'avait montré : j'avais interprété que c'était la roue dentée qui se substituait à la canule, terrible châtiment.

Accessoirement la bibliothèque — où j'ai caché ou trouvé quelque chose — dans l'appartement où la grand-mère menace.

Et Meursault près de Beaune.

17 novembre.

1. Des lettres imprimées en caractères indéchiffrables — j'estime, dans le rêve caractères cyrilliques.

Ironie à l'égard du déchiffrage de la veille.

2. Le vase en miroir sans tain qu'Aimée Delubac m'avait offert pour mon appartement, 32? 36? 38? rue de l'Université, seul, brillant comme un calice.

a) glace sans tain — fragile au fond — désir de vierge!

b) calice → chrétien; coupe → de victoire.

On doit donner le Goncourt à Schwarz-Bart et je le regrette.

[1959]

RÉPONSE AU QUESTIONNAIRE MARCEL PROUST[1]

Quel est, pour vous, le comble de la misère?

N'avoir envie de rien.

Où aimeriez-vous vivre?

Dans un couvent laïque, avec une nuit de permission par semaine.

Votre idéal de bonheur terrestre?

Avoir envie d'énormément de choses.

Pour quelles fautes avez-vous le plus d'indulgence?

Celles qui ne me font pas souffrir.

Quels sont les héros de roman que vous préférez?

Le baron Hulot — Le prince Jean-Théodore (des Pléiades) — Hemingway sous les masques variés qu'il prend dans ses romans.

Quel est votre personnage historique favori?

Antoine.

Vos héroïnes favorites dans la vie réelle?

Les femmes fatales quand elles se soumettent au caprice de l'homme aimé.

1. Livres de France, *décembre 1959.*

Vos héroïnes dans la fiction?

Les mêmes.

Votre peintre favori?

A chaque saison le sien.

Votre musicien favori?

A chaque soirée le sien.

Votre qualité préférée chez l'homme?

La lucidité envers soi-même.

Votre qualité préférée chez la femme?

La gaieté.

Votre vertu préférée?

La gentillesse.

Votre occupation préférée?

Celle qui m'amuse le plus à un moment donné.

Qui auriez-vous aimé être?

Question contradictoire en elle-même.

Le principal trait de mon caractère?

Le désespoir le matin au réveil si je n'ai pas la perspective de faire quelque chose de très excitant dans la journée.

Ce que j'apprécie le plus chez mes amis?

Le travail en commun. Le plaisir partagé.

Mon principal défaut?

La dissipation.

Mon rêve de bonheur?

L'état de grâce, sans Dieu (sans présupposition métaphysique).

Quel serait mon plus grand malheur?

M'ennuyer.

Ce que je voudrais être?

Heureux de me réveiller.
Heureux de m'endormir.

La couleur que je préfère?

Le noir de la chevelure des femmes des rives de la Méditerranée.

La fleur que j'aime?

Veronica officinalis.

L'oiseau que je préfère?

La chouette de Harfang.

Mes auteurs favoris en prose?

Flaubert — Hemingway.

Mes poètes préferés?

Rimbaud — Apollinaire — Henri Michaux.

Mes héros dans la vie réelle?

Ceux qui savent dire non.

Mes héroïnes dans l'histoire?

Les méchantes.

Mes noms favoris?

A chaque saison le sien.

Ce que je déteste par-dessus tout?

Répondre à des questions.

Caractères historiques que je méprise le plus?

Les hommes d'action quand ils se prennent tout à fait au sérieux.

Le fait militaire que j'admire le plus?

La bataille de Denain, parce que Villars et le prince Eugène étaient d'une intelligence et d'une habileté égales.

La réforme que j'admire le plus?

Je ne crois pas à l'efficacité des réformes.

Le don de la nature que je voudrais avoir?

Une résistance sans limite à la fatigue.

Comment j'aimerais mourir?

Parfaitement heureux d'avoir vécu.

État présent de mon esprit?

L'impatience.

Ma devise?

Le jour efface les promesses de la nuit.

[1959]

[NOTE MURALE]

A l'échelle de ma vie, seul étalon dont je dispose pour mesurer une mienne action historique, tout engagement politique est dérisoire, sauf comme trempe.

[1961]

[*Journal intime*]
15 septembre 1961, vendredi, Meillonnas

Cinquième jour sans aucune sorte d'alcool. Le ciel intérieur commence à se découvrir, *le temps à se lever.*

Ces derniers mois, dans une torpeur presque aussi toile d'araignée-sur-les-yeux que du temps de Lygéia. Et les angoisses dans l'attente de l'heure peu à peu avancée jusqu'au matin du premier whisky. Les sommeils-pierre de l'après-midi. Les temps seconds dans le whisky, les colères. Les bras et les jambes toujours courbatus. L'obsession du travail qui n'est pas fait, mais quel travail ? Aucun projet précis, mon travail. Le sentiment du malheur, sauf de rares heures, n'est évité que grâce, que par la grâce de la *pétulance* d'Élisabeth. La *tenue* main*tenue* grâce à la présence bienveillante (et à l'activité technique, manuelle) de Costa Coulentianos[1]. La gravure un peu comme...

16 septembre, Meillonnas

... les jeux de « construction » (cubes de bois) pour la rééducation des ex-déments.

Le temps extérieur, en ces approches exceptionnellement chaudes mais venteuses de l'équinoxe, analogue à mon temps intérieur.

1. *Sculpteur grec, que Roger Vailland avait installé à Meillonnas.*

Le voile est encore sur moi mais il tend à se soulever à certaines heures de la journée.

Comme presque chaque fois, encore plus qu'aucun de mes précédents dégagements, out of Lygéia, certaines amours, tous les alcools, il n'y a pas eu de décision formelle. Le projet de l'homme dans sa maturité n'est pas la décision volontaire, aisément trompeuse, mais de créer lui-même toutes les conditions pour... Je savais que je m'engonçais d'alcool; j'ai tâtonné, d'abord la chaleur en Italie du Sud, mais il n'y eut pas de vraie chaleur sur ces plages venteuses de mai-juin. Alors, s'obstiner à Meillonnas, avec Élisabeth, Costa, la gravure, bouger le moins possible, attendre.

Samedi dernier, à Genève, les conditions nécessaires au déclenchement, mais déclenchement préparé par la précédente retraite à Meillonnas depuis juillet, se trouvèrent réalisées. Comment? Il y a un point commun aux trois groupes fréquentés :

1° Bertha, la maquerelle du [...], l'amie-veuve du directeur commercial [...] putassier et ivrogne comme moi-même (« nous ne voyagions que dans des villes à bordels, il était autrement de trop mauvaise humeur »), et qui dit : « depuis un an et demi (sa mort) je n'ai plus de désirs de désir », dont les tempes bouffissent-bleuissent d'alcool et qui tourne autour de sombrer dans le yoga.

2° Mario et Germaine Bianchi, les anciens bolcheviks, de ma génération;

dans le grand salon de la rue de Candolle, au quatrième étage, face au jardin, les fauteuils solennels où nous écoutions les radios les lendemains de ma signature douteuse contre l'intervention russe à Budapest, la tapisserie de Lurçat, le tapis roumain fond noir fleur de pommier commandé sur mesure, au temps où le commerce Est-Ouest se confondait avec le devoir politique, maintenant ils vont chaque jeudi, jour de congé des médecins spécialistes genevois, et chaque dimanche ramasser des champignons à flanc de Salève et ils aménagent un mas en Haute Provence pour le jour où il prendra sa retraite, son regard bon, son sourire triste, « alors Roger... » mais sans interrogation, il n'y a plus d'interrogation, il ne se passe plus rien — tous les deux, lui et moi, assis dans les mêmes solennels fauteuils, mais cette fois écartés de la cheminée (l'hiver à feux de bois), posés côte à côte théâtralement au milieu du salon, et quelqu'un dit, mi-sérieusement, mi-ironiquement, non sans mélancolie : « les deux derniers staliniens ». (Élisabeth).

3° Denise W. et Odile X., les deux Genevoises qui ont épousé des Français qui manifestaient de l'ambition, les deux jeunes femmes plus tout à fait jeunes, et désormais persuadées que leurs hommes sont des velléitaires persécutés-persécuteurs, et qu'elles ne sont plus assez jeunes pour recommencer, dans la très classique ferme devenue villa, au-dessus de la route de Lausanne, à la frontière du pays de Gex, la pelouse face au massif du Mont Blanc, la calotte du Mont Blanc au-dessus du nuage, comme en 1914 avant la bataille de la Marne, et les six pots de papyrus dans le petit bassin de pierre au milieu de la pelouse;

le point commun des trois groupes étant d'avoir renoncé à dégager, à se tenir prêts à recommencer, à se tenir ouverts à un recommencement. Moi, je ne veux pas encore mourir (je veux bien faire retraite, mais pas prendre ma retraite).

La nuit de dimanche à lundi, sans que j'eusse bu davantage que les jours précédents, délire persécuté-persécutant, plutôt moins violent que ceux au hasard des mois précédents, et dominé avec une relative aisance.

Mais lundi matin je me réveillai persuadé que dans les circonstances actuelles et jusqu'à la formation de « quelque chose » je ne boirai plus d'alcool.

17 septembre, dimanche, Meillonnas

Pour la première fois depuis tant de mois, peut-être d'années, sentiment d'allégresse durant toute la matinée (et le blanc de l'œil commence à redevenir clair : sans rouge ni jaune, ou peu).

Et déjà m'apparaît inconcevable que j'aie pu passer tant de matinées prostré « derrière les rideaux blancs ». Comme m'apparaissait inconcevable, le souffle repris après une « scène », que j'eusse pu me laisser aller (ne pas résister) aux provocations à la colère. Comme m'apparaît inconcevable que j'aie pu tolérer l'attitude à mon égard du jeune officier soviétique, à la fin du défilé du 1er mai 1956.

Mais, à la différence de ce qui s'est produit à l'issue de chacune de mes saisons passées, je ne crois plus à l'importance en soi de ce qui va maintenant survenir...

(Plus d'un vieillard se conduit comme un galopin. Il arrive qu'un jeune homme par l'exigence d'une action ou porté par son génie, acquière soudain les mérites de l'âge mûr, la souveraineté de la vieillesse.)

... C'est sans doute d'avoir beaucoup pensé la mort, au cours des torpeurs de ces derniers mois. Non seulement ma propre mort dont la claire conscience (la claire conscience de son inéluctabilité et de son caractère total, absolu, définitif) confère à chacune de mes entreprises une vertigineuse gratuité. Mais aussi l'inéluctable fin de l'humanité, dont la claire conscience m'interdit de travailler pour l'éternité; cet autre aspect de la mort, celle de l'humanité, n'est qu'une variante du précédent, puisqu'à ma propre mort l'univers tout entier est pour moi aboli; mais moi qui mets tant de soin à élaguer de ma pensée toute extrapolation métaphysique, je gardais cependant confusément la croyance que mon œuvre pouvait « durer » au-delà de toute limite de temps, demeuré que j'étais dans la conviction toute scolaire que l'inscription d'une œuvre dans l'histoire de la littérature en usage dans les classes de première et sa publication dans les classiques Garnier lui conférait un caractère éternel. Cet enfantillage aussi est surmonté; il aura fallu que j'attende les approches de ma cinquante-cinquième année.

(Ainsi serais-je donc aux approches d'une conception vraie [correspondant à la réalité sans complaisance] du monde, de moi-même, et des rapports de moi-même avec le monde-y-compris-moi-même-dans-le-monde.)

Nous partons demain pour Paris, trois jours. Costa reste à Meillonnas. Sa solitude est grande. Ancien partisan en Grèce, il n'a plus de parti, pour des raisons, semble-t-il, analogues aux miennes (mais plus tôt). Sa femme, américaine, et son enfant sont en Grèce depuis plusieurs mois et il semble qu'ils désirent l'un et l'autre que la séparation se prolonge. La femme qu'il aime ou croit aimer et qui l'aime ou croit l'aimer est en Afrique avec son mari et ses enfants. Il a des amis, bien sûr, dont il ne parle jamais. Voilà. Il est là. Il travaille toute la journée à ses grandes statues de métal; il découpe, il assemble, il soude, il coupe, il défait, il rassemble, il vêt le métal d'un autre métal, il dévêt, il revêt, il polit.

Sa solitude d'artiste. D'abord la solitude propre à la pratique des arts non figuratifs. L'artiste qui copiait (fallacieusement) un modèle ou l'interprétait, croyait, dans cet acte même, établir un rapport entre lui et son modèle; sous cet aspect (qui n'épuise pas la création artistique, qui y demeure même étranger), il n'établissait de rapport qu'avec lui-même. Mais sur cette ombre de lui-même projetée sur le modèle il pouvait croire se contrôler, s'appuyer, trouver appui, assistance.

En second lieu, la solitude de l'artiste dont la notoriété n'est pas encore confirmée. Son œuvre n'a pas encore une place généralement reconnue, située par le consentement d'un grand nombre d'amateurs à une certaine place, parmi les œuvres des sculpteurs de son temps. Il est le seul à croire absolument ou à ne plus croire du tout selon les moments que son œuvre est valable; la plupart des autres restent dans l'expectative. Et à se demander, jusqu'à l'angoisse, ce qui fait qu'une œuvre est valable?

Il continue de construire des statues.

Il ne construit pas n'importe comment, pour vendre, pour passer le temps, pour échapper à la solitude. Il construit en fonction d'une certaine morale de la création artistique. Voilà qu'il va falloir tirer au clair.

Paris, 20 septembre

Après le sevrage d'alcool, les gestes et les lieux habituels comme une vieille toile dont l'on vient d'ôter les vernis superposés. Mais à la longue la sobriété aussi formera sa croûte. L'important n'est pas d'être ivrogne ou sobre, mais de ne jamais cesser d'être tour à tour l'un et l'autre.

Etienne-et-Etiennette, en symbiose, être monstrueux. Le metteur en scène de cinéma, parfois la vedette, quelquefois l'auteur, jouissant le temps de la réalisation du film et par les perspectives d'avenir, dans tous les rapports avec les gens du métier, leur monde, d'un pouvoir quasi absolu, sont plus proches du tyran antique que la plupart des chefs d'Etat d'aujourd'hui. Ils se débrident. Ils perdent toute pudeur de leur terreur panique de la pauvreté, de la douleur, de la mort. « Toute honte bue. » Ceci, du tyran en général, est multiplié dans le couple en symbiose; la plupart des conflits qui opposent l'être vivant à son milieu se concentrent à l'intérieur du couple, l'élèvent au plus haut degré de chaleur et il se cahote dans le monde comme une boule de lave. Ils ne boivent pas et je parierais la chasteté, ils ne baisent pas; toute l'énergie accumulée se dépense dans le travail.

Qu'est-ce que Etienne et Etiennette peuvent bien faire de leurs soirées quand ils sont seuls et ne vont pas au cinéma * ?

Autre délirant du cinéma : Robert Hossein. Symbiose fils-père (musicien)-mère. Avec son nouveau film *Le goût de la violence*, vu hier soir, il a complètement « perdu les pédales », comme il arrive un jour ou l'autre à tous les tyrans ou tyranneaux.

Meillonnas, dimanche 24 septembre

Quinzième jour rigoureusement sans alcool, même pendant les nuits du voyage à Paris.

Le beau temps extérieur persiste, sans vent depuis le 17, chaleur d'été avec les ombres longues des rayons obliques de l'automne. Revenus de Paris jeudi après-midi avec une longue glorieuse descente glissée, au coucher du soleil puis au crépuscule d'Arnay-le-Duc à Beaune, au Doubs et sur les minces droites routes de Bresse.

Incident avec Mme Berthe, notre « femme de charge ». Après le rapport épouse-mari, le rapport domestique-maître est le plus malaisé à établir pacifiquement — et avant même

* 2 novembre : Ils regardent la Télévision.

le rapport ouvrier-patron, ce sont les plus violents « rapports de classes ».

Mme Berthe, 66 ans, pupille de l'Assistance Publique, veuve depuis quelques années d'un fermier, lui-même pupille de l'Assistance Publique, m'avait plu par son port altier, sa réserve, son apparente indépendance à l'égard du village, sa répugnance à tout laisser-aller, sa constance à se maquiller, à aller chez le coiffeur et à se teindre les cheveux, et je l'avais comparée à ma grand-mère Vailland, morte d'un cancer à l'estomac, sans avoir jamais consenti à voir un médecin ou à s'asseoir dans un fauteuil.

Depuis son enfance, où elle fut placée comme domestique de ferme, elle n'a jamais quitté Meillonnas; la seule ville qu'elle connaisse est Bourg, et une fois dans sa vie Mâcon; analphabète aussi. Je m'étais souvent demandé ce que représentait pour elle que nous allions à Paris, à Rome ou à Jérusalem et que Myriam Prévost ou Vadim qu'elle voyait chez nous et dont elle faisait le lit, fussent, comme essayait de lui expliquer Élisabeth, marchande de tableaux ou metteur en scène. Je ne détestais pas son refus de regarder la télévision ou d'aller au cinéma, par quoi elle s'acceptait dans ses limites, refusait de se laisser entamer. Forte à Meillonnas, ferme dans son jugement synthétique de chacun de ses voisins, fondé d'abord sur l'appartenance de classe (et l'expérience de toute sa vie lui avait appris la plus stricte méfiance à l'égard des patrons), et aussi sur la matière, la contexture, de chacun. Nous devions être l'occasion de la première faille.

Depuis vingt ans, elle habite la maison du Mollard, ferme jusqu'à la mort de son mari. L'an dernier, le propriétaire avait obtenu l'arrêt d'expulsion; impossible de trouver quelqu'un qui consentît à lui louer deux pièces à Meillonnas; elle allait être obligée d'aller vivre chez sa fille, dans un logement de Bourg; elle dépérissait; elle n'avait pas fait son jardin; « à Bourg, disait Élisabeth, elle mourra, c'est un assassinat ». Élisabeth a acheté la maison pour la conserver à elle-même, pour ne pas se retrouver en quête d'une domestique, et parce que la double allée d'arbres qui ne mène nulle part est romanesque.

Sans bêtes ni récolte, elle continua de jouer à la fermière.

Elle jouait à la patronne, à la propriétaire. Elle refleurissait. Prise au jeu, elle cessa de se méfier de nous; elle oublia, nous oubliâmes nous-mêmes que nous étions son patron et son propriétaire.

Cela dura jusqu'à ce que Costa installât son atelier dans la grange et que la chambre fût prête et la salle de bains où il va se laver après son travail. Et tout le village lui disait qu'elle avait énormément de chance.

Comme tout propriétaire, réel ou imaginaire, elle s'était aliénée dans sa propriété, et bien plus que nous qui avons tant de fois abandonné « de gaieté de cœur » tous nos biens. Vendredi, écroulée dans le fauteuil de la buanderie, les mains dans son visage, secouée de sanglots. L'armure brisée et dessous la matière est très fragile comme il arrive à tous les êtres vivants qui ne sont adaptés qu'à un seul milieu. Nous haïssant et haïe par nous. Amers les uns et les autres, dans l'écroulement de cette fiction, les bons patrons, la bonne domestique. Soudain méchante, menteuse, raciste, toutes les sales armes des faibles.

Excellent rappel pour nous de la vérité dans les rapports humains. On ne voile pas impunément les intérêts contradictoires du patron et du salarié, du riche et du pauvre, du fort et du faible.

Véronique à la maison depuis vendredi soir, longue jeune fille de trente-quatre ans, attentive et silencieuse dans le plaisir, le clitoris au premier attouchement se dresse et durcit comme une bite, fort et rond à la base, les épaules se ferment et les bras se déplient comme des ailes, le vagin à chaque introduction se contracte violemment, le col de l'utérus s'offre puis se dérobe vivement, la paroi de la matrice s'élargit en dôme, elle ouvre démesurément les cuisses, puis le col se projette violemment jusqu'à l'entrée du vagin avec six ou sept émissions de foutre; pas un murmure, pas un soupir mais l'arrière-train agité de soubresauts comme les cuisses d'une grenouille décapitée; deux fois de suite. Nous nous caressons à tour de rôle, puis aussitôt nous parlons d'autre chose, des conversations d'adolescents. Quelquefois je l'encule, sans qu'elle y prenne tellement de plaisir, mais c'est dans sa pensée semble-t-il une gentillesse, les hommes exigeant d'enfiler, métaphysique, mais elle a peur qu'on lui fasse un enfant, elle donne une compensation.

Longue conversation vendredi matin avec Lothaire, le torse enveloppé de bandages. Complètement ivre, il s'est jeté avec sa Dauphine sur un platane. Le Parti le blâme, sa femme voudrait le faire examiner par un psychiatre (Élisabeth, quand je l'ai raconté, en pleurait) et il est presque satisfait, très conscient qu'il faut que « quelque chose survienne » pour qu'il arrive à échapper à sa condition de bolchevik en chômage.

Singulier moment de la vie, où mes rares amis riches doivent m'emprunter de l'argent (ou essayer), où les rares hommes que j'ai admirés sont morts ou mourants, où ceux sur lesquels j'ai cru pouvoir m'appuyer recherchent mon appui. Et moi, solitaire, méfiant, même dans mes faux abandons, toujours prêt, comme quand je conduis, à esquiver ou à frapper, ou, pour être plus exact, à me dérober, à calculer et à frapper en douce, je suis bien plus sournois qu'on ne le croit.

Meillonnas, 25 septembre

Les Petits Enfants du Siècle de Christiane Rochefort. On a envie de le réécrire en gardant les dialogues qui sont excellents. Le récit à la première personne, en langage parlé, est une matière molle. Le français littéraire est une matière dure; comparer les langues selon la densité de la matière; le français est de chrome; Costa dit que c'est fascinant de travailler l'or qui est tendre et dur; quelle serait la langue d'or? « parler d'or ». On s'exprime lâche dans un matériau mou. Costa ne produit pas les mêmes formes avec des tôles de 3 ou 4 millimètres, du fer ou de l'aluminium. Le désespoir Céline-Queneau-Giacometti c'est de travailler des matériaux mous : langage parlé ou glaise; toute forme est possible, aucune n'est nécessaire; à chaque impulsion de l'artiste, une infinité de réponses est possible; aucune ne fait le poids; la vie coule.

Véronique partie à l'aube. Le visage rose, qui rougit.

Meillonnas, 26 septembre

Dix-septième jour et dès le matin pour la première fois, éclatement de vitalité. Il y a peut-être pour tout individu une constante de la durée des désintoxications. Beaucoup remué toute la journée : déplacement de sculptures et tableaux, Bourg, cueillette des poires, fournisseurs et repris l'écriture du *Suétone* interrompue depuis deux ans. Jardins.

Meillonnas, 27 septembre

Bien dormi, avec beaucoup de rêves en superficie, sans aucun soporifique (depuis des années, un imménoctal + un eunoctal, plus récemment un seul eunoctal). De plus en plus l'impression que je m'achemine vers quelque chose, sans aucun effort. L'intérêt renaissant pour toutes sortes de choses : botanique, ordonnancement des deux maisons, le ciel, la terre.

Article de Marabini dans *Arts* sur les discussions publiques en URSS entre « tekniks » et « kulturists ». C'est le débat typiquement XIXe siècle des scientistes et des idéalistes, énorme naïveté *pour moi*, mais des millions d'étudiants y participent et il en sortira nécessairement quelque chose de nouveau.

Meillonnas, 28 septembre

La Grotte de Georges Buis, encore un livre qui me donne l'envie de le réécrire. De la guerre comme du sport du plus grand luxe, de l'homme comme le plus beau gibier de courre parce qu'il se défend le mieux. Et une vraie action dans son unité de temps et de lieu.

Mais ce n'est pas écrit, quoique l'auteur semble par instant soupçonner ce qu'est l'écriture, mais, à cela près, on pourrait croire une traduction. Une traduction, sauf à traducteur de talent égal et analogue, c'est toujours comme la photographie d'un tableau. D'où mon insensibilité presque totale aux littératures étrangères, qui ne sont pour moi que documents, à l'exception près de Hemingway, si proche de moi que je le réinvente au travers de la photo.

Le langage usuel (comme le langage parlé et encore davantage) ne peut être comme tel matériau d'art; ou alors comme l'objet usuel il faut le mettre entre guillemets, comme une faucille ou un papier journal dans un tableau.

Meillonnas, 29 septembre

Journée paisible de travail et de sage loisir, *Suétone* et la gravure.

Meillonnas, 1er octobre

Hier soir, cherchant une lecture, je parcours toutes les rangées de romans sans avoir envie d'en lire ou relire un seul — sauf peut-être pour y trouver une *matière* à mettre en *forme* de film.

Je n'ai pas non plus envie d'écrire de roman.

Il faudra trouver un autre procédé pour rendre ce qui m'a toujours intéressé, mais m'intéresse uniquement aujourd'hui, non seulement des hommes, mais de n'importe quoi dans le monde. Cf. D. H. Lawrence. *Lettres choisies*, I, 103 :

« *... ce qui dans la vie est physique, non humain, m'intéresse davantage que l'élément humain démodé, qui oblige à concevoir un caractère selon un certain schéma moral que je n'admets pas. Dans Tourgueniev, Tolstoï, Dostoievsky, le schéma moral dans lequel rentrent tous les caractères est, quelles que soient les qualités extraordinaires des caractères, ennuyeux, vieilli, mort,*

» *Lorsque Marinetti écrit* : « *C'est la solidité d'une lame d'acier* » *qui est intéressante en soi c'est-à-dire l'alliance inhumaine et incom-* » *patible de ses molécules s'opposant, par exemple, à une balle.* » *La chaleur d'une pièce de bois ou de fer est, en fait, plus passion-* » *nante pour nous que le rire ou les larmes d'une femme* », *alors, je le comprends. Il est stupide, en sa qualité d'artiste, d'opposer la chaleur du fer au rire d'une femme, car ce* qui est intéressant dans le rire d'une femme est semblable à la liaison des molécules d'acier ou à leur réaction à la chaleur... Je ne me préoccupe pas tant de ce que la femme SENT *dans le sens habituel de ce mot... Je ne me préoccupe que de ce qu'*est *la femme — ce qu'elle* EST *inhumainement, matériellement, physiologiquement — selon le sens qu'on accorde aux mots.* » Mais Lawrence n'a pas su le faire.

M'étant placé dans des conditions nouvelles, doit se présenter l'occasion qui me permettra de me remettre à ce travail-là d'une façon nouvelle.

Erreur du « nouveau roman » : tout objet est singulier; le personnage est le singulier quant à l'humain. En gommant les contours du personnage on échappe peut-être à la psychologie classique, mais on tombe dans de vagues subjectivismes, l'idéalisme, le flou artistique. Toute action aussi est singulière, etc.

L'état-major et le personnel du pipe-line Marseille-Strasbourg s'installe pour plusieurs mois entre Meillonnas et Jasseron. Mais sauf bistrots et propriétaires de meublés, personne ne paraît s'y intéresser. Ni eux à nous. Comme les bêtes sauvages à Ngorongoro, comme, dit-on, les familles d'oiseaux, les groupes humains comme des cercles qui se meuvent sur eux-mêmes sans jamais se croiser.

Élisabeth a fait visite à la fille favorite de Mme Berthe. Or celle-ci (maîtresse d'un commerçant de Bourg), hait sa mère qui l'a placée à douze ans, lui a confisqué ses salaires, a refusé de la recevoir quand elle était enceinte, etc. et semble se réjouir que nous soyons sur le point de l'expulser. Élisabeth s'émerveille à juste titre de la grandeur de Mme Berthe dans sa totale solitude.

Bourbon a obtenu du Parti sa mise en disponibilité. Il fait le projet de partir dans le Midi; il voudrait trouver la régie d'un domaine. Comme il n'est pas encore complètement dégagé, il fait le projet de travailler pour France-U.R.S.S.; c'est ce que j'avais envisagé de faire en 56, le classique stade de transition, quand on n'a pas encore la force de penser qu'on deviendra totalement indifférent à ce qui nous occupait tout entier.

Il y a à peu près dix ans que nous nous sommes découverts

en gare d'Ambérieu. Le bolchevik intégral : je disais Tchapaiev et le commissaire politique de Tchapaiev réunis. Je suis de plus en plus fasciné par ces métamorphoses intégrales des êtres vivants qui ne demeurent vivants que par là.

Extrême importance de l'alcool (et de toutes les drogues qui créent l'habitude). La succession accoutumance-sevrage, le moyen de changer relativement sa nature, de se métamorphoser délibérément, toutes circonstances extérieures restant relativement égales. Après trente-cinq ans d'exercice, j'y ai atteint une grande souplesse, la domination de soi-même.

Meillonnas, 2 octobre

Début de la quatrième semaine sans alcool : vingt-troisième jour, celui où d'ordinaire le passé est aboli; mais comme il n'y a pas eu crise...

Après deux jours de vent il a commencé de pleuvoir hier et le nuage aujourd'hui traîne à mi-flanc de la colline. Chauffage rallumé, Costa soude des tables. Nous nous préparons à l'hiver. C'est doux.

Meillonnas, 3 octobre

Suétone, gravure, aménagements d'hiver.

Hier soir, tous les trois au Café Caron, où la moitié des chasseurs de Meillonnas mangeaient la moitié du chevreuil tué dimanche dernier, en battue (l'autre moitié, chasseurs et chevreuil, au Café Portier). Jean Caron fait l'éloge d'Élisabeth : « Madame Vailland aime les gens. »

Moi, j'aime ou je déteste les êtres et les choses, au hasard de mon « temps » intérieur, et quand je suis encoconné, je n'aime ni ne déteste...

Meillonnas, 4 octobre

... plus exactement, je m'intéresse aux êtres (aussi bien aux végétaux qu'aux gens) et aux choses, aux matériaux, dans la mesure où ils s'intègrent à ce que je suis en train de faire — ou de ne pas faire. La nature (et l'homme dans la nature) est mon matériau et rien pour moi quand je ne crée pas ou ne me prépare pas à créer (le cocon, c'est quand je me crée avec moi-même pour matériau, dans les limbes).

Bory sur *L'Année dernière à Marienbad* dans *Arts*, m'incite à la plus grande méfiance. Pelléas et Mélisande. Robbe-Grillet, Marguerite Duras : l'incantation à la Maeterlinck. Retour au plus artificieux symbolisme, à l'ombre de la même artificieuse troisième force symboliste. De nouveau envie de créer une revue critique : commencer par un vocabulaire à proscrire : envoûtement, magie, informel, abstrait et même « mythes ». Certaines séquences de film américain à grand spectacle, *les Sept Mercenaires* ou *les Canons de Navarone*, ont beaucoup plus de réalité « mythique », mais il faut inventer un autre terme, que tout *Hiroshima*.

Meillonnas, 5 octobre

Hier soir à Lyon, à la première en français du *Soldat Schweyk* de Brecht chez Planchon. Quelques bons passages de mise en scène de Planchon. La majeure partie de ce qui fit l'intérêt ressenti (même par Baudelaire ou Stendhal) de la peinture des siècles précédents, relève aujourd'hui de la mise en scène de théâtre et de cinéma.

Meillonnas, 7 octobre

Hier aux Allymes avec Élisabeth et Costa. Émotion des habitants : « Élisabeth aime les gens ». Grande réussite plastique du mont Luisandre et de ses contreforts en forêt; la nature n'est ni belle ni laide; mais le hasard fait que certains paysages, ou un simple caillou, sont réussis pour nous, à un moment de notre vie et de l'évolution des « beaux arts »;

il faut les découper par l'esprit et par le mouvement autour, comme nous avons fait en tournant en voiture autour du bloc Luisandre, de même que j'isole un outil en le clouant sur le mur de la cuisine et sa signification d'usage est abolie * — pas complètement, c'est la même ambiguité que le mot dans un poème ou dans un titre. Même utilisation des carrières d'Hauteville où nous sommes passés ensuite.

Avant-hier soir, jusqu'à 1 heure, scellement des Consagra et de la table murale, fin des préparatifs d'hiver pour mon bureau. Hier soir, reclassement des livres pour le bureau. Nous préparons la saison comme une « saison ».

Meillonnas, 8 octobre

Visite des Bianchi. Germaine ne boit pas, ne fume plus, elle tricote toute la soirée. Mario qui fut un politique d'idées claires, lie la peinture abstraite à la physique contemporaine!

Paris, 11 octobre

Le père d'Élisabeth, 75 ans, sa maîtresse, autour de 50, Sylvia, 21, qui m'a foutu si habilement l'année dernière, vivent ensemble, dans un combat qui réunit toutes les conditions d'un certain romanesque, à la Cousine Bette. Sylvia placée comme secrétaire-téléphoniste espionne dans la société où Pippo a un bureau; les maîtresses et filles-maîtresses jalouses et toujours amoureuses etc... Ce romanesque ne m'intéresse pas. Les mêmes éléments chez Shakespeare deviennent tragédie vraie. C'est que, cf. je ne sais plus quelle préface de Racine, seules les familles souveraines relèvent de la tragédie. Les mêmes conflits vécus par des bourgeois, tombent au drame ou à la comédie, et surtout maintenant que les privilèges obtenus dans la société bourgeoise sont éphémères...

* 2 novembre : les dadaïstes l'ont fait agressivement pour détruire par dérision l'art-à-partir-de-la-nature ou imitation de la nature, je veux dire la nature modèle de l'art, qu'on confondait avec tout l'art.

Paris, 16 octobre

... je préfère la manière dont Élisabeth parle de la nuque, du cou de son père, leur matière, et que j'ai essayé de rendre dans *La Fête*.

Début de la sixième semaine sans alcool et cette cinquième passée à Paris, avec toutes les soirées tardives, sans aucun trouble ni lutte à mener. Je ne cesse de m'émerveiller qu'après si peu de temps, il me paraisse aussi impossible que j'aie envie de boire, qu'il me paraissait impossible que je n'en eusse pas le besoin.

Une soirée chez Pronteau avec Courtade, pour quelques jours à Paris et à la veille de repartir pour Moscou, vieilli, le cheveu gris et rare, mais plus râblé, plus sûr de lui, moins énervé d'être l'écho des vraies tragédies politiques du temps, plus près de la dimension shakespearienne qu'il s'est toujours rêvé.

La sobriété, pour l'instant, supprime presque complètement l'envie du théâtre érotique. En compagnie de Roland E., un passage dans un bordel-hôtel de Montmartre sans intérêt que l'urbanité de la fille. Un demi après-midi avec Véronique toujours aussi rapide à s'animer et l'émotion qui la fait rosir (j'eus déjà vers 1935 une protestante prénommée Véronique, aussi attentive à son propre plaisir).

Meillonnas, 20 octobre

Supposons que Lothaire n'ait pas eu d'accident de voiture, qu'il ait été rossé par trois gars du Parti, il aurait donné crédit à la version de l'accident, crainte d'être déshonoré et de manquer à la fidélité de toute sa vie; alors, dans la règle de jeu du parti, S. N. fait son auto-critique : nous avons trop négligé le camarade Lothaire qui fut le meilleur d'entre nous, nous aurions dû l'aider à ne pas boire, etc...

La presse de ce matin publie les critiques de Chou En-laï à

Khrouchtchev, mais semble pourtant attacher de l'importance aux congratulations de K. Ainsi c'est après que cela fut devenu faux que les adversaires commencent à ne plus oser mettre en cause « l'unité du monde socialiste » ou l'honnêteté des militants communistes.

Un Soviétique ne peut pas voir avec les yeux d'un Occidental, penser comme il pense, réagir comme il réagit, ni un Occidental etc... et dans la saison d'alcool je ne peux voir, penser, réagir comme dans la saison sobre, ni dans la saison sobre, etc... Ce qui est commun à tous les hommes et à toutes les saisons d'un homme, manger, boire, foutre, faire des petits et essayer de retarder l'heure de la mort, est ce qu'il y a de moins humain, l'abstraction la plus pauvre.

Ne penser (entre autres réactions) ni en prolétaire, ni en bourgeois, ni en ivrogne, ni en homme de régime, ne pas surtout penser en deçà, c'est-à-dire en fonction d'un système trop pauvre pour mettre en évidence, pour rendre compte, pour rendre sensibles les singularités dans la réaction d'un prolétaire, d'un bourgeois, d'un ivrogne, d'un homme de régime, mais au-delà, en fonction d'un système qui engloberait dans un enchaînement nécessaire tous ces modes de pensée, tous les modes de pensée, c'est à quoi tous les humains ont jusqu'ici échoué (seul un catholique pouvait faire le pari de Pascal), tous *les* modes de pensée cela ne veut rien dire, tous ces modes de pensée, c'est penser en Martien que le Saturnien ne comprendra pas et qui ne comprendra pas le Saturnien.

Les hasards d'une vie aventureuse, dans une nation située à la périphérie des deux principaux systèmes de civilisation du monde contemporain, me permettent, en ce début de ma cinquante-cinquième année, de pénétrer les motifs d'un Arabe ou d'un pied-noir, d'un Soviétique ou d'un Américain, d'un ouvrier ou d'un bourgeois, d'un ivrogne ou d'un homme de régime. Mes petits-fils pénétreront peut-être mes motifs. Mais je suis libre de ne pas avoir de petits-fils. Au demeurant je serai mort.

Pénétrer les motifs c'est replacer dans la nature ce qui s'en trouvait détaché pour moi dans la mesure où j'étais aveuglé par les mêmes passions, mon comportement déterminé sans que je le sache par le même système. La nature est ce que je proclame soumis à des lois que je peux utiliser à mon profit comme « le marin qui se sert du vent pour aller contre le vent ». Reste à savoir où je peux bien vouloir aller? Mon désir semble décroître dans la mesure où ma liberté croît.

Le malentendu autour de *La Fête*, c'est que, quand j'écris que Duc est souverain, j'entends qu'il a proclamé son indépendance nationale, mais on comprend qu'il veut soumettre les autres à sa loi, si loin on est généralement de concevoir que la seule souveraineté sans aliénation se borne au gouvernement de soi-même.

Les accusations de Mme Berthe contre Costa, les complots qu'elle ourdit sont démesurés et puérils. Dans sa lutte pour rester maîtresse de la maison (dans laquelle elle s'est aliénée), victime de forces venues de mondes qui lui sont aussi étrangers que Mars et Vénus des romans d'anticipation, elle se débat convulsivement. Nous n'assistons plus désormais qu'avec impatience et irritation à cette agonie dont, pour avoir voulu l'éviter en achetant la maison, nous sommes devenus les causes. *

Meillonnas, 21 octobre

Promenade avec Costa, ce matin, dans le Jura.

Un des grands plaisirs que peut procurer la nature naturelle : des rectangles de prairie, très verts, pénétrant inégalement dans un bois épais et de telle manière que les bandes de bois ainsi découpées soient sensiblement égales à la largeur des prairies; impression d'un espace vaste mais parfaitement dominé, d'un parc, de luxe.

Autre plaisir : tout val herbu, sans horizon; on se laisse aller avec la pente; c'est encore plus voluptueux quand à l'extrémité du val, vers le bas, s'élève un bouquet de gros arbres.

Une surprise qui émerveille : une grande quantité de

* 2 novembre : les ouvriers sont venus bloquer les portes, l'isolant dans ses deux pièces. Élisabeth parle maintenant en patron. Mme Berthe réagit en domestique. Elle ne meurt pas. La faculté d'adaptation des humains toujours plus grande que je ne le crois.

bolets tête-de-nègre, dans un pré très ras, à la lisière d'un bois de bouleaux.

Élégante, la lépiote élevée, de la même matière que les gants de peau, peau sur peau, sensuelle, peau usée en train de s'écailler.

D'une conversation avec Fernand Lumbroso à Paris était venu le projet de faire un film, adaptation transposée des *Affinités Electives* et d'en confier l'adaptation à Kast. Mais pourquoi ne pas écrire les *Nouvelles Affinités Electives*? Terminer peut-être par la mort atomique en pleine conscience. A la différence de Gœthe les couples affines se réuniraient, très simplement : « cette nuit-là, le comte dormit avec Eulalie, le capitaine (peintre ou sculpteur) avec la comtesse ». Quand la bombe sera annoncée, ils étaient parfaitement heureux : « c'est trop bête ».

Les journaux annoncent la dénonciation de Malenkov et de Kaganovitch au XXIIe congrès et peut-être leur procès. J'ai toujours soupçonné que Khrouchtchev, deuxième César et plouk donc ubuesque, serait plus terrible que Staline, sans la grandeur. Comment peut-on encore être communiste, je veux dire se sacrifier pour cela? Mais ils ne se sacrifient plus, c'étaient des gens comme moi, n'ai-je été communiste que comme Hemingway chasseur? à la fois comme épreuve et pour voir de l'intérieur ce qui est le plus grand dans l'époque.

Évidemment quand je pense *Affinités Électives*, je pense Léone, Duc, Costa + X.

Meillonnas, 22 octobre

Les Affinités, *Les Pléiades*, ce qui me touche à cette époque de ma vie, bien plus que *Les Liaisons*, Stendhal et bien sûr Balzac.

Sur une crête, au début d'une pente à peine amorcée, un pré, bordé de conifères bleutés, sans doute des mélèzes, en bordure d'un grand bois.

Ce dimanche après-midi, le buste raide, le col droit, les yeux à l'horizon, suivie pas dans le pas de son roquet, Mme Berthe promène sous ses cheveux teints blanc-bleu, des pensées enfantines et tumultueuses.

Si j'enrage, comme ce matin un bref moment, c'est que j'étouffe d'avoir trop fumé la veille. De le savoir abrège ma rage et à la rigueur l'abolit. Et si je veux étouffer de rage, je n'ai qu'à trop fumer ou respirer je ne sais quoi. Mais libre d'enrager ou pas, etc. etc... Qu'est-ce qui me donnera l'envie de l'un ou de l'autre, etc. etc.

... Comme dans *Les Pléiades*, mes affines appartiendront à des nations différentes. Odile : peut-être une jeune Américaine, blanche et rose, blonde et or, et gourmande de Lygéia, comme Marianne V...

Joy, la femme de Costa, Américaine de Boston, depuis dix ans en France et l'épouse d'un Grec, à trente-quatre ans s'abandonne, le sein et le ventre informes, le cheveu qui tombe raide, le regard vide, avec parfois un fugitif éclat à hauteur de la paupière inférieure, rappel peut-être effleurant du temps où son père écrivain et journaliste lui enseignait la chasse ou la grammaire. Elle a peur.

Une fille au visage fait
Une fille peinte
Dans un bistrot de banlieue
Sous une lampe fluorescente
Sous des lumières acides
Sous des tubes fluorescents
Dans la lumière acide d'un bal de Robinson
d'un lieu bruyant
Je lui baise les pieds
ta peau ivoire
comme un gant du soir un peu usé
à force de la polir
je l'écaillerai

Meillonnas, 23 octobre

Les Affinités Électives. Bernard Grœthuysen : « Gœthe, dans *Werther*, avait montré l'individu luttant au nom de la nature contre la société. Dans *Les Affinités Électives* la nature et la société ne font plus qu'un. La même fatalité... » Non : Des lois analogues.

[...]

Pourquoi le capitaine est-il en demi-solde, obligé d'accepter un emploi d' « homme de compagnie »? Sans doute à cause de Napoléon. Aujourd'hui les demi-solde sont les ex-bolcheviks : Bourbon, Pronteau; ce serait plus riche d'arrière-plans que Costa (*Affinités Electives* écrites 1808-1809, avec diverses interruptions. Gœthe 1749-1832 : *Affinités Electives* entre 59 et 60 ans — mort à 83).

Charlotte « bon chef d'orchestre et maîtresse de maison prudente ».

Et Odile a un mal de tête du côté gauche. J'adore ce genre de résonances.

J'aimerais donner à Othon, mais hors du jeu, une femme inadaptée-inadaptable comme celles des militants, des artistes, etc...

A, B, C, D, comme dans *Le Bel Age*[1].

[...]

Meillonnas, 26 octobre

La troisième gravure format *Œil* entreprise depuis huit jours. J'y pense un peu, toute la journée et même la nuit, dans l'entre-sommeil. Je n'ai plus l'impression d'un jeu de construction élémentaire pour malade mental en convalescence.

Meillonnas, 27 octobre

Affinités Électives, chapitre XVII. Des humains beaucoup moins bons (les uns envers les autres) que je n'en gardais le souvenir et que ne se rappelait également Kast.

1. Le Bel Age : *un film de Pierre Kast.*

Les héros de Gœthe, comme Gœthe lui-même; fondamentalement bourgeois dans toute leur peau. A travers les soi-disant passions, les soucis d'économie de Charlotte et l'enrégimentement des jeunes garçons, comme dans les fabriques de l'époque. La dialectique du maître et de l'esclave joue : Odile « était devenue habile, clairvoyante, soupçonneuse sans le savoir ».

Ch. XVIII. Édouard s'en va-t-en guerre. « La chasse et la guerre... », cet aspect « gentilhomme » d'Hemingway.

Commencé de lire avec un vif intérêt *La Place Rouge* de Courtade. Très intelligent, avec l'audace que cela implique. Mais c'est encore du roman XIXe siècle; même intelligente, une langue de carton-plâtre.

Affinités Électives. Deuxième partie, chapitres I à VII : aucun intérêt, de la Bibliothèque Rose, sans perversité. Déjà les mœurs et l'idéologie de la bourgeoisie telle que je l'ai encore connue dans mon enfance.

Je n'ai plus très envie de réécrire les *Affinités*, mais plutôt un commentaire « à propos de », dans le ton du *Bernis*.

Ce qui sauve Gœthe, c'est un sens vrai et profond des « correspondances », des intersignes. Ce qui donne sans doute une troisième dimension à sa forme.

Meillonnas, 28 octobre

Affinités Électives II-7. La conspiration des femmes mariées contre les jeunes filles : « il lui suffisait de la rendre par ce mariage, plus inoffensive aux femmes mariées ». Ôté le ronronnement bourgeois allemand, il reste des bêtes féroces...

Meillonnas, 30 octobre

... *Affinités Électives* II-7... L'assistant : « qu'on élève les garçons pour en faire des serviteurs, et les filles, des mères; tout ira bien partout ».

Le comte et la baronne n'ont plus le même rôle que dans

la première partie : volent au secours des vertus traditionnelles.

II-8. La naissance de l'enfant qui ressemble à la fois à Odile et au capitaine, Courtier, mystérieux émissaire de quoi ? qui le fait baptiser Othon, la mort du curé pendant le baptême et le rêve de Charlotte : nous voici en plein *Nadja*.

Meillonnas, 31 octobre

Promenade ce matin avec Monique Wendling et Henri Bourbon sur le plateau de Retors. Les journaux de ce matin annoncent la défenestration du corps de Staline. J'y fais une seule allusion, au cours de la halte au Belvédère du Cerdon; Henri se dérobe (moi j'attaquais très modérément : « encore un coup dur pour mon ex-romantisme »), je proteste contre l'autocritique de Vorochilov que j'avais rencontré à Budapest en 1948; Henri : « il fallait qu'il donne un coup de main aux copains; ils sont comme cela ». Comme Mario, il cueille des champignons : « la cueillette des champignons », « le boxer », belles nouvelles, roman peut-être.

La DS, 83 CV, à 12 000 kilomètres seulement achève de se débrider. Plaisir d'une voiture fougueuse.

Affinités Électives, II-9. « La plante ressemble aux hommes trop personnels, dont on peut tout obtenir, quand on les traite à leur manière. Un œil paisible, une calme suite dans les actions les plus appropriées à chaque saison, à chaque heure, ne sont peut-être exigées de personne plus que du jardinier *. »

Cette défenestration du cadavre de Staline, juste à l'issue du XXIIe congrès, en même temps que la grosse bombe, théâtre le plus vulgaire, quel mépris du peuple chez les dirigeants soviétiques et donc nécessairement quel peuple

* 2 novembre : Semailles en cours depuis le 19. Malgré notre intérêt commun pour les processus de végétation, je procède à l'inverse de Gœthe : je ne pense qu'à violenter la nature.

encore dans l'enfance. J'ai sans doute écrit un jour que la classe ouvrière avait atteint sa majorité : ce n'est en partie vrai qu'en France.

La défenestration : « Seuls les personnages souverains dignes de la tragédie ». Chou En-laï porte une gerbe à la momie et en réplique Khrouchtchev la défenestre. Toujours cette crainte qui revient que c'est moi qui ne suis pas à hauteur de la tragédie, Stendhal : la crainte des Français (bourgeois) d'être ridicules, etc.

Meillonnas, 1er novembre

Relu, en corrigeant, le *Suétone*, tapé par Monique. Un adroit montage, court commentaire sur de vieilles idées, écrit fermement, rien de plus.

Meillonnas, 2 novembre

Relu tout ce « journal », c'est plus ferme, mieux composé que je n'espérais. Très hésitant encore à faire quelque chose à partir des *Affinités*.

Costa dessine les ombres de sa statue double mouvante, projetées sur un plan, en vue de faire des fresques de métaux.

Meillonnas, 3 novembre

Je me demandais ce matin, pensant à Michel Mohrt et à sa surprise de me trouver bienveillant, l'an dernier, Piazza Navona, ce qu'il serait advenu de moi si, par ennui, j'avais accepté de « collaborer » fin 1940, si je ne m'étais pas désintoxiqué deux ans plus tard, si je n'avais pas rompu avec Mimouchka en 1929 et avec Andrée Blavette en 1947, si je n'avais pas adhéré au Parti Communiste et si je ne m'en étais pas séparé, etc...

Une vie s'articule sur une série d'actes décisifs qui sont souvent des coups de dés, qui relèvent toujours pour une part du hasard. J'ai toujours été si persuadé de cette part du hasard qu'il m'est souvent arrivé, pour sortir d'une situation où je me sentais gêné, de faire n'importe quoi, de lancer les dés. Les morts ou les abêtis (ceux qui végètent en répétant indéfiniment le même stade) sont ceux qui ont mal joué. A un certain âge, survivre (sans abêtissement) devient le seul mérite, et il est légitime de l'appeler mérite, non seulement parce que la chance (la grâce) est en elle-même un mérite mais aussi parce que, comme dans le dessin surréaliste, la part du hasard diminue de coup en coup (chez les êtres vivants, au contraire de ce qui se passe à la roulette selon le calcul mathématique des probabilités). Ce que j'appelle souveraineté (ou également liberté) se constitue à force de coups heureux ou de coups malheureux surmontés. C'est devant quoi recule le « nouveau roman » en refusant les personnages ou les héros, et l'irréversibilité du temps, du développement par stades.

Quelques lectures ont marqué d'une façon décisive ma vie et mon métier d'écrivain. L'occasion, comme dans les liaisons amoureuses, y fut le plus souvent pour beaucoup, la rencontre du livre, du loisir, des besoins du moment. Le talent de l'auteur joue peu dans ces rencontres qu'il faut plutôt qualifier de nécessité que de hasard. Les autres lectures, je les oublie rapidement, ma mémoire, à l'opposé de celle des gens dont on dit qu'ils ont de la mémoire, ne conservant que ce qui me sert (ce qui est comestible). Au fait, je ne suis pas grand lecteur.

Parmi les livres qui ont, semble-t-il, mais je n'en suis pas aujourd'hui certain, contribué à orienter (quoi ?), *Les Affinités Électives*, que j'ai lu pour la première fois vers 1927, à l'âge de....[1] Le souvenir que j'en garde : un ton.

Le hasard me remit le livre en main en mai 1960, dans un hôtel isolé, sur la côte de Calabre. Est-ce le hasard? J'étais ivrogne à cette époque et commençant à souffrir de cette habitude dont je n'allais pas tarder à me débarrasser, j'étais parti pour chercher chaud soleil, mer, espérant.

1. *En blanc dans le manuscrit.*

Emmené quelques Conrad et certainement non gratuitement les romans de Gœthe.

Ce qui me frappa fut de retrouver dans le domaine du comte B*** la possibilité de développer aujourd'hui une situation analogue.

Lionel White : *Voix Détournées*, Série Noire, traduit de l'américain. Le gangster devient personnage, *héros :* « ...je n'ai ni sens moral, ni principes, ni foi... je suis feignant. Je déteste le travail, je déteste les patrons et j'aime le luxe. Je n'ai aucune éducation, aucune formation. Aucun talent particulier, excepté manier une mitraillette, forcer une serrure, conduire une voiture rapide et ouvrir certains modèles de coffre-fort. J'aime le fric pour ce qu'on peut se procurer avec... la grosse galette. Si j'avais de quoi commencer, je jouerais peut-être à la Bourse ou je me lancerais dans les affaires. Mais je n'en ai pas les moyens : le seul enjeu que je puisse risquer, c'est ma liberté... et peut-être ma vie. Voilà, mon gars, pourquoi je suis malfrat ! »

Tel est Donoval (p. 53).

Comme tous les héros, il est seul : ses complices : p. 127 : « une sale vieille qui rouvrirait une tombe pour fouiller les poches d'un mort, un morpion sadique qui tue pour se faire marrer, un gugusse qui a trop pris de coups sur la cafetière et tout juste bon à s'exhiber dans les foires, un collégien qui hait la société parce qu'il se croit victime d'un jugement injuste, une petite pisseuse qui en veut, parce qu'elle croit en tirer assez de pognon pour faire sortir son vieux de taule ».

Son total mépris quand à la veille de livrer bataille il les cajole chacun comme il convient.

La victoire acquise, volée par le hasard costumé en débile mental.

Un des cas où la Série Noire qui a le mécanisme de la tragédie frôle d'en acquérir le contenu. Un gangster peut-il être un personnage souverain ?

Peter Rabe, *Ce soir on sort*, Série Noire traduit de l'américain. Un bon gag, chapitre XXI, deux trafiquants d'héroïne dénombrent avec des compteurs mécaniques les jeunes filles d'une école supérieure pour établir une statistique des clientes éventuelles, en vue d'une étude de marché. Et rien d'autre.

Meillonnas, 4 novembre

Don Tracy, *La Vape*, Série Noire, traduit de l'américain. Bien que très loin de la tragédie, encore un que je lis avec bien plus d'intérêt que la plupart des romans « littéraires » contemporains. Le débat de l'alcoolique avec l'alcool, jadis limité aux ouvriers *(L'Assommoir)*, c'est aujourd'hui pour tous les milieux un des conflits capitaux. Avec la même réserve, quant à l'usage littéraire, que pour toute autre sorte de maladie (le malade déterminé totalement par sa maladie). La seule faiblesse des meilleurs *Série noire*, c'est une langue qui n'est pas un matériau; mais est-ce vrai en américain? Mais c'est vrai de toute traduction.

Il neige, sans que la neige tienne, mais elle tiendra peut-être cette nuit, le thermomètre baisse.

Ce matin, avec Costa et Monique, chez le tailleur de pierre dont les établissements ont diminué de format depuis *La Fête;* c'est la règle du décor de mes romans.

Les semis prospèrent dans la fenêtre du « cabinet de botanique », la pierre à graver se perfectionne, Élisabeth pétille-pétule de toutes sortes d'histoires du pays, Janine V. nous raconte comment, à 36 ans, elle vient de faire l'amour avec le troisième homme de sa vie; elle en avait refusé un grand nombre au cours de ses tournées de représentante de commerce; elle venait de passer une soirée triste (le samedi) dans les bars de ***, il était dans le hall de l'hôtel, il vient frapper à sa porte :

— Qui êtes-vous?

— Je ne sais pas.

— Que voulez-vous?

— Une cigarette.

Après un badinage à travers la porte, elle le laisse entrer et lui offre une cigarette. Il est en pyjama, le torse nu : l'accent espagnol (Séville).

— Je ne veux pas de cigarette, je veux faire l'amour avec vous.

Elle l'a fait. Depuis plusieurs années elle disputait à longueur de nuit avec son mari et son amant (anesthésiste algérien) : je retournerai avec lui, je resterai avec toi, etc.

Et l'un et l'autre juraient qu'ils voulaient mourir, etc., elle aussi, c'était la grande affaire de leur vie.

Le lendemain l'Algérien arrive, comme il était convenu, à ***. Sans le prévenir, elle va passer la nuit avec l'Espagnol dans un autre hôtel (elle laisse prendre les initiatives à l'Espagnol qui ne lui a fait aucun baratin). Elle n'essaie pas de se donner l'excuse de la passion soudaine. C'est la très pure « occasion ».

Une parfaite transposition du *Mal de Mer* de Kouprine, une des capitales lectures « d'occasion » du temps de la khâgne, dans la petite édition jaune de Stock.

Avec tous les échos de l'époque, comme dans toute « bonne » histoire : Janine ex-communiste, la prodigieuse famille V... (l'aristocratie des pédagos laïques), ancienne courrier à motocyclette des maquis; Paul, son mari, contremaître autodidacte à refoulements, sympathisant qui n'est jamais entré au Parti, fasciné par la famille de Janine, l'amant algérien, intellectuel, la nouvelle bourgeoisie arabe, dans les combines du futur pouvoir.

Brune, maigre, nerveuse, l'aisance de ceux à qui le communisme a ôté les complexes d'infériorité sociale, mais qui n'ont pas milité assez longtemps ou à des échelons assez élevés pour avoir la superstition de l'appareil.

Attention pour elle : l'Espagnol (fils et frère d'hôteliers ?) ivrogne (c'est rare) joue *le Repos du Guerrier*.

Meillonnas, 6 novembre

Avant-hier soir, « confessé » Janine, dans le fauteuil jaune. Elle raconte sans réticences, je n'ai presque pas de questions à poser.

Elle a évidemment le goût et l'habitude de l'analyse dite psychologique, plus exactement de la recherche des causes d'un comportement. Elle avait connu Hassan en Algérie, il y a une dizaine d'années, jeune mariée, Paul préparait un examen; surmené il avait cessé de lire, de discuter politique et de foutre, « il ne lisait même plus les journaux »; Hassan, connu comme anesthésiste, compensait tout cela, dans le contexte politique qui précéda le début de la rébellion, tout cela sauf foutre qui ne s'accomplit que le dernier jour. Paul et Janine rentrèrent en France. Elle ne lui avait pas avoué son infidélité bien qu'ils se fussent promis franchise.

Quelques années passent; Janine et Hassan s'écrivent en secret, puis Hassan rentre en France, à Bordeaux. Ils passent ensemble un week-end à Saint-Germain-en-Laye. Janine, de retour chez Paul, lui confesse toute l'affaire; il lui flanque quelques baffes, ce qui ne l'indigne pas; puis ils commencent à discuter à longueur de nuit; il accepte, puis refuse le principe de divorcer. Enfin Janine sans drame va rejoindre Hassan à Bordeaux.

Il l'attend à la gare, l'embrasse distraitement sur les joues, l'emmène dîner, non au restaurant, comme elle s'y attendait, mais chez lui, chez eux, un bel appartement où la servante n'a préparé que des artichauts, ça ne te fait rien? il ne la baise que ce qu'exige la politesse.

Les jours suivants il travaille jusqu'à 8 heures, prend des leçons de catch de 8 à 10. Aussitôt après dîner, elle provoque à la caresse, il lui donne un livre; « c'est l'heure de lire, tu dois lire »; elle en est profondément choquée.

Plus tard ils analysèrent à longueur de nuit pourquoi il avait ainsi « *changé* » :

1. Deux ou trois ans s'étaient écoulés entre Saint-Germain-en Laye et Bordeaux. Dans le même temps rébellion et répression se développaient en Algérie. Formée à la politique et à l'héroïsme pendant la Résistance et par la « gauche », Janine à chaque entrevue provoquait son amant à aller combattre auprès des siens; ce fut sans doute, bien qu'elle ne m'en ait pas parlé, très excitant pour elle à la Corneille : envoyer à la mort, à l'éventuelle torture, l'homme aimé; elle fait partie de mes héroïnes en chômage. Il avait cédé et avait gagné Tunis, via l'Italie, demandant au F.L.N. un poste dans les maquis; on lui avait répondu : « tu es un tel, fils d'un tel, médecin, tu es plus utile politiquement que militairement; l'Algérie indépendante aura besoin d'élites... » et on l'avait mis en réserve dans un hôpital d'Alger. Ici un épisode assez obscur où il prend le parti d'un médecin d'Alger qui soignait en cachette les blessés du F.L.N. mais refusait de rejoindre ouvertement la rébellion; certains voulaient l'exécuter; Hassan se fit injurier : « intellectuel »; il raconta

également à Janine sa déception, son dégoût provoqué par les conditions de vie luxueuses et la légèreté de certains dirigeants F.L.N. d'Alger; enfin il prit l'avion pour la France; une heure après un commando F.L.N. se serait présenté chez lui pour le faire prisonnier ou l'exécuter. Ce fut dans ces conditions qu'il alla s'installer à Bordeaux. Aujourd'hui il refuse de collecter pour le F.L.N.; voyant récemment dans les rues de Grenoble un terrassier algérien dans un travail pénible, il s'écria : « je ne pourrai pas prendre son fric à ce pauvre type, sachant ce que les autres font de cet argent ». Mais il s'est également refusé à collaborer avec les Français. Récemment à Janine : « je ne travaillerai jamais ni pour les communistes, ni pour le F.L.N. ». Très seul.

2. Un an avant que Janine ne le rejoigne à Bordeaux il avait baisé une fille qui lui avait téléphoné le lendemain qu'elle était malade. Médecin, il s'était fait faire de nombreuses analyses, toutes négatives. Mais il restait persuadé qu'il était possible qu'il fût malade. Je suis surpris de trouver chez un musulman cette hantise que je croyais chrétienne et chez un médecin cette panique enfantine.

3. Il venait d'avoir un accident de motocyclette, contusions au crâne.

Autre surprise pour moi, Janine malgré son éducation politique met les trois causes sur le même plan. A son idée, Hassan lorsqu'elle le rejoignit à Bordeaux était triplement *choqué*, 1° par sa chute de motocyclette, 2° par sa crainte d'être vérolé, 3° par sa solitude politique et ses déceptions patriotiques. Elle était arrivée « au mauvais moment »; elle attache à juste titre beaucoup d'importance aux moments.

[Il n'y a plus de femmes comme Pierrette Amable; c'est une héroïne XIXe siècle, la dernière possible, la fin de la préhistoire ouvrière. Janine, Paul, Hassan, que signifieront-ils dans dix ans, dans vingt ans? Le « nouveau roman » est un effort pour échapper à l'Histoire. Fausse solution, je crois : l'universel doit se découvrir dans le singulier, le concret c'est-à-dire le daté et le situé.]

Janine, à un hasard près, avait été la première femme de Paul. Lui, son premier homme. Puritains tous deux comme les jeunes communistes de cette époque. Hassan lui apprit à jouir. Elle dit qu'elle n'a jamais cessé d'avoir envie de

« faire l'amour » avec lui; il faudrait savoir ce qu'elle entend par là. Mais l'année qu'elle vécut avec lui, elle s'ennuya et pas seulement parce qu'il ne la baisait que rarement. « Il n'est pas affectueux » (le vocabulaire de Janine : « fier comme Artaban », « emmieller »).

Au collège on l'obligeait à porter la chéchia. C'est pourquoi il fait du catch. L'autre jour à la piscine, il plongea à plusieurs reprises, puis cessa de plonger.

Janine : Plonge encore, tu plonges bien.

Hassan : Je ne plonge pas bien.

Janine : Tu plonges très bien.

Hassan : Non.

Le lendemain très tôt, il prenait des leçons de plongeon. Il ne plongea de nouveau hors cours que quand il estima avoir un meilleur style que les Français qui fréquentaient la piscine. De même pour le ski.

J'imagine que Janine, bien que ne militant plus, le persécuta de communisme.

Enfin elle décida de retourner avec Paul :

— Une seconde fois, j'avais mal choisi *le moment.*

Pendant le temps qu'elle vécut avec Hassan elle rencontrait périodiquement Paul. Il aurait pendant ce temps appris l'amour avec tant de « poulettes », mais il leur disait : « attention, je n'aime que ma femme qui m'a quitté, mais qui reviendra ». Janine ne cache pas que son amour-propre en était satisfait. Elle le retrouva, à ***, elle s'apprêtait à lui faire la grande surprise, le cadeau tant attendu : « je retourne avec toi ». Il prit l'initiative : « il faut que je te parle très sérieusement »; elle s'attendait à des supplications. Il l'emmena dans « un bistrot d'amoureux ».

— Voilà, dit-il, j'accepte de divorcer.

— Pourquoi ?

— Pour me remarier.

Il lui raconta la fille qu'il avait rencontrée au ski, une intellectuelle; « nous écouterons des disques, nous lirons, le ciné-club, etc... »

— Salaud ! cria-t-elle. Tu lui donnes tout ce que tu n'as jamais su me donner.

Puis elle fondit en larmes.

Le lendemain, elle se ressaisit. Elle sait qu'elle avait été vexée : elle gardait Paul comme éventuelle « planche de salut ». La semaine suivante elle lui expliqua, s'excusa. Mais lui avait rompu avec la fille.

Elle essaya de se dégager des deux, tout en continuant de les voir l'un et l'autre; mais elle leur disait : « j'ai besoin d'être seule, de réfléchir ». Elle demanda et obtint de son employeur d'être envoyée dans le Sud-ouest. Tous deux la poursuivirent.

Aucun des deux hommes n'accuse l'autre ni Janine. Ils « analysent ». Des résultats imprévus des habitudes bolcheviks : d'abord analyser la situation, etc. Ce sont sans doute les vrais héritiers des bourgeois des *Affinités Électives* avec autant (ou aussi peu) de tenue.

Costa à qui je raconte l'histoire : « Un sujet pour toi, il y a toute l'époque. » Bien sûr, dit Milan.

Janine est partie ce matin retirer ses affaires d'hiver chez Hassan. L'Espagnol lui a téléphoné hier; elle passera le prochain week-end avec lui à Paris. Paul est venu hier dimanche chez la mère de Janine; ils ont dormi dans la même chambre, lits séparés; quand au moment de dormir, il a voulu l'embrasser, elle s'est dégagée si vivement qu'il s'est écrié : « Non, non, n'aie pas peur ».

Meillonnas, 7 novembre

Je relis *Drôle de Jeu*, en vue d'une adaptation pour le cinéma. Mauvais dialogues en tant que dialogues, souvent on ne sait pas qui parle, c'est toujours moi, comme dans les romans de Malraux. Cela fonctionne quand même parce que tendu sur une trame type *Série Noire*; Marat détective privé; j'avais lu Peter Cheyney dans un numéro de *L'Arbalète*. La plupart des thèmes sur lesquels je « pense » aujourd'hui sont déjà ébauchés. Un des meilleurs passages : sur l'opium rose-des-vents.

Les *Série Noire* que je lis ces jours-ci me paraissent de beaucoup plus de contenu que les Peter Cheyney. La saga américaine, la saga de l'alcool, une admirable libération à l'égard de la morale de groupe.

Déjà en 1944, il y a 18 ans de cela, presque tous mes amis

de jeunesse étaient morts ou mourants, et je l'écrivais. C'est à une nouvelle « série » que je survis aujourd'hui ; grosso modo les communistes après les surréalistes, l'alcool après la drogue ; c'est une troisième jeunesse que je commence.

Meillonnas, 8 novembre

Achevé de relire *Drôle de Jeu*. Plutôt que des dialogues faux, autant faire intervenir l'auteur du récit comme tel. Par exemple, l'histoire de Janine, Paul, Hassan, peu à peu découverte et commentée par moi. Au fait, c'est la technique de *325 000 francs*.

Meillonnas, 11 novembre

Deux mois sans alcool. Poursuivons, comme disait Staline.

Hier matin, en mon absence, Mme Berthe, sur un incident lié à sa dépossession progressive de la maison du Mollard, est venue insulter Élisabeth que j'ai trouvée bouleversée. C'est la première fois de sa vie qu'elle a à mettre un domestique à la porte. Sa mère, intellectuelle juive russe, faisait du tolstoïsme avec les domestiques ; elle recueillait des putains pour en faire des femmes de chambre ; tous les faux démocratismes.

L'après-midi, je vais au Mollard pour congédier Mme Berthe. Dans la cabane de la cour elle coupait du petit bois avec une hachette ; du petit bois pour allumer le feu, un fagotin. Pendant que je parlais, elle continuait de faire son fagotin, refusant d'écouter, se réfugiant dans son jeu de fagotin (comme elle le fait depuis des années dans son jeu de fermière), refusant d'écouter la sentence qui met fin à son jeu. Cette forte paysanne, que personne dans le village n'ose prendre de front, est demeurée enfant, est demeurée. Rusée aussi comme un enfant, toujours, au milieu même de ses mensonges effrontés ou de ses colères calculées, attentive au rapport des forces, à guetter la faiblesse, à « faire dire » ce qui lui permettra d'engager le débat, de mettre l'adversaire en contradiction.

Dans le débat du matin avec Élisabeth elle tapait du pied. Une autre fois, sous l'émotion, elle courut dans la buanderie, s'effondra sur une chaise, la tête entre les bras. A l'époque où j'ai emmené l'entrepreneur pour expertiser la maison d'où je vais maintenant l'expulser, elle courait en avant et si vivement qu'elle buta contre une poutre du grenier et culbuta, la tête cognant. Ce matin, elle alla demander à Louise de venir solliciter son pardon; revenant de chez nous, Louise la retrouva dans sa cave : dans la détresse elle court vers le bas. Comme les nègres. A Louise : « dites-leur que je leur demanderai pardon à tous »; cette notion du pardon qui efface, qui annule la « faute », comme les enfants et les nègres. A Élisabeth, elle criait : « vous êtes méchante », « je le dirai à Monsieur Vailland », « au patron », se recommandant du patron comme de dieu. A l'origine aussi de cette divinisation, que nous ayons acheté cette maison, pour empêcher l'expulsion d'une femme que nous ne connaissions que depuis un an, avec qui nous n'avions que ce lien superficiel (mais très réel) : quelques heures de « ménage » par jour : la disproportion entre l'acte fait pour elle et le service rendu par elle, preuve de toute-puissance; seul un tout-puissant dépense gratuitement.

Vers les 13 ans, en vacances à Villejust, près de Reims, un dimanche matin, pour ne pas aller chercher un gâteau au village, je me jetai dans la mare; on me repêcha; mon père tonna; pour éviter les sanctions, j'avouai plus grave à mon idée, mais relevant d'un domaine maladif qui provoquerait le pardon, ce qui arriva, j'avouai que je me masturbais.

Au début de l'après-midi, Costa et moi, nous étions allés voir les soudeurs du pipe-line. Dans la plaine, la tranchée fleuve de boue, le tuyau encore en surface, et l'avenue de boue, où circulent les machines. Trois équipes de soudeurs, chacune avec son tracteur rouge, la toute petite bâche verte (5 à 6 hommes abrités) et le parasol multicolore volé à un bistrot. Cinq soudures par joint sur moins d'un centimètre de métal; un inspecteur surveille qu'on ne soude pas sous la pluie; deux jeunes spécialistes suivent, radiographiant les soudures, les photographies seront développées le soir. Un soudeur est payé à la soudure; il se fait en moyenne 500 000 par mois. Ils ont fait des pipe-lines au Sahara et certains un peu partout dans le monde. Chaque soudure est signée (à la craie sur le tuyau, mais c'est enregistré). *La vivacité du regard, le visage délié des ouvriers hautement spécialisés et bien payés* qu'ils soient maigres ou même gras, le casque, les lunettes, la boue, les rapports de forces, qu'on devine à une bourrade.

Le chef d'équipe nous expliquait, les soudeurs et les manœuvres (algériens) s'escrimaient par jeu en attendant que la pluie cesse. Mais me pesait au creux de la poitrine l'exécution à accomplir au Mollard.

Au Mollard, en exécutant, je suis resté en apparence très calme, c'est la vie apprise, mais j'en suis revenu les vaisseaux rétrécis. Maintenant, même si je le voulais, impossible de revenir en arrière; le village déjà s'étonnait que je laisse ma domestique *manquer* à ma femme et à mes amis, on attendait que je « défende leur honneur » et « fasse preuve de ma virilité », comme dit Élisabeth. On ne suspendait le jugement que parce que mon travail particulier m'enveloppe de nuées; mais si la foudre ne frappe pas sans rémission, les nuages étaient de coton.

Les rapports de forces dans un village, ou entre patron et domestique, sont aussi violents et mettent en cause autant de ruse, de caractère, etc., qu'entre Khrouchtcheviens et Staliniens. L'échelle seule est différente. Mais tout change selon l'échelle. Il faut donc dire les rapports sont homologues et totalement différents en qualité.

Les visages des soudeurs, Mme Berthe confectionnant ses fagotins, de toute une longue période, telles seront les images que je retiendrai et que j'utiliserai. C'est cela un roman. Comme quand je découvris, à la veille d'écrire *Drôle de Jeu* en relisant *Lucien Leuwen*, quand Mme de Chasteller rougit jusque sur les épaules : « c'est cela un roman ».

Le visage de Costa s'est tous ces jours-ci modifié, depuis qu'il porte des chandails jusqu'au menton, le bas s'est aminci, les yeux se sont agrandis, moins fort, plus tendre et aussi plus rusé; l'ingénieux Ulysse. Il vient d'entreprendre une porte de bronze, d'étain et de ciment; le projet du pavillon de plaisir octogonal prend corps. Selon Littré, parmi les dernières acceptions : « pavillon ; *corps de logis seul, qui se fait dans un jardin, loin de la maison principale* ».

Paris, 13 novembre, lundi

Samedi soir, Mme Berthe étant venue sonner à notre porte, tandis que nous recevions la paysanne qui va la remplacer, déception d'Élisabeth, humiliée de son humilité et d'avoir placé trop haut sa dignité. Le nègre ne peut avoir de dignité que dans la révolte et sa révolte ne peut être que provisoire.

Hier, belle promenade en glissés sous un ciel bas et gris, avec beaucoup de forêts d'automne cette année très colorées par Mâcon, Cluny, Autun, Nevers. Déjeuner triste dans un hôtel hors saison de La Charité : les couples de la région. Juste devant nous la jeune femme blonde maussade dans son pull-over de laine soyeuse à longs poils, une laine de liseuse pour femme enceinte qui reçoit dans son lit.

De Montargis à Fontainebleau, on a construit beaucoup de bicoques depuis notre dernier passage; la nationale 6 est plus *noble*. Entre Fontainebleau et Paris, le retour des voitures du dimanche, les familles où chacun hait tous les autres, c'est triste. Promenade seul, à pied, en fin d'après-midi, boulevard Malesherbes, avenue Wagram, le trottoir de droite peuplé des domestiques espagnols du XVIe, pauvres, laids, pas une seule belle fille, la saleté catholique, ce que les curés de Franco ont fait d'un peuple si *élégant* avant 36. Sur les Champs-Élysées et jusqu'à Saint-Philippe-du-Roule, dans la pluie fine, le vent froid, les filles même françaises inélégantes du dimanche, toujours plus triste, triste jusqu'à l'angoisse, ces débuts d'hiver à Paris, aux lumières de la fin de l'après-midi, les reflets dans les trottoirs, la peur du retour à l'école après les vacances.

Le soir, à la maison, par l'association d'idées catholicisme, manœuvre subtile de ma sœur lors de son dernier passage à Meillonnas pour me provoquer le désir de rencontrer son philosophe jésuite, compris soudain ce qu'est la foi et pourquoi ils disent aujourd'hui que cela est en dehors de l'acquiescement ou du refus de l'intelligence : c'est quand on en est à oublier qu'on peut changer le système des références du moment, que ce soit celui de l'alcool, de l'amour-passion, du communisme, etc... Ce furent les philosophes français du XVIIIe qui apprirent d'abord cela de l'ethnographie. Quand on a compris que le propre de l'intelligence était de pouvoir choisir le système de références, que c'est la seule liberté, reste à trouver le désir au profit duquel on fera jouer la mécanique propre à chaque système.

Déjeuné avec plaisir avec Véronique à cause de toutes les nuances de rose de ses joues dès qu'on parle de sensualité, par la bouche ou par les yeux : un rose qui se contracte ou se dilate comme l'huître sous l'acide.

Avec Élisabeth les très valables peintures de Schneider, Dada ou le surréalisme décoratif par tapisserie, mais cela existe semble-t-il. Mastroianni, je ne sais pas, toujours gêné par le passage de la glaise au bronze ; réservé quant à chaque sculpture, mais leur ensemble fait croire d'emblée à un vrai artiste.

Dans un bar, en attendant l'heure de rejoindre Lumbroso, Élisabeth très émue par la photo dans *France-Soir* de Molotov, sa femme, sa fille, à leur retour à Moscou, après la condamnation du XXIIe congrès. Moi aussi. Des conséquences personnelles du XXe congrès, comme de tant de choses, je n'ai été sauvé que par ma frivolité. Sinon, je serais moi aussi un demi-solde, pleurant sur la fin des bolcheviks ou un croyant brûlant ce que j'ai adoré pour continuer à communier, un pauvre con ou un sale con.

Paris, 15 novembre

Hier, réveil pénible, encore lié à la tristesse de l'arrivée à Paris, dimanche soir, quand retour de cette promenade mouillée, j'ai cherché dans mon carnet à qui je pourrais bien avoir envie de téléphoner : à personne. Et à, la veille, cette photo de Molotov.

Puis heureuse journée chez Lacourière à tirer mes quatre gravures. Ébauches pour un autoportrait ? Plaisir de faire connaissance de Téri Haas, ses adroites gravures, sa gourmandise à raconter les mythes sumériens. Très satisfait en fin de journée qu'à la galerie de France puis chez Myriam on prenne mes gravures au sérieux.

Aujourd'hui à midi au Flore, avec Élisabeth, rencontré sans émotion, plutôt avec agacement de sa familiarité bohème sans discernement, Rachel de Rome.

Roland E. m'emmène chez Mme Laurence, maquerelle. Un moment avec : des cheveux noirs raides sur des yeux bleu-violet, un regard vraiment ténébreux, dans le regard le plaisir vraiment ténébreux, c'est-à-dire avec tous les arrière-plans des ténèbres (superposition de *plans* sombres, opaques et clairs-obscurs) par opposition aux transparences de la nuit, le plaisir d'une cruauté appliquée. Je jouis sous ses ongles sans qu'elle touche mon sexe, une goutte de sang dans le sperme.

Au Flore, Jean de Meyenbourg me dit qu'une de ses jeunes filles, élève de philo, réagit à la guerre d'Algérie avec la même passion que nous naguère pour la guerre d'Espagne.

Paris, 17 novembre

Noémie pense à se marier; Jacqueline : « Elle a cette occasion, elle ne veut pas la louper. » Et pourtant Jacqueline, je crois que c'est en cela qu'elle m'intéressa, est dégoûtée de ses sœurs qui ne s'occupent que de leur mari, gosses etc... Eulalie, dans sa chambre-salle de bains « bien arrangée » au sommet d'un immeuble moderne du XVe a eu le courage de louper un certain nombre d'occasions; elle fait un plaisant métier d'art; mais quoique sachant, par ceux qui l'entourent, tout le sordide des couples, elle s'accommode mal de la solitude, elle dort mal, contractée sur elle-même; elle a souvent pensé au suicide. Elle sait qu'après l'amour les hommes s'ennuient! « Et maintenant vous avez faim »; « et maintenant vous avez sommeil » (dit-elle).

Meillonnas, 21 novembre

La morale de Meillonnas : on avait accusé Lucienne de fréquenter André; elle s'en défendait; « il n'y aurait pas de mal », dit Élisabeth; « bien sûr, répond Lucienne, mariée à un autre, puisque je ne peux pas avoir d'enfant ». On dit de Mme Berthe qu'elle a mauvais caractère, piètre expression d'ailleurs, comme d'un cheval qu'il est vicieux, et charogne des deux. Ces jugements d'utilité sont pleinement fondés et contraignent le moins; ils sous-entendent toujours « toutes conditions égales »; à chacun, s'il le peut, de changer les conditions, de changer de condition.

Dernière soirée à Paris avec Pierre et Colette Soulages, retour d'Amérique et du Mexique.

Les conseils de Pierre face à la plaque de cuivre : « Arrache, matraque, creuse, en tirant l'outil vers toi ». Une « virilité » trop délibérée.

Son déplaisir que nous aimions les toiles de Singier, enfantin pour une part, mais il y a la légitime irritation de l'épique (ou du grand lyrique) qui ne tolère pas qu'on mette l'élégiaque, l'idyllique sur le même plan; la légitime distinction des genres, le besoin qu'on reconnaisse la grandeur (quant à ce besoin de Soulages d'être reconnu grand, voir Hegel sur le *pathos* dans les Beaux-Arts. Essayer de comprendre exactement.)

Meillonnas, 22 novembre

Mme Berthe, ce matin, s'est humiliée publiquement, en venant, sous la fenêtre, dans le champ du regard et de l'oreille des voisins (de la vieille voisine) demander à Élisabeth de lui rendre son travail. Élisabeth a refusé, contrainte par l'opinion publique, les engagements maintenant pris à l'égard de Lucienne, moi-même, et son soulagement d'être délivrée d'une domestique tyrannique; mais sensible à la blessure infligée, son ventre a gonflé douloureusement, ainsi se manifestent ses contrariétés. Mme Berthe, négresse, la dignité est interdite à qui a été humilié dès l'enfance; la souplesse des nègres, on dit aussi l'échine souple, qui n'est pas incompatible avec un certain « air de fierté »; cette même souplesse qui m'avait frappé à Chavannes chez le domestique de Mme *?*, sa paysanne patronne et maîtresse, le soir venu il s'asseyait à ses pieds, par terre, les jambes croisées, et tressait des paniers d'osier, ce fut sans doute un des derniers nègres-bressans, c'était en 1943, on ne loue plus des valets à Bourg à la foire de la Saint-Martin.

Meillonnas, 23 novembre

Autre exemple de sauvagerie : la signora Claudia, elle retirait ses souliers pour entrer dans la maison et courait au premier appel. C'est le contraire du maintien, de la tenue. Le maître dit : je le ferai ramper, je lui briserai les reins; toute dignité chez l'esclave indigne le maître parce que c'est la négation de sa seigneuralité.

L'erreur dans *La Fête* et dans *La Loi*, la régression par rapport à *325 000 francs*, c'est d'avoir projeté l'auteur dans Duc et moins visiblement, mais selon aussi le procédé des romanciers débutants, dans Don Cesare. On reste ainsi dans la chronique, de *chronos*, l'histoire racontée comme telle. En introduisant le narrateur comme tel, non comme témoin impartial, dieu arbitraire, mais comme enquêteur actif, modifiant nécessairement les situations, on garde les plans multiples de l'histoire (et de la géographie) sans rompre l'unité (la forme ronde, disais-je en parlant d'un poème) que constitue l'œuvre d'art comme tout être vivant. C'est bien ce que j'ai fait dans *La Fête* et on finira bien par s'en apercevoir, Duc étant à la fois moi-même et un autre, mais j'aurais dû en parler comme d'un « confrère ».

Aussi bien, je le disais à Jean Beaufret la semaine dernière à Paris, il m'arrive, seulement encore en de brefs instants, mais parfois il m'arrive, comme l'autre matin parlant à Jacqueline, de me percevoir simultanément comme moi et comme autre, c'est-à-dire de me voir et de m'écouter parlant à Jacqueline, de me percevoir éprouvant ce que me fait éprouver Jacqueline sans pour cela cesser de l'éprouver, ce qui est en une certaine mesure rendu plus aisé du fait que ce que je ressens le plus vivement en présence de Jacqueline est le sentiment de lui être étranger et qu'elle m'est étrangère malgré la familiarité de nos gestes et de nos propos, étranger jusqu'au *vertige*, ce qui rapproche évidemment ce dédoublement de ma troisième vie commençant, de celui que vit le comédien sur la scène et l'homme d'action à la pointe extrême de l'action, dans l'instant d'un grand danger, d'un accident, d'un combat à mort.

Ma première vie, disais-je à Jean Beaufret, dans le surréalisme, B. et Lygéia, s'achevant en 1942 dans la clinique de Lyon, ma deuxième vie dans le communisme s'achevant de fait avec mon voyage à Moscou après le XXe congrès mais se prolongeant dans l'alcool jusqu'à la veille de commencer ces cahiers.

Hier, revenant de Bourg par la Bresse, j'ai aperçu sur la route comme un gros oiseau gris, j'ai freiné, c'était un jeune hérisson, préhistorique comme un rhinocéros. Je l'ai placé dans l'enceinte de la cuve à mazout. Nous voilà tous dès le petit matin autour de notre rhinocéros enfant.

Écrire sur le rhinocéros, quelle richesse, ce sera certainement le contraire d'Ionesco qui l'a pris comme symbole. J'aime le rhinocéros concret, dans toute sa singularité (et sa signification *singulière*).

Le patelin Thorez dénonce à son tour les « crimes » de Staline. « C'est vrai, camarades, c'est vrai... », ce ton qui soulève le cœur.

Meillonnas, 27 novembre, lundi

Costa, en pleine forme, travaille simultanément et toute la journée à ses deux premiers reliefs-zéro et au dallage et polissage de sa grande statue d'étain. Je l'envie, je m'intéresse à cent choses, dont gravures et plantes, mais rien encore ne démarre.

Jean-Claude et Laure au Mollard et avec nous de vendredi soir à dimanche soir, sans rien m'apporter. Laure maigre, longues jambes, bassin étroit, le noir lui va, la moue revêche, et le goût des filles et des garçons, devrait me plaire mais sa bêtise est trop agressive. Jean-Claude semble avoir des goûts et une volonté d'honnêteté intellectuelle, un effort fait pour une conception cohérente du monde, mais timidité, gaucherie, il avance à l'aveugle, visage d'oiseau de nuit.

Janine m'a remis sans vergogne un paquet de lettres de Hassan, qui, sauf l'écriture comme telle, mais c'est important ces petites lignes serrées précises, ne m'apportent pas beaucoup plus que ce qu'elle m'a raconté. Elle ne m'a pas raconté mais à Élisabeth que pendant qu'elle vivait avec lui, l'attendant chaque soir pendant qu'il faisait du judo, elle râlait de jalousie. De son ton, beaucoup plus que de ce qu'elle dit, semble mortifiée, encore désireuse de se venger. A Paul, elle reproche les sentiments maternels qu'elle éprouve pour lui. Elle est venue gentiment aider Costa à l'atelier.

Lothaire avant son accident et qu'il ait cessé de boire, passait, féroce retraité, une partie de ses journées au bistrot voisin. Le plus souvent dans la cuisine de la patronne. La fille de la patronne, élève de philo au lycée, s'est éprise de lui, cascadeur bolchevik. Elle porte des lunettes et a, dit-il, « un léger strabisme » de l'œil gauche. Il l'a emmenée « deux, trois fois », dit-il, aux champignons dans sa Dauphine. Depuis son accident, il ne l'a pas revue. Il affirme ne l'avoir jamais foutue. Elle vient de lui écrire une lettre d'amour, elle veut le revoir, elle ne peut plus rien faire, elle veut qu'il la prenne. Charlotte a trouvé la lettre. Lothaire a peur de Charlotte, misère.

Meillonnas, 29 novembre

La vie prend un nouveau tour : j'ai envie de travailler le matin.

Élisabeth : sur les paysans tendres-cruels.

Meillonnas, 30 novembre

Peut-être *Portraits de Femmes :* Mme Berthe, la sauvagesse, Micheline ou Olga les putains, Janine, Jacqueline, Charlotte, elle avait les yeux machurés de pleurs, l'autre jour, la jalousie lui a fait redécouvrir qu'elle « aime » Lothaire.

En hypokhâgne, je m'ennuyais souvent pendant le cours, surtout quand parlait Roubaud, professeur d'histoire. Je tombais dans des somnolences et rêvais avec plaisir, demiconscient, que je me soulevais vers le ciel, au-delà de la fenêtre. L'obstacle était la vitre ; en la brisant je courais le risque de me déchirer, au crâne et aux épaules ; mais je ne faisais qu'entrevoir la difficulté car déjà une armure de métal se formait enveloppant les parties menacées.

Ainsi procèdent réellement les insectes et les mollusques, ainsi ont procédé, quand « la nature en sa verve géante », et aussi les autres branches, témoin ongles, paupières, et même ma peau (qui est mon âme), tout enfin. Mais l'homme, quand il est en verve, fabrique des outils ou rêve, forme des images réelles ou virtuelles.

Il m'arrivait aussi de rêver que le crâne de Roubaud se transformait en coupe, bronze si je me rappelle bien, où je lançais des petites boules métalliques qui tournoyaient à l'intérieur (comme la boule de roulette), sortant parfois par la bouche ou les narines, ou tombant dans le cou. J'étais parfois cette boule.

Les plantes et les animaux ne fabriquent pas d'outils, et ne racontent pas leurs rêves. Ils rêvent dans leur propre substance, une fois pour toutes, grosso modo, pour chaque genre, espèce, variété. L'homme est en train de créer des conditions telles qu'il puisse fabriquer des outils et des rêves d'une autre *espèce*...

Meillonnas, 2 décembre

... Mais des graines semées le 19 octobre, de même origine, et soumises aux mêmes traitements, certaines se développent héroïquement dès le premier jour.

« *Quatre femmes et ma plante.* »

Mme Berthe ou la démystification de la dignité sauvage. Ainsi, elle rejoindrait Roberte. Aussi bien Élisabeth réagit de la même façon à son apparition sous nos fenêtres.

Janine est repartie pour Paris. Elle s'est parlée tout un après-midi à Élisabeth. Les hommes se parlent comme les plantes poussent leurs feuilles. Ils s'édifient à tâtons, en utilisant les mots de la tribu ; ils ont un plus grand choix de feuilles, mais limité à celles de la tribu, comme l'autre de la variété. Janine se fait ainsi celle qui oblige Paul ou Hassan à réagir « d'une certaine manière ».

La maison du Mollard, la maison de Mme Berthe, elles ont réagi l'une sur l'autre, c'est maintenant lui arracher sa peau. Maintenant elle n'a plus que deux petites pièces, murées. A mesure, nous découvrons la maison, comme maison autre, apte à d'autres incarnations. L'autre jour, d'en face sous la pleine lune, elle nous est apparue une *belle maison*.

Depuis deux jours, je construis par la pensée un oratoire dans la maison du bourg. C'est ma maison. Mais je suis comme le bernard-l'ermite.

Le portrait de Janine, il faudrait le situer dans l'hôtel de ***. J'ai envie d'aller à Munich voir mon traducteur et les Allemands qui me découvrent avec *La Fête*, d'aller à ***, de rester à Paris. Beaucoup de choses foisonnent sans qu'aucun travail concret se précise. Bientôt la fin du troisième mois sans alcool.

Paris, 10 décembre, dimanche

Mémorandum. Dimanche dernier à Meillonnas banquet des classes (conscrits). Les photographies de groupe, d'abord la classe 62, garçons et filles, puis les classes, en 2 et 7, ordonnées par un jeune photographe, en ID, autoritaire et désinvolte avec les plouks, mais respectueux de la tradition (le maire devant la petite table, une bouteille de mousseux entre deux brioches) et d'une certaine symétrie. Le banquet, rite du manger, ils y vont réellement pour manger beaucoup des plats inhabituels (« je ne mange pas tous les jours du lièvre ») et bien entendu pour l'ivresse graduelle de l'alcool, de 14 heures, début du banquet, à l'aube, fin du bal.

Ne buvant pas, je n'ai tenu que jusqu'à 17 heures et finalement de mauvaise humeur. Rien n'exclut davantage des rites sociaux que de ne pas boire, mais je peux supporter cela, le « jeune homme seul », après son passage par le communisme, n'a plus besoin des cérémonies de communion.

Les femmes de comptables, c'est la toute petite bourgeoisie des employés qui est la plus indécente sur sa vie intime, sa « vie de foyer », un tricot trop étroit, de laine médiocre, fait tout percevoir immédiatement de l'intimité télévision-vaisselle-fausses-couches.

Mercredi, par beau temps, routes désertes par Lons-le-Saunier, Grey, Chaumont et la belle plaine champenoise, blé et betterave, ciel grand, gros nuages, jusqu'à Reims, à l'heure de la sortie des classes. Je fais faire à Élisabeth le pèlerinage des petites rues entre lycée et porte de Mars, que je parcours encore dans mes rêves de la nuit. Jusqu'au 283 avenue de Laon, absolument pas modifié. 32 rue Hincmar, Reims, Marne, la maison de Roger Gilbert-Lecomte, également intacte. A la Patte d'Oie, le bar du Cirque, l'aquarium, tel quel, la patronne et la serveuse font le repassage. Je téléphone à *** que je n'ai pas revu depuis 1926, trente-six ans, médecin de quartier. Il vient aussitôt, blanc. C'est à la Patte d'Oie que notre professeur de grec le retrouva un soir de Mars 1925, revolver à la main, nous avions fait serment de nous suicider le jour de nos 18 ans, il était le premier à échéance. Il me dit tout de suite « nous sommes les survivants », puis « je suis un mort ». Son amie raconte à Élisabeth qu'il va une fois par semaine sur la tombe de Roger Gilbert-Lecomte, « au cimetière de l'Est » et fréquemment jusqu'au 283 avenue de Laon. Veuf depuis trois mois d'une diabétique tyrannique et extravagante, infirmière épousée contre tous. Demeuré dans l'adolescence, la nôtre, et n'ayant jamais quitté Reims. Soirée lourde, jusqu'à deux heures du matin; exigeant sur son passé, il quête ma faille possible; médecin, il guette une marque de vieillissement (à une heure du matin, chez lui, je tousse, il voudrait sur-le-champ me regarder à la radio; il essaie de m'ouvrir la mâchoire pour vérifier si « j'ai mes dents »; au bistrot il m'accompagne pisser : « et ta prostate? »); provincial, il voudrait me faire dire que les journaux ont menti sur mes aventures dans le monde. Visite, dans sa pharmacie, près de Saint-Remy, à Mirette, grand-mère, mais elle garde, mains gauchement posées sur les cuisses, un mouvement, quelque chose du dégingandé de la bonne fille; à M..., héritier du commerce de son père, tante à l'évidence, entouré de mauvaises peintures à l'italienne et de meubles chers. Couché au médiocre Lion d'Or, le palace naguère estimé inaccessible.

Jeudi, jusqu'à Épernay, par la montagne de Reims dont la forêt garde ses dimensions et Paris, par la vallée de la Marne que remontent les banlieues. Le soir, première Dalida, très médiocre, pourquoi tant de jeunes gens ?

Vendredi rue de la Grande Truanderie, Lulu, manteau de cuir noir, bas noirs découpés, longs gants noirs à la main, gueule ravagée, rouquine, clitoris-bite, théâtre sadique mais sans classe. Exposition de graveurs à la Nationale qui ne m'apprend rien, médiocre, indigne, sauf une rétrospective. Exposition Kemeny, peinture en métaux mais je ne suis pas encore sûr que ce ne soit pas qu'un truc. Cocktail chez Gallimard et première de Sagan, pièce médiocre et interprétée à contresens, mais plaisir, comme c'est exceptionnel, de retrouver Paris au théâtre puis chez Elie de Rothschild et au Carol's où l'on twiste. Toute cette journée-nuit, je continue à porter Reims et surtout ***. La réception Rothschild : hôtel XVIIIe, portraits d'ancêtres et autres, orchestre tzigane, le style de la grande bourgeoisie n'est pas dans ses demeures, elle n'a jamais fait que camper, mais dans ses banques et « immeubles de rapport ».

Samedi, dîner avec Vadim et Grumbach dans un très parfait restaurant de la République, découvert par un Américain, organisateur de jazz et collectionneur de peintures, très sûr de son genre de culture, ce que je ne déteste pas.

Paris, 11 décembre

Hier après-midi chez Myriam Prévost. Le diacre catholique grec, éditeur de musique, sûrement agent secret de quelque chose, plaisir de le percevoir immédiatement et de rencontrer son regard qui sait que je sais.

Dîner avec Fernand Lumbroso et Melville chez Lucas-Carton, un des rares derniers services à la française.

Au musée du Louvre, les Velasquez dans la lumière sale, c'est beaucoup moins beau que les reproductions. A l'exposition Braque, les adolescents en pantalons et blousons de cuir noir.

Dîner avec Janine, les communistes l'ennuient, elle habite chez Elvire qui copie des affichettes O.A.S. = S.S. (« tiens, maman, dit le fils, je ne savais pas que tu étais de l'O.A.S. »), elle ne croit pas à l'efficacité présente, mais elle dit, comme si « je voudrais aller à la mer » : « j'ai envie de faire quelque chose », agitatrice frivole. Mais rentré maintenant à onze heures et demie : après l'avoir un peu écoutée, et je l'aime bien, je ne sais pas quoi lui dire, quoi lui demander.

Meillonnas, 17 décembre, dimanche

Mémorandum de Paris.

Soirée-nuit avec Élisabeth et Dani de l'Étoile.

Déjeuner avec Jean Pronteau et dîner avec Hélène Parmelin et Pignon chez Myriam. Contre l'esprit de parti. Pronteau le voit mieux que Parmelin et moins bien que moi. La faiblesse des communistes c'est de s'aliéner au profit du parti; ils n'arrivent jamais à maturité, c'est-à-dire à la souveraineté; cela fit la force des partis ouvriers en temps de guerre civile ou nationale puis se retourna contre eux : aucun communiste ne sut plus prendre de responsabilités; d'où le retard de l'URSS moins rapide pour l'industrie que ne le fut le Japon, moins rapide pour l'agriculture que n'importe quel pays, et incapable de créer le fameux « homme nouveau », ni d'avoir un style propre en quelque domaine que ce soit, n'aboutissant qu'à donner le style petit-bourgeois fin XIXe à totalité monde socialiste. Maintenant le monde entier porte des cravates, voilà le résultat le plus clair de 43 ans de pouvoir des Soviets. Faire un vocabulaire des horribles expressions intérieures du parti : faire monter quelqu'un, etc... Un communiste ne devient jamais un adulte, même Lothaire. Il doit y avoir quelque chose d'analogue dans l'armée : militants et militaires. Quant à « l'opposition » : les enfants terribles sont quand même des enfants.

Micheline et Sonia rue Blondel, comme Dani, langage de commerçantes, mais c'est quand même très différent, à cause du sacré que les autres (les clients) voient dans leur profession.

Meillonnas, 19 décembre

Les plantes de la maison les plus vieilles ont deux mois et les boutons à fleurs des zinnias sont formés depuis huit jours, voilà qui est plaisant.

Meillonnas, 22 décembre

Costa parti. J'apprends seul à solliciter le hasard pour faire des trucs avec de l'encre de Chine et du vernis à graver.

Hier de treize heures à minuit avec Catherine S., 32 ans, juive, agrégée de mathématiques, professeur [...]. L'an dernier, en février, quand je travaillais au scénario du *Vice et la Vertu*, elle s'était présentée à l'improviste, en disant « je suis Juliette » (de Sade); mais ce jour-là je n'avais pas eu le temps de m'en occuper. Bien moins douée pour le plaisir qu'elle ne le laissait entendre; se masturbe de calculs, de petites combinaisons pour se rendre intéressante et puis essaie de se le pardonner et de se le faire pardonner en l'avouant et même ainsi d'en tirer parti; pour elle ce doit être angoissant comme l'étiquette du Saint-Raphaël; adolescence prolongée et angoisse juive; une solitude à faire pitié; sous cette forme quelle tristesse le jeu de l'homme et de la femme; j'en suis accablé, mais c'est peut-être qu'il va neiger, et courbatu sans raison suffisante. Ce petit capital, malgré une pauvre gueule, un sein possible quoique lourd, un con comme tout son sexe, des fesses plaisantes quoique basses, c'est un tout petit capital, mais peu importe la pacotille de départ, elle essaie de le faire fructifier, elle en espère beaucoup parce qu'elle est plus intelligente, pas en argent immédiatement, car putain vraie elle croit que c'est l'ABC du métier, grâce à son intelligence elle est persuadée de le faire fructifier en toute puissance, et comptabilise jour et nuit ses rapports avec les hommes, « j'ai gagné, j'ai perdu », cela m'attriste comme naguère L.P.Q. infirme, pédéraste, drogué et juif, « j'ai tout contre moi, mais je suis le plus fort de tous parce que je suis plus intelligent, giflez-moi, je gagne encore parce que je pense ce que je veux et que je tirerai bénéfice même de votre gifle ». C'est tellement triste que je n'arrive même pas à être irrité. C'est peut-être ma seule bonté que de n'absolument pas aimer humilier. Hier soir, nous sommes allés la border au Mollard, et c'est tout.

Meillonnas, 24 décembre

Achevé de lire avec un très grand intérêt *Changer la Vie* de Jean Guéhenno, que m'avait envoyé J. C. Fasquelle. Et particulièrement, en rapport avec mon présent, *l'orange :*
« Je regardais ma belle orange (page 98). Et voici ce qui, rituellement, arrivait : ma mère la tirait de son papier de soie; tous deux nous en admirions la grosseur, la rondeur, l'éclat; je prenais dans le buffet un de ces beaux verres à pied en cristal qu'on achetait alors dans les foires, et comme il y en avait deux ou trois, en ce temps-là, en Bretagne, dans toutes les maisons ouvrières, mais dont, bien entendu, on ne se servait jamais pour boire, je le renversais, le mettais à droite, au bout de la cheminée, et ma mère posait dessus la belle orange. La pomme d'or prenait ainsi sa place parmi tous nos fétiches, tout près du petit Christ d'argent cloué sur sa croix de buis et de la petite Vierge en faïence, entre le moulin à café et la boîte à sel. Pendant des mois, elle nous assurait par ses belles couleurs que le bonheur et la beauté étaient de ce monde... »

Une orange est belle par sa couleur, par sa forme et par sa matière (ce que de sa matière on peut toucher et ce qu'on en sait).

La sculpture en taille directe relève d'un préjugé, s'il s'agit de reproduire un modèle réel ou imaginaire. Pourquoi ne pas prendre la glaise ou le plâtre comme intermédiaire? et pourquoi ne pas garder la glaise, le plâtre? (ou n'importe quoi qui soit solide et durable, s'il s'agit de solidité ou de durée?)

Mais l'or, le bronze, le fer, le plomb, l'étain sont beaux, chacun à leur manière. Non le métal en soi. Mais une plaque, d'une certaine épaisseur, un fil d'un certain diamètre, un lingot d'un certain poids, d'un certain volume.

Costa dé-couvre la beauté d'une tôle de 4 mm, recouverte de laiton, d'étain ou toute nue.

On ne découvre pas (avec n'importe quoi) la beauté de l'espace parce que l'espace n'est rien par définition, c'est-à-dire le contraire d'une matière, d'un contenu, c'est une forme a priori de la pensée (de la connaissance).

On peut faire œuvre d'art en encadrant ou en posant sur un socle n'importe quel objet d'utilité. C'est répéter astucieusement, en détournant l'objet de sa fin, que l'œuvre d'art est par définition inutile, proclamation toujours utile; mais ce n'est qu'un cadre ou un socle + cette proclamation.

Un peintre à l'huile révèle sur une toile d'une certaine dimension les couleurs à l'huile, seules à la rigueur, plus généralement dans leurs rapports. Non, je ne fais pas des couleurs à l'huile une substance; il les révèle *à*; à qui? pas à Dieu bien sûr, mais à lui-même et aux hommes de son époque, milieu, etc., dans ce qu'ils ont de commun.

Meillonnas, 25 décembre 1961

Lu hier soir et aujourd'hui Alain, *Entretiens chez le sculpteur*. Il frôle sans cesse de découvrir que le modèle n'est qu'un prétexte. Or en 1934 plus d'un artiste avait déjà fait le bond; mais Alain l'ignorait, lié aux hommes de son âge, de sa classe, au sens militaire, comme il le dit d'ailleurs. Mais plein d'idées comme toujours, en particulier le potier permettant à la glaise d'échapper à sa mollesse.

Et à propos d'une « tête ronde toute tournée vers le dehors » : « les visages réels qui ne cessent point de se glisser entre les choses et d'y pénétrer. En sorte que les sens au lieu d'être des trous, font au contraire des trous dans les choses si bien ajustées ».

***

L'épingle est plus raide que la pine.

Sa faiblesse est dans l'é. Elle s'ôte par la tête.

Meillonnas, 26 décembre

Grand intérêt de tout ce que dit Alain contre l'expression dans le portrait, et que j'avais esquissé dans *La Fête*.

Hier soir, *Le Mariage de Figaro* à la télévision. Contradiction de la télévision (et du cinéma) et du théâtre ; le premier plan seul y parle mais l'acteur a son propre visage ; d'où nécessité de vedettes, dont le visage parle selon sa singularité, et de bâtir le film en fonction de la vedette ; les bons films de Garbo ou de Bardot ne peuvent être que les aventures de Garbo ou Bardot.

Meillonnas, 27 décembre

Alain toujours : « ce qui est difficile c'est de se donner à soi-même une pensée qui ne soit pas un projet de pensée ».

Meillonnas, 29 décembre

Hier, à Lyon, brouillard dans les Dombes, la ville pleine, il faut attendre un quart d'heure pour trouver place au parking de l'affreuse place Bellecour, les Lyonnais qui passent, par familles, sont pauvres et maussades comme au XIXe siècle, mais nous sommes là « pour le plaisir », pour les plaisirs, et je ne m'énerve plus comme naguère.

Halte à La Proue, les frères Péju, pour l'exposition Lapoujade, préface Sartre, libraires, librairie, tableaux et idées de cette sorte de gauche qui « date » soudain, épilogue du XIXe comme la ville elle-même, vieille avant-garde, la petite France du *Canard Enchaîné*.

Terrain tâté chez Marinette, on peut aller sans téléphone préalable. L'escalier de pierre très raide, sans ouverture. Les deux maquerelles maquerelles. « De la part de... vous vous rappelez peut-être il y a deux ans... » Pension de famille. La chambre : lit, chromo fille nue, lavabo et bidet derrière paravent. Élisabeth : fourrure soviétique, jupe rouge en forme, nue sous pull cachemire beige à col roulé, cherche le cendrier, s'assoit dans fauteuil. Servante apporte le champagne, parfait. Il ne fait pas trop chaud. J'avais demandé une « personne », deux personnes, plus, ce qu'il y a. Nous attendons. Quoi qu'il vienne, nous ne serons pas déçus; Élisabeth le dit :

— Il faudrait vraiment qu'elle soit terrible...

Moi : Au pire, c'est encore une putain.

Excellente attente : c'est mieux que n'importe quelle femme désirée. On frappe, Mme Marthe annonce : « Mademoiselle Dominique », très jeune, brune, traits réguliers, heureuse surprise, petit manteau noir, sage jeune fille. S'assoit dans fauteuil, lit entre elle et le fauteuil d'Élisabeth; je sers le champagne; court embarras, comment les rapprocher? Dominique est si bien élevée.

— D'où êtes-vous?

— De Marseille, de passage...

Réflexion d'Élisabeth sur l'accent, vous aussi, etc., quelques mensonges :

— Je ne travaille pas régulièrement...

On se déshabille et on se lave, sans commentaires, tous rodés. Les draps sont sales, il est mieux de rester sur le couvre-lit. Un instant d'hésitation : qui sera au milieu? puis Élisabeth prend l'initiative. Elle aime les gens, elle aime donner du plaisir aux putains et que j'aime le plaisir qu'elle leur donne sur le visage des putains. Le spectacle vécu improvisé s'ordonne tout de suite. Cela est gentil et plaisant, c'est très bien ainsi. A peine achevé et les membres encore mêlés, Dominique pose une devinette : quelle est la couleur du chat d'une femme qui pisse? Nous donnons « notre langue au chat »; « elle l'arrose, vous comprenez, elle l'a rose », Dominique rit si vrai que ce n'est plus vulgaire; puis elle parle d'une robe qu'elle va se faire faire. Frappe Marie-Lou que j'avais connue deux ans plus tôt, la nuit de saoulerie avec J. F. R., ma lectrice. Dominique n'aime pas Marie-Lou; elle fait la grimace derrière elle. Marie-Lou a le visage déjà un peu marqué, la peau laide, mais toutes deux les seins jeunes. Dominique sort, nue sous son manteau « pour un coup de téléphone très important ». Élisabeth s'occupe de Marie-Lou. Dominique revient et s'applique heureusement à mieux s'occuper de moi que Marie-Lou, déjà habile et sachant ce que son regard noir ajoute. Aussitôt déliés, la conversation mondaine reprend : mérites comparés de Moreau, Signoret, etc. Puis on nous présente Françoise et Suzanne; mais c'est assez.

Meillonnas, 30 décembre

Visite avec Gallet des clôtures du Mollard. Mme Berthe, qui a reçu congé pour le 5 janvier, devait nous observer derrière ses fenêtres closes. Je fais enherber son jardin dont je ne saurais que faire, et les moutons viendront jusqu'à la maison; la petite haie va tomber; elle, j'enragerais, mais il me faut un effort pour l'imaginer, si vite on s'identifie propriétaire. C'est du même coup notre véritable entrée dans la vie du village; ils vont nous juger à nos actes dans leur monde; ce ne sont plus des actes tangents à; habiter, avoir une domestique, donner pour les sociétés ne suffit pas à faire entrer dans la communauté; il faut des intérêts sur place et contradictoires.

Si les autres vont à Mégève, dans le froid mouillé, le chaud mouillé, le mauvais service des hôtels pleins, la neige dont ils ne savent pas se servir, c'est pour ébranler le couple, la famille, même s'ils y vont en couples, en familles, pour la rencontre qui n'aboutira à rien, la femme le garçon entrevu, ils se branleront dans les cabinets en imaginant ce qu'ils auraient voulu; à force de faiblesses, qu'ont-ils donc fait de leurs vies? Ils jouent un hasard, ils savent qu'ils ne sauront pas, s'il est favorable, l'exploiter.

Meillonnas, 2 janvier

Maillolet, 34 ans, notre entrepreneur, qui venait d'acheter une grue télescopique de 20 mètres, est mort d'un accident du cœur, au volant de son camion, en ramenant du gravier de Villereversure. Il avait le visage ouvert, le regard loyal. Bon, je pensais qu'il était bon à la manière dont il avait relevé Mme Berthe, vieille femme, quand, bondissant comme une sauvagesse, le jour où il avait visité la maison du Mollard pour l'expertiser, elle avait cogné une poutre du grenier et était tombée raide.

J'ai lu le scénario tiré par Melville du *Dernier des Ferchaux*. Aucune invention. « Ce n'est pas du travail », aurait dit Maillolet. Avec trois ouvriers, il avait en une seule journée fait un sol de ciment à l'atelier de Costa, 100 m², 200 000 francs. Il égouttait avec la main la sueur de son front. Sa femme faisait la cuisine pour son équipe d'ouvriers; elle tenait la comptabilité. Le dimanche, il achevait les bricoles, avec des ouvriers récupérés, italiens ou cheminots, tandis que ses ouvriers jouaient au football ou allaient au bal. Lui, il avait choisi de devenir patron et cela démarrait. Il n'était jamais allé à Paris. Lucienne est allée à Paris, en autocar, pour l'exposition agricole, avec d'autres cultivateurs de Meillonnas, sous la direction de Fernand Moureaux, instituteur agricole itinérant, qui organise toutes sortes de choses collectives; ils ont déjeuné à Avallon, dans un de ces hôtels qui étaient de grand luxe, quand j'ai descendu pour la première fois la Nationale 6, il y a plus de trente ans, avec Mimouchka, dans la B 12 de Pierre-Quint. Dans 10, 20 ou 30 ans, Maillolet se serait « offert » un voyage avec sa femme; on en voit, comme eux, à Mégève ou à Nice; ils ne savent pas comment on prend du plaisir. Il y avait énormément d'hommes à ses funérailles, ce matin à Ceyzériat, Quey, le plombier, avait des larmes plein les yeux; sa femme, sa belle-sœur et Noël, son beau-frère par alliance, très pathétiques; l'ouvrier qui l'avait quitté pour devenir cheminot répétait que Maillolet ne lui en avait jamais voulu; il comprenait. Je me demandais si les pompiers en uniforme, les amis qui portaient le cercueil etc., pensaient que ce pourrait être eux, le mort, à chaque minute, et que ce le sera nécessairement. Ils parlent plutôt de « ceux qui restent », mais ce n'est peut-être que « manière de parler ». Les hommes sont-ils clairement persuadés que la mort pour soi abolit tout? ou faut-il être déjà détaché? les intellectuels n'en parlent pas, lieu commun. La mort est sans doute acceptable si l'on sait vivre comme un arbre, quand on a achevé d'occuper tout son espace.

Meillonnas, 4 janvier

Ce qui devait enivrer Maillolet, par quoi il faisait preuve de caractère, de hardiesse, d'intelligence, c'était d'être en train de passer du stade artisanal de son père tâcheron au stade semi-industriel.

Lettre à Pierre Courtade après lecture de *La Place Rouge :*

«... l'occupation incluse. Ensuite, ça ne sonne plus juste : je crois que c'est parce que Simon et Cazaux ont une profession qui ne leur permet pas de savoir tout ce qu'on devine qu'ils savent (savoir, sentir, etc.). ... N'importe quel récit que tu fais oralement, par exemple d'une réunion du Comité Central, est bien plus excitant. Tu as vécu dans des situations et auprès d'hommes à la Shakespeare; tu n'en tires qu'une confession sentimentale et un plaidoyer d'universitaire; c'est décevant et irritant.

» Que les circonstances, l'élégance, la prudence, la fidélité, l'honneur et les midinettes ne te permettent pas d'utiliser ton expérience vécue dans une confession romancée ou dans des romans-reportages, c'est juste. Mais tu avais entrevu une solution avec *Elseneur;* Shakespeare transposait avec une énorme désinvolture; tu as connu Tibère, grand capitaine et réalisateur de gigantesques travaux publics et tu vois jour par jour le prince d'Albanie faire chanter le roi de Courlande et le Grand Mogol qui se servent d'ailleurs de son chantage pour se disputer le cœur de la Princesse Boroboudour; voilà le théâtre que l'on attend de toi. Et l'évêque in partibus, en exil à Rome, qui se demande quelle faction de la cour de Blois il doit servir auprès du pape; mais pan! le pape meurt, la papesse le distingue et le fait cardinal chargé de surveiller le roi; c'est bien plus excitant que deux profs qui discutent de « l'engagement » dans la cour du lycée Lakanal.

» Frères? « Mes chers frères », c'est pour les sermons. Simon avait une saine horreur de la villa de son père, de son mobilier et de la coupe de ses vêtements. Il entra dans les ordres pour échapper à cela, et, comme il était généreux, il lui plaisait que l'Église travaillât à ce que tous les hommes échappassent au sort de son père. Arrivé à maturité il s'aperçut que le plus clair résultat de quarante et quelques années de gouvernement de l'Église avait été de permettre à presque tous les hommes des États pontificaux d'avoir une villa, un mobilier, des vêtements, un style de vie et une morale analogues à ceux de son père. Comme il était intelligent, il comprit que c'était sans doute un stade nécessaire; comme c'est gênant d'être renégat, il ne jeta pas son froc aux orties; il savait d'ailleurs qu'il ne suffit pas de défroquer pour devenir duc. Mais qui l'oblige à monter en chaire pour prêcher la morale et le style de vie de son père (et des midinettes)? Puisqu'il a la singularité, dont tu ne parles pas dans ton roman, de savoir raconter des histoires, pourquoi ne raconte-t-il pas les batailles des rois et des papes? Si on y met les formes, l'Église permet cela.

» Les princes de l'Église et les supérieurs des Jésuites croient-ils en Dieu, en la légitimité de la Hiérarchie, etc...? ce pense que ce sont des questions qu'ils ne se posent pas. Dans leur « condition », il *va de soi*... L'important c'est d'avoir la peau du préfet des dominicains ou des cardinaux libéraux. Simon et Cazaux en sont encore à palabrer comme des clercs du plus bas échelon, qui n'ont pas encore dépassé de remettre en question leur vocation. Racine... dit que seules les familles souveraines peuvent fournir des personnages à la tragédie. Toi qui fréquentes les souverains, pourquoi, roman ou théâtre, n'écris-tu pas des tragédies? »

Le roman peut-il être haussé à la tragédie? Il est possible que non. En écriture, comme dans les Beaux-Arts, l'échelle et le matériau sont essentiels.

Meillonnas, 5 janvier

Lucienne, 28 ans, mariée à un ouvrier des câbleries, fille de paysan, trois mois de service à Paris chez les ***, vient seulement de vendre les quatre vaches de sa dot, poulailler industriel à crédit, 2 CV, télévision; avec son mari, pour les derniers congés payés, a emmené leur jeune neveu 15 ans à l'Ile du Levant, l'île des nudistes, « pour faire son éducation sexuelle. Maintenant il peut voir la BB, toute nue à la télévision ; ça ne l'impressionne pas ». Ceci relève de la comédie de mœurs.

Un drame passionnel ne peut en aucun cas donner prétexte à une tragédie. La tragédie est la lutte des souverains ou candidats légitimes à la souveraineté, légitimes je veux dire qu'il est de l'ordre du possible qu'ils aspirent à la souveraineté, pour conserver ou conquérir la souveraineté. Le militant ouvrier est personnage de tragédie quand il lutte pour conquérir le pouvoir, personnage de drame bourgeois quand il lutte pour augmenter son salaire.

A l'époque contemporaine, seuls les chefs communistes sont personnages de tragédie, dans les pays où ils sont au pouvoir et dans les pays sous-développés où ils luttent pour le prendre. En France, fantômes, ils relèvent de la farce. Les souverains des pays occidentaux n'assument pas spectaculairement leurs rôles, ils se dissimulent derrière des politiciens, farce, des rois, farce, des dictateurs, drame burlesque noir. Dérisoire des Français d'Algérie : concerts de casseroles, farce triviale, pétards, idem, tortures, lynchages, burlesque noir.

Dialectique du Parti Communiste (ou de l'Église) : les militants, pour faire du parti un véritable organisme, apte à la lutte, aliènent leur souveraineté au profit de la tête, des dirigeants. Le but est de faire de tous des souverains : il est repoussé à la « communion des saints », la réalisation du communisme, toujours repoussée, mais c'est réellement, semble-t-il, le seul moyen d'aller vers... Cependant la tragédie ne se déroule qu'au niveau des dirigeants, entre eux. Tout le reste retombe à la farce. *Le tournant décisif*, tragédie d'état-major, aspect le plus élevé de la bataille de Stalingrad.

C'est vrai qu'un militant communiste de base, exemple l'épicier Gautier, grâce à son aliénation, s'intéresse dès le réveil aux positions idéologiques des Chinois, son voisin non-communiste reste dans le quotidien sordide (la grève des bouchers, les concerts de casseroles, moi pied-noir, le monde bas). Mais Gautier ne sera jamais majeur, obéissant à son père de parti ou rageant contre lui, jamais responsable de lui-même. Grandeur et bassesse de la domesticité. Heureux de servir Maurice ou n'arrivant pas à dépasser sa haine pour lui.

Je suis homme et auteur de tragédies, à ce stade de ma vie plus que jamais. Voilà pourquoi je n'arrive pas à me décider à réécrire les *Affinités*, histoire de faux souverains, ou les quatre portraits de femmes, fausses souveraines.

Peut-être l'artiste est-il le seul vrai souverain en refusant de servir même lui-même. Il crée des objets qui ne servent à rien, pour personne, pour lui non plus. Son œuvre n'est pas non plus un défoulement, ni un jeu. Quand il travaille sur commande, il n'est artiste qu'au-delà de la commande. Il ne sert pas non plus l'art ; art est un concept, ce n'est pas un maître. On peut même dire que son activité d'artiste est l'affirmation nue de sa souveraineté, par la médiation, au travers, sur, dans un matériau déterminé.

Costa souverain du fer — non, au travers du fer.

« Dieu créa le monde à l'image de lui-même. » On peut peut-être dire que l'artiste crée l'œuvre à son image et ne crée jamais que sa propre image.

Distinguer les genres — et distinguer les matériaux : prose, vers, différents mètres. Costa : « couler le bronze c'est changer le bronze en glaise ».

Le pathétique, le noble, le sublime, le joli, le burlesque — ce sont des épithètes morales. Elles peuvent sans doute s'appliquer à toute créature vivante : c'est là qu'il faut chercher. Appliquées à l'œuvre elles jugent du même coup l'artiste dont l'œuvre est l'image. Peut-être peut-on dire que l'œuvre est la formulation, la mise en forme, de la qualité de l'artiste, sa concrétisation, son incarnation. L'homme moral, dans mon langage en tant qu'unité de sa multiplicité, prend forme dans son œuvre ; dans sa signature ; tout vrai artiste répète indéfiniment sa signature ; il est légitime de vouloir identifier l'auteur d'un seul coup d'œil sur n'importe quelle œuvre. Légitime de ne pas dire *les Femmes d'Alger*, un *lion*, mais des Delacroix.

Meillonnas, 6 janvier

Je ne veux pas servir. Si je sers à quelque chose, que ce soit par surcroît, je veux n'y être pour rien...

Meillonnas, 8 janvier

... enfantillage, ce n'est pas de servir qui est insupportable, c'est d'installer, de laisser installer son maître en soi. Le petit nègre auquel on apprenait ses ancêtres les Gaulois : j'ai la même rancœur contre le Parti que lui contre les Français.

L'homme est à la fois la plante et le jardinier. Je me donne ou je me refuse l'alcool comme à mes plantes l'engrais. L'homme « se cultive », vieille histoire. J'ai retiré à quiconque le droit de se servir de moi et je suis trempé et tranchant; mais que puis-je bien avoir envie de faire de moi?

Meillonnas, 9 janvier

Essayé d'expliquer à Monique Wendling qui aime les œuvres de Giacometti, la nature fondamentalement différente de celles de Costa.

On ne *porte* pas son âme sur son visage : c'est le visage qui est l'âme. La forme d'un organisme manifeste l'unité de sa multiplicité par l'espace et dans le temps, mais en les transcendant. Le sculpteur donne âme aux matières.

Avec un métal, un jour donné, donne forme c'est-à-dire âme, à un certain métal, dans son style, c'est-à-dire à son image, ainsi le signant.

Une forme est plus ou moins forme. Être en forme, etc. Un homme empâté. Une jambe racée, liaison de la race au sens racé et de la forme, c'est une jambe sans matière inutile.

Rapports de la fonction et de la forme : c'est vrai dans les objets utilitaires. Mais la Caravelle et la DS seront belles quand elles ne serviront plus à voler ou à rouler. La beauté est une mise en forme gratuite.

Mais la beauté n'est sans doute pas non plus la forme pour la forme. Ce ne doit être ni la forme pour la fonction, ni la forme pour la forme. La forme pour quoi?

Delacroix insiste justement que ce qui est essentiel à la beauté d'un tableau c'est la soumission des parties au tout.

Ce qu'on appelle la forme pour la forme, l'art pour l'art, est la référence à d'autres formes qui se sont révélées comme réussies, sans tenir compte du matériau, de l'auteur, des circonstances. C'est l'académisme.

Ni fonctionnalisme, ni académisme.

L'action painting ce serait la trace dans la matière de l'action d'un peintre en forme, en forme pour quoi : mettre des couleurs sur un tableau n'est qu'un des aspects de l'action du peintre.

Les moyens mécaniques de l'organisation (mise en forme) : l'alexandrin, le sonnet, le chapiteau, la stalle, le cadre.

Cf. *325 000 francs*, p. 36, sur la forme :

« *que la graisse, la lymphe, tout ce qui alourdit, se soit transformé en nerfs, en muscles, que la matière soit devenue forme. L'athlète parfait s'imagine flamme se consumant dans la performance sans laisser de cendres.* »

Une œuvre d'art c'est l'organisation, la mise en forme d'une certaine matière dans un certain cadre, c'est-à-dire dans certaines limites de temps, d'espace ou de mouvement.

Mais organisation, mise en forme en fonction de quoi, dans quel but, pour quoi?

Le joueur *en forme* accomplit dans le style qui lui est particulier une *performance*.

A un *grand* joueur de football, il arrive d'être *sublime*.

Le sommet : le match, la course.

C'est beau! s'écrient les spectateurs d'une belle passe. L'artiste est un champion, un héros qui accomplit un parcours, une performance, un exploit devant des amateurs plus ou moins avertis. Retrouver mes notes sur l'amateur.

La vie d'un homme : un parcours plus ou moins heureusement accompli de la naissance à la mort. Pour quoi faire? Pour rien, c'est le donné, la commande, ce pour quoi précisément il n'y a pas de question à poser, à qui? à se poser :

il n'y a pas de choix. Les questions ne sont valables que pour choisir les modalités de l'exécution. Tu as à vivre, tu n'as pas le choix c'est-à-dire que tu ne peux rien demander à la place, tu peux seulement refuser, à n'importe quel moment. Les grands hommes : des champions. Je ne peux choisir ni l'arrivée, ni le départ, ni, ni, ni, mais entre Mme Berthe et moi, elle n'a que peu et moi énormément le choix des chemins.

Staline un grand champion. Les « domestiques » des grands champions sont leurs victimes dans l'Histoire comme dans le Tour de France.

L'amour aussi est un parcours. Une saison qui se déroule en un certain nombre de parties. Le bordel, un bowling, un théâtre, une salle d'armes.

Meillonnas, 11 janvier

Hier, chez François Michel à Champagne, au bas du Valromey, beau parcours de montagne, dans le brouillard demi-givrant, le nuage s'effilochant, aucune voiture sur les routes. Beaucoup de routes sont belles. Les routes sont pour beaucoup dans la beauté des paysages, le découpage des parcelles aussi, vue d'un avion venant de l'Est, l'Ile-de-France est d'une *beauté tendre*, l'autostrade Milan-Bologne-Florence est sublime. La brousse, la forêt vierge, le plus souvent ne sont rien.

François Michel m'avait invité pour me lire une mauvaise pièce, qui aurait pu être bonne, Brutus amoureux de César, mais poussé au meurtre par Porcia, *agitatrice* à la Janine, qui l'oblige au nom de la tradition républicaine; mais cette pièce n'est pas *faite*.

François Michel s'éclaire par sa maison, faite comme la mienne, à partir d'un hasard donné, une donnée de hasard, une vieille maison achetée, pleine d'idées mais d'idées de peu de rapports avec l'objet, pas faite, et par la cape vosgienne qu'il porte sur son épaule, un certain type d'intellectuel du siècle passé.

Le genre commande l'échelle et la matière et réciproquement. Costa ne veut pas faire de « bibelots ». Soulages, qui vise au sublime, avait décidé, la dernière fois que je l'ai vu, de s'attaquer à de grands formats. Je me sens davantage prêt à une tragédie qu'à un roman. Il suffit de polir une forme ronde de marbre pour qu'elle acquière une certaine beauté : suspecte de joliesse.

Meillonnas, 12 janvier

J'essaie de préciser les éléments pour la préface à l'exposition de Costa. [...]

Meillonnas, 20 janvier

Presque achevé ma préface à l'exposition de Costa.

Hier soir, « party » au Mollard avec Costa, N., jeune frère de ***, un professeur au collège technique, ***, un garçon qui fait « des études de marché » pour une firme américaine, trois 2 CV et une Simca, et Arlette, Claude, Thérèse, Évelyne et Françoise, jeunes filles employées ou fonctionnaires autour de vingt ans, sauf Thérèse, 26.

Les filles préparent les sandwichs, les garçons s'occupent des feux, les uns et les autres ont rapidement examiné les disques. Plaisanteries phalliques, très grosses, mais le ton n'est pas vulgaire, ou propos sur les danses, le cha cha cha, le twist, le twist. Triste ! Les filles réclament de « l'ambiance ». Vin rouge. Les saucisses que Claude trempe dans l'eau bouillante et les bananes sont le prétexte de toutes sortes de jeux de vocabulaire : ce n'est pourtant pas trivial (outre le ton, grâce et jeunesse des filles l'expliquent sans doute).

Dès les premiers sandwichs mangés, danses, dans la chambre (parquet ciré). On éteint presque tout de suite. Aucune fille ne refuse de se laisser embrasser, caresser, n'esquisse pas même de résistance. Au fait, c'était à peine moins poussé, les jeudis de danse chez Mirette, entre filles et garçons de philo à Reims. Mais les rôles étaient moins interchangeables. Il semblait n'y avoir aucune espèce de jalousie, ce qui est à la fois sympathique et insolite. Costa le confirme qui a déjà couché avec Evelyne et Claude et qui finira la nuit avec Thérèse.

Le but recherché est sans doute cette excitation mi-alcool, mi-sexe, un genre de fête, échapper à l'ennui.

Paris, 4 mars

Andrée Blavette[1] est morte d'une fracture du crâne le vendredi 23 février à Cannes. J'ai 14 ans.

Je prépare un film avec Clément[2], depuis le mardi 30 janvier, de 14 à 21 heures, tous les jours, avec plaisir, à Paris. Nous partons demain pour Hollywood.

Le vernissage Coulentianos, à la Galerie de France, a eu lieu avec succès le jeudi 1er mars.

Palm Springs, La Quinta, 11 mars

Les oiseaux de Californie ne sont pas les mêmes que ceux qui fréquentent Meillonnas et je n'en peux nommer aucun. Mais il y en a un, noir comme le merle, pas plus gros que le rossignol des murailles qu'il me semble avoir déjà vu quelque part, probablement aux Iles Comores.

La Quinta est une tentative pour édifier un paradis terrestre : au milieu d'un désert, terrain vague, fortifs, comme tous les déserts, au pied de montagnes rocheuses, peau d'éléphant, tombant à pic, en criques successives, sur le désert plat comme une mer calme : une vaste étendue de gazons très verts, plantés d'orangers, de palmiers, d'oliviers, parsemés de cottages sans étage, blanchis à la chaux, sobre style espagnol, piscine et golf. Mais le prix est trop élevé pour les jeunes gars, et les épouses hideuses ont assez de pouvoir pour interdire l'entrée aux jeunes maîtresses de leurs maris. Si je reviens jamais, ce sera avec Éléonore, droit à la piscine, quel scandale. Les couvents étaient probablement de meilleurs paradis, l'homme et la femme ne peuvent pas davantage vivre

1. *Le nom réel de la première femme de Roger Vailland.*
2. *Le Jour et l'Heure.*

ensemble que le maître et l'esclave, ils ne doivent se rencontrer que pour jouer, cela devait être possible à la belle époque des couvents.

René Clément et moi, nous avons quitté Orly le 5 mars, peu après midi. Élisabeth et Bella, Costa et Monique nous avaient accompagnés. L'avion était presque vide, les hôtesses souriantes mais j'ai oublié leur visage. L'appareil prit rapidement de la hauteur et à peine avions-nous survolé les montagnes encore enneigées du sud de l'Angleterre, les côtes d'Irlande apparaissaient. C'était notre premier voyage en Boeing et moins anxieux que mon compagnon des suites de notre travail, je me réjouissais de voir le globe terrestre tourner si vite au-dessous de moi, d'imaginer la banquise et le pôle Nord de Jules Verne sur ma droite, l'équateur sur ma gauche, et je me refusais, à juste titre, d'admettre qu'il y eût une différence de qualité entre ce survol à 12 000 mètres et celui que le major Glenn vient d'accomplir à 200 000. Le temps était clair, le ciel au-dessus de l'appareil bleu nuit et l'Océan Atlantique du même bleu que la Méditerranée au printemps. Nous avons déjeuné au champagne. Le commandant de bord fit son petit numéro, la visite du poste de pilotage au-dessus de l'embouchure du Saint-Laurent. Il neigeait à Montréal où nous nous sommes posés. La ville, damier de maisonnettes sans étage, semble triste à habiter.

[1962]

[Pierre Courtade à Roger Vailland]
Moscou, le 11 avril

Cher Roger,

De toutes les lettres que j'ai reçues à propos de La Place Rouge, *la tienne est celle qui m'a le plus vivement touché et qui a provoqué en moi le plus de réflexions. Tant de réflexions à vrai dire, que depuis des semaines j'ai reculé devant une réponse d'autant plus difficile que je ne sais pas très bien moi-même où j'en suis. J'ai hâte de te parler et de t'entendre. Nous venons en France du 10 mai au 10 juin, y serez-vous? D'une façon générale je suis d'accord avec ton jugement sur la deuxième partie du livre. Malheureusement j'étais condamné à ce demi-échec dès lors que je décidais d'écrire un livre de cette nature. Le moment devait venir où j'aurais à choisir entre la possibilité d'écrire un livre plus brillant (Nadeau a très bien vu cela, au fond) et une certaine idée que je me fais de ma responsabilité politique comme homme de Parti, ou si tu veux comme homme d'Église. Courir le risque de l'excommunication pour cela? Quitter l'Église? Le fait est que je ne le puis ni le veux. C'est ainsi. C'est ma vérité, et mon livre, par conséquent, ne pouvait pas avoir une autre fin. Ou alors c'est moi qui devais changer... Le personnage que je suis* ne pouvait pas *écrire un autre livre. Je suis membre du Parti Communiste. J'habite Moscou. Je sais à peu près tout ce qu'on peut savoir, et néanmoins je ne reviens pas sur le choix fondamental que j'ai fait il y a une vingtaine d'années.*

Par contre, je me demande si un romancier communiste peut écrire des romans sur le communisme. Là était mon erreur sans doute.

Dans le meilleur des cas je ne pourrai jamais être qu'une espèce de Bernanos de mon Église. Ça ne va pas très loin... Je vois bien que comme romancier je me suis engagé dans une voie sans issue, et en même temps je n'en puis pas sortir, *car au fond le seul sujet qui m'intéresse c'est la politique et, très précisément, le communisme. Mais le seul sujet que je connaisse, un peu, est le seul sur lequel je ne puisse pas dire toute la vérité, de crainte de porter atteinte à une cause qui m'est, oui, plus chère que mon œuvre... La solution que tu me proposes (la solution* Elseneur*) m'apparaît comme une manière de fuite. Je m'y résignerai peut-être un jour... Mais, à vrai dire,* pour moi *peut-être vaudrait-il mieux renoncer à écrire que d'écrire des Semaines Saintes... J'aime tes livres parce qu'ils me divertissent* (La Loi) *ou m'apprennent des choses sur la vie* (La Fête, Les Mauvais Coups), *malheureusement* je ne sais pas *écrire de tels livres. Alors que faire ?*

J'ai été content d'apprendre que tu allais à Hollywood et que tu faisais un grand film. Si cela t'amuse, tu as cent fois raison, en même temps, tu le sais, je suis de ceux qui souhaitent que tu laisses tout ça et que tu écrives. A mon tour de te dire : « pense à ta gloire ! ». Mais tout de même puisque tu fais ce film sur les pilotes américains à Paris, il me revient une histoire qui peut-être pourrait te servir. Au printemps de 44, des amis logeaient un groupe de ces pilotes récupérés, dans un appartement de Neuilly. Les types s'emmerdaient et devenaient intenables. On a décidé pour les distraire de les amener au Casino de Paris ou quelque chose comme ça. Il était bien entendu qu'ils devaient fermer leur gueule et rester sagement assis. Malheureusement, l'un d'eux quand il a vu les filles à poil a été pris d'un véritable délire érotique. Il s'est mis à siffler, à pousser des cris, à hurler des obscénités en américain. Tu imagines ça, au milieu des officiers allemands au parterre ! Mais le plus fort est que personne n'y a fait attention... Si ce gag peut te servir, je te l'offre contre deux places détaxées.

A bientôt cher Roger. Si La Place Rouge *a produit quelques milliers de francs (ce qui est douteux) nous irons dans le Midi et en passant nous serions heureux de venir vous embrasser à Meillonnas.*

Affectueusement à toi et à Élisabeth.

Pierre.

P.-S. — Pierrette Amable *est dans la plupart des bibliothèques que j'ai visitées (en français) et très demandé*[1]. *En tous cas on a pour toi ici estime et affection (à quoi se mêle naturellement l'inquiétude que provoque l'hérésie!)*

1. Beau masque *avait été traduit en URSS sous le titre* Pierrette Amable.

[1962]

[*Journal intime*]
Meillonnas, mercredi 13 juin

Achevé le scénario de Clément et celui de Vadim (*Le Vice et la Vertu*). Acheté une Jaguar 3,8 litres. Libre à quelques nuances de cinéma près. Projet de revue avec J. F. Revel, rencontré à ma demande chez Myriam Prévost, la semaine dernière.

Beaucoup fait l'amour ces derniers mois, uniquement avec des putains et Élisabeth, tantôt ensemble, tantôt moi seul.

L'argent donné, l'argent reçu, conditions nécessaires pour faire de deux amants des *partenaires :* Littré : 1° *Associé avec lequel on joue. Vous serez mon partenaire.* 2° *Personne avec qui l'on danse. Choisir son partenaire, sa partenaire.* Non, l'accent ne doit pas être mis sur l'association, mais sur le jeu. L'argent donné, l'argent reçu, formellement et non par le biais de promesses fallacieuses, d'espérances astucieusement encouragées comme il arrive toujours quand il y a « inégalité de condition », l'argent formellement donné, formellement reçu, crée l'une des conditions nécessaires à tout jeu : l'égalité des partenaires ou adversaires tout le temps que dure la partie. (Du jeu et du théâtre : toute partie est une action dramatique et inversement. Tout jeu est une action dramatique dont on est simultanément l'acteur et le spectateur : d'où cette délicieuse séparation de soi d'avec soi-même etc., cf. le paradoxe du comédien.)

Une autre condition nécessaire est probablement de ne pas tricher. Mais il est également délicieux de surveiller son partenaire et soi-même quand on est sur la limite de se laisser aller à tricher. D'autant plus ou d'autant moins que le jeu d'amour avec les putains n'a que des règles implicites...

Meillonnas, 4 juillet

... Avec Rolande de l'Étoile. Elle est malingre, bras et jambes de garçonnet, omoplates creuses, côtes saillantes. Dès la deuxième fois, le jeu se simplifia à l'extrême, étendus côte à côte, bouche à bouche puis yeux à yeux, caresses réciproques de la main; le col de l'utérus vivant et le museau de tanche sous le doigt, asymétrique, s'ouvrant et se refermant comme le museau d'une tanche asphyxiée; puis je l'embrassais de bouche à con, interrompant pour toucher du doigt le museau de poisson (les tanches que je sortais l'une après l'autre, au ver, d'un trou entre les herbes, dans la mare du pavillon, mes premières pêches en 1917, j'avais sept ans [1]), elle étendue sur moi, la joue contre mon sexe, je lui demandais de ne pas s'occuper de moi, craignant d'en finir trop vite. Le goût enfantin de son foutre. Puis, brusquement, elle dégageait, se couchait sur le dos et je la baisais, essayant de retrouver au bout du sexe le museau de tanche, croyant le retrouver, mais c'était peut-être une illusion, le sexe étant moins sensible que le doigt et l'imagination projetant sur le sexe la sensation éprouvée un peu plus tôt par le doigt (inexactement exprimé : ce n'est ni le doigt, ni le sexe qui ressent : sachant que mon sexe touchait, j'éprouvais réellement ou par l'imagination la sensation que j'avais éprouvée quand mon doigt touchait). Nous nous sommes revus assez fréquemment ces derniers mois. Dès la troisième fois, nous avons échangé des demi-« aveux » comme on dit, ni plus vrais ni plus faux que deux adolescents, et plus pudiques puisque nous n'attendons rien l'un de l'autre, rien que ces *actions* d'amour qui n'engagent ni l'un ni l'autre puisqu'elles sont précédées de cet argent donné et accepté, et dont la répétition peut à chaque instant nous être interdite, elle pouvant à chaque

1. *Roger Vailland avait en réalité dix ans en 1917.*

instant disparaître par suite d'un incident de son métier, moi ne pas revenir. Des demi-aveux, plus pudiques que ceux des adolescents, parce que nous n'avons, ni l'un, ni l'autre, rien à y gagner, rien à y perdre, c'est ainsi, un simple mouvement du cœur, elle disant « tu dois plaire aux femmes », « pourquoi ? », « ta manière de regarder, de toucher le con, on devine tout de suite que tu aimes les femmes »; « quand tu me caresses le con, je suis tout étourdie »; plus tard : « j'avais joui avant toi »; et moi, des choses analogues, me félicitant de la simplicité retrouvée, du comble du plaisir dans les baisers de bouche, les yeux dans les yeux, les caresses élémentaires, l'accouplement. Plus tard encore, nous avons pris un verre après l'amour, je parlais de ma voiture et elle de son ancien mari; nous fîmes le projet de passer toute une journée ensemble hors de Paris. Nous nous séparions à regret. « Ta petite malingre ». La dernière rencontre, c'était son anniversaire, elle arriva en retard, elle avait téléphoné et c'était correct, elle s'était attardée à déjeuner à la campagne avec des amis; le valet pédéraste de l'hôtel lui avait fait porter des fleurs au bar; les autres filles du bar avaient commandé un dîner et elle craignait de trop boire; je lui ai fait un cadeau d'argent; elle était surprise et heureuse; « tu me feras essayer ta Jaguar »; nous nous sommes beaucoup embrassés. Nous étions sur le bord de la tricherie. Au dernier voyage à Paris je ne suis pas retourné la voir. J'ai délibérément choisi *l'action* plus *correcte* avec les douze filles du bordel de la rue de Douai; j'ai déjà connu, essayant de trouver avec chacune le jeu pour moi le plus efficace : Michèle, que je reverrai, il y a certainement mieux à faire, Dominique que j'ai revue avec Élisabeth et que je reverrai comme assistante dans les séances à multiples sujets, Patricia, très bien et dont j'espère de bonnes réalisations sur mise en scène, Micheline, médiocre et sotte, je n'aime pas les seins à la *play-boy*, Nadine, belle, sotte et maladroite, Annie, deux fois, la lourde juive, la seconde fois fut un peu pour attiser les rivalités, mais ses yeux m'excitent encore.

Je vais essayer d'écrire en quatre jours *Le Regard Froid*, préface à la réédition de mes essais.

Peut-être pour prétexte, Durand, rencontré à l'Étoile

tandis que j'attendais Rolande. « Vous m'ôtez aussi l'érotisme. » J'espère bien.

Le propre de l'homme est de tenir debout contre la pesanteur, dans les limites de l'utilisation... dans des circonstances données.

Je ne respecte aucune sorte de *croyance*.

Meillonnas, 5 juillet

Écrit trois pages. Durand mauvais prétexte.

— En votre âme et conscience.

— Je n'ai ni âme, ni conscience. Mais je suis consciencieux.

Meillonnas, 7 juillet

A onze ans, j'étais fermement persuadé qu'à tout homme est destiné pour lui-même une part rigoureusement égale de bonheur et de malheur; et que, par conséquent, quelles que soient tout au long de la vie les oscillations de la balance, les deux plateaux portent, dans l'instant de la mort, un poids identique de bonheur et de malheur. Je me consolais ainsi aisément de mon malheur présent; j'amassais des trésors d'iniquités, je thésaurisais mes bonheurs futurs. Telle est bien la métaphysique, c'est-à-dire l'utilisation des lois de la physique, ici de la mécanique élémentaire, pour expliquer des événements, des sentiments, des actions et des passions qui ne relèvent pas des sciences physiques. C'est la forme la plus enfantine de la réflexion. Beaucoup d'hommes y restent fidèles jusque dans leur maturité, puisqu'ils persistent à croire, plus ou moins confusément, que, puisqu'une boule ne bouge pas tant qu'elle n'a pas reçu une impulsion, il faut bien que quelque dieu ait mis le monde en branle. Le curé de mon village utilise encore l'argument, qui porte.

La notion de justice, telle qu'elle est communément acceptée, relève de cette métaphysique enfantine, augmentée de quelques éléments de comptabilité. Elle tient droit le fléau de la balance. Le juge lit le prix. Le criminel paie.

Pour la peine de mort.

Contre la révolte. La loi traduit des rapports de forces. Elle est inscrite dans le code. Il faut étudier la loi. Le Droit est une science exacte. Puis il faut utiliser la loi, comme le marin utilise le vent au besoin pour aller contre le vent, pour satisfaire ses besoins, ses désirs. La morale est une technique dérivée de l'étude de la loi. Le Droit est la science, la morale la technique.

Mais, à la différence des lois de la nature, les lois des sociétés humaines, bien que faisant partie aussi de la nature, peuvent être changées. C'est l'objet des révolutions. Marx a fondé l'histoire comme science et la politique comme technique. Lénine, avec le « parti d'un type nouveau » a créé l'outil de cette technique (tout cela est sommaire : les Templiers, les Jésuites précurseurs de Lénine etc.).

L'ouvrier tout nu de Marx, formé dans les usines, organisé par le parti, voilà ce que le communisme a apporté de nouveau (c'est également sommaire : voir sans doute les premiers chrétiens, esclaves nus).

Le parti libère l'ouvrier du propriétaire des moyens de production, mais l'aliène dans le parti. Avec le dépérissement de l'État et du parti, etc. Mais le stoïcien et l'épicurien, dans ce que leur démarche a de commun, n'accédaient-ils pas plus directement à la souveraineté?

Meillonnas, 25 juillet

Si tu ne manges pas ton armoire c'est ton armoire qui te bouffe : tu deviens armoire.

Coïncidence de la lecture des *Damnés de la Faim* de Fanon et de la présentation du court métrage de Chardère sur les canuts :

Nous les canuts
Nous allons tout nus.

D'où je relis le *Manifeste du Communisme*. Ce qui m'a toujours fasciné c'est l'homme tout nu, l'ouvrier du XIXe siècle, le fellah d'avant l'indépendance, l'armoire refusant d'être bouffée, devenant homme en abattant l'armoire. C'est le passage, le héros nu. Puis il fabrique sa propre armoire et se laisse bouffer par elle. Armoire, armure, etc... Je ne veux que des biens immédiatement consommables. Mes luttes passées, comme un entraînement; je me suis fait des muscles, des dents. Maintenant je consomme : consommer, consumer, se consumer, je me sers de tout pour achever de mettre en forme ma matière. Une bonne mort, elle vient quand on n'a plus de désirs, de désir, on est consommé par soi-même, consumé, il ne reste même plus de cendres.

Notre maison de Meillonnas est entièrement consommable, pas produit d'échange, asymétrique, projection de moi-même à mon usage, et il faut que je continue à pouvoir à chaque instant la rejeter de moi-même comme une vieille socquette.

Meillonnas, 17 août

Achevé depuis quelques jours, avec Monique, la pré-adaptation de *Chambre obscure*.

L'Athéologie de Georges Bataille. Énormément déçu. Était-ce cela ma Jeunesse *Grand Jeu?* Grâces m'en soient rendues, j'ai « fait du journalisme », je suis allé en Éthiopie, j'ai « fait de l'argent », je me suis prouvé autrement que par cette expérience qui ne se prive de tout objet que parce que celui qui la mène n'a rien sous la main, rien sous la dent. Extraordinaire naïveté de Bataille, quand il parle des sciences (p. 219), de la morale courante (251), de l'érotisme (et cet aveu, II, 23 : « l'érotisme trop ruineux »). C'était le temps où les intellectuels étaient intimidés par les gens riches et par le plombier; et Bataille par les philosophes mêmes; se réfugie dans bavardage vide sur le vide, une humilité fabuleusement prétentieuse. Je m'inquiète d'un excès de sévérité, d'être gêné par l'autodidacte de la philosophie; mon cul... Impossibilité d'admettre cette avalanche de jugements sans référence.

Contre la Mer. Pour le Parc. La première condition du Parc est la clôture. Pour la Clôture.

Lorsqu'en khâgne m'ennuyant aux cours de Bernes, il me poussait, je me poussais, autour de la tête et des épaules, une chape de métal pour m'échapper par la fenêtre sans être blessé par les vitres que je brisais. Tel est le mouvement de l'imagination constructrice qui donne à l'insecte des élytres, à l'homme des outils et des machines.

Éloge de l'autostrade. Et de l'auto, etc... C'est dans les objets fabriqués, que la nature a conservé « sa verve fabuleuse », l'auto aussi bien que toutes les pinces d'insectes s'adaptant de mieux en mieux aux besoins, moyens, désirs, rêves du conducteur et aux diverses sortes de routes et règlements de la route. Les conversations sur les voitures ne sont pas ridicules, c'est le rêve se faisant à tâtons. L'auto possède moins l'homme que la carapace la langouste. Mais il faut à l'homme comme à la langouste pouvoir faire sa mue, à chaque instant, toutes sortes de mues.

Le courage (avoir du cœur, la vertu) plus important que tout. Du temps des combats à l'arme blanche, avoir la main ferme exigeait d'avoir le cœur ferme. Le pari de Pascal à ce moment-là de sa vie, c'est simplement le manque de courage de se maintenir contre l'opinion commune. Quand je le parabolise en pari de l'oncle d'Amérique, j'ai tort, je n'ai jamais entendu parler de mon oncle d'Amérique, mais tout le monde lui parlait de Dieu [1].

Le PSU pour les groupements fascistes de jeunes agriculteurs. Ne manque jamais de prendre avec de bonnes intentions la position fausse. Les professeurs PSU volontaires pour

1. *Roger Vailland se réfère à son essai,* Marat-Marat, *écrit en 1946, et resté inédit :*

« — Pourquoi donc n'ôtez-vous jamais votre chemise ? Cela doit être incommode en maintes occasions...

« — Pas si bête. Je ne veux pas perdre la fortune que m'a léguée mon oncle d'Amérique.

« — Je ne savais pas que vous eussiez un oncle en Amérique.

« — Moi non plus. Mais il arrive qu'on ait un oncle en Amérique sans le savoir. Or supposez que j'aie eu un oncle en Amérique, qu'il vienne de mourir et qu'il m'ait légué sa fortune sous condition que je n'ôte jamais ma chemise... Évidemment, il y a fort peu de chances pour que *cela soit*. Mais l'inconvénient de ne jamais ôter ma chemise est si petit par rapport aux immenses avantages que m'apporterait la fortune de mon oncle qu'il serait vraiment déraisonnable de ne pas me l'imposer... »

l'Algérie : de bons jeunes gens en mal de devenir juifs. Histoire exemplaire des Pieds-Noirs qui n'ont plus le choix que de devenir juifs en Algérie ou bicots en France.

Visite d'Yves Haumont, play-boy à prétentions intellectuelles, qui se sent juif d'être belge. C'est d'ailleurs faux. Il n'a qu'un aspect de la juivité, qui est de se sentir, quoiqu'il fasse, exclu. La mode de Kafka n'est peut-être que le sentiment des Français d'aujourd'hui d'être exclus des sociétés majeures (comme on dit de la Fox ou de la MGM qu'elles sont des compagnies majeures).

En 1914, mon père me porta sur ses épaules et je criais avec lui « vive l'armée » quand le régiment de la caserne du Boulevard Port-Royal partit, musique en tête, vers la frontière de l'est; en 1917, avec les enfants de la Mouffe à la caserne des Feuillantines, nous rêvions de monter à l'assaut de la caserne du Port-Royal où cantonnaient des Annamites contre le peuple de Paris qui voulait la paix et la révolution, avec les mutins du chemin des Dames contre le gouvernement. En 1917, je souhaitais la victoire des Allemands pour rester à Teilhède, et qu'y vienne me rejoindre ma mère dont j'étais amoureux. Bon. Mais pour ou contre le régime, la victoire ou la défaite qui ne m'apparaissaient que péripéties, je m'étonnais et m'émerveillais d'être né français à la pointe du monde; dire que j'aurais pu naître chinois, nègre, italien, et, après notre victoire, allemand : c'était tellement triste que c'était impensable.

La maladresse dans le regard, la myopie, la gaucherie des gens de gauche. La peur, la cécité des gens de droite. La suffisance, l'aveuglement des communistes; en URSS c'est différent, leur imagination produit des images réelles (bien que je n'arrive pas à réaliser la différence qualitative entre un vol à 12 000 et à 200 000 mètres).

Le Staline de Prague. Les Tchèques, périphériques consciencieux, l'ont édifié et puis ils l'ont détruit. Éborgné (de l'œil gauche), il eût été grand à jamais, comme une pyramide, idole nègre etc... Le chef-d'œuvre du communisme. Gardé pour rappeler « éternellement » aux Praguois qu'il ne faut ni adorer un homme, ni le renier après l'avoir adoré.

Visite de ma sœur. Son échec : après avoir éludé... par penchant pour la vie contemplative (ce fut son courage, sa vertu, son héroïsme), elle tombe à 50 ans dans des préoccupations « sociales », elle se préoccupe de la « condition de la femme ». Mais peut-être est-elle amoureuse d'un prêtre ouvrier.

A Lyon, pour réglage de la Jaguar. Monique, gentille putain, retour de vacances à la plage, les seins blancs, les fesses blanches à la place du maillot, c'est le seul charme du hâle, émouvant comme la cicatrice à la place de la pointe du sein gauche, sur la longue Nubienne du Caire. Le bourgeois, engoncé dans les vêtements empruntés à l'aristocratie, homme emprunté, a retrouvé une sorte de liberté en se dénudant sur les plages; maintenant c'est le tour du peuple qui s'y débarrasse des vêtements empruntés à la bourgeoisie. Mais j'aime les peaux blanches qu'on dénude pour l'amour. Putains, travailleuses manuelles, humbles acrobates, qui se mettent à quatre pattes et ouvrent gentiment les fesses pour qu'on leur lèche les culs, que de tendresse j'ai pour elles!

Devant qui je me parle? Devant un homme du XXe siècle, français, d'origine petite-bourgeoise, éducation secondaire puis supérieure, passé par le surréalisme, la Résistance, le communisme, écrivant selon sa vocation, etc... etc... dans des conditions données, mais qui a trouvé sa liberté et sa souveraineté, non comme Bataille en niant ces conditions, ce qui est enfantin par définition, mais en faisant la part de ce qui revient à chacune, en essayant consciencieusement à se donner toujours la référence...

Du principal, par gentillesse, amitié, honte de paraître traître (ce qui est objectivement déplaisant), je peux rarement écrire. Supposons que, comme il est probable, Lothaire ait été cet après-midi-là, *corrigé* par ses camarades; ils ne l'ont fait que parce qu'ils étaient certains qu'il ne les dénoncerait pas, qu'il accepterait, qu'il serait fidèle, son « honneur de communiste »; c'est pourquoi il fut ensuite réhabilité. Ma chance, qui me fit tomber ce jour-là, sur ces hommes-là (ma chance est fantastique quand je m'y laisse aller, elle est très exactement comme les ailes de la chenille, ces jours-là, comme je suis prudent, cauteleux, circonspect, hardi, comme ma détente est juste, je frappe précis comme ce fameux insecte de Bergson, je suis terriblement dangereux... Cette nuit j'ai rêvé que je tuais un homme au couteau, dans le ventre, sans haine, ni colère, c'était nécessaire dans les conditions de ce rêve). Seul le communisme, aujourd'hui, pouvait me montrer cela : l'humiliation totalement intérieurement acceptée, l'abdication sans réserve, le comble de la honte. Raconter cela, dans toutes les circonstances, ce serait tellement plus fort que *Le Zéro et l'Infini*.

La correction de Lothaire n'a été possible (autrement les correcteurs n'auraient pas osé) que parce que Lothaire était *cadré*, intégré dans le cadre; ils savaient bien qu'il ne lui viendrait pas l'idée ou l'énergie de mettre en cause le cadre. Ils n'ont jamais (que je sache) osé corriger Hervé, parce que, quand ils ont pensé à le faire, il était déjà hors cadre.

Dans les sociétés fortes, chacun est cadré, c'est-à-dire non seulement accepte les règles du jeu, mais les considère comme l'ordre des choses. Ainsi la période stalinienne. Alors une société tout entière prend forme et le chef de l'État, tyran ou souverain, devient son visage.

Les hommes comme moi ne sont possibles que dans les sociétés en voie de décomposition. Les cadres jouent tellement qu'ils peuvent en jouer pour former leur propre cadre : je suis mon cadre et mon visage est le mien.

Les hommes comme moi, peu à peu, en politique ou dans les beaux-arts, ne peuvent plus trouver matière que dans l'homme tout nu et le matériau brut.

Enquête : qu'as-tu fait de ta vie?

Meillonnas, 18 août

Préface Leiris à *L'Age d'Homme*. Le fond c'est de la forme mal *foutue*.

Meillonnas, 24 août

Contre l'esprit de parti, pour le parti pris, il faut en prendre son parti.

Je suis fait de tout cela (leurs, mes infrastructures), mais voilà, je suis un homme fait et je ne le suis que dans la mesure où je refuse d'abdiquer.

Meillonnas, 25 août

La propriété voisine, en décadence, les vaches y pâturent et l'ortie s'accumule dans les angles, est dominée par de vieux beaux arbres, des arbres d'« ornement » (dont j'ignore le plus souvent les noms) devenus géants. Le grand-père (l'arrière-grand-?) l'entoura de murailles et en fit un parc. Mais par négligence, matérielle ou morale, que sa femme omît de se laver le cul ou qu'il se laissât aller à essayer de se consoler de ses échecs en reportant sur des enfants, etc., bref ils sont maintenant 40, et plus personne ne se soucie du parc. Qu'il est facile à un homme de croître dans tous les sens comme un cornichon ou une courge. Moi, je me taille. Joli jeu de mots : et je me taille !

Meillonnas, 27 août

Toujours Leiris (*Fourbis*, *La règle du jeu*) avec un intérêt et un plaisir croissant, par ces journées d'automne parfaitement réussies (quant à la lumière, à la température, la végétation des jardins) que je passe presque entièrement dans les jardins.

P. 219 : formalisme, formulation (et la découverte du dindon, qui date pour moi des Allymes), à rapprocher des excellents articles de Cau sur les athlètes et de mon article sur Soulages dans *Clarté*.

Meillonnas, 28 août

Toujours ce glorieux début d'automne (plus heureux que glorieux) qui m'interdit d'entrer dans mon bureau.

Journées au jardin, demi-concentré, à mi-chemin entre rêverie et méditation.

Toujours Leiris, lu très lentement, un vrai écrivain c'est-à-dire dont la langue se constitue en [1] et pas seulement en moyen d'expression. Consciencieux à l'extrême dans la description de soi-même; je n'ai pas de conscience, tu n'as pas, il n'a pas; mais il faut être consciencieux. Mais demeuré enfant; le sachant mais on ne s'en tire pas en le sachant et en le disant. On ne devient pas souverain en jouant pour des haricots. On se risque tout entier, plus ou moins, dans chaque métamorphose.

Meillonnas, 29 août

La fleur de cactée. L'amour, ce qui reste de plus végétal en nous. Se faire une fleur. La reproduction est la moins spécifiquement singulièrement humaine des activités de l'homme, animale des activités de l'animal.

C'est dans le règne végétal que l'amour a le plus de couleur et d'odeur, d'éclat et de parfum.

Je ne sais rien de si hideux qu'un homme portant son enfant dans ses bras. Pour une femme moins; elle est la matière du couple, l'homme la forme, et dans les meilleurs cas la flamme; elle est la partie végétale animale de l'humain, où l'homme pensant, connaissant, retourne un moment pour retrouver matière et se faire flamber avec. *

Je jouis, je te fais une fleur. L'homme est la gloire de la nature et de la femme.

Leiris n'a fait que croître, il ne s'est pas développé. Peut-on dire que son œuvre s'est développée à sa place?

La plante se forme. L'animal se forme et *donne forme* (à ses petits, à la *nature* nidifiée, léporisée). L'homme se forme et donne forme à la nature et à lui-même dans la nature.

L'être vivant ne continue de vivre (c'est donc la condition première de la vie) qu'en prenant (dans la nature inanimée

1. *En blanc dans le manuscrit.*

* Femme-terre : Andrée bien sûr.

ou animée), digérant, faisant sien, s'appropriant, imposant sa forme. Ainsi il croît (croissance) (le fait de subsister n'étant que la croissance réduite à zéro). Ce qu'on peut appeler le besoin.

Le désir est de se faire autre par opposition au besoin qui est de faire sien. A un certain moment de sa croissance, l'être vivant se prend soi-même pour matière; il se métamorphose, il fait sa crise, développement se juxtaposant (ou s'opposant) à la croissance, génial Lyssenko. Se prendre soi-même pour matière quant au végétal, aux animaux à métamorphoses, et chez les animaux ou l'homme aux crises dites de croissance, qu'il faudrait maintenant dire de développement.

Chez l'homme le désir est également de faire autre ce qui dans la nature est analogue à soi; chez l'animal aussi dans l'accouplement, l'éducation des petits, peut-être l'édification du nid : on fait sa maison en prenant une matière analogue à soi-même, pour en faire ce qu'on voudrait être.

La vieillesse c'est quand il n'y a plus désir mais seulement besoin, toujours décroissant.

L'intéressant c'est la substitution du désir au besoin, le rapport du désir et du projet. Il faut procéder à l'inverse de l'anthropomorphisme, essayer de comprendre l'homme par la plante et l'animal, restera sa singularité (qui sera l'entendement et la technique réfléchie).

Anthropomorphisme : la chenille fait le projet de voler et s'enferme dans son cocon pour se fabriquer des ailes. Seul homo faber, etc... Mais juste d'essayer de comprendre l'artiste (le poète) par la chenille qui se forme papillon, la plante qui pousse sa fleur, dans la mesure où c'est l'œuvre d'art qui révèle à l'artiste lui-même son projet.

A un certain degré de croissance se produit une crise, le désir prend le pas sur le besoin. A quel degré? Pourquoi? Comment? Le végétal est bien intéressant puisqu'il montre que la crise ne se produit pas nécessairement; une plante peut *végéter*, ô génie ambigu du langage; on sait même les conditions dans lesquelles elle *végète*, on peut même l'obliger à végéter. L'homme aussi; qu'est-ce qu'il fait? « Oh, il *végète* » (le langage est toujours, ou souvent, en avance sur l'idée claire, peut-être même qu'il la révèle comme l'œuvre révèle à l'artiste ou au poète son projet.)

Absolument capitale, ne serait-ce que comme critique méthodologique (à la base de la méthode dans les sciences) que, dans la nature et chez l'homme, dans le langage populaire, la création artistique, etc..., *l'œuvre précède et révèle le projet.*

Meillonnas, 31 août

Il fait beau ; faire beau et cet « il » impersonnel qui fait beau ; j'aime cela, le vocable et la chose. Le temps est beau. Le temps c'est aussi le temps, suspendu entre l'été et l'automne. Moi aussi, suspendu entre. Je ne sais pas quoi et quoi, mais, pour la première fois de ma vie enfin, peut-être, sûr de moi, quant à moi-même, persuadé que quoi qu'il m'arrive, quoi qu'il arrive sur moi, je ne me laisserai pas emporter, que je n'irai pas en deçà pas au-delà que j'en ai maintenant décidé, comme, au cours de cette longue période de beau temps, le vent qui se lève au nœud de l'après-midi et soulève obliquement les feuilles anormalement larges du tournesol, jamais en deçà, jamais au-delà. De même la mer, même soulevée, ne retombe au-delà de la lame de haute marée. Mais la mer est bête. Moi je fixe mes délires, je les contrôle, comme des dits dérapés ; et je peux cesser le jeu quand il me plaît, puisque je peux mourir *à volonté.*

Je suis plus courageux que la plupart des hommes que je connais ; je n'ai, à de rares exceptions près, jamais joué que délibérément, mais je n'ai jamais joué pour des haricots.

Un romancier, c'est-à-dire un inventeur d'histoires, ne se trouve pas condamné par cela même à ne pas penser clairement, à ne pas *bien conduire* sa pensée.

Les plantes et les insectes à métamorphoses produisent des images réelles, le romancier virtuelles.

Meillonnas, 1er septembre

Commencé pour de bon *Le Regard Froid.*

La porte étroite de ma maison, la fausse façade humble. Soulages habite un palais, moi un repaire.

Lu, dans *Le Monde*, il y a quelques jours : Rolland de Renéville est mort. Je les aurai tous vus passer au fil de la rivière.

Meillonnas, 2 septembre

Hier soir, passage de Colette, adolescente.

Meillonnas, 9 septembre

Accumulé nombreuses notes, mais pas encore trouvé vrai démarrage du *Regard Froid*. Partons demain.

L'été-automne a explosé il y a trois jours, dans un roulement de tonnerre qui a duré toute la matinée. Pluie, pluie. Le temps beau est revenu aujourd'hui, tout reverdit, deuxième printemps.

Colette, l'autre jour gauche-rusée, habile-maladroite, encore embuée de baby-fat, mais je suis encore trop cupide avec les adolescentes, je les effarouche dès les premières effusions, ou si patient, c'est mon désir qui disparaît.

Ouverture de la chasse. Un million et demi de chasseurs. Je n'ai pas voulu recommencer le tir aligné des Dombes, il y a deux ans; ni, comme un chantier de fouilles, Meillonnas; ni la chasse particulière de Jugnon, tueur seulement de son chien. Ce qu'ils cherchent surtout, c'est d'échapper à leurs femmes; mais ils ne le disent pas, le secret est bien gardé, même entre complices; comme les femmes gardent bien, toujours tacite, toujours présent, même entre mère et fille, le secret de leur universelle prostitution (A ***, quand fumait la cheminée de la chambre jamais chauffée, c'est qu'allait venir le maquignon de Judith).

Cannes, 13 septembre

Comme beaucoup d'« intellectuels » de ma génération (cela a même commencé au XVIIIe siècle), j'ai passé une bonne partie de ma vie à essayer de découvrir le « bon sauvage ». Passage sans doute nécessaire aux esprits les plus vifs des nations les plus organisées, etc...

Entre Nice et Cannes, avant-hier, dans ma Jaguar, X., mon idéal sauvage-bolchevik ne parvenait que mal à dissimuler sa peur. Et s'arrangea pour ne pas être descendu exactement au lieu de son rendez-vous, afin que le camarade avec qui il avait rendez-vous ne le voie pas descendre d'une Jaguar.

Déjeuné avec Claire Brandeis[1]. Andrée Blavette, ma sauvage des années 36-46 s'est jetée par la fenêtre du 4e étage, rue Auber.

D'autres cherchent maintenant leurs sauvages parmi les paysans des pays sous-développés.

Après malentendus avec les call-girls du Carlton, nous avons fait l'amour, dans son meublé sans eau, avec Marie-Pierre, putain de la rue d'Antibes, 23 ans, toulousaine, noire, les traces du couvre-seins et du maillot encore plus minces, blancs, blessures, que Monique de Lyon, très gentiment.

Le déjeuner avec Claire (dont j'essayais de retrouver le nez droit, le beau front, dans le visage flétri, sous les cheveux blancs) et son récit, pourtant médiocre, du suicide d'Andrée Blavette, sans me provoquer aucun mouvement de cœur (afflux du sang) m'avait étrangement alourdi, comme une pesanteur ventrale et, par affinité, avait angoissé Élisabeth, si bien que l'après-midi fut pénible, le temps ne s'éclaircit que peu à peu par la conversation, et la légèreté ne fut reconquise qu'après nos caresses à Marie-Pierre.

Porquerolles, 14 septembre

Ile dévastée. A 20 ans Georgette G. voulait faire don de ses biens au parti communiste. Depuis le début de ce siècle, nous n'avons pensé qu'à nous dénuder, et aussi sur les plages.

1. *La sœur d'Andrée Blavette, première femme de Roger Vailland.*

Du « forçat intraitable » de Rimbaud, aussi à Genêt. Empruntés, malheureux dans nos habits d'emprunt.

Porquerolles, 15 septembre

Un jardin est clos pour préserver la culture, un parc pour maintenir la sauvagerie. L'être vivant aussi est d'abord *clos*.

Le visage de Georgette, le pli perpendiculaire à la commissure des lèvres porte un secret humiliant et redoutable. Je l'avais déjà senti. Ici, dans ce domaine à la limite de la désagrégation, dans l'irrespect des fermiers à la limite de la dérision, cette maison solitaire à la limite de la sauvagerie, l'énorme importance que prend l'impossibilité de chier dans un endroit clos (la double inscription en lettres énormes, l'une vieillie, dessinée en caractères d'imprimeur, l'autre récente en capitales maladroites au minium), le premier soin des militaires dans un campement d'un soir étant de creuser une feuillée (l'inscription : « défense de faire des ordures autour de la ferme »), le désordre des plats pas lavés, du beurre qui fond au soleil, le désordre commençant dès le continent, à l'embarcadère, dans les insultes du patron « officiel » du service de bateaux à son concurrent, la dérision aussi de ce piano à notes grêles (quoique paraît-il très luxueux, amené ici à grands frais et condamné à pourrir), sur lequel Jacques cherche jour et nuit je n'ai pas compris quoi, et ces vapeurs à la nuit comme dans toutes les îles, je déteste les îles, le visage de Georgette frôle de signifier l'épouvante.

Meillonnas, 27 septembre

L'histoire fait les hommes, les hommes font l'histoire, mais dans l'édification par un homme de sa propre vie l'histoire que les hommes et lui-même font ne peut plus être envisagée que comme matériau et outil.

Lycurgue a fait Sparte et Sparte a fait Lycurgue, mais pour Lycurgue, né et mort, Sparte et Lycurgue n'auront été en fin de compte que le matériau et l'outil pour faire Lycurgue.

La liberté réside dans un certain humour. C'est pouvoir parler de soi-même à la troisième personne. Se penser à la troisième personne. Staline avait de l'humour.

Le vrai souverain *s'amuse* à créer son personnage historique.

Cela suppose un absolu mépris des hommes, c'est-à-dire ne les envisager que comme moyens. Mais aussi de soi-même, moyen parmi les moyens. C'est au-delà de priser et de mépriser. D'où cette fameuse solitude des souverains, leur ennui, etc... auxquels ils n'échappent que par l'humour.

De Porquerolles nous avons très exactement fui en « catastrophe » comme m'a dit au téléphone Georgette, sans saluer nos hôtes, ne retrouvant souffle qu'après Marseille. Je hais les îles et j'en ai peur. Disgrâce des îles. Membres coupés, gangrenés. Tout échoue toujours dans une île (sauf si devient capitale d'un empire organisé). Toute île est cent mille fois belge (sauf peut-être si archipel dans une mer intérieure).

La cité, la nation, tout le reste est plouk, les périphéries s'effritent, les îles pourrissent.

A Marseille, rue Thubaneau, je retrouve pour une heure Nana, Arménienne que j'avais déjà baisée agréablement, il y a quelques années.

A Sète, chez Soulages, Élisabeth s'étouffe, un morceau de viande noué dans l'œsophage; c'est Porquerolles, et la disgrâce de Georgette, l'injure du mauvais accueil qu'elle ne peut pas *avaler*. Ça ne passe pas. D'autres se rongent, ça les fait chier, ça les fait suer (moi), ça leur fait mal au ventre (moi), ils étouffent de rage (moi), ça leur fait mal au cœur, les bras leur en tombent, c'est dégueulasse, ça les fait dégueuler.

Sète, le Grand Hôtel puant, sur le bord des canaux puants, les pieds-noirs qui attendent, sur des fauteuils de rotin, dans le patio couvert, mais c'est plaisant à force de vie. Cyrnos, le bordel défendu, il ne reste plus qu'une photo de seins nus sur un mur, et des bouteilles de champagne sur les tables.

Chez Soulages, société disparate, André Ferrier, le professeur, nous sommes réciproquement sur la réserve, Paulo et

Tamara Bettancourt, Brésiliens en exil volontaire ou non, qui attendent le courrier, les nouvelles politiques, ne reste plus qu'à parler nourriture, on mange très bien, ils en parlent très bien, des daubes, toutes sortes de poissons, mais je n'y suis pas tellement sensible et je regrette qu'on reste si loin de la peinture.

La piscine, si parfaite, qui donne un sens comme cadre à la mer imbécile, Pierre aime les objets, les matières, les outils, humainement bon. Un palais, son palais, sa création la plus intime, le seul homme que je connaisse à la hauteur de se faire palais pour soi.

Retour par les Cévennes. J'aime les châtaigniers.

Meillonnas, 30 septembre

Envie de lire *L'Esprit des Lois* et d'en prendre prétexte.

Si le paradis et l'enfer existaient, un homme véritable en découvrirait les lois et les utiliserait pour se faire de l'enfer un paradis et du paradis un enfer pour ses ennemis.

Meillonnas, 7 octobre

Achevé le remaniement de vieux textes qui constitueront *Le Regard Froid*. Préparé jardin d'hiver. L'automne reste beau. Monique Wendling à la maison. Visite René Pupier qui prépare un travail sur l'utilisation des mathématiques pour la linguistique. A tout essai le projet de dictionnaire des mots interdits provoque de bonnes réactions.

Le suffrage universel : je ne tiens jamais compte, dans la conduite de ma vie, d'un trente millionième de probabilité. Voter au suffrage universel est un acte religieux. Le bulletin dans l'urne, avec son cérémonial; un acte magique qui donne l'illusion de participer aux trente millions : sauf au stade communal, à la rigueur dans l'arrondissement; et ici, n'importe quel citoyen peut juger juste, n'importe qui a un peu la pratique de la vie, comme le planteur de tomates qui sait, d'un seul coup d'œil, toute l'histoire passée, présente, future, d'un plant de tomates. Mais quelle humilité insensée que de consentir à n'être que le trente millionième facteur d'une action, ou quelle aberration que de se croire par magie devenu le peuple comme le propriétaire se croit devenu sa maison.

Paris, 13 octobre

C'est le parti, et plus particulièrement le parti « de type nouveau » qui représenterait le plus réel gouvernement démocratique, s'il n'aboutissait universellement à se bloquer par en haut, les cadres se renouvelant par cooptation : alors c'est tyrannie et parasitisme.

L'ennemi de classe de la putain, et elle le sent très vivement, ce n'est pas le client, mais le maquereau, le tenancier, etc. Elles désignent « vraies femmes » celles qui s'affranchissent.

Joli voyage Meillonnas-Paris, entre 140 et 180 km/h. L'auto, survivance contemporaine du duel. Cela va certainement être interdit; on ne fera plus rien ayant une sanction corporelle; j'ai eu bien raison d'acheter la Jaguar in extremis du temps de l'automobile; bientôt on ne pourra plus rouler au-dessus de 100.

Le jour de l'arrivée, agréable moment avec Rolande. Nous sommes de mieux en mieux rompus à l'action de plaisir, mais, le sachant et sachant comment, j'en attends de moins en moins, ce qui supprime le plaisir préalable, le plus poignant; ce n'est qu'après avoir longuement rôdé, sans découvrir rien qui déclenche l'imagination, que je suis allé vers l'Étoile.

Meillonnas, 4 novembre

Étude sur la télévision (qui est l'auteur ?) achevée.

A Lyon, on dépose la voiture au parking de la place Bellecour.

On va à La Proue, librairie, pour essayer d'organiser une exposition pour Costa.

On cherche le bar de Maria, l'ancienne maquerelle de Bourg. C'est près de l'église Saint-Nizier, le portail de la désintoxication, la Maison de la Presse, je ne peux plus faire un pas dans le monde sans que ça craque de souvenirs, en fait je ne m'en souviens même pas, l'avidité du plaisir immédiatement attendu efface tout.

Chez Maria, il y a une maquerelle pied-noir, et son amie invertie, habillée en jeune homme, qui joue aux cartes avec les hommes; elle commence à nous raconter des histoires de la guerre d'Algérie, qui doivent être « pour moi » mais elle m'ennuie, j'attends Frédérique, que je ne connais pas, mais qui pourra « arranger quelque chose pour ce soir ». Passe Frédérique, rousse, intelligente, va pour Frédérique ce soir.

On retrouve Pupier au Neptune, des Célestins; filles, boîtes à musique, billards électriques, j'aurais cent ans, j'aimerais encore cela. Avec Pupier, on parle de Bourbaki, des méthodes d'enseigner les mathématiques, et de la peinture dont je ne veux pas qu'elle soit un mélange, mais comme les roses que fabrique Meilland : il sait bien que si les feuilles sont ainsi et la couleur de la fleur ainsi, il faut absolument qu'elle ait *x* pétales. On dîne ensemble.

Chez Maria, Frédérique nous attend. Mais il y a aussi un marchand de tissus, mon lecteur, qui voudrait absolument que je fasse une conférence pour les « jeunesses juives ». Il insiste indéfiniment avec la patience des persécutés. Frédérique n'a ce soir qu'elle-même à offrir, mais nous allons faire tant de projets. On lâche le juif, on suit Frédérique chez elle; la longue explication préalable, comme un conseil d'état-major, j'adore cela puis j'y mets fin : je crois que le moment est venu de vous mettre à l'aise. Nous partons, très satisfaits, moi, moins de moi-même, un peu auparavant fatigué. Retour glissé dans les Dombes.

Meillonnas, 14 novembre
(après une semaine à Paris)

De Madeleine, ce qui me retient le plus aujourd'hui, ce sont les lieux. (Peut-être en fut-il ainsi déjà dans le passé; nous ne savions jamais où aller et dès que nous étions enfin parvenus à nous enfermer, nous faisions l'amour aussitôt, sans fin, très simplement et rien que cela.) Elle a quarante-quatre ans, et malgré sa fille Danièle, deux maris, l'époque où elle traîna, et huit fausses couches, pour une part adolescente demeurée. Liée à la banlieue de la gare Saint-Lazare : le travail au Vésinet, l'usine de Puteaux naguère, Vésinet centre, maintenant Nanterre et un prolongement par sa mère à Argenteuil.

Lieux faute de milieu. Voilà quatre fois que je la revois et je n'arrive pas à définir son milieu : qui fréquente-t-elle? pourquoi? comment? Je me demande soudain si ce n'est pas l'effritement des sociétés contemporaines, ils ne connaissent même pas leurs voisins de palier ni leurs collègues de travail, seulement un reste de famille et très formellement, ils ne se définissent plus que par des trajets en voiture ou en chemin de fer.

Capital pour Meillonnas : Berliet-Lyon vient de signer un accord avec la municipalité de Bourg, pour installer une usine de 3 000 ouvriers dans le triangle Bourg-Ceyzériat-Jasseron. Meillonnas sera dans dix ans une grande banlieue de Lyon avec les Dombes comme Bois de Boulogne. Déjà les jeunes ex-paysans vont travailler à Bourg en 2 CV et les filles qui vont à la petite usine de plastique se sont transformées d'allure, de vêtement, et sûrement de pensée, de paysannes en ouvrières. La tradition villageoise, nous l'avons vue disparaître dans le même temps : plus de club de football et la dernière vogue en régression. Le trajet remplace.

A Argenteuil, je suis allé voir mourir le faux-père de Madeleine. Elle m'avait donné rendez-vous dans un café qui n'existe pas. Les petites routes, au hasard. L'air louche, complice, servile des bistrotières, et aussi suspicieux. La tellement bête toute petite villa d'Argenteuil, une si petite villa dans des rues qui n'en finissent plus, pire encore que la maison d'Henri au-dessus de Nice. La famille regroupée autour de l'agonisant, venue de Troyes ou de la banlieue est, déjà en deuil et ces grosses femmes qui préparent la choucroute. Avec Madeleine l'avant-veille à Paris, je l'avais accompagnée acheter des bas sombres, et noirs, un chapeau noir, un sac noir, et un morceau de lard particulier à la gare Saint-Lazare, le même que celui du bourgeois de *L'Œuvre de cruauté*. Le mari de Madeleine, représentant de commerce, Aronde, une part dans une petite chasse.

Danièle, 14 ans, jolis seins, elle va à l'école, dessine « des Picasso », vive, inquiète, jalouse de sa mère.

Qu'est-ce qui peut bien arriver à ce peuple que de faire des trajets ? C'est la difficulté d'écrire des romans ou de participer à la politique. Peuple désorganisé (qui a cessé de se constituer en organismes) et qui abandonne si volontiers au vieux rêveur de faire de lui n'importe quoi. Presque aussi désorganisé que le prolétariat nègre d'Afrique. Ça tient encore par leurs familles, celles des vrais possédants et des autres.

[...]

Les riches ont leurs intérêts de famille. Les pauvres pour se défendre de la peur. Des familles, qui enchevêtrent leurs racines, sans se connaître davantage que les variétés, espèces, genres, dans la nature sauvage. Moi, le seul sans-famille que je connaisse ; qui peuvent bien être mes lecteurs ? Chaque fois c'est comme un miracle qu'ils s'intéressent à mes livres ; nous n'avons même plus cette communauté de la culture gréco-latine.

Cette semaine à Paris, baisé Rolande, encore le lendemain après avoir fouetté aux verges Lina, grosse fille amenée par elle. Putain sodomite remarquablement adroite, Suzette.

Retour de Paris dans un bonheur léger, Concorde-Auxerre en 1 h. 40, sans tension, au restauroute à la tombée de la nuit, par les petites routes désertes du Morvan, France abandonnée, la petite ampoule seule dans de grands villages, un bar à Beaune et dîner au Cheval Blanc à Louhans, dans grande salle à manger à papier rouge pointé d'or, la longue table d'hôtes, la fabuleuse carte des vins, le XIXe siècle.

Meillonnas, 16 novembre

Lulu et Douda nous amènent de Lyon, à la nuit, Katia, longue et rose, timide, lunettes. Surprise, confuse, se blottissant dans mes bras, dans ceux d'Élisabeth, fuyant sa peur sur mes lèvres, sur ses lèvres, dans des baisers appliqués, soupirant, promptement exécutée.

Veille d'élections. Peu m'importe aujourd'hui. L'homme politique analyse froidement la réalité politique et l'utilise comme matière pour lui donner la forme de son rêve, pour donner forme à son rêve. Le faux homme politique, l'esprit faux, rêve la réalité politique (Mendès-France, Servan-Schreiber, presque toute la gauche) et se fait bouffer par elle; il croit à la sorcellerie : la planification, la télévision, arme absolue. Le vrai politique, comme le vrai artiste, ne met en doute ni les lois de la nature, ni l'efficacité des techniques, il les utilise pour transformer en images réelles les images virtuelles, les unes et les autres produits de son imagination. Le vrai artiste est réaliste, empiriste, au profit de l'imagination.

Katia, mal enveloppée dans un peignoir trop court, sortant sur la pointe des pieds de la salle de bains et traversant, honteuse et hardie, le salon de musique où soupent ses deux patronnes, pour gagner la pièce où elle sera exécutée.

La prochaine fois Douda amènera une de ses souffre-douleur. Cette idée et la vue des verges a paru l'enflammer.

Meillonnas, 19 novembre

La grande toile de Soulages, peinte devant moi le 24 février et que j'ai décrite dans *L'Œil*, est arrivée, placée dans mon bureau.

Ce matin avec Costa chez Meilland à Lyon, chercher les rosiers qui manquent au labyrinthe du Mollard. A midi Maguy, Marseillaise, de jeunes seins qui gonflent quand on les tète, comme ceux de Rosine, à Lyon aussi, en 1942; elle ferme les yeux, son visage au profil droit (cheveux noirs plats) blanc, indifférent; elle détourne les lèvres, mais le con vit et le col gros et large répond; je la baise sans plus d'histoires, avec un vif plaisir. Ensuite nous allons rire au bistrot avec Josée autre Marseillaise, que j'avais connue près de l'Opéra, il y a deux ans.

Une pointe à 190 sur la route du retour. Scivola. Scivoler[1]. Demain Paris.

Heureux avec exaltation, comme je n'avais pas été depuis bien longtemps.

Avant-hier bâti en cinq pages tout le livre sur la Réunion, je l'écrirai en moins de deux semaines. Hier bâti long article sur l'auteur de cinéma.

Paris, 23 novembre

Des années que je ne cesse de tourner autour de la même question déjà posée dans *Drôle de Jeu*, à propos de l'ouvrier qui devient communiste : si j'étais catholique je croirais que..., mais j'ai été catholique jusqu'à 13 ans, si j'étais intellectuel petit-bourgeois, mais je l'ai été, si j'étais communiste je jugerais que..., mais je l'ai été..., pour essayer d'établir solidement : si j'étais Roger Vailland qui a été..., mais *je suis* Roger Vailland.

De plus en plus frappé de ce qui m'avait tellement étonné après *Le colonel Foster*, au retour de ce long voyage en républiques populaires et en URSS : qu'il y avait déjà tellement de différence entre le monde communiste et l'autre qu'il était impossible de comprendre comment l'autre comprenait le même événement, le même comportement, etc.

complété par le voyage à Ngorongoro où les espèces sauvages se côtoient sans s'apercevoir de l'existence des autres sauf dans les cas, relativement très rares, où il y a lutte (de la lutte comme unique moyen de connaissance de l'autre);

complété à Meillonnas par l'observation des oiseaux;

affermi, voir à lettre à Courtade, par la compréhension, qu'il est sans signification pour les princes de l'Église de mettre en doute la vérité de la religion,

1. Scivola : *elle glisse*. *Scivoler : francisation de* scivolare, *glisser*.

pressenti pendant la guerre à la Meije, quand j'avais été si profondément étonné de voir côte à côte, exactement dans le même milieu, les mêmes conditions, la véronique et le chardon,

Etc, etc...

Ce qui me gêne le plus chez les communistes c'est qu'ils se prennent absolument au sérieux (ce n'est peut-être déjà plus vrai en URSS). Comment se prendre absolument au sérieux quand on peut mourir à chaque instant, on mourra nécessairement et on sait qu'il n'y a pas d'autre monde. Il y faut énormément d'inconséquence. La certitude vécue (il faut chercher une autre expression) de la mort permet seule d'arriver à maturité, c'est-à-dire d'être R.V. après avoir été catholique, intellectuel petit-bougeois, communiste etc... : la maturité c'est d'opérer ce renversement dans la conception de soi-même et du monde : ne plus donner de valeur absolue à tout ce qu'on a fait dans ses conditions de catholique, etc. mais ne plus les envisager que comme ce qui a permis de se constituer à cet être absolument unique pour soi : soi-même qui va mourir. La « condition humaine » : abstraction. La condition de soi-même acceptée et voulue : l'universel concret pour soi, le seul réel pour soi.

Meillonnas, 3 décembre

La vie se confond avec le courage qui est d'abord de tenir debout contre la pesanteur. Le courage et la vie se relâchent, s'affaissent et s'achèvent dans la mort, le grand débridement.

Commencé de lire Sénèque et de rédiger le voyage à La Réunion.

Meillonnas, 22 décembre

Jacqueline parle. Elle a tenté de se suicider la semaine dernière. Elles tentent toutes de se suicider, et par bonheur elles y parviennent quelquefois. Elle parle, assise en face de moi, dans le fauteuil noir; elle répète ce que lui a dit le psychiatre et répété après lui à sa manière Théodora. Elle emploie leur langage : mon problème, ton problème, son problème. Comme la plupart des humains elle ne parle ni pour expliquer, ni pour interroger, même plus pour obtenir, mais pour se dire ce qu'elle voudrait être; mais la mécanique lui a échappé; elle parle comme l'écureuil fait tourner sa cage; vite, vite, elle oppose des mots à sa peur. Elle a peur de n'être que la fille de [...]. Son front buté, ses petits yeux, sans expression. Cela n'a plus rien d'humain. Je ne peux pas avoir d'affection pour un malade qui n'est plus que malade. Une espèce d'horreur.

Meillonnas, 24 décembre

René et Simone passent. Ils ont repris leurs cartes du parti. Déjà cette folle d'Hélène et d'autres, dit-elle, (et Lefebvre qui, de ne pas la reprendre ou de ne pouvoir pas, se meurt d'angoisse). J'essaie de comprendre. René sait aussi bien que moi que le temps des bolcheviks est passé. Ils ont besoin d'une famille et le parti est une famille plus intelligente, qui ouvre sur davantage, que la famille de Madeleine ou celle de Lucienne. René, secrétaire de rédaction dans une revue technique, sa femme, institutrice au bidonville de Nanterre : militer, pour eux, les place à un niveau supérieur à celui de l'instituteur qui ne pense qu'à son échelon administratif, à passer les vacances près d'Andorre pour frauder la douane d'un litre de pastis, ou, comme le chef des ventes d'*Europe Auto*, au gibier qu'il raconte avoir tué, grâce à son « action de chasse ». Les humains ont besoin de famille. Le « grand homme » seul est au-delà des familles, il ne peut plus appartenir à aucune famille. S'il est auteur de famille, elle ne peut légitimement que se dresser contre lui et il n'en est que plus seul (Staline, César).

Auteur, radical sanscrit ôjas, force, latin augere, accroître. L'auteur de toutes choses. L'auteur de cette guerre. L'auteur d'une famille. L'auteur de mes jours. L'auteur d'un procédé.

Un politique, comme un écrivain, n'est pas nécessairement un auteur. Mais les vrais politiques sont les auteurs de l'Histoire et, comme un peintre, ils imposent leur style à leur temps, non pas contre les lois de l'Histoire, ce qui est impensable par définition, mais en les utilisant pour arriver à leurs fins. Il est juste de dire : le siècle de Louis XIV :

l'Histoire se construit (et se décompose) en saisons, en ères, en siècles. A toute œuvre, il n'est qu'un seul auteur.

Pierre et Colette Soulages, deux jours à la maison. Je suis l'auteur de notre maison, il est l'auteur de leur maison. Il a édifié un palais, j'ai élaboré un œuf. Il faut se plier aux servitudes de sa maison (ne pas y camper, ne pas travailler dans la cuisine mais dans le cabinet de travail, éclairer les tableaux) ; c'est être fidèle à soi-même, une manière d'honneur.

Meillonnas, 12 janvier, retour de Rome

Le 31 décembre à Nice, il pleuvait, nous avons marché dans les rues à putains sans putains, marins américains, et des Niçois pauvres en tenue de réveillon dans les deux casinos, langoustes dans le triste restaurant de la Promenade des Anglais, le médecin avait invité au champagne toute sa famille et il avait joliment hâte que ça finisse, et un couple d'intellectuels conspirateurs, mais à quoi peut-on bien conspirer aujourd'hui, à minuit au bar du Négresco il n'y avait que deux vieux Anglais et nous, l'Anglaise saoule est tombée en se levant de table.

Les petites voitures italiennes, la traversée de Gênes n'en finit jamais, le soir du 1er Janvier à Rapallo, il n'y a dans tout l'hôtel que des Milanais riches, le mari vient toucher le vison trop long, trop large du col, qu'il a offert pour Noël, la possibilité des Italiens de rester immobiles, assis stricts, dans un hall d'hôtel, sans boire, sans parler, sans jouer aux cartes, comme des Arabes, mais c'est peut-être l'habitude d'aller à l'église, ils sont en famille et par familles, et, quoique riches, font connaissance comme des pauvres, l'entrée des faisans, plumes et têtes, provoque des applaudissements, Milanais « naturels » comme au XIXe siècle, et aujourd'hui toute l'Italie les jalouse, parce qu'ils s'enrichissent plus que jamais et font construire pour eux les autostrades qui rayonnent de Milan, comme les chemins de fer de Paris.

Une belle grande fille avec un avorton intelligent, défiant la salle, et à la fin du repas, traversant la salle, lui tenant avec fierté la main qui s'est mise à trembler. C'est pour moi, j'ai de nouveau envie d'écrire *Frédérique*, lui serait entre Pierre-Quint et ***.

Le déjeuner du 2 janvier entre Livourne et Rome, dans un château auberge, décor rustique baroque et divans pour se branler mal, + les hors-d'œuvre en self-service, les corps s'avachissent, c'est déjà l'horreur américano-romaine.

Huit jours pas tout à fait à Rome sans tristesse ni grand plaisir, travail facile avec Gabella, deux après-midi à voir se déshabiller les candidates à la figuration intelligente, certaines auraient pu être plaisantes mais pas de local pour coucher, Rome pauvre butte Montmartre avec police papale, elles ont toutes les seins trop lourds, mères filles demi-putains,

le seul plaisir vif de ce voyage a été de conduire la Jaguar et de coucher presque chaque soir dans un nouvel hôtel, arrivant assez tôt pour faire la passeggiata, chercher ou retrouver un restaurant.

Fabiola ne pense qu'à tirer parti de nous connaître pour donner de fallacieux espoirs de partouzes à son amant-patron, pas encore à maturité [...], tout ce monde surpeuplé surpeuplant qui arrive à l'adolescence puis à la jeunesse, sans avoir connu la guerre, et ils n'en ont que davantage peur de tout, offrant immédiatement le cul pour n'importe quel espoir de sécurité.

Jacqueline est repartie pour Paris, se remettre sous la protection de Théodora, celle-ci se substituant dans ce domaine à Élisabeth, par ce souvenir du désir qu'elle eut de moi comme luxe,

pas moyen de rencontrer un souverain égal avec qui converser de souverain à souverain.

Meillonnas, 13 janvier

Mon angoisse hier, et même en écrivant ce cahier. Je me demandais si ce n'était pas la crainte-honte d'être déshonoré par ces travaux de cinéma, Vadim puis Gabella.

Mais, au cours d'aujourd'hui, se lie de plus en plus et non nécessairement contradictoirement, avec cet incident dans la montée, dans la neige, vers Bardonecchia :

la Jaguar, qui avait tout dépassé la veille — 180-200 sur tout l'autoroute — patine dans la neige à cause de son excès de puissance + ma légèreté de n'avoir pas mis de chaînes,

enfin toutes les autres voitures passent sauf moi, mon outil,

alors dans une 500 Fiat, deux hommes méchants, l'un à moustaches, rétrogradent, reviennent vers moi en marche arrière.

14 janvier

Élisabeth étant partie avec un brigadier des douanes, en jeep, pour chercher un dépanneur, des chaînes,

moi seul, dans la Jaguar, les hommes vont dissimuler leur 500 derrière la neige dans la route dont c'est l'intersection, je suis en dessous,

d'autres voitures passent encore, sans ralentir (pour ne pas perdre l'élan), indifférentes,

tout se poursuit comme dans un rêve très vif, je me vois comme étranger, comme chaque fois que je fus en danger; je fais très exactement ce qu'il faut, cacher la clef de la boîte à gants (où argent), répondre que la moglie est partie avec la police, sans aucune angoisse (donc le contraire du rêve),

comme le lièvre qui fait exactement ce qu'il faut pour échapper au chasseur,

tout cela réuni et également important : l'abandon dans la neige par les voitures qui passent et Élisabeth que j'envoie avec l'homme en uniforme, l'outil magnifique devenu inutile, les deux voyous castrateurs, l'un avec des moustaches,

la distraction d'avec soi s'est poursuivie, jusqu'à Saint-Jean-de-Maurienne,

l'angoisse n'est venue que le lendemain, une fois dans notre maison, *à l'abri* — liée à des obsessions sodomites — et n'est disparue que par la prise de conscience, dans la soirée du 13, de l'importance mythique pour moi et plus généralement de l'ensemble de la scène.

Dans la nuit du 13 au 14 trouvé en rêve le mot — un seul,

un verbe — qui exprime un acte commun en cet incident, la production littéraire et le fait de chier, que j'ai voulu noter dans le demi-sommeil ou le prolongement du rêve (?), que je n'ai pas noté, qui s'est de plus en plus éloigné à chaque demi-réveil, puis effacé au vrai réveil,

retombé cet après-midi dans la distraction de soi en faisant l'amour selon le rite correspondant à l'obsession.

La distraction d'avec soi, se voir agir, l'imagination en acte ou l'acte d'imaginer, est la définition même de la vie : le pouvoir de produire des images (réelles ou virtuelles) commun à tous les êtres vivants.

Le propre de l'homme est de pouvoir le provoquer et l'ordonner par des rites ou jeux,

la nature se reproduit, se recommence, l'homme s'achève et l'achève en soi en l'organisant en jeux ou rites pour son plaisir qui est la fin (finalité) et la fin-fin du monde pour lui.

Je fais l'amour (par exemple) comme je vais au cinéma et avançant vers ma maturité, ma souveraineté, je peux, selon l'heure, le moment, l'humeur, ou par décret, choisir à mon gré n'importe quel genre de film puis n'importe quel film.

Meillonnas, 15 janvier

Neige et verglas, enfermé dans la maison, mais avec cette impression nouvelle que ma voiture ne roulera pas, que mon outil ne fonctionne pas, il me reste de l'angoisse d'après l'incident de la montée vers Modane (Bardonecchia).

Courageux comme une bête, ni plus, ni moins.

325 000 francs, le meilleur de mes romans, vrai rêve, rêve vrai, une vraie histoire qui peut être interprétée totalement par Freud, par Marx, et encore par bien d'autres, elle a toutes les faces possibles de la réalité. Busard, frustré du fruit de son travail par son patron, de sa virilité par Marie-Jeanne, crucifié, etc. Et encore : Busard ne veut pas jouer le jeu, ni celui de sa classe, ni celui de son sexe, il est Narcisse et sa machine lui mange son poing.

Le jeune héros (moi jeune héros) toujours Narcisse ?

Busard, coupé de sa classe, veut faire la révolution pour

lui tout seul et repousse l'amour de Juliette pour conquérir Marie-Jeanne, femme frigide qui, comme une mère abusive, exige de lui des exploits, à bicyclette ou sur la presse à injecter. Il y perd son poing viril et sa main de travailleur. Châtré et manchot.

Meillonnas, 17 février, retour de Paris

A Paris, le principal fut, en fin de matinée, une conversation avec Jean Pronteau, qui déraille.

La terre n'est l'opposé (mieux que contraire) du ciel que pour les astronomes, astrologues, et une certaine catégorie de poètes et de chansonniers. Pour les pêcheurs elle est l'opposé de la mer; pour Aristote, la terre, l'eau, l'air, le feu. Pour certaines religions, la terre à l'opposé de l'au-delà, « sur la terre et au ciel »; pour ceux qui s'occupent de l'habitat de l'homme, de ses mœurs, etc... la terre en tant que surface de, « la boule ronde » en opposition avec l'espace en dessous, l'espace au-dessus où l'homme n'habite pas; pour les transporteurs la surface + la frange au-dessus et au-dessous où dans l'état actuel de leur technique ils peuvent transporter. Quand on pourra aller sur la lune, Mars, etc., et y habiter, la lune etc. pour les deux dernières catégories feront partie de la terre.

Ce ne sera pas plus important, peut-être moins, en tout cas du même ordre que la découverte de l'Amérique, l'expédition Citroën au Sahara, Marco Polo, etc.

Les histoires de mutants, de changement qualitatif de la connaissance, etc. sont des coneries très exactement méta-physiques.

Une certaine planification est une nécessité pour les grandes industries et les nations industrielles; mais elle doit être maintenue au service de l'imagination. L'automobile n'est que pour une part un moyen de transport. Si l'industrie automobile avait été planifiée pour fournir des moyens de transport, l'auto ne serait pas devenue produit de l'imagination à propos de la fonction (comme mon masque de fer durant les cours de Roubaud), comme la carapace, les pinces, etc... de la langouste, adaptée non seulement à l'extrême variété des routes, mais rouge pour faire peur comme le rouge-gorge, etc... etc...

Déraillent, débloquent, perdent les pédales Mendès-France, Servan-Schreiber, etc, etc, avec la planification et la télévision armes absolues.

Ils ne sont pas des animaux, ce sont des écervelés, des cérébelleux, des débrayés.

Je suis un animal, *contre l'humanisme*.

Contre l'humanisme :

l'humanisme, l'accent mis sur ce qu'il y a de commun entre tous les hommes, a été un moment nécessaire :

de la révolution bourgeoise, pour surmonter les inégalités de sang et de caste*,

de la révolution prolétarienne, pour surmonter les inégalités de classe : les bourgeois qui fondaient en droit sacré leur privilège sur la notion confuse d'appartenance à une essence privilégiée (au fait, comme encore à Meillonnas, bourgeois, hommes des bourgs, c'est-à-dire des villes, ce qui les mit et les met encore pour une part « à la pointe » par rapport au paysan mais non par rapport à l'ouvrier qui est aussi produit par la ville, et même en infériorité par rapport à l'ouvrier parce qu'ils se sont encoconnés dans leurs maisons particulières),

de la révolution coloniale, pour abroger les privilèges raciaux, projection métaphysique de la supériorité technique (et plus encore) des nations colonisatrices à l'époque de la colonisation.

Mais à mesure qu'il devient vrai que ces trois révolutions,

* L'humanisme de la Renaissance : produit des bourgeois, des habitants de la Cité contre les privilèges féodaux et contre le catholicisme (ici il faudrait expliquer les deux moments du catholicisme qui, d'abord révolutionnaire, une sorte d'humanisme au bénéfice des esclaves, etc. est devenu, dans la société chrétienne du Moyen Age, réactionnaire).

Les coneries de Massis et compagnie : la grandeur occidentale, c'est-à-dire la civilisation bourgeoise en sa période créatrice, s'est faite *contre* la chrétienté (contre l'Église, contre l'universalisme romain, masque de l'impérialisme romain.)

soit dans les pays où elles ont triomphé, soit par les effets de la tension réformiste qu'elles ont imposée aux pays adverses, que ces trois révolutions aboutissent peu à peu à « substituer à l'exploitation de l'homme par l'homme l'exploitation de la nature par l'homme », à mesure que l'égalité devient une réalité, l'égalité, c'est-à-dire le droit et la possibilité pour tout individu de satisfaire « ses besoins matériels et culturels », ce n'est plus sur ce qu'il y a de commun, sur *l'abstraction* homme qu'il devient intéressant et utile de mettre l'accent mais sur les *singularités*, le *concret*.

La singularité, le concret, s'expriment dans la forme et toutes les variations qu'on peut faire sur le mot.

Il serait extravagant — et il est extravagant que cela ne m'ait pas plus tôt « sauté aux yeux » — de ne pas comprendre qu'un tableau perd toute signification si un rouge change de valeur, une statue toute réalité (comme unité d'une multiplicité) si on l'ampute ou la surcharge (ou bien change de réalité) et de ne pas admettre qu'un noir n'est pas un blanc, un homme n'est pas une femme, etc., etc.

L'homme devenu maître de la nature peut (en utilisant les lois de la nature pour ses caprices, en se servant du vent pour aller contre le vent) transformer une femme en homme, le produit ne sera pas une femme mais un homme.

L'humanisme est devenu réactionnaire et ce n'est pas un paradoxe que les cathos se disent maintenant humanistes (Kanters et Cie) (les cathos de gauche, les plus dangereux) : c'est l'arme des privilégiés d'aujourd'hui,

en Occident des capitalistes aux universitaires,

à l'Est, comme on dit, les membres du parti,

pour obliger les non-privilégiés à renoncer à exiger la satisfaction de leurs besoins singuliers, à abdiquer leur singularité, en la niant,

à les châtrer,

à la ramener à la plus vide des abstractions, à l'homme œuvrant pour l'humanité (humanité confisquée par les souverains).

Khrouchtchev qui est un animal (comme moi), qui pressent comme un animal d'où vient le danger, a très justement (quant à sa défense) réagi contre la peinture abstraite (pour moi concrète) : à partir du moment où l'on admet que le changement de valeur d'une couleur détruit le tableau, que la réalité de l'œuvre d'art réside dans son inaliénable singularité, il n'est plus possible de convaincre un homme qu'il doit abdiquer sa singularité (pour construire le communisme).

Meillonnas, 25 février

Ce printemps qui n'en finit pas de venir, mais il y a un beau froid sec, avec du soleil. Depuis quarante-huit heures une certaine allégresse, surtout vers le soir, comme si j'étais dispos pour quelque chose de plaisant.

Octave a conduit sa femme à la maison, comme on mène une vache au taureau. Il attendait dans le bureau, écoutant les bruits d'en haut. Je n'ai fait qu'explorer, vérifier si elle s'y prêtait; seule, elle serait sans doute plaisante; mais il n'est pas assez con pour que ce soit amusant de baiser sa femme devant lui.

Excellent roman japonais, Ozamu Dazaï, *La déchéance d'un homme*, les hommes qui sont aimés des femmes sont ceux qui leur demandent toujours quelque chose et beaucoup — ce que confirme toute mon expérience de la Résistance et du communisme; on peut tout demander à une femme, sauf son con, qu'elle offre toujours par surcroît, mais il ne faut pas le lui demander. (Comme les autres n'en veulent qu'à son con, on lui confère de la dignité en lui demandant autre chose et en lui donnant des responsabilités d'homme; dans l'élan de la reconnaissance, elle offre son con, c'est-à-dire tout ce (la seule chose) qu'elle possède comme valeur universellement reconnue, la seule valeur universellement reconnue qu'elle possède.)

Élisabeth : je suis entrée dans l'amour de Roger comme on entre au couvent (pour servir dieu, se consacrer à lui).

Pour un homme comme moi, il y avait bien du dandysme à mettre le portrait de Staline au-dessus de sa table de travail. Comme pour certains écrivains convertis, la croix sur leur mur. Mais le dandy, comme Mauriac, cesse d'être dandy quand il perd distance d'avec soi-même, incapable de revenir au point d'ironie. Mon caractère et le XXe congrès m'ont évité cette abdication.

Incapable de lire en ce moment un roman français (ou allemand) contemporain, ce qui est grave parce que ne me donnant guère envie non plus d'en écrire.

Un certain plaisir à *Kiss Kiss* et *Bizarre, Bizarre,* de l'Anglais Ronald Dahl. Un vif plaisir très vif à la *Félicia* de Nerciat. Maintenant à *Fanny Hill* mais à celle-ci au début manque le *propos délibéré* de Félicia.

Meillonnas, 18 mars, retour de Paris

Suite de mauvais et méchants articles sur *Le Regard Froid* et *Le Vice et la Vertu*. Nulle part où contre-attaquer, c'est la contre-partie inévitable de la liberté dans la solitude, mais je n'en ressens pas moins les injures comme des gifles et j'enrage jusqu'à la fièvre de ne pouvoir rendre pour un œil les deux yeux. D'autant plus vexé quant au *Vice et la Vertu* que je ne peux ni défendre ce film, ni m'en désolidariser, condamné au silence,

rien ne m'oblige à faire des scénarios, sinon cupidité et fainéantise, comme les putains,

je comprends ainsi de l'intérieur l'effronterie des putains,

la Jaguar est ressentie comme une marque d'effronterie, c'est le prix d'avoir fait bander le metteur en scène, inutile de jouer le béguin pour le cinéma, personne n'y croira. Une putain, c'est en affichant le luxe qu'elle sauve sa dignité.

Meillonnas, 23 mars

Au retour de Paris, deux grands vols d'oies, triangulaires comme dans les livres d'école, avec des reflets de porcelaine dans la lumière frisante du coucher du soleil, très blanches, remontaient la vallée de la Saône. Je les ai montrées aux cantonniers qui crièrent « les oies! les oies! ». Derrière, les automobilistes s'impatientaient. Puis elles dessinèrent un demi-cercle, cherchant à se poser pour la nuit.

Le matou fauve, dédaigneux et provocant, le premier plomb l'atteignit à la cuisse, et il fit un saut glissé vrillé de quatre ou cinq mètres en direction du tueur. Au deuxième plomb il geignit miaula. Le troisième plomb à la tête l'acheva (étrange mot) sans doute. Le tueur tira encore plusieurs coups, très vite, comme les deux jeunes assassins du procureur de Toulouse pendant l'occupation, qui vidèrent leurs chargeurs impudemment. Le tueur poussa le cadavre dans le sac, sans y toucher, avec le canon du fusil. Une touffe de poils blonds resta au bout du fusil. C'était l'heure du déjeuner, le tueur n'avait plus faim, mais il s'obligea à manger complètement son repas. Pendant la sieste, il ne dormit pas, ne cessant d'imaginer les diverses manières de se débarrasser du cadavre et de se reprocher de ne pouvoir penser à autre chose. Il tint sa femme dans ses bras, exactement comme d'habitude.

La nuit venue, il sortit le sac du coffre de la voiture, l'ouvrit et regarda le chat qui lui parut beaucoup plus petit. Il dit à sa femme :

— Il est plus petit qu'il ne paraissait.

La femme ne fut pas d'accord. Il toucha au travers du sac : la bête était encore chaude et il en fut surpris. Ni raidie. Au fait, et bien que sachant sans contestation possible que c'était absurde, il n'avait pas encore cessé de redouter que le matou ne fût pas mort (bien qu'un ou plusieurs plombs dans la tête qui saignait). Il mit le sac, à portée de main, au bas du siège arrière.

Ils allèrent sur la route nationale à grand trafic, à plus de 15 km au-delà de la ville voisine. Il était encore trop tôt et il y avait toujours des phares, dans un sens ou dans l'autre. Ils n'apercevaient les parkings que trop tard pour s'arrêter. Il dit à sa femme de prendre le sac, qu'il allait ralentir, qu'elle entrouvre la portière et qu'elle fasse glisser la bête avec ou sans le sac. Elle prit le sac. Pour un bref instant, il n'y eut plus de phares. Il se rangea sur le bas-côté herbu et se mit en lanternes. Elle descendit, avec le sac, fit quelques pas pour être dans l'ombre, puis revint avec le sac vide. Il profita, un peu plus loin, d'un carrefour pour tourner. Au passage, il ne retrouva pas l'endroit où ils avaient jeté le cadavre.

Ils allèrent boire chacun deux whiskys à l'auberge deux étoiles. Elle lui dit qu'elle avait très bien compris qu'il s'était obligé pour déjeuner et que pendant la sieste il n'avait cessé de penser au chat — et qu'il était très important pour le sentiment du village à leur égard qu'on ne sût pas qu'ils étaient les meurtriers. L'un et l'autre se sentaient maintenant très légers. Ils dirent beaucoup de choses intelligentes sur les réactions physiques et autres que l'assassinat provoque chez les assassins. Deux choses enchantaient la femme : d'être devenue sa complice en jetant le chat sur le talus et qu'ils eussent eu assez de maîtrise d'eux-mêmes pour ne parler du meurtre ni à leur personnel, ni à leurs amis.

Trois nouvelles sur les animaux domestiques :
1° Le chien Tito que son maître battait en cachette.
2° Le chien de chasse que Jugnon tua parce qu'il l'avait déshonoré en ne chassant toute la matinée que des poules, tandis que les faisans s'envolaient, etc.
3° L'assassinat du matou blond.

Tout ce séjour à Paris, me battant en retraite, senti comme une disgrâce, jusqu'à la fièvre et au vomissement, et j'achève seulement de me ressaisir, dans l'attente de ce printemps qui n'en finit pas de venir, journée aujourd'hui ensoleillée mais avec la bise qui ramène chaque nuit le gel.

Sachant de plus en plus clairement que ma réaction à n'importe quoi est d'abord ou également, ou conjointement ressentie dans mon corps, que l'injure que je ne peux pas venger me grippe, c'est un grippage ou un grippement, « effet produit par le frottement de deux surfaces métalliques en contact et qui, faute d'un graissage suffisant, adhèrent fortement ensemble », elles s'échauffent, je m'enfièvre, au degré supérieur je dégueule, ils me font dégueuler, il y a des travaux qui me font suer et d'autres qui me font chier,

Andrée se jetant par la fenêtre, mon ventre se change en pierre, etc.

***, fils de ***, (6 ans), hait et méprise sa mère, méprise surtout; les enfants méprisent les fous. Mon faux fils refusa d'aller à l'enterrement de sa mère.

Meillonnas, 2 avril

Pronteau et Anne-Marie à la maison. Anne-Marie, fausse anglo-saxonne indépendante, etc. : le visage avide du poupon prédateur. Joy de Costa : le visage du poupon débile, parasite (malgré les yeux d'Irlande).

L'URSS : parier, au bonheur la chance, pour les Cent Jours staliniens sans Staline suivis d'une Contre-Révolution. D'une révolution anti-parti : mais il n'existe aucune autre structure, sauf l'armée.

Les noms propres désignent des objets singuliers : Remy de Gourmont, la Seine, la statue La Raza. L'erreur par excellence c'est de considérer une abstraction comme un objet singulier : l'Art, Dieu, la Culture, l'Ame.

Meillonnas, 3 avril

Joy, affolée ici de ne trouver personne qui accepte qu'elle abdique à son profit, même pas le psychiatre de Bourg. Hier soir, par exception, son regard brillant de malice, parce que Pronteau grondait Anne-Marie. Jean dans la nuit nous réveille, ivre mort; celui qui défroque passe presque nécessairement par une phase alcoolique. Joy provoque d'être battue pour pouvoir réagir en chien battu. Aujourd'hui est passée Henriette X., ivre, apparemment maîtresse d'elle-même. Ainsi vont-ils les uns et les autres. Je ne peux plus discuter avec les communistes, qu'ils le soient demeurés, parce que la fidélité a été la manière qu'ils ont trouvée de s'en tirer, qu'ils ne le soient pas demeurés, parce que le défroqué est au prêtre comme l'image virtuelle à l'image — ni avec ceux qui n'ont jamais été communistes, parce qu'ils parlent comme des enfants de tout ce qui s'est passé dans le monde depuis cinquante ans. Je deviens vraiment très silencieux, sauf par hasard, et après quelque alcool, pour un morceau de bravoure, une provocation, une parade devant une femme, deux heures de virtuosité, et j'ai ensuite l'impression que j'aurais pu sans moins me trahir dire le contraire. Le temps d'un repas à plus de deux me devient de plus en plus pénible à passer, surtout si les commensaux sont des couples réguliers; c'est l'acceptation de la vie en couple, ma haine des compagnes prédatrices s'en réveille, pire que n'importe quel patron l'épouse qui prend à l'homme même son sommeil.

Dans l'agressivité, je disais ce matin à Jean ivre que je n'aime les femmes qu'infirmières ou putains. C'est moins de conversation qu'il ne semble. Écartés les artifices de la psychologie, le charabia du cœur, restent, infirmière, cette forme de camaraderie, et putain le rapport avec le minéral, le végétal, la densité des métaux, etc., à l'inverse de réaliser l'abstrait, tendre à saisir dans une « action », à s'approprier dans une action, tout le singulier concret de la nature, d'une partie de la nature.

Meillonnas, 5 avril

Comme vivant je donne ma forme à toute nourriture. Comme homme je fais objet tout matériau que je rends utilisable pour des besoins d'homme. Comme auteur je donne ma forme à des matériaux que je ne mange pas, qu'est-ce que j'en fais?

Chier c'est d'une part de soi-même faire un matériau... mourir c'est simplement se chier complètement.

Agir, c'est simultanément brûler (me brûler) m'in-former et donner forme à des matériaux... in-former la nature et moi-même dans la nature. L'auteur seul agit complètement, dans le temps et le lieu d'une action qui commence et qui finit, en changeant la nature dans ce temps et lieu et lui-même dans cette nature-là, en un matériau qu'il in-forme.

Meillonnas, 17 avril

La Réunion achevée et les visiteurs de Pâques partis, le printemps enfin venu, me voici seul devant le roman à faire ou ne pas faire — faire un roman d'un seul geste comme une toile de Soulages — mais il faut s'y enfermer.

Jour des hebdomadaires. Absolument rien à y lire. Il ne se passe plus rien en France, ni dans le monde, au moins vu de la France.

Hier à Lyon avec Élisabeth achat d'une machine et les bistrots habituels, c'est une vraie et terrible cité.

[1963]

PIERRE COURTADE[1]

Pierre Courtade l'un des hommes les plus vivants que j'aie jamais rencontrés. Je l'aimais. Il est mort. Cela laisse muet. Qu'est-ce que vous voulez que je vous raconte de lui ? Quand on connaît quelqu'un à fond, on ne peut rien raconter de lui sans le trahir. A lui aussi, il arrivait souvent, pour ne pas trahir, de ne pas dire tout ce qu'il pensait. Nous avons vécu ensemble, presque heure par heure, de 1944 à 1948, lui sa première jeunesse, moi ma seconde jeunesse. Nous étions persuadés que le monde allait changer de face dans les dix années qui allaient suivre. C'était nous qui allions faire cela. Avec nos amis de la rédaction d'*Action*, nous partagions les rôles : tu seras Saint-Just, je serai Robespierre et qui d'entre nous sera Marat ? Et puis Courtade se moquait de lui-même : « Au fond, disait-il, je suis un girondin; j'y perdrai la tête; lequel d'entre vous me condamnera ? »

Que de nuits nous avons passées à mettre en parallèle toutes les révolutions de l'Histoire ! La nôtre aurait été la plus romanesque. Courtade était romanesque, foncièrement. Il aimait tellement la vie, sous toutes ses formes, qu'il était persuadé qu'il réussirait à empêcher les révolutionnaires de notre révolution d'être des pisse-froid, comme il est arrivé dans l'Histoire à presque tous les révolutionnaires. Et puis rien ne s'est passé. Nous avons été la jeunesse de la révolution qui n'a pas eu lieu. Il s'en consolait mal. Il avait retourné son

1. *Écrit pour* Les Lettres Françaises *le jour même de la mort de Pierre Courtade (14 mai 1963).*

humour contre lui-même et contre ceux qu'il aimait le mieux. C'était un fantastique conteur. Il a approché tous ceux qui ont joué un rôle dans le monde au cours de ces quinze dernières années. Ce qu'il m'a raconté de sa manière vive et cruelle m'a bien aidé à comprendre Shakespeare. S'il eût gagné un peu de temps contre sa tristesse, s'il eût gagné le temps d'écrire comme il racontait, quel écrivain! On vient de me téléphoner qu'au moment de mourir, il plaisantait encore avec ses médecins; il se moquait de lui-même. Voilà. Ce matin à sept heures, un des hommes qui incarnaient le plus vivement les contradictions de notre temps, est mort en riant de lui-même.

[1963]

[*Journal intime*]
Paris, 3 juillet

Il est absurde et criminel envers soi-même de donner à l'Histoire plus qu'elle n'est capable de vous rendre, soi-même vivant (si l'on ne croit pas au Paradis, à l'Enfer, etc.).

Le bolchevisme rendait sur-le-champ aux humiliés et offensés en effaçant dans et par le combat l'humiliation et l'offense.

Meillonnas, 20 juillet

L'imagination est la faculté de créer des images, c'est-à-dire pour tout être vivant de répondre (totalement) à une des actions (interne ou externe) par des images réelles ou virtuelles, les images réelles prenant leurs matériaux soit à l'intérieur (développement, métamorphoses, maladies) soit à l'extérieur, et celles-ci sont appelées produits des arts et métiers.

Meillonnas, 21 juillet

J. F. R. et Flavienne partent pour Saint-Tropez.

Par leurs vêtements, leur voiture, leur démarche, leurs maladies, et les propos qu'ils tiennent (les conversations n'ont d'autre but que d'opposer image à image) ils essaient de produire une image satisfaisante, plaisante, ou supportable, « vivable » d'eux-mêmes...

23 septembre

La conscience est un *état* (une série d'états) intermédiaire entre le sommeil le plus profond et le passage-vertige de l'action délibérée à l'automatisme-vertige, et le passage de la concentration la plus extrême (dans toute espèce d'action y compris la pensée) à quoi ? * Au-delà de la concentration le passage de l'éveil à son contraire par en haut, ce que sans doute les mystiques appellent l'extase. Ce que dans *325 000 francs*, à propos de l'athlète se brûlant, consumant, la matière devient forme, puis la forme de plus en plus forme cesse d'être forme (énergie ?)

(L'écriture automatique par exemple point de renversement.)

* * *

« Écrivons une de vos phrases sur une ardoise. Si elle est jolie à voir elle est bonne. Si elle choque l'œil, elle ne vaut rien. »

Flaubert (d'après Renard, p. 461)

* A l'automatisme.

[1964]

[*Journal intime*]
Athènes, 9 janvier 1964

Il chante en français (Piaf, Aznavour) et joue du violoncelle dans un restaurant de nuit, proche du palais royal. L'orchestre comme sur les bateaux d'entre les deux guerres : piano, deux violons, violoncelle et contrebasse. Ni twist, ni tango : fox. Clientèle : professions libérales, moyenne bourgeoisie, par couples légitimes. Ici vient finir la Mitteleuropaische bourgeoise, dernière faible émission de Vienne après Pest, Zagreb, Belgrade, à la frontière turque, déjà au Levant.

Il est né à Constantinople d'un père français, sans doute juif, et d'une mère grecque; sa sœur et ses nièces vivent à Saint-Ouen; il est veuf d'une grande blonde dont il nous a montré la photographie; il a traîné sa vie dans les orchestres du Levant; il a soixante ans. Il aime, soutient et voudrait propulser la deuxième chanteuse grecque, une garce déliée quoique grasse. Quand elle chante ou quand elle passe, il la regarde avec une infinie tendresse. J'ai offert des gardénias à mes deux femmes, aux deux chanteuses et à la marchande de gardénias.

Périclès mit en forme *l'expérience* de Thémistocle. Il transforma en *marines* les voyous du Pirée et construisit le Parthénon Sacré-Cœur Notre-Dame-de-la-Garde pour occuper les civils, donner aux *marines* une bannière étoilée et escroqua le trésor de guerre de la Ligue des Grecs. Né aristocrate (au contraire de Thémistocle métis) utilisa (comme Thémistocle) voyous et *marines* contre les terriens et bourgeois. Le *marine* triomphe (passagèrement) de l'hoplite. C'est le même moment où les membres des statues se décollent, les sculpteurs (et sans doute les hommes : à ce moment la sculpture moyen de connaissance) découvrent l'anatomie et la pensée se délie + les techniques, etc...

D'abord (sans doute) les Grecs refusaient d'adorer un homme. La différence essentielle d'avec les Barbares. Venus du Nord ? éleveurs ? cavaliers ? blonds ? Je préfère que ce soit le refus d'adorer qui ait précédé.

Le 10 janvier, d'Athènes à Thèbes et à Delphes *

A Delphes il y a des aigles (qui rugissent comme des ânes), trois colonnes, restes d'un rond, que j'ai toujours vues sur les gravures, et dans un hôtel touristique les jeunes filles d'une école internationale de Genève.

Le 11 janvier de Delphes à Itéa (port des olives vers Paris, Alexandrie, Napoli) et à Patras. Le soir, dans une taverne qui ne coûte pas cher, dirait Miller, nous avons bu énormément de vin avec des Grecs qui chantaient à plusieurs voix et des jeunes gens, filles et femmes qui, semblait-il, auraient préféré être ailleurs.

Le 12 janvier de Patras au château franc de Chlemoutsi et à Olympie, journée française, fluente, langue du XVIe, aussi sous l'influence de Plutarque par Amyot.

En Élide (qui n'est pas l'Arcadie mais l'art quand même), Marc a photographié un grand nombre de Poussin.

Le soir, à l'arrivée, juste à la fermeture du musée, Costa s'est précipité voir les deux frises du temple d'Apollon, celle des Centaures et des Lapithes, et celle du roi coureur de chars.

Les colonnes renversées du temple d'Apollon.

Dans les ruines d'Olympie fleurissent des anémones, des iris et des pâquerettes,

et des asphodèles.

* En compagnie de Costa, Joy, Marc, Janine, Élisabeth dans la 2 CV de Marc et la fourgonnette 3 CV de Costa.

Le 13 janvier d'Olympie à Tripolis et à Sparte, en escaladant des montagnes neigeuses.

Depuis le début du voyage et ce jour tout particulièrement Élisabeth surprise par extrême pauvreté des habitants des campagnes et des villes.

La gaieté grecque, la fierté espagnole, etc... inventées par des étrangers appartenant à nations riches qui découvrent pour la première fois des hommes qui ne possèdent rien, ne sont pas possédés par ce qu'ils possèdent : d'où apparente simplicité, bonhomie etc... et véritable vraisemblablement fraternité de masure à masure (comme Jeannette Bourbon nous racontait des H.L.M. de Mâcon pendant l'occupation). Le goût pour les sous-développés, au même titre que l'ouvriérisme, variante de la quête du bon sauvage.

Le 14 janvier, de Sparte à Mistra (les intellectuels grecs d'aujourd'hui, c'est-à-dire, depuis 30 ans, se revendiquent byzantins, pourquoi pas Francs ou Vénitiens ? c'est qu'ils en ont marre d'être en décadence depuis le ve siècle av.), à Tripolis et à Épidaure, à la nuit tombée.

(+ Argos, pour la première fois je regarde attentivement des poteries, c'est qu'elles sont bien disposées et classées.)

Joy voyage avec Miller et moi avec le Plutarque d'Amyot et mes souvenirs du lycée de Reims, nous ne nous rencontrons évidemment jamais, nous ne le cherchons d'ailleurs pas.

Assez plaisante soirée à Épidaure entre le vin, le flirt avec la barmaid Georgia et la lecture à voix haute de Plutarque.

Le 15 janvier d'Épidaure à Tyrinthe et à Mycènes, où j'ai envie de relire Gobineau, tant il me paraît évident que c'est la même race qui a édifié Chlemoutsi et Mycènes.

Le tombeau d'Agamemnon,

et le même jour un peu las et nerveux de Mycènes à Corinthe, dont j'aime le canal médiant, et à Athènes.

Le 16 janvier, déjeuner au Pirée avec Marc et Janine, Marseille et Gênes du pauvre,

et dîner à Athènes avec *** et ***, Costa, etc.

Les intellectuels grecs de qualité sont sagement méfiants,

prudents, etc., c'est humiliant d'écrire dans une langue sans lecteurs, d'être aimés pour des raisons touristiques, etc...

Le 17 janvier, neige sur Athènes, sommes restés à dormir et lire à l'Athénée Palace.

Le 18 janvier, apéritif mezzès de midi à 15 heures avec Costa dans divers cafés fréquentés par des ivrognes renommés. Et ensuite d'Athènes à Héraclion en avion.

Le 18 janvier au soir, dîner dans une taverne d'Héraclion en face de deux pédales nègres, sans doute Jamaïcains. On aperçoit des sortes d'intellectuels américains qui vivent ici, probablement parce que c'est moins cher qu'à Greenwich Village.

Le 19 janvier, visite du musée d'Héraclion. Il fait froid. Le reste de la journée est consacré à la lecture de Miller dont je me console aussitôt par la relecture d'Akrivie Plenoupopoulo.

Le 20 janvier, visite de Cnossos qui me laisse plein d'admiration pour Sir Arthur Evans, sans doute un facteur Cheval. Notre maison de Meillonnas est de style crétois, labyrinthe ou terrier.

Le 21 janvier, dans un taxi Mercedes, visite aux ruines de Phaestos, commentée par le guide inventé par Miller. Asphodèles, anémones, une orchidée, amandiers en fleur. Retour à Athènes dans un gentil avion populaire.

Le 22 janvier, à Athènes, poursuite des lectures sur la Grèce, résiné et coquillages et le soir dîner dans une taverne avec des amis de Costa, une Crétoise osseuse, une Zantine gracieuse *, un Grec d'Alexandrie et un Athénien d'il ne sait pas où, aimable bourgeoisie intellectuelle.

* Non : une Céphalonienne, jamais soumise aux Turcs (mais aux Francs et aux Vénitiens), Efi.

Le 23 janvier, à Athènes.

Un grand tour aux salles de céramiques du musée national, très attentivement, guide en main, et attention aux techniques, les gris égéens, les noirs sur fond terre cuite, les visages terre cuite sur fond noir,

puis l'ouzo dans le café aux étudiants,

dîner chez un peintre ami de Costa,

le Levant, ils n'aiment pas qu'on en parle, mais c'est cela, et comme j'aime Gobineau,

et ce reflux maintenant des Grecs d'Égypte, succédant à, dans l'entre-deux-guerres, ceux d'Asie Mineure,

et ce flux vers l'Australie, les U.S.A.,

les grasses Levantines qui se laissent toucher les seins quand elles ont bu, mais se groupent entre femmes,

moi incontestablement satyre, quand j'ai bu, je touche, et plus j'avance en âge moins elles refusent.

Le 24 janvier à Athènes, visite du musée byzantin sous la tendre direction de Efi. Mais je ne comprends pas grand-chose à ces figures mal peintes. L'actuel snobisme byzantin.

La fin d'après-midi chez ***, diplomate, collectionneur critique d'art, dont la grand-mère était la correspondante de Gobineau; dîner avec Costa et Joy dans une taverne. Trop de résiné, mais il faut achever glorieusement.

Le 25 janvier d'Athènes à Zurich en Caravelle par temps clair,

Élisabeth enfantinement émerveillée au-dessus de la Grèce s'assombrit jalousement dès que l'Italie apparaît,

grand frisson de fièvre avant la descente sur Zurich qui gâche l'escale,

de Zurich à Genève sur gentil vieux bimoteur, agacement à Genève sur détails matériels pour récupérer voiture puis se garer, compliqué par fièvre,

et retour à Meillonnas très lentement sur routes verglacées.

Le 26 janvier à Meillonnas

Soins et régime,
de même le 27 et 28 janvier avec lente lecture de François Chamoux, *La Civilisation grecque*, consciencieux, pas déplaisant,
Jean-Pierre Vernant, *Les Origines de la pensée grecque*, peu sérieux,
Les Premières Civilisations de la collection Halphen-Sagnac,
cherchant je ne sais trop quoi,
qui va sûrement me ramener autour de Gobineau, et pour moi du rapport humanisme-singularité.

29, 30 et 31 janvier à Meillonnas

Poursuite des lectures des jours précédents,
réflexions sur les dieux dans leurs rapports avec les créations romanesques,
lectures de Pétrone,
puis d'Apulée avec un vif plaisir.
Repos, détente et jeûne.
Le 1er février de Meillonnas à Paris, détendu, entre 140 et 160 avec pointes à 180, avec plaisir.
Le soir film de Salce — dont beaucoup m'échappe à cause des jeux de dialecte (comme dans tout film et littérature contemporaine d'Italie).

Le 2 février, à Paris

Après-midi avec Prat *(325 000 francs)* qui m'échappe encore.
Loleh Bellon dans *Yerma* puis un verre avec eux, fatigué.

Du 2 au 20 février à Paris

Et comme dans la période autour de la fin d'année, à Paris et à Meillonnas, autour de la famille Rozir (ovitch) de Saint-

Ouen-Pierrefitte. (Jacques Rozir, étudiant-journaliste, Denis le peintre et Sophie, 21 ans, couchant avec moi dès la première nuit et physiquement avec pour moi un vif plaisir, fille chaude, mouillée, profonde, con musclé, généreux.)

Pourquoi le père est-il resté ouvrier toute sa vie chez Citroën, médaillé de travail, portant sa décoration et aujourd'hui gardien de nuit de la chaufferie,

marié à une servante auvergnate, illettrée, lui-même illettré, ivrogne mais pas tellement,

les trois enfants à la conquête de Paris, les Gascons-Rastignac n'y croient plus, mais les Rozir de Saint-Ouen, fiévreusement, anxieusement, à travers le communisme, les « arts et lettres » les « relations » par le moyen de l'amour, Violette du XVIe pour Jacques, moi en espérance pour Sophie et sa mère,

peut-être descendants de gitans par le père ? (Juif illettré-ouvrier ça colle mal).

Le dimanche 16 chez les Rozir à Saint-Ouen, avec Élisabeth, puis chez Denis, dans un H.L.M. Malaise : ma « réussite » fait obstacle, rempart, on m'investit.

Mais tout le romantisme de la banlieue, ce que j'avais essayé en vain de retrouver l'année précédente avec Madeleine à Nanterre, les Nordafs, les Nègres, promenade avec Sophie sur le bord du canal, le chemin que par-dessus tout elle ne veut plus refaire du logement des abords de Pierrefitte à la gare, quand elle habitait chez ses parents, travaillant à Paris,

le rapport de classes, pour Sophie et Denis (le peintre qui pige trop vite à la manière de Bissière, Soulages, Mathieu) est davantage un rapport de faubourg à centre, de jeunes à vieux (qu'ils pensent),

dans les endroits relativement de luxe où j'ai emmené Sophie (Iles Marquises, Barbizon) elle se venge en créant d'emblée un rapport avec les domestiques (comme elle fit à Meillonnas, au jour de l'an, avec Lucienne).

Pas de rapport vraiment humain possible avec un certain faubourg, avec certains Africains, les Gitans, etc., avec les humiliés.

Heureuse soirée avec Pierre et Colette Soulages.

Signé contrat de quatre ans avec Gallimard.

Du 21 au 24 février à Meillonnas

Commencé taille des fruitiers et rosiers.

Le lundi 24 février de Meillonnas à Nîmes, plaisant Hôtel Imperator, le seul aux lumières bien disposées conçues.
Le 25 février de Nîmes à Barcelone, dans la tempête, les rivières souillées débordent,
admirable mer débridée, décolorée, défoncée, décomposée aux abords de Barcelone,
abominable côte bâtie d'hôtels, snacks, installations de camping, la racaille envahit toutes les côtes du monde,
et je n'arrive jamais à comprendre que les mers, les océans les plus convulsés ne mordent pas d'un mètre sur le rivage, les siècles durant ils ne balaieront pas les cafés des plages, nature dérisoire,
ai conduit Élisabeth la nuit dans Barcelone et invité toute une troupe de gitans (pour elle).

Le 26 février de Barcelone à Catalagud, parmi les grains, sur les désertiques plateaux d'Aragon, horrible Saragosse, dans la boue, le malheur de vivre.

Le 27 février, de Catalagud à Madrid
Un détour pour la cathédrale poitevine, forteresse de Siguenza, ornée après coup de bas-reliefs. Renaissance à l'italienne et qu'on ajoute les Maures, qu'est-ce que l'Espagne? Peut-être une invention de Unamuno, etc... Qu'aurait été juin 36 sans les brigades internationales? et ce n'est pas excès de civilisation comme en Italie qui a été faite contre Rome par les cités bourgeoises, Florence, Siena etc... Il n'y a pas encore eu de bourgeoisie espagnole, sauf sans doute en Catalogne que je ne connais pas.

Égaré par les nouvelles voies d'accès autoroutes, j'entre à Madrid *à l'envers* par l'autre bout de la gran via, celui à l'opposé des quartiers à putains que j'ai tant aimés en 34, 35,
j'en reste très mal à l'aise, très exactement
désorienté,

tout l'après-midi et encore la nuit à travers des rêves de castration.

Le soir à tâtons avec Élisabeth je retrouve l'Alcala, la Puerta del Sol, tout le quartier vers la place Tirso de Molina, les bistrots de faubourg en pleine ville, la vie de 19 heures à Paris reportée à 23 heures, j'aime les villes qui vivent la nuit mais trop claqué pour en profiter,

je n'use pas des recommandations. N'ai envie de connaître personne,

je recherche à tâtons avec fatigue, je ne sais quoi de 34, 35 mes premiers voyages, ici,

malaise, c'est malsain.

Beau temps vif, coupé d'averses. Les nuages envahissent très vite le ciel, disparaissent aussi vite. Lumière sans cesse changeante, je m'en apercevrai le lendemain au musée, Titien, Velasquez, perdant et retrouvant à chaque instant leur chaleur.

Le 28 février à Madrid, avec Élisabeth, première visite au Prado depuis 35.

Maintenant je suis bien débarrassé des interprétations intellectualistes ou mystiques de la peinture,

toute la superstructure écrite par ?? élèves des Jésuites[1], intellectuels francs-maçons,

toute la pouillerie littéraire sur la peinture,

mais malheureux de ne pas comprendre comment ils ont travaillé, avec quels outils.

Le Prado c'est la collection personnelle de Charles Quint et de ses successeurs, des amateurs de peinture à l'huile. D'où sa personnalité.

Très découragé d'écrire un Velasquez (ce voyage devait en être une première étape). Il faudrait d'abord apprendre énormément de choses...

... peut-être pas tellement. On apprend très vite ce qu'il est nécessaire de savoir d'une technique.

Dîner dans un restaurant indiqué par le concierge. Nous n'avons envie de connaître personne, seulement de deviner les gens (la ville) à travers leurs vêtements, leurs gestes.

1. *Les points d'interrogation figurent dans le manuscrit.*

Le 29 février à Madrid

La plus grande partie de la journée au Prado.

Un Titien copié par Rubens, cela fait un Rubens, mais c'est toute l'unité d'un siècle de peinture,

les époques importantes de l'art sont très courtes : un siècle en Grèce du moment où les jambes des statues commencèrent à se détacher l'une de l'autre, jusqu'au moment des articulations et des draperies de pierre transparentes.

C'est peut-être d'avoir retrouvé Rubens (chercher le vers de Baudelaire) qui m'a le plus touché ce jour-là. Je ne l'avais pas regardé réellement depuis mon voyage en Belgique, l'année du premier bachot, avec Fromentin pour guide,

naguère au Prado je m'étais stupidement appliqué à ne voir que les Espagnols,

mais le Prado c'est la collection d'une famille de collectionneurs européens qui achetaient des Titien, des Tintoretto, tous les Vénitiens, invitaient Rubens à Madrid et entretenaient luxueusement Velasquez.

Un seul très beau Rembrandt (la reine Artémise) mais Velasquez se compasse à côté. Comme il se compasse auprès de la profusion de Rubens.

Velasquez c'est *l'autorité*. Le point le plus élevé (sublime étymologiquement) de l'autorité en matière de peinture à l'huile. Raphaël à côté n'a que l'autorité d'un faiseur. Le Greco est fou de peinture, c'est autre chose.

C'est samedi après-midi. Un chocolat dans une cafeteria de la Gran Via où les dactylos et les employés draguent. N'importe quelle fille (les deux du fond de la salle en sous-sol) qui essaie effrontément le pouvoir de ses yeux dans les yeux d'un garçon m'émeut. Les Madrilènes semblent y mettre naïveté et par là même excès. Elles sont toutes coiffées les cheveux courts gonflés comme il y a deux ans à Paris, le casque.

L'Espagne un bout de l'Europe, un peuple fermé et enfantin.

Dîner au Pulfito, plaza Mayor. La jeune arnaqueuse

arnaquée par le nain qui la convoite si violemment qu'il s'en mord les doigts, cherche innocemment du regard la complicité d'Élisabeth. Nous ne comprenons à peu près rien de ce qu'ils disent, cinéma muet, les deux vieillards qui encadrent la belle nous paraissant tour à tour à son service et à celui du nain.

Le dimanche 1er mars à Madrid

Excursion comme on disait à l'Escurial, rien que des Espagnols de la classe populaire comme on disait et qui admirent sagement les marbres du Panthéon,
et écoutent le guide en prenant des notes sur un carnet, comme à Moscou au Kremlin,
les révolutions et contre-révolutions aboutissent aux mêmes délégations,
ce vieillard écharpe sur les épaules pour quel compte rendu de cellule prenait-il des notes avec tant d'application ?

Et dans l'après-midi, plus tard, lisant S. Fitzgerald, qui visita l'exposition coloniale à Paris,
il n'y a plus de colonies, en 56 ans j'ai déjà vu tout cela se faire et se défaire.

Ces rois d'Espagne étaient fous de peinture, non seulement collectionneurs, mais la totalité des murs et des plafonds couverts de fresques à l'italienne (et plus tard, pour les nouveaux appartements, de tapisseries). Pas compris toute la littérature sur l'austérité de l'Escurial.
Un peu décontenancé à l'Escurial, et si près du voyage en Grèce, de trouver un palais *en état*, les marbres bien *briqués*, les joints de maçonnerie, les toitures, etc. bien entretenus. L'Espagne comme la Russie entretient son patrimoine.

Promenade en voiture dans tout le vieux Madrid. Je m'y retrouve, je suis réorienté. Une vraie ville qui a son centre, son creux, ses pentes.

Le lundi 2 mars de Madrid à Cordoue et Séville.

Très belle descente sur l'Andalousie, les jeunes blés verts, l'ocre des labours, des nuages compliqués de tous les gris, des grains qui se promènent, nous passons entre, et juste assez de bleu toujours visible dans le ciel pour la même association bleu-vert que dans les tableaux vénitiens. Et à la fin, le soleil qui descend derrière un grain, une gloire.

La nuit dans Séville je ne retrouve pas les cabarets rituels de 1933. Uniquement des ensembles gitans, gentils, patronage, mais ça ne chauffe pas, peut-être parce que lundi et les salles vides. A Triana, l'analogue des Américains de Grèce apprend les danses gitanes. Les Gitans sondent Élisabeth, la soupçonnant d'être une gitane traîtresse.

Le mardi 3 mars à Séville, nous avons énormément marché.

Le manque de curiosité, l'indifférence des Espagnols pour tout ce qui ne les concerne pas immédiatement dans leur ville, leur milieu clos. Comme les animaux sauvages à Ngorongoro Crater. Pire qu'à Meillonnas où quelques «citoyens» au moins ont été formés à la vie politique nationale et internationale.

C'est un terrible manque que le désintérêt, le non-intérêt pour la politique — renoncer à être *auteur* de sa nation, du monde. Ne restent plus que la paroisse, les jeux.

Qui sont les hommes, lourds, gros, qui somnolent dans les fauteuils de cuir des cercles de las Sierpes ? Sans doute des propriétaires terriens, régisseurs, grands fermiers. L'air costaud, dur, buté, civilisation paysanne, tout à l'opposé de l'Italie qui n'est que jardins et cités. Erreur de J. F. R., Cau, néo-maurrassiens : la civilisation européenne a été faite par les villes libres, les cités, les « bourgeois » contre Rome et les féodaux terriens. L'Espagne, une *campagne*, à la périphérie de l'Europe, avec à un moment une infanterie de paysans misérables et durs, qui a conquis quasi le monde très superficiellement — et par bonheur quelques rois fous de peinture et d'architecture.

Moi, romancier, et Élisabeth ma compagne, nous passons en voyage la plus grande partie du temps à inventer l'histoire des gens entraperçus. La veille au restaurant de l'Hôtel de

Madrid, le grand terrien et son député-sénateur (Onorevole en italien), alliés et ennemis, le politique lèvres minces, mince moustache, lunettes, employé supérieur, à la fois servile et guettant sa proie, le terrien bedonnant, autoritaire et inquiet, tous deux rusés à quelque jeu probablement de réforme agraire. Le personnel bien plus empressé auprès d'eux qu'auprès des riches étrangers : milieu clos, féodal, milieu non contesté.

La partie maure des jardins de l'Alcazar. Un jardin doit être multiplement clos, le végétal rare mis en valeur par la pierre, les azulejos, les chemins de brique, le sol de brique, les bassins, les fontaines,

une des idées les plus fausses de l'urbanisme contemporain : les « espaces verts ». Un arbre ne prend sa valeur que dans l'isolement, un gazon que dans un cadre de pierre. Les jardins suspendus sont à réinventer.

Le luxe, la beauté des patios, c'est que le végétal est toujours encadré, mis en écrin.

Dans la chapelle de l'hospice des vénérables prêtres, la peinture figurative arrive à sa perfection-négation dans de faux cadres en trompe-l'œil qui ne représentent qu'un cadre vide. La perspective à l'italienne aboutit à un jeu : le gardien l'explique à juste titre comme une « curiosité » : déplacez-vous ici et maintenant là, le bras court est devenu long.

Le soir, après une très longue marche dans des rues dévotes, nous découvrons à grand-peine un cabaret de putains. Elles sont déformées, monstrueuses; ils ont réussi à rendre la chair repoussante,

telle était sans doute cette putain de 33 que je m'étais enchanté de voir rougir (quand elle s'était aperçue en dansant que je bandais); mais j'étais saoul et c'est ma légitime déformation que de ne voir-imaginer que ce que je veux imaginer-voir, et finalement ça tombe souvent juste.

La jeunesse est un manque, le « temps retrouvé » un leurre, le temps passé demeure dans les modifications de soi-même qui font qu'on sent, perçoit toujours plus vite, plus juste, plus sensiblement, avec des systèmes de références toujours plus complexes.

Le 4 et le 5 mars à Séville

Promenades, lourdeurs printanières, mais demeurons étrangers,

et les Américains d'un bateau en croisière (à Cadix), qui dînent dans l'hôtel-palais (un des reliquats de la Séville du dépouillement des Incas, etc...) et partent triomphalement en fiacre, une femme à côté de chaque cocher, au son d'un orgue de Barbarie, dans les flashes des photographes, pour Séville by night.

Ce soir dans la si merveilleusement chapelle frivole de [1] (sur las Sierpes) ô honte, cet homme mûr, sanguin qui tombe à genoux aux pieds du confesseur franciscain.

Placer ici la dialectique du tomber à genoux.

(l'homme à genoux de Châlons-sur-Marne me parut au contraire plus réel que les bourgeois de 1920 qui assistaient à toute la messe debout ou assis)

Le 6 mars de Séville (sans être retourné à aucun spectacle, dans un goût de poussière, de marche à pied) à Salamanque

Par l'Estramadure pour la première fois de ma vie,

succession de clos, clôtures de pierre, basses, franchissables d'un bond d'homme et rochers affleurant, bêtes à cornes, moutons, paysannes portant l'eau d'on ne sait où, on ne sait où, presque pas de voitures, je n'aime ni les routes fréquentées ni les pays pauvres mais on ne trouve plus que l'un ou l'autre, l'Estramadure quand même plaisante à cause des clos et du vert à cette époque de l'année entre les rochers (granit?).

A l'hôtel de Salamanque on nous prend pour des invités à la fête du lendemain pour l'anniversaire de la petite-fille de Franco,

1. *En blanc dans le manuscrit.*

nous ne voyons que la place à arcades et le bar de l'hôtel, plein d'étudiants riches,

au matin du 7 le froid vif, le vent froid, nous dégoûtent d'aller voir la cathédrale Vieja, je le regrette parce qu'elle est du XIIe.

Le 7 mars de Salamanque à Burgos et Saint-Sébastien

Plaisir de rouler sur des routes vides au travers du blanc plateau de Castille, Élisabeth préfère à tout les grandes étendues vides et la majestueuse progressive descente vers le pays basque,

celui-ci m'ennuie,

la neige rôde autour de nous,

ça se peuple de fabriques et d'hôtels pour touristes, ce sera bientôt aussi con que le nord de l'Italie,

à Saint-Sébastien, fatigué par les deux jours de route, irrités par le froid, nous buvons et nous mangeons à l'hôtel, et nous rebuvons du très bon vin rouge, observant les Anglais, les Espagnols, nous demandant comment est faite une ville de 135 000 habitants que nous n'avons pas un désir assez vif d'aller voir pour sortir dans le froid.

Le 8 mars de Saint-Sébastien à Ruffec, les 100 derniers kilomètres rendus difficiles par la neige et le verglas,

couchons dans un médiocre hôtel mais c'est plaisant d'avoir des « aventures de voyage »,

le 9 mars de Ruffec à Paris, avec une courte halte autour de la cathédrale de Chartres, pour nous rattraper de Salamanque, mais leur sale littérature de curaillons de Chateau Brillant à Péguy et Cie, Maritain, Jacob, empêche les cathédrales de fonctionner pour nous.

Du 10 au 17 mars à Paris

Séance rituelle avec Gisèle d'à côté la rue de Provence. Sa prévenance, sa conscience. Elle venait de travailler dans une chambre voisine, elle était mal rhabillée, dépoitraillée, et encore essoufflée, c'est plaisant d'attraper au sortir de l'action, une femme dont le métier est l'amour, ses laborieuses mains d'amour,

et, avec Élisabeth, deux filles d'une maison du côté de Pigalle, une blanche paresseuse, une Martiniquaise agile, active, mais c'est une erreur à deux de prendre deux filles : elles se gênent l'une l'autre.

Rencontré énormément de gens chez Gallimard et à Saint-Germain-des-Prés. Déjeuner avec G. Semprun, dont je respecte le talent d'écrivain [...] qui me fait une intéressante analyse de la situation en Espagne; il ne croit plus au « grand soir »; il s'intègre comme les Italiens, à la « réalité économique ».

Mariage de Françoise Gallimard, dans un patelin au sud de Dreux. Un peu inquiet sur l'autoroute au retour : j'ai senti le voile (noir).

Déjeuner avec Soulages, je lui demande sa collaboration pour le Velasquez. Visite rapide au Louvre pour *Les Lances* d'Uccello, un Corrège, un Tintoret, deux statues. Revenir au début : quelles possibilités donnent les pigments broyés dans de l'huile. Les « impressionnistes » n'y ont rien compris.

Le 18 mars, de Paris à Meillonnas

Les jours suivants repos, détente, beaucoup de sommeil. Lu lentement Lewis, *Les Enfants de Sanchez*, de l'utilisation du magnétophone, mais *par un auteur*.

Le 23 mars à Meillonnas, visite de Frédérique,

en lui racontant mon histoire avec Sophie, cette histoire prend forme, en fonction aussi des *Enfants de Sanchez* et en arrière-plan de la pauvreté d'Espagne.

Depuis ma visite à Saint-Ouen, le visage de Sophie s'est effacé, son corps aussi et même pour imaginer son con chaleureux je dois faire un effort (et la motte dodue dont elle est si fière). Mais vient en premier plan et très intensément la maison sur le bord de la Seine ou presque, la cour, le logement au premier, au fond de la cour, le père, la mère, le frère Denis, la belle-sœur, les gnards,

pour Frédérique c'est une tentative familiale d'arnaque,

et c'est bien ainsi que l'histoire prend forme, mais il fallait pour qu'elle puisse prendre cette forme que je me détache, en m'éloignant, non pas de Sophie, mais de son frère Jacques, de l'amour vrai, de la connaissance vraie de celui-ci pour mes livres, qu'il est étudiant communiste, auteur d'un bon long article sur moi,

mais cette histoire d'arnaque ne me déplaît pas, picaresque (picaro = coquin), la première fois que j'emploie ce mot, mais à travers sa traduction française, coquin, coquinerie, je retrouve Gobineau et cela aussi aide à m'éclairer,

coquin : « un caractère bas et fripon »,

évidemment je me surprends dans ce rôle de « personnage considérable » que toute une famille appâte par une gamine pour l'attirer dans le faubourg et s'en faire tirer par lui,

très naïve, enfantine, romanesque tentative d'arnaque, la cupidité trop évidente, trop immédiate (de la part de la famille) et moi beaucoup trop averti, alerté, dès le premier dîner par le clin d'œil de Sophie aux garçons du restaurant,

au retour de Saint-Ouen, Élisabeth et moi buvant du whisky dans cet horrible bar de la place Saint-Augustin, reconstituant en nous la racontant toute la journée avec un sentiment de pitié : « nous sommes des bulldozers »,

cette histoire dans la vie se constituant toute seule comme une nouvelle bien faite — c'est pourquoi sans doute je n'ai pas envie de l'écrire,

mais là je regrette, à tort certainement, la caméra et le magnétophone.

Les jugements de Frédérique : sensibles et justes, immédiats.

Il pleut depuis notre arrivée, ce qui m'ôte l'envie de sortir. Mais c'est quand même le printemps, les oiseaux se poursuivent et chantent, les fleurs des poiriers se forment, le gazon verdit. J'ai fait table nette.

[1964]

[*Journal intime*]
Meillonnas, 1er juillet

La Truite sortie, *325 000 francs* tourné, je reste vacant, peu éveillé, peu désireux,

dans un plein soleil d'été, air frais frissonnant, forte brise, ciel blanc bleu d'hiver,

pas le relâchement dans la chaleur du véritable été.

Envie une fois de plus du long lent roman emboîté, *Les Pléiades*, *Théagène et Chariclée*, *Les Milles et Une Nuits*, mais ne sais par quel bout prendre, comment se laisser aller.

Les critiques, imbéciles, de *La Truite* ne m'ont pas éclairé, même négativement, sur ce que j'ai fait.

C'est un rêve, avec des personnages et des actions, comme dans les rêves, organisé (dans une unité organique) comme les rêves que l'on se rappelle, rêvé, raconté, et commenté par moi, dans mon style,

et faisant plus ou moins le poids de ce que je ressens, de mes rapports avec le monde (s'y substituant) dans le moment où je l'écris,

comme le rêve pour le dormeur,

et comme le rêve prenant pour matériaux, mais simple matériau, les événements du passé proche (le ramassage des champignons, le tournage du film) ou lointain (les débats avec le père, la fuite devant l'épouse-mère).

Postface : j'ai quelque tristesse de m'apercevoir que personne ne s'en est aperçu.

Bien entendu, le roman-rêve ne rencontre audience que dans la mesure où pour le lecteur aussi il fait le poids... voir plus haut... et dans la mesure aussi et peut-être davantage où le récit, le commentaire et le style de l'auteur provoquent son intérêt.

Ce n'est pas par hasard que dans mes rêves de la veille ou du sommeil j'ai cessé de tuer après le XXe congrès du P.C.U.S. (disparition de l'agressivité. J'ai fait mon retour d'âge en même temps que le siècle et le communisme).

Inauguration du camping-caravane de Meillonnas. Je flaire de loin le pédago. Il faut être débile, avoir fameusement peur de la vie, pour ne jamais sortir de l'école, se contenter de passer du banc au pupitre, régner sur des enfants et se satisfaire de longues vacances vacantes et de l'espoir d'une retraite. Le gars de Lyon au sifflet entre les dents. Marie-Louise en cure au plateau d'Assy, communiste, me disait qu'il n'y a plus guère d'actifs dans la section que les pédagos et les boueux. « Militer me manque un peu ». Elle est gênée de ne penser qu'à son con (chaud et juteux) et au dos de son homme qu'elle encule (si j'ai bien compris une des lettres qu'il lui écrit).

Frédérique de Lyon à propos d'Anne, intellectuelle de gauche dont le pédantisme l'exaspère : « quand elle parle, j'ai envie de lui bouffer la chatte ». Pour provoquer une réaction vraie.

Et les belles tuberculeuses que nous ne baiserons pas.

Un endroit dans le monde, hors de leur milieu habituel, un hôtel, un château, un campement, où se rencontreraient et se raconteraient

Bourbon,
Frédérique, la voleuse, la « sainte »,
un toxicomane,
Élisabeth comme amoureuse,
moi

soit : des diverses manières de se faire ses plumes ses dents, ses griffes.

Théagène et Chariclée, *Pléiades*, une action se développe au travers des récits successifs et par eux.

C'est surtout contre, que je veux cette sorte de luxe dans lequel je vis. Contre l'intellectuel pauvre mais indépendant, ce n'est pas vrai. Contre Léautaud. Je pourrais vivre dans le dénuement pour, mais pour quoi ?

Mais à force de manquer de motifs, de motif (sauf de raconter mes rêves) je deviens, me semble-t-il, fragile. A la merci de peu. Je ne crois pas que je supporterais (et je ne le veux pas) de me remettre dans les mains des médecins, préférant choisir en pleine maîtrise de moi l'heure de ma mort.

Moi qui avais toujours imaginé que je mourrais les armes à la main. Mais pour quoi maintenant ? Mais pour qui ? Ce n'est pas une raison pour accepter de mourir au lit.

Peut-être suis-je en train de m'adapter lentement, sournoisement — précautionneux comme une bête, moins à l'affût d'une proie que d'un danger pas encore défini — à un nouvel âge de ma vie.

J'ai toujours été tellement avide (surtout des femmes, mais aussi de toutes les fêtes-dans-l'immédiat). Je vais peut-être apprendre à me tapir, à attendre, à y trouver mon délice.

Meillonnas, 3 juillet

Renversé et enconé Marie-Louise, « à la sauvage », comme me dit-elle dit son mari, sans même fermer la porte de la « maison d'amis ». Elle était venue avec une co-cureuse à 2 CV, Bernadette. Mais c'est ma promptitude à affabuler ou la générosité de Marie-Louise, vieille lectrice désireuse de me faire don de toutes ses compagnes, qui m'avait fait prendre l'autre jour sa maison de cure pour le bordel enchanté. Elles ne sont pas assez détachées de leur autre vie pour ne pas rester des dévoratrices.

Flambée de grandes gentianes jaunes.

Baiser aussi, même des femmes nouvelles, même avec des putains à thème comme l'autre jour à Lyon, devient ennuyeux à la longue.

Le respect de la règle. Une vieille voisine avait accompagné ce matin sa petite fille au train et était montée dans le wagon pour l'installer. Le train démarre. Elle saute et se tue.

Bernadette probablement putain, je le devine au vocabulaire, à des itinéraires dans Paris, à sa méfiance tellement en éveil à l'égard des femmes mariées, à l'exigence hargneuse qu'elles soient vertueuses, mais elle n'y croit pas. Mais ses co-cureuses ne le soupçonnent même pas... Co-cureuses, concubines, partageant les repas etc...

Antoinette [...], des manières de jeune fille de province bien élevée, est venue en trois-chevaux blanche se faire dépuceler par Costa. Cela a duré quarante-huit heures. A la fin elle avait le visage assez joliment démonté (comme une mer...)

Meillonnas, 4 juillet

Une jeune fille attend un car à la gare de Mâcon. Elle promène son petit con, c'est suffisant pour la rendre intéressante et elle le sait bien. Assise ou debout, quelle tranquillité, quelle sûreté de soi.

Monique a rencontré, au cocktail Gallimard, Flavienne, debout sur la troisième marche d'un perron, dans la robe bleue et verte que lui a donnée Élisabeth. Tranquillement triomphante, dit Monique. Grosse de trois mois, cela l'a remplumée notre *popolana*. J. F. R. et elle se marieront dans quinze jours. La « formalité » dit J. F. R.; le mariage n'est pas une formalité, c'est un contrat, un acte juridique (personne n'a compris, sauf Jeanson, que je ne moque pas quand je souhaite la substitution du droit à la morale). Pour avoir prêté son con un soir à un garçon rencontré par hasard dans notre rue. Il peut en résulter une foule de conséquences ou aucune. Chaque coup de con, comme un billet de loterie et si ce n'était la crainte de se faire engrosser (mais même cela a tourné à son avantage) elles auraient l'impression de payer en monnaie de singe,

dès le premier « week-end » passé avec lui à Paris, elle a

retenu et nous a raconté tous les gens rencontrés avec leurs titres, etc.

presque d'emblée sachant distinguer le vrai du faux, les hiérarchies, etc.

c'est sans doute d'être *popolana*, le H.L.M., les dix frères et sœurs, les fausses couches et les enfants naturels des sœurs. [...] Comme Marie-Jeanne, la sûreté du jugement prolétarien.

Pas tout à fait une année qu'elle vit avec Jacques,

sans jamais ni l'un ni l'autre se « monter la tête »,

dans ce milieu hostile, misogynes comme Cau, Scipion ou vieilles femmes jalouses,

séparée par la volonté de Jacques de ses frères, sœurs, mère,

une très longue année de nuit sans tendresse dans ce village inhumain de Tillard, maisons paysannes, « arrangées » par des intellectuels « arrivés » - arrivant.

Vingt-trois ans. Patience des jeunes femmes à tirer toutes les conséquences d'un coup de con, d'un coup du con. Leur inhumaine capacité de supporter la douleur, le manque de tendresse. Ce travail de taupe. Avec la perpétuelle menace (et encore maintenant pendant 15 jours, jusqu'à ce mariage signé) d'être renvoyée dans le H.L.M., et d'y rentrer vaincue.

Et après? Aura-t-elle le goût et le courage, sa base de départ assurée, de rejouer son con autrement qu'en cachette et avec des ruses d'esclave? Ou se contentera-t-elle de ruser pour garder son homme ou d'être ambitieuse pour lui? Une fille vraiment cynique ne se rencontre jamais — seulement vieillies, riches, le con devenu pour elle-même instrument de plaisir et voulant tout en épuiser avant que personne n'en veuille plus.

Meillonnas, 5 juillet

Scott Fitzgerald, des nouvelles que je ne connaissais pas *Un diamant gros comme le Ritz*, *Un Goûter d'Enfants*, c'est bien fait, mais de plus en plus incapable de goûter une traduction, surtout dans ce cas où presque tout réside dans la manière,

finalement tout à fait conforme à la morale américaine.

Mais *Un Goûter d'Enfants* me ramène à J. F. R. :

« lorsqu'il se sentait vieillir John Andros se consolait à la pensée que la vie continuait à travers son enfant ».

Moi je veux gaspiller pour moi, dans moi, en me faisant et me défaisant volontairement l'héritage humain tout entier,

c'est en cela que je vieillis bien, que j'accomplis bien mon vieillissement,

déjà nourri, continuant de me nourrir de tout l'héritage,

nourri bien sûr par d'incessants échanges, comme le pommier avec l'eau la terre le feu l'air, mais les échanges se faisant plus rares, constitué finalement en moi-même comme le pommier quand il a développé tous les rapports possibles avec son milieu, à son profit,

mais quand les pommes tombent du pommier, elles lui sont déjà, avant même de tomber, étrangères.

Cette sournoise pensée métabiologique, patabiologique, que l'homme se prolonge dans l'enfant etc., traquait déjà J. F. R. quand son père et sa mère sont morts et qu'il prit peur de la mort,

pensée tellement commune, transposition patapensée, comme la condamnation de l'adultère féminin, des expériences de ces races d'éleveurs de chevaux et de bœufs qui envahirent l'Europe, je ne sais quand,

pour justifier de n'avoir pas le courage de tirer toutes les conséquences de cette évidence : le monde pour moi finira avec moi.

Très saines, courageuses réactions d'Élisabeth à ce sujet.

Le glas comme pour cette vieille femme qui a sauté du train pour ne pas être accusée d'être voleuse n'ayant sur elle ni billet, ni argent,

et que personne n'a empêchée de sauter.

Cette indifférence des gens les uns pour les autres depuis qu'ils possèdent tous des objets : maison, auto, etc..., qu'ils sont possédés par, insensibles comme ces objets,

mourir foudroyé comme ce fameux chêne solitaire, foudroyé de ma propre foudre.

Flavienne vient de téléphoner à Élisabeth. Le mariage aura lieu le 16. Nous serons témoins. C'est peut-être j'espère une histoire à raconter pour moi.

Une autre histoire (nouvelle). D... que j'ai sauvée quand le BCRA voulait la liquider parce qu'elle connaissait trop d'adresses. Elle est devenue obèse. Peut-être avait-elle trahi et qu'elle portait ce poids de trahison en graisse.

Il m'est devenu possible de voir le passé, présent, futur d'un certain nombre d'humains, d'un seul coup, en enveloppant dans un regard attentif, leur visage, leur démarche...

34 pions de Bourg, tous mâles, pour fêter la fin de l'année scolaire, ont passé la nuit à manger et à boire au restaurant Portier. A la fin ils ont inventé de se déculotter et de se mettre le slip sur la tête comme une cagoule.

Meillonnas, 6 juillet

C'est sans doute pour avoir quelqu'un à qui transmettre ses biens que J. F. R. a accepté et sans doute désiré avoir un enfant.

Ses pauvres biens, deux maisons, un appartement, quelques titres peut-être. Mais qu'importe la valeur d'échange des biens. Ils font le poids du bonhomme tout entier dans la mesure où le bonhomme se vide tout entier en eux.

Le besoin de faire élever un héritier est la conséquence de l'aliénation du propriétaire au profit de sa propriété.

(Chez les femmes qui aiment être enceintes, il y a quelque chose d'autre : d'entretenir et de faire grossir en soi puis de pousser hors d'elles une formidable bite.)

Le premier roman que j'avais tenté d'écrire, sans doute vers les 16 ans (après Teilhède) : *Les hommes nus*.

Et cette fascination jadis pour les ouvriers, c'était qu'ils étaient nus : sans biens, sans bien.

J. F. R. et Cau se font réciproquement des testaments chaque fois qu'ils ont à prendre l'avion.

Ce qui fait le prix d'un enfant pour les propriétaires de biens, bourgeois ou paysans, c'est qu'il est l'héritier, et mieux le mâle qui fera travailler l'héritage. Aussi bien les paysans l'appellent l'héritier.

L'homme le plus nu se possède encore soi-même et donc

possédé par soi-même. D'où cette singulière idée des amants, des mystiques et quelques autres : se donner.

Le souverain : donner tout et même soi-même à soi-même?

Être prodigue : se dissiper, se débarrasser de soi aussi,

c'est sans doute peut-être probablement vraisemblablement ce que j'essaie de faire quand j'écris des histoires, quand Costa fait une statue,

nous poussons suons l'image de nous-même et la mettons en circulation,

et nous restons nus jusqu'à la prochaine poussée,

nus, fragiles, craintifs, tellement anxieux qu'un jour rien ne repousse.

La Truite c'est moi-même m'interrogeant sur les personnages que je sue à mesure que je les sue. On ne peut pas être plus nu (et j'en suis sorti complètement vidé), mais personne ne s'en est aperçu.

Il m'est absolument nécessaire d'écrire et que ce que j'écrive soit lu : c'est ma seule manière de me mettre en circulation (mes peaux successives d'œuvre en œuvre) sinon je resterais enfermé dans moi comme un propriétaire dans sa propriété.

Élisabeth s'est donnée à moi, elle commence à prendre ma forme, mon profil, mes rides, mon écriture. Il faudrait peut-être pour qu'elle ne soit pas prisonnière (et moi prisonnier de ma prisonnière) que je la restitue en l'écrivant...

Jamais il ne s'est passé si peu de choses dans le monde qu'en cet été 1964. C'est probablement faux dans le monde, probablement vrai en France : tous les Français cette année sont nantis.

Les filles les femmes tant qu'elles ne sont pas nanties se débarrassent d'elles-mêmes, se mettent en circulation, se donnent une valeur d'échange,

se produisent,

avec faux cils, maquillages, perruques, coiffures chargées, brunissage et toutes les vêtures lunettes,

les artistes (tel Costa préférant Vala à Antoinette) préfèrent les plus *fabriquées-produites*, d'où à reréfléchir sans doute sur ce métier de comédien-comédienne, la parfaite dépossession de soi-même (séparer soi d'avec soi),

et sur les dandys.

Meillonnas, 7 et 8 juillet

L'ennui,

pour moi le moins avouable des sentiments,

l'autre jour, Jean Prat, se promenant avec moi dans Meillonnas :

— Combien d'années penses-tu avoir encore à vivre ? dix ? vingt ?

— Ce n'est pas le nombre, c'est de mettre fin avant que je ne m'intéresse plus à rien, que je ne désire plus rien, que je m'ennuie.

— Il t'arrive de t'ennuyer ?

J'ai nié.

Je m'étais endormi vers onze heures avec les soporifiques habituels. Je me suis réveillé. Il n'était que minuit dix. J'ai crié : merde ! ce que je m'ennuie !

Le pire c'est quand il arrive à quatre heures de l'après-midi (l'heure où commence vraiment le plaisir de travailler, quand j'écris) de se dire : qu'est-ce que je vais faire jusqu'à 7 heures (l'heure du premier whisky).

Meillonnas, 13 juillet

Vendredi, Francis Jeanson et Christiane Philip pour vingt-quatre heures à la maison.

La générosité de Francis : il fait des enfants, il s'occupe de ses enfants, de ses femmes, de son père, de sa mère, des enfants de ses femmes. Le seul homme que je connaisse dont la générosité ne se change pas en morale, semble-t-il, ne détruit ni l'intelligence, ni la lucidité, ni la liberté à l'égard des plaisirs. Moi, je haïrais une femme qui ne me laisserait jamais seul.

Samedi-Dimanche, Szekeres et sa femme Véra (le premier voyage de celle-ci à l'Occident).

En 1950 il fut inculpé puis jugé et condamné comme « ennemi du peuple ». Si calme, maître de lui, il n'en parle encore qu'avec une voix « tremblante d'indignation ». La première fois sans doute que j'entends une voix sincère trembler réellement d'indignation.

(Faire un dictionnaire — avec exemples — pour retrouver le sens des « expressions toutes faites » : c'est vrai qu'elle me fait chier, qu'ils me font suer, que j'en ai par-dessus la tête et les chocottes aussi.)

Vers cette même époque, un peu plus tard, quand j'écrivais *325 000 francs*, un militant d'Oyonnax me présenta dans une maison ouvrière : Roger Vailland, un écrivain au service du peuple, et j'en fus réellement ému.

C'est que nous entendions par peuple les *hommes nus* et pourquoi il est très important de se situer et d'être situé par rapport au peuple.

Cela me semble maintenant romanesque. Il y a si longtemps que même les Arabes et les nègres qu'il m'arrive de rencontrer ne sont plus nus, des professeurs, des danseurs.

Maurice Thorez est mort. Cela m'eût réjoui, il y a quelques années quand j'en avais fait dans mon imagerie personnelle l'ennemi du peuple, celui qui avait changé les bolcheviks en petits-bourgeois. J'ai téléphoné à Z., j'espérais une explosion de joie, mais il se croit lui-même mourant, leucémique, son ennemi est mort trop tard, il n'a pas eu *dans son corps* la puissance d'attendre (intellectuellement il savait qu'il devait attendre).

Un peu échauffé par le vin, Georges Szekeres a un peu raconté ses prisons, le sadisme des geôliers, des policiers du peuple, comment on tient ou ne tient pas.

Je le reconnais de face à son regard intelligent, une façon de plisser les yeux, à son sourire bon. Mais de dos la démarche d'un vieillard.

Tout est fade à côté des tragédies à l'intérieur des Partis Communistes jusqu'en 1956. Mais c'est très difficile à raconter, à comprendre de l'extérieur, à faire comprendre à l'extérieur.

(Les nouvelles générations à l'Est sont nées, ont grandi, dans un système communiste, comme moi en France, en 1907, dans la troisième République. C'est un fait qu'ils ne pourront que plus tard remettre en question, on ne sait pas comment.)

Szekeres pense que Rakosi et Rajk étaient en une manière interchangeables et que celui-là aurait aussi bien pu être la victime et celui-ci le bourreau.

La noblesse de Georges Szekeres quand il refusa de demander asile politique en France comme le lui proposait la police française (et même encore à Strasbourg un nouveau policier venu tout exprès de Paris et qui ne lui proposait qu'un texte formel de demande d'asile). La noblesse, c'est de ne pas renier par peur l'image qu'on a faite et qu'on s'est faite de soi-même, même quand on ne croit plus que la cause que l'on sert mérite d'être servie. C'est absolument gratuit. Mais faute de noblesse on est cassé, etc. etc.

Véra Szekeres, jeune, fraîche, femme-enfant, découvrant à tâtons (ne parlant pas le français et le comprenant mal) le luxe français, comme elle prit des photos à Châtillon-sur-Chalaronne, « il faudra deux cents ans, quatre cents ans aux Hongrois pour apprendre à vivre ». A Budapest ce guide hongrois, allant en voiture je ne sais plus où, et comme j'avais voulu que nous nous asseyions dans un bistrot pour manger des sandwichs : « vous autres Français vous savez vivre » (le bistrot une sorte de magasin à boire, à vendre des vivres).

Lucienne notre servante part en vacances camper dans les Maures avec son mari, cultivateur à Meillonnas, ouvrier à Bourg. Ils s'abonnent, à l'adresse du camp et pour trois semaines, à l'édition bressane du *Progrès* : « pour ne pas rester trois semaines sans savoir les accidents, les décès de la région ».

La tragédie bolchevik intelligente et sauvage, rationnelle et délirante, fut la dernière du monde occidental (le fascisme burlesque; les bolcheviks devenaient assez vite les maîtres des camps nazis). (Le fascisme ne peut se définir que par opposition au communisme : la réaction burlesque, ubuesque de défense de la bourgeoisie en faux col.) Maintenant il ne se passe plus rien que les accidents, les décès.

En Hongrie, où il ne se passe également plus rien, c'est la littérature « populiste », descriptive, qui s'impose maintenant, parallèle paysan au « nouveau roman » en tant que descriptif. On ne fait plus de récits dans un monde où il n'y a plus rien à raconter. Où les personnages comme les sociétés s'atomisent — avec l'aide de l'automobile, prolongement de la maison particulière. Je fais 20 000 km par an sur les routes et il ne m'est jamais arrivé malgré mon extrême bonne volonté d'y rencontrer quelqu'un.

Projet d'essai sur le roman.

Après avoir laissé Georges et Véra à Lyon-Perrache à 14 heures, passé une heure au bordel. N'importe quel rite avec un léger plaisir, mais aussi bien l'un que l'autre, les uns que les autres, et sans alcool, comme à cette heure-là, impossible de s'enflammer, de perdre la tête. Le facteur lyonnais qui vient se faire fouetter tous les lundis matin. Les « hommes mariés » qui amènent une savate (?) de matière plastique, analogue sans doute à la plaque semi-rigide avec quoi Soulages peint, parce que cela laisse moins de traces que le martinet. Les Lyonnais demanderaient à être fouettés, les Parisiens à fouetter. Les commerçants du quartier viennent : le quincaillier amène la femme du boulanger pour qu'elle se fasse bouffer la chatte par une pute.

A Paris, l'aventure de Georges Szekeres se prolonge dans notre morte-vivante Jeannie Chauveau.

A. aima C., mais A. et B. ne purent quand même se séparer et ils restèrent noués, de ce nœud particulier aux êtres qui vivent ensemble dans des situations « intolérables » et qui ne se résolvent que dans des maladies mortelles. Enfin pour Jeannie sclérose en plaques, plus une sorte de leucémie. E., cependant, fille du premier mariage de B. avec D. vit avec eux, elle a dix-huit ans, incapable d'études, et à Budapest l'an dernier en vacances, affecte violemment de ne pas savoir ce que signifie un drapeau rouge et de croire que Marx est le nom d'un chien. Faire « changer d'air » pour soigner était légitime ; mais il faut en même temps proposer un nouveau milieu, une action nouvelle, comme je suis entré dans la Résistance puis le communisme après ma cure de désintoxication (et j'ai rompu avec Roberte et pour achever de m'en délivrer, il a encore fallu écrire *Les Mauvais Coups* et puis qu'elle meure).

Parallélisme entre la disparition du *personnage* (du héros) dans le roman contemporain et la fin du culte de la *personnalité*. Et le cancer, maladie familiale, se substituant aux maladies héroïques.

Paris le 14 juillet

Toujours le même plaisir à faire avec la Jaguar la route entre Meillonnas et Paris toujours diverse. Cette fois les blés sont mûrs, l'air et la route secs, on évite les « vacanciers » par Beaune et Pouilly-en-Auxois, un nouveau tronçon complète l'autoroute entre Avallon et Auxerre, un bref combat avec une Mercedes entre Fontainebleau et Paris, nous arrivons ensemble. Descendus pour la première fois au Normandy-Hôtel, rue de l'Échelle; fini le boulevard Malesherbes, Sarah dans ses fastes déserts du XIXe siècle juif.

A Paris le 16 juillet, je fus avec Scipion témoin au mariage de J.F.R. et de Flavienne à la Mairie du VIe. (Naguère, ici aussi j'avais été témoin du mariage de Muller et Jeannie Chauveau, Szekeres étant en prison à Budapest.) Nous avons déjeuné aux Marronniers. Nous n'avons rien dit d'intéressant, mais l'atmosphère était légère, enfin c'est sans importance.

Puis, Élisabeth, Flavienne, Scipion et moi sur le trajet des funérailles de Thorez, boulevard Magenta, où nous retrouvons par hasard Jo et Michel Vincent, fort émus bien qu'ayant jugé l'homme, c'est leur premier cortège populaire, les fleurs rouges, les drapeaux rouges, la vieille garde du parti, il n'y a plus que le parti qui peut « organiser », l'organisation, la structure etc. Flavienne également émue, pour elle aussi c'est la première fois.

Derrière le cercueil dans une D.S. noire, Waldeck et Vermeersch, le combat a-t-il déjà commencé?

Les qui défilent, défient, plutôt hargneux, bien que ne rencontrant aucune sorte d'hostilité, peut-être percevaient-ils que c'était la fin de quelque chose, un défi non à des adversaires mais à l'histoire qui ne recommencera pas,

le chef des gardes du corps vient me serrer la main, vieux souvenirs,

puis dans un bar-bordel, avec une blonde sans conscience, mal choisie, mais je commençais d'être ivre,

on se retrouve au bar du Normandy, Jean Pronteau, Jacques Rozir et Violette, J.F.R. et Flavienne, l'avenir politique vu en buvant, délire aimable, pas sot,

mais je bois et à mesure ne pense plus qu'aux jambes lourdes épaisses de Violette assise en face de moi mais elles sont les racines d'un platane, tu es belle comme un arbre, tu aspires le mouillé comme un arbre, nous nous embrassons, puis je pars seul dans la nuit, un trou de deux heures.

Meillonnas, 26 juillet,

Rentrés hier par même route, forte chaleur mais j'aime ça. Une noce bourgeoise à Verdun sur le Doubs (des Lyonnais sans doute), ces gens-là sont aussi vulgaires qu'en 1920 quand je les haïssais, boivent les mêmes liqueurs sucrées, mais les filles sont plus bandantes (et les femmes plus longtemps), mieux habillées (malgré les mêmes bijoux), mieux maquillées, coiffées.

Le samedi soir d'après le mariage, la réception de J.F.R., tous les demi-solde du communisme et de quelques autres trucs de l'époque.

Philippe T., sous prétexte d'aménagement, poursuit méthodiquement la destruction de la maison de sa femme, et de nouveaux trous dans le pisé mince; selon les heures du jour les costumes des divers corps du bâtiment, et son rapport mi-ouvriériste mi-pédérastique avec les tâcherons — et toutes ces femmes affolées d'approcher de l'âge où elles ne trouveront plus personne pour les baiser, le disant, chassant le visage défait — à trois heures du matin Philippe T. pousse sa femme du pont dans la rivière où elle ne manque que de quelques centimètres de s'empaler sur le piquet du grillage aux truites, les beaux yeux, les beaux seins de Françoise, mais son mari la prend par la main et l'emmène (à Boroboudour),

le pisé, la brique, les tuiles plates, le village du crime, trop Simenon. Hemingway ment (exprès, un auteur loue toujours plus facilement un faux auteur) : Simenon fait le contraire de lui, il décrit au lieu de dire vrai par l'action.

Toutes ces femmes sans vergogne, à l'opposé de ce que seraient des femmes libres,

je préfère la franchise putanesque de Juliette Dubreuil. (Parlant de Cécile : « Elle sait pourtant que je suis régulière, que je ne veux que coucher avec lui, que je ne le lui prendrai pas. » — Être régulières entre femmes : ne pas remettre en jeu la situation acquise avec l'homme : cf. Roberte des *Mauvais Coups* à propos de Juliette).

J'ai mené Dominique prendre une orange pressée à la Closerie des Lilas. Elle tâte le terrain. Elle voudrait une « fête », mais qu'à la différence du roman son mari ne le sache pas. Plaisant qu'elle soit syphilitique. Elle m'annonce que « depuis quelques jours, non, quelques semaines », elle n'est plus contagieuse et me cite une phrase de moi à ce sujet dans la *Singularité*.

Éliane L., elle, avait son programme bien établi. Dîner à Orly, whisky au Nuage, flirt en voiture. Flirt plaisant, je sais que sur certains gestes, le désir transforme instantanément mon visage, j'en use et elle s'amuse à avoir peur. Elle touche, mais ne se laisse pas toucher, pourquoi pas ? Au Nuage, plein, elle s'amuse à m'embrasser la bouche, les mains, elle s'était habillée comme une écolière, toile à carreaux, serviette. Je ne me lasserai jamais de tous ces genres de plaisirs. Elle est peut-être vierge, je m'en fous, mais son épouvante à certains moments, feinte ou vraie, m'excite. Vierge, formée à l'imagination par Pieyre de Mandiargues, et à qui Etiemble recommande d'écrire des livres érotiques : « à 16 ans j'ai donné dans le mysticisme, à 19 j'ai failli entrer au Parti Communiste, maintenant je m'intéresse à l'érotisme. »

Rue Cognacq-Jay, j'achève avec Jean Prat la synchronisation de *325 000 francs*. Ses vains efforts pour rendre

« naturels » ses rapports avec ses techniciens, ses acteurs, pour surmonter son dégoût de la vulgarité (dégoût et peur), pour être à l'aise, pour mettre à l'aise... comme moi la première année à l'école primaire de la rue des Feuillantines et comme sans doute mon père toute sa vie durant. Le dernier soir nous dînons avec sa mère qui lui fit ses classes, jusqu'à la 6e incluse, jeune veuve. [...]

L'avant-dernier soir, au bar du Normandy, intéressant délire de J.F.R. ivre contre moi : « je te clouerai à une porte, comme un hibou, je t'ouvrirai le ventre... » puis me parlant du désir des hommes pour Élisabeth. Le matin coup de téléphone de Flavienne, violemment : « j'espère que ce sale abruti ne t'a pas fait de peine », « ... il faudra que nous en parlions... » et à Élisabeth : « je n'ai peut-être pas assez d'instruction mais... »

Vendredi matin 24 juillet au moment de partir pour le studio je me suis senti en marchant mince, alerte, gai, presque allègre, comme il ne m'était pas arrivé depuis longtemps.

A 78 ans Pippo donne rendez-vous à Gloria à Florence, la baise et reprend rendez-vous avec elle pour l'automne à Venise. Elle lui écrit d'amour.

Marcelle pour Jean-Paul, Dominique pour Pierre, etc, etc, saisir le moment où une femme cesse de respecter un homme, puis le méprise. C'est rarement (jamais ?) sur des affaires d'amour. C'est la lâcheté qu'elles ne pardonnent pas, les petites tricheries envers les supérieurs, les inférieurs, de même que j'ai jugé mon père pour la première fois quand il chassa son employé Philipponet sur de faux prétextes, pour ne pas avoir à partager avec lui les gains de leurs « affaires particulières ». C'est sur la politique (au sens total), pas sur l'amour que les femmes jugent; nécessairement puisqu'elles sont nègres.

Guy, communiste, méridional, bedonnant, pâle, sa femme et leur fille. Je les ai mélangés à des tas de gens pour ne pas avoir de conversation vraie, il ne faut jamais s'expliquer ni laisser aux gens la possibilité de s'expliquer quand on ne veut rien en faire. Au fait pour Guy les vraies questions ne paraissent pas se poser, honnête praticien de la politique, il doit bien faire son boulot, dans la hiérarchie de l'Église aussi la question ne se pose pas de savoir si Dieu existe. Lise a demandé à Élisabeth de faire visiter la maison à sa fille, a insisté pour être conduite dans la pièce où je l'avais baisée, disant à sa fille : « dans ta chambre aussi je mettrai une moquette et sur la moquette un tapis épais comme ici ». Et la fille : « oui et moi je me roulerai dessus, je me roulerai dedans ». Belle grande fille, haute, visage bien construit, elle se promène dans le jardin en remuant les fesses.

Meillonnas, 29 juillet

Hemingway, *Paris est une fête*, conversation avec Ezra Pound, p. 130 :

... « *car il était le critique que j'aimais le plus... l'homme qui croyait* au mot juste — *le seul mot approprié à chaque cas — et je voulais savoir ce qu'il pensait d'un écrivain qui n'avait presque jamais employé le* mot juste *et n'en avait pas moins donné vie à ses personnages, en certains cas, comme presque personne n'avait jamais réussi à le faire (Dostoïevski)*.

« *Limite-toi aux Français, dit Ezra, ils ont beaucoup à t'apprendre.* »

Cf. p. 133 sur les romans qui tiennent malgré la traduction.

Je ne dirai pas « mot juste »,

mot qui fait le poids, et pas seulement en fonction de ce qu'on veut raconter, en fonction du reste du récit, etc.

et c'est sûrement ce que veut dire Hemingway (et qui passe — quant à lui — à la traduction).

Si bien qu'un roman, une nouvelle, un paragraphe sont aussi nécessairement ce qu'ils sont que le visage d'un homme (arrivé à maturité?) qu'une plante (qui ne végète pas), qu'un animal (sauvage?),

ce que Flaubert a presque toujours réussi, Nerval dans quelques nouvelles, Sagan dans les premières pages de *Bonjour tristesse*, moi dans la chasse des *Mauvais Coups* (par exemple),

ce qui fait qu'un texte est le texte d'un auteur au même

titre que la peinture ou la sculpture d'un vrai artiste et il n'y a que quelques auteurs par siècle,

et aussi des majeurs, des mineurs, etc.

tout le vocabulaire de la critique littéraire a été saccagé aussi bien par les communistes que par les philosophes, sociologues, etc.

Forme s'oppose à matière et non à réel par exemple, et il faudrait le définir,

écrire bien, cela ne veut pas dire mettre le langage en forme, au XVIIIe siècle n'importe qui écrivait bien, ça ne suffit pas à faire un auteur.

Hemingway dit : remplacer la description par l'action; c'est plus complexe mais il le fait presque toujours juste.

Créer des personnages — comme Dostoïevski et Dumas — suffit à faire un romancier, pas un auteur comme je l'entends.

Un roman d'auteur : chaque dialogue, fragment de dialogue, récit d'action, ne vaut pas seulement en fonction des personnages mais comme matériau dans cette architecture ou organisme qu'est le roman. Si bien que personnages et action n'existent plus qu'en trompe-l'œil, comme matériau (objet rendu à la matière) de quelque chose d'autre, de quoi? Ce que paraissent avoir compris des gens comme Robbe-Grillet, mais en voulant supprimer le trompe-l'œil ils se condamnent à travailler sans matériau, c'est-à-dire avec rien, à ne rien faire — ou Duras, qui gomme le trompe-l'œil et elle fait du flou artistique,

le matériau d'un roman c'est une action et des personnages; ce n'est qu'un matériau mais c'est celui du roman. Presque personne n'y comprend rien comme presque personne ne comprend rien à la peinture ou à la sculpture. *

Pourquoi les Russes écrivains ou peintres — mais quant aux écrivains c'est peut-être à cause de la traduction? je ne le crois pas — n'ont-ils pas encore découvert la forme (seulement le formalisme des icônes)? Je réponds en disant « pas encore », il y faut peut-être un certain genre de civilisation : la cité grecque ou la monarchie versaillaise?

Le langage sert à communiquer, comme ils disent (informer,

* Vérifié par l'expérience de *La Truite* : personne n'a vu de différence entre la fausse ébénisterie et le vrai élevage.

donner des ordres, convaincre et aussi conter : ainsi le roman à personnages quand il n'est que cela, récit d'un songe) ou en utilisant la communication comme un matériau à faire une œuvre : cela peut être aussi bien un traité d'élevage qu'un roman ou un poème — une œuvre qui soit aussi vraie que...

si je choisis le roman plutôt que le poème ou le traité d'élevage, c'est pour une part parce que c'est plus vendable. C'est aussi parce que je me raconte des histoires.

L'erreur de Nadeau de préférer la correspondance de Flaubert, qui sert surtout à mieux éclairer ses intentions, et ce que je veux dire ici.

Je ne commence à comprendre ce que j'ai voulu faire en écrivant *La Truite* et à quel point je l'ai réussi, qu'après avoir lu ce qu'on en écrit, ce malentendu total. Mon besoin de bien connaître (d'être bien informé) des milieux, objets, etc. dont je parle. Ils me font bien rigoler. C'est mon besoin de bien parler de ce que je connais. De quoi d'autre parlerais-je?*

Mais ce n'est encore qu'un prétexte, non pas à bien parler pour le bien parler,

mais à faire quelque chose avec le langage qui soit aussi vrai, en forme, que ce dont je parle, mais sans autre point commun, ressemblance, que la vérité, la forme (le formé),

et si cela ressemble à quelque chose, c'est à moi-dans-le-monde au moment où je l'écris,

et si c'est riche de quelque vérité c'est de celle-ci... moi-dans-le-monde,

et il ne s'agit ni de moi ni du monde, ni de subjectivité ni d'objectivité, mais du rapport vivant, vécu à un moment donné et en fonction de toutes les expériences vécues, de moi et du monde, à un moment donné, en fonction donc de l'Histoire, la mienne et celle que je connais du monde, etc. etc.

la seule chose en vérité que je connaisse,

et que je n'arrive à connaître qu'en la *sortant*, la découvrant dans cette action particulière à mon métier, ma vocation, ma formation, en écrivant une œuvre.

Je n'ai fini par découvrir ce que j'avais voulu faire dans

* Non pas bien connaître ce dont je parle, mais bien parler de ce que je connais.

La Truite qu'à force de questions mal posées et auxquelles j'avais mal répondu nécessairement. *

En bien parlant de n'importe quoi on dit tout.

Bien parler de cela ne veut pas dire décrire : en réponse à Robbe-Grillet et autres,

et qu'est-ce qu'ils appellent connaître un personnage de l'intérieur, par l'intérieur,

les intérieurs du poulet m'en apprennent bien moins que sa crête ou cette patte si particulière,

tes *tripes* comme ton *expression* c'est bien ce que tu as de moins particulier, singulier, individuel, personnel,

où ai-je lu ? ce chirurgien esthétique qui parlait de changement de « personnalité » après une opération, ça j'y crois bien que je croirais davantage dans ce cas à la tendance vers l'anéantissement plus qu'à changement, modification...

C'est une « vue de l'esprit » (ni fausse ni vraie, on y met ce qu'on veut) que de dire que tout tient dans tout, et que le monde entier est lisible dans la position d'une étoile ou la configuration d'un morceau de fer. Mais il est vrai que je dirai énormément en bien parlant de mes rapports avec ce morceau de fer, à un moment donné, etc, mais pas en le décrivant, ce n'est qu'un aspect, une manière d'aborder.

En m'introduisant comme auteur-enquêteur dans *La Truite* (comme mais davantage que dans *Beau Masque* et *325 000 francs*) j'essaie d'utiliser aussi moi-dans-le-monde comme matériau. Ce que j'ai expliqué autrement mais c'est la même chose, en disant que c'était une manière de donner à une histoire, ses romans, ses perspectives géographiques et historiques, d'échapper au roman régionaliste par exemple. Mais avec bien davantage de résonances, significations, je pense, échappant ainsi plus complètement que ne le font la plupart

* Les critiques de *La Truite*, même les gentilles, même les intelligentes, un tel total malentendu que j'ai envie de m'expliquer bien que je sache qu'il ne sert à rien de s'expliquer et que je le sache si bien que j'évite le plus souvent et par principe de m'expliquer, de solliciter, ou d'accepter une *explication* avec par exemple un être que j'aime ou que je n'aime plus, parce que tant de malentendus finiraient par m'ôter le goût d'écrire, et que pourrais-je bien faire d'autre dans la vie ?

Donc c'est pour moi que j'écris ces lignes, mais aussi pour ceux qui, pour ceux dont...

des auteurs de romans à la fallacieuse opposition intérieur-extérieur.

Rencontré ce matin Marie, maladroite comme Jean Prat dans sa façon d'entreprendre les humains, comme les bêtes qui ont été brusquées et qui aboient ou mettent la queue entre leurs pattes, peu importe, dès qu'on s'approche d'elles, moi aussi j'ai été à maintes reprises brusqué (la première année de l'école communale, etc.), en suis-je sorti par raison, en me pensant dans le monde et en agissant sur moi-dans-le-monde avec les techniques appropriées (les leçons de boxe par exemple) seulement? aussi par dandysme, cette forme de courage qui me faisait accrocher le portrait de Staline au-dessus de mon bureau. C'est sans doute ce que veut dire confusément Marie quand elle dit : « depuis trois ans j'ai décidé d'être snob » ou quand elle affiche devant tel ou tel d'avoir été baisée par moi ou de provoquer des garçons. Mais elle reste maussade; le dandy domine cela.

Meillonnas, 30 juillet

Mandingo par Kyle Onstott traduit par Francis Roy, mon « garde du corps » avec Pierre Hervé, à Saint-Germain-des-Prés, en 1949. Comme *Quo Vadis*, *Les derniers jours de Pompéi*, j'aimais cela à 12 ans. Est-ce que toutes ces histoires de fouettées m'auraient fait bander? Ce n'est pas sûr; Lili l'espiègle oui; *Sans famille*, Vitalis, aussi (« ça me fait de la peine, je ne peux pas voir ça »), la dernière putain du bordel de Lyon savait cela par cœur, tout le sado-masochisme de bordel se ramène à quelques rites, quelques formules devenues efficaces et qu'on se repasse de putain à putain, de client à client par les putains, ça arrive à maturité à force de masturbations solitaires — un peu à la manière d'une bonne scène de roman — et ça finit toujours par retomber à peu près dans le même rail, c'est la vie, c'est l'homme, c'est l'animal — le chat de Chavannes qui bandait quand il allait être puni — c'est ce qui change le moins à travers l'Histoire, l'admirable fresque de Pompéi, la femme marquée, l'Ange à la Verge, l'initiation aux mystères). *Mandingo* ne fonctionne pas pour moi; peut-être fonctionne-t-il pour les Américains? Pour moi à 12 ans? Je ne crois pas que ce soit la traduction qui me gêne : la langue ne compte guère pour ce genre de roman; peut-être est-ce trop tante? Trop masochiste à l'envers?

Déplaisant parce qu'hypocritement raciste. Veut faire plaisir à tout le monde. J'aimerais mieux à ces 530 pages, 50 pages d'un véritable traité d'élevage des nègres, exact.

Je voulais écrire (mais il me reste, du temps politique, de ne presque jamais écrire des lettres) à Jacqueline Demorneix qui (provoquée sans doute par son fiancé phycisien) envisage de faire une thèse sur le langage scientifique :

très excitant dans la mesure où ce serait une étude critique et non uniquement descriptive. Il s'agirait de discerner (dans un texte scientifique) *le moment où* le bien-parler, parler-juste d'un objet (cf. Hemingway : le mot juste) devient aussi réel (ou davantage) que cet objet. Ce qui m'intéresse à *ce moment-là* ce n'est pas l'exactitude de la description, la justesse du parler, bien qu'exactitude et justesse soient nécessaires sinon ce n'est plus un texte scientifique mais patascientifique (la patascience n'est pas sans intérêt mais d'un autre genre d'intérêt), ce qui m'intéresse c'est le moment où ça décolle, où le parler-juste n'est plus seulement un moyen (qui intéresse le savant) mais un objet fabriqué, une œuvre qui comme telle intéresse toi et moi et le critique littéraire (s'il en existait), lequel critique pourrait à son tour prendre prétexte de cette œuvre pour bien-parler parler-juste d'elle, et ainsi de suite à l'infini (une thèse secondaire adjointe serait une étude des gloses et gloses de gloses comme œuvres).

C'est dans certains textes scientifiques qu'on peut trouver le point de passage du langage comme moyen d'information au langage comme œuvre (comme fin en soi) de même que c'est dans je ne sais plus quoi que les scientifiques trouveront le point de passage de la matière inanimée à la vie.

Encore ce matin une critique complètement à côté de *La Truite*. Moi je préfère *La Fête*, moi *La Truite*, moi *La Loi*, moi rien que *Drôle de Jeu*, moi *Les Mauvais Coups*, qu'est-ce qu'ils y *connaissent?* Ce que je cherche à faire, dans un roman, mais peu importe ce que je cherche à faire, ce qui fait qu'une œuvre est une œuvre, voir toutes les pages précédentes et il va falloir continuer de mettre cela au clair au moins pour moi, et de même pour une peinture ou une sculpture, etc., il n'y a que des *connaisseurs* — combien dans le monde? quelques dizaines, centaines, milliers? — qui puissent l'*apprécier*, les autres aiment ou n'aiment pas pour des raisons *à côté* et je me prête à ce malentendu parce que j'ai envie d'avoir des lecteurs et Hemingway aussi s'y prêta, quoiqu'il dise, un peu moins que Fitzgerald auquel il le reprocha tellement, mais lui aussi s'y prêta,

et il n'y a peut-être pas moyen de faire autrement quand on n'est pas peintre ou sculpteur mais écrivain, parce que le langage ne peut pas comme la couleur ou la tôle être rendu à l'état de matériau brut, sinon en des poèmes finalement toujours ennuyeux et qui n'échappent quand même pas à l'ambiguïté,

et puisqu'il faut du trompe-l'œil comme armature, que le trompe-l'œil soit réussi, tienne.

Mandingo : qu'on parle d'humains comme d'animaux ne me gêne pas, me paraît plutôt propre à enrichir une « conception du monde », ce qui me gêne, c'est la superbe des Blancs qui s'arrogent une âme, et j'aime les Noirs dans la mesure où ils sont nus, et je ne les aime pas dans la mesure où domestiques, chiens et non lions, mais c'est la contrepartie de la superbe des Blancs, et je vois si clair dans ces histoires de rapports de forces, de leur renversement, etc. que ça ne m'intéresse plus en fin de compte que comme prétexte à écrire, mais je ne peux même pas le dire, car ce serait faire le jeu des Blancs.

Costa rentré hier de Paris mal à l'aise avec lui-même, m'a-t-il semblé, inquiet de sa santé, ce qui m'étonne toujours de lui, certainement plus fragile qu'il ne paraît, aujourd'hui à Lyon pour se faire faire un « bilan de santé » (ce serait un bon titre de conte horrible), il craint pour son cœur, Élisabeth et moi nous le croyons davantage ulcéré et doublement 1° parce qu'il a une mauvaise épouse, 2° à cause de ce malentendu entre créateurs et acheteurs, ce silence autour de son œuvre, l'imbécillité ou l'à-côté des critiques.

Quand on écrit un roman il faut peut-être jouer complètement le jeu des *péripéties*, afin de s'en mieux libérer.

Rendre clair pourquoi Gobineau est un auteur.

Meillonnas, 31 juillet

Continue de lire *Mandingo* avec plaisir mais avec cette gêne de « perdre du temps », comme devant la télévision, quand je la regarde parce que fatigué, pas encore assez pour dormir, trop pour lire, — et pour ne pas avoir envie de boire,

il m'arrive même de prendre intérêt à *ce qui va arriver*, à être pour ou contre, pour Hammoud, contre sa femme blanche.

Il y a bien aussi de cette manière dans *Beau Masque* et *La Loi*, mais par surplus, et pourquoi pas ? mais ce n'est pas cela qu'il m'intéresse de faire, c'est l'entrée de Beau Masque, la « montée sur la colline » et dans la mort de Don Cesare qu'elle soit orchestrée, rythmée,

sans doute pourquoi je suis directement touché par Velasquez.

Joseph Sima vient de téléphoner — je le verrai demain à Pérouges. Au premier son de sa voix je me sens méfiant, réticent, comme si certaine partie de mon passé tentait de se coller, comme si j'avais oublié de détacher un lambeau d'une de mes vieilles peaux. Mon passé comme ces récipients de verre où des liquides de densité (et de coloration) différentes ne se mélangent que lorsqu'on les agite mais ce n'est pas beau. Je n'ai plus aucune tendresse pour Roger Gilbert-Lecomte, encore moins René Daumal, souvenirs. Ce qui survit, souvenir, c'est moi, à tâtons mais inflexible, échappant précautionneusement à une histoire que j'avais inventée et qu'ils continuaient de vivre,

ce que me reprochait Jean Valdeyron à propos d'Aimée Delubac,

défendant de vie en vie une inflexibilité qui finit par n'avoir plus à s'exercer que sur elle-même, pour elle-même, avec toutes ces précautions de bête de taillis, comme le renard qui regarde toujours derrière lui mais ce n'est pas pour son passé, c'est pour vérifier qu'il n'est pas suivi,

et cette maison même conçue comme un terrier.

Sima n'est pas cité dans les contemporains de Skira, il vend à Reims et expose à Pérouges, ma crainte aussi qu'il ne s'attache à ce passé que pour y trouver aujourd'hui, comme Pierre Minet, une respectabilité. Ma peine peut-être quant à lui.

Meillonnas, 1er août

— J'ai 72 ans, m'a dit Sima. Tu sais, j'étais plus âgé que vous autres, je suis de 91.

Il a cessé de peindre de 1937 à 1952. Il s'est fait, à la manière des peintres de 1952, un petit vocabulaire pataphilosophique sur la lumière, l'espace, etc. Il relit certainement avec étonnement les trois numéros du *Grand Jeu;* il n'en revient pas d'avoir une certaine célébrité à Reims et à Prague, à cause de cela. Il a le regard bon. Il doit être bon.

Tout cela a été très triste. Je n'en finissais pas ce matin d'arriver à Pérouges, me trompant trois fois de route. *

La dernière fois qu'il a rencontré Roger Gilbert-Lecomte : en 40, en permission, il s'est cogné à lui qui remontait du métro Montparnasse. Squelettique, en sueur, en manque. Il l'a retenu à bras-le-corps et c'est alors qu'ils se sont reconnus. Roger GilbertL-ecomte revenait de Montmartre où le marchand n'avait pas voulu lui donner d'héroïne à crédit. Sima lui a donné 50 francs et il est aussitôt reparti pour Montmartre. Daumal est mort, affamé épuisé par Gurdjieff, Salzmann, Véra, au moment où les tanks de Leclerc entraient dans Paris.

Sima a une fille, adoptée. Après une tentation catholique, elle est devenue assistante sociale. Elle a 30 ans.

* Au premier étage de l'exposition une vitrine *Grand jeu,* textes, photos, autographes, ce sont ses lettres de noblesse.

Ma sœur à la maison. Nous sommes allés la chercher à Bellegarde. Elle parle de ses Jésuites comme les membres du parti lorsqu'ils s'en prennent à l'appareil.

Un coup d'œil sur la presse hebdomadaire. Il paraît qu'il y en a qui sont nostalgiques de l'entre-deux-guerres. Mais c'était exactement la même sorte de tristesse qu'aujourd'hui, sauf la révolution de 1936 et la drogue.

Meillonnas, 3 août

Au cours du dîner Anne, que j'avais connue étudiante, chez qui j'avais envoyé Henri Lefebvre, vidée du parti avec la première fournée d'étudiants lyonnais, maintenant entrepreneur de travaux publics. Elle parle pour elle-même, elle se construit le temps d'un dîner son petit plumage d'intellectuelle de gauche. C'était la bonne fille qui soignait les copains malades et protégeait les amours des autres; mais elle ne savait pas garder ses amants.

Ils se construisent, le temps d'un dîner, avec des mots, des bribes de phrases, leur fragile *maison;* elle s'abat; ils la relèvent à tâtons; ils recommencent sans fin, c'est leur manière d'être auteur.

Hier matin Gustave Singier, avec sa femme et sa fille Isabelle, 15 ans, mince, blonde, danseuse, en 404. De braves gens et un bon artiste. On a traîné, agréablement, on a pris l'apéritif, moi le Ricard du dimanche, et puis on est allé déjeuner à Bourg, au café Français avec Costa et les Garanger. Il faut savoir traîner attendre que cela chauffe, manger et boire avec ses amis, je le sais mais je suis souvent trop avide; par bonheur il n'y avait pas de femme que je convoitais. Vers la fin du repas, trois auteurs, nous avons parlé chacun de notre métier, sans théorie, dit comment cela se passe — lui c'est comme moi à la fin de l'après-midi — combien de jours, sur quel rythme et qu'on sent que c'est bon ou que que c'est mauvais. Et sur les manières, procédés, on croit tenir le truc pour tout le reste de sa vie, mais ce n'est pas vrai, il n'y a jamais de truc pour les vrais auteurs, pas de truc qui tienne.

Élisabeth émue par ma sœur, sa « transparence » dit-elle, son linge de vierge sage. Elles ont parlé de moi pendant des heures. Geneviève revient toujours aux mêmes souvenirs : à dix ans à Teilhède, moi dix elle cinq, je lui faisais faire de longues courses (comme on dit en Savoie), carte d'état-major en main; elle était fatiguée; elle ne le disait pas; elle rentre du Tyrol; elle a fait, comme les années précédentes dans les Hautes-Alpes, de longues courses en montagne, carte d'état-major en main (souvenir net : la carte d'état-major au 80 millième de Teilhède, le chemin en pointillé qui menait vers la source du ruisseau, le point géographique du bonheur). Un peu plus tard je lui ai appris à monter à vélo (dans la rue perpendiculaire à l'avenue de Laon, au coin de l'épicerie Goulet-Turpin); elle m'accompagnait sur les routes; elle a été fière quand elle a mieux tenu le coup que mon ami Pierre Chauvillon. Elle a grandi, sans se développer; elle s'en tire comme elle peut avec l'aide de la religion, des « activités sociales », mais proprement semble-t-il, enfin elle tient le coup comme à vélo. Fragile, mais inflexible à sa manière, fidèle à elle-même, mais à un soi-même pas développé,

commençant peut-être à soupçonner que c'est un manque (de ne pas être développé), mais tenant par fierté, ce que j'estime, bonne race, celle de nos ancêtres paternels,

elle aime *La Truite*, s'identifiant en une certaine manière à Frédérique, revendiquant au travers d'elle le droit au non-développement.

Elle raconte à Élisabeth : elle a envoyé des femmes d'un groupe dont elle s'occupe voir *Le Silence* de Bergman; une femme a protesté : lesbisme, masturbation. Est-ce vrai ? a-t-elle demandé à Élisabeth. « Oui. » Elle a rougi. Elle ne s'en était pas aperçue. « Tu sais, je ne sais rien par expérience. » (Rien que par les livres, la médecine « sociale », etc.) Et là, elle met son même héroïsme d'enfance à n'avoir peur d'aucun mot (comme elle avait tenu lorsque je fumais l'opium devant elle, du temps de Roberte, dans l'appartement des Buttes-Chaumont.)

Pourquoi suis-je tellement insensible au passé et à ceux qui le rappellent, hostile quand ils continuent d'en vivre ? Se développer, c'est, pour passer d'un stade à l'autre, réduire d'abord tout ce qui est du stade précédent à l'état de matériau pour l'édification du nouveau stade;

matériau : le bœuf comme aliment, le livre comme pâte à papier, la bicyclette comme sculpture.

Singier devant la toile d'Hélène, nous cherchons pourquoi ça ne « tient » pas. Mais ça ne tient pas. De la peinture comme des livres : il y a d'abord et absolument que ça tient, fonctionne, existe ou pas. Et d'être critique, connaisseur, ce devrait être d'abord de distinguer cela. Mais ils prétendent avoir des idées.

C'est plus ou moins bon, mauvais, mais d'un vrai auteur, peintre ou écrivain, tout existe. Et d'un faux auteur rien.

Meillonnas 4 août

Henri Lefebvre, qui n'était pas venu ici depuis Avril 1956 arrivant de Berlin-Est d'où il m'apportait le texte encore inconnu du discours de Khrouchtchev sur Staline. 60 ans, les cheveux blancs, le visage épuré, apuré (Littré : *vérifié définitivement. L'or moulu lavé dans plusieurs eaux après avoir été amalgamé au feu*), avec Nicole, sa jeune compagne, 25 ans, enceinte de sept mois et quand même beau visage passionné, et quatre jeunes, garçons et filles, ses élèves, j'aime cela. Beau et noble couple.

Meillonnas, 5 août

Lefebvre et Nicole partis hier après-midi.

Pour les gens de Meillonnas (Noëlle épicière aux grand yeux noirs, Madame Tatto, etc.) ce beau et noble couple « donne de la tristesse ». A cause de la différence d'âge. Pensant d'abord à la fille qui « perdra son soutien », c'est ainsi qu'ils pensent, avant que l'enfant soit en âge de gagner sa vie. Pensant à lui, qu'il aura 73 ans quand elle en aura 38 et qu'il sera nécessairement cocu, c'est ainsi qu'ils pensent. Pensant aussi sans doute qu'un enfant de vieux est chétif,

tout cela peut être ou ne pas être vrai,

m'obligeant à penser que c'est le défi d'elle et de lui (et de lui surtout) qui m'enchante, le dandysme au beau sens, le non à la condition humaine (comme m'enchantait du Bolchevik le non à la condition ouvrière),

(demander à Costa ce qu'il a voulu dire en disant que Lefebvre et moi nous ne nous ressemblons absolument pas mais que nos visages étaient construits (?) de manière analogue), *

et retrouvant l'idée qui fut à la base de toute ma vie : le vivant s'affirme en se tenant debout contre la pesanteur, l'homme contre sa condition native,

et moi contre ceux qui furent successivement les miens.

Suspicieux à l'égard du cybernanthrope de Lefebvre. Plaisante l'idée qu'il existe déjà, le vivant cybernanthrope s'identifiant par avance au futur automate,

la stabilité par autorégulation c'est le sommeil, il y a des hommes qui ne s'éveillent jamais, histoire rabâchée, la cybernétique n'y ajoute rien,

son cybernanthrope n'a que des besoins et pas de désirs, mais son cybernanthrope type ne trouve de plaisir qu'avec des impubères (son assistant).

Frédérique a passé une soirée avec nous et les Lefebvre sans que nous avertissions ceux-ci de l'histoire de Frédérique. Le lendemain je la raconte. Nicole dit presque agressivement qu'elle préfère nos amis aux collègues d'Henri. Ce n'est pas parce qu'elle est jeune, c'est parce qu'ils se sont « aliénés » dans leur fonction, leur famille etc. A quoi échappe Lefebvre en vivant avec Nicole, en n'étant pas le philosophe officiel du parti, etc.

G., autre élève, laissa Lefebvre il y a quatre ans, et il en fut blessé, bien qu'elle fût insupportable, parce que c'était la première fois qu'une femme l'abandonnait et qu'il y vit un signe de vieillissement. Elle revint, il l'accepta, ils vécurent ensemble encore pendant neuf mois, il rentrait chaque nuit à la maison mais il refusa de jamais lui refaire l'amour (il allait coucher à l'hôtel avec Nicole ou avec d'autres). Elle eut bien du dépit, la cone.

Un beau mois d'août.

* Simplement que nos visages ont les mêmes proportions aux divers étages.

mon métier c'est d'écrire
avec des pointes Bic
voilà bien de quoi rire
la plume c'est plus chic

Meillonnas, 6 août

Le beau mois d'août commence à se défaire.

Sainte-Beuve (Pléiade, p. 900) sur le saint-simonisme à propos de la réhabilitation de la chair.

Flavienne et J.F.R. Ils sont dans un hameau, à côté de Saint-Tropez une maison achetée par J.F.R. encore sans eau ni électricité, mais il a retrouvé tous ses vrais et faux amis, elle personne.

Travaillé à la préface *Manon Lescaut*, malencontreusement promise à Queneau. Je hais cette romance.

Meillonnas, 7 août

Écrire c'est ouvrir la porte au bonheur, il vient ou pas.

Meillonnas, 16 août

L'été en une semaine ne s'est pas défait méchamment, par orages, comme il fallait le craindre, il s'est mué doucement en automne, un simple changement d'éclairage, quand l'inclinaison des rayons, l'allongement des ombres devient sensible.

Beaucoup de visites, c'est la saison, on dîne par huit, par dix, par douze, à Meillonnas chez Portier ou à Bourg au Français.

Jean-Claude Fasquelle et Nicky, j'aime qu'elle rie fort et parle italien avec l'accent rude du Tyrol, que son père soit géant et que sa mère blessée lui téléphone de Rome toute la journée.

Je ferais sans doute un bon éleveur sensible davantage à la qualité du sujet qu'à la pureté de la race.

Michel le chimiste et sa femme Jo, bien adroitement arrangée, adroitement délivrée d'être femme en se présentant comme un objet bien poncé, leurs affaires ne vont pas mal, c'est un chercheur recherché, les deux petites filles le jeudi posent mannequins de magazine, et de fil en aiguille Jo en octobre va faire des modèles pour enfants et ils vont changer le H.L.M. 4 pièces pour un 5, pas idiots, délibérément intéressés par l'art, le théâtre, etc., ils voudraient acheter une statuette de Costa, ils fabriquent leur intérieur, leurs enfants, leur vie,

inflexiblement sans doute à leur manière, mais sans drame, sans drame pour l'instant, sont-ils les cybernanthropes de Lefebvre qui satisfont leurs besoins sans avoir de désirs?

Jo têtue, pas malhabile avec les hommes, se proclamant obstinément épouse fidèle pour ne pas, dit-elle à peu près, tomber dans la facilité,

je lui ai donné une jolie cravate de cuir noir.

Le cybernanthrope de Lefebvre est cultivé : il peut « satisfaire ses besoins matériels et culturels ».

Les Américains sont cons, il est bien meilleur marché d'acheter un communiste que de le tuer.

Lu les lettres publiées de René Daumal. Bien meilleur poète que je ne pensais. Mais pour « l'idéologie » Alain revu pour les occultistes, ce qui tient debout n'est finalement qu'Alain, le ton prophétique à la noix, repris aujourd'hui par les Zen-istes américains, vient de Salzmann, Gurdjieff etc. vieille salade, la drogue donnait des résultats plus concrets et nous ne nous en privâmes pas.

Mais qui passa encore? Je ne le sais déjà plus, Marc et Janine font partie de la maison, ce furent d'agréables soirées d'été avec mais sans trop d'alcool, avec du feu et sans délires, il faut en jouir tout simplement et en sachant bien que rien ne recommence jamais.

Voilà, ce sera, c'est fini. Mais tout de même quel salmigondis la vie à mon âge : Littré : *ragoût de plusieurs viandes réchauffées*, Scarron : « Et puis des membres rebondis / Du fils faire un salmigondis, / Le servir à table à son père ».

Les hommes me fatiguent tellement que je n'ose plus y penser,

enfin viendra l'heure de ma mort, toute courte, si courte, pas même le temps d'y passer.

Parlé de René Ballet avec Jean-Claude Fasquelle : Ballet est un romancier qui sait faire des personnages et c'est déjà une manière d'être romancier. Il est sans doute un écrivain, il en a même les mauvais tics qui sont sa manière de chercher à tâtons sa manière. Trois livres de lui chez Gallimard sont passés inaperçus de tous. Il n'est pas dans le coup. Pourquoi n'est-il pas, n'est-on pas dans le coup? Et qu'est-ce que ce coup-là? Cherché dans le Littré mais impossible de se débrouiller avec le mot coup. *Les Mauvais Coups*.

Passe Anne-Marie, égarée, défaite, disant qu'elle est heureuse, et ce fut sans doute vrai une heure plus tôt sur le nouvel autoroute Auxerre-Avallon. Pronteau est à Cadaquès avec ses deux filles, qu'est-ce qu'un bolchevik en chômage peut bien faire à Cadaquès avec deux fillettes de son sang?

Le garde-chasse qui nous vendit trois faisans à Costa et à moi : « attention qu'ils ne piquent ». Ils piquent à coup de bec la matière cornée bleue à l'origine des plumes caudales; il en sort une goutte de sang, ils s'y précipitent tous, ils piquent et repiquent tant qu'ils n'ont plus qu'à piquer le croupion, il en sort un bout d'intestin, la bête s'enfuit et se défile toute tout d'un coup. Il paraît qu'on peut faire accomplir le même exploit à des poulets.

Les gardes-chasse ont des enfants qui aiment les bêtes : la fille de celui-ci, le fils de l'autre, apprivoiseurs de geais et de rats.

Meillonnas, 18 août

Quant à la bombe atomique (ou quant à n'importe quoi) les Américains et les Russes, dans la mesure où ils agissent selon leur intérêt ou ce qu'ils croient être leur intérêt, se comportent comme propriétaires d'un grand nombre, le gouvernement français comme d'un petit nombre mais capable d'en fabriquer davantage, les Chinois comme non-propriétaires, mais capables de le devenir, les Grecs comme non-propriétaires et incapables... et par rapport à quels code, loi, notion de valeur considérer le comportement des uns ou des autres comme illégitime? Comportement qui n'est peut-être jugé, comme les manœuvres d'une bataille, qu'en termes d'habileté ou malhabileté, convénience ou non convénience quant au but poursuivi;

quant à moi Roger Vailland, refuser de prendre parti parce que capable de m'expliquer par raison la raison du parti pris de chacun, ce serait philosopher au pire terme, suspendre ma décision c'est-à-dire ne pas décider au profit du seul exercice de la raison raisonnante; décider de ne laisser parole à Roger Vailland que comme porte-parole de ce qu'il y a de commun à tous les êtres doués de raison, mourir déjà puisque c'est décharner, désosser, édenter, châtrer Roger Vailland né en 1907 à... capable entre autres choses de raisonner, ce qui ne le définit pourtant pas davantage dans sa singularité que de dire d'un arbre qu'il peut dans certaines conditions porter ombre,

mais comment prendre parti quant à la bombe atomique ou n'importe quoi donc, certain que né en 1907 je vais mourir en 19.., sachant que d'être né à ... de ..., donc Français d'origine petite-bourgeoise, drogué de ... à ..., membre du Parti Communiste de ... à ..., amant de mille et trois femmes, auteur de ... et de ... n'a eu pour résultat quant à moi que de donner forme et réalité à ce Roger Vailland en train (dans le moment présent) de réfléchir et d'écrire, qui va mourir en 19.. et qui peut à chaque instant décider de mourir, mort qui pour moi anéantira dans le même instant (atomisera) le monde tout entier et moi-même,

ce qui est vrai de tout être vivant à n'importe quel moment de sa vie, mais plus ou moins ressenti comme vrai.

Voilà sans doute le point important.

Ce qui est ressenti de plus en plus comme vrai à mesure que l'être vivant prend forme, se conquiert inflexiblement une forme au cours des luttes de son histoire et de l'histoire, et tend enfin à se détacher, non pas du détachement du philosophe (détachement qui ne concerne qu'un aspect de lui-même, une des possibles abstractions formulables à propos de lui-même), mais à se détacher du détachement total par exemple d'un arbre qui a conquis contre la forêt et avec elle une certaine place, devenue sa place, un certain volume de terre et d'air, un espace, et de ce fait même, dans cet espace, et continuant de vivre pour et contre la forêt, il est déjà détaché de la forêt, et quand il aura achevé de développer toutes les racines et toutes les branches que cet espace et sa vigueur lui permettent de développer, il sera complètement détaché, comme s'il s'arrachait de son espace dans toute sa solitude avec son monument de branches et de racines, son propre monument enfin détaché : il mourra.

Moi, sans doute parvenu à ce moment de la vie où ne compte plus que d'achever dans mon espace solitaire le développement de mes propres formes, de ma propre forme, de rester en forme pour n'utiliser de tout ce qui *arrive* que ce qui sert à achever le monument, ma vie, ma mort,

et la bombe atomique ou n'importe quoi ne sert plus qu'à remuer la sève,

ressenti (plus ou moins vivement) et non seulement pensé car le vieux lion de Ngorongoro Crater et le chêne lui-même... C'est en essayant presque par mimiques de comprendre ce que nous avons de commun que je m'approche d'une pensée claire sur ce que je suis et ce que je dois à mon égard faire.

Revenu de la Biennale de Venise blessé par la non-reconnaissance de son espace par les critiques, les amateurs, la mode, Costa tourne sur place dans Meillonnas, l'atelier vide, édifiant et aménageant cette grande volière rouge, dérisoire projection de son souci, où il mêle quatre faisans, quatre gros pigeons abrutis et une méchante poule blanche, jurant que l'année prochaine les faisans y seront serrés côte à côte à ne pouvoir bouger et à l'étage au-dessus les pigeons,

s'interdisant de fumer, cet équilibre va quand même comme je te pousse du geste et de la tension sanguine,

suspicieux et persécuté par son ouvrier et par moi-même,

et rien à faire pour lui que de ne pas provoquer d'explication, comme Hemingway sans doute après l'échec de son roman sur Venise, comme moi quelquefois, souvent, mais sans argent,

très probablement obsédé par Joy et son fils (Ben) à Skiros, comme moi par Andrée au début de 1941 à Lyon, mais c'est fallacieux, faute qu'il se passe quelque chose pour soi, comme la peur de la mort, le désir de l'enfant pour J.F.R.,

solitaire, étouffé étouffant, ne pouvant se produire que par des formes dans l'espace mais il ne peut pas le continuer indéfiniment, si elles ne sont jamais reconnues que par un très petit nombre d'amis,

parti ce matin dans sa camionnette pour faire visite à Antoinette à Hossegor, traversant d'une traite tout le Massif Central, granit, châtaigniers, puis digitales, j'aime cela, pourvu qu'elle lui soit clémente.

Meillonnas, 19 août

Écrire sur les conditions de la Renaissance dans les pays communistes en l'an 2... Pour l'instant il suffirait d'instituer dans le monde entier A BAS LES CONS.

Meillonnas, 21 août

A passé Catherine 17 ans, maxillaire carré caché sous le baby fat, pommettes saillantes, celtique auvergnate, *sculettante*, mais suivaient deux étudiants communistes, gauches à s'en rendre suspects, qu'elle « éclairait », et il ne fallut que penser d'y toucher. Le soir avec François nous sommes allés quand même, mais gratuitement, les réveiller à l'Hôtel de Treffort.

François — et son ami Alain — pendant des années faisant une à une les putains de la rue Saint-Denis, désolé qu'il en reste si peu à revoir et revoir, le plus consciencieux amateur, je lui donne l'adresse du bordel de Lyon.

Il aurait traversé la France en voiture pour essayer la petite Catherine, moi aussi sans doute, mais impossible de se débarrasser des garçons.

Meillonnas, 22 août

Jacques Rozir et Violette, on ne parle plus de la petite sœur Sophie (sauf les filles entre elles), ils reviennent du Congrès des Étudiants Algériens, Jacques raconte (en regardant Janine, pas moi) le rapport intelligent qu'il a fait aux Étudiants Communistes, je n'arrive pas, je ne suis jamais arrivé à m'intéresser à l'Algérie, sans doute à cause des sous-officiers de l'armée coloniale, travadja la mouquère, les zouaves, etc., c'est bien un peu de la faute des Algériens s'ils ont eu ces tyrans-là, exercice de dévoilement (dirait Lefebvre) que d'atteindre la vérité des esclaves à travers ce qu'ils ont fait de leurs maîtres, les ouvriers français à travers ce qu'ils ont fait de leurs bourgeois.

Ce qui me reste du récit de Jacques ce sont les récits que lui fit le délégué vietcong dix, quinze ans de maquis et 2 000 kilomètres pour rejoindre l'avion chinois (qui le ramènera un de ces jours). Je les connais pourtant bien ces récits de partisans toujours un peu les mêmes mais ce sont ceux des Chinois, Indochinois qui ont la meilleure qualité, les seuls hommes de mon temps qui m'aient réellement fasciné, les hommes nus, qui s'arment sur l'adversaire (avec un pavé, un couteau, etc.). Et pourtant je sais qu'une fois au pouvoir ils deviennent de sales cons. Semprun aussi m'a parlé de ces communistes espagnols, vingt-cinq ans de routine de la clandestinité, et qui ne sont plus que des fonctionnaires militants, militaires, pratiquants, Église militante; la sale conerie est toujours la contre-partie de « l'organisation » (comme ils disent). Restent les auteurs qui se servent de l'organisation pour écrire l'histoire dans leur propre style comme moi un roman. Quand on délègue sa souveraineté on finit toujours par ramper et le souverain par se délecter de faire ramper, mais le pouvoir sur la nature et les hommes dans la nature ne s'obtient que par successives délégations et reconquêtes de souveraineté, et moi là-dedans à 57 ans je n'ai plus le temps d'abdiquer quoi que ce soit, mais si je sors du jeu je suis déjà mort, mais le jeu n'en vaut pas la chandelle, je ne peux plus « marcher », etc. etc.

Assez tenté d'aller aux funérailles de Togliatti, la dernière occasion sans doute d'assister en Occident à un grand spectacle populaire et signifiant pour ceux qui se le donnent, mais j'en ai marre qu'il n'y ait plus de spectacles que funéraires.

Par Rozir encore, affligeant récit du comportement des délégués soviétiques à Alger, vivant sur la plage comme touristes américains, caméra en bandoulière, en quête de gadgets, absolument semblait-il indifférents à la politique, aux politiques,

par lui aussi l'inquiétude de Vigier retour d'un voyage chez les techniciens soviétiques, tout semble se défaire, l'échec de Khrouchtchev, au profit de qui cette fois vont-ils se démettre de leur souveraineté ?

On se languit de cette paix de vingt ans qui se défait dans la chie-en-lit des vacanciers,

cependant les Amerlos crânent, les sous-offs du monde,

ce ne fut peut-être jamais si près le temps de reprendre les armes mais comment prendre au sérieux et à cœur les sales cons ? *a tale told by an idiot full of sound and fury and signifying nothing*, les vacanciers, les caravanes, la chie-en-lit des plages, est-ce que tu crois est-ce que tu crois que cela peut encore durer ? J'avais senti cela d'une façon analogue en 1939, le lambeth walk à Montparnasse avec le frère d'Eden, et le camping dans les Landes.

Un bon document dans *France Observateur* : les beatniks remplacent les clochards dans les cafés de la Maube (ils disent : A BAS LES CONS).

Il faudrait mettre en évidence : ça n'a pas d'importance que ça n'ait pas d'importance, pas d'importance en soi, ça sert à se faire son plumage, etc.

Meillonnas, 6 septembre

Le soir du 21 août (cf. ci-dessus) décidé vers minuit de partir pour les obsèques de Togliatti avec Janine et Marc Garanger, et Rozir et Violette dans leur 4 CV.

Hier dans *Rinascita* et dans *Le Monde* simultanément publication du très important mémorandum de Togliatti pour ses entretiens avec Khrouchtchev, dit faussement testament de..., la rupture entre Togliatti et Khrouchtchev étant donc quasi consommée au moment de la mort,

les tragédies que je n'écris pas, qu'on ne peut pas écrire sur-le-champ. La discussion entre le délégué soviétique Brejnev et la direction du parti italien pour que le mémorandum ne soit pas publié. Les passions d'amour sont enfantillages à côté des politiques, sauf quand elles interfèrent donnant ainsi un rôle considérable à la Vermeersch, mais c'est plutôt un contrepoint burlesque; et la plupart des fois ce n'est pas l'amour qu'elles éveillent mais culpabilité, etc.

Étonnante beauté fière de la compagne de Togliatti aux obsèques, le défi politique en même temps que de la veuve, quand les sentiments et l'Histoire ne font plus qu'un,

le spectacle que j'avais cru aller voir s'efface derrière sa signification politique : le parti italien en amenant un million de militants (encore ignorants) à Rome, montrait sa force au monde, faisant mieux que pour un pape, et en particulier aux autres Partis Communistes, aux Soviétiques. Dans les deux jours qui suivent réunions de masse dans toutes les grandes villes, communication du texte aux responsables, puis aussitôt sa publication, enfin de la vraie politique, à l'échelon mondial.

Pour mémoire : départ le dimanche à midi, dîner à Turin au restaurant des serveuses de Lucques, XIXe siècle, ennuis de carburation en entrant dans Milan, on arrive quand même jusqu'à la Scala et on dort à côté dans un bien joli hôtel. Matinée du lundi au garage Jaguar avec un mécanicien compétent. On rattrape les Rozir qui avaient roulé, roulé, sur l'autostrade au-delà de Florence; plus loin l'autostrade n'est pas achevé et il faut dépasser, dépasser les autocars qui mènent vers Rome les militants de Toscane et d'Émilie, à Orvieto tous les hôtels sont pleins, encore un effort jusqu'à la Piazza Montecitorio où nous sommes attendus comme toujours. Avec un whisky je retrouve la force d'aller montrer la Piazza Navona à Rozir et à Violette qui n'était jamais venue en Italie. Le mardi matin devant le cercueil via Botteghe Oscure, discipline, pas de geste, pas d'effusion, le parti se tient en main, l'épreuve de force est commencée sans que nous en sachions encore rien,

la première allusion vient, dans l'après-midi, de U.D. rencontrée par hasard au moment où nous nous joignons au cortège (avec l'institut Gramsci sans le faire exprès, Via Cavour). J'emploie le mot *fatal*, innocemment, sur une histoire de chaleur et de maquillage, elle s'arrête, me regarde dans les yeux : « pas si fatal que Yalta »,

tristesse, à mesure que le cortège se défait, des drapeaux dans leur gaine revenant à rebours des drapeaux déployés, silence, chaleur,

dîner avec Gratienne (je n'y comprends rien), Pippo Naldi, Donna Raissa, Élisabeth, à minuit nous livrons les Rozir à Gratienne toujours efficace dans le pratique.

Le mercredi après-midi à Orvieto, en cherchant des petites routes vers le nord, le hasard nous mène au pied du domaine de Daria, l'allée de cyprès, la villa, le domaine qui revient toujours dans ma mémoire comme celui que j'aimerais habiter en Ombrie, mais nous n'y rentrons pas, c'est trop compliqué, on ne sait même pas si Daria et Lucia sont là, on va coucher comme Casanova à Aquapendente sur la Cassia,

le jeudi matin à Sienne puis à ...Chianti où j'imagine avec Piera un amour qui n'aura pas lieu, mais ce serait une bonne nouvelle en mêlant les funérailles de Togliatti et le dialogue avec Élisabeth et les Garanger sur cet amour imaginaire, possible et impossible, la Toscane, etc. Le soir formidable dîner émilien à Modena, zampone, lambrusco, le merveilleux hôtel Royal Fini,

le vendredi d'une traite de Modena à Meillonnas. Sur la montée du Cervisio les files de voitures des vacanciers français qui rentrent avec leurs petites fraudes douanières, la chaleur, les voitures qui s'arrêtent sur le talus pour refroidir, je passe tout en seconde, à grands coups de klaxon, dans le bruit des injures,

à l'arrivée nous trouvons J.F.R., Flavienne et Jean Pronteau qui nous attendent chez Costa. Un chien a mangé tous les faisans. Costa et le garde-chasse placent des pièges à loups. Des chats sont pris. J.F.R. proteste à la folie de Costa, mais parle pendant des heures à son chat qu'il a emmené à Saint-Tropez et qu'il ramène. Dans les jours qui suivent

Costa édifie une inquiétante statue en forme de stèle, totalement symétrique.

Nous l'essayons dans mon jardin.

Samedi, dimanche, lundi, longues conversations avec Z. qui nous expose le programme des « Italiens » bien plus élaboré que je n'imaginais. Il revit depuis que Thorez est mort.

Jeudi, vendredi, les Rozir nous rejoignent après halte chez les copains de Milan et Turin, déjà à peu près informés du « testament ».

Vendredi passe Yvette Bergerot qui nous avait hébergés du temps de *Foster*, femme médecin et progressiste, Sunbeam, bavarde mais intelligente, courageuse.

Mardi et mercredi passage de Vadim et Jane Fonda — Vadim venu pour montrer à Jane Élisabeth en tant qu'épouse modèle — et également mais par hasard de Jean Prat.

Samedi soir, Xavier, Patrick et Annie qui est revenue ce matin pour me branler et se faire branler.

L'été achève de s'achever avec une petite pluie fine depuis hier. Le temps des visites va s'achever. J'ai très envie d'écrire la nouvelle à propos de Piera.

Meillonnas, 7 septembre

Pour quelles raisons Costa a, semble-t-il, perdu l'affection (ou le respect) du village ? Personne ne l'a invité hier pour l'ouverture de la chasse et il a feint d'être malade. A-t-il acheté cette sorte d'épagneul breton ? De n'être pas reconnu à Venise (et probablement publiquement offensé devant les Grecs) il a compensé par des extravagances à Meillonnas.

Achevé *Le Remords* d'Alba de Cespedes, ce n'est scandaleux que dans un pays catholique en fonction du catholicisme. Laclos était déjà davantage dégagé du catholicisme que n'importe quel écrivain italien d'aujourd'hui.

Passage de Pagliero.

Meillonnas, 8 septembre

Relu l'avant-propos à la deuxième édition de la *Critique de la vie quotidienne* de Lefebvre, penseur méconnu.

Meillonnas, 21 septembre

Toute sorte d'amis ont continué de passer. Bon ça suffit. Je commence à avoir envie d'écrire.

Mon petit dictionnaire médical ? Pourquoi : *qui me* « *fait chier* » ?

Une journée à Lyon pour la Jaguar. Ces lieux qui ne peuvent être que pour moi ce qu'ils sont, parce que j'y ai non seulement passé mais vécu le plus vivement à des époques très différentes et dont ce qui survit pour moi n'existe qu'en fonction de ce qui survit ou pas de moi. Le garage Jaguar à deux pas de cet hôtel de l'Abondance où j'ai vécu, avec ces deux femmes tellement inséparables Roberte et Lygéia finalement bien plus haïes qu'aimées et dont je n'ai pas encore envie d'écrire le nom en clair.

L'affreux retour à Meillonnas, des phares devant, des phares derrière, c'est comme cela que vivent les gens, les automobilistes, très rares ceux qui peuvent à l'heure, au jour qu'ils veulent, jouer avec une belle machine sur une route de leur choix. Pagliero m'a fait pour la télévision interviewer par un psychanalyste à la con sur le duel des voitures dans *La Fête*. C'est déjà périmé. Signe, on roule entre des signes.

Mais dans Lyon les signes du passé et du présent, sur les mêmes lieux, ne se recouvrent même plus, je ne reconnais plus rien parce que je ne suis plus le même homme.

A cause d'un festival international d'étudiants, il n'y avait même plus de putains, rien que des flics à roulettes qui les pourchassaient. Quand il n'y aura plus du tout de putains, on regrettera ce luxe inouï, le réel le plus réel, un corps nu, des gestes vrais, les plus vrais, à portée de la main, au coin de chaque rue.

Les paysages où l'on se retrouve, qui sont une saisie immédiate (et architecturée) de soi-même, de tout un plan de soi-même : le volcan de la Réunion, la plaine crayeuse où je me branlais à côté de Reims, le chêne foudroyé du rêve sur Roger Gilbert-Lecomte, la ville maritime sans mer de mes rêves du sommeil, il n'y a rien à foutre, Lyon n'est pas cela, Lyon est mal foutue, quoique, quoique, et quoique, les Lyonnais sont méchants, bourgeois et ouvriers, méchants, bornés, etc. etc., il doit y avoir des raisons historiques mais je m'en fous, on ne peut pas aimer à Lyon,

l'affreux méfiant ami de Frédérique, venu avec elle dîner à Meillonnas, heureusement que Degliame raconta des histoires sur les Indes, Lyon fabrique mal les hommes,

et ce coiffeur grec de la place des Célestins, le seul coiffeur de Lyon dit Frédérique, curieux, trop curieux, je lui pisse au cul,

j'aime Élisabeth d'aimer les gens, c'est difficile, indispensable médiatrice.

Lu tous ces jours-ci *La Somme et le Reste*.

Meillonnas, 22 septembre

Petit dictionnaire du Corps Humain.

voir en noir, en rose
avoir des *chaleurs* (avoir peur)
chaleureux : peureux
avoir les chocottes
partir en couille
en croquer
les foies
fondu follingue
être gelé (ivre) givré
faire de la graisse (exagérer)
se la faire grasse
avoir les grolles (chaussures)
se tenir les côtes
si le *cœur* vous en dit

souffler le *chaud* et le *froid*
suer sang et eau
tendre la *main*
tenir à *cœur*
tenir à l'*œil*
tenir *tête* à
tiré par les *cheveux*
tourner la *tête* à
tourner ses *pouces*
d'arrache-*pied*
une œuvre de longue *haleine*
à la *queue* leu leu
se faire du mauvais *sang*, du bon *sang*
se faire la *main*
se faire montrer du *doigt*, tirer l'*oreille*
se manger le blanc des *yeux*
se mettre à plat *ventre*
se mettre en *nage*
la *cervelle* à l'envers
martel en *tête*
se monter la *tête* comme une soupe au lait
se mordre la *langue*, les *doigts*
s'en donner à *cœur* joie
se *pâmer de rire*
rendre l'*âme*
bouche bée, *bouche* close
la *queue* basse
rire du bout des *lèvres*, des *dents*, aux *éclats*, aux *larmes*, à *gorge déployée*, *jaune*
rougir jusqu'au blanc des *yeux*
rouler un projet dans sa *tête*
s'arracher les *cheveux*
savoir sur le *bout du doigt*
se battre les *flancs*
se creuser, se casser la *tête*
se fâcher tout *rouge*
pendre au *nez*
perdre la *tête*
perdre *pied*
à chaudes *larmes*

pour les beaux *yeux* de
prendre à *cœur*
prendre à rebrousse-*poil*
prendre *feu*
prendre *langue*
prêter le *flanc* à
qu'est-ce qui vous *prend*
remettre du *cœur* au *ventre*
rendre *gorge*
pas froid aux *yeux*
que les *os* et la *peau*
ne battre que d'une *aile*
ne pas aller à la *cheville*
ne pas desserrer les *dents*
ne pas l'entendre de cette *oreille-là*
où donner de la *tête*
ne remuer ni *pied* ni *patte*
ne pas y aller de *main* morte
obéir au *doigt* et à l'*œil*
à *cœur* ouvert à *corps* perdu
j'en ai par-dessus la *tête*
passer sur le *ventre* à
lever les *bras* au ciel
lier les *mains*
manger dans la *main*
manger du bout des *dents*
mener de *front*
mener par le *nez*
mettre la *main* à, sur
le *doigt* dessus, sur la plaie
mettre sur le *dos*
mettre sur *pied*, à *pied*
monter la *tête*
montrer les *dents*
mordre la poussière
mourir de sa belle mort
jeux de *mains* jeux de vilains
jouer des *coudes*, des *jambes*
lâcher *pied*
laisser *dormir*

laisser sur les *bras*
laver la *tête* à
le *corps* du délit
le dernier *cri*
le prendre de *haut*
les *bras* croisés
les *bras* m'en tombent
les *oreilles* me cornent
les *yeux* fermés
lever le *coude*
couper les *cheveux* en quatre
fermer les *yeux*
fondre en larmes
forcer la *main*
fourrer le *nez*
garder pour la bonne *bouche*
gros comme le *bras*
haut la *main*
heurter de *front*
il s'en faut d'un *cheveu*
jeter à la *tête*, au *nez*
de la poudre aux *yeux*
jeter *feu et flamme*
jeter sa *gourme*
faire le gros *dos*
le joli *cœur*
les gros *yeux*
les *yeux* doux
faire monter la moutarde *au nez*
faire *mine* de
peau neuve
sécher sur *pied*
faire toucher du *doigt*
faire un coup de *tête*
faire un haut-le-*corps*
l'eau à la *bouche*
à bas les *cons*
volte-*face*
être sur les *dents*
tout d'une pièce

tout *oreilles*
usé jusqu'à la corde
faire des *gorges* chaudes
faire des *pieds* et des *mains*
dresser les *cheveux* sur la tête
faire *face*, *figure*
faire *front*
grise *mine*
la fine *bouche*
faire la *moue*
faire la sourde *oreille*
en faire à sa *tête*
entre quatre *yeux*
en un clin d'*œil*
en un tour de *main*
en venir *aux mains*
à plat *ventre* devant
dans son *élément*
jusqu'au *cou* dans
la *cheville* ouvrière
mal ou bien *à l'aise*
mis à *pied*
piqué au vif ou de la tarentule
de *pied* ferme
de première *main*
donner du *front* contre, la *tête* baissée contre
donner la *chair* de poule
donner les *mains* à
donner sur les *nerfs*
dormir à *poings* fermés
dresser l'*oreille*
échauffer la *bile*, se faire de la *bile*
en avoir le *cœur* net
en *chair* et en *os*
coûte les *yeux* de la *tête*
lui fait une belle *jambe*
ni *chaud* ni *froid*
côte à *côte*
couper *bras* et *jambes*
courber l'*échine*

d'arrache-*pied*
de bon, mauvais *cœur*
de gaieté de *cœur*
de grand *cœur*
de la *main* à la *main*
avoir à l'*œil*, l'*œil* ouvert
le *doigt* dessus, le nez *dans*
par-dessus la *tête*
peur pour sa *peau*
avoir sous la *main*, sur le bout de la *langue*,
sur le *dos*, plein le *dos*, sur les *oreilles*
une *dent* contre
battre à *bras* raccourcis
bayer aux corneilles
boire le *sang*
casser *bras* et *jambes* à
avoir de la *tête*
de la *veine*
du plomb dans l'*aile*
l'air emprunté
la *main* heureuse, légère
tête à l'envers, carrée, dure, près du bonnet
le *cœur* gros
cœur sur la main
l'échine souple
les *coudées* franches
les *dents* longues
les *yeux* au bout des *doigts*
à toutes *jambes*
à tue-*tête*
au petit *pied*
avaler des couleuvres
ne pas pouvoir l'*avaler*
avoir à *cœur*
avoir *bec et ongles*
bon *nez*
bon *pied* bon *œil*
le *nez* fin
à *bouche* que veux-tu
à *contre-cœur*

à *corps* perdu
à fleur de *peau*
à la *queue* gît le venin
aller le *nez* au vent
âme qui vive
à rebrousse-*poil*
à son *corps* défendant
à *tête* reposée

Le 16 octobre à Meillonnas j'ai eu 57 ans et à Moscou Khrouchtchev a été vidé.

Meillonnas, 20 octobre

Les idéologies sont les plus cones des *institutions*.

Mais qu'est-ce qu'il vous prend, qu'est-ce qu'il vous prend de prendre au sérieux l'avenir de votre patrie ou des sociétés humaines ou de vos gnards, ce n'est pas plus sérieux (mais tout autant) que la crête du coq, que le sabot du bœuf.

Meillonnas, 21 octobre

A Paris du 27 septembre au 7 octobre, chez J.F.R. rue Jacob puis fièvre, paludisme? bronchite,

reste un souvenir *noir*.

(Beaucoup de choses, mauvaises je suppose, se liant pour moi au noir :

l'écharpe que ma mère dressa pour moi dans le rêve où je lui ai défoncé le crâne « parce que contre les Celtes aux pommettes saillantes, sorcières, seule prévaut la force physique », rêve qui remonte à avant *Héloïse et Abélard* puisque je l'y utilise;

noire la canule à lavements (?) l'instrument enculant châtrant dont me menaça vraisemblablement ma grand-mère encore bien plus celte,

et j'avais peur du noir bien sûr dans le « cabinet de toilette à maman »).

La plus noire, la plus proche du noir des épouvantes peu

à peu retrouvées (pour une part à force de mimer je ne sais trop quoi avec des putains),

le plus noir donc de ce séjour, j'étais assis le samedi 3 octobre, vers 16 heures, dans ce bar à putains de Montparnasse, bar que je n'aime pas, quartier que je n'aime pas mais j'avais rendez-vous à 18 heures, près de Denfert-Rochereau, je venais de la rue Jacob, c'était le plus court, le moins fatigant pour trouver une putain,

peu de putains à cette heure-là, plutôt déplaisantes comme à Montparnasse, putains pour cadres moyens, mais j'aime toujours, assis un peu en arrière, regarder les putains sur les tabourets, sachant que je n'ai qu'un signe à faire, attendant d'avoir envie de faire le signe,

tout à fait dans le coin, contre le mur, à l'opposé de la caisse (*Les Indes Noires* de Jules Verne, ma statue dans le charbon),

je ne la vois que de dos, une femme lourde vêtue de noir, épaisse, sans âge, peut-être putain occasionnelle du samedi (c'était cela) mais peut-être amie servante protégée parente du barman et placée là pour ne pas être confondue avec les autres,

c'est plutôt ce que j'ai pensé et je ne l'ai donc pas regardée davantage, un bar à putains, il faut qu'on soit sûr qu'il n'y a qu'à faire un signe,

une demi-heure a passé et comme j'étais plutôt d'humeur à être manié méchamment j'étais plutôt porté vers une genre très professionnelle, pas jeune, mais à l'autre bout du bar, il aurait fallu bouger,

puis la noire tourna la tête, me regarda comme une putain et aussitôt la chaleur au ventre,

le temps de commander pour elle une coupe et de payer, on monte,

lourde, timide, effarée, méfiante — mais terre, terre, la mâchoire carrée, les poignets et les chevilles lourds, à peine d'œil,

une commise fruitière qui fait des passes le samedi?

noire la robe, les cheveux, blanc malsain le corps, très disgracieuse, le sein lourd tombant,

mais noire et terre recréant pour mon plaisir les vieilles épouvantes dominées, on se laisse couler par jeu, on joue à la peur, l'épouvante, l'angoisse, l'épouvante est vraie juste ce qu'il faut pour que le plaisir frôle la perte de conscience, mais attention, il faut rester du bon côté, la conscience sur le point de se dissoudre mais que ça reste au contraire le point de conscience le plus aigu,

un peu surprise de ce que je lui demande, commandée qu'elle est de commander, monstre carré, mains comme des battoirs, il faut souffrir un peu, mais je joue et tu ne m'enculeras ni me châtreras, noire terrienne.

Ensuite elle essaya par la parole de créer des rapprochements futurs, timidement, louche comme une servante de curé (ou bien comme près de Saint-Martin-d'Ablois, 13 ans, 13 ans, la fille de la servante que j'avais embrassée dans mon bosquet-fort-souterrain et qui s'en crut autorisée, l'après-midi qui suivit, à une familiarité que j'estimai louche et je lui lançai un seau d'eau, Madeleine ? Yvonne ? Sa mère et elle, des mâchoires carrées : terriennes). Mais pas de complicité avec la terre : je suis généreux, frivole, léger, je vais.

Mais cette affreuse putain (ou étaient-ce les approches de la fièvre ?) donna le ton à ce séjour, et je sors seulement de la voûte non sans peine, fatigué, comme chaque fois que je retourne aux Indes Noires (mais ce n'est peut-être que la fièvre) (ou peut-être je force la note, trop content d'être capable de retourner, *par plaisir*, aux Indes Noires, et bien décidé à sculpter jusqu'au bout mon bloc d'anthracite),

effaçant ainsi, quant aux choses de l'amour, la gentille putain baisable, baisée, baisante de l'hôtel de Montmartre (avec les bars des hôtels, Paris redevient paradisiaque comme au temps des bordels), et la lectrice qui m'avait écrit, Joëlle N. 23 ans, avec qui j'ai passé trois fins d'après-midi, rue Jacob, tout à l'opposé des Indes Noires, petite, mince, des seins comme des clous, comme j'aime pour le plaisir-plaisir, adolescent plus qu'adolescente, un peu loucharde, mais je n'ai touché que des doigts et des lèvres, les femmes qui se couchent en m'observant : « et maintenant on va voir comment baise Vailland » me glacent. Elle vaut peut-être mieux que cela fille-garçon désemparé, nous avons laissé la porte ouverte à une suite, peut-être se méfie-t-elle de moi autant que moi d'elle.

Heureux des réactions de Claude Roy à la lecture de quelques pages de ces cahiers. A BAS LES CONS, lui aussi, et il en est encore plus accablé que moi, plus vulnérable, ne sachant pas encore que dans maints et maints cas, il ne faut pas *s'expliquer* mais se pétrifier, se faire un buste de pierre.

La plupart des autres rencontres sous le signe noir. Mais heureux pourtant d'avoir retrouvé pour dix jours Saint-Germain-des-Prés commc voisin, quoique et que et que...

Ce qui me gêne quand les gens commencent d'écrire leurs mémoires (comme Beauvoir, comme Sartre) c'est qu'ils se pensent au passé. Mais un « journal » avec des retours en arrière justifiés par la réflexion sur le présent vécu et l'acte même de l'écrire étant le plus aigu de ce présent vécu, ce serait peut-être le contraire de la « recherche du temps perdu » : la mise en acte (l'acte de vivre et d'écrire) de ce que le passé m'a fait et c'est tout ce qui en reste mais c'est énorme : cette agilité, ces points de repère, ces résonances, tout ce qui fait que j'écrivais dans ce *Drôle de Jeu :* à 60 ans je saurais bien mieux t'aimer, parce que j'ai, j'ai et j'ai.

Meillonnas, 3 novembre

Toux et fièvre ont continué, torpeur triste et jusqu'à un certain dégoût du tabac puis de tout, vagues projets voyage Maroc, Canaries, mais ce sont des solutions d'infirmes, de retraités. Depuis hier la vie semble revenir. Je tourne et retourne vaguement ce projet de journal pas journal, présent-passé-futur, ma vie en acte à partir de maintenant, enfin dans sa dernière phase.

J'en étais venu à lire six *James Bond* à la file pour ne pas rien faire, parce que je ne pouvais rien faire, mais pas dormir de sommeil 24 heures sur 24. Et puis je me suis retrouvé dans les meilleurs (*James Bond contre Dr. No*, le plus typique) : le héros accomplit un long, dangereux, torturant-torturé parcours : à la fin il tue le monstre, la pieuvre qui fait de l'encre *noire* — et il reçoit pour récompense la fille sauvage solitaire merveille,

exactement le rêve du demi-sommeil de la fièvre que je faisais au retour de ce *noir* séjour à Paris : j'étais sous la mer, je cherchais la surface en me débattant parmi des entrailles, des intérieurs, et pour surgir à la surface, pour *respirer*, je devais à la fin trancher au couteau des entrailles noires.

Je m'accouche, je m'accouche, j'accouche cet homme de 57 ans.

Ginette vient de téléphoner. Elle est enceinte pour la première fois de sa vie. Elle va se faire soigner à Athènes. Je raccroche. Je m'aperçois que je lui ai recommandé l'excursion de Delphes, que dans le même instant j'ai vu les aigles noirs et que maintenant je suis en train de débrouiller les fils noirs du téléphone.

Le Fitzgerald que je sans doute préfère (après Gatsby) et que je viens de lire (avant James Bond) : *Les Heureux et les Damnés* (son deuxième) qui s'achève sur le bateau, il est demi-fou, demi-infirme, mais il n'a pas cédé et quand même gagné son procès.

Meillonnas 5 novembre

Vala (de Costa, cf. plus haut) [...] est venue à la maison me demander de « l'emmener la semaine prochaine à Paris pour lui présenter Roger Vadim ou quelqu'un d'autre qui lui fasse faire du cinéma ou la covergirl ». Je l'interroge un peu : comment pense-t-elle payer qu'on s'occupe d'elle ? Elle sait bien qu'il faudra coucher, mais elle sera plus rusée habile que les autres : capable de faire attendre par exemple Vadim pour ne coucher qu'une fois le contrat signé. Il semble que cet été elle n'ait couché avec Costa que pour avoir accès dans ma maison et qu'elle lui en veuille de n'avoir pas payé : alors elle m'a téléphoné qu'elle voulait me voir. Je lui dis :

— C'est vous miser sur un tapis de roulette.

Elle répond :

— C'est cela. Je crois en ma chance.

N'a joué la comédie ni de la vocation théâtrale ni d'un genre de sentiment pour moi, ni même d'être lectrice, etc.

Non, elle venait purement et simplement demander un service, sans doute prête à payer, mais une fois le service rendu et en tentant de se dérober, c'est la règle.

Quand les cons disent que toutes les femmes sont putains (ou maquerelles) c'est pourtant à peu près vrai. Mme S. qui faisait chauffer la chambre une fois par mois, le jour où le maquignon passait voir sa fille. La valeur excessive, fétichiste, que les hommes attribuent à l'enconage, le peu de cas que les femmes sont entraînées à faire des souffrances ou des plaisirs physiques, une telle disproportion entre la demande et l'offre, elles ont toujours l'impression de payer en monnaie de singe.

Vala parfaitement poncée, longs cheveux noirs bien peignés, maquillage précis, faux cils, adroitement assise, la robe relevée juste assez sur les cuisses, tellement cela qu'elle s'est changée en objet (bien faite, mince, nerveuse, le mettant en valeur),

j'aime cela à la passion quand c'est une vraie putain, le jeu commence dès le don d'argent, les rapports redevenant humains à cause de ce don d'argent (à quoi personne ne comprend rien).

L'étonnant est que je ne le lui ai pas dit, m'en tirant avec quelques mots gentils et d'appeler Costa pour qu'il la ramène. Curieux que même ne désirant strictement rien d'une femme, ennuyé plutôt d'une conversation trop longue, et cela arrive souvent, je n'ose pas m'exposer à être traité de grossier. C'est marcher dans leur jeu ; avec les femmes comme avec les sorcières... La prochaine fois...

Elle m'a encore dit :

— Mon mari est au courant. Il est d'accord pour que j'aille tenter ma chance à Paris. Si je réussis il viendra s'y installer. L'ennui c'est l'enfant. Mais il est déjà grand, il a 28 mois, la belle-mère s'en occupera... Mon mari n'est pas jaloux, pas du tout. Moi oui, je suis terriblement exclusive.

A Meillonnas, X. fait des propositions tarifées à toutes les femmes. Elles le racontent, indignées du bas tarif.

Mais de tout cela je me fous : psychologie ou sociologie ce n'est pas mon domaine. Ce qui m'intéresse c'est :

1° pour décrire, qu'une femme puisse devenir tellement objet. Décrire très exactement Vala, et tout serait compris;

2° comme jeu (également à décrire, mais en action) : la bonne femme qui calcule au plus précis, au plus juste, en virtuose, à quel moment se faire enconer pour ne pas se faire entuber.

Meillonnas 9 novembre

Francis et Christiane 48 heures à la maison. Je leur lis ce cahier presque en entier. Estiment que c'est une vraie œuvre et simultanément le seul éclairage qui donne leur juste valeur à mes autres œuvres.

Cet après-midi je relis depuis 23 novembre 1962. Cela tient en effet. Des histoires (Flavienne, Costa) et des thèmes se croisent un peu comme dans le grand roman, style *Pléiades* que je rêve toujours d'écrire. Il faudrait intensifier le rythme, essayer de faire 1 500 pages en un an, cette année-là je vivrai en fonction du cahier « à garnir » chaque soir comme quand j'écris un roman.

Paris Hôtel Pont-Royal 10 novembre

Costa seul à Meillonnas achève d'agrandir une vieille maquette pour sa statue du lycée d'Aix-en-Provence. Il n'a entrepris rien depuis Venise que cette stèle absurde (cf. plus haut) et un demi-bonhomme, une espèce d'armure. Nous ne parlons presque plus, il élargit sa solitude et je ne fais rien pour l'en tirer, cette grâce (tout à fait exceptionnelle) a cessé de se manifester qui a fait pendant trois ans que nous avons pu l'un et l'autre oublier qu'il a besoin de moi. Le rapport est en train de redevenir tout nu de l'obligé à l'obligeant, de la détestation à l'agacement,

à Athènes il s'était dérobé à nous faire connaître sa famille, à moi tout particulièrement sachant que je connais le Levant,

et quand je repense à cette société athénienne, à moins d'un an de distance, il n'y a que le Levant qui subsiste, les femmes grasses, ce fut bien de voir Athènes l'hiver, pas de tricherie de chants au soleil, rien que le Levant qui a besoin de dollars pour manger de l'épaule d'agneau. Je m'étais naguère (à Paris) laissé prendre à un certain snobisme hellène : au contraire c'est comme la Corse, toutes les ressources, y compris culturelles comme dit monsieur poursuivons[1], sont toujours venues des colonies d'Asie Mineure, et maintenant que les Alexandriotes ont été obligés de se replier, ce sont déjà eux qui occupent tous les postes. Le reste vit des cadeaux des cousins d'Amérique ou d'avoir vendu des communistes contre des dollars.

Paris, 11 novembre

Je n'y crois pas je n'y crois pas que comme veulent nous le faire croire les amateurs de techniques et cadres, il n'y aura plus de héros shakespeariens. Même leur Kennedy et pas seulement pour sa mort.

Je ne crois pas, je ne crois pas qu'il ne se passera plus rien. Et pas seulement par goût personnel pour les événements (et « l'histoire événementielle »). Au fait pourquoi Lefebvre cet été redoutait d'être « passéiste » ?

Et en sens inverse de mon refus, ce voyage hier où nous avons traîné entre Joigny, Montargis, Nemours sans voir une seule belle maison ancienne ou moderne, mais même les vieux villages recouverts, enduits par ces villas de pauvres et ces maisons de week-end même pas honteuses d'elles-mêmes, habitées par des gens même pas honteux de leur maison, ils les méritent comme ils méritent leur propre visage, mais je ne sais pas ce que veut dire mériter, elles sont leur maison, leur visage, leur peau, eux-mêmes, tout ce peuple français que je n'aime plus, que je n'ai jamais réellement aimé, sauf par erreur, quand je le confondais avec quelques héros qui se réclamaient de lui, les bolcheviks, les FTP, Bourbon, mais déjà il n'y avait plus d'hommes nus en France que les Nordafs.

Cet après-midi — angoissantes rues de Paris les jours de fête, ils ne savent pas plus les fêtes et les voitures qui courent de feu en feu à faire hurler — au cinéma, *Le Désert Rouge* d'Antonioni, il sait faire marcher sa bonne femme dans

1. *Monsieur poursuivons : Staline.*

toutes sortes de paysages et la faire déshabiller et provoquer - se défendre comme les vraies cones, c'est beau, c'est vrai, ça fait le poids, dommage qu'il gâche tout (mais pas tout à fait) en ayant des idées. Merde pour les cinglés de la non-communication, les philosophes autodidactes, les Douaniers Rousseau de l'existentialisme, ça ne voudrait dire quelque chose que si on disait le contraire en même temps, je communique - communique pas, ce qui est intéressant c'est de quelle manière cela se fait, mais les voilà tous qui retournent à *Pelléas et Mélisande*,

lu récemment, l'admirable *La Double Maîtresse* d'Henri de Régnier qui en disait (dans le même sens) bien davantage que tous les films pseudo-freudiens, et avec succulence, comme il parle des poires, des seins.

Paris, 12 novembre

Un peu de difficulté à me mettre en route après ce mois de fièvre noire, les gens me fatiguent, même quand je les aime bien, je ne peux pas en voir plus de deux trois par jour. Cet après-midi, je suis allé tout seul à pied jusqu'au Bon Marché, j'avais envie de voir le Bon Marché, mais, comme beaucoup de choses, il est bien plus plat que dans mon souvenir — et les jouets sont bien moins drôles, bien plus laids que je ne croyais, aucune invention.

Mais j'aime me retrouver dans cet hôtel Pont-Royal où j'ai vécu de 1945 à 1947, où j'ai eu quarante ans et ce jour-là j'étais extraordinairement heureux et je ne cessais de me répéter et de répéter que j'étais heureux, particulièrement à Clotilde, mais ce n'était pas particulièrement à cause d'elle, et elle avait tout juste vingt ans à peu près le même jour, une grande fille blonde, costaude, énergique qui allait devenir mère de famille avec je ne sais plus quel maurrassien, comment cela se passait-il, arrivait-il, se préparait-il, ces souffles, ces heures, ces jours de bonheur et qui n'étaient pas liés à telle ou telle cause précise, ni même à une légèreté du corps, ne me ménageant guère ? D'où vient l'allégresse (que je ne fais plus qu'entrevoir et puis elle se dérobe, mais je n'en désespère pas) ? Au fait, rien d'autre n'a sans doute réellement d'importance. Peut-être étais-je plus réellement détaché qu'aujourd'hui, ni maison, ni réputation et bien que je m'en foute et puisse à chaque instant par décret, m'en détacher, peut-être cela tend-il à me changer en chose, c'est le contraire de la flamme-forme, etc. etc... Et qu'est-ce que je faisais d'autre que boire avec mes amis, m'occuper d'*Action*, écrire quelques articles, *Drôle de Jeu* était fini, m'avait donné ma liberté matérielle, *Les Mauvais Coups* devaient être commencés après le Pont-Royal, à Viroflay en juillet 1947, j'étais délivré pratiquement de Roberte, *Héloïse et Abélard* ne prit que quelques semaines à écrire, je ne me rappelle même pas d'un amour important, avec qui couchais-je, je ne le sais vraiment plus, surtout des putains sans doute, oui ce fut la grande époque de la rue des Lombards, je ne me souviens même plus d'un nom, Eva, Zora ne surgirent qu'en 47, 48, j'ai pourtant l'impression que c'était une époque pleine de filles, ce furent des années passées à boire avec les amis, à *Action* et autour d'*Action* ici au Pont-Royal, au Tabou, au bar bleu, une époque probablement assez courte, sans doute la seule année 46, en 45 j'étais War Correspondent et en mars 47 je partais pour l'Égypte.

Quand une nation, un peuple, une race (avec toutes les réserves sur les définitions de ces termes) est humiliée, ses hommes, ses femmes persuadent et se persuadent qu'ils ont les bites plus grosses, le con plus chaud, c'est leur revanche. Et l'humiliateur finit par le croire à travers ses propres femmes, elles-mêmes humiliées en tant que femmes et l'humiliateur n'en finit pas d'être humilié, etc. etc.

Mais personne ne dit jamais tout simplement que les femmes n'ayant pas de bite ne jouissent pas de la même manière que les hommes. On fait des jeux de mots sur les spermes et les foutres et les orgasmes, alors que sans métaphysique et morale tout le monde s'en fout de jouir et en vérité les femmes s'en foutent encore plus que les hommes, de même qu'elles se foutent d'être battues, giflées et de la plupart des souffrances physiques (Laure : pour 500 000 francs par mois ça vaut bien des coups de martinet sur les fesses).

Cf. l'excellent roman de James Baldwin.

Paris, 13 novembre

Être communiste implique une conception du monde mais la pratique du communisme (comme action dite militante à l'intérieur d'un parti) révèle que cette conception du monde n'a pas encore été formulée. Ce n'est qu'à partir de cette contradiction prise comme point de départ réel d'une réflexion qu'on pourrait éventuellement surmonter la conerie devenue universelle des « idéologues » communistes.

Z. m'a fait rencontrer X. [...] du PC Italien, ex-protégé de Togliatti. [...] Il me demande de collaborer à *Rinascita*, c'est le commencement de la tentative d'une partie du PCI pour regrouper les « intellectuels » européens autour d'un parti « d'un type nouveau ». Il y aura les Chinois, les Soviétiques, les Italiens, et le socialisme nasserien qui n'est pas athée mais islamique et le cubain qui sera cucarachien. C'est formidable ce que la désagrégation d'un certain *truc* qui fut tellement important de 1919 à 1956 s'accélère. Les Cathares, ou je ne sais quoi, furent peut-être aussi importants en leur temps. Peut-être que dans quelques siècles on n'en saura pas davantage du communisme.

Mais cela ne me regarde pas. A BAS LES CONS, et moi je n'ai plus que le temps tout juste de finir mes plumes, mes griffes.

Paris, 18 novembre

Ces lentes journées (volontairement ralenties) entre la chambre et le bar du Pont-Royal avec quelques pointes jusqu'à un cinéma ou une putain.

Jeannie Chauveau n'en finit pas de mourir. On retourne et retourne ça avec Élisabeth et Pronteau qui vont la voir [...]. Sclérose en plaques puis leucémie : dorénavant tous ses amis défilent à la maison, même ceux qu'elle ne voyait jamais plus, et chauve, faisant le clown avec sa perruque blonde, ployée en deux, pleine de trous et d'eau, elle terrifie ses jeunes belles secrétaires de *Elle*, sa patronne Hélène Gordon lui téléphone tous les jours, [...] et [...] n'osent plus tenter d'aller habiter ailleurs et [...], l'ex-ingrat, téléphone toutes les heures, ce qui est pour moi là-dedans ce n'est pas la psychologie hystérique, mais le mouvement animal, la bête frappée d'un pieu qui râle et ne meurt pas, il y a des bêtes, le corbeau, le chat, qu'on n'arrive pas à achever, le groupe mystifié qui n'arrive pas à se dissocier, ils la haïssent tous mais ils sont coincés par leur pseudo-morale, *elle les a bien* — et tout cela comme simple sous-produit de son drame politique à Budapest.

Au bar du Pont-Royal une gamine très brune, de très petite taille, pleine de cheveux comme on fait en ce moment dans le cou, sur le front, sur les sourcils, l'œil très maquillé, dédaigneuse en compagnie d'un garçon probablement tante, et de temps en temps levant un regard effronté pour se moquer des autres femmes.
[...]

Paris, 19 novembre

Au cocktail du premier numéro du *Nouvel Observateur* des garçons vêtus de noir, serrés les uns contre les autres, dans un local désaffecté : ce n'est pas vrai, mais c'est ainsi malgré moi que j'ai vu, malgré moi parce que, bon gré mal gré, je fais partie de cette gauche désaffectée. Et hargneux qu'ils sont, moi aussi sans doute, parce qu'on ne peut pas ne pas s'en vouloir les uns et les autres d'être désaffectés. Peu de femmes, presque plus de ces jeunes juives, séphardim ou pas, qui furent le plaisir et un certain genre d'intelligence de la gauche, elles doivent avoir trouvé autre chose, mais où ? mais quoi ?

L'exposition Magritte a un succès gros public et la cote monte, monte. C'est astucieux, ça frôle la blague bien parisienne, ce que n'importe quel con peut comprendre du surréalisme comme ***, qu'est-ce qu'ils comprennent de Chagall ? Et peut-être que Hartung représente la même chose quant au non figuratif que l'École de Paris.
La secrétaire de la galerie ***, dessine des « petites

filles sages » qui lui ressemblent, les cheveux en double virgule, sur le front et qui se fouettent ou se torturent l'une l'autre : peut-être que les jeunes belles intelligentes sensuelles jeunes juives de l'ex-gauche ont émigré dans le néo-surréalisme. [...]

[1964]

ÉLOGE DE LA POLITIQUE[1]

Certains hommes ont la vocation de la politique, comme d'autres ont celle de la peinture, du théâtre ou de l'invention mathématique. Ce sont des hommes à passion, à passion unique. Le politique, lui, sa passion, c'est de faire l'histoire de son temps; quand il réussit, il fonde des États ou fait des révolutions. Les vraies vocations et les passions absolues sont rares et qu'elles réussissent l'est encore davantage. Chaque siècle ne produit que (ou n'est produit que par) quelques vrais peintres et quelques grands politiques. Comme tout le monde, bien sûr, je m'intéresse à ces gens-là — et dans la période présente, peut-être davantage au peintre qu'au politique. Je ne me cache pas d'admirer les grands hommes; Plutarque fut une de mes premières lectures et je ne renie pas son enseignement.

Mais ce qui me paraîtrait aujourd'hui plus intéressant, ce serait de comprendre pourquoi, comment, de quelle manière, à quel moment, des hommes qui n'ont pas la vocation politique — la très grande majorité des hommes — des hommes qui ont peur de la politique parce qu'ils savent, par leurs manuels d'histoire et la lecture des journaux, qu'il est bien plus dangereux de faire de la politique que de descendre dans l'arène aux taureaux ou de courir en automobile, parce qu'ils

1. *Article de Roger Vailland, publié dans* Le Nouvel Observateur *(26 novembre 1964). L'article est reproduit ici dans son intégralité, d'après le manuscrit de l'auteur).*

pensent aux procès, aux guillotines, aux camps, aux meurtres, etc. (et à l'amertume des vaincus abandonnés de tous), pourquoi ces hommes qui se laissent aller au courant de la vie quotidienne parce que c'est le plus facile, parce que l'achat d'une voiture, d'un disque, le sourire d'une fille fait oublier qu'il sera bien triste de mourir à la fin d'une vie pendant laquelle il ne se sera rien passé, pourquoi et dans quelles circonstances ces hommes-là, ces hommes de tous les jours et de tous les temps se mettent tout d'un coup — et quelquefois tous ensemble — à se conduire en politiques. Alors, et pour un temps, les « grands hommes » (comme dans Plutarque) foisonnent. (Ensuite, ils s'endorment ou s'éliminent les uns les autres, mais c'est une autre histoire.)

Ce serait particulièrement intéressant aujourd'hui parce que jamais, *de mémoire d'homme*, le peuple français (et pas seulement lui) n'a été aussi profondément « dépolitisé » comme on dit; singulier vocable, singulière chose. Il est informé, bien sûr, mais être informé de la politique, c'est-à-dire de l'histoire en train de se faire, la regarder à la télévision, même si c'était une télévision objective, c'est utile pour se conduire en politique, mais ce n'est pas par là même se conduire en politique. Avoir des opinions ne suffit pas non plus; l'opinion, par définition, ce n'est pas une certitude et encore moins une action raisonnée; quant à *l'opinion publique*, les tyrans d'Athènes savaient déjà la fabriquer. Se conduire en politique, c'est agir au lieu d'être agi, c'est faire l'histoire, faire la politique au lieu d'être fait, d'être *refait* par elle, c'est une manière de se comporter, une action qui se décompose en une série bien déterminée d'actions. C'est mener un combat, une série de combats, faire une guerre, sa propre guerre avec des buts de guerre, des perspectives proches et lointaines, une stratégie, une tactique. Voilà qui paraît bien le dernier souci aujourd'hui de nos contemporains.

J'ai déjà vu ce peuple désintéressé (pas tout à fait autant) à plusieurs reprises. En 1932, j'étais jeune journaliste dans un grand quotidien; je me rappelle très bien certaines conférences de rédaction, on nous disait : Hitler, Mussolini, la crise américaine, les affaires soviétiques, notre public en a pardessus la tête; ce qui l'intéresse, c'est la vie de tous les jours;

ce qu'il veut savoir de New York : qu'est-ce que les Américains font de leurs frigidaires? De Berlin : l'amour y est-il plus libre qu'à Paris? De chez nous : comment supprimer au plus vite les passages à niveau qui font tant de victimes sur la Nationale 6? Et c'était vrai, les inspecteurs de vente du journal le confirmaient, les Français, cette année-là, ne voulaient plus entendre parler de Hitler ni de Mussolini; ils commençaient d'acheter des tandems pour se promener le dimanche. Voilà ce qui les intéressait.

Quatre ans plus tard, les métallurgistes et les mineurs occupaient leurs usines et leurs mines. Pas seulement les métallurgistes, mais aussi les gaziers, les cartonniers, les ouvriers municipaux. Les balayeuses des municipalités défilaient, le balai sur l'épaule.

Quatre ans plus tard, les demoiselles de magasin occupaient les Galeries Lafayette et les employés de ministères défilaient le poing levé, en réclamant « des canons, des avions pour l'Espagne ». Les demoiselles de magasin aussi scandaient : « Le fascisme ne passera pas. »

Je crois qu'aujourd'hui, même ceux qui sont en âge de se le rappeler ont oublié ce que c'était, avant 1936, une demoiselle de magasin. Pas seulement quant aux salaires, à l'absence de congés, de sécurité sociale, etc. Quant au respect. L'ouvrier français, même dans les périodes de « dépolitisation », n'oubliait pas une déjà vieille tradition révolutionnaire; le respect du travailleur, ça n'avait jamais cessé de lui dire quelque chose; en toutes circonstances, il exigeait, au moins formellement, ce respect-là. La demoiselle de magasin n'avait jamais été « organisée »; elle était demoiselle, état transitoire; elle ne gagnait pas de quoi vivre, mais c'était mieux que d'être chômeuse; on ne lui avait jamais rien appris, rien que le respect, pas le respect d'elle-même, mais celui des autres : le respect du client et le respect du chef de rayon. Le respect fait demoiselle de magasin, pas d'autre solution si elle ne voulait pas « tourner mal ». C'est pourquoi j'insiste sur la demoiselle de magasin d'avant 1936. Elle n'était pas « dépolitisée », elle était d'avant toute politique. Le respect (imposé, subi), c'est le contraire de la politique.

Or, en juin 1936, les vendeuses des grands magasins mirent à la porte les clients et les chefs de rayon, occupèrent les comptoirs, s'organisèrent « sur le lieu de leur travail », comme on disait alors, comme dans un camp retranché. Comme le faisaient dans le même instant, bien sûr, les métallurgistes, les mineurs, etc. Mais l'extraordinaire était que les demoiselles de magasin aussi fissent « la grève sur le tas ». Les voilà qui chantent *la Carmagnole* et *l'Internationale*, lèvent le poing, fondent des syndicats, des syndicats politiques qui n'exigent pas seulement des congés payés mais que les demoiselles de magasin aussi disent leur mot sur les affaires du pays. Et quand elles chantent « groupons-nous et demain... » et « nous n'étions rien, nous serons tout », cela a une signification pour elles. Les demoiselles de magasin ont découvert leurs *buts de guerre* et se sentent obligées de faire la guerre.

Ce n'est pas mon rôle de faire ici, maintenant, l'analyse de ce qui s'était passé entre 1934 et 1936, la menace fasciste devenue brusquement concrète en février 1934, les premiers succès du Front populaire montrant que la bataille pouvait être gagnée et tout ce brassage d'idées et d'actions qui fit toucher du doigt que ce n'était pas seulement une bataille défensive mais que la vie de chacun pouvait être changée, qu'il s'agissait de mon, ton, son, de notre bonheur. Pendant quelques semaines de 1936, un très grand nombre de Français furent des politiques et crurent au bonheur.

Et puis, une nouvelle fois, j'ai vu le peuple français « dépolitisé ». En 1942 — l'affreuse année. Ce n'était pas seulement d'être vaincu, d'être occupé, d'être gouverné par les vaincus de 1936, « mieux vaut Hitler que le Front populaire » répétait mon garagiste. C'était qu'un peuple tout entier parût ne plus penser qu'au ravitaillement. Un jour, sur le quai de Lyon-Perrache, des hommes qui paraissaient bien élevés s'écrasaient, puis se battirent pour gagner quelques places dans la queue à l'entrée du wagon-restaurant; un vieillard qui les regardait à distance les injuria avec les termes les plus délibérément grossiers; j'étais de tout cœur avec ce vieillard (bien que son style fût un peu trop *ancien combattant* pour mon goût). Ces hommes du wagon-restaurant étaient « à l'aise » comme on dit. Mais les combines des ravitailleurs à musette et les propos du garçon coiffeur de Montmartre — « pour moi il n'y a que le bifteck qui compte » — auraient mérité les mêmes injures. Il semblait vraiment que tout un peuple ne pensât plus qu'à bouffer.

Moins d'un an plus tard, à la mi-43, des maquis campaient comme ci, comme ça, dans tous les déserts de la France; les résistants, les clandestins trouvaient tant qu'ils voulaient des secrétaires de mairie qui prenaient tous les risques pour leur faire des faux papiers, des cheminots qui sabotaient, des fonctionnaires qui livraient les secrets militaires du double adversaire : l'Allemand et Vichy. La plupart des Français commençaient de se conduire en politiques.

Que s'était-il passé entre 1942 et 1943? Quelque chose d'analogue (en plus violent) à ce qui s'était passé entre 32 et 36. Le même processus. Primo : les Allemands avaient commencé de rafler les jeunes gens pour le S.T.O. : le danger était devenu concret, immédiat. Secundo : les Soviétiques avaient battu les Hitlériens à Stalingrad, l'ennemi n'était pas invincible, la preuve en était faite. Et enfin, autour de l'alliance des Soviétiques et des démocraties capitalistes tout ce brassage d'idées et d'actions qui faisait toucher du doigt qu'il n'était pas déraisonnable de rêver un monde nouveau, un homme nouveau, un bonheur nouveau.

Et nous voici de nouveau dans le désert.

Cet été, beaucoup de perclus de la politique ont passé par mon village. Je dis perclus, parce que, quand on a pris l'habitude de brûler au feu de la politique, si le foyer s'éteint, on reste infirme. Ils m'ont raconté leurs campagnes; de quoi donc peuvent parler les retraités par force, les demi-solde? De beaux récits, les nobles récits d'exploits inconnus. Et celui-ci, dont la voix dix ans après tremblait d'indignation (c'est ainsi que j'ai appris que ce n'est pas une image, qu'une voix peut réellement trembler d'indignation), parce que ses juges l'avaient accusé d'être un ennemi du peuple. Et cette séance d'un bureau politique, qui dura trente-six heures consécutives pour exclure un homme qui fit front trente-six heures consécutives, sortit sous les huées et alla vomir au coin de la rue; et ils étaient presque tous sincères (sauf quelques rusés, mais cela aussi est la politique), le vaincu et les autres. Qu'est-ce que la passion d'amour à côté de la passion politique? Pauvres bien-aimées qui ne peuvent offrir que leurs soupirs, leurs tendres délires, le feu doux de leur regard.

Et nous voici de nouveau dans le désert. Mais je ne veux pas croire qu'il ne se passera plus jamais rien. Que les citoyens n'exerceront plus leur pouvoir qu'en mettant un bulletin dans l'urne pour désigner comme souverain (à leur place) un monsieur qui a une bonne tête à la télévision. Que le seul problème sur lequel le citoyen aura à se prononcer (par référendum) sera l'itinéraire d'une autoroute ou la puissance d'une centrale électrique. Que, dans un monde où il n'y aura plus que des *cadres*, les *cadres* seront de plus en plus heureux parce que la *retraite des cadres* sera progressivement augmentée. J'en ai par-dessus la tête qu'on me parle de planification, d'études de marché, de prospective, de cybernétique, d'opérations opérationnelles : c'est l'affaire des techniciens. Comme citoyen, je veux qu'on me parle politique, je veux retrouver, je veux provoquer l'occasion de mener des actions politiques (des vraies), je veux que nous redevenions tous des politiques.

Revenons sur ce qui ramena à la politique les dépolitisés de 34-36 et de 42-43. Les circonstances qui rendent les dangers concrets, qui pour tout le monde donnent un sens au combat? Un peu de patience; de *mémoire d'homme* il n'est jamais arrivé qu'elles ne se produisent pas (et ce n'est pas nécessairement drôle). La possibilité de gagner? Elle dépendra de nous quand l'heure sera venue. Mais ce que nous pourrions essayer de définir tout de suite, ce sont les *buts de guerre* : dans quel monde avons-nous envie de vivre? Comment? Quel visage entendons-nous donner à notre bonheur? Quelle société voulons-nous faire (c'est à dire quelle politique) pour ne pas mourir sans qu'il se soit jamais rien passé?

Qu'est-ce que vous faites, les philosophes, les professeurs, les écrivains, moi-même, les intellectuels comme on dit? Les praticiens ne manquent pas, ce monde en est plein. Mais les penseurs politiques? En attendant que revienne le temps de l'action, des actions politiques, une bonne, belle, grande utopie (comme quand nous pensions en 1945 que « l'homme nouveau » serait créé dans les dix années qui allaient suivre) ce ne serait peut-être déjà pas si mal.

[1964]

[*Journal intime*]
Paris, 28 novembre

Flavienne aura des jumeaux. Élisabeth est allée avec elle chez le gynécologue. Nous l'annonçons à Jacques pour amortir le coup et puis nous les emmenons au cinéma, drôle de cinéma Le Dragon avec Sartre à un bout de la salle et Cau à l'autre pour un faux film de gangsters. La petite est terrifiée non par les jumeaux en soi, mais parce que Jacques lui en voudra de ce qu'ils vont coûter. Elle se décalcifie cette petite. Et quelle solitude.

L'article du *Nouvel Observateur* déclenche un projet de voyage du Mexique au Guatémala.

Je vois des médecins, ils ne m'impressionnent pas, c'est que je ne crois pas être réellement (cosmiquement) malade. Mais j'observe comme on s'approche, le médecin et moi.

La femme de sable, film japonais, désencroûter l'autre en grinçant un peu dans la peau.

[1965]

[*Journal intime*]
Paris, 33 Rue Poissonnière,
appartement de Monique Lange,
18 janvier

Épilogue aux précédents cahiers : une maladie à virus mal déterminée, vécue sans fièvre ni vraie douleur, mais étouffements et quintes, la plus grande partie au Pont-Royal, dans la chambre et au bar, puis ici, face à la rue de la Lune. Sexe triste. Cortisone, Endoxan.

Flavienne n'a pas fait de jumeaux mais une fille par le siège, à coups de tabouret, elle est bien courageuse. Lefebvre une fille dénommée Armelle.

J'ai lu un très grand nombre de *Série Noire*.

Énormément d'amis ou pas sont venus me voir mais rien semble-t-il de neuf.

Des choses à mettre au point sur les rapports malade-médecin et réciproquement. Quelle politique?

Jeannie Chauveau est morte hier. Et avant-hier ce grand garçon Juif Tunisien Lucien Sebbagh, agrégatif de philo, il avait pour ambition de devenir membre du Comité Central « comme toi », ajouta le malheureux marrant. Puis il fit une salade existentialo-marxiste de l'ethnographie à la Lévi-Strauss, et il allait donner son premier cours au Collège de France.

Sont également morts des tas d'autres gens mais je ne sais plus bien qui. Beaucoup pensé à me donner la mort plutôt qu'à entretenir un certain genre de rapports avec les médecins (arts et métiers).

La *Lettre aux femmes* de Jeanson est, je crois, d'un ton faux (faussement gamin), etc., tout de même pathétique parce qu'il se défend mains nues d'avoir été possédé, d'être possédé par Christiane.

Des flics à pèlerine traversent la rue de la Lune, face au commissariat, puis se mettent à courir.

Je ne sais pas encore du tout ce que je vais bien pouvoir avoir envie de faire, sauf reprendre le volant de ma voiture.

Je voudrais bien avoir des amis neufs mais ce n'est pas tellement facile, non qu'ils ne s'offrent pas, mais parce que, pour un tout petit minimum de gentillesse, on passe un temps énorme à voir les anciens.

Paris, 19 janvier

Jacques Rozir m'apprend que c'est par suicide que Lucien Sebbagh est mort, on ne sait pas très bien pourquoi, peut-être une bonne femme, ça m'étonnerait, Jacques aussi.

Épilogue aux cahiers précédents (suite) : Sophie Rozir en traitement à Sainte-Anne.

J'ai écrit pour *Les Lettres Françaises*, triste journal, quelques lignes méchantes sur la mort de Jeannie Chauveau.

[1965]

ADIEU, FEMME DE COURAGE [1]

Ce qu'elle s'est bien défendue, Jeannie Chauveau! Contre la vie, contre la mort, contre la maladie (qui ne fut peut-être qu'un de ses moyens de défense), contre ceux qui ne l'aimaient pas, contre ses amis aussi (il le faut bien), contre ceux qui ne connaissaient que ses « activités professionnelles », contre ceux qui savaient qu'elle avait tenu courageusement son rôle dans quelques-unes des vraies tragédies de notre temps, contre son cœur aussi qui resta tendre jusqu'à la dernière minute. Je ne sais pas pourquoi je viens de mettre « activités professionnelles » entre guillemets : ce n'est certainement pas par hasard, ce fut lié à toute sa vie qu'elle mit son talent tour à tour au service de la *Série Noire* et du plus ingénument pervers des magazines. Son humour, bien sûr, était noir et mordant. Mais elle était au-delà de toute amertume. Si bien qu'à la fin, elle n'avait plus (ou presque plus) que des amis et quelques-uns d'un incroyable dévouement. Adieu, vieille complice, femme de courage.

1. Les Lettres Françaises, *21 janvier 1965*.

[1965]

[*Journal intime*]
[Paris, 19 janvier]

Dîner hier soir chez Simon et Léone Nora avec N. D. et sa poule, et Sarah un des rares genres de jeunes femmes sur lesquelles je ne peux rien parce qu'elles imaginent qu'elles sont excitées par les jeunes gens. Nous avons tous beaucoup de passés mais pas grand-chose à nous dire.

La putain déguisée en veuve corse, avec un voile noir et les cuisses comme des colonnes doriques.

Des nuages de pré-printemps passent de nord en sud au-dessus de la rue de la Lune.

A midi visite d'Hélène qui sort de l'hôpital, elle s'est suicidée-ratée au retour d'un voyage raté au Brésil, affreux pays, je m'en doutais bien.

J'ai beau avoir envie que ça m'amuse plaise, etc., je n'arrive pas à le prendre *au vrai* ce quartier d'entre boulevards et Réaumur, Porte Saint-Denis et rue Montmartre. Je n'y entre pas, même par le bas, et j'ai envie de tirer à la mitrailleuse sur les camions à gros moteurs.

Je n'arrive pas non plus à prendre *au vrai* Jeanson et Rozir quand ils discutent de « colloques » ou de rapports entre intellectuels et ouvriers, comment peut-on encore parler de ce genre de trucs ? Pour moi cet ultime aspect du XIXe siècle a fini en 1956. Depuis lors je ne peux plus souffrir en particulier les cheminots (comme je l'ai sournoisement montré dans *La Fête*), des gars qui s'engagent à 18 ans à poinçonner des tickets jusqu'à l'âge de la retraite, alors les copains font une cuite pour leur offrir des cannes d'honneur. Ils reconnaissent tous mes vieux copains que le communisme a échoué, non seulement à faire l'homme nouveau mais même du blé, du pain, mais ils continuent à discuter-réfléchir, comploter comment prendre le pouvoir *à l'intérieur du Parti*. Et *Clarté* prépare comme coup publicitaire une « lettre ouverte au Comité Central » 1°, 2°, 3°, 4 mement, marrant la manière dont Rozir se force à monter accélérer sa voix, quand il veut se prendre soi-même au sérieux et s'y faire prendre par les autres ; mais ensuite un gentil rire.

Paris, 20 janvier

Fin d'après-midi heureuse, légère, le whisky de 7 heures « à la maison » avec Jo et Michel Vincent, Francis et Christiane, Élisabeth et Nicky, puis Monique Lange, l'admirable rire de Nicky, la seule femme qui rie, parle avec un total naturel, comme les aristocrates romaines essaient de le faire mais cela sonne faux. Puis *Goldfinger-Don Quichotte* en privé. Puis souper aux Petits Pavés, toujours dans le rire, la légèreté des propos. Ce matin je perds les cheveux par poignées, je n'en suis pas angoissé comme je l'aurais été il y a un mois ; somme toute, je les emmerde tous, y compris moi-même et il y aura sans doute encore quelques soirées légères et il y a déjà longtemps que l'avenir des sociétés humaines (dont moi dans elles) m'est devenu indifférent. Il neige sur la rue de la Lune, mais cela ne tient pas.

Paris, 21 janvier

Absurde-signifiant, gratuit-nécessaire, je m'en fous de plus en plus. Je suis déjà beaucoup plus mort que personne ne l'imagine.

Paris, 2 février

Sous l'action rimifon-alcool admirable rêve-hallucination : A la jeune veuve, Nicky, en chemise de nuit noire transparente sur la maison d'en face et tous les autostrades d'Europe.
Léger ce matin à reconduire pour la première fois la Jaguar.

Chauve et blanc
et voici et voilà
Et aimé après-midi après
Joëlle N., Jackie,
la petite Catherine, Françoise, Betty
tablier de cuir
et celle-ci et celle-là et voici et voilà

Meillonnas, 9 février

Hier, Jane Fonda, avec Vadim. Elle m'accompagne à pied jusque chez Costa, me dit l'importance pour elle de mes romans traduits en anglais qu'elle lit depuis trois mois, en particulier *Drôle de Jeu* et *La Fête*, comment je lui ai permis de se libérer, de comprendre, etc. etc., et puis elle m'offre sa bouche, ainsi est leur gentillesse, je les aime. Elles me firent presque un enchantement de ces trois mois de maladie, maladie qu'au demeurant je n'ai jamais sentie intérieure à moi-même, mais comme une agression, quelque chose d'analogue à la balle, à la lame, dont j'ai toujours espéré mourir, ici comme une cinglée de knout, chaque plomb mettant une bronche à vif. Virus, mon cul! Tout cela est peut-être d'origine purement mécanique, liée à un vice, ainsi ai-je fait réellement l'amour avec la mort, cette femme noire à Montparnasse, et cette autre (qui remplaçait Gisèle de la Chaussée-d'Antin), juste à la veille de la phlébite, et répétait en me mécanisant, « je suis une démone, j'y prends du plaisir, je suis une démone ».

Meillonnas, 11 février

Nouvelle poussée cette nuit de cette fièvre comme paludéenne, 37, 40, 37, qui me demeure malgré grelottements, chaleurs, crampes, comme étrangère à moi-même. Mais j'en suis resté toute la journée prostré, un peu de peur aussi de n'en jamais finir, mais ce serait finir, comme plus tôt, comme plus tard. Je cherche à tâtons quelque chose de relativement [1], mais je n'arrive pas à me concentrer suffisamment.

A travers la lecture de Ychoula Cohen, *Souvenirs d'une jeune fille en colère*, qui a bien compris de l'intérieur l'esprit de parti. Du coiffeur de Montmartre (« il n'y a que le bifteck ») : *ce qui est mon intérêt est ma règle universellement*, à l'esprit de parti et à : *ce qui est de l'intérêt de l'humanité est mon intérêt universellement*, la démarche est la même : ce n'est rien de tout cela, mais tout cela vécu contradictoirement et aussi complètement que possible qui fait aujourd'hui cet homme seul.

Selon les téléphones, pas épilogue mais cette fois deuxième épisode aux précédents cahiers, la famille Rozir monte de Pierrefitte-Saint-Ouen à Paris, mais Sophie est toujours à Sainte-Anne (épilogue au surréalisme).

Meillonnas, 15 février

Mario et Germaine Bianchi pour 24 heures à la maison. Sérieuse analyse de ma maladie. L'endoxan attaque les virus mais simultanément les globules blancs; faute de globules blancs, me voici tout nu face aux microbes; il faut courir sur la corde, au jour le jour, entre les deux risques. C'est simultanément, si la mort dépassée, ce changement de mode de vie et sans doute de forme, de stade, de saison, que je pressentais depuis deux ans, le renoncement à un certain genre de jeunesse, de défi par excès de force, je ne pourrai

1. *En blanc dans le manuscrit.*

plus après 24 heures de conduite comme à la mort de Togliatti emmener Violette à pied, à trois heures du matin, découvrir la Piazza Navona (et elle eût sans doute préféré, comme moi peut-être jadis, aller boire un verre dans ce qu'elle croit être Trastevere ou aller traîner parmi les militants qui dormaient sur les pelouses du Forum). Prendre du poids (mais je maigris), prendre de l'âge, marcher comme un homme de poids, un homme d'âge, si j'y survis, je n'avais jamais cru que cela à moi aussi arriverait.

C'est peut-être la seule façon de retrouver des désirs, des désirs proportionnés à la force de les satisfaire, ce serait plus vivable que cet ennui sous roche, au cours des dernières années et dont nulle extravagance (dandysme), ne fit jamais complètement disparaître la menace.

(Jasserand vient de rapporter les fauteuils de jardin repeints. C'est plaisant, cette maison comme un bateau.)

Il neige.

Meillonnas, 16 février

Jo et Michel Vincent, Costa et Dosse, ont fait des projets pour la place de l'Hôtel de Ville de San Francisco. Un arbre doit être enchâssé ou mis sur un socle comme une statue; la terre en vrac dans une ville c'est bête. Quand on fait une place, il faut choisir si elle doit être vue du balcon pour celui qui s'y fait écouter par sa foule, ou vue à niveau d'œil par celui qui s'y promène, y médite, etc.

Les oiseaux qui viennent manger les graines de tournesol que nous jetons pour eux, les mésanges, la grande charbonnière, la noire, la bleue, nonnette, pinson des jardins, pinson des Ardennes, verdiers en foule, la sittelle torchepot, et maintenant qu'il neige les merles, devenus végétariens, se battent de préférence à l'intérieur des espèces, verdiers contre verdiers (en s'élevant dans les airs), merles contre merles, les heurts entre individus d'espèces différentes n'étant que de hasard, quand ils se cognent sur la même graine, et généralement aussitôt esquivés, et c'est de bon sens, mésange ne pouvant raisonnablement essayer de triompher du gros merle.

Meillonnas, 17 février

Ainsi chaque espèce vivant dans une sphère close, sphères emboîtées-déboîtées les unes dans les autres, comme invisibles, intouchables, inodores les unes pour les autres, n'ayant de rencontres que par hasard, par erreur aussitôt corrigée, entre espèces d'oiseaux et avec tout le reste de la nature, ucelline ou pas — sauf quand il s'agit de chercher proie animale ou végétale, ou matériau (par exemple pour un nid) ou au contraire de fuir le chasseur ou l'ouvrier en quête de matériaux. Ainsi aussi à Ngorongoro entre herbivores, carnassiers de mêmes espèces, et même animaux d'ères différentes, tel le troupeau d'éléphants ou le rhinocéros ou la girafe qui vivent seuls dans leur monde antédiluvien,

tel aussi ce corps médical comme ils disent mais il faut y ajouter les infirmières infirmiers avec leurs grades et probablement le personnel administratif des hôpitaux-cliniques et sans doute une partie des pharmaciens laboratoires, avec ses hiérarchies, ses luttes, cette occupation presque complète de l'esprit par les batailles particulières à ce corps, le malade comme tel n'étant plus nécessairement que proie (dans le pire des cas pour lui malade) ou matériau, plus ou moins précieux moralement ou intellectuellement ou amicalement, mais comme malade matériau, et les réactions quant à lui malade ne se faisant plus quant à l'homme singulier mais par référence aux réactions passées, présentes, futures, réelles ou supposées du corps médical à son égard,

ce qui est bénéfique ou pas pour le malade, au fait je n'en sais rien, et c'est sans doute utile que le malade soit traité comme objet, dans la mesure où sa maladie est commune à tous les malades qui en sont atteints, et nuisible dans la mesure où il n'est de maladie que particulière reflétant l'individu tout entier dans sa singularité,

bénéfique ou nuisible (et en fait comme je viens de dire bénéfique et nuisible), ce n'est pas délibérément recherché pour le bien ou mal du malade, mais résultat d'une loi commune aux sociétés animales ou humaines convivant dans le même espace, loi que le malade doit utiliser à son profit en ne se soumettant pas au médecin comme à un père, au corps médical comme à une Église, mais en les consultant, comme le roi ses conseillers, gardant pour lui-même la décision, les rendant ainsi quant à lui, société close par rapport à lui-même, souverain, leur rôle de matériaux avec quoi l'on construit (plus ou moins habilement, avec plus ou moins de chance, etc.).

Les deux copains, chirurgien Dubost, anesthésiste Duranteau, rieurs, rapides, adroits, à l'aise, apparemment heureux de vivre, heureux d'être adroits, à l'aise, gagnant bien leur vie et parmi les plus renommés en France dans leur spécialité, leur sorte d'allégresse (au demeurant efficace) au centre chirurgical Hartmann de Neuilly où j'avais accepté, non sans beaucoup d'hésitation d'entrer même pour deux jours dans un centre chirurgical et engagement m'ayant été donné qu'on en resterait là, accepté d'entrer pour qu'ils me prélèvent un ganglion à fin de biopsie. L'endroit n'était pas sans luxe, Élisabeth, mes amis, mes amoureuses pouvaient passer leur temps à boire du whisky dans ma chambre et dans la salle voisine, et au moment de passer dans la salle d'opération (moi debout avant de monter sur le chariot pour la salle d'opération) Nicky, Janine et je ne sais plus laquelle vinrent m'embrasser la bouche, malgré cette allure plaisante que n'autorise que le luxe, c'est par l'infirmière (belle, gaie, élégante à son arrivée au matin et prête le soir, son service achevé, à boire champagne ou whisky dans telle ou telle chambre, mais je n'en suis pas sûr quoi qu'elle en eût dit et suppose que c'était avec médecins ou internes) c'est par elle, par je ne sais quelle manière dans son autorité que je commençai, malgré cet apparent général respect dû au luxe, de me sentir en ces lieux devenu objet, de n'être plus pour une jolie fille, sous ce vêtement d'infirmière mais même ensuite à son arrivée et à son départ, de n'être plus, malgré tous les mouvements de tendresse de mes jeunes amies, un homme, mais un objet, ce malade.

Puis avec l'infirmière Henriette qui vint me faire les piqûres au Pont-Royal puis rue Poissonnière, avec qui des rapports humains s'étaient créés, qui auraient pu devenir amoureux, [...] et qui par ailleurs fait preuve de dignité dans ses rapports professionnels syndicaux et politiques, je saisissais par ses confidences matin par matin que nous n'avions que rapports d'accident, de contrebande, comme son travail lui-même auprès de moi client privé, tout le réel de sa vie dans la sphère transparente du corps médical. Au fait, elle aime les gentils intérieurs « en rustique » et semble ne faire l'amour qu'en fin de nuit, saoule, par besoin d'un corps contre quoi se serrer et d'une bite chaude dans le con froid à l'heure où tout chavire; alors elles n'ont plus le courage de se laver,

si bien que dans les hôpitaux en février on dresse des lits supplémentaires, dans les couloirs ou ailleurs, pour les curetages d'après les réveillons de fin d'année. (Comme les gens se racontent-trahissent en racontant des histoires, j'ai pu tout deviner de sa façon de faire l'amour sur cette seule anecdote de lits supplémentaires.)

Et le Dr Genon-Cathalot ami de vingt ans, ancien (et même encore) communiste, apparemment respectueux de moi-homme, mentant effrontément en niant que l'endoxan rendît chauve (ce qu'il fit) et célébrant la franc-maçonnerie des médecins hors patries, hors régimes, du Chili jusqu'en Chine, de New York à Arkhangelsk. [...]

Et leurs détestations qu'ils n'avouent pas à un étranger au corps (à la sphère, mais comment nommer des sphères qui peuvent se pénétrer sans jamais se toucher?), qu'ils laissent deviner (qu'il leur échappe de laisser deviner), mais sur lesquelles ils refusent de s'expliquer,

le seul vrai danger pour un malade, quel qu'il soit et quelle que soit sa maladie, étant de renoncer à sa souveraineté en se laissant incorporer à la sphère, devenir matériau de la sphère, condamné par définition à rester matériau, tâtonnant, guettant, observant par-dessous, posant des questions insidieuses, finalement condamné au soupçon à perpétuité, essayant vainement de deviner, d'interpréter les lois de la sphère, de faire des présages, tenter d'interpréter les présages sur les volontés des dieux (ainsi aussi de la tuberculeuse du Plateau d'Assy que je baisai cet été),

ainsi aussi du PC...

même devant moi, le « cousin », le collaborateur d'*Action*, le copain de toutes les cuites rue Rousselet, le « pauvre Roger » devant le miroir, l'auditeur des paranoïas d'espionite, il y avait des choses dont ils ne parlaient pas ou plutôt feignaient de ne pas parler, car de quoi donc de vraiment secret auraient-ils pu parler, pauvres cons, ratés de tous les coups, parce que je n'étais pas encore membre du Parti, je n'avais pas reçu leur baptême, je n'étais pas dans leurs ordres. Et par-dessus le marché traîtres qu'ils étaient ou allaient devenir, molletistes sans vergogne. Il fut bon que pour quelques années, en fait 1952 à 1957, je devinsse membre de leur parti et que je militasse à la base, dans le département de l'Ain, bon pour quelques bonnes raisons humaines en fonction de Bourbon (et c'est peut-être une seule qui se confond avec l'amitié), bon surtout, en ce qui me concerne, pour me délivrer de tout respect, superstition, etc., à l'égard de leur parti, puisque j'en étais membre, plus courageux, plus consciencieux et beaucoup plus intelligent que la plupart d'entre eux, et que je pusse ainsi me convaincre par ma propre expérience (Lénine : « il faut que les masses se convainquent par leur propre expérience, de la justesse des mots d'ordre du Parti Communiste ») de l'imbécillité (de X. de Y.) et de la corruption de l'immense majorité des militants,

le seul ennui étant que lorsqu'on cesse de professer une foi on devient par définition renégat et que de se renier complique l'édification dans l'unité de cette statue qu'on fait de soi-même, avec soi-même pour matériau, pour soi-même et pour les autres dont soi-même parmi les autres ainsi soit-il.

Preuve ce que moi-même je viens de reprocher à Hervé à la page de la mort. Je me fous bien sûr de ce que l'avenir peut penser de ma de mes statues (puisque mon anéantissement est celui du monde pour moi) mais je ne fonctionne bien, je ne me donne du plaisir avec tout moi-même (comme unité, comme totalité) jusqu'à l'heure de ma mort que dans la mesure où je peux fonctionner tout un, dans la mesure enfin où ma statue n'est pas fêlée.

Ou bien tirer parti des fêlures, des dissonances, imposer à certains motifs de n'avoir été que certaines dissonances jouant leur rôle dans des motifs qui les englobent et le communisme stalino-bourbonien qui fut le mien une variante de mon goût d'enfance pour Plutarque, de mon dandysme, etc. C'est vrai dans la mesure où au cours des années présentes et futures s'il y en a, je demeure pour de vrai, pour de bon, sans aucune tricherie envers moi-même, Plutarque, dandy, etc.

Hier soir, en présence d'Élisabeth, de Costa, de Pierre et de Simone Dosse et de Juliet amené par Frédérique (pour consultation psycho-littéraire de ma part), Frédérique, pas tout à fait en présence puisque dans la salle de bains avant présentation mais officiellement, m'a coupé et rasé les cheveux.
J'ai un beau crâne, avait déjà prédit Costa, sculpteur sur fer comme Gonzalez. Pour ce qui me reste de vi-e et de vi-rilité je n'en ai pas fini d'être aimé des filles. Tant mieux puisque cela me fait plaisir.

Meillonnas, 19 février

Copie lettre à J.F.R. :

C'est marrant que d'avoir eu ta *carte* d'un certain parti apostolique et moscovite n'ait pas suffi à te mettre en garde. Il a encore fallu que tu deviennes agrégé de l'université, autre estampille. Et maintenant tu te mets en tête de baptiser ta fille. C'est la même démarche, le rite qui confère une fausse aristocratie à un plouk bas-savoyard. Quant à ta progéniture tu perds ton temps : ton Église en tant que romaine s'est suicidée à Vatican II; en tant qu'apostolique en Afrique et en Amérique par les Moslems; et en tant que catholique, mon cul, 70 % des humains n'ont jamais entendu parler de leur crucifié. Et historiquement tout ce qu'il y a d'excitant dans le monde occidental a été fait *malgré et contre Rome* par les cités libres d'Italie et d'Allemagne, par les gallicans et les jansénistes en France, et au XIXe siècle, dans toute l'Europe, par les protestants et par les juifs contre les propriétaires terriens français protecteurs-protégés de Rome.
Je t'embrasse, je t'aime, mais je n'en pense pas moins.

Roger

Réponse de J.F.R. :

Cher Roger,

1° Le baptême n'est pas une carte. *C'est un* rite, *une sorte de rite initiatique comparable à ceux des tribus nègres, indiennes, etc., peuples vertueux dont les pratiques sont étudiées avec attendrissement par les sociologues et ethnologues de gauche. Si j'ai cela de commun avec les nègres, je ne me sens diminué en rien.*

2° A la différence de certains qui se sont branlés dans les transes parce qu'ils étaient à la veille de leur première communion et qui ont éprouvé l'angoisse de la divinité, je n'ai jamais eu une seconde l'idée de dieu (ou le sentiment). Cependant je suis baptisé et content de l'être. Cela signifie que je ne suis ni juif ni protestant, que je suis né dans un milieu modelé par la tradition catholique et romaine, que le clocher, l'église (où je n'ai jamais mis les pieds, sauf pour l'enterrement de ma grand-mère), les statuettes coloriées des diverses idoles, totems, fétiches, etc., font partie de mon univers familier, où je me reconnais, en tant que membre d'une tribu. Je me sens étranger devant (ou dans) une synagogue, une mosquée, un temple protestant.

3° L'agrégation n'est pas un rite ou une estampille. C'est une formalité commode pour gagner sa vie moins difficilement. C'est une qualification, comme un certificat de tourneur-fraiseur.

4° Je suis assez d'accord avec toi en ce qui concerne Vatican II. Pour un peu, ces cons-là auraient autorisé nos prêtres à se marier, comme les popes, pasteurs, rabbins et autre racaille, ce qui, joint à l'adoption du costume civil, leur aurait enlevé tout prestige sexuel auprès des mémères. Heureusement que Paul VI a mis un frein au révisionnisme de Jean XXIII.

5° Je ne perds pas mon temps avec ma progéniture. Son tatouage l'intégrera. Si elle fait sa petite crise mystique, elle pourra, sans formalités (grotesques parce que tardives) se soigner aux pieds du seigneur. Quant à moi, si elle me pose des questions un jour, je l'informerai *de mon* strict *athéisme. Mais je ne veux pas, sur ce point, modeler l'esprit d'une môme de 6 à 8 ans. A cet âge, je faisais déjà de la propagande antireligieuse dans la cour de l'école maternelle.*

Cela comporte de bons côtés ; mais, d'être trop tôt un petit raisonneur positiviste m'a sans doute privé de certaines sources poétiques, a rétréci mon imagination. Le sens du sacré n'est pas inutile à l'art. Donc le baptême a un intérêt utilitaire, comme un vaccin ; si un enfant n'est pas touché par l'inquiétude religieuse, très bien, il s'en passera. S'il en éprouve le besoin, très bien également, qu'il fasse son expérience, mais je préfère qu'il fasse cette expérience dans le catholicisme. Pourquoi ?

6º Parce que les protestants sont des enculés. L'éducation protestante marque à jamais. Vois Bost et d'autres. Guindés, gênés aux entournures, moralisants, puritains, tristes. Le protestantisme est absurde, un hybride malsain, un compromis entre la religion et la raison. Une religion doit jouer le jeu : encens, mystères, processions, musiques, somptuosité, transes, idoles parées, etc. Les temples réformés sont laids, leurs pratiques rationnelles *me dégoûtent.*

7º Les nègres ont ce qu'il leur faut : sorciers, grigris, chants, danses, totems, interdits, rites, etc. Ils n'ont donc pas besoin effectivement du catholicisme. Les Moslems ne font que suivre un pâle plagiat figé du judéo-christianisme qui les abrutit depuis le XIIIe siècle environ. C'est leur affaire, mais ils ne pourront évoluer que contre, car l'Islam est immobile, fermé, buté dans un formalisme stupide.

8º Historiquement, le monde occidental a été fait culturellement, artistiquement, socialement par le catholicisme romain. L'architecture, la sculpture, la peinture, la musique se sont développées autour des églises, comme les grandes monarchies. La Renaissance a été beaucoup moins païenne qu'on ne l'a dit. Elle est le produit fécond des luttes et des contradictions entre les esprits libres, novateurs, et les forces rétrogrades du catholicisme, mais elle reste dialectiquement liée au catholicisme (voir les peintres). Vinci a disséqué les corps à l'insu des curés mais il a peint l'Annonciation.

9º Les Jansénistes sont dignes d'admiration. Leur grandeur vient, entre autres, de ce qu'ils n'ont pas voulu rompre avec Rome. *Ils ont emprunté à la Réforme ce qu'il y avait de sain dans ses contestations, dans ses réactions contre la dégénérescence de l'Église, mais ils ont conservé une tradition mystique, fétichiste, et « l'oïkomen » romain, la grande internationale d'Occident qui survit à travers vents et marées alors que le Komintern a éclaté. Je ne suis pas indifférent — comme le général de Gaulle — à un certain gallicanisme. Mais Rome doit rester le centre dirigeant.*

10° Si la France a pu jouer le rôle qu'elle a tenu du XVIe siècle à la Révolution, c'est parce qu'elle a liquidé les factions politiques et territoriales des Réformés qui auraient voulu transformer le Sud du pays en contrées indépendantes, de même qu'ils ont morcelé l'Allemagne pour des siècles. La Saint-Barthélemy a été un grand acte politique. (Je désapprouve toutefois la Révocation de l'Édit de Nantes, produit de la déviation stalinienne de Louis XIV.)

Cela dit, la moufflette n'a pas encore été l'objet de la touchante cérémonie du pain, du sel, et je crois, de l'eau. Tu en sais plus que moi sur la question. Ta lettre me rappelle d'y penser.

Reçois mes baisers et ma bénédiction.

Jacques

Meillonnas, 6 mars.

Copie réponse à J.F.R. :

Non, Jacques, tu n'es pas, comme tu me l'écris, « né dans un milieu modelé par la tradition catholique et romaine ». Tu as été modelé contre elle par l'école laïque, primaire et obligatoire. Et ce n'est pas un accident. Ton père était un universitaire laïque militant.

Vous appartenez à un milieu bien déterminé : les éléments les plus éclairés de la petite bourgeoisie et de la paysannerie françaises qui ont lutté pendant trois siècles contre « l'Église et le trône » pour conquérir « la liberté de pensée ». J'ai souvent été étonné de ton insistance à proclamer tes droits et tes privilèges d'*intellectuel* et puis j'ai compris que tu faisais référence à ton père (commentateur de Voltaire) ; ta tribu, puisque tu tiens à en avoir une, c'est celle-là.

Le baptême est en effet un rite. L'agrégation aussi, concours idiot et qui ne permet que très mal de gagner sa vie (tu te débrouilles ailleurs), mais initiation (entrée « par la grande porte ») à cette université qui permet au fils de paysan de donner des leçons à tout le monde. La carte du Parti : rite aussi, tellement marquant, tellement sacré qu'on ne pouvait pas démissionner du Parti mais seulement en être exclu, excommunié.

Après cette dernière aventure, je te croyais arrivé à maturité et capable de vivre enfin hors rites, hors concours, pour toi, en toi, ton seul souverain-pour-toi, (pour employer mon langage).

En conduisant ta fille chez le curé tu ne l'engages à rien. Elle décidera toute seule quand elle sera assez grande. C'est toi que tu engages dans un nouveau rituel. Marrants ces intellectuels français qui ne se dégagent de Victor Cousin, Edgar Quinet, Garaudy, que pour retomber dans Huysmans et Péguy (et l'on finit comme Maurras par être excommunié par Rome pour avoir été trop romain!).

Je trouve ça con. Je ne t'en aime pas moins. On n'est pas responsable des coneries de son fils. Tu ne seras pas responsable de celles de ta fille.

Je t'embrasse. Roger.

Meillonnas, 10 mars

Sous l'action d'un nouvel anti-virus velbé, nuits et jours lents, sans rien de vraiment pénible, lent, somnolent, rêves où je me dénude, où l'on me dénude, dans un Lyon où personne n'écoute mes appels au secours, où les ponts suspendus se referment quand je passe dessous.

Avec vif intérêt *La dernière pluie* d'André Toul. Le patronage des simplistes, Bubu, le Grand Jeu, c'était très exactement ce qu'ils appellent aujourd'hui « une bande » avec la même amoralité indifférente quant aux choses de l'amour. Mais faute de possible aucune fille ne joua un aussi grand rôle. Et quand vint pour moi Mimouchka c'était déjà la désintégration. L'inutilité totale de tout, on ne marchait pas. Voilà ce que c'était à la bonne époque. Et où je me retrouve aujourd'hui avec la même joie grave de l'intégrité. De la bande comme dandysme et du dandysme comme manière de faire ensemble ses plumes envers et contre tout. Lorsque dandy solitaire vieux, mais entouré de toutes mes amoureuses, j'essaie de mettre cela au clair je ne vois pour l'instant qu'un mur achevant de pousser lui-même ses créneaux.

Meillonnas, 12 mars

Les petites filles qui « michetonent », une passe, deux passes, en début de soirée, pour offrir un verre aux copains dans une boite à twist.

Flavienne en train d'accoucher souffre.

Le médecin :

— Pensez très fort à quelque chose qui vous tient fortement à cœur.

— Que Roger guérisse! que Roger guérisse!

[...]

Costa vient de partir pour Athènes, minable ville, sous prétexte d'inaugurer une exposition dans cette galerie qui de Paris l'an dernier n'avait pu faire venir que des estampes, en vérité pour montrer la 404 Break qu'il vient d'acheter 1° à son fils, 2° aux témoins de l'insuccès de Venise. Il feignait auprès d'eux d'avoir choisi par dandysme sa camionnette 3 CV. L'affreux moujingue dut faire de l'ironie aux vacances du jour de l'an; tous les Athéniens sont d'affreux vieux moujingues; seule Joy, fille d'Amérique, se fout réellement du poids social de la voiture; elle a tout le poids de la 10e flotte derrière elle, suffisamment même pour se proclamer sincèrement anti-impérialiste, anti-raciste, etc.

Meillonnas, 15 mars

Dîner à la maison via salle à manger Portier avec Mireille qui nous amène son père Thomas, Simone et Pierre Dosse, Frédérique, Marc et Janine.

Thomas, malgré l'un mètre quatre-vingt-dix, n'est pas du tout le capo-mafioso que j'avais espéré à travers Mireille; Financier de génie? Plutôt employé de banque qui aurait gagné le gros lot à la loterie nationale et passerait le reste de sa vie à essayer de consolider son capital, il s'établit en Argentine, place la fille aînée à Londres, émancipe Mireille à Paris, achète des maisons partout mais le voilà pris avec l'imprévu des dévaluations ou boursières ou monétaires. Il en prit sans doute un coup il y a deux ans, avec les sociétés d'investissement, telles que nous avait expliqué Soulages : 1/3 sûr absolu, 1/3 sûr, 1/3 spéculation. Là-dessus Mireille se fait baiser par un père de famille : il fait la fameuse dépression des nerveux et se livre à un psychiatre italien (c'est moi qui imagine la dépression financière et la lie à la seule explication naguère donnée par Mireille, l'amour jaloux de son père pour elle).

Il m'avait déçu; il me blessa à table, ne se pliant pas à ma façon de placer mes hôtes selon mon rite, les hommes et les femmes face à face pour qu'ils se voient, caffone qui veut donner des leçons de savoir-vivre, je ravalai ma bile parce que je m'amusais de m'informer du personnage, mais à minuit et le whisky aidant je lui dis ses quatre vérités. Ce fut un peu triste parce que Mireille pleura-trembla. Mais à quoi bon se rencontrer, disais-je à l'instant à Simone Dosse, nous ne sommes ni joueurs de bridge, ni potiniers pour le plaisir du potin, à quoi bon sinon pour frotter frotter jusqu'à ce que jaillisse le feu de vérité?

Je n'aurai vraiment aimé que la vérité, éclatante, éclatée, vécue, réelle, saignante, saignée; qui, que n'ai-je pas tué par amour d'elle, y compris moi-même?

Deuxième journée de printemps. Je taille doucement les fruitiers, les rosiers. A chaque journée son effort, bonze soufflant.

Meillonnas, 16 mars

Troisième journée de printemps, mais je me suis réveillé si tard et je suis si vite las.

19 heures 30 réveil du goût d'écrire en écrivant la fin de l'interview Woods[1], terminée presque dans la joie.

1. *Architecte américain. Le compte rendu de son entretien avec Roger Vailland a paru dans* Le Nouvel Observateur.

Meillonnas, 17 mars

Ce qui se passa dimanche soir, what happened, ce qui s'est passé si souvent toute ma vie durant, les « ballets nocturnes » en étaient une forme et les nuits au Poisson d'or avec Kessel, mais le ballet nocturne une forme en quelque sorte mise en musique, un genre d'opérette et même quand violent dans l'affrontement comme cette nuit (vers 1936 ?) où je fis au Sans-Souci pleurer un illustre maquereau, un drammetto et non drame à cause du rôle primordial de l'alcool et de la musique, primordial et non seulement comme maintenant accompagnateur et provocateur, ce qui commença d'arriver spontanément mis en forme, les nuits entières, dans ce groupe d'amis-camarades autour d'*Action* et pour une part centré sur Pierre Courtade et Pierre Hervé, ce jeu dramatique auquel je résiste rarement à ne pas me livrer, passées plusieurs heures de convivance, c'est à ce genre de violence qu'essaient probablement d'atteindre les psychodrames, avec une excuse thérapeutique, et les *happenings* américains et c'est bien probablement pour y trouver le plaisir non sans cruauté d'un jeu que je mène et où il y a une victime désignée (et j'éprouve ensuite quelque vanité à ce que les jeunes Dosse, Janine, Frédérique se téléphonent le lendemain : vous avez vu comment Roger a démoli le bonhomme en un quart d'heure !), cette explication par le jeu dramatique n'est pas contradictoire avec celle par besoin de vérité, la vérité ainsi conçue n'étant pas une substance que l'on va quérir comme la Toison mais se réalisant dans une action qui se détruit dans l'instant même où elle se déroule-brûle. Ce qui pourrait être épargné du feu, photographies, magnétophonies, n'étant que schéma aussi pauvre, se prêtant aussi peu à être recommencé, que l'enregistrement du moment le plus virulent d'une *jam session*. Ce que j'écris n'étant que la reproduction non pas mécanique mais diurne, laborieuse, classable, plaçable comme n'importe quel travail d'homme, des flamboiements nocturnes. Et ainsi le plus important de mon « œuvre » se sera consumé dans l'instant.

Meillonnas, 18 mars

Petite pluie de printemps, pluie fine, pluie prolongée, promesse pour les foins.

Visite à la roseraie du Mollard, avec Marc, comme elle est petite, j'avais pensé d'y faire des chemins de briques comme dans les jardins de l'Alcazar, cela coûterait autant que d'acheter une ferme, je lis dans Bodard la description des jardins de Pékin, il n'y eut jamais que le pouvoir politique qui permît de construire, pour le chef de l'État et ses ducs, ses très hauts fonctionnaires, à grande échelle, ces lieux de plaisir où le minéral et le végétal s'associent. Même les riches d'aujourd'hui : le roi loge dans une villa de fermier général, un mauvais parc à l'anglaise, les riches-riches prolongent un peu les parcs qui n'ont plus de signification depuis qu'il n'est plus nécessaire de se préserver du gibier (en le préservant) et les riches achètent des « fermettes », et quel genre de bonnes femmes amèneraient-ils ailleurs ?

Et qu'est-ce que j'en sais, moi qui pourtant fais tellement attention ? Le vrai bonhomme d'aujourd'hui, est-ce le « cadre » des publicités à l'américaine de *Match* et de *L'Express ?* Le snack, les pulls à col roulé, incravatables, le style Courrèges sont peut-être déjà une révolte. Elles commencent de me voler mes pull-overs ; elles vont peut-être s'apercevoir que (sauf pour quelques amateurs-amatrices et ce n'est pas sans intérêt) ce n'est pas vrai qu'un grand couturier habille autrement, inimitable. La jupe plissée et le pull c'est la conquête que les femmes soviétiques venaient de faire en 1956 à mon dernier passage ; cela croisait, recroisait ce qui m'avait toujours paru le plus bandant.

Meillonnas, 19 mars

Jamais tout à fait éveillé, réveillé.

Simone a fini de taper mon dialogue avec Woods sur les villes, le retour à la sauvagerie. Simone et Pierre Dosse, des hommes de bonne volonté, avec des livres, des disques, leur plaisir aux rencontres chez nous, leur absence au moins apparente de préjugés puritains... Résisteront-ils ? Mais à quoi est-il nécessaire aujourd'hui de résister (en France) ? à ne pas devenir comme tous les cons ? A quoi encore ?

Meillonnas, 20 mars

Anne-Marie Comert et Dominique Darbois à la maison, deux jeunes femmes d'entre 40 et 50, courageuses, qui sautèrent en parachute, pilotèrent, pratiquèrent toutes sortes de clandestinité. L'une fit la prison, je ne sais plus, aujourd'hui contumace, pas tellement désarmées devant les échecs de cœur des femmes libres, curieuses d'un peu tout, pas du tout ancien combattant, sans doute parmi ce qu'il y a de mieux dans le monde aujourd'hui.

Même pas le mépris qui semblerait légitime des hommes en général, parce que chacun des leurs elles l'ont vu lâche un jour ou dans la politique ou dans les affaires de cœur — dans la politique c'est plus grave.

Cette frange, cette lame de couteau, où nous sommes seulement quelques-uns dans le monde à nous tenir en équilibre, entre les deux bêtises méchantes, la bourgeoise et la communiste.

La Truite vient de sortir en anglais, la critique en parle, plutôt mal que bien mais également bien — mais toujours à côté.

Ce complet malentendu sur mon « œuvre » car j'écris pour aujourd'hui 200 en France 2 000 dans le monde lecteurs, cette frange, et je suis lu par proportionnellement énormément plus pour de mauvaises raisons, ce que j'entretiens parce que j'en vis,

et non seulement parce que j'en vis mais parce que je n'ai pas le goût-besoin de l'écriture des professeurs, et que précisément, même sans ce malentendu, j'écrirais à peu près de la même manière.

Cette frange, c'est peut-être également l'explication de cette attirance que nous éprouvons l'un pour l'autre moi et Bodard et même Lartéguy, eux venus de l'autre bord.

Je lis maintenant le deuxième des Bodard antichine, le voici arrivé à Hong-kong, après des semaines de haine contre

Pékin, et il a brusquement presque autant de haine pour Hong-kong. A BAS LES CONS.

Meillonnas, 23 mars

Christiane Philip est venue 24 heures depuis Sainte-Maxime, exprès pour nous voir, mais je ne comprends pas pourquoi. Elle raconte des anecdotes sur Genêt qu'elle eut l'occasion de mener chez le ministre de la Justice, etc. Le besoin qu'éprouve Genêt d'insulter injurier les « gens en place » qui lui rendent service : c'était le pire aspect homme de lettres besogneux, pique-assiette et s'en vengeant dans ses libelles, cette horrible histoire des hommes de lettres-domestiques du XVIIIe siècle, des hommes de lettres quêteurs de décorations et de sièges municipaux, qui m'accable tellement dans le journal de Jules Renard, de Léautaud et de Mme Gould etc, etc., aspect que je croyais disparu depuis que grâce à Radio-Télévision-magazines, etc., la littérature était devenue un métier relativement de luxe, enfin un écrivain gagne autant qu'un cadre. Mais Genêt a tellement de raisons de réagir en minoritaire invectivant en douce.

Lisant toujours Bodard, cet énorme monceau de pages sur la Chine et l'Indochine des dix dernières années, et m'apercevant que quant à l'amour je suis bien plus proche des Chinois de l'ancien régime que des Français d'aujourd'hui, peu porté à confondre le couple (et pire encore la famille) avec l'amour c'est-à-dire pour moi le jeu séduction (ou achat avec le choix qu'il implique suppose exige), caresses, imaginations, approche du point où le plaisir se change en douleur et inversement, délices certes calculées mais pas davantage que ne sont contrôlés les dérapages des coureurs, et aussi dangereux puisqu'il n'est pas impossible que ma maladie actuelle y ait trouvé une origine en quelque sorte mécanique. Toute cette hiérarchie des putains m'enchante, des grandes insolentes qu'il faut longuement négocier pour n'avoir finalement rien, aux « petites fleurs » ce qui m'intéresse le moins (mais ce sont les poules de bar, entraîneuses) et aux masseuses de toutes sortes...

Les autres bonnes femmes, à peu près toutes, elles aiment le regard non pas qui déshabille comme on dit, mais qui cherche ce qu'on pourrait faire d'elles, qui prouve qu'on est en train d'imaginer ce qu'on ferait d'elles, dans l'instant même, si les circonstances s'y prêtaient. Il y en a aussi que ça dégoûte, irrite, croient-elles, mais c'est pour aboutir à la même excitation. Il arrive, bien plus souvent qu'on ne croit, que ce soit par gentillesse pour leur gars, voire pour elles-mêmes, que je détourne ce regard-là. Quelquefois par ennui, fatigue...

Meillonnas, 24 mars

Je relis *A Rebours*. J'avais été étonné, l'an dernier, que Marie-Louise connût cet Huysmans et l'aimât, elle n'a que vingt-deux ans, mais son frère a peut-être contribué à la former. Pour moi (et le patronage des simplistes) *A Rebours* fut capital en seconde ou rhéto, mais c'était vers 1922.

Page 33 : « déjà il rêvait à une Thébaïde raffinée, à un désert confortable... »

Pages 32, 33 : les raisons de « ne pas marcher », ne se sont guère modifiées, curieux : « les libres penseurs, les doctrinaires de la bourgeoisie... d'avides et d'éhontés *puritains*... ». Les communistes sont en train de prendre la suite.

Page 33 encore : « il comprit enfin que le monde est en majeure partie composé de sacripants et d'imbéciles ». (*A Rebours* 1884. *Les Pléiades* 1874. *Maldoror* 1868.)

Voir Élémir Bourges, Pierre Louys, Villiers de l'Isle-Adam, Marcel Schwob et les premiers Barrès (*Le Culte du Moi*? 1888-1889)

Meillonnas, 27 mars

Juliette Dubreuil deux jours à la maison, si prête à l'amour et si peu réellement désireuse de le faire et redoutant comme moi l'échec qui résulterait de ma fatigue extrême, toute prête pourtant à essayer et moi un peu gêné de ne pas proposer, et pourquoi n'aurions-nous pas fait l'amour ? Et pourquoi l'aurions-nous fait ? Et même, comme je le sens en ce moment, mais c'est peut-être à cause de ma fatigue, il est un peu ridicule, comme le disait déjà Élisabeth du temps de *La Fête*, de se déshabiller, etc., sauf par surprise, coup de charme, ou peut-être serait-ce qu'en ce moment précisément je ne suis prêt à avoir envie que de femmes très jeunes et également chaleureuses, juteuses et non comme Juliette, bien qu'elle ait parmi les plus belles jambes de Paris et ce profil si dur, peuple citadin comme j'aime — enfin nous avons causé et j'espère qu'elle n'en souffre pas d'amour-propre (belle et rodée, sachant qu'elle a le droit de faire n'importe quoi, parce qu'elle est tellement parisienne, parce qu'elle sait tout).

Meillonnas, 31 mars

La bite revient à la vie. Cela aussi bien sûr est un préjugé mais il faut être prêt à affirmer ou affermir sa réputation qui consiste le plus souvent à enfiler sans débander, alors qu'il y a tant de façons plus plaisantes...

Meillonnas, 2 avril

Achevé *A Rebours*. Aucun livre ne m'a davantage marqué.

Meillonnas, 4 avril

Hier prostration, probablement provoquée par la piqûre de velbé. Chute de tension, courbatures, sanglot au bord de l'œil, toutes les caractéristiques jadis jadis du manque.

Commencé de lire des essais de Montherlant, en particulier ceux écrits pendant l'occupation, dans la Pléiade envoyée R.A.B. Van Houten, un journaliste hollandais, garçon qui proclame son attirance pour le crime, moi aussi d'ailleurs. Malgré ma dépression, quel plaisir la lecture de Montherlant, nos fraternelles solitudes, je n'ai même pas envie de le rencontrer, seulement, de temps en temps, de corriger un jugement, donner une explication.

Depuis huit, dix jours un printemps *blanc :* pas de nuages, pas de chaleur, mais le bleu-blanc du ciel comme au comble de l'été.

Roger Vailland est mort le 12 mai 1965, de cette maladie dont il semblait tout à la fois soupçonner et ne pas soupçonner clairement la gravité. Il avait pris la décision, quelques mois plus tôt, de se suicider au terme de ses cinquante-huit ans, le 16 octobre 1965, au cas où son état ne se serait pas amélioré.

Le jour de son enterrement, le cercueil était recouvert d'un drap de la Libre Pensée.

ŒUVRES DE ROGER VAILLAND

Romans

DROLE DE JEU, Prix Interallié 1945 (Corrêa)
LES MAUVAIS COUPS (Sagittaire)
BON PIED BON ŒIL (Corrêa)
UN JEUNE HOMME SEUL (Corrêa)
BEAU MASQUE (Gallimard)
325 000 FRANCS (Corrêa)
LA LOI, Prix Goncourt 1957 (Gallimard)
LA FÊTE (Gallimard)
LA TRUITE (Gallimard)

Essais

QUELQUES RÉFLEXIONS SUR LA SINGULARITÉ D'ÊTRE FRANÇAIS (Jacques Haumont)
ESQUISSES POUR UN PORTRAIT DU VRAI LIBERTIN (Jacques Haumont)
LE SURRÉALISME CONTRE LA RÉVOLUTION (Éditions Sociales)
EXPÉRIENCE DU DRAME (Corrêa)
LACLOS (Éditions du Seuil)
ÉLOGE DU CARDINAL DE BERNIS (Fasquelle)
SUÉTONE (Buchet-Chastel)
LE REGARD FROID (Grasset)

Théâtre

HÉLOISE ET ABÉLARD (Corrêa)
LE COLONEL FOSTER PLAIDERA COUPABLE (Éditeurs Français réunis)
MONSIEUR JEAN (Gallimard)

Voyages

BOROBOUDOUR, VOYAGE A BALI, JAVA ET AUTRES ILES (Corrêa)
CHOSES VUES EN ÉGYPTE (Défense de la paix)
LA RÉUNION (Rencontre)

Récit historique

UN HOMME DU PEUPLE SOUS LA RÉVOLUTION, en collaboration avec Raymond Manevy (Corrêa)

ACHEVÉ D'IMPRIMER
LE 11 DÉCEMBRE 1968
IMPRIMERIE FIRMIN-DIDOT
PARIS - MESNIL - IVRY

Imprimé en France
N° d'édition : 13889
Dépôt légal : 4e trimestre 1968. — 7476